D0189170

Delhi im Jahre 1889. Als Emma Wyncliffe dreiundzwanzig Jahre alt ist, stirbt ihr geliebter Vater bei einer Expedition im Himalaja. Nun trägt ihre Mutter allein die Sorge, ihre Tochter standesgemäß in der englischen Gesellschaft zu verheiraten. Aber Emma ist an einem Mann gar nicht interessiert. Ihr Ziel ist es, die wissenschaftliche Arbeit ihres Vaters zu vollenden und zu veröffentlichen.

Da tritt eines Tages unerwartet ein Fremder in Emmas Leben: Damien Granville. Wilde Gerüchte gehen über ihn um, doch keiner weiß Genaueres über diesen Mann, der angeblich wegen irgendwelcher Geschäfte aus Kaschmir angereist ist und alle Frauenherzen höher schlagen lässt. Er wirbt um Emma, doch sie weist ihn schroff zurück. Aber als ihr Bruder bei einem zwielichtigen Glücksspiel das Haus der Familie an ihn verliert, ist Emma gezwungen, sich an ihn zu wenden. Damien Granville ist nur unter einer Bedingung dazu bereit, die Spielschuld zu erlassen: Emma soll seine Frau werden.

Und so folgt sie einem Fremden, für den sie zunächst nichts als Verachtung empfindet, nach Kaschmir und muss eine furchtbare Entdeckung machen. Doch je tiefer Emma in sein Geheimnis eindringt, umso weiter öffnet sich ihr Herz für diesen Mann, der einen gefährlichen Plan verfolgt.

Rebecca Ryman ist das Pseudonym einer Autorin, die – in Indien geboren – noch heute dort lebt. Ihre ersten beiden Romane ›Wer Liebe verspricht‹ (Bd. 11186) und ›Wer Dornen sät‹ (Bd. 13407) wurden in Deutschland große Erfolge.

Unsere Adresse im Internet: www.fischer-tb.de

Rebecca Ryman

Shalimar

Roman

Aus dem Amerikanischen von
Manfred Ohl und Hans Sartorius

Fischer Taschenbuch Verlag

6. Auflage: Juni 2001

Veröffentlicht im Fischer Taschenbuch Verlag GmbH,
Frankfurt am Main, Juni 2000

Lizenzausgabe mit Genehmigung des
Wolfgang Krüger Verlags, Frankfurt am Main
Die amerikanische Originalausgabe erschien
unter dem Titel ›Shalimar‹
im Verlag St. Martin's Press, Inc., New York
© Rebecca Ryman 1998
Deutschsprachige Ausgabe:
© Wolfgang Krüger Verlag, Frankfurt am Main 1998
Gesamtherstellung: Clausen & Bosse, Leck
Printed in Germany 2000
ISBN 3-596-14789-1

Der Karakorumpass
im westlichen Himalaja
August 1889

Prolog

Es hieß, für den Karakorumpass seien keine Karten erforderlich. Man musste nur den Haufen von gebleichten Knochen folgen, die sowohl beim Aufstieg als auch beim Abstieg den Weg säumten, um ans Ziel zu gelangen.

Abgesehen von erstaunlich bunten Schmetterlingen und einigen wenigen hungrigen Raben, die auf Aas hofften und nur selten leer ausgingen, konnte kein Lebewesen auf dem Pass bestehen. In fünftausendfünfhundertfünfundsiebzig Meter Höhe gab es auf den schwarzen Steinen keine Vegetation mehr, und die gefährlich dünne Luft rief Krankheiten und Halluzinationen hervor. Hagelkörner zerfetzten wie Geschosse das schützende Schaffell, und die unbarmherzigen Schneestürme rissen Menschen und Tieren buchstäblich das Fleisch von den Knochen und ließen das Blut zu Eis erstarren. Die ohnehin gefährlichen Pfade wurden so glatt, als seien sie mit Öl übergossen. Bei solchen Unwettern ließen sich die ausgehungerten Packtiere, die in Todesangst und Panik verzweifelt nach Luft rangen, nicht länger bändigen. Sie stürmten davon, verloren ihre Lasten, rissen sich an den scharfkantigen Felsen das Fell auf und verschwanden im dichten Schneegestöber, bis sie schließlich entkräftet zusammenbrachen und den ungleichen Kampf mit den entfesselten Naturgewalten aufgaben. Sie blieben irgendwo in der verschneiten Einöde liegen und starben.

An der Nordflanke des Berges war zur Erinnerung an Andrew Dalgleish, einen Schotten, der vor zwei Jahren auf dem Pass ermordet worden war, ein Steingrab aufgetürmt. Dieses Grab auf dem Karakorumpass, dem gefürchtetsten der fünf hohen Pässe im westlichen Himalaja auf dem Weg von und nach Ladakh, war für alle, die sich hier hinaufwagten, ein zusätzlicher beklemmender Hinweis auf den Tod.

Die alte Seidenstraße führte zwischen Leh im Süden und Xi'an im Osten durch das chinesische und russische Turkestan und reichte bis zum Mittelmeer. Hin und zurück war das eine Strecke von mehr als zehntausend Meilen. Trotz der vielen Gefahren zogen die Karawanen seit mehr als viertausend Jahren über diesen Weg. Die Seidenstraße war nicht nur ein Handelsweg, sondern auch ein Kommunikationssystem und die bedeutendste Handelsroute der Welt.

An diesem Tag hatte eine Karawane erfolgreich den Pass überquert, ohne Menschen, Tiere oder etwas von der wertvollen Ware zu verlieren. Nach dem langen und mühsamen Marsch lagerten die erleichterten Kaufleute unterhalb der erhabenen schneebedeckten Gipfel.

Sie waren nach der Passüberquerung zehn Meilen an einem ausgetrockneten Flussbett entlanggeritten, um den schaurigen Anblick der Skeletthügel – die traurigen Überreste von weniger glücklicher Reisenden – hinter sich zu lassen, und hatten ihr Lager noch vor Sonnenuntergang auf einer flachen Anhöhe über dem Fluss aufgeschlagen.

Nachdem der Karakorumpass endlich hinter ihnen lag und nur noch drei Pässe zu bewältigen waren, bevor sie Leh erreichten und die fruchtbare Ebene von Depsang vor ihnen auftauchen würde, besserte sich die allgemeine Stimmung. In diesem ungewöhnlich warmen Herbst wehte selbst in fünftausend Meter Höhe noch ein angenehm sanfter Wind. Die niedrigeren Berghänge leuchteten im freundlichen Licht der Abendsonne. Da noch kein Schnee in der Luft lag, waren die Aussichten für die unmittelbare Zukunft erfreulich. Jetzt erwartete sie eine warme Mahlzeit, und sie konnten auf eine ungestörte Nachtruhe hoffen.

Die meisten Männer der Karawane waren Turktataren, Kaufleute aus der Oase Yarkand, die den Handel entlang der Strecke beherrschten. Sobald die Pässe schneefrei waren, brachten sie die Waren von und zu den großen Märkten Zentralasiens und Indiens. Da die Ladung pro Pferd oder Kamel bezahlt wurde, riskierten die Händler in dem unwegsamen Gelände schwere Verluste. Nicht selten verloren sie unterwegs bis zu einem Drittel ihrer Tiere. Die unberechenbaren und skrupellosen Räuberbanden aus Hunza stellten eine zusätzliche und allgegenwärtige Gefahr dar.

Auf der felsigen Anhöhe, wo die Karawane das Lager aufgeschlagen hatte, wuchs außer struppigen Büschen nur wenig Grün. Vereinzelte Polster hübscher lila Blumen mit gelber Mitte und kleinen grünen Blättern milderten die Eintönigkeit ein wenig. Hinter dem Lager verlief ein kleiner Bach. Das eiskalte Wasser rauschte in einer Folge von Miniaturwasserfällen über die Felsblöcke in die Tiefe. Die Strahlen der untergehenden Herbstsonne berührten die leuchtenden Berggipfel, und Wellen von rosa Licht überfluteten die blendend weißen Hänge. Murmeltiere sprangen mit schrillen, durchdringenden Pfiffen aus ihren Bauten und verschwanden ebenso schnell wieder darin. Weiter oben weideten wilde Antilopen und Bergschafe, aber sie waren zu weit entfernt, um für das Abendessen erlegt zu werden. Es gab jedoch viele Tauben, und der Eintopf, der über dem Feuer kochte, war fleischhaltig und deftig.

Am Ende des Tages forderte die Erschöpfung ihren Tribut. Männer und Tiere streckten müde die Glieder. Knechte und Treiber nahmen den Yaks, Pferden und Kamelen die Lasten von den Rücken und ließen sie weiden. Die zweihöckrigen Kamele stellten den größten Anteil der Packtiere bei den Karawanen. Diese Tiere begnügten sich mit kleinen Rationen und konnten täglich bis zu sechzig Pfund über eine Strecke von zwanzig Meilen tragen. Mit ihren elastischen, geteilten Hufen gingen sie erstaunlich geschickt und sicher über das harte Eis der Gletscher. In der Wüste waren sie natürlich unentbehrlich, denn ihr empfindlicher Geruchssinn ließ sie Wasserstellen über große Entfernungen hinweg riechen.

Die Kaufleute hatten die Schafpelzmäntel ausgezogen, die Pelzmützen abgenommen, lagerten um das Feuer und wärmten sich die ausgestreckten Hände. Einige hockten beisammen und machten sich Gedanken darüber, wie frisch die am Ufer deutlich sichtbaren Leopardenspuren wohl seien. Andere lagen schweigend auf dem Rücken und träumten von den Gewinnen, die sie auf den Märkten von Leh mit den Waren erzielen und zu ihren Familien nach Hause bringen mochten. Drei Männer sprachen über die Vor- und Nachteile des Charas aus Yarkand, des Ganja aus Kaschmir, der aus der weiblichen Pflanze gewonnen wurde, und des Charas aus Buchara und Kabul. Hin und wieder beugte sich einer der Männer vor und rührte den Eintopf in dem riesigen Kessel um. In großer Höhe dauerte das Kochen lange, und das Fleisch wurde nie richtig weich. Doch da der Hunger auch der beste Koch ist, dachte niemand daran, sich zu beklagen. Um sich das Warten zu erleichtern, beruhigten die Männer den knurrenden Magen mit genussvollen Zügen aus der gemeinsamen Wasserpfeife, der Huka.

Einer der Kaufleute saß allein in einiger Entfernung von den anderen. Er hatte sein Abendgebet gesprochen und blickte, die Hände um die Knie geschlungen, ausdruckslos zu den eisigen Gipfeln in der Ferne hinauf, auf die sich langsam die Dunkelheit herabsenkte. Während die anderen ungezwungen über ihre Geschäfte und Familien redeten, schien dieser Mann Einsamkeit und stilles Nachdenken vorzuziehen. Für die Händler der Karawane war er ein Fremder. Er war in Shahidullah zu ihnen gestoßen und hatte sich seitdem wortkarg von allen abgesondert. Weder hatte er etwas über sich gesagt, noch hatten ihm seine Mitreisenden Fragen gestellt, denn auf der Seidenstraße konnte jeder seine Geheimnisse für sich behalten und tun und lassen, was er wollte.

Es dauerte nicht lange und die Männer begannen ihr abendliches Mahl. Sie aßen hungrig und viel. Der schweigsame Kaufmann gesellte sich nicht zu ihnen. Aus Rücksicht auf seine selbst gewählte Einsamkeit forderte ihn auch niemand dazu auf.

Er zog aus seiner Teppichtasche eine Schachtel mit Haferkeksen, getrockneten Aprikosen und Feigen und verzehrte die einfache Mahlzeit stumm, ohne, wie es schien, darauf zu achten, was er aß.

Der Abend ging in eine mondlose Nacht über. Nach dem Essen ließen sie die Wasserpfeife wieder kreisen. Die Männer stocherten zwischen ihren Zähnen und unterhielten sich zwanglos miteinander. Doch allmählich breitete sich eine merkwürdige Stille über dem Lager aus. Es war nicht eine Stille allgemeiner Zufriedenheit über den gefüllten Magen, sondern eine Stille unguter Vorahnungen und stummer Ängste. Die Männer sprachen nur noch mit gedämpften Stimmen und lauschten angestrengt auf die Geräusche, die der Wind ihnen zutrug. Unruhig warfen sie besorgte Blicke über die hoch gezogenen Schultern und versuchten, die menschenleere Umgebung der dunklen Felsen mit ihren Augen zu durchdringen. Einer nach dem anderen legte sich schließlich zur Ruhe. Die Männer hüllten sich in ihre Astrachanfelle und dicken Felldecken. Aber ihre Augen standen weit offen, und die Muskeln waren angespannt, denn selbst jetzt blieben sie wachsam, warteten und lauschten.

Irgendwann zeigte sich auf dem verwitterten schwarzen Gestein der Berge das erste Zucken von fernem Licht, und gleichzeitig trug der Wind ihnen einen seltsamen Laut zu. Es war nur ein Echo, aber doch der Beweis für Leben auf den gewundenen Pfaden des Himalaja. Das Echo wurde lauter, und das Geräusch kam näher. Schließlich wurde es zu einem bedrohlichen, erkennbaren Rhythmus. Es war das Klappern von Hufen.

Die Männer bewegten sich nicht mehr. Sie wagten kaum noch zu atmen und lagen wie gelähmt vor Angst auf dem Boden. Mit bebenden Lippen flüsterten sie Verse aus dem Koran und flehten Allah um Schutz an. Zusammengekauert drückten sie sich auf den kalten Stein und beteten darum, unsichtbar zu sein.

Das Geräusch entfernte sich jedoch nicht, sondern wurde lauter. Der zuckende Lichtschein an der Bergflanke leuchtete immer heller und bewegte sich unerbittlich in ihre Richtung. Die Felswand direkt über ihnen erwachte unheilvoll zum Leben wie ein riesiges schlagendes Herz, dessen Pochen zum Rhythmus von über hundert Hufen durch die Nacht hallte.

Dann waren sie da, die gefürchteten Unheil bringenden Boten der Nacht. Ihre Herzen und Gesichter waren so schwarz wie der Fels des Karakorum. Sie tauchten blitzschnell aus der Dunkelheit auf und verteilten sich über das Plateau. Die Köpfe der Reiter waren verhüllt. Die räuberischen Augen funkelten gefährlich durch die Schlitze ihrer Tücher. Das rhythmische Klappern der Hufe und das ohrenbetäubende Echo hallten gespenstisch durch die Schluchten. Die rauchenden Fackeln warfen zuckende Schatten auf die Felsen, als würden sich tanzende Sufi-Derwische in ihren langen Gewändern mit einem geheimen Ritual der Ekstase in Dämonen der Dunkelheit verwandeln.

Die Reiter umkreisten das Lager. Von Entsetzen betäubt, sahen die Kaufleute hilflos zu, wie ihnen jeder Fluchtweg abgeschnitten wurde. Der Anführer der Bande saß schließlich ab und näherte sich der Gruppe am niedergebrannten Feuer. Er zog das Schwert, hielt es hoch über den Kopf und ließ die Klinge im Licht der Fackeln blitzen. »Wer von euch ist Rasul Achmed?«, fragte er.

Die Kaufleute starrten ihn stumm vor Angst an. Die Zungen schienen ihnen im Mund festgewachsen. Der Anführer umfasste sein Schwert fester und wiederholte die Frage noch lauter. »Ich suche Rasul Achmed, der in Shahidullah zu der Karawane gestoßen ist!«

Wieder blieb die Frage unbeantwortet.

Der verhüllte Anführer der Bande kam mit dem blitzenden Schwert drohend noch einen Schritt näher. Und plötzlich fanden sie alle ihre Stimme wieder. Schluchzend und um Erbarmen flehend, fielen sie vor ihm auf den Boden. Sie flehten mit erstickten Schreien um ihr Leben und deuteten außer sich vor Angst und hilflos in Richtung des Fremden, der etwas abseits stand. Aber noch ehe sich der Anführer ihm nähern konnte, trat der Mann auf ihn zu. »Ich bin Rasul Achmed. Ich bin in Shahidullah zu der Karawane gestoßen.« Er sprach Turkmenisch. »Aus welchem Grund suchst du mich?«

Seine Frage wurde mit einer Gegenfrage beantwortet. »Was machst du hier, und woher kommst du?«

»Ich bin Händler. Ich komme aus Khotan und bringe Seidenteppiche und chinesischen Weihrauch nach Leh. Ich werde mit Kaschmirtüchern nach Yarkand zurückkehren.« Dann fragte er noch einmal: »Was willst du von mir?«

Diesmal kam die Antwort ohne Zögern. Der Räuber umfasste das Schwert mit beiden Händen und schlug mit unglaublicher Gewandtheit einen horizontalen Bogen. Man hörte nur ein leises Zischen, das nicht lauter war als ein Seufzen, als die Klinge Rasul Achmeds Hals durchschnitt und seinen Kopf vom Körper trennte. Einen Augenblick lang blieb der Kopf noch, wo er war, dann fiel er mit einem dumpfen Schlag auf den Boden. Der kopflose Torso bewegte sich für den Bruchteil einer Sekunde. Dann neigte er sich mit der unnachahmlichen Anmut eines Tänzers, der sich vor einem unsichtbaren Publikum verbeugt, und sank schließlich langsam ins Gras. Aus der Öffnung, die einmal ein Hals gewesen war, sprudelte das Blut und färbte die Steine rot. Der abgetrennte Kopf mit den blassen Augen – Augen, die zu ewigem Staunen erstarrt waren und leer in die Nacht blickten – rollte über die Erde.

Zitternd vor Angst wagten die Kaufleute weder zu protestieren noch sich zu widersetzen. Mit panischen Entsetzensschreien flohen sie in alle Richtungen und suchten Schutz in der anonymen Schwärze der Felsen.

Die Räuber verfolgten sie nicht. Sie nahmen der Leiche von Rasul Achmed den Schaffellmantel, den Gürtel, die derben Stiefel und den Revolver ab. Sie durchsuchten die Teppichtasche und zerrissen alle Papiere, die sie darin fanden. Dann schnitten sie die Säcke an seinem Pferd auf, das an einem Pflock festgebunden war, und bemächtigten sich der Seidenteppiche und des Weihrauchs. Sie nahmen sich alles, was ihnen gefiel – Kleidungsstücke, persönliche Dinge und alles andere, was sie haben wollten. Danach richteten sie ihre Aufmerksamkeit auf die Waren, die die Karawane mit sich führte.

Geschickt und mit geübten Bewegungen luden sie die Beute auf ihre Pferde und verzurrten sie mit einer Gewandtheit, die von einer langen Routine bei solchen Überfällen zeugte. Dann saßen sie auf und galoppierten in die Richtung, aus der sie gekommen waren, zurück in die Nacht. Kaum eine Stunde später waren sie in den Bergen verschwunden. Abgesehen vom Heulen des aufkommenden Windes und dem unruhigen Gebrüll der Tiere blieb alles still.

Langsam und vorsichtig verließen die Kaufleute ihre Verstecke. Sie schlugen verzweifelt die Hände auf Brust und Stirn und begutachteten traurig die geplünderten Waren und die Leiche ihres Gefährten. In Gedanken berechneten sie ihre Verluste und dankten Allah, dass ihnen wenigstens das Leben geblieben war. Schließlich gingen sie mit philosophischer Gelassenheit daran, das zu retten, was ihnen von den Waren geblieben war. Nicht zum ersten Mal hatte man sie auf der Seidenstraße ausgeraubt, und bestimmt würde es nicht das letzte Mal sein. Wenn es Mohammed, dem barmherzigen Propheten, gefiel, dann würden sie auch weiterhin überleben.

Nachdem sie ihre Aufgaben erledigt und die Lasten auf die Tiere verteilt hatten, richteten sie ihre Aufmerksamkeit auf den geköpften Kaufmann.

Es würde bald hell werden. Die Leiche lag noch immer dort, wo sie zu Boden gefallen war. Das Blut war erkaltet und erstarrt. Als sie sich um das Opfer versammelten, vermieden sie es, sich in die Augen zu sehen. Im nüchternen Licht des neuen Tages schämten sie sich der Bereitwilligkeit, mit der sie ihren Gefährten verraten hatten. Mochten die Räuber aus Hunza auch einen triftigen Grund für ihre grausame Tat gehabt haben, sie ihrerseits hatten bestimmt keinen. Ihnen gegenüber war der Mann höflich und zurückhaltend gewesen. Er hatte sich weder beklagt noch etwas gefordert.

Was konnten sie jetzt noch für ihn tun? Der brutale Mord war geschehen, und die Kaufleute wollten sich so schnell wie möglich wieder auf den Weg machen. Sie hoben schweigend ein Grab aus, sprachen verkürzte Gebete und vollzogen mit niedergeschlagenen Augen die von ihrer Religion vorgeschriebenen Rituale für ein ehrenvolles Begräbnis.

Nach der kurzen Zeremonie berieten sie darüber, was noch zu bedenken sei. Sie waren sich darin einig, dass es ihnen im heiligen Buch des Propheten sicher als eine gute Tat vermerkt werden würde, wenn sie die Angehörigen des unglücklichen Rasul Achmed aufsuchten und ihnen die verbliebene persönliche Habe übergaben. Da sie ihn jedoch erst in Shahidullah kennen gelernt hatten und außer seinem Namen nichts über ihn wussten, besaßen sie auch keine Informationen über seine Verwandten. Er konnte von überallher gekommen sein.

Als eine Art Wiedergutmachung – weniger gegenüber der Seele des Toten als zur Beruhigung des gemeinschaftlichen schlechten Gewissens – sahen sie sich die noch vorhandenen persönlichen Dinge des Toten genauer an. Unter den wenigen Gegenständen – Kleidungsstücken, Toilettensachen und ein paar Büchern – fanden sie keine persönlichen Anhaltspunkte. Auch die Satteltasche war bis auf Rechnungen und Papiere leer. Die Papiere, so stellten sie fest, waren jedoch nicht in arabischen, sondern in lateinischen Buchstaben beschrieben – vermutlich in englischer Sprache, und damit konnten die Kaufleute nur wenig anfangen.

Die Vorstellung, dass Rasul Achmed ein gebildeter Mann von hohem Rang mit Geschäftsbeziehungen zu Firanghis in Indien gewesen war, erfüllte sie mit Unruhe. Was wäre, wenn man ihnen vorwarf, den Mann ausgeraubt und ermordet zu haben? Auf keinen Fall wollten sie eine Untersuchung durch den sehr reizbaren englischen Kommissar in Leh riskieren und beschlossen deshalb, alles einem Mann ihres Vertrauens zu übergeben, zum Beispiel dem Mullah der Koranschule, der Englisch sprach. Als ein Mann Gottes war der Mullah klug, verschwiegen und praktisch. Er würde am besten wissen, was mit der Habe von Rasul Achmed zu machen sei.

Obwohl nur wenig aus dem Besitz des Toten übrig geblieben war, und das wenige hatte kaum einen materiellen Wert, befanden sich darunter zwei Gegenstände, die bei den Kaufleuten noch mehr Verwirrung und Fragen auslösten. Verborgen im Futter der Teppichtasche fanden sie eine buddhistische Gebetsmühle und eine hinduistische Gebetskette mit den traditionellen Rudraksha-Perlen. Das beunruhigte sie sehr. Sie wollten die beiden Dinge nicht einmal berühren und fragten sich aufgebracht, was ein gläubiger muslimischer Kaufmann mit diesen frevelhaften Gegenständen der Ungläubigen anfangen wollte?

Die Aufregung der Kaufleute war verständlich und auch gerechtfertigt. Sie sollten jedoch nicht erfahren, dass Rasul Achmed weder ein Kaufmann noch ein Muslim und auch kein Hindu gewesen war. Er hatte die Sprache und die Sitten der Gegend so gut beherrscht und sich so geschickt zu tarnen gewusst, dass keiner seiner Mitreisenden auf den Gedanken kam, dass er ein Engländer gewesen war.

In Wirklichkeit hieß er Jeremy Butterfield, aber er hatte viele Namen gehabt.

Delhi
Februar 1890

Erstes Kapitel

Was war geschehen? Emma fragte sich das, als sie um die Ecke bog und in das Viertel der Weißen ritt.

Eiskristalle lagen wie zarte Spitzengewebe als Erinnerung an den Winternebel auf den Bäumen, und die Morgenluft hatte noch einen Anflug frostiger Kälte, obwohl es schon auf elf Uhr ging. Vor dem Tor von Khyber Kothi stand eine Gruppe von Menschen. Sie gestikulierten und redeten aufgeregt miteinander. Das war in dieser Wohngegend, dem Viertel der Weißen, wo man größten Wert auf Ruhe legte, mehr als ungewöhnlich. Abgesehen von den unersättlich neugierigen Schwestern Bankshall zogen es alle Anwohner dieser Gegend vor, für sich zu bleiben. Noch ungewöhnlicher waren die lauten Stimmen und die wilden Gesten bei dieser wortreichen Auseinandersetzung.

Emma setzte Anarkali in Trab und ritt an den Leuten vorbei in die Auffahrt. Auf halbem Weg, in Höhe des Rosengartens, beschimpfte der Kehrer den Gärtner. Er hatte den Strohbesen als Zeichen der Kriegserklärung hoch über den Kopf gehoben. Etwas näher am Haus stand die jüngste Frau des Gärtners unter dem Gulmoharbaum und stritt sich mit ihrer Erzfeindin, der ältesten Tochter des Kehrers, und vor dem Portal saß Saadat Ali, der Baburchi, auf der untersten Treppenstufe und hatte in stummer Verzweiflung die Hände vor das Gesicht geschlagen.

Emma betrachtete die einzelnen Szenen mit sinkendem Herzen. Sie hatte im Augenblick weder die Kraft noch die Neigung, sich wieder einmal mit den lästigen häuslichen Auseinandersetzungen der Dienstboten zu beschäftigen. Das hätte nur bedeutet, dass sie ihre kostbaren Arbeitsstunden opfern musste.

Emma hatte an diesem Morgen bereits ein unangenehmes Erlebnis hinter sich. Ihr Bedarf an Unerfreulichem war gedeckt. Erst als sie Saadat Ali ansprechen wollte, um eine Erklärung für den Lärm und das Geschrei zu verlangen, bemerkte sie die Polizisten. Sie standen, zum Teil von der wild wuchernden Bougainvillea verdeckt, neben ihren Dienstpferden, und deshalb hatte Emma sie auch nicht gleich gesehen. Ihr Verdruss verwandelte sich in Angst. War etwas mit Mutter geschehen?

Sie sprang vom Pferd, gab Anarkalis Zügel Mundu, dem Sohn des Kehrers, und lief in das Wohnzimmer im Erdgeschoss, das vorübergehend in ein Schlafzimmer verwandelt worden war. Ihre Mutter saß jedoch wie üblich in ihrem Lieblingssessel am Fenster und trank wie jeden Vormittag eine Tasse Milch. Mahima, die alte Ajah, stand neben dem Himmelbett, schüttelte die Daunendecke auf und klopfte die Kissen. Wie üblich brannte im Kamin nur ein schwaches Feuer, das jeden Moment ausgehen konnte. Die vertrauten Zeichen des häuslichen Alltags ließen Emma erleichtert aufatmen. Aber noch bevor sie ihre Mutter begrüßen konnte, ergriff Margaret Wyncliffe das Wort, und Emma musste erkennen, dass ihre Erleichterung vorschnell gewesen war.

»Wo bist du denn gewesen, Emma?«, fragte ihre Mutter mit zittriger Stimme. »So lange bleibst du doch sonst nicht weg. Ich habe mir solche Sorgen gemacht!«

Emma eilte zu ihr und legte ihr beschwichtigend die Hand auf die Schulter. »Tut mir Leid, Mama, aber auf dem Rückweg bin ich in der Nähe des Qudsia-Parks durch eine sehr unerfreuliche Sache aufgehalten worden. Aber was ist denn hier geschehen? Was wollen die Polizisten da draußen? Ist etwas mit den Dienstboten passiert, oder hat Bernice Bankshall schließlich doch ihre Drohung wahr gemacht und unserem Hahn den Hals umgedreht, weil er sie mit seinem Krähen wieder einmal am frühen Morgen geweckt hat?«

»Nein, nein, nichts dergleichen …«, Margaret Wyncliffe rang röchelnd nach Luft. Es war das leider allzu vertraute Anzeichen dafür, dass ihr wieder einer der schrecklichen Herzanfälle bevorstand.

Emma gab der Ajah schnell ein Zeichen und massierte ihrer Mutter den Rücken, um ihr das Atmen zu erleichtern. »Nur keine Eile, Mama. Was es auch sein mag, es kann warten.«

Sie achtete besorgt darauf, dass ihre Mutter die Tabletten und das Wasser schluckte, das die Ajah gebracht hatte. Sie wollte ihrer Mutter Zeit lassen, bis ihr Atem wieder ruhig ging, und trat vor den Kamin. Dort stieß sie den Schürhaken in die schwelende Glut.

Die dicken Steinmauern des Hauses boten zwar im Sommer Schutz vor der glühenden Hitze, aber im Winter verwandelten sie Khyber Kothi in einen Iglu. Der bescheidene kleine Kamin konnte ein so großes und hohes Zimmer mit großen Fenstern, dünnen Vorhängen und dem kalten Marmorboden, der nur ungenügend mit Teppichen ausgelegt war, kaum heizen.

Während Emma wartete, bis ihre Mutter wieder sprechen konnte, legte sie die restlichen Holzscheite auf die rauchenden Flammen und griff nach dem Blasebalg.

»In der Nacht waren Einbrecher da …«, stieß Margaret Wyncliffe schließlich heiser hervor.

Emmas Hände bewegten sich nicht mehr. »Schon wieder?«

»Offenbar! Die Diebe sind wie das letzte Mal von der Veranda aus durch das Wohnzimmerfenster eingestiegen. Der Kehrer hat den Schaden bemerkt, als er heute Morgen zur Arbeit erschien. Du warst schon weg, und deshalb habe ich David geweckt.«

»Damit ist die Entscheidung endgültig gefallen«, sagte Emma eher verärgert als verängstigt. »Wir werden die Fenster im Erdgeschoß vergittern lassen müssen, auch wenn das ein Vermögen kostet.« Sie sah ihre Mutter fragend an. »Ist etwas gestohlen worden?«

»Ich weiß nicht. Das musst du überprüfen, Emma!« Margaret Wyncliffe seufzte gequält und trank mit zitternder Hand den letzten Schluck Milch. »David hat nicht zugelassen, dass ich mich darum kümmere. Er hat auf der Polizeistation Anzeige erstattet, und Ben Carter war so freundlich, einen gewissen Inspektor Stowe und ein paar Polizisten mit der Untersuchung der Sache zu beauftragen. Mr. Stowe ist mit David im Herrenzimmer. Die beiden warten auf dich und wollen mit dir reden. Der Inspektor hat bereits die Dienstboten verhört ...«

Emma stieß innerlich einen Seufzer aus. Der Inspektor würde bestimmt noch Stunden hier sein, und sie wollte unbedingt die Papiere ordnen, für den Fall, dass sich Dr. Anderson doch erweichen ließ. Emma versuchte noch einmal vergeblich, mit dem Schürhaken das Feuer in Gang zu setzen, und gab Anweisung, Brennholz aus dem Stall zu holen. Dann ging sie zu ihrer Mutter und legte ihr ein zweites Umschlagtuch um die Schultern.

»Du darfst dir auf keinen Fall noch eine Erkältung holen, Mama. Dr. Ogbourne wird sonst bestimmt sehr ungehalten sein. Und mach dir keine Sorgen, ich werde mich um Mr. Stowe kümmern.«

Margaret Wyncliffe legte erschöpft den Kopf zurück und schloss die Augen. »Ich bin so froh, dass du wieder da bist, mein Kind. Niemand wusste so recht, was zu tun ist, während du weg warst, und ich hatte solche Angst, dass der nächste Anfall kommt, während ich allein bin.«

Die persönlichen Streitigkeiten der Dienstboten waren offenbar vergessen. Sie drängten sich am anderen Ende der rückwärtigen Veranda vor dem Wohnzimmer und flüsterten besorgt miteinander. Im Herrenzimmer unterhielt sich David angeregt mit einem kräftigen jungen Mann, der ein rosiges Gesicht hatte und die weiße Uniformhose der Polizei trug. Emma beruhigte die Dienstboten mit ein paar Worten und betrat dann den Raum.

»Ah, Miss Wyncliffe! Wir haben auf Sie gewartet«, sagte der Inspektor, nachdem David sie miteinander bekannt gemacht hatte. »Vielleicht können Sie uns verraten, ob etwas fehlt.«

»Es tut mir Leid, dass ich Ihnen keine größere Hilfe sein konnte«, entschuldigte sich David. »Aber ich habe keine Ahnung, wo was hingehört. Meine Schwester ist mit dem Haushalt besser vertraut als ich.«

Emma betrachtete niedergeschlagen das zerbrochene Fenster. Die

Reparatur würde eine Menge kosten. Sie blickte sich im Zimmer um. Abgesehen von ein paar Kissen, die auf dem Teppich lagen, den Scherben eines Porzellanwandtellers auf dem Boden und einer umgefallenen Petroleumlampe schien alles in Ordnung zu sein. Als sie jedoch auf den Kaminsims blickte, setzte ihr Herz einen Schlag aus. Sie sah ihren Bruder an, der ihrem Blick verlegen auswich. »Ich bedaure, aber ich muss jetzt gehen, Inspektor«, sagte David schnell. »Ich muss um elf in der Kaserne am Roten Fort sein, und ich kann es mir nicht leisten, meinen vorgesetzten Offizier warten zu lassen.« Er warf seiner Schwester noch einen kurzen Blick zu und sagte: »Wir sehen uns dann beim Abendessen!«

Bevor sie etwas erwidern konnte, war David gegangen.

Der Inspektor begutachtete die Gegenstände auf dem Fußboden, drehte sich dann zu Emma um und fragte noch einmal, ob etwas fehle.

»Die Schäferin aus Meißen«, erklärte Emma entschlossen und deutete auf einen Beistelltisch. »Die Porzellanfigur stand dort zwischen der Petroleumlampe und dem Kristallaschenbecher. Sie ist nicht mehr da.«

»Sonst nichts?«

»Auf den ersten Blick … nein! Aber ich werde mir später alles genauer ansehen.« Sie ging zu dem kleinen Sekretär, riss ein paar Löschblätter vom Block und drückte das Löschpapier auf den Tisch, um das ausgelaufene Petroleum aufzusaugen.

»Ihr Diener hat gesagt, dass auf dem Kaminsims in diesem Zimmer normalerweise eine silberne Uhr steht …«

»Ja, aber sie ist beim Uhrmacher. Sie muss geölt und gereinigt werden.«

»Aha! Hm … also wurde außer der Porzellanfigur nichts gestohlen?«

»Offenbar nicht.« Emma lächelte. »Es war kein besonders schönes Stück, Herr Inspektor. Ich denke, niemand von uns wird sich über den Verlust beklagen. Ich jedenfalls nicht.«

Inspektor Stowe war ein penibler junger Mann mit hellblonden Haaren und großen ernsten Augen. Er sagte nichts, ging aber forschend durch das Zimmer. Während er dies und das begutachtete, machte er sich sorgfältig Notizen. Er musterte Emma verstohlen von der Seite und stellte ihr, wie sie fand, völlig überflüssige Fragen.

Howard Stowe war erst vor kurzem nach Delhi versetzt worden und hatte Emma Wyncliffe noch nie getroffen, obwohl er sie natürlich vom Hörensagen kannte – wer in Delhi kannte sie nicht? Seine Schwester Grace, die es sich zur Aufgabe machte, über jeden alles zu wissen, hatte behauptet, Emma Wyncliffe sei eine »Progressive«, und zwar von der schlimmsten Sorte. Sie habe eine spitze Zunge und ein herrisches Wesen. Grace fand es deshalb keineswegs überraschend, dass Emma Wyncliffe noch immer unverheiratet war, und, so erklärte sie, daran werde sich auch bestimmt nichts ändern. Denn welcher vernünftige Mann sei bereit, eine Frau mit so wenig Gefühl für gesellschaftliche Formen zu heiraten? Schließlich müsse er fürchten, durch die Wirkung des Gifts, das sie versprühe, im Austausch für den Ehering sein Leben zu verlieren.

Howard Stowe räusperte sich. »Glauben Sie, die Einbrecher haben möglicherweise etwas mitgenommen, was nicht unbedingt sofort ins Auge fällt, Miss Wyncliffe?« Als sie schwieg, räusperte er sich noch einmal und fragte: »Schmuck? Vielleicht eine versteckte Schatulle mit Geld?«

»Wir besitzen nichts wirklich Wertvolles, Mr. Stowe«, erwiderte Emma etwas ungeduldig und gab den Dienstboten ein Zeichen, die Scherben des Wandtellers wegzuschaffen. »Außerdem ...« Sie hielt inne, da ihr plötzlich etwas einfiel. Schnell verschwand sie im Nebenzimmer, kehrte aber kurz darauf offensichtlich erleichtert zurück. »Die amerikanische Schreibmaschine meines Vaters steht, Gott sei Dank, noch in seinem Arbeitszimmer. Es wäre in der Tat eine Tragödie gewesen, wenn jemand die Schreibmaschine gestohlen hätte.«

»Von Ihrem Bruder habe ich erfahren, dass vor kurzem hier schon einmal eingebrochen wurde ...«

»Ja, aber die Einbrecher haben nichts mitgenommen.«

»Darum geht es nicht, Miss Wyncliffe.« Er deutete vorwurfsvoll auf die zerbrochene Glasscheibe. »Wer heutzutage im Europäerviertel keine vergitterten Fenster hat, der fordert das Schicksal heraus.«

»Wenn die Diebe nicht hier einsteigen, dann an einer anderen Stelle«, erwiderte Emma bedrückt. Der Inspektor schien keine Vorstellung zu haben, was Gitter kosten würden, selbst wenn sie gebrauchte einbauen ließen. »Es gibt wirklich nichts im Haus, was einen Diebstahl lohnen würde.«

»Miss Wyncliffe, was für einen Europäer keinen großen Wert besitzt«, erklärte er mit leichtem Tadel in der Stimme, »kann für einen armen Einheimischen den Lebensunterhalt für einen Monat bedeuten – ein Kristallaschenbecher, eine englische Schere, die Lupe dort auf dem Tisch, ja, sogar die nicht so schöne Porzellanfigur. Für uns sind das alltägliche Dinge. Aber auf dem Schwarzmarkt bringt jeder einzelne Gegenstand zumindest so viele Rupien ein, dass der Dieb wenigstens eine Mahlzeit für die ganze Familie bezahlen kann.«

»Ja, ich stimme Ihnen zu.« Emma nickte. Sie hoffte inständig, dass der Inspektor bald ging. »Doch da die Einbrecher nur die Porzellanfigur mitgenommen haben, ist uns kein großer Schaden entstanden …« Als sie sah, dass Inspektor Stowe zweifelnd die Stirn runzelte, fügte sie mit Nachdruck hinzu: »Ich glaube, davon haben Sie sich selbst überzeugen können.«

Inspektor Stowe strich sich schweigend das Kinn. Als er die Wache verlassen hatte, um sich auf den Weg zu den Wyncliffes zu machen, war gerade ein erstaunlicher Vorfall gemeldet worden. Wenn Emma Wyncliffe tatsächlich die Frau war, die diesen Vorfall vor etwa einer oder zwei Stunden am Qudsia-Park ausgelöst hatte – und er zweifelte im Grunde nicht mehr daran –, dann war die Beurteilung seiner Schwester nicht einfach als Klatsch abzutun.

»Ich glaube, das Zimmer Ihres Bruders liegt neben dem Arbeitszimmer«, sagte er, aber nur, um Zeit zu gewinnen. »Mr. Wyncliffe, das heißt Leutnant Wyncliffe, erklärt, nichts gehört zu haben. Aber das Geräusch von splitterndem Glas …«

»David ist das englische Gegenstück zu Kumbhkaran«, unterbrach ihn Emma sarkastisch. »In Belutschistan konnte ihn einmal selbst ein Erdbeben nicht aufwecken.«

Der Inspektor sah sie fragend an. »Koomb … wer?«

»Eine Hindugottheit, die für ihren besonders tiefen Schlaf bekannt ist.«

»Ach.« Er räusperte sich höflich. »Also gut, um auf die Angelegenheit hier zurückzukommen … Ihre Dienstboten … sind doch *alle* vertrauenswürdig?«

»Wir haben nicht viel Personal, Mr. Stowe«, erwiderte Emma scharf und wies damit die leider üblichen Unterstellungen der Engländer zurück, die Einheimischen seien alle potenzielle Diebe. »Aber *alle* Dienstboten, die wir haben, sind absolut vertrauenswürdig, auch wenn sie sich gelegentlich streiten. Die meisten sind bei uns, seit mein Vater das Haus gebaut hat. Und uns hat in all den vielen Jahren *nie* etwas gefehlt.«

Der Inspektor ging auf Emmas Verteidigung der Dienstboten nicht weiter ein. Er öffnete die Verbindungstür und blickte in das Nebenzimmer.

»Das war das Arbeitszimmer meines Vaters«, sagte Emma. »Es herrscht leider noch eine ziemliche Unordnung. Seit mein Vater …« Sie wollte das Wort »gestorben« aussprechen, aber sie brachte es nicht über die Lippen. »In den letzten Monaten habe ich versucht, seine Bücher und Papiere irgendwie zu ordnen. Mein Vater ist für seine wissenschaftlichen Arbeiten berühmt, aber …«, sie lächelte traurig, »er war nicht gerade für seine Ordnung bekannt.«

»Das sind nur wenige Wissenschaftler.« Inspektor Stowe nickte, schloss die Tür und ließ das offensichtlich schmerzliche Thema auf sich beruhen. »Ich habe von den Dienstboten erfahren, dass Sie im vergangenen Monat Ihren Chowkidar, einen Gujaren, entlassen haben?«

»Ich habe ihn nicht entlassen«, berichtigte Emma den Inspektor. »Er wollte in sein Dorf auf der anderen Seite des Jamuna zurück, weil seine Frau sehr krank ist. Er wird zurückkommen, wenn es ihr besser geht. Ich sehe keinen Grund, ihn zu verdächtigen, nur weil er ein Gujar ist.«

»Nein, natürlich nicht«, sagte Stowe schnell. »Aber, wie Ihnen sicher bekannt ist, haben die Gujaren im Europäerviertel einen schlechten Ruf.« Als Emma schwieg, fügte er hinzu: »Nun ja, ich rate Ihnen sehr, in seiner Abwesenheit einen anderen Wächter einzustellen.«

»Mit unseren Dienstboten sind wir in völliger Sicherheit, Inspektor Stowe«, erklärte Emma gereizt. Sie versuchte inzwischen nicht einmal mehr, ihre Ungeduld zu verbergen. »Ich sehe wirklich keinen Grund zur Besorgnis. Da nur eine alberne Porzellanfigur gestohlen wurde, frage ich mich, warum wir die lästige Angelegenheit nicht einfach vergessen können.«

Howard Stowe war ganz anderer Ansicht, aber er sah ein, es würde zu nichts führen, Miss Wyncliffe zu widersprechen. Er schob das Notizbuch und seinen Schreibstift in die Brusttasche und wollte aufbrechen. »Gut, man kann sagen, Sie haben diesmal Glück gehabt, Miss Wyncliffe. Vielleicht lag es daran, dass die Einbrecher gestört wurden, noch bevor sie das Haus genauer untersuchen konnten. Aber falls Sie feststellen sollten, dass doch noch etwas fehlt, bitte ich Sie, mich unverzüglich darüber zu informieren. Bitte denken Sie daran, dass ich stets zu Ihren Diensten bin.«

»Ja, natürlich. Und vielen Dank.« Emma ging auf ihn zu und reichte ihm entschlossen die Hand. Inspektor Stowe drückte sie, griff nach seinem Tropenhelm und klemmte sich seinen Stock unter den Arm. An der Tür blieb er kurz stehen. Sollte er sie auf den Vorfall im Qudsia-Park ansprechen?

Doch da er sah, wie sehr ihr daran gelegen war, dass er endlich ging, fehlte ihm der Mut. Er musste sich eingestehen, dass Emma Wyncliffe in der Tat einschüchternd wirkte. Gleichzeitig konnte er sich einer gewissen Bewunderung für sie nicht erwehren. Sie war keineswegs eine Schönheit – ganz im Gegenteil, das ungestärkte beigefarbene Seidenkleid und der achtlose Knoten erweckten beinahe den Eindruck von Nachlässigkeit. Trotzdem hatte sie etwas Faszinierendes. Sie war direkt, intelligent und offenbar sehr selbstbewusst. Angesichts eines Einbruchs wäre jede junge Dame in seinem Bekanntenkreis – auch seine Schwester! – entweder in Ohnmacht gefallen oder hätte sich hysterisch auf ihr Zimmer zurückgezogen. Emma Wyncliffe zeigte jedoch keinerlei Anzeichen einer Ohnmacht, und er konnte auch keine Anzeichen von Hysterie erkennen.

Emma entging nicht die Verunsicherung des jungen Mannes, und plötzlich bedauerte sie ihr unhöfliches Verhalten. Schließlich war der Inspektor nicht zu seinem Vergnügen hier. Er war gekommen, um seine Pflicht zu erfüllen, und sie hatte ihm noch nicht einmal eine Tasse Tee angeboten! Deshalb sah sie ihn an und lächelte. »Danke für Ihre Mühe, Mr. Stowe«, sagte sie. »Es war sehr freundlich von Mr. Carter, sich einer so unwichtigen Sache persönlich anzunehmen, obwohl er so viele andere Pflichten hat. Meiner Mutter geht es zurzeit nicht gut, sonst wäre sie bestimmt auch hier, um sich bei Ihnen persönlich zu bedanken.«

Das Lächeln, das sie ihm schenkte, kam nicht nur unerwartet, sondern war ebenso unerwartet strahlend. Plötzlich schien sie sich völlig verändert zu haben. Das Lächeln schien aus den Tiefen ihrer großen blaugrünen Augen zu kommen. Es machte ihr Gesicht weicher und löste die Härte ihres Ausdrucks. Der junge Inspektor konnte nicht umhin, ihre schön geschwungenen Lippen zu bemerken. Vor Überraschung wurde er rot.

»Hm … Sie … Sie versprechen mir, dass Sie die Fenster so bald wie möglich vergittern lassen, Miss Wyncliffe!«, sagte er schnell, um seine Verlegenheit zu überspielen.

»Ja, ich sehe ein, dass wir es machen lassen müssen.«

»Ich werde meine Konstabler anweisen, nachts ein Auge auf das Haus zu haben.«

»Vielen Dank! Meine Mutter wird erleichtert sein, wenn sie das hört. Wie die meisten Kranken ist sie ohne Grund überängstlich.«

Draußen wartete noch immer die eindrucksvolle Eskorte des Inspektors mit seinem Pferd. Der Polizist, der mit dem Inspektor im Haus gewesen war, ging neben dem Pferd in die Hocke und verschränkte die Finger, damit sein Vorgesetzter den Fuß darauf setzen und so leichter aufs Pferd steigen konnte. Unter dem Eindruck des strahlenden Lächelns überlegte Stowe noch einmal und wagte dann die Frage: »Ach, Miss Wyncliffe …«, aber er wurde dabei noch röter. »Es wird Sie freuen zu hören, dass wir den kleinen Vorfall am Qudsia-Park von heute Morgen untersuchen. Ich kann sogar sagen, es stehen ein paar Verhaftungen bevor. Ich würde Ihnen jedoch raten«, er senkte die Stimme, »in nächster Zeit nicht in die Nähe des Dorfes zu gehen. Die Männer sind immer noch sehr empört.«

Emma blinzelte. »Wie um alles in der Welt wissen Sie, dass *ich* etwas mit diesem Vorfall zu tun hatte?«

»Ich wusste es nicht, als ich hierher kam. Jetzt weiß ich es. Keine andere Engländerin hätte es gewagt …«, er räusperte sich und suchte schnell nach anderen, höflicheren Worten, »… den Mut gehabt, Anteilnahme zu zeigen.« Als er ihre Verlegenheit sah, war er sehr mit sich zufrieden und verabschiedete sich mit einem forschen: »Ich wünsche Ihnen einen Guten Tag, Miss Wyncliffe!«

Emma lächelte matt und eilte ins Haus zurück. Als sie das Herrenzimmer betrat, erstarb ihr das Lächeln auf den Lippen. Sie ging zum Kamin und strich behutsam mit den Fingern über die leere Stelle, wo bis zum Vortag die von ihrem Vater so sehr geliebte silberne Uhr gestanden hatte.

Sie spürte, wie der Zorn in ihr aufstieg. Wenn das wieder einer von Davids alten Tricks gewesen sein sollte, würde sie ihm das diesmal nicht so schnell verzeihen.

*

Carrie Purcell hielt ein weißes Baumwollhemd hoch und betrachtete es kritisch. »Zwei Knöpfe fehlen, und ein Saum ist ausgefranst, ansonsten ist es für den Sommer in Ordnung. Ich könnte mir denken, dass sich einer der alten Männer, die zu unserer Suppenküche kommen, darüber freuen würde …« Einfühlsam wie immer sah sie ihre Freundin fragend an. »Es sei denn, du willst es auch deinem Koch geben!«

»Was haben wir bis jetzt für Saadat Ali?«, fragte Margaret Wyncliffe mit gerunzelter Stirn.

»Zwei Schlafanzüge, das karierte Hemd, das Graham immer so gerne getragen hat, und ein Paar Hausschuhe ...« Sie schwieg und blickte auf ihre Notizen. »Der arme alte Majid hat nur den abgetragenen Mantel und *einen* Schlafanzug.«

»Also gut, Majid kann das karierte Hemd haben und die Hälfte der Schals. Er hat doppelt so viele Kinder wie Saadat Ali und ist demnach doppelt so arm. Wir werden die andere Hälfte für Barak aufheben, bis er wieder da ist.«

»Gut, ein kariertes Hemd und vier Schals für Majid und die anderen vier für den Wächter.« Sie legte das Hemd zusammen und packte es in eine halb volle Kiste. Dann griff Carrie Purcell zu einem Stift und machte einen entsprechenden Vermerk. »So, das sind die leichten Sachen. Die Schleifen, Socken, Taschentücher und Krawatten möchte David bestimmt für sich behalten. Da wir schon einmal dabei sind, sollten wir auch die warmen Sachen verteilen, ehe sich die Motten darüber hermachen.«

Margaret Wyncliffe lag unter einer leichten Decke auf der Chaiselongue mitten auf der sonnigen Veranda und lächelte traurig über die munteren Worte ihrer Freundin. Carrie half ihr hingebungsvoll bei einer Aufgabe, die bereits vor Monaten hätte erledigt werden müssen. Aber weder Emma noch sie hatten sich seit der schrecklichen Todesnachricht dazu in der Lage gesehen.

Carrie winkte die Ajah herbei, und zusammen zogen sie eine andere Truhe neben die Chaiselongue. »So, jetzt wollen wir einmal sehen, was hier drin ist.« Mrs. Purcell begutachtete die Wollsachen und plauderte dabei unbeschwert. Sie machte nur hin und wieder eine Pause, um ihrer Freundin eine Frage zu stellen oder um sich etwas zu notieren. Schließlich hielt sie eine dunkelbraune Strickweste hoch – das letzte Stück in der Truhe. »Die Weste ist viel zu gut, um sie einfach zu verschenken. David wird sie vielleicht haben wollen. Ich finde, sie passt ausgezeichnet zu seiner neuen Jacke.«

»Wir müssen Emma fragen. Sie hat die Weste vor Grahams letzter Expedition für ihn gestrickt, und du weißt, wie sehr sie an den Sachen ihres Vaters hängt.«

»Gut, wir werden die Weste im Augenblick mit einem Fragezeichen versehen. Emma kann die Liste durchgehen, wenn sie Zeit dazu hat.«

»Zeit?« Margaret Wyncliffe lachte traurig. »In Anbetracht der zusätzlichen Ausgaben für die Gitter, das eingeschlagene Fenster, von dem undichten Dach ganz zu schweigen, wird das arme Mädchen noch weniger Zeit für sich selbst haben als bisher.«

»Immerhin wurde bei dem Einbruch niemand verletzt, Margaret, und die Einbrecher haben nichts gestohlen«, erinnerte Carrie Purcell ihre Freundin und machte sich noch eine Notiz. »Dafür muss man dankbar sein.«

Sie erhob sich mühsam von dem Hocker und streckte die steifen Glieder. An diesem kalten Wintertag wurde es früh dunkel, und mit den länger werdenden Schatten auf dem Rasen hinter dem Haus kündigte sich der Abend an. Majid, der Hausdiener, erschien mit einem Teetablett auf der Veranda und stellte es auf den niedrigen Tisch. Dann begann er, die Lampen zu entzünden.

»Wo ist Emma?«, fragte Mrs. Purcell und blickte erwartungsvoll auf die frischen Sauerteigfladen und die Butterdose. »Im College?«

»Nein, sie ist bei den Sackvilles.«

»An einem Montag? Sie geht doch immer donnerstags zum Sohn der Sackvilles!«

»Das stimmt, aber Alexander beginnt bald seine Lehre in der Bank von Tom Tiverton, und sein Urdu ist alles andere als gut. Deshalb haben die Sackvilles Emma gebeten, ihm zweimal in der Woche Unterricht zu geben, bis er sich fließend auf Urdu unterhalten kann. Sie müsste bald zurück sein.« Margaret setzte sich schwerfällig auf und begann, den Tee in die Tassen zu gießen.

Carrie Purcell betrachtete nachdenklich das Gebäck. Sie dachte an den alarmierenden Ausschlag des Zeigers an ihrer Waage am frühen Morgen. Sollte sie schwach werden? Nein, das sollte sie ganz bestimmt nicht! Aber bei Gott, sie würde es trotzdem tun! Schnell, bevor das unangenehme Gefühl der nahenden Sünde sie umstimmen konnte, nahm sie sich einen Fladen, bestrich ihn dick mit Butter und biss genussvoll in das weiche Gebäck. Einfach göttlich!

»Bestehst du noch immer darauf, dass der Sohn des Kehrers sie begleitet?«

»Aber ja! Es fragt sich nur, ob das etwas hilft.« Margaret Wyncliffe blickte sorgenvoll auf die langen Schatten. »Ich bestehe auch darauf, dass sie auf dem Rückweg vom Haus des Nawab aus eine Tikka Gharry nimmt.« Sie reichte ihrer Freundin die Teetasse und griff nach der eigenen. »Die Wintertage sind so kurz, und sie hat einen sehr langen Weg. Natürlich trägt Emma immer den Revolver ihres Vaters in der Handtasche. Gott sei Dank hat sie ihn noch nie gebraucht.«

»Emma kann sehr gut auf sich selbst aufpassen. Schließlich hat sie viel Zeit in den rauen und primitiven Lagern ihres Vaters verbracht«, erklärte Mrs. Purcell kopfschüttelnd. »Ich finde, du solltest aufhören, dir Sorgen um sie zu machen.«

Keine Sorgen machen? Bei Gott, das war unmöglich! Wie konnte eine Mutter, die eine so eigensinnige, unverheiratete Tochter hatte, sich keine Sorgen machen?

»Lager?« Emma hatte noch einen Teil von Carrie Purcells Worten gehört, als sie die Veranda betrat. »Was ist mit Vaters Lagern?« Sie zog sich einen Stuhl an den Tisch, setzte sich zu den beiden und nahm sich einen Fladen. Ihr frisch gewaschenes Gesicht wirkte noch sonnengebräunter als üblich. Emma hatte die Haare glatt zurückgebürstet und wie immer zu einem unattraktiven Knoten aufgesteckt.

Ihre Mutter freute sich, sie zu sehen. »Carrie hat mich gerade an die Freiheiten erinnert, die dir dein Vater in seinen Lagern erlaubt hat«, antwortete sie, erleichtert darüber, dass ihre Tochter wieder wohlbehalten zu Hause war. »Ich kann mir immer noch nicht vorstellen, wie du die schrecklichen Wochen in diesen barbarischen Lagern überstanden hast, mein Kind.«

»Ich habe sie sehr gut überstanden, Mama! David hat sich jedes Mal beklagt, aber das lag daran, dass du ihn so verwöhnt hast.«

»Ich habe ihn nie verwöhnt. Niemals!«

»Natürlich, Mama. Du verwöhnst ihn immer noch. Aber ich erwarte nicht, dass du es zugibst.« Emma beugte sich vor und strich liebevoll über zwei der Wollsachen, die auf der Decke lagen. »Ich bin so froh, dass das alles endlich erledigt ist. Wir haben es wochenlang hinausgeschoben, und Papa hatte schon immer etwas gegen Unentschlossenheit.« Sie schüttelte sich. »Was macht Jenny heute?«

Carrie Purcell verzog den Mund. »Wie immer in letzter Zeit verbringt sie den Tag mit dem wichtigsten Mann in ihrem Leben.«

»Mit John Bryson?«

»Nein, sie ist bei ihrem Schneider. Die beiden streiten sich wieder einmal, weil er, wie sie behauptet, die feine Goldstickerei auf dem Oberteil ihres Hochzeitskleides ruiniert hat. Außerdem hat der arme Mann allem Anschein nach das Abendkleid, das sie zu der Einladung bei Georgina Price tragen will, mit den falschen Pailletten besetzt, ganz zu schweigen natürlich von der einen überflüssigen Rüsche an ihrer Bluse, die sie für die Hochzeitsreise nähen lässt. Ich weiß nicht, was stimmt und was nicht stimmt, und offen gesagt, es ist mir inzwischen auch egal. Ich weiß nur, wenn Jenny mit ihrer Aussteuer fertig ist, dann landet eine von uns im Irrenhaus – vermutlich ich!« Sie lächelte freundlich und sagte dann: »Emma, ich hoffe, du hast dich inzwischen entschlossen, mit uns zu den Prices zu kommen.«

Emma runzelte die Stirn und schüttelte den Kopf. »Ich muss am Samstag um halb sechs Nachhilfeunterricht geben. Außerdem …«, sie verzog das Gesicht. »Nach dem, was das letzte Mal geschehen ist, wird mich Mrs. Price bestimmt nicht als Gast in ihrem Haus empfangen wollen.«

»Ach Unsinn! Georgina kann sich kaum daran erinnern, was beim Frühstück geschehen ist, geschweige denn an etwas, das zwei Monate zurückliegt! Außerdem hattest du Recht«, sie lachte leise. »Es stimmt! Warum geben wir Engländer uns nicht die geringste Mühe, die Landessprache zu lernen? Ich war in allem, was du zu dieser unausstehlichen Frau gesagt hast, völlig deiner Meinung.«

»Die meisten anderen aber nicht«, erklärte Mrs. Wyncliffe heiser. »Emma hat die arme Frau – wie hieß sie noch? Duckworth! – wirklich sehr beleidigt.«

»Und die *arme* Emma? Warum hätte sie das einfach schlucken sollen, was der alte Drachen behauptet hat?«

»So oder so, es ist nicht weiter wichtig«, mischte sich Emma ein. »Schließlich habe ich mich entschlossen, nicht hinzugehen.«

»Aber du musst!«, erklärte ihre Mutter, die ganz blass wurde. »Alec war schon zweimal hier und hat angeboten, dich zu begleiten. Carrie, ihr werdet doch alle zusammen fahren, nehme ich an. David hat bereits zugesagt.« Sie legte schwer atmend die Hand aufs Herz. »Kannst du die Nachhilfestunde nicht auf Dienstag verlegen, Liebes?«

Emma blies eine Haarsträhne aus ihrer Stirn und schob sie hinter das Ohr. »Ich habe bei den Grangers gerade erst angefangen, Mama«, erwiderte sie geduldig, »und schon strafende Blicke bekommen, nur weil ich einmal zu spät gekommen bin.« Sie sah jedoch, dass ihre Mutter hartnäckig blieb und wie üblich schweigend litt, und da sie keinen Streit wollte, gab sie seufzend nach. »Also gut, wenn du willst, werde ich gehen. Ich werde es natürlich furchtbar finden, aber irgendwie werde ich es schon ertragen – auch Alec Waterford.«

»Der Abend wird vielleicht nicht so furchtbar werden, wie du glaubst«, erklärte Mrs. Purcell. »Georgina sagt, Geoffrey Charlton wird unter den Gästen sein.«

»Geoffrey Charlton?« Emmas Augen verrieten plötzlich Interesse. »Ich wusste nicht, dass die Prices ihn kennen.«

»Reggie kennt ihn. Sie haben sich offenbar in London bei der Geographischen Gesellschaft kennen gelernt. Wenn ich an die Jagd auf den unverheirateten Mr. Charlton denke, dann verwandelt sich vermutlich schon eine zufällige Begegnung mit ihm in nützliche gesellschaftliche Münze. Jenny sagt, John wird euch beide zu Mr. Charltons Lichtbildervortrag im Rathaus begleiten.«

»Ja.« Emma trank den Tee aus und stand auf. »Ich muss wieder an die Arbeit. Ich möchte am Ende der Woche mit dem Aufräumen des Arbeitszimmers fertig sein.« Sie verschwand fröhlich winkend im Haus.

In dem entstandenen Schweigen drückte sich Margaret Wyncliffe ein Taschentuch auf die Stirn. Sie öffnete den Mund, um etwas zu sagen, aber Carrie Purcell kam ihr zuvor. »Fang bloß nicht wieder mit dem Unsinn an, liebe Margaret!« Mit einem beschwörenden Blick auf ihre

Freundin sagte sie: »Wenn du nicht vernünftig bist, dann werde ich sehr, sehr böse.«

»Es ist kein Unsinn!«, schluchzte Margaret Wyncliffe in ihr Taschentuch. »Wenn es mir besser ginge, müsste Emma nicht diese demütigenden Nachhilfestunden geben. Dann müsste mein lieber David auch nicht Delhi verlassen, wenn ...«

»Emma tut nur, was jedes vernünftige und praktische Mädchen an ihrer Stelle tun würde. Mach es ihr nicht noch dadurch schwerer, dass du sie – oder dich – bemitleidest. Und David? Eine Stelle außerhalb von Delhi wird deinem Liebling sehr gut tun. Er kann von großem Glück reden – von mehr Glück, als er verdient, würde ich sagen –, dass er diese Stelle mit Hilfe der Fürsprache von Oberst Adams bekommen hat.«

»Ach, ich weiß, ich wollte doch nur sagen ...«

»Ich weiß, was du sagen wolltest, liebe Margaret.« Carrie Purcells Stimme klang schon etwas sanfter. »Ein wenig Selbstmitleid tut hin und wieder gut. Aber wir wollen es nicht übertreiben!« Sie drückte mitfühlend die Hand ihrer Freundin. »Wenigstens droht dir keine Kündigung durch einen habgierigen Vermieter wie den armen Handleys. Du hast ein Dach über dem Kopf ...« Sie räusperte sich und fügte etwas leiser hinzu: »Auch wenn es nicht ganz dicht ist.«

Mrs. Wyncliffe betupfte sich die tränenfeuchten Augen. »Du hast Recht wie immer, liebe Carrie. Ich sollte nicht jammern und klagen, aber manchmal bin ich einfach so ... traurig, vor allem wegen Emma. Das arme Kind beklagt sich nie.« Sie hielt inne und schnäuzte sich die Nase. »Da wir gerade von den Löchern im Dach sprechen, wir müssen unser Dach neu teeren lassen, bevor David Delhi verlässt. Emma wird keine Zeit dazu haben, und ich bin bestimmt keine Hilfe.«

»Ist schon etwas entschieden?«

»Mit der Stelle? Nein. David hat seine eigenen Vorstellungen. Ich hoffe nur, sie schicken ihn nicht zu weit von Delhi weg.«

»Die militärische Disziplin wird ihm gut tun, Margaret. Da kommt er auf keine dummen Gedanken. Ich habe dir erzählt, was Oberst Adams neulich abends im Club zu Archie gesagt hat. David ist geradezu ein Sprachgenie, und bei der Ausbildung in den Bergen hat er beim Klettern jedes Mal alle anderen in den Schatten gestellt. Außerdem hat er bei allen Sondereinsätzen bewiesen, wie gut er sich mit den Einheimischen verständigen kann. Oberst Adams hat erzählt, die Leute haben ihn nicht nur respektiert, sondern als Freund behandelt.«

»Das hat er natürlich von seinem Vater. Graham konnte klettern wie eine Bergziege, und er sprach den Dialekt wie die Einheimischen.«

»Was ich dich noch fragen wollte, Margaret …«, Carrie Purcell entging nicht, dass die Unterlippe ihrer Freundin wieder zu zittern begann, und so wechselte sie schnell das Thema. »Wen hat Ben Carter heute Morgen von der Polizeiwache geschickt? Doch hoffentlich nicht diesen kleinen watschelnden Inspektor, der nicht mehr aufhört zu reden, wenn er erst einmal angefangen hat.«

»Nein, jemanden, der Stowe heißt. Wie David sagt, ist er gerade erst nach Delhi versetzt worden.«

»Howard Stowe?« Mrs. Purcells Augen glänzten. »Weißt du, das ist ein sehr qualifizierter junger Mann.«

»Ach ja?«

»Er ist siebenundzwanzig, hat in Winchester und Oxford studiert und seine Staatsexamen mit Auszeichnung bestanden. Er kommt aus Warwickshire. In der Familie gibt es schon immer Beamte der indischen Verwaltung. Der junge Howard Stowe hat während des letzten Jahres in Simla Dienst im Sommerpalast des Vizekönigs getan. Eunice Bankshall sagt, er gehörte zum persönlichen Stab von Lord Lansdowne! Und die Mädchen dort haben ihn umschwärmt! Das hat seine Schwester Grace meiner Jenny erzählt. Er ist manchmal ein bisschen langweilig, aber nun ja, niemand ist vollkommen, und ich frage dich: Wer kann es sich bei der Auswahl auf dem Heiratsmarkt in Delhi schon leisten, wählerisch zu sein?«

»Aber deine Jenny hat sich doch bestimmt nicht für Howard Stowe interessiert?«

»Ach du liebe Zeit, nein!« Carrie Purcell griff nach ein paar langen

Unterhosen und hielt sie hoch. »Ich denke dabei an deine Emma.«

»Emma?« Mrs. Wyncliffe setzte sich mit einem Ruck auf. »Ich wusste nicht, dass Emma ihn schon einmal gesehen hat.«

»Nun ja, so weit ich weiß, hat sie ihn erst heute Morgen kennen gelernt. Ich erwähne ihn auch nur als eine Möglichkeit.«

»Oh, eine Möglichkeit.« Enttäuscht sank Margaret Wyncliffe auf die Kissen zurück. »Ich kenne meine schwierige Tochter und habe schon lange aufgehört, die Möglichkeiten zu zählen.«

»Aber Margaret! Wie viele englische Mädchen kennst du, die Englisch und Urdu lesen, schreiben und sprechen können?« Mrs. Purcell griff nach dem nächsten Fladen und bestrich ihn noch etwas dicker mit Butter. »Deine Tochter ist gebildeter als die meisten hier. Außerdem hat sie Verstand und kann damit etwas anfangen. Was ist so schlecht daran?«

»Bildung und Intelligenz sind ja ganz gut, Carrie, aber sie helfen einem Mädchen nicht, den Mann fürs Leben zu finden. Wenn ein Mädchen nicht gut aussieht, dann muss sie Geld haben und ein gewisses ... nun ja, weibliches Wesen. Darauf kommt es an. Machen wir uns doch nichts vor, die jungen Männer suchen etwas anderes als meine Emma.«

»Ich finde, du solltest dir eher darüber Gedanken machen, wo Emma den Mann findet, der für sie interessant genug ist, um sich mit ihm anzufreunden. Ich könnte mir denken, jemand, der nur nett ist, wird Emma zu Tode langweilen.«

»Was ist eigentlich an Alec Waterford auszusetzen?«

»Nichts, meine Liebe – wenn du bereit bist, einen Schwiegersohn zu bekommen, der so fade ist wie die Essensreste der letzten Woche und völlig unter der Fuchtel seiner Mutter steht. Ich kann mir deine Emma und Daphne Waterford einfach nicht unter einem Dach vorstellen und Emma als die Frau eines Pfarrers auch nicht. Aber wie Jane Granger vor kurzem erst so richtig gesagt hat, verglichen mit den heiratsfähigen Männern in Kalkutta ist bei uns in Delhi das Feld sehr schlecht bestellt. Und«, sie stieß den Zeigefinger in die Luft, »das gilt auch für den John Bryson meiner Jenny. Natürlich liebe ich John wie einen Sohn und würde lieber sterben, als dass Jenny erfährt, wie *ich* über ihn denke, aber er ist nun einmal schrecklich … was ist noch das richtige Wort? … phlegmatisch. Ja, das ist er! Phlegmatisch und ohne einen Funken Esprit.«

»Esprit ist ja ganz schön und gut, Carrie!« Margaret Wyncliffe seufzte bekümmert. »Aber darauf kommt es auf dem Heiratsmarkt heutzutage nicht an. Im Gegenteil! Und du weißt, dass die Leute bereits anfangen zu reden …«

Trotz ihres unerschütterlichen Glaubens an die Tochter ihrer Freundin konnte Carrie Purcell das nicht abstreiten. Man redete in Delhi über Emma Wyncliffe, und leider nicht immer sehr freundlich. Deshalb schwieg sie diskret und blickte mit hoch gezogenen Brauen auf das Tablett. Dann tröstete sie sich mit einem letzten Fladen und stellte etwas überrascht fest, dass nur noch erstaunlich wenig Butter übrig geblieben war.

*

»Der Daryaganj weigert sich, den Preis auch nur um eine Rupie zu senken«, berichtete Emma, als sie auf das Abendessen warteten. »Er sagt, die Preise für Baumaterial sind nun einmal, wie sie sind, und wenn er das Dach für weniger repariert, verdient er kaum noch etwas.«

»Und der Mann vom Sudder Basar?«, fragte ihre Mutter. »Ich meine den, den uns Norah Tiverton empfohlen hat.«

»Denk an die vielen Bauvorhaben, Mama! Die Handwerker sitzen alle auf dem hohen Ross, und im Chandni-Chowk-Viertel scheint im Augenblick jeder sein Haus zu vergrößern. Trotzdem, David hat versprochen, auf dem Heimweg mit dem Mann vom Sudder Basar zu sprechen.«

Die Wanduhr schlug einmal, und Margaret Wyncliffe hob den Kopf. »Hat David gesagt, dass er sich heute verspäten wird? Normalerweise ist er um sieben hier.«

»Es ist erst halb acht, Mama. Vielleicht hat ihn Oberst Adams aufgehalten, oder er bleibt noch etwas länger bei seinen Freunden in der

Kaserne. Vergiss nicht, er ist dreiundzwanzig – alt genug, um sein eigenes Leben zu führen.«

»Ja, ich weiß, ich weiß …, aber ich kann einfach nicht anders, als mir Gedanken zu machen. Meinst du, er ist wieder … nun ja, du weißt schon, wo.«

»Natürlich nicht! Er hat dir sein Ehrenwort gegeben!« Emma dachte an die fehlende Silberuhr und hatte ungewöhnlich heftig geantwortet, aber damit wollte sie mehr sich selbst als ihre Mutter überzeugen.

David erschien erst eineinhalb Stunden später. Er kam fröhlich ins Esszimmer, als seine Mutter und seine Schwester gerade mit dem Essen anfingen. »Ihr habt also nicht die Rückkehr des verlorenen Sohns abgewartet, um das fette Kalb zu schlachten?«, fragte er mit gespieltem Ärger. »Da habe ich einen guten Grund, diese bescheidenen Geschenke für mich zu behalten.« Er hielt zwei hübsch eingepackte Päckchen in die Luft und ließ sie schnell hinter seinem Rücken verschwinden.

»Tut mir Leid, David, es geht schon auf zehn«, erwiderte seine Mutter vorwurfsvoll, aber trotzdem sichtlich erleichtert.

»Aha, das nagende schlechte Gewissen.«

»Der nagende Hunger«, erwiderte Emma bissig. »Bescheidene Geschenke oder nicht, in der Bibel steht nichts davon, dass der verlorene Sohn unpünktlich ist.«

»Wie wahr!« Er stimmte ihr fröhlich zu. »Allzu wahr! Meinem ungewöhnlich verzeihenden Wesen entsprechend, will ich die Unhöflichkeit übersehen, vorausgesetzt, dass es bei diesem einmaligen Vorfall bleibt.« Theatralisch holte er die Hände hinter dem Rücken hervor und legte die zwei Päckchen auf den Tisch. Dann setzte er sich mit gekreuzten Armen an seinen Platz und sah Mutter und Schwester erwartungsvoll an. Zweifellos war David bester Laune.

»Du meine Güte!« Mrs. Wyncliffe freute sich. »Wie nett, einmal Geschenke zu bekommen, obwohl nicht gerade Weihnachten ist oder man Geburtstag hat. Gibt es einen besonderen Anlass?«

»Das könnte man wohl sagen.« David machte eine Pause. Er genoss die wachsende Spannung und füllte sich den Teller mit dem Lammgulasch, das Majid ihm reichte. »Schließlich«, fuhr er lässig fort,

»muss man seine erste Stellung doch irgendwie feiern. Findet ihr nicht auch?«

»Du hast deinen Reisebefehl!«, rief Emma.

»Aber ja.«

»Wohin musst du?«

»Nach Leh.«

»O David, genau das hast du dir doch gewünscht!«

»Gewiss doch! Ich habe es schwarz auf weiß: Ich soll mich bei Maurice Crankshaw, dem dortigen Kommissar, zum Dienst melden.« Er lehnte sich strahlend zurück. »Wie findet ihr das?«

»Leh?«, rief Mrs. Wyncliffe klagend. »Aber das ist ja in China!«

David lachte. »Aber Mama, wann wirst du endlich deine geographischen Kenntnisse verbessern? Leh liegt in Ladakh, nicht in China. Ich werde als Kurier und Dolmetscher arbeiten, und ich bekomme – hört euch das an! – einen halben Bungalow und einen halben Diener ganz allein für mich.« Er lachte wieder, diesmal aus vollem Hals. »Die beiden anderen Hälften gehören der Dienststelle.«

»Bei einem ersten Posten?«, fragte Emma. »Ist das nicht ungewöhnlich?«

»Nicht ungewöhnlicher als die Talente deines Bruders.«

»Oder seine Bescheidenheit.«

»Aber das ist so … so weit weg von Delhi!«, rief Mrs. Wyncliffe mit tränenerstickter Stimme. »Mein armer Junge, wann werden wir dich wiedersehen?«

»Aber, aber Mama, bitte keine Tränen! Das hast du mir doch versprochen.« Er sprang auf und legte ihr liebevoll den Arm um die Schulter. »Wenn alles gut geht, können wir uns vielleicht im nächsten Sommer in Leh wiedersehen. Ist das nicht etwas, um sich zu freuen?«

»Wann reist du ab?«, wollte Emma wissen.

»Ich bekomme ein paar Wochen lang im Amt für Bodenforschung in Dehra Dun eine Einweisung. Danach geben sie mir hoffentlich ein oder zwei Wochen Urlaub, bevor ich nach Leh reise.« Er deutete auf die Geschenke. »Wollt ihr sie nicht aufmachen, um zu sehen, was der großzügige verlorene Sohn euch mitgebracht hat?«

Margaret Wyncliffe wischte sich die Tränen ab und versuchte, tapfer zu lächeln. Sie öffnete das Päckchen und legte überrascht die Hand an die Brust. In einer eleganten Lederschatulle, die mit weinrotem Samt ausgekleidet war, lagen zwei silberne Haarbürsten mit einem passenden Spiegel und einem Kamm. »Du meine Güte, David, sie sind ... sie sind wunderschön. Sie müssen ein Vermögen gekostet haben!«

»Stimmt, aber sie sind das Geld wert«, erklärte er.

Emma betrachtete ihr Geschenk stumm – einen chinesischen Morgenmantel aus scharlachroter Seide mit leuchtend bunten Stickereien am Saum und auf der Vorderseite. Sie unterdrückte ihre Überraschung – und ihr Unbehagen und achtete darauf, dass ihr Lächeln nicht erstarb. »Er ist sehr schön, David. Danke. Weißt du, ich brauche einen Morgenmantel. Mein alter fällt wirklich schon auseinander.«

Margaret Wyncliffe begutachtete stolz immer wieder ihr Geschenk. Schließlich schob sie die Schatulle beiseite. »David, wir haben vorhin überlegt, ob du daran gedacht hast, mit dem Mann vom Sudder Basar über unser Dach zu sprechen?«

»Verflixt!« David griff sich an die Stirn. »Ich wusste doch, ich sollte etwas tun, aber ich hatte vergessen, was. Morgen mach ich es ganz bestimmt, Ehrenwort.« Er füllte seinen Teller noch einmal und nahm sich eine große Portion von der scharf gewürzten Zitronensauce.

»Wir können die Reparatur nicht länger aufschieben«, erklärte Mrs. Wyncliffe.

»Und wir brauchen unbedingt die Fenstergitter«, fügte Emma hinzu.

»Das Dach muss vor dem nächsten Regen geteert werden. Der letzte Regen hat das Klavier und die Teppiche oben beinahe völlig ruiniert. Vielleicht sollten wir das Klavier verkaufen. Es spielt ohnehin niemand mehr.«

»Nein, das können wir doch nicht tun!«, rief Emma. »Papa hat das Klavier von seinem ersten Gehalt beim Amt für Altertumsforschung gekauft.«

»Die Reparaturen hätten schon im vorletzten Jahr gemacht werden müssen, aber dein Vater schien nie die Zeit oder das Geld dafür zu haben …« Margaret Wyncliffe lächelte verlegen und sagte dann: »Ach, da fällt mir ein, Emma … hast du über das Angebot des Nawab nachgedacht?«

»Ja«, erwiderte Emma. »Ich werde es ablehnen. Die Aufzeichnungen sind noch nicht einmal ediert. Und ich finde immer noch, wenn das geschehen ist, sollten sie der Königlichen Geographischen Gesellschaft übergeben werden.«

»Mein liebes Kind, glaubst du wirklich, das ist die richtige Entscheidung?«

»Natürlich, Mama. Ich weiß, der Nawab möchte uns nur eine Gefälligkeit erweisen. Außerdem bezweifle ich, dass die Kenner der Literarischen Gesellschaft hier in Delhi das geringste Interesse an alten buddhistischen Geheimlehren aus den abgelegenen Klöstern des Himalaja haben.«

»Aber die Gesellschaft steht in hohem Ansehen bei den Intellektuellen«, widersprach ihre Mutter. »Und der Nawab gilt ebenfalls als ein ernst zu nehmender Wissenschaftler.«

»Die Aufzeichnungen, die Dr. Bingham uns übergeben hat, sind immer noch ungeordnet«, erklärte Emma unnachsichtig. »Sie sind nicht so weit, dass sie veröffentlicht werden können, und daran wird sich in nächster Zeit auch nichts ändern.«

»Was hat Theo Anderson dazu gesagt?«

»Natürlich bedauert er zutiefst, was Vater widerfahren ist, aber er zögert, sich auf irgendetwas einzulassen. Er plant wieder eine Expedition nach Tibet und hat schrecklich viel zu tun. Er sagt, er kann es sich zeitlich nicht leisten, noch eine zusätzliche Studentin anzunehmen.«

»Vielleicht ist das ganz gut so«, sagte David, dem die Enttäuschung seiner Schwester nicht entging. »Er ist ein alter Trottel und meistens mit seinen Gedanken woanders. Wenn er erst auf seiner Expedition ist, werden die Unterlagen irgendwo in seinem Arbeitszimmer liegen und verstauben.«

»Ohne wissenschaftliche Hilfe werde ich niemals in der Lage sein, ein Manuskript abzuliefern, das den Maßstäben der Königlichen Geographischen Gesellschaft entspricht.«

»Wäre es dann nicht besser«, sagte Mrs. Wyncliffe, »die Unterlagen ...«

»Nein, Mama, es wäre nicht besser!« Emma unterbrach sie und legte den Löffel auf den Tisch. »Papas Arbeiten können nicht einfach zu Geld gemacht werden! Er hat sich sein Leben lang unglaublichen Gefahren ausgesetzt, und er ist dafür *gestorben* ...« Sie schwieg und biss sich auf die Lippen. Es dauerte einen Augenblick, bis sie sich wieder gefasst hatte. »Wir dürfen nicht zulassen, dass alles, was Papa erreicht hat, finanziellen Überlegungen geopfert wird.«

»Ich stimme Emma zu«, erklärte David und wischte den Rest der Sauce mit einem Stück Brot auf. »Die Königliche Geographische Gesellschaft hat zwei Expeditionen von Papa finanziert. Sie haben ihm die Goldmedaille für seine Entdeckung der verborgenen Klöster im Tian-Shan-Gebirge verliehen. Ich glaube, sie haben als Erste das Recht auf das Manuskript. Außerdem weiß Emma am besten, welche Vorstellungen Papa bei seiner Arbeit hatte. Es ist ihr Projekt, und sie sollte die Möglichkeit haben, die Aufgabe auf ihre Weise anzugehen.«

Margaret Wyncliffe beugte sich der Entscheidung ihrer Kinder mit einem ergebenen Nicken. »Also gut, dann werden wir eben das silberne Teeservice noch einmal verpfänden, um die Reparaturen zu bezahlen.«

»Nichts muss verpfändet werden!« David lehnte sich zurück und schob die Daumen in die Armöffnungen seiner Weste. »Zufällig habe ich das Geld, um alle notwendigen Reparaturen zu bezahlen!«

Einen Augenblick lang herrschte überraschtes Schweigen. »Komm mir bitte nicht mit noch einem Kredit, David«, erklärte seine Mutter. »Es ist schon schwer genug, unsere aufgelaufenen Schulden zurückzuzahlen.«

»Ich habe keinen neuen Kredit aufgenommen, Mama. Ich habe sogar alle unsere Schulden beglichen.«

Mrs. Wyncliffe bekam große Augen. »Woher kommt das viele Geld, David?«, fragte sie nervös.

»Eine Glückssträhne.« Er betupfte sich die Mundwinkel mit der Serviette und schob den Teller von sich. »Wir haben in der Kaserne eine Lotterie organisiert, um damit den Abschluss der Ausbildung und den Anfang unserer Dienstzeit zu feiern. Das Glück war auf meiner Seite, ich habe den Hauptgewinn gezogen.«

Die Miene seiner Mutter hellte sich auf. »Oh! Dann ist ja alles gut. Der Gewinn hätte zu keinem besseren Zeitpunkt kommen können. Findest du nicht auch, Emma? Es ist eine solche Erleichterung, die schäbigen Geldverleiher los zu sein.«

Nach dem Abendessen zeigte David seiner Mutter im Atlas, wo Leh lag. »Es ist eigentlich keine Stadt, sondern eher ein Dorf am Fuß des Gebirges. Aber die Luft dort ist sauber, und im Sommer ist es so kühl wie in Simla. Der alte Cranks ist ein Griesgram, wie Nigel Worth sagt, ein richtiger Sklaventreiber, aber er ist ein sehr guter politischer Offizier und spricht die Sprache der Einheimischen. Nigel war ein Jahr lang in Leh, und er muss es wissen.«

»Aber traust du dir zu, alles zu übersetzen, was sie von dir erwarten, David?«, fragte seine Mutter besorgt.

»Natürlich! Glaubst du, sonst hätte mir Adams die Stelle gegeben? Oder glaubst du, der alte Cranks wäre mit mir einverstanden, wenn es irgendwelche Zweifel an meiner Qualifikation geben würde? Die Probleme an der Grenze reißen nie ab, und sie brauchen dort Leute, denen sie vertrauen können.« Er reckte sich und gähnte. »Wenn mir das Glück hold ist, dann werde ich vielleicht den Zweijahreskurs in Dehra Dun absolvieren und mich als richtiger Kartograph ausbilden lassen.«

Trotz aller gegenteiligen Beteuerungen und Erklärungen litt Mrs. Wyncliffe sehr bei dem Gedanken an die bevorstehende Abreise ihres Sohns, und deshalb entging ihr das auffällige Schweigen ihrer Tochter. Und wenn David es bemerkte, dann äußerte er sich nicht dazu.

Emma wusste, sie würde mit ihrem Bruder erst unter vier Augen reden können, und das musste sie unbedingt, wenn ihre Mutter im

Bett lag. Dr. Ogbourne hatte ihr das Treppensteigen verboten, bis die Herzschwäche ausgeheilt war. Deshalb schlief Mrs. Wyncliffe vorübergehend im Wohnzimmer im Erdgeschoß. Und um jederzeit zur Stelle zu sein, hatte David sein Bett in das kleine Zimmer neben dem Arbeitszimmer gestellt.

Erst als ihre Mutter wohl versorgt im Bett lag, alle Medikamente eingenommen hatte und das Moskitonetz sorgfältig unter die Matratze geschoben war, machte sich Emma auf den Weg zu ihrem Bruder. Er lag mit einem Buch in der Hand auf dem Bett in seinem Zimmer und starrte an die Decke. Als sie eintrat, zuckte er zusammen.

»Emma? Ich dachte, du hättest dich schon schlafen gelegt!«

»Ich bin froh, dass du noch wach bist«, erwiderte sie. »Ich möchte mit dir sprechen.«

Er stöhnte. »Schon wieder?«

»Ja, schon wieder.« Sie setzte sich auf den Bettrand und nahm ihm das Buch aus der Hand. »Du hast dir diesen absurden Einbruch letzte Nacht ausgedacht, nicht wahr?«

»Ich?« Er stützte sich auf den Ellbogen. »Nein, das habe ich bestimmt nicht getan …«

»Und du hast Papas Uhr vom Kaminsims genommen«, unterbrach sie ihn wütend. »Du weißt, sie ist aus Sterlingsilber, und man bekommt viel Geld dafür, wenn die Plakette des Amts für Altertumsforschung entfernt ist. Du kannst von Glück sagen, dass ich mir die Geschichte mit der Porzellanfigur habe einfallen lassen, die die Ajah im letzten Monat zerbrochen hat, sonst wäre der Inspektor noch den ganzen Vormittag hier gewesen. Wie konntest du nur so etwas tun, David!«

»Du glaubst, *ich* hätte die Uhr genommen?«

»Ja! Du hast wieder einmal Geldschwierigkeiten, nicht wahr?«

»Das stimmt nicht.«

»Ich wünschte, ich könnte dir glauben. Aber ich glaube dir nicht!« Sie blickte eindringlich in sein trotziges Gesicht. »Wo bist du in der letzten Nacht gewesen?«

»Hier … ich habe geschlafen.«

»Das stimmt nicht. Du bist erst nach eins zu Hause gewesen. Ich weiß es, weil ich gehört habe, wie dein Pferd in der Auffahrt gestolpert ist und du laut geflucht hast.«

»Das ist nicht wahr ...« Er schluckte. »Gut, du hast Recht, ich bin spät nach Hause gekommen. Na und?«

»Wo bist du gewesen ... sag nicht, das geht mich nichts an, denn ich muss es wissen. Und wenn du nicht die Uhr verkauft hast, dann möchte ich wissen, woher du plötzlich das viele Geld hast. Du hast doch so viel Geld nicht in der Lotterie gewonnen!«

»Na, und wenn nicht ... wichtig ist doch nur, dass ich das Geld habe. Und es gehört mir, verdammt noch mal! Ich habe es nicht nötig, eine Uhr zu stehlen.« Er stand auf, zog die oberste Schublade des Schreibtischs auf und nahm einen Stoffbeutel mit Münzen heraus, die er auf das Bett schüttete. »Hier!«

Emma warf kurz einen Blick auf die vielen Goldmünzen und musterte erschrocken das gerötete Gesicht ihres Bruders. Sagte er die Wahrheit? Bei David wusste sie das nie so genau, denn er hatte sie schon oft belogen.

»Du bist auf dem Urdu-Basar gewesen und hast gespielt«, sagte sie tonlos.

Diesmal leugnete er nicht. »Ja, und wie du sehen kannst, hat es sich verdammt nochmal gelohnt.« Er setzte sich neben sie und ließ ein paar der glänzenden Münzen durch die Finger gleiten. Er freute sich über das Klimpern und genoss das Gefühl des glatten Metalls auf der Haut. »Das Glück ist endlich auf meiner Seite, Emma«, sagte er verträumt. »*Endlich!*«

»Weil du einmal beim Spielen gewonnen hast, nachdem du hundertmal verloren hast?«

»Ach, Emma, sei nicht so! Es hat mir Spaß gemacht, den ersten Posten auf meine Weise zu feiern.«

»Wie oft bist du auf dem Urdu-Basar gewesen, seit du Mama versprochen hast, nie mehr dorthin zu gehen?«

Er gab ihr keine Antwort auf die Frage. »Du liebe Zeit, Emma! Es war eine vorübergehende Laune. Du musst aus einer Kleinigkeit nicht gleich einen Weltuntergang machen. Und was ist schon dabei? Schließlich habe ich gewonnen.«

»Was ist schon dabei? Die Antwort müsstest du besser kennen als jeder andere! Ein Versprechen ist ein Versprechen, David. Mama würde das Herz brechen, wenn sie erfahren sollte, dass du wieder gespielt hast. Und was würde Oberst Adams dazu sagen?«

Wieder verfinsterte sich sein Gesicht, und er sah sie trotzig an. »Ich habe dir gesagt, ich werde dir den Ring bezahlen«, murmelte er missmutig. »Wenn erst einmal die Reparaturen am Haus gemacht sind ...«

»Ich möchte dein Geld nicht. Das weißt du genau. Aber ich habe auch keine Ringe mehr, die ich verkaufen könnte. Und vergiss nicht, Mamas Arztrechnungen stehen noch aus ...«

Er unterbrach sie mit einem Fluch. »Verdammt nochmal, Emma! Kannst du nicht begreifen, dass es auch beim Militär so etwas gibt wie mit den anderen mithalten? Meine Kameraden laden mich ständig ein, und es wird von mir erwartet, dass ich mich revanchiere. Ich habe gewisse gesellschaftliche Verpflichtungen, verstehst du. Ich kann mich nicht immer einladen lassen, ohne auch einmal eine Gegeneinladung zu machen ...« Die ganze aufgestaute Bitterkeit lag in seiner Stimme, als er rief: »Mein Gott, wie ich es hasse, nie genug Geld zu haben! Du weißt nicht, wie das ist, wenn man gezwungen ist, jeden Penny zu zählen, die billigsten Zigarren zu kaufen und hinterher so zu tun, als habe sich der Verkäufer geirrt. Weißt du, wie mir zumute ist, wenn ich es jedes Mal so einrichte, dass ich gerade nicht im Zimmer bin, wenn für irgendetwas gesammelt wird ...« Er wandte sich zitternd ab.

Emmas Zorn schwand. Wieder einmal spürte sie einen vertrauten Schmerz.

»Du irrst dich, David«, sagte sie erschöpft. »Ich weiß sehr wohl, wie das ist. Aber hinter Geld herzujagen, das am Spieltisch gewonnen wird, hilft uns bestimmt nicht, die Probleme unseres Lebens zu lösen.«

»Was denn sonst?«, fragte er bitter. »Verwöhnten Kindern Nachhilfestunden zu geben? Dicken reichen Indern Englisch beizubringen und reichen Europäern Urdu? Ist das eine Lösung? Sag mal ehrlich: Willst du damit den Rest deines Lebens verbringen?«

Emma schloss die Augen. Sie war plötzlich ebenso entmutigt wie er. »Nein, David. Wenn du mich fragst, dann sage ich aufrichtig: So möchte ich den Rest meines Lebens nicht verbringen! Aber im Augenblick zwingen mich die Umstände dazu, und zwar so lange, bis Mama wieder gesund ist, bis deine Stellung im Regiment gesichert ist, bis, bis, bis …« Zorn stieg in ihr auf, aber sie unterdrückte ihn tapfer. »Bis dahin können weder ich noch du uns finanzielle Eskapaden leisten.«

»Sieh dir das Haus an, Emma. Sieh es dir an!« Er hörte ihr überhaupt nicht zu und machte eine ausholende Bewegung. »Es ist zu groß, um darin zu leben, und viel zu teuer, um es instand zu halten. Wenn es wahr ist, was man sich erzählt, und Häuser in Zukunft besteuert werden, dann sind wir erledigt. Warum verkaufen wir dieses verwünschte Anwesen nicht? Warum fließt alles Geld in ein Fass ohne Boden?«

»Wir können Khyber Kothi nicht verkaufen«, sagte sie. »Mama würde niemals einwilligen, woanders zu wohnen. Ich bin auch nicht sicher, dass ich dazu bereit wäre. Papa hat das Haus nach der Hochzeit gebaut. Hier sind ihre glücklichen Erinnerungen – unsere glücklichen Erinnerungen. Es wäre schrecklich, das Haus verlassen zu müssen.« Sie trat zu ihm und legte ihm den Arm um die Schulter. »Ich weiß, wie dir zumute ist, David. Das kannst du mir glauben. Denk ja nicht, dass es mir nicht manchmal auch so ergeht. Wenn du nur wüsstest, wie sehr ich dieses … sinnlose, freudlose und entwürdigende Leben von der Hand in den Mund hasse! Aber was für eine andere Wahl haben wir? Im Augenblick keine! Wir müssen einfach versuchen, unsere Ungeduld und unsere unguten Gefühle zu überwinden.«

»So einfach ist das?«, sagte er sarkastisch.

»Nein, das ist nicht einfach, David, aber es muss sein.« Sie strich ihm liebevoll über die Haare, denn sie spürte seine Sehnsucht und teilte seinen Kummer, seine großen Hoffnungen, seine Wünsche und die bitteren, ach so bitteren Enttäuschungen. »Du hast jetzt eine Stelle und wirst bald mehr Geld bekommen.«

»Hast du jemals gehört, dass ein Leutnant von seinem lächerlichen Sold und den Zuschüssen ein Millionär geworden ist?«

»Du musst kein Millionär sein, um…«

»Spar dir deine frommen Sprüche … bitte!« Er schüttelte ihre Hand ab. »Ich habe es satt und kann nicht mehr hören, wie unwichtig das schmutzige Geld für ein ehrenhaftes Leben ist.« Er warf sich auf das Bett und ließ zufrieden die Münzen durch die Hände gleiten. »Gehen wir die Sache Tag für Tag an, Emma. Und heute wollen wir zur Abwechslung einmal dankbar sein, dass es mir gelungen ist, das Geld für die Reparaturen aufzutreiben. Das Wie, Wann und Woher ist nicht wichtig.« Er lächelte schwach, streckte die Hand aus und sagte: »Und jetzt gib mir bitte mein Buch zurück.«

Emma sah ihren Bruder schweigend an. Er war nur ein Jahr jünger als sie, aber der schwere Mantel des Beschützers hatte schon immer auf ihren Schultern gelastet. Sie liebte ihn wirklich und wusste, er liebte sie auch. Sie hatten eine enge Verbindung. Aber trotz seiner Liebenswürdigkeit hatte David keinen starken Willen. Er ließ sich leicht von dummen, oberflächlichen Meinungen beeinflussen und war noch nicht erwachsen genug, seinen eigenen Standpunkt zu vertreten.

»Kannst du schwören, dass du die Uhr nicht genommen hast, David?«, fragte sie ruhig.

»Natürlich kann ich das schwören!« Er setzte sich auf und lächelte, vielleicht aus Erleichterung darüber, dass der Streit zu Ende war. »Seien wir froh über unser Glück, Emma, auch wenn es nicht lange anhalten mag. Denken wir zur Abwechslung einmal nicht an die Zukunft. Einverstanden?«

Emma zwang sich, nichts mehr zu sagen, und seufzte. »Einverstanden.«

Sie glaubte ihm noch immer nicht, aber das sagte sie ihm nicht. Sie gab ihm das Buch zurück. »Geh nicht mehr in diese Spielhölle, David, bitte …«

Er gab keine Antwort. Aber etwas Rebellisches lag in seinen Augen, als er den Kopf senkte. Emma kannte diesen Blick. Sie hatte ihn schon oft gesehen. Aber sie wusste aus Erfahrung, dass er ihr nicht mehr zuhören würde, wenn sie weiter in ihn drang.

»Weißt du, was dein Problem ist, Emma?« Er zog sie gutmütig am Ohrläppchen. »Du nimmst alles zu schwer.«

»Und du nimmst alles zu leicht!«

Er lachte. »Übrigens, mit wem hast du dich heute gestritten … ich meine außer mit dem Unschuldsengel von einem kleinen Bruder?«

»Wer sagt, dass ich mich gestritten habe?«

»Mundu. Er sagt, dass du heute Morgen in der Nähe des Qudsia-Parks ein paar Männer beschimpft hast, und einer von ihnen war ein Firanghi. Kenne ich den Glücklichen?«

»Ich hoffe nicht. Außerdem war es kein Streit. Es war nur eine harmlose Auseinandersetzung über etwas völlig Unwichtiges.«

»Aber du hast dem Mann die Meinung gesagt!«

»Hätte er es verdient gehabt, dass ich ihm mehr von meiner Zeit opfere, dann hätte ich das vielleicht getan. Aber er hat es nicht verdient.«

David lachte, sprang vom Bett auf und gab ihr freundschaftlich einen Klaps. Dann schob er sie aus der Tür. Emma lächelte. Trotz aller Schwächen war David liebenswert und charmant. Obwohl ihr Kummer über die verschwundene kostbare Familienuhr groß war, beschloss sie, ihren Bruder diesmal für unschuldig zu halten.

Aber auch wenn sie David gegenüber fair sein wollte, wurde sie eine gewisse instinktive Unruhe nicht los.

*

Der von David erwähnte Vorfall war höchst unerfreulich gewesen und hatte bei Emma einen üblen Nachgeschmack hinterlassen. Doch sie war zu sehr mit anderen Dingen beschäftigt gewesen, um lange darüber nachzudenken. Aber jetzt, nachdem die Arbeit des Tages erledigt war, stand ihr die Szene in allen scheußlichen Einzelheiten wieder vor Augen.

Als sie am Morgen vom Unterricht nach Hause geritten war, hatte sie sich in Gedanken mit Nawab Murtaza Khan beschäftigt. Nachdem der Nawab gegen den Willen seiner konservativen Familie beschlossen hatte, seine einzige Tochter solle Englisch lernen, hatte er sich wochenlang darum bemüht, Emma als Lehrerin zu gewinnen. Obwohl Emma wenig Zeit hatte und zögerte, eine zusätzliche Arbeit so weit vom Europäerviertel entfernt anzunehmen, hatte sie sich schließlich doch dazu überreden lassen. Die Kleine lernte gut, und der Nawab freute sich sehr über die Fortschritte seiner Tochter.

Der Nawab war ein typischer Vertreter der muslimischen Aristokratie Delhis, die sich seit der Auflösung des Hofs der Mogul-Kaiser in einem schnellen Niedergang befand. Wie so viele andere durchlebte er schwere Zeiten. Er war ein sehr gebildeter und kultivierter Mann und widmete sich trotz der schwierigen Umstände mit großer Hingabe seinen verschiedenen literarischen Interessen. Er gehörte zu den Gründungsmitgliedern der angesehenen Literarischen Gesellschaft von Delhi und war eine anerkannte Autorität in allen Fragen der Auslegung des Korans und außerdem ein bekannter Urdu-Dichter.

In Anbetracht der bescheidenen Mittel der Familie und in Anerkennung der mutigen Entscheidung von Murtaza Khan, die Ausbildung seiner Tochter zu fördern, verlangte Emma nur wenig für den Unterricht. Der Nawab war ein stolzer Mann und bot ihr im Gegenzug an, die Manuskripte ihres Vaters bei der Literarischen Gesellschaft zu veröffentlichen. Emma freute sich sehr über das Angebot, aber sie wusste, um das dazu nötige Geld aufzubringen, würde der Nawab etwas aus dem Familienerbe verkaufen müssen. Deshalb beschloss sie, das Angebot nicht anzunehmen. Doch dadurch stand sie jetzt vor der Frage, wie sie das Angebot ablehnen konnte, ohne den stolzen Nawab zu verletzen.

Mit diesem Problem beschäftigte sich Emma in Gedanken, als sie am Morgen durch den Qudsia-Park nach Hause ritt. Plötzlich hörte sie in einiger Entfernung Lärm am Flussufer. Sie gab dem Pferd die Sporen und erreichte bald den Rand eines Dorfs, wo sich ihr ein schrecklicher Anblick bot.

An der Spitze einer Prozession von etwa fünfzig Dorfbewohnern gingen zwei Männer und schlugen große Trommeln. Im Mittelpunkt des Zugs befand sich ein Esel, auf dem eine nur spärlich mit Lumpen bekleidete junge Frau saß. Ihre langen Haare bedeckten die nackten Brüste. Das Gesicht hatte man ihr mit Kohlenstaub geschwärzt. Blasse Streifen auf den Wangen zeigten die Spuren ihrer Tränen. Sie zitterte heftig in der Kälte des Wintermorgens. Neben dem Esel ging ein Mann mit einem Stock. Damit schlug er die Frau unbarmherzig auf den nackten Rücken. Dem Ausdruck und den Gesten der Männer war zu entnehmen, dass sie die Bestrafung der Frau nicht nur billigten, sondern sogar wünschten.

Ohne nachzudenken, sprang Emma vom Pferd, bahnte sich mit der Handtasche einen Weg durch die Zuschauer und stellte sich schließlich dem Zug in den Weg. Verblüfft blieben die Leute stehen. Emma nahm ihr Schultertuch ab und hüllte damit die Frau ein. Dann sah sie den Mann mit dem Stock an. Ohne die Stimme zu heben, befahl sie ihm sehr ruhig aufzuhören, die wehrlose Frau zu schlagen. Verwirrt über die unvorhergesehene Einmischung, noch dazu von einer weißen Memsahib, die fließend Urdu sprach, starrte der Mann sie einen Augenblick lang sprachlos an.

Dann fand er die Stimme wieder und sagte ärgerlich: »Diese Sache geht Sie nichts an, Memsahib. Außerdem verdient ihr Verbrechen kein Mitleid.«

»Was für ein Verbrechen das auch sein mag, sie auf diese barbarische Weise zu bestrafen, macht nicht nur ihr, sondern euch allen hier Schande«, erwiderte Emma ohne jeden Zorn.

Der Mann wusste, wenn er dieser Frau gehorchte, dann würde er in seinem Dorf das Gesicht verlieren. Deshalb stemmte er die Hände in die Hüften und rief trotzig: »Wie sie bestraft wird, das geht nur uns etwas an, Memsahib, und keinen Außenstehenden!«

»Glaubst du«, sagte Emma unbeeindruckt, »der Gerechtigkeit dient man besser dadurch, dass man ein Vergehen mit einem anderen bestraft?«

»Sie ist meine Frau«, erklärte der Mann zornig. »Ich habe das Recht, mit ihr zu tun, was ich will, wenn der Dorf-Panchajat damit einverstanden ist.«

Ein oder zwei der Umstehenden stimmten lauthals zu, die anderen murmelten unverständliche Worte. Die verängstigte Frau schien nichts zu verstehen. Sie hielt die Arme fest über dem Tuch verschränkt, das ihre Brüste bedeckte, und starrte stumm und ausdruckslos vor sich hin.

»Wenn es deine Frau ist, dann hast du allen Grund, ihre Ehre und Würde zu schützen.« Emma trat noch einen Schritt näher an den Mann heran. »Wirf den Stock weg und lass sie gehen.«

»Sie muss für ihr Vergehen bestraft werden!«, rief der Mann. »Vielleicht ist das bei euch nicht so, Memsahib, aber bei uns sehr wohl!« Laute Zurufe unterstützten ihn. In seiner Haltung bestätigt, trieb er den Esel vorwärts und hob den Stock von neuem. Doch bevor er zuschlagen konnte, hatte Emma die Handtasche geöffnet, den Revolver herausgeholt und zielte auf ihn.

»Wenn du sie noch einmal schlägst, werde ich schießen, das kannst du mir glauben.«

Der Mann bekam große Augen, und die Leute um ihn herum wichen schnell zurück.

»Ist die Firanghi verrückt?«, flüsterte jemand.

»Natürlich«, flüsterte ein anderer. »Die Weißen sind doch alle verrückt …«

»Da ich verrückt bin«, sagte Emma, die die Bemerkung gehört hatte, hob den Revolver und zielte auf die Stirn des Mannes, »rate ich euch allen, es nicht darauf ankommen zu lassen, oder ihr werdet zumindest einen Mann weniger im Dorf haben.«

Der Mann ließ den Arm sinken und den Stock zu Boden fallen. Er warf Emma noch einen wütenden Blick zu und trat fluchend den Rückzug an. Emma richtete ihre Aufmerksamkeit auf das stumme Opfer. Sie nickte der Frau zu, die sich aus ihrer Erstarrung löste. Die

Frau zog das Tuch fester um sich, glitt von dem Esel, rannte in den Wald und verschwand schnell unter den Bäumen.

Niemand versuchte, sie zu verfolgen.

Emma legte den Revolver wieder in die Handtasche. »Ich weiß, ihr fürchtet die Polizei. Und dazu habt ihr auch allen Grund, denn die Konstabler sind nicht immer gerecht. Aber wenn ihr diese brutale Strafe noch einmal vollstreckt, dann werde ich die Sache Carter Sahib auf der Chowki melden und persönlich dafür sorgen, dass ihr in Zukunft noch mehr Grund habt, die Polizei zu fürchten als jetzt.«

Schweigend teilte sich die Menge und machte ihr den Weg frei, als sie davonging. Mundu stand zitternd vor Angst hinter einem Busch und umklammerte Anarkalis Zügel. Als Emma sich umdrehte, um wieder aufzusitzen, hielt sie plötzlich inne. Halb verborgen hinter einem Baumstamm stand ein Firanghi, der die Zügel seines Pferdes locker in einer Hand hielt. Er trug Reitkleidung, hohe schwarze Reitstiefel und eine marineblaue Seidenkrawatte mit einem Kaschmirmuster. Sein Kopf war unbedeckt. Als Emma ihn verwirrt ansah, begann er zu klatschen.

»Wer sind Sie?«, fragte sie unwillig.

»Von jetzt an Ihr Bewunderer.« Er richtete sich auf und verbeugte sich höflich. »Man sieht nicht jeden Tag eine so eindrucksvolle Darbietung und den Beweis für so viel außergewöhnlichen Mut. Die Männer hätten Sie angreifen können!«

»Wie ich sehe, sind Sie ein Bewunderer aus sicherer Entfernung!«, erwiderte Emma spöttisch. Seiner Aussprache nach war der Mann ein Engländer. »Wenn Ihnen so viel an meiner Sicherheit lag, warum sind Sie dann nicht aus Ihrem Versteck hervorgekommen und haben mir geholfen?«

»Angesichts Ihrer beachtlichen eigenen Mittel der Verteidigung sah ich keinen Grund dazu. Ich bezweifle, dass ich die Sache hätte besser machen können. Außerdem«, er neigte leicht den Kopf und lächelte, »kann es durchaus sein, dass diese Frau die Strafe verdient hat.«

Emma war empört. »Sie *billigen*, was diese Männer der Frau angetan haben?«

»Wenn sie ihrem Mann untreu gewesen ist – und ich glaube, das war der Fall –, dann ganz bestimmt.«

»Sie wollen damit sagen, Sie billigen körperliche Züchtigung selbst dann, wenn sich eine Frau nicht einmal wehren kann?«

»Ja, wenn es ein wirkungsvolles Abschreckungsmittel gegen Ehebruch ist.« Das freundliche Lächeln lag noch auf seinen Lippen, aber in seinen Augen war nichts mehr davon zu sehen. »Ich bezweifle, dass sie noch einmal einen Seitensprung wagt.«

Emma musterte ihn voll Abscheu. »Da Sie Ihrer Sache so sicher sind«, sagte sie, »kann man annehmen, dass Sie aus eigener Erfahrung sprechen, wenn Sie zu einer so ungeheuerlichen Ansicht kommen.«

Sie hatte die Genugtuung zu sehen, dass er rot wurde. »Ihr Ruf ist wirklich nicht unbegründet, Miss Wyncliffe. Sie haben eine bemerkenswert spitze Zunge.«

Emma runzelte verblüfft die Stirn. »Wieso wissen Sie, wie ich heiße?«

»Wieso?« Er lachte. »Wenn Ihr Name eine Geheimnis ist, dann wird es nicht besonders gut gehütet. Sie sind, wie ich höre, eine junge Dame mit einem bemerkenswerten Ruf.«

Emma sah ihn kalt an. »Ich weiß nicht, wer Sie sind«, entgegnete sie abweisend. »Ich habe auch nicht den Wunsch, es zu erfahren. Aber ich fühle mich verpflichtet zu sagen, dass ich Ihre Ansichten widerwärtig finde.«

Ohne eine Antwort abzuwarten, saß sie auf und galoppierte davon. Der sehr erleichterte Mundu rannte, so schnell er konnte, hinter ihr her.

Was für ein unverschämter Mann, dachte Emma, als sie sich dem Europäerviertel näherte. Wer um alles in der Welt mochte er wohl sein?

Sie sollte es bald erfahren.

Zweites Kapitel

Außerhalb der Kreise der indischen Regierung war der Name Hunza nur wenigen bekannt. Und wer ihn kannte, sah keinen Grund, ihm eine besondere Beachtung zu schenken.

Hunza war ein winziges Königreich und lag im Himalajagebirge am Ende einer topographischen Sackgasse. Verborgen zwischen den schützenden Bergen des westlichen niederen Himalaja kannte die Welt das kleine Hunza ebenso wenig wie Hunza die Welt.

Im Norden grenzte das Königreich an Tibet, das Dach der Welt, im Osten erhob sich die Gebirgskette des Karakorum und im Westen der Hindukusch. Die Grenze zum Königreich Nagar bildete der einhundertachtzig Meter breite Hunzafluss, dessen Wasser donnernd zwischen hohen Felsklippen ins Tal stürzt. Das umliegende Gebiet – die Überreste geschmolzener Gletscher und gigantischer Moränen – schien vom Leben unberührt zu sein. In der Ferne ragte der majestätische Gipfel des Rakaposhi über dem kleinen Königreich Hunza auf. Bei den Einheimischen hieß er Dumani, Mutter des Nebels, denn der siebentausendsechshundertsechzig Meter hohe, steil aufragende Berg war ständig in Wolken gehüllt und unter ewigem Schnee begraben. Häufig stürzten Lawinen die Berghänge hinunter in die Schlucht und riefen ohrenbetäubende Echos hervor. Eine atemberaubende Seilbrücke aus Birkenzweigen überspannte die Schlucht und war der einzige Zugang nach Hunza.

Vor einigen Jahren hatte ein deutscher Anthropologe, der für dieses Gebiet keinen bereits existierenden Namen finden konnte, das Land Dardistan genannt. Die Darden, die in der endlosen unerforschten

Gebirgswelt lebten, behaupteten, direkte Nachkommen von Alexander dem Großen zu sein. Ihr Aussehen – blonde Haare, blaue Augen und helle Haut, die so weiß und durchsichtig wie Alabaster war – verlieh ihnen in der Tat eine verblüffende Ähnlichkeit mit ihren europäischen Verwandten. Die Darden verachteten die weißen Ungläubigen trotz der alten verwandtschaftlichen Verbindung und hatten wenig Grund, ihnen zu vertrauen. Hunza und Nagar unterstanden nominell der Oberhoheit des Maharadscha von Kaschmir und des Kaisers von China, obwohl sie in ihrer charakteristischen Überheblichkeit beide Herrscher mit einem Schulterzucken ignorierten.

Wie alle Darden waren auch die Hunzakut – so nannte man die Bewohner von Hunza – fast schon besessen auf ihre Unabhängigkeit bedacht, und sie waren so ungastlich und fremdenfeindlich wie die Gletscherwelt, in der sie lebten. Die wenigen Besucher, denen es gelungen war, dort zu überleben, hatten es nicht eilig, noch einmal zurückzukehren.

Die Hunzakut waren so leichtfüßig wie das Wild, so sicher wie die Bergeidechsen und so intuitiv wie die Berggeister. Deshalb waren sie unübertreffliche Bergsteiger. Nur ein sehr kleiner Teil des Landes war landwirtschaftlich nutzbar, und die Bevölkerung von zehntausend Menschen ernährte sich hauptsächlich von frischen und getrockneten Früchten, vor allem Aprikosen, die reichlich in ihren Obstgärten wuchsen und aus denen sie Obstwein herstellten. Unberührt von den Errungenschaften der so genannten Zivilisation gehörten die Hunzakut zu den gesündesten, widerstandsfähigsten und langlebigsten Menschen der Welt.

Es gab jedoch auch kein Volk, das blutrünstiger gewesen wäre als sie.

Die Lieblingsbeschäftigung der Hunzakut waren Raubzüge. Ihre Opfer waren die reichen Karawanen, die zwischen Leh, Yarkand und Kaschgar über die Seidenstraße zogen. Wenn der Name Hunza jenseits der Grenzen überhaupt bekannt war, dann als ein Synonym für Plünderung, Massaker und Sklavenhandel.

Verständlicherweise kreisten die Gedanken von Michail Borokow,

Oberst der russischen Armee des Zaren, um diese weniger erfreulichen Aspekte der Hunzakut, als er an einem kalten Wintertag Safdar Ali Khan, dem Mir von Hunza, gegenübersaß.

Das lange zeremonielle Mittagessen war endlich zu Ende. Als Ehrengast hatte Oberst Borokow das Vergnügen gehabt, den Kopf des jungen Yak essen zu dürfen, dessen Fleisch der Hauptbestandteil des mit Aprikosenkernöl zubereiteten Eintopfgerichts war. Weder der Oberst noch seine zehn Kosaken hatten so zartes Fleisch gegessen, seit sie Taschkent vor einigen Tagen verlassen hatten. Deshalb hatten sie mit großem Appetit zugegriffen. Weniger Anklang fand bei ihnen allerdings der Nachtisch – zerstoßenes, mit Fruchtsäften gesüßtes Gletschereis –, doch das ließen sie sich nicht anmerken.

Der Mir gab seiner Genugtuung darüber Ausdruck, dass seine Gäste das bescheidene Mahl offensichtlich zu würdigen wussten. Borokow bedankte sich mit einem matten Lächeln für das Kompliment. Der große Raum, in dem sie saßen, befand sich auf dem Dach der steinernen Festung des Mir, die auf einem Felsen direkt am Abgrund stand. Es war eisig kalt, und den aalglatten Freundschaftsbezeugungen konnte man nicht trauen. Deshalb fühlte sich Borokow nicht wohl in seiner Haut. Doch er biss die Zähne zusammen. Er durfte sich an diesem entscheidenden Punkt der Verhandlungen nicht einschüchtern lassen. Alexej Smirnow hatte ihm geraten, im Umgang mit barbarischen Despoten auf keinen Fall Angst zu zeigen und unnachgiebig zu bleiben.

Trotzdem hatte Borokow genug von der leidigen Gastfreundlichkeit. Sie hatten zwei entsetzlich kalte Tage lang in den tiefgefrorenen Schluchten Steinböcke gejagt. Ein dritter Tag war mit der Besichtigung des Bewässerungssystems vergangen, der Lebensader dieses Volks. Die Wasserläufe waren kunstvoll erdacht und vor tausend Jahren mit Steinbockhörnern als Werkzeugen ausgehoben worden. Borokow hatte sie aufrichtig bewundert. An einer Stelle lief das Wasser auf einer zehn oder fünfzehn Meter hohen Mauer, an anderen Stellen quer über den nackten Fels oder durch exakt gebohrte Tunnel. Der Zufluss befand sich etwa eine halbe Meile über der Schlucht, an deren

Rand Hunza lag, unter dem riesigen Gletscher, der das System zwölf Monate im Jahr mit frischem Wasser versorgte.

Borokow verabscheute das Hochgebirge. Er hasste die frostige kalte Luft, die erschreckenden Höhen und die gefährlichen Gebirgspfade. Safdar Alis Männer hatten ihn und seine Kosaken über einen nicht allzu hohen Pass, der noch begehbar war, sicher hierher gebracht. Aber wenn sie zu lange verhandelten und der Pass zuschneite, würden sie mindestens bis Mai an diesem schrecklichen Ort bleiben müssen. Und Borokow wusste, wenn er bis dann nicht vor Kälte gestorben wäre, dann mit Sicherheit vor Langeweile.

Nach dem Essen wurden Berge getrockneter Früchte und Karaffen mit einheimischem Maulbeerwein aufgetragen. Borokow fasste wieder einmal den Entschluss, die Verhandlungen schnell zu einem Abschluss zu bringen.

»Im Bewusstsein der Aufgeschlossenheit Eurer Hoheit«, begann er geistesgegenwärtig, bevor der Mir wieder irgendeine Belanglosigkeit zum Thema machen konnte, »wäre ich neugierig zu erfahren, welchen Eindruck Eure Hoheit von Oberst Algernon Durand haben.«

Der ungebildete Wilde konnte natürlich nicht das Recht auf die Anrede »Hoheit« erheben, aber Borokow wusste, sie würde ihm ebenso gefallen wie die Schmeichelei, mit der er seine Frage umgab. Sorgfältig wählte er von der Pyramide aus Früchten und Nüssen vor ihm einen Apfel und biss ein Stück ab. Er schmeckte süß wie Nektar.

»Der Engländer aus Gilgit?« Safdar Alis Gesicht verfinsterte sich. Er biss in eine saftige dunkelrote Frucht, die wie eine Pflaume aussah. Der Saft rann in seinen dünnen Spitzbart und tropfte von dort auf seinen Schoß hinunter. Der Mir machte sich nicht die Mühe, den Saft abzuwischen. »Der Mann ist ein Dummkopf!«, erklärte er voll Verachtung. »Außerdem ist er eingebildet.«

»Und fanden Eure Hoheit sein Angebot großzügig?«

»Angebot?« Auf dem Gesicht des Mir lag flüchtig ein verschlagener Ausdruck. Einen Augenblick lang spielte er mit der türkisblauen und roten Schnalle des Gürtels, der sein schweres chinesisches Seidengewand zusammenhielt, und zuckte dann mit den Schultern. »Gewiss doch. Ich habe keinen Grund zur Klage.«

Natürlich log er wie gedruckt! Nach Aussagen von Borokows Informanten hat der Mir wutentbrannt gedroht, Durand zu köpfen und der indischen Regierung den Kopf auf einem Teller überbringen zu lassen.

»Wenn es so ist«, Borokow lächelte, »dann werden Eure Hoheit an dem Angebot, das ich Hoheit im Auftrag meiner Regierung in St. Petersburg unterbreiten will, noch weniger auszusetzen haben. Wie ich eurem Botschafter in Taschkent bereits gesagt habe …«

»Was Sie dem Botschafter gesagt haben, ist unannehmbar!« Safdar Ali hatte keine Ahnung, wo St. Petersburg lag. Es kümmerte ihn auch nicht. Seine Ratgeber hatten ihm versichert, dass diese Stadt wie Peking, Kabul und Kalkutta nicht größer war als sein Königreich. Deshalb sah er keinen Grund, diesem Mann mehr Entgegenkommen zu zeigen als dem Engländer. »Wenn Ihr Herrscher die Zusammenarbeit mit Hunza wünscht, dann muss er zu angemessenen Vergütungen bereit sein.« Er schlug mit dem Schwert so heftig auf den Tisch, dass die Pyramide aus Früchten in sich zusammenfiel.

Borokow reagierte nicht auf diesen Ausbruch. Er wusste, welche Möhre der Engländer diesem Esel vor das Maul gehalten hatte – eine jährliche Zahlung von fünfundzwanzigtausend Rupien, die an bestimmte Bedingungen geknüpft war. »Darf ich fragen, wie viel Eure Hoheit als angemessen betrachten würden?«

Der Mir blickte ihm direkt ins Gesicht. »Die Engländer haben dreißigtausend geboten.«

»Mein Herrscher wäre bereit, ebenso viel zu zahlen«, erwiderte Borokow ohne Zögern.

Safdar Ali schob missmutig die Unterlippe vor. »Wenn ich Ihr Angebot annehme, dann wird der Engländer sein Angebot zurückziehen.«

»Ich wollte gerade sagen, dass mein Herrscher eine Möglichkeit sehen könnte, sein Angebot zu erhöhen.« Borokow machte ein Pause. »Natürlich nur, falls *alle* unsere Bedingungen erfüllt werden.«

»Bevor ich Ihnen eine Antwort geben kann, muss ich diese Bedingungen natürlich kennen und mich mit meinem Wesir beraten.«

Der alte Premierminister, der ehrerbietig hinter dem Stuhl des Mir stand, nickte.

»Natürlich.« Borokow stand auf, ging durch den Raum und nach draußen bis zum Rand der offenen Terrasse. Im Licht der frühen Nachmittagssonne bot die frostige Landschaft, mit dem Dorf weiter unten im Tal und dem majestätischen Rakaposhi dahinter, einen grandiosen Anblick. Aber Borokow war nicht beeindruckt. Ihn fröstelte. »Wir wären auch bereit, Eurem Sohn eine Zuwendung zu gewähren, Hoheit.«

Borokow wusste, der Engländer hatte diese Forderung des Mir abgelehnt, und Safdar Ali ärgerte sich darüber.

»So? Wie viel?«, wollte der Mir ohne Umschweife wissen.

Borokow kam zurück und setzte sich als Hinweis darauf, dass die Verhandlungen beschleunigt werden sollten, auf den Stuhlrand. »In Anbetracht dessen, dass der Prinz erst vier Jahre alt ist, halten meine Vorgesetzten fünftausend Rupien jährlich für eine angemessene Summe.«

Wieder irritierte ihn die Notwendigkeit, das Gespräch mit Hilfe von zwei Dolmetschern zu führen. Der Mir sprach nur Burishaski, die Hunza-Sprache, und kein Wort Russisch, Turkmenisch, Persisch oder Hindustanisch. Der deutsche Anthropologe mochte Burishaski zwar für die »Wiege des menschlichen Denkens, das durch Sprache zum Ausdruck gebracht wird«, gehalten haben, aber in Borokows Ohren klang es nur wie gutturales Krächzen. Der Mir verstand jedoch Pushtu, die Sprache der Pathanen. Sein Dolmetscher, ein Pathane, übersetzte das Burishaski in Pushtu, das von einem Kosaken, der lange genug bei den Pathanen in Afghanistan gelebt hatte, um ihre Sprache einigermaßen zu verstehen, ins Russische übersetzt wurde. Es war ein langsamer und mühsamer Vorgang, und die Konzentrationsspanne des Mir war bedauerlich kurz.

Borokow deutete mit großer Geste auf die vielen Geschenke, die er mitgebracht hatte. »Abgesehen von den Zuwendungen wird es noch sehr viel mehr Geschenke geben, Eure Hoheit. Mein Herrscher kann äußerst großzügig sein.«

Der Mir hob mit der Schwertspitze einen schweren Zobelpelzmantel hoch, ließ ihn lachend durch die Luft schwingen und legte ihn dann über seine Knie. Er fuhr mit der Handfläche durch den seidigen weichen Pelz. Im Vergleich zu dem beleidigend billigen Tand des Engländers – der Mir hatte vor Zorn alles aus dem Fenster geworfen – waren die russischen Geschenke vielversprechender.

»Was immer der Engländer Eurer Hoheit sonst noch geboten haben mag«, fuhr Borokow fort, »so bezweifle ich, dass bestimmte Dinge dazugehörten, die wir bereit sind, Euch zu geben.«

»Kanonen auf Rädern?«

»Ja. Das kann arrangiert werden.«

»Wirklich?« Der Mir sah ihn misstrauisch an.

»Ebenso wie«, Borokow zögerte, als falle es ihm schwer zu sagen, was er sagen wollte, »Kleinkalibergewehre mit Magazinen und das modernste rauchlose Pulver, das erst vor kurzem erfunden worden ist. Zurzeit haben die Truppen Eurer Hoheit nichts als Luntenmusketen, Hinterlader und Musketen.«

Safdar Ali verbarg seine freudige Erregung hinter einem Stirnrunzeln. »Der andere, der von eurem Herrscher kam …«

»Hauptmann Grombtchewskij?«

»Ja. Er hat nichts von all dem erwähnt.«

»Mit Durands Eintreffen in Gilgit haben sich die Umstände verändert. Eure Hoheit müssen auf einen Angriff vorbereitet sein.«

»Ach was! Durand hat kein Heer, um anzugreifen.«

»Im Gegenteil, mit dem Aufbau des kaiserlichen Armeekorps stehen inzwischen alle kaschmirischen Truppen in Dardistan unter seinem Kommando.«

Safdar Ali machte ein trauriges Gesicht. »Wir sind ein Volk, das den Frieden liebt.« Er seufzte und strich wieder über den Zobel. »Wir verabscheuen Gewalt. Warum sollten wir gegen die Briten kämpfen, die als Freunde zu uns kommen?«

Borokow musterte die blassen feinen Züge des Mir und versuchte, sie mit dem Ruf dieses Mannes als gefährlichem Mörder in Einklang zu bringen. Der Mir war erst zweiundzwanzig, und mit seiner hellen Haut hätte er ohne weiteres als Europäer durchgehen können. Safdar Ali hatte ein weichliches ovales Gesicht, schräge mongolische Augen, Haare und Bart waren hellbraun. Vatermord und Brudermord gehörten in Hunza zu den hingebungsvoll gepflegten Traditionen. Vor drei Jahren hatte er seinen Vater, Ghazan Khan, ermordet, zwei seiner Brüder erwürgt und den dritten von einem Felsen gestürzt, um den Thron besteigen zu können. Borokow überhörte deshalb klugerweise die hohlen Phrasen. »Gilgit ist nur zweiundfünfzig Meilen von Hunza entfernt, Eure Hoheit«, gab er seinerseits zu bedenken.

»Aber zweihundertundzwanzig Meilen von Srinagar!«

»Als Leiter des erst kürzlich wieder eingerichteten britischen Militärstützpunkts in Gilgit baut Durand bereits Straßen für seine Truppen und den Nachschub. Außerdem sorgt er mit zusätzlich genehmigten Mitteln für die Telegrafenverbindung von Srinagar nach Gilgit. Eure Hoheit sind viel zu genau unterrichtet, um die Motive hinter diesen plötzlichen Entwicklungen sozusagen vor der Haustür von Hunza nicht zu durchschauen.«

»Ach was!« Der Mir wischte die Argumente mit einer lässigen Bewegung beiseite. »Die Briten werden nicht weiter als nach Nagar kommen.«

»Die Briten werden Nagar schlucken, ohne dass es ihnen hinterher aufstößt.«

»Wollen Sie damit andeuten, dass wir es als Kämpfer nicht mit den Briten aufnehmen können?«, fragte Safdar Ali mehr verwundert als empört.

»Im Gegenteil. Ich weiß, dass Eure Truppen dazu fähig sind, wenn sie moderne Waffen haben.«

»Die Briten würden genau das zum Vorwand nehmen, um uns anzugreifen.«

»Die Briten werden so oder so angreifen. Dazu brauchen sie keinen Vorwand.« Borokow musste sich sehr zurückhalten, um den Mir nicht daran zu erinnern, dass sein Vater keine solchen Bedenken gehabt hatte, als er die Chinesen um Waffen bat, um damit gegen die Briten zu kämpfen. Als Gegenleistung hatte er den Chinesen erlaubt, Hunza als ein Teil des Reichs der Mitte zu bezeichnen, was die Chinesen noch immer taten. Nur weil die Waffen im Schnee des Himalaja stecken geblieben und somit nutzlos waren, wurde ein Krieg gegen die Briten vermieden.

»Wir haben bereits ein Abkommen mit Durand unterzeichnet«, erklärte Safdar Ali.

»Das Abkommen ist nicht das Papier wert, auf dem es geschrieben wurde, da weder Durand noch Eure Hoheit die Absicht haben, sich daran zu halten.« Borokows Geduld war wieder einmal am Ende, aber er wusste, wenn er dumm genug war, die Beherrschung zu verlieren, konnte ihn das den Kopf kosten. »Die Briten trauen Euch nicht«, sagte er und fügte schnell hinzu: »Ebenso wenig wie Eure Hoheit den Briten trauen. Im letzten August hat Durand gedroht, die Zahlungen an Euch zurückzuhalten, bis seinem Landsmann, Leutnant Francis Younghusband, bei seiner Rückkehr aus dem Pamir sicheres Geleit durch Hunza garantiert wurde.«

Safdar Ali wurde rot. »Woher wissen Sie das alles?«

Borokow ignorierte die Frage und beugte sich vor. »Ich sage Euch auch, Hoheit, dieser Durand ist nicht als ein Freund Hunzas gekommen, sondern um zu spionieren! Er wollte das Gelände erkunden, um eine Vorstellung davon zu gewinnen, wo Straßen gebaut, Brücken verstärkt und Stellungen in der Schlucht wirkungsvoll verteidigt werden können. Außerdem wollte er wissen, wie angreifbar Eure Festungen sind. Hat er sich bei seinem Besuch Notizen gemacht?«

Safdar Ali schwieg.

Borokow lachte. »Oberst Durand ist energisch, ehrgeizig, und er will Krieg. Außerdem ist er der Bruder des Außenministers der indischen Regierung – eine sehr gefährliche Kombination.«

Safdar Ali schob wieder die Unterlippe vor. »Ich möchte nicht der Angreifer sein.«

»Aber Ihr müsst Euch verteidigen, und, hört auf meine Worte, Hoheit, die Briten werden Hunza angreifen! Sie werden Euch in den Festungen belagern und das Land im Handumdrehen einnehmen. Sie werden Euch zwingen, das Christentum anzunehmen, sie werden Eure Traditionen missachten, Euer Land besetzen, sie werden Euch die Unabhängigkeit nehmen, Euch Eurer Würde berauben und Euch verachten, wie sie es mit den Indern tun. Der Name Hunza verschwindet von den Landkarten, und es wird Euer uraltes Königreich ganz einfach nicht mehr geben. Wenn die Briten erst einmal im Land sind, werden sie wie die Heuschrecken über alles herfallen. Genau wie Indien, so werden sie auch Dardistan ausplündern.«

War er zu weit gegangen? Borokow warf einen vorsichtigen Blick auf die Wachen des Mir, die am anderen Ende der Terrasse außer Hörweite mit ihren Musketen – alles Beutestücke von Karawanen – in Bereitschaft standen. Aber der Anblick seiner gut bewaffneten Kosaken auf der anderen Seite der Tafel beruhigte ihn. Wie unberechenbar Safdar Ali auch sein mochte, Borokow hoffte, keinen »Zwischenfall« zu provozieren. Trotz seines kindischen Gehabes wollte der Mir die Waffen um jeden Preis haben.

»Wenn es etwas gibt, das den Briten schlaflose Nächte bereitet«, fuhr Borokow leise fort, »dann ist es der Alptraum einer russischen Invasion. Sie werden nicht ruhen, bis sie alle Pässe an ihren Grenzen gesichert haben …«

»Das sind nicht ihre Grenzen!« Der Mir schlug mit der Faust gegen seine Handfläche. »Es sind unsere Grenzen, unsere Berge, unsere Pässe!«

»Sie werden früh genug den Engländern gehören – es sei denn, Ihr bereitet Euch darauf vor, sie zu verteidigen. Und die Zahlungen, die Durand versprochen hat, werdet Ihr nicht eher erhalten, bis Eure Männer aufhören, die Karawanen zu überfallen. War das nicht Durands wichtigste Bedingung?«

»Wie sollen wir ohne Raubzüge überleben?«, fragte der Mir missmutig und bestätigte damit sowohl den Vorwurf als auch die Tat. »Weder die englische Rani noch Euer Herrscher haben das Recht, uns unsere Einkünfte zu verweigern.«

»Mein Herrscher hat nicht den Wunsch, sich in Eure inneren Angelegenheiten einzumischen.«

»So?« Safdar Ali lachte auf. »Was möchte Euer Herrscher denn als Gegenleistung für all die großzügigen Geschenke – abgesehen von meiner Hilfe, um die Engländer von unseren Pässen fern zu halten?«

»Die Waffen werden über einen Pass gebracht werden müssen, der sowohl sicher als auch geheim ist.«

»Der Schimsulpaß ist sicher.«

»Aber kein Geheimnis mehr. Younghusband hat ihn vor kurzem überquert.«

»Es gibt andere Pässe …«

»Die alle Younghusband und seinen Vorgesetzten schon bald bekannt sein werden. Bei seinem Besuch kürzlich hatte er den Auftrag, alle Möglichkeiten eines Zugangs nach Hunza von Norden her zu erkunden. Abgesehen von dem Schimsul hat er erfolgreich andere Pässe ausgekundschaftet, sogar den gefährlichen Mustagh. Die Pässe im Hindukusch sind niedriger als die im Karakorum und leichter zu überqueren. Einige sind sogar das ganze Jahr über offen, bei anderen muss man nicht einmal absitzen. Man kann in wenigen Tagen im Tal von Kaschmir sein und die Pferde im Wularsee tränken.«

»Und Sie glauben, das sei alles, was wir an Pässen haben?«, fragte der Mir höhnisch. »Es gibt keinen Hunzakut, der nicht seinen Weg durch jedes Tal, jede Senke, jede Schlucht, durch Abgründe und Felsspalten und Höhlen findet. Wir können mit geschlossenen Augen durch das Gebirge ziehen.«

»Die Briten lernen schnell.«

»Nicht so schnell! Sie können diese Pässe auch nicht ohne unsere Hilfe verteidigen.«

»Im Augenblick vielleicht nicht. Aber die Waffen können erst im Spätsommer in Hunza eintreffen. In der Zwischenzeit werden die Briten nicht untätig bleiben.« Borokows Stimme wurde hart. »Es ist unverzichtbar und ebenso sehr in Eurem wie in unserem Interesse, dass uns für die Kanonen auf Rädern ein sicherer Weg, der den Briten unbekannt ist, zur Verfügung steht.«

»Sie werden keine Pässe brauchen. Wir werden die Lieferung in unserer Festung in Schimsul übernehmen. Der Transport hierher ist dann unsere Sache.«

Borokows Augen wurden schmal. »Das wird für meinen Herrscher nicht annehmbar sein«, erwiderte er knapp. »Wir werden die Waffen nach Hunza liefern, oder es gibt keine Waffen.«

Das Schweigen lag bedrohlich im Raum. Keiner der beiden Männer sprach ein Wort. Safdar Ali blickte in die Ferne und strich sich über den Bart. »Ihr denkt bereits an einen bestimmten Pass, Oberst Borokow?«

Der eisige Wind, der über die Terrasse fegte, drang Borokow durch die Haut bis auf die Knochen. Trotzdem lief ihm der Schweiß über den Nacken. Sie hatten den kritischen Punkt der Verhandlung erreicht. Aus diesem Grund hatte er so lange auf die Begegnung gewartet und war unter so schwierigen Umständen den langen Weg hierher gekommen. »Ja, wir denken an einen bestimmten Pass, Hoheit.«

Das plötzliche Schweigen wurde von dem ohrenbetäubenden Donnern einer Lawine unterbrochen, die viele hundert Meter tief in die Tiefe stürzte. Borokow wartete, bis das Echo verklungen war, dann holte er Luft. »Es ist der Jasminapass.«

»Ah!«

Der Mir zeigte keine Reaktion, aber als Borokow den Namen aussprach, wurde die Luft um sie herum noch kälter. Der alte Wesir sank vor Schreck langsam auf einen Hocker. Die Dolmetscher hörten auf, mit den Füßen zu scharren, und sahen sich unsicher an. Borokow blickte ausdruckslos und mit angehaltenem Atem auf die Berge vor der Terrasse. Plötzlich wirkten die von den unbarmherzig vordringenden Gletschern gezeichneten Felsen noch bedrohlicher. Der Wesir öffnete den Mund, aber der Mir hinderte ihn mit einer Geste am Sprechen.

»Wollen Sie damit sagen, Oberst Borokow«, fragte er mit einem spöttischen Lächeln, »dass all die großen gelehrten weißen Männer in Eurem Land den Jasminapass noch nicht entdeckt haben? Ist dieser kleine Pass wirklich ihrem unermüdlichen Forschungsdrang entgangen?«

»Eure Hoheit wissen sehr wohl, warum der Jasminapass noch nicht entdeckt worden ist.« Borokow sah den Mir unbewegt an. »Und warum er vielleicht nie entdeckt werden wird. Das Geheimnis seiner Lage ist nur Eurem Volk bekannt. Und um dieses Geheimnis zu wahren, werden jedem Darden seit Generationen endlose Geschichten von bösen rachsüchtigen Geistern erzählt, die den Jasminapass bewachen. Überall im Himalaja hört man immer wieder Schauergeschichten von Ungeheuern, übernatürlichen Wesen und menschenfressenden Dämonen, von geheimnisvollen Morden und von Menschen, die am Jasminapass von der Erde verschluckt worden sind.«

»Glauben Sie, Oberst, es handelt sich bei diesen Geschichten um Märchen?«

»Was ich glaube, ist unwichtig. Wichtig ist, was Euer Volk glaubt. Selbst wenn der Pass bekannt wäre, könnte man in ganz Dardistan weder einen Träger noch einen Bergführer oder Packtiere mieten, um zum Jasminapass zu gelangen. Nicht einmal Younghusband hat den Pass gefunden. Und die Briten suchen seit vielen Jahren danach. Es gibt zahllose Gerüchte, aber da sie sich fast alle widersprechen, ist es unmöglich, die Wahrheit daraus abzuleiten.« Er nahm eine Hand voll Pinienkerne und aß ein paar davon. Borokow staunte über den wunderbaren Geschmack. »Auch Durand wollte den Jasminapass finden, nicht wahr?«

Safdar Ali nahm eine Walnuss aus einem großen Korb mit den erlesensten getrockneten Früchten, die Borokow jenseits der Grenzen von Afghanistan gesehen hatte, und brach die harte Schale mühelos mit der Hand auf. Der Mir ließ sich nicht ködern und beantwortete die Frage nicht.

»Sie wollen den Jasminapass benutzen, um Truppen in mein Land zu bringen?«

»Nur, wenn die Briten angreifen, und nur zur Unterstützung Eurer Verteidigung, Hoheit.«

»Und Ihr Volk ist anders als die Briten?«

»Hoheit sind herzlich eingeladen, sich selbst davon zu überzeugen!«, rief Borokow mit großer Geste. »Wir Russen behandeln unsere Verbündeten mit Respekt. Wir unternehmen nichts, um ihre Lebensweise der unseren anzugleichen. Mit unseren modernen Bewässerungsmethoden zeigen wir ihnen nur, wie man größere und ertragreichere Ernten erzielt und wie man unfruchtbares Land nutzbar macht, damit alle genug zu essen und ein besseres Leben haben. In unserem Reich gibt es anders als in Indien keinen Hunger. Überall, wo der russische Einfluss in Zentralasien spürbar ist, herrscht Wohlstand. Für den Generalgouverneur in Taschkent, den Bevollmächtigten meines Herrschers, wäre ein Besuch des Mir von Hunza eine Ehre, und er könnte Eurer Hoheit zeigen, was Russland in Asien bereits bewirkt hat.«

Safdar Ali bedachte den Russen unbeeindruckt mit einem hochmütigen Blick. »Könige wie ich haben keinen Grund, ihr Reich zu verlassen«, erwiderte er und schob den Zobelpelz beiseite. »Und jetzt habe ich genug von diesem Gespräch. Wir werden unsere Unterhaltung später wieder aufnehmen.«

Er erhob sich.

Borokow fluchte im Stillen, aber es blieb ihm nichts anderes übrig, als jetzt ebenfalls aufzustehen. In stummer Enttäuschung folgte er seinem launischen Gastgeber durch die Falltür im Boden und stieg auf dem dicken Baumstamm, der als Treppe diente, nach unten. Im darunter liegenden Raum blieb der Mir stehen.

»Der Jasminapass ist das geheiligte Erbe unserer Ahnen, Oberst Borokow«, sagte er. »Der Pass gehört uns und uns allein. Er ist unser Geheimnis, und daran wird sich auch nichts ändern.« Er ging ein paar Schritte auf die nächste Falltür zu, dem einzigen Weg nach unten, und blieb noch einmal stehen. »Zumindest so lange, bis wir die Waffen bekommen haben.«

Borokow konnte nur mühsam seine Freude unterdrücken. Er wusste, Safdar Ali würde auch weiterhin ausweichen, Forderungen stellen und sich drehen und winden, um das Katz-und-Maus-Spiel mit seinen üblen Launen zu verlängern, aber bevor es zum endgültigen Bruch kam, würde er allen Bedingungen zustimmen.

Die Verhandlungen um den Jasminapass waren so gut wie abgeschlossen.

*

Es war Samstagmorgen.

Emma bereitete sich in ihrem Zimmer auf den Gang in das St. Stephens College vor, wo sie eine Verabredung mit dem Bibliothekar hatte. Der strahlend blaue Himmel, typisch für den indischen Winter im Norden, versprach einen wunderschönen Tag. Beim Ankleiden summte Emma vor sich hin und dachte beschwingt an das, was heute alles auf sie wartete. Nach dem Besuch im College würde sie Jenny Purcell, ihre beste Freundin und die künftige Braut, auf einem der langwierigen Einkäufe begleiten. Nach dem Mittagessen bei den Purcells würde um vier Uhr John Brysons, Jennys Verlobter, kommen, um mit ihnen in das Rathaus zu fahren, wo Geoffrey Charlton einen Vortrag über seine Reise mit der erst kürzlich fertig gestellten Transkaspischen Eisenbahn durch Zentralasien halten sollte. Die uralten Kulturen in Zentralasien waren ein Thema, für das sich Emma brennend interessierte. Sie freute sich schon seit Tagen auf den Lichtbildervortrag.

Als sie ihre Unterlagen in den Handkoffer legte, hörte sie das Rumpeln von Wagenrädern in der Einfahrt. Sie nahm an, es sei ihre Tikka Gharry, und blickte aus dem Fenster. Aber vor dem Portal stand keine Tikka, sondern ein sehr eleganter Brougham, der von zwei Apfelschimmeln gezogen wurde. Ihre Mutter hatte nichts von Besuchern gesagt! Im Augenblick hielt sie ihren Vormittagsschlaf, den Dr. Ogbourne ihr verordnet hatte, und durfte nicht gestört werden. Deshalb wollte Emma Majid rufen und ihm entsprechende Anweisungen geben. Doch als sie die Tür öffnete, stand der Diener bereits mit einem Briefumschlag davor. Zu ihrer Überraschung stellte Emma fest, dass er an sie adressiert war. Verwundert öffnete sie das Kuvert und zog eine kurze Nachricht zusammen mit einer elegant gedruckten cremefarbenen Visitenkarte hervor.

»Mr. Damien Granville«, stand auf der Mitteilung, »bittet um die Erlaubnis, Miss Emma Wyncliffe, der bewundernswertesten Memsahib in Delhi, seine Aufwartung machen zu dürfen.«

Der Name des Absenders stand zusammen mit der Adresse auch auf der Visitenkarte: »Shahi Bagh, Nicholson Road, Delhi.«

Emma kannte den Namen nicht, doch ihr sechster Sinn sagte ihr, es handle sich um den unmöglichen Fremden, dem sie vor ein paar Tagen im Qudsia-Park die Meinung gesagt hatte. Sie staunte von neuem über seine Kühnheit. Offensichtlich besaß dieser Mensch noch weniger Feingefühl, als er am Tag des wenig denkwürdigen Vorfalls bewiesen hatte. Emma zerriss die Nachricht und die Visitenkarte in kleine Stücke, schob die Schnipsel in das Kuvert zurück, reichte es Majid und trug ihm auf, es dem wartenden Boten als passende Antwort auf diese erneute Unverschämtheit zurückzugeben.

Emma konnte sich keine Situation vorstellen, in der sie den Wunsch hätte haben können, diesen Damien Granville wiederzusehen, und beschloss, ihn einfach zu vergessen.

*

Delhis Rathaus, der Sitz der Bezirksregierung, war ein kolonialer Bau in typisch viktorianischer Architektur. Es stand im Herzen der Stadt und hatte gigantische Ausmaße. Darin waren auch die Büros der Stadtverwaltung, die Handelskammer, die Literarische Gesellschaft von Delhi, ein Museum, eine Bibliothek und ein europäischer Club untergebracht. Als Schauplatz vieler prunkvoller Anlässe stand das Rathaus inmitten von Queen's Gardens – im Volksmund hieß der Park Company Bagh – am östlichen Ende von Chandi Chowk, dem Zentrum des kommerziellen Viertels und in der Nähe des neugotischen Bahnhofs.

Geoffrey Charltons Vortrag wurde von der Literarischen Gesellschaft veranstaltet und war deshalb ein gesellschaftliches Ereignis. Der Saal füllte sich bis zum letzten Platz. John Bryson war früh erschienen und hatte gute Plätze in der dritten Reihe belegen können. Auf dem Podium stand auf einem Tisch ein großer schwarzer Apparat, eine moderne Rudge-Wunderlampe – wie John erklärte –, die in Delhi zum ersten Mal zu sehen war. Diabilder auf Glas wurden auf eine Leinwand projiziert, die an der Wand hinter dem Podium hing.

Delhis Gouverneur, ein beleibter Mann mit kleinen Knopfaugen, nahm als Erster auf dem Podium Platz. Er war dafür bekannt, in den Klang seiner Stimme verliebt zu sein. Ihm folgten der Kommissar, andere Regierungsbeamte und führende Persönlichkeiten der Gesellschaft, darunter auch Nawab Murtaza Khan. Schließlich erschien der eher bescheiden wirkende Geoffrey Charlton.

»Mein Gott, er ist ja schrecklich jung!«, rief Jenny peinlich laut. »Ich dachte, er sei ein alter Knabe wie die anderen Vortragsredner, zu denen mich John schleppt.«

»Er ist vierunddreißig«, antwortete Emma betont leise.

»Ach? Woher weißt du das?«

»Der Sentinel hat einen kurzen Lebenslauf von Mr. Charlton veröffentlicht, als seine Artikelserie über die Reise erschien.«

»Worüber schreibt er sonst?«

»Über Zentralasien.«

»Lebt er in London?«

»Könnte ich mir denken.«

»Ist er verheiratet?«

»Wie um alles in der Welt soll ich das wissen?«

»Du scheinst ja alles über ihn zu wissen!«

»Geoffrey Charlton ist ein sehr bekannter Journalist«, erwiderte Emma ernst. »Auch du hättest schon von ihm gehört, wenn du deine Nase nicht immer in diese schrecklichen Liebesromane stecken würdest, die du tonnenweise kaufst.«

»Ach, ich stecke meine Nase jeden Morgen auch in die Gerüchteküche, um zu wissen, was in der Welt geschieht«, sagte Jenny munter. »Außerdem, wer interessiert sich schon für das langweilige Zentralasien?«

»Warum bist du denn dann gekommen?«

»Weil alle da sind und ich es nicht ausstehen kann, wenn ich nicht auch dabei bin.« Jenny warf einen vielsagenden Blick auf das Podium, wo Charlton seine Unterlagen ausbreitete. »Er ist nicht verheiratet!«

»Das kannst du feststellen, wenn du ihn nur ansiehst?«

»Ich *rieche* es, Emma. Vergiss nicht, dass ich die Tochter meiner Mutter bin – Mama kann einen Junggesellen mit geschlossenen Augen auf hundert Meter Entfernung riechen.«

»Auch wenn er unverheiratet ist«, sagte John, »wirst du es jedenfalls nicht mehr lange sein. Deshalb kannst du dir deine schmachtenden Blicke für jemanden aufsparen, der in der Lage ist, sie besser zu erwidern.«

»Spielverderber!« Jenny drückte ihm liebevoll die Hand, lächelte zufrieden und lehnte sich zurück, um zuzuhören.

Wie erwartet dauerten die »wenigen Worte« des Gouverneurs fünfzehn lange Minuten, und das Publikum klatschte vor Erleichterung begeistert, als er schließlich schwieg. Die anderen Redner orientierten sich an der allgemeinen Stimmung im Saal und hielten ihre Reden gnädigerweise kurz. Schließlich erhob sich Geoffrey Charlton unter anhaltendem Applaus und trat neben den Tisch.

»Welche politischen Absichten oder Motive auch immer hinter ihrem Bau stehen«, begann er seinen Vortrag, »die Transkaspische Eisenbahn ist ein Meisterwerk der Ingenieurkunst und von erstaunlichem Einfallsreichtum, Weitblick und grandioser Willenskraft. Nur die dümmsten unter uns können Russland den Triumph angesichts einer solchen Leistung verweigern. Diese Eisenbahnstrecke schafft eine wirkungsvolle Verbindung durch das riesige, geheimnisvolle und unerforschte Gebiet, das sich zwischen dem Kaukasus und dem Himalaja erstreckt. Deshalb verdient diese Tat die Bewunderung, die Dankbarkeit und zweifellos auch den Neid der ganzen Welt.

Monsieur Ferdinand de Lesseps, berühmt durch den Bau des Suezkanals, hat 1873 als Erster Pläne zu dieser Eisenbahnstrecke entwickelt. Er wollte eine Verbindung von Calais bis Kalkutta schaffen. Der Plan wurde als allzu ehrgeizig zu den Akten gelegt – viele andere ebenfalls. Elf Jahre später erhielt General Annenkow, Leiter des Transportwesens im russischen Heer, von dem damaligen Oberbefehlshaber den Auftrag, die Transkaspische Eisenbahn zu bauen, denn es handelt sich im Wesentlichen um eine militärische Verbindung. Annenkow brachte das Projekt in Rekordzeit zu einem erfolgreichen Abschluss. Bereits am 27. Mai 1888 fuhr der erste Zug mit einer Abteilung russischer Soldaten nach Samarkand, dem gegenwärtigen Endbahnhof. Damit begann ein revolutionäres neues Kapitel im Schienentransport über lange Strecken.

Wie im russischen Kursbuch nachzulesen ist, gibt es zurzeit eine tägliche Verbindung vom Kaspischen Meer nach Samarkand. Die Reise dauert zweiundsiebzig Stunden. Der Zug legt mehr als neunhundert Meilen zurück und hält an einundsechzig Bahnhöfen. Ein Fahrschein der zweiten Klasse kostet für eine Strecke achtunddreißig Rubel, das sind drei Pfund und sechzehn Shilling. Das bedeutet, man zahlt ungefähr einen Penny für die Meile.« Er lächelte. »Ich kann Ihnen versichern, das ist bei Gott nicht zu viel.«

Die Zuhörer stimmten ihm lauthals zu.

Charlton sprach weiter. »Viele werden erleichtert sein zu hören, dass ich nicht vorhabe, mich bei langweiligen statistischen und technischen Angaben aufzuhalten. Aber ich werde am Schluss gerne Ihre Fragen beantworten. Ich möchte Sie jetzt einladen, mich mit Hilfe meiner Diapositive auf der Fahrt zu begleiten. Sie werden sehen, die Aufnahmen zeigen erstaunliche und unerwartete Aspekte einer Gegend, die man bislang für langweilig und wenig reizvoll für den Reisenden gehalten hat. Ich fühle mich geehrt, dass ich die Gelegenheit habe zu beweisen, wie falsch alle diese Vorurteile sind.

In Zentralasien begegnen sich vier große Religionen – der Buddhismus, der Islam, das Christentum und der Zoroastrismus. Es ist ein Schmelztiegel multikultureller Höhepunkte, reich an Geschichte und archäologischen Funden. Die Oasen sind erstaunlich fruchtbar, der Boden ist eine Schatzkammer für Minerale, und die verschiedenen Rassen und Völker dort sind von größter historischer Bedeutung. Es gibt in der Tat so viel zu sehen und zu berichten, dass ich kaum weiß, wo ich anfangen soll.«

Die Lichter im Saal gingen langsam aus, und der Apparat warf einen hellen elektrischen Lichtstrahl auf die Leinwand. Charlton schob das erste Lichtbild in den Projektor – eine auf geheimnisvolle Weise vergrößerte Straßenszene in St. Petersburg, der Hauptstadt des Zarenreichs. Das Bild war absolut scharf und klar.

Charlton sprach weiter, während die Bilder hinter ihm wechselten. »Baku, die Stadt am Westufer des Kaspischen Meers, ist der Ausgangspunkt der Transkaspischen Eisenbahn. Mit der Fähre geht es nach Uzu Ada, der ersten Station auf zentralasiatischem Gebiet.«

Ein Dia folgte auf das nächste. Den Zuschauern wurden durch jedes neue Bild die Geheimnisse des fremden und exotischen Landes auf anschauliche Weise näher gebracht. Wie gebannt betrachteten sie das immer wieder neue Gesicht des sich vor ihren Augen entfaltenden russischen Reiches. Sie wurden mitgenommen auf eine Reise über atemberaubend hohe Berge, sie überquerten legendäre Flüsse, fuhren durch bedrohliche Wüsten, fruchtbare Täler und besuchten die grünen Oasenstädte. Sie sahen ein ständig wechselndes Kaleidoskop fremder Völker, alter, halb im Sand begrabener Städte, ummauerter Hauptstädte mit prachtvollen Plätzen, geschmückten Minaretten, Lehmpalästen, den blauen Kuppeln von Moscheen und Mausoleen und verwirrenden Basaren, in denen von lebenden Tauben bis zu Porzellan alles verkauft wurde. Ohne viele Worte brachte Charlton ihnen vergessene Zivilisationen, geheimnisvolle Kulturen und das Nomadenleben in Zentralasien nahe. Er zeigte ihnen eine Folge faszinierender Orte, die den meisten nur als Namen aus Zeitungen oder Geschichtsbüchern bekannt waren: Askabad, Kandahar, die Oasenstadt Merw, das Ferghanatal – die Wiege der Moguln und ihrer sagenumwobenen Pferde –, Buchara und Samarkand, die Zwillingsstädte Tamerlans, und Taschkent, einst die Hauptstadt von Alexander dem Dritten und jetzt Zentrum der russischen Militärmacht in Asien.

Charlton war ein ausgezeichneter Reiseführer, der mit wissenschaftlicher Genauigkeit die Aufmerksamkeit auf Einzelheiten lenkte und dabei interessante Anekdoten zum Besten gab. Er hatte sich ein umfassendes Wissen angeeignet und gab es selbstbewusst, aber durchaus bescheiden an seine Zuhörer weiter. Wie alle im Saal hörte auch Emma sehr aufmerksam zu. Das Gedächtnis dieses Mannes beeindruckte sie tief. Meist sprach er frei und warf nur hin und wieder einen Blick auf seine Notizen. Niemand, nicht einmal Jenny, die das Thema des Vortrags nur wenig interessierte, bemerkte, wie eineinhalb Stunden vergingen. Dann war das Kaleidoskop der Bilder plötzlich zu Ende.

Die Lampen im Saal wurden wieder hell, und Charlton stellte sich den Fragen. Sofort meldeten sich ein Dutzend Zuschauer zu Wort. Ein älterer Mann mit hellrotem Haar – Emma wusste, er arbeitete als Ingenieur bei der Bahn – stellte die erste Frage.

»Da es auf der Strecke keine Kohle gibt, möchte ich wissen, mit welchem Brennstoff die russischen Lokomotiven fahren?«

»Sie benutzen Astaki von den Ölfeldern in Baku«, erwiderte Charlton. »Das ist der Rückstand von Petroleum nach der Destillation. Man sagt, Petroleum ist als Brennstoff im Vergleich zu Kohle sechsmal ökonomischer, und da die Russen genug davon haben, planen sie jetzt sogar, ganz Buchara mit Petroleumlampen zu beleuchten.«

Dann erfuhren die Zuhörer, dass jedes Stück Holz, Eisen und Stahl für den Bau der Eisenbahnstrecke aus den Wäldern und den Fabriken Russlands stammte. Zwanzigtausend Arbeiter hatten an dem Projekt gearbeitet, die Strecke hatte pro Meile ungefähr fünftausend Pfund Sterling gekostet. Eine zusätzliche halbe Million war für Rangiergleise, Bahnhöfe und Hilfskonstruktionen ausgegeben worden.

Ein Parse, dem ein großes Weinlokal in Chandi Chowk gehörte, stand auf und erkundigte sich, welche Auswirkung die russische Eisenbahn auf die britischen Exporte in der Region haben würde.

»Sehr große Auswirkungen!«, erwiderte Charlton. »Russland hat jetzt das Monopol für Importe zu den zentralasiatischen Märkten. Bis vor kurzem gab es auf Bucharas zwanzig Märkten eine Überfülle von Produkten aus Manchester und Birmingham. Jetzt findet man dort nur noch wenige englische Waren. Das Angebot wird von russischen Produkten beherrscht. Vor fünfzehn Jahren gab es nur einen einzigen russischen Händler in Buchara, heute sieht man in der Stadt die

Zweigstellen der Kaiserlichen Russischen Bank, der Zentralasiatischen Handelsgesellschaft, der Russischen Transportgesellschaft, und viele private russische Unternehmen erleben eine ungeahnte Blüte. Vor zwei Jahren«, er suchte in seinen Unterlagen und hob ein Blatt hoch, »belief sich allein der russische Handel mit dem Khanat von Buchara auf eineinhalb Millionen Pfund Sterling.«

»Und wo liegt der Grund für diesen schlechten Zustand aus indo-britischer Sicht?«, fragte der Parse.

»Es gibt verschiedene Gründe. Die Waren aus Europa und Indien werden mit Karawanen befördert. Es gibt Verspätungen, Überfälle und hohe Zölle. Die russischen Produkte dagegen werden schnell und sicher mit der Transkaspischen Eisenbahn transportiert und sind von Abgaben und Zöllen befreit. Bei der Suche nach neuen Absatzmöglichkeiten drängt Russland auf traditionell britische Märkte, und zwar bis Afghanistan, Belutschistan und Persien. Und indirekt beliefern russische Händler natürlich auch unsere eigenen Grenzstädte, wo der Schmuggel immer neue Blüten treibt. Außerdem darf man auch die systematischen und gut geplanten Raubüberfälle der Hunzabanden nicht vergessen. Die Hunzakut werden insgeheim von den Russen ermutigt. So gesehen, wird das Bild noch düsterer.«

Emma interessierte sich nur wenig für kommerzielle und politische Themen, und sie wartete ungeduldig darauf, dass Charlton wieder über die Geschichte sprechen würde. Sie wollte etwas von den alten Städten von Merw hören, von Dschingis Khan und seinen Eroberungen und von Huan Tsang, dem chinesischen buddhistischen Mönch, der im siebten Jahrhundert allein durch das Land gereist war. Da so viele unbeantwortete Fragen in ihr brannten, überwand sie schließlich ihre Schüchternheit und hätte beinahe die Hand gehoben. Aber ein Brigadier mit einem verwegenen Schnauzbart und einem Monokel kam ihr zuvor. Er sprang energisch auf und meldete sich zu Wort. Und da war es zu spät. »Sir, halten Sie eine russische Invasion in Indien für möglich?«

Ein erwartungsvolles Murmeln ging durch den Saal. Emma wusste, das war die am meisten und am leidenschaftlichsten diskutierte Frage im ganzen Land. Bei jedem gesellschaftlichen Anlass kreiste das Gespräch der Herren unweigerlich um die allgegenwärtige Angst vor einer russischen Invasion. Sie seufzte ergeben, lehnte sich zurück und fand sich damit ab zuzuhören.

»Leider für nur allzu wahrscheinlich«, erwiderte Charlton. »Russland träumt seit über einem Jahrhundert von einer Invasion, seit der Regierungszeit von Katharina der Großen. Es liegt nur an den russischen Gegebenheiten und an unserem Glück, dass diese Invasionspläne nicht verwirklicht worden sind, und weniger an englischen Abwehrstrategien.« Er machte ein Pause, damit die Zuhörer Zeit hatten, seine Aussage in ihrer ganzen Tragweite aufzunehmen. »Mit dem erfolgreichen Bau der Transkaspischen Eisenbahn hat das Thema einer Invasion wieder an Aktualität gewonnen. Vor fünfzig Jahren war Russlands Grenze tausend Meilen von Kabul entfernt. Heute, nach der Eroberung von Kokan, Samarkand, Buchara und Chiwa ist die Grenze nur noch dreihundert Meilen von Peschawar entfernt. Zurzeit wird die Bahnlinie sogar bis Taschkent ausgebaut. Wer weiß, wo die Grenze in fünfzig Jahren verlaufen wird?«

»Und wie stark sind die russischen Streitkräfte in Asien?«, fragte der Brigadier.

Charlton rieb sich das Kinn. »Die Russen geben natürlich keine genauen Zahlen bekannt, aber meinen Ermittlungen zufolge stehen ungefähr fünfundvierzigtausend Mann unter Waffen.«

»Dem stehen unsere siebzigtausend britischen Soldaten gegenüber und die doppelte Zahl indischer Sepoys!«, rief ein anderer Offizier.

»Ja, aber lassen wir uns nicht von Zahlen täuschen«, warnte Charlton. »Sei es nun falsch oder richtig, seit dem Sepoy-Aufstand dürfen die einheimischen Truppen keine modernen Waffen mehr tragen, und das beeinträchtigt unsere Feuerkraft erheblich. Die russischen Truppen dagegen sind mit den modernsten Waffen ausgestattet und führen ein bemerkenswert gutes Leben. Es geht den russischen Mannschaften weit besser als den unseren.«

»Wie das?«, fragte der Offizier.

»Jede russische Kaserne«, erklärte Charlton, »hat zum Beispiel einen eigenen Speisesaal. Es gibt reichlich zu essen, und die Mahlzeiten sind von guter Qualität. Wenn, wie es so schön heißt, überall auf der Welt der Bauch darüber bestimmt, wie die Soldaten marschieren, dann gilt das für die russischen Soldaten in ganz besonderem Maße. Von Pferden gezogene Feldküchen, die zweihundert Mann versorgen können, begleiten die Truppen unterwegs und liefern Tag und Nacht Mahlzeiten. Im Vergleich zu unseren Leuten ist der russische Soldat nicht nur besser bewaffnet, sondern auch sehr viel gesünder, ausdauernder und in der Lage, lange Märsche bei Frost in den Regionen des Himalaja zu überstehen. Und vor allen Dingen ist er mit seinem Los sehr viel zufriedener.«

»Kann man nicht dasselbe vernünftige System bei unseren Streitkräften einführen?«, fragte der Offizier.

»Natürlich können wir das! Aber in seiner unvergleichlichen Weisheit sieht Whitehall das anders. Als ich nach meiner Rückkehr den Vorschlag im Kriegsministerium unterbreitete, hat man vor Entsetzen die Hände über dem Kopf zusammengeschlagen. Und warum? Wegen der zusätzlichen Ausgaben von sechzig Pfund für eine Feldküche!« Er lachte und breitete die Arme aus. »Nichts beweist besser die Kurzsichtigkeit unserer Militärpolitik in Indien, die an kleinen Dingen spart und bei großen das Geld manchmal zum Fenster hinauswirft.«

»Meine Damen und Herren«, fuhr Charlton wieder ernst fort, »es ist die Wahrheit, dass Russlands Präsenz in Zentralasien beinahe ausschließlich eine militärische Präsenz ist. Die gastfreundlichen russischen Offiziere, die ich auf meiner Reise kennen gelernt habe, machten keinen Hehl aus ihrer Ungeduld, das russische Reich nach Süden auszudehnen. Russland lässt bereits die Muskeln spielen. Heute erhebt es Anspruch auf dieses, morgen erobert es jenes. Und daran wird sich nichts ändern. Die reifste Frucht in ganz Asien ist Indien. Mit der Transkaspischen Eisenbahn stehen die Russen buchstäblich vor unserer Tür. Ich frage Sie, kann es bessere Bedingungen für eine Invasion geben?«

»Aber unsere Agenten sind doch bestimmt auf Übergriffe und heimliche Grenzverletzungen im Himalaja vorbereitet?«, fragte ein drahtiger kleiner Major in voller Ausgehuniform.

»Zweifellos, und ich begrüße die Gelegenheit, ein paar Worte über unseren Geheimdienst oder, korrekt ausgedrückt, den politischen Nachrichtendienst und das Amt für Bodenforschung von Indien sagen zu können, dessen Mitarbeiter – sowohl Briten wie Inder – unter so großen Gefahren Informationen beschaffen. Diese Männer sind unglaublich mutig. Ihr Leben ist ständig in Gefahr, und sie sind tückischen klimatischen Extremen ausgesetzt. Sie erkunden und vermessen unbekanntes Gebiet und übermitteln uns lebenswichtige Informationen über Zentralasien. Einige kehren nie von den Expeditionen zurück, andere sitzen im Gefängnis und erdulden grausame Foltern. Sie fliehen und schleppen sich zurück, um früh zu sterben, denn ihr Geist und ihr Körper sind völlig erschöpft. Es würde Sie entsetzen zu erfahren, wie viele Menschenleben geopfert werden, um im Himalaja und darüber hinaus Informationen zu erhalten, zu sammeln und zu übermitteln.«

»Hört! Hört!«, rief jemand im Saal, und alle applaudierten.

»Aber diese mutigen Taten«, fuhr Charlton fort, als der Beifall verstummte, »sind nicht genug. Jeder *Einzelne* von uns hat die Pflicht zu größter Wachsamkeit. Russland schickt seine Spione nach Indien, um Unzufriedenheit zu schüren und falsche Informationen zu verbreiten. Sie tun alles, um den Mythos am Leben zu erhalten, dass England das indische Reich durch Tyrannei beherrscht. Die russischen Kundschafter arbeiten im Verborgenen. Sie bemühen sich ausdauernd darum, böswillige Gerüchte in Umlauf zu bringen. Sie setzen auf die Habgier der Menschen und bringen so viele Unwissende auf ihre Seite. Am gefährlichsten jedoch ist es, dass sie ständig und heimlich nach neuen Möglichkeiten suchen, sich über die Berge unbemerkt Zugang nach Indien zu verschaffen.«

»Die Gerüchte, die Sie kürzlich im *Sentinel* in Zusammenhang mit diesem Mord veröffentlicht haben …«

»Ja, das ist eine besondere Geschichte, Sir!« Charlton hob schnell die Hand, um die Frage zu unterbrechen. »Aber darüber möchte ich im

Augenblick nicht sprechen. Wenn sich die Gerüchte erhärten und sich die Fakten bestätigt haben, werde ich darüber schreiben! Und ich verspreche Ihnen, die Öffentlichkeit wird alles erfahren, bis in die letzten Einzelheiten. Darauf haben Sie mein Wort.«

Die übrigen Fragen kreisten hauptsächlich um die Eisenbahn und die mit ihrem Betrieb verbundene Logistik. Nachdem Charlton auch die letzte Frage beantwortet hatte, warf er einen Blick auf seine Taschenuhr und begann, seine Unterlagen für das Schlusswort zu ordnen.

»Zum Abschluss möchte ich«, begann er, »ein paar Worte zu der Bedrohung unseres Reiches durch eine russische Aggression sagen. Wie Sie alle hier, so bin auch ich ernsthaft besorgt über die Politik der ›meisterhaften Untätigkeit‹ unserer Regierung, eine Politik, die wir in der Tat zu einer Kunstform gemacht haben. Russland stößt Schritt für Schritt vor, mit Angriffen, unverschämten Annektionen und Gebietsansprüchen. Wir sehen zu, wenden uns ab und begnügen uns mit diplomatischen Freundlichkeiten. Ich glaube allen Ernstes und erkläre mit patriotischer Leidenschaft, wenn wir nicht endlich etwas tun, wenn wir angesichts dieser sehr realen Bedrohung nicht unsere Haltung aufgeben, für alles eine Entschuldigung zu finden, wenn wir nicht aufhören, so zu tun, als seien wir blind, taub und stumm, dann kann es sein, dass das britische Reich in Asien am Ende dieses Jahrhunderts zerfallen sein wird.«

Als er verstummte, erhoben sich die Zuhörer von den Sitzen und klatschten stürmisch Beifall. Wenn Charlton seinen Vortrag der Wirkung halber mit diesem dramatischen Appell beendet hatte, dann war seine Strategie zweifellos erfolgreich. Nur wenige eilten zum Ausgang, um dem Gedränge zu entgehen, aber sehr viel mehr schoben sich in Richtung Podium, um Charlton noch mit Fragen zu bestürmen.

Auf dem Weg zum Ausgang stieß Jenny ihre Freundin mit dem Ellbogen an. »So, jetzt bist du wohl überredet, mit uns am Samstag zu den Purcells zu kommen«, flüsterte sie augenzwinkernd und lächelte vielsagend.

Emma zuckte mit den Schultern. »Vielleicht. Wir werden sehen.«

Jenny lachte. Sie wusste, mit Geoffrey Charlton als Köder würde selbst ein Erdbeben Emma nicht von dieser Burra Khana fern halten.

*

Oberst Borokow langweilte sich. Die Langeweile quälte ihn so sehr, dass er glaubte, keinen Tag länger in Hunza überleben zu können. Eine ganze Woche war seit dem Gespräch mit Safdar Ali vergangen, und der Mir zeigte noch immer keine Bereitschaft, die Verhandlungen um den Jasminapass weiterzuführen. Jedes Mal, wenn sich Borokow bemühte, das Thema wieder anzuschneiden, vertröstete ihn der Mir mit den Worten: »Nach dem Schauspiel.«

Am vergangenen Morgen war Borokow sehr früh in der Festung erschienen, denn er hatte unter allen Umständen die Verhandlungen fortsetzen wollen. Der Mir hatte sich jedoch wieder ein ermüdendes Ablenkungsmanöver ausgedacht und bestand darauf, seinem Gast in aller Ausführlichkeit die Kanone zu erklären, die ihn bei seiner Ankunft in Hunza mit einem Salut von einunddreißig Schüssen begrüßt hatte. Da der Premierminister als Einziger in Hunza mit der Kanone umgehen und der Mir auch nur ihm trauen konnte, hatte der alte Mann diese Ehrenpflicht erfüllt. Das massive Geschütz war von einem Schmied in Wakhan gegossen worden. Zu diesem Zweck hatte man alle erdenklichen Haushaltsgegenstände aus Metall eingeschmolzen. Der Schmied hatte eine bewundernswerte Arbeit geleistet, aber um ihn daran zu hindern, ein ebensolches Werk für die Feinde von Hunza zu wiederholen, war er anschließend enthauptet worden.

Zwischen vorsichtigen Erkundungsgängen entlang der gefährlichen Gletscher schrieb Borokow einen Bericht an Alexej Smirnow und blickte besorgt zum bleigrauen Himmel hinauf. Dann wieder fragte er sich, was es wohl mit dem angekündigten »Schauspiel« auf sich haben mochte, dem der Mir so große Bedeutung beizumessen schien. Glücklicherweise verhinderte das Wintereis ein langweiliges Poloturnier, den Nationalsport in Dardistan.

Endlich war der große Tag da.

Das Schauspiel sollte im Hof stattfinden. Die Pflastersteine waren mit Puderschnee bestäubt. Es herrschte inzwischen strenger Frost. Als Borokow seinen Platz neben dem Mir einnahm, sah er an den beiden Eisenstangen in der Mitte des Platzes, an die eine geknebelte Gestalt gefesselt war, dass es sich bei dem »Schauspiel« offenbar um eine ganz gewöhnliche Hinrichtung handeln würde. Er verschwendete kaum einen Gedanken an das unglückliche Opfer, dem das Leben genommen werden sollte, und seufzte insgeheim erleichtert auf.

Das gefesselte Opfer war offenbar noch ein Junge, denn sein Gesicht zeigte keine Spur von einem Bart. Als der Mir erschien, warf er verzweifelt den Kopf hin und her, versuchte, durch den Knebel zu schreien, und flehte offensichtlich um Gnade. Safdar Ali würdigte ihn keines Blickes. Er hob die Hand und gab ein Zeichen. Der Mann an der Trommel schlug einen lang anhaltenden lauten Wirbel. Das Echo aus der Schlucht klang schauerlich und verlor sich schließlich im Rauschen des Flusses. Die Menge begann rhythmisch zu singen. Es war die rituelle Forderung nach Blut.

Der Mir hob den Zeigefinger. Jemand aus der Menge trat vor, und der Gesang schwoll an. Der Mann zog den Knebel aus dem Mund des Jungen und presste ihm den Kopf gegen eine der Stangen. Mit der anderen Hand fasste er in den schreienden Mund, riss ihm die Zunge heraus und warf sie auf die Steine. Aus dem weichen Stück Fleisch sprudelte Blut. Es zuckte und zappelte auf dem Boden wie der abgeschnittene Schwanz einer Eidechse und landete schließlich direkt vor Borokows Füßen. Das Geschrei wurde zu einem unverständlichen gurgelnden Gebrüll. Der Junge schloss die Augen und verlor das Bewusstsein.

Ein zweiter Mann mit einer Eisenstange trat vor. Er packte den Jungen bei den Haaren und stieß ihm mit der Stange nacheinander in die geschlossenen Augen. Beide Männer schienen Übung zu haben. Die ganze Hinrichtung dauerte weniger als fünf Minuten. Der Kopf des Jungen fiel leblos auf die Brust. Das Blut tropfte über seinen Oberkörper. Entweder war er bereits tot oder er starb gerade. Der Körper sackte in sich zusammen und fiel gegen den Pfosten. Der Junge gab keinen Laut mehr von sich. Zu seinen Füßen sammelte sich das süße, klebrige Blut zu einer immer größeren Lache. Die Menge stieß triumphierende Schreie aus, die weithin über den dunklen stahlgrauen Himmel hallten. Das »Schauspiel« war vorüber.

Borokow wurde es übel. Er hatte in den Khanaten schon viele Grausamkeiten gesehen. Auch in seiner Heimat, in Russland, ging man mit den Sklaven nicht gerade zimperlich um, aber diesmal revoltierte sein Magen. Wenn das barbarische »Schauspiel« einen Zweck erfüllen sollte – und daran zweifelte er nicht –, dann hatte er den erschreckenden Verdacht, das alles habe etwas mit ihm zu tun.

Er unterdrückte mit einiger Mühe seine Übelkeit und fragte mit belegter Stimme und einem sauren Geschmack im Mund: »Wer ist dieser Junge? Ist er ein Fremder?«

»Nein«, erwiderte der Mir. »Er ist einer von uns.«

»Warum wurde er hingerichtet?«

Safdar Alis Gesicht blieb völlig ausdruckslos. »Er hat seine Landsleute verraten.« Borokow wagte nicht, noch eine Frage zu stellen, und schwieg. Aus den Falten seines weiten Gewands nahm der Mir ein Fernglas und warf es ihm zu. »Um dieses billige Spielzeug zu bekommen, hat er ein heiliges Gebot übertreten und einem Ungläubigen den Jasminapass gezeigt. Er hat den Tod mehr als verdient.« Er blähte seine Wangen und spuckte auf den Boden.

Borokow blickte unverwandt auf das Fernglas und schwieg. Safdar Ali wies mit einer knappen Geste auf die Festung und ging voraus. Borokow folgte. Erst als sie in dem Raum ganz oben am Tisch saßen, begann der Mir wieder zu sprechen. Abgesehen von dem Dolmetscher – einem anderen, wie Borokow feststellte – und seinem Pushtu sprechenden Kosaken waren sie allein.

»Sie werden die Gelder innerhalb der nächsten drei Monate zahlen und die Kanonen auf Rädern einzeln im Laufe eines Jahres an Übergabeplätze liefern, die wir später noch genauer festlegen«, sagte der Mir ausdruckslos. »Wir sind besonders an den neuen Magazingewehren interessiert und an dem rauchlosen Pulver, von dem Sie gesprochen haben.«

Borokows Herz setzte einen Schlag aus. Der Mir hatte den Köder geschluckt! »Ich bitte um Entschuldigung, Hoheit, aber ich fürchte, im Angebot meiner Regierung werden die neuen Gewehre nicht enthalten sein.« Er sagte das mit aufrichtigem Bedauern. »Diese Waffen sind erst vor kurzem entwickelt worden und die Erprobungsphase ist noch nicht abgeschlossen. Die Neubewaffnung unserer eigenen Infanterie und Kavallerie steht noch aus.«

»Was wir Ihrem Land als Gegenleistung bieten«, fragte der Mir scharf, »ist nicht einmal ein paar Gewehre und etwas Pulver wert?«

»Zweifellos, Hoheit, ist es das. Es wäre jedoch unehrlich von mir, etwas zu versprechen, was meine Regierung nicht bereit ist zu erfüllen. Ich weiß, dass diese Gewehre nicht in die Vereinbarungen aufgenommen werden.«

Safdar Alis fragte drohend: »Weshalb haben Sie dann überhaupt davon gesprochen?«

»Das war nur so ein Gedanke von mir, Hoheit!« Borokow versuchte, seine Freude nicht zu zeigen. »Und ich bitte noch einmal um Vergebung. Da die Gewehre von so hoher Qualität sind, ist die Herstellung besonders teuer, und es sind noch nicht genug vorhanden.«

Safdar Ali stand auf, stellte sich breitbeinig vor ihn hin und stemmte die Hände in die Hüften. »Wenn die Gewehre nicht zu den Lieferungen gehören, Oberst Borokow, dann wird es keine Vereinbarung mit uns geben!«

»Lassen Sie uns über diesen Punkt noch einmal sprechen, Hoheit«, erwiderte Borokow schnell, um keinen gefährlichen Wutanfall auszulösen. »Möglicherweise lässt sich eine Lösung des Problems finden …«

Der Mir setzte sich wieder, hielt aber eine Hand gefährlich nahe am Schwertgriff. »Also?«

»Zuerst eine Frage.« Borokow betrachtete mit großer Aufmerksamkeit seine Fingernägel. »Dieser Ungläubige, dem das Geheimnis verraten wurde … welche Nationalität hat er?«

»Er war das, was Sie einen Engländer nennen würden.«

»War?«

»So wie der Junge ist auch er nicht mehr am Leben.«

»Ah.« Borokow lehnte sich erleichtert zurück. »Wenn ich es mir recht überlege, glaube ich, dass es möglich sein wird, meine Regierung zu überreden, ein paar der neuen Gewehre in die Lieferung miteinzubeziehen. Aber nicht ohne ...« Er machte eine Pause und spitzte den Mund.

»Ohne was?«

»Ohne einen deutlichen Beweis der guten Absichten Eurer Hoheit.«

Safdar Ali lehnte sich langsam zurück. Seine Miene veränderte sich nicht. Borokow wagte kaum zu atmen, doch sein Herz schlug heftig, während er auf die Antwort wartete. Schließlich bewegte sich der Mir. Er suchte wieder in den Falten seines seidenen Gewandes, dann sprang er so plötzlich auf, dass Borokow zusammenfuhr.

»Man soll Oberst Borokow in sein Lager zurückbegleiten«, befahl er dem Dolmetscher.

Borokow wusste nicht, was geschah, und erstarrte auf seinem Platz. Als der Mir an ihm vorüberging, blieb er kurz stehen, nahm seine Hand und drückte sie kurz.

»Ich werde in Kürze einen Abgesandten nach Taschkent schicken«, sagte er. »Sie können inzwischen mit den Vorbereitungen für die Lieferung beginnen. Wenn die Waffen unserer Vereinbarung entsprechen und zu unserer Zufriedenheit sind, wird man Sie zur Jasmina bringen und über den Pass führen.« Er ging weiter zur Falltür, die nach unten führte. »Aber wenn wir getäuscht werden ...« Er musste den Satz nicht beenden. Der gefährliche und wilde Ausdruck seines Gesichts verriet genug. »Damit wäre alles erledigt, Oberst Borokow. Ich würde es begrüßen, wenn Sie mein Land morgen vor Sonnenaufgang verlassen.«

Borokow stand hastig auf. Er jubilierte innerlich und vergaß darüber sogar die Erinnerung an die widerwärtige Hinrichtung. Er ging zur Falltür, stellte dabei jedoch fest, dass er das Fernglas immer noch in der linken Hand hielt. Schnell reichte er es dem wartenden Dolmetscher. Hastig kletterte er die verschiedenen Leitern nach unten. Dort hielt er die Luft an, denn der süßliche Blutgeruch hing immer noch über dem Hof. Erst als er auf dem Weg hinunter zu seinem Lager auf halber Höhe des Hangs war, blieb er stehen und öffnete die rechte Hand, um zu sehen, was ihm der Mir bei dem Händedruck gegeben hatte. In seiner Handfläche lag etwas Glattes und metallisch Glänzendes.

Es war Gold.

Borokow begann zu zittern. Er musste sich an den Wegrand setzen, weil seine Knie unter ihm nachgaben. Es dauerte ganze fünf Minuten, bis er sich wieder gefangen hatte. Erst dann überließ er sich seiner Freude. Alexej konnte sich ebenfalls freuen! Er hob das Gesicht und starrte in den frostigen Himmel. Die unerträgliche Spannung der letzten Wochen entlud sich in einem lauten Lachen. Es hallte durch die Schlucht wie ein Donner.

Die Zeit, die er in dem schrecklichen Land verbracht hatte, war doch nicht umsonst gewesen.

Drittes Kapitel

Als Emma ins Wohnzimmer trat, hob ihre Mutter erstaunt den Kopf. »Sehr schick! Steht dir wirklich sehr gut, mein Kind«, sagte sie und versuchte, ihre Überraschung zu verbergen. »Wie gut, dass du nicht das Cremefarbene angezogen hast. Ich habe schon immer gesagt, Aquamarin ist deine Farbe! Das bringt deine Augen besser zur Geltung und passt auch zu deinem Haar.«

»Das Kleid hängt schon so lange im Schrank«, erwiderte Emma ausweichend. »Ich dachte, es kann genauso gut einmal von Nutzen sein, bevor der Stoff verbleicht.«

»Sehr vernünftig, Emma ... was hilft es, schöne Kleider zu haben, wenn man sie nicht trägt.« Eigentlich wünschte sie sich, Emma hätte die Haare offen getragen. Sie fand den hässlichen Knoten für ein so junges Mädchen unmöglich! Aber sie kannte den Eigensinn ihrer Tochter und schwieg. Statt dessen fragte sie: »Irre ich mich, oder hat Carrie gesagt, dass dieser Mr. Charlton auch da sein wird?«

»Ja, ich glaube, er kommt vielleicht.«

»Das wäre schön, nachdem du seinen Vortrag so interessant gefunden hast.« Sie überlegte kurz und wagte dann einen Vorstoß. »Ich bin sicher, du wirst auch Howard Stowe sehen.« Doch als sie den misstrauischen Blick ihrer Tochter sah, fügte sie schnell hinzu: »Ich meine, es wäre eine gute Gelegenheit zu erfahren, ob sie die Einbrecher gefasst haben.« Emma runzelte die Stirn, und ihre Mutter zog es vor, das Thema zu wechseln. »Ach, hat David nicht gesagt, er würde vorher nach Hause kommen und sich umziehen?«

»Ja, aber er ist wie üblich spät dran. Wenn er nicht fertig ist, bis die

Purcells und Mr. Waterford mich abholen, dann fahren wir los, und er muss allein nachkommen.« Sie ging zum Fenster und dachte an die vielen Fragen, die sie Geoffrey Charlton stellen wollte. Er würde natürlich im Mittelpunkt des Abends stehen. Sie würde Glück brauchen, damit sie wenigstens ein paar Augenblicke ungestört mit ihm sprechen konnte. Wie auch immer, bereits seine Anwesenheit würde ihr helfen, die langweilige Burra Khana mit Anstand zu überstehen.

Wie sich jedoch bald herausstellte, sollte Geoffrey Charlton an diesem Abend nicht ihr Retter sein. Bei der Ankunft teilte ihnen die untröstliche Gastgeberin mit, dass Charlton in letzter Minute mit großem Bedauern abgesagt hatte und bereits im Abendzug nach Umballa saß, um von dort nach Simla weiterzufahren. Damit hatte Georgina Price die einmalige Gelegenheit verpasst, vor den Augen der ganzen Gesellschaft zu glänzen, und sie war entsprechend untröstlich.

»Ach du liebe Zeit, Emma hat sich so darauf gefreut, Mr. Charlton kennen zu lernen«, sagte Jenny. Als sie Emmas vorwurfsvolles Gesicht sah, fügte sie schnell hinzu: »Ich natürlich auch.«

Emma verbarg ihre Enttäuschung hinter einem trüben Lächeln und musterte die anwesenden Gäste ohne große Begeisterung. Es waren viele, und das bedeutete, sie würde sich nicht ständig unterhalten müssen. Doch das war nur ein kleiner Trost. Da der überaus korrekte und allgegenwärtige Alec Waterford nicht von ihrer Seite wich, würden sich die Stunden zwischen Anfang und Ende des Abendessens endlos hinziehen.

»Warum kann ich Reggie nie finden, wenn ich ihn brauche?«, rief Georgina Price plötzlich. »Ich weiß einfach nicht mehr, ob sich Rob Granger der Magen umdreht, wenn er Fisch essen soll, oder diesem Nigel ... wie heißt er noch? Ach ja, Hauptmann Nigel Worth! Reggie würde mich natürlich umbringen, wenn ein Fehler in der Küche passiert.«

Offenbar hatte die Gastgeberin in der Tat Emmas hitzige Debatte mit Felicity Duckworth vom letzten Mal vergessen, denn sie lächelte Emma huldvoll zu und eilte von dannen. Nach den giftigen Blicken in Emmas Richtung zu urteilen, schien Mrs. Duckford dagegen nicht an

Erinnerungsschwäche zu leiden. Emma ließ sich nicht beeindrucken oder herausfordern. Die Prüfung mochte noch so schwer sein, sie hatte sich geschworen, mit allen Gästen nur fröhlich und unbeschwert zu plaudern.

Über den Lärm der allgemeinen Unterhaltung hinweg hörte Emma, wie jemand nach ihr rief. Sie drehte sich um und sah einen Mann mit Halbglatze und einem unbestimmten Lächeln, der ihr zuwinkte und leicht hinkend näher kam. Es war Clive Bingham, ein Geologe, der ihren Vater auf der letzten tragischen Expedition begleitet hatte. Bingham war mit schweren Frostbeulen und Erfrierungen zurückgekommen. Er hatte wochenlang in Delhi im Krankenhaus gelegen und war kurz nach seiner Entlassung nach England gefahren. Emma sah ihm mit gemischten Gefühlen entgegen. Ihr fiel auf, dass er zum Gehen noch immer einen Stock brauchte. Sie mochte den alten Freund ihres Vater wirklich sehr, aber die Aussicht, über ein Thema zu sprechen, das für sie noch immer schmerzlich war, dämpfte ihre Stimmung noch mehr. Flucht kam nicht in Frage, deshalb lächelte sie freundlich und begrüßte ihn herzlich.

»Was für eine Überraschung, Dr. Bingham! Ich dachte, Sie seien noch in England.«

Er freute sich sichtlich darüber, sie zu sehen, und bestätigte, dass er in England gewesen und in der vergangenen Woche erst wieder in Delhi angekommen sei. »Ich bin froh, wieder da zu sein, das kann ich Ihnen sagen. Das Wetter in England ist schrecklich, es ist eiskalt. Die Sonne mag im britischen Reich zwar niemals untergehen, aber in England geht sie nur ganz selten einmal auf.« Er lachte, wurde aber sofort ernst und senkte die Stimme. »Ich habe bei der Königlichen Geographischen Gesellschaft in London erfahren, dass Grahams Tod bestätigt worden ist, und dann habe ich in der *Times* im Nachruf die Einzelheiten gelesen. Es hat mich tief getroffen, wirklich! Schließlich will man doch die Hoffnung nie aufgeben ...«

Emma murmelte etwas Unverständliches und erkundigte sich nach den Frostbeulen. Dr. Bingham versicherte tapfer, seine Füße seien bereits wieder so gut wie neu. Er versprach, die Wyncliffes bald zu besuchen, und erkundigte sich nach dem Gesundheitszustand ihrer Mutter. Er freute sich, dass es ihr wieder besser ging. Dann wurde er wieder ernst.

»Es heißt, Einheimische haben Graham gefunden?«

»Ja.«

»Sie haben nicht gesagt, wo genau?«

»Nein.«

Ihm lief ein Schauer über den Rücken. »Das ist eine schreckliche, gefährliche und heimtückische Gegend. Eine richtige Todesfalle! Ich habe alles versucht, Graham davon abzubringen, sich dorthin zu wagen, noch dazu, wo ein Schneesturm drohte. Aber er wollte einfach nicht auf mich hören. Und Sie wissen, wie eigensinnig Ihr Vater sein konnte, wenn er sich etwas in den Kopf gesetzt hatte.«

Da Emma das alles schon wusste, hörte sie schweigend zu.

»Er wollte unter allen Umständen über den Handelsweg hinaus, um das alte Kloster zu finden, und hoffte, den Pass bereits überquert zu haben, bevor der Schneesturm losbrach. Rückblickend werde ich den schrecklichen Verdacht nicht los, dass er sich absichtlich von uns entfernt hat.« Bingham war so mit seinem Kummer beschäftigt, dass er Emmas Trauer nicht bemerkte. »Ich frage mich manchmal, ob ich nicht entschlossener hätte versuchen sollen, ihn davon abzubringen, sich auf diesen Weg zu machen. Ob es nicht andere Möglichkeiten gegeben hätte, ihn zum Aufgeben zu überreden? Und ob er die Suche nach dem Kloster nicht wenigstens hätte verschieben können?«

»Sie haben alles getan, was in Ihren Kräften stand«, erklärte Emma und unterdrückte ihre eigenen Gefühle, um Binghams Gewissen zu erleichtern. »Kein anderer hätte bei der tagelangen Suche im Gebirge sein Leben riskiert, um ihn zu finden. Im Nachhinein geschieht es oft, dass wir das Unmögliche für eine übersehene Möglichkeit halten.«

Die Kummerfalten glätteten sich. »Sie sind immer noch zu weise für Ihr Alter.« Er nahm vom Tablett eines vorbeigehenden Dieners zwei Gläser Wein, reichte das eine Emma und nahm einen Schluck aus dem anderen. »O ja, Grahams Stolz auf Sie war so gerechtfertigt wie verdient. Von Theo Anderson habe ich erfahren, dass Sie aus Grahams Manuskripten ein Buch zusammenstellen wollen?«

»Ja.« Sie ergriff schnell die Möglichkeit, das Thema zu wechseln. »Papa ist nie dazu gekommen, alle seine Manuskripte zu edieren und zu veröffentlichen. Zum Beispiel die Vorträge über die Mongolei, die er in der Asiatischen Gesellschaft in Kalkutta gehalten hat. Ich dachte, es wäre eine gute Idee, sie in einem Band zusammenzufassen und auch einige der früheren Arbeiten darin aufzunehmen, die von neuen Forschungen noch nicht überholt sind.«

»Ich muss gestehen, ich bewundere Ihren Mut. Die meisten jungen Frauen würden vor einer so kühnen Aufgabe zurückschrecken.«

»Sie wird weniger Mut erfordern, wenn sich Dr. Anderson bereit erklärt, mir dabei zu helfen. Leider hat er nur wenig Zeit, denn er will wieder nach Tibet. Deshalb zögert er noch.« Sie verzog das Gesicht. »Aber ich weiß wirklich nicht, ob ich der Aufgabe ohne Hilfe gewachsen wäre.«

»Sie sind zu bescheiden. Vergessen Sie nicht die großen praktischen Erfahrungen, die Sie mit Ihrem Vater gewonnen haben. Das zählt sehr viel. Alle Studienabschlüsse und Diplome können nicht das ersetzen, was Sie im Überfluss mitbringen – die wahre Liebe zum Thema, ein tief gehendes Verständnis der Geschichte des Landes und der Kultur und ein ungewöhnlich methodisches Denkvermögen.«

Emma errötete über das Kompliment. »Mein bescheidenes Wissen verdanke ich einzig und allein Papas Ermutigung und Geduld und weniger einer großen Begabung.«

»Aber, aber!« Er hob den Finger. »Ich habe gesehen, wie aufmerksam Sie Graham zugehört und welche Mühe Sie sich gegeben haben, das Gelernte nicht zu vergessen. Ich kann mich noch an die Ausgrabungen im Norden erinnern. Wie alt waren Sie damals – neun, zehn? Sie sprachen bereits fließend Urdu und konnten Sanskrit-Schlokas auswendig aufsagen. Das hat mich sehr beeindruckt.«

Emma lachte. »Ich habe nur nachgeplappert, was ich bei meinem Vater hörte – und natürlich schrecklich angegeben mit dem, was ich wusste.«

Er blickte in sein leeres Glas und bekam einen verträumten Blick. »Ich weiß noch, wie uns während des Studiums in Cambridge Cunninghams buddhistische Ausgrabungen bei Sanchi in Erregung versetzten. Jung und dumm, wie Graham und ich damals waren, hatten wir dieselben verrückten Träume und ließen uns später beim Amt für Altertumsforschung auf haarsträubende Abenteuer ein. Ich kann mich noch an ein Lamakloster erinnern«, er lachte leise. »Die Lamas hatten allen möglichen europäischen Kram zusammengetragen und ehrfurchtsvoll auf ihren Altar gestellt – leere Cognacflaschen, Münzen der Ostindischen Kompanie mit dem Kopf der Königin, einen Manschettenknopf …« Er lachte laut. »Bei einer anderen Gelegenheit, als wir Fresken photographiert haben, sagte Graham zu mir …«

Seine Erinnerungen an die Jugend schienen aus einer anderen Zeit zu stammen und von einem anderen Planeten zu kommen. All das vergrößerte nur den tiefen Schmerz. Erst sehr viel später, als sie Jenny und John am anderen Ende des Raumes entdeckte, hatte Emma einen Vorwand, um sich von Bingham zu verabschieden und ihrer Trauer zu entfliehen. Doch als sie sich endlich durch die Gäste gedrängt hatte, waren Jenny und ihr Verlobter nicht mehr zu sehen. Missmutig fügte sie sich in ihr Schicksal und musterte die munteren und modisch gekleideten jungen Damen, die in einer Ecke zusammensaßen, aufgeregt miteinander redeten und kicherten, während sie verstohlen den jungen Offizieren, die in der Nähe standen, glühende Blicke zuwarfen. Neben ihnen saß Alec Waterford, der geduldig darauf wartete, dass Emma zurückkam. Mit einem tiefen Seufzen ergab sie sich in ihr Schicksal und gesellte sich zu der Gruppe.

»Oh, du siehst aber gut aus!«, rief Prudence Sackville lächelnd. »Mir gefällt der Schnitt von deinem Kleid, und die Farbe steht dir gut.«

»Finde ich auch!« Stephanie Marsden musterte Emma von Kopf bis Fuß und beugte sich dann kokett vor, um ihren Bewunderern einen freizügigen Blick in den Ausschnitt ihres Kleids und auf den wohlgeformten Busen zu gestatten. Mit ihren blonden Haaren, blauen Augen und Grübchen galt Stephanie unangefochten als die größte

Schönheit der Stadt. Sie war sehr kokett und wusste, dass sie gut aussah. Nach einem schnellen Blick auf die jungen Männer richtete sie sich wieder auf und sagte lächelnd: »Andererseits passen die Grau- und Beigetöne doch mehr zu einer gewissen Altersgruppe, findest du nicht auch?«

Emma blieb ihrem Vorsatz treu. Sie ignorierte Stephanie und überhörte geflissentlich ihre Bemerkung. Sie setzte sich neben Prudence, denn sie war angenehm und unprätentiös. Emma mochte sie ebenso wie ihren Bruder, dem sie Urdu-Unterricht erteilte. Der allgegenwärtige Alec Waterford nahm schnell zu ihrer Linken Platz und hing wie stets verzaubert an ihren Lippen, damit ihm kein Wort aus ihrem Mund entging.

In einer anderen Ecke hatten sich die Mütter und Tanten der jungen Damen versammelt und sprachen über die Unbeständigkeit des Wetters, die Verstöße der Dienstboten und das Unwesen der Insekten. Außerdem redete man ausgiebig über den zurückliegenden Besuch des Prinzen von Wales, dem vorgestellt zu werden ein paar Auserwählte die Ehre gehabt hatten, und natürlich wurden Neuigkeiten über die mehr oder weniger anrüchigen Liebesgeschichten am Ort ausgetauscht. Unter den Damen befand sich auch Mrs. Waterford, die es sehr missbilligte, dass ihr vernarrter Sohn diese Emma Wyncliffe so sehr verehrte, denn sie fand, die Angebetete habe keine der notwendigen Tugenden, die man von der zukünftigen Frau eines Predigers erwarten konnte.

»*Fünfzig* Rupien nimmt er monatlich! Die Belästigungen kommen natürlich kostenlos dazu.« Peggy Handley beschwerte sich wie üblich über ihren verhassten Vermieter. »Er weiß, dass er fünfundfünfzig bekommen könnte, weil inzwischen Hinz und Kunz im Europäerviertel wohnen möchte. Es ist schlimm genug, dass die Leute von der Eisenbahn und den Spinnereien das Viertel nach unten ziehen. Aber«, fuhr sie warnend fort, »ihr werdet noch an mich denken. Wenn diese neureichen Einheimischen sich demnächst bei uns einnisten, dann haben wir den Fuchs im Hühnerstall.«

Alle stimmten ihr zu.

Eine Gruppe von Anbetern hatte sich ehrfürchtig um Mrs. Belle Jethroe versammelt. Sie war in diesem Winter der leuchtende Stern von Delhis Laienbühne und in der Sommersaison von Simlas Boulevardtheater. Da sie tragische Rollen bevorzugte, nannte man sie hinter ihrem Rücken auch die »Todesbraut«. Zum Gefolge ihrer Anbeter gehörte auch der junge Hauptmann aus Simla, der, wie Emma von der Gastgeberin erfahren hatte, Nigel Worth hieß. Da die gesamte Regierung alljährlich im Sommer nach Simla umzog, und Mrs. Jethroe wusste, dass sie dort bald Triumphe feiern würde, sprach sie mit einer Stimme, die zwischen Kontraalt und Bass schwankte, ohne sich jedoch für die eine oder andere Tonlage zu entscheiden, angeregt über Elizabeth I. Da man ihr vor kurzem gesagt hatte, sie besitze eine erstaunliche Ähnlichkeit mit der jungfräulichen Königin, probte sie bereits ein Stück für die Bühne in Simla – sie hatte es selbst geschrieben –, in dem es vor allem um die amouröse Beziehung der Königin zu Sir Walter Raleigh ging, ohne sich dabei allzu sehr an die historisch verbürgten Fakten zu halten.

»Es kostet so viel Kraft, Abend für Abend alle diese Gefühle aufzubringen!«, ließ sie ihre Anbeter saalfüllend wissen und nahm eine tragische Pose vor dem Kaminsims ein. »Aber was soll man machen, wenn die Zuschauer es verlangen?«

Emmas Blick schweifte durch den Raum. Sie achtete kaum auf das Gerede der Mädchen, mit denen sie so wenig gemein hatte. Jenny und John unterhielten sich angeregt mit einem Ehepaar aus Kalkutta, wohin John in Kürze versetzt werden würde. Unter dem Verandabogen in der Nähe der Bar hatten sich einige junge Offiziere aus Davids Regiment versammelt, aber ihren Bruder sah sie noch immer nicht. Mrs. Purcell saß für ihren Geschmack zu dicht neben Mrs. Waterford und Mrs. Duckworth, und die Männer standen fast alle draußen auf dem Rasen. Alecs seelenvolles Atmen an ihrem Ohr entnervte sie allmählich so sehr, dass sie glaubte, es nicht länger ertragen zu können. Glücklicherweise war endlich Rettung in Sicht.

Im Raum erschien ein kanadisches Missionarsehepaar, das sich auf der Durchreise befand. Die beiden waren unterwegs nach Assam, um dort eine Missionsschule zu eröffnen, die mit dem Geld der Bürger von Toronto bezahlt wurde. Reverend Desmond Smithers, Alecs Vorgesetzter, warf seinem liebeskranken Hilfspfarrer auffordernde Blicke zu, denn er hatte die Ankunft der Gäste bemerkt und war entschlossen, etwas von dem vielen Geld in andere Taschen umzuleiten. Als Alec die Aufforderung nicht länger übersehen konnte, erhob er sich mit einem tiefen Seufzen und ging gehorsam hinüber zu den Kanadiern, um sich den eher geistlichen Pflichten des Abends zu widmen.

Emma atmete erleichtert auf und mischte sich unter die Gäste – die üblichen Geschäftsleute, Verwaltungsbeamten und Militärs. Jemand machte sie mit einem General bekannt, der auf dem Weg nach Gilgit war, und dann mit dem eher schüchternen Hauptmann Worth, der sich erstaunlicherweise von Mrs. Jethroes Seite losgerissen hatte und sich mit Howard Stowe unterhielt. Es folgte der übliche Austausch von Höflichkeiten. Danach sprachen sie wieder über gemeinsame Freunde und über Ereignisse in Simla, wo Stowe zum Stab des Vizekönigs gehört hatte und Hauptmann Worth jetzt arbeitete.

»Wie geht es Hethrington, dem alten Walross?«, fragte Stowe lachend. Oberst Wilfred Hethrington, so erklärte er Emma, war Nigel Worths vorgesetzter Offizier in Simla.

»Er schießt wie immer aus dem Hinterhalt«, erwiderte Worth munter. »Trotzdem, er hat ein Herz aus Gold, und man kann sich auf ihn verlassen.«

Emma erinnerte sich daran, dass David kürzlich über den Hauptmann gesprochen hatte, und sagte: »Mein Bruder ist nach Leh versetzt worden, wo Sie, wie ich glaube, bis vor kurzem waren.«

»Ja, richtig.«

»Würden Sie aus Ihrer Erfahrung sagen, Mr. Crankshaw verdient den Ruf, ein strenger Vorgesetzter zu sein?«

Worth erzählte ein paar lustige Anekdoten über den Kommissar und sie lachten. Dann entschuldigte er sich, um sich zu vergewissern, dass ihm niemand Mrs. Jethroes besondere Zuneigung streitig machte.

»Es gibt noch keine Festnahmen, Mrs. Wyncliffe«, sagte Howard

Stowe leise, als sie allein waren. »Aber wir haben die Männer im Dorf am Jamuna nachdrücklich verwarnt. Ich denke, es wird keine Wiederholung dieses Vorfalls geben.«

»Das höre ich mit großer Erleichterung«, erwiderte Emma. »Und was ist mit der Frau?«

»Offenbar ist sie mit ihrem Liebhaber davongelaufen.«

»Oh.« Emma konnte eine gewisse Enttäuschung nicht verbergen. »Dann hat sie ihren Mann also wirklich betrogen?«

»Es sieht so aus. Über den Einbruch liegen uns allerdings keine neuen Erkenntnisse vor. Wenn erst die Gitter vor den Fenstern angebracht sind und die …«

»Plaudern Sie wieder Geheimnisse aus, Stowe?« Ein Mann in mittleren Jahren, der den Inspektor offensichtlich gut kannte, trat zu ihnen und unterbrach das Gespräch. Er wurde Emma als Gerichtsschreiber Charles Chigwell vorgestellt, der vor kurzem ein Haus im Europäerviertel angemietet hatte. »Miss Wyncliffe war der Name? Ach ja, ist bei Ihnen nicht vor einigen Tagen eingebrochen worden?«

Emma stöhnte innerlich. In Delhis kleiner europäischer Gesellschaft wurden auch die winzigsten Dinge rücksichtslos als Beutestücke den Aasgeiern der Gerüchteküche vorgeworfen. Deshalb war es unwahrscheinlich, dass nicht auch der Einbruch in aller Öffentlichkeit diskutiert, analysiert und in aller Ausführlichkeit besprochen wurde. Emma nickte zustimmend.

»Meiner Meinung nach sind wie üblich die verdammten Gujaren dafür verantwortlich zu machen«, sagte Chigwell zu dem Inspektor.

»Nun ja«, Stowe warf einen unsicheren Blick auf Emma, »ich möchte nicht behaupten …«

»Hören Sie auf, Stowe! Diese Stämme sind noch immer ein blutrünstiger Haufen. Sie sind sehr viel gewalttätiger als die anderen Einheimischen. Sie terrorisieren seit Jahren das Viertel der Weißen.«

»Weil man ihnen das Land weggenommen hat«, erklärte Emma so liebenswürdig wie möglich, »versuchen sie nichts anderes, als sich ihren Lebensunterhalt zu verdienen. Es ist unfair, jedes Verbrechen im Europäerviertel den Gujaren anzulasten.«

»Sie sorgen dafür, dass die Leute nur Gujaren als Chowkidar beschäftigen können. Also ich finde, das ist Erpressung!«

»Sie haben einen berechtigten Zorn auf uns«, erklärte Emma noch immer freundlich. »All unsere Häuser stehen auf Grund und Boden, der ursprünglich ihnen gehörte und für den man ihnen sehr wenig Geld gegeben hat. Unter anderem auch für die achthunderttausend Quadratmeter des Anwesens von Thomas Metcalfe, auf dem immer noch die teuerste englische Residenz steht, die jemals in Nordindien gebaut wurde.«

»Ach du meine Güte, Metcalfe ist schon vor vielen Jahren während des Sepoy-Aufstands gestorben!« Chigwell schwenkte das Cognacglas und sah Emma empört an. »Wollen Sie damit sagen, Sie billigen die Ermordung der ganzen Familie, nur weil sie auf dem Land der Gujaren ihr Haus gebaut haben?«

»Nein, natürlich nicht! Aber es war Krieg und es gab Grausamkeiten auf beiden Seiten. Außerdem haben die Gujaren teuer für ihre Gräueltaten mit der Konfiszierung ihres Dorfs bezahlen müssen. Und jetzt beanspruchen die Wasserwerke das letzte Stück Land, das ihnen gehört hat. Also ist das wenigste, was wir tun können, sie als Nachtwächter zu beschäftigen. Ich finde, das ist keine Erpressung, sondern Gerechtigkeit.«

Der Gerichtsschreiber hob eine Augenbraue. »Was für eine außergewöhnliche Haltung, noch dazu bei einer Engländerin! Wie um alles in der Welt wollen wir die erschreckende Unwissenheit in diesem Land korrigieren, wenn wir selbst die Wirklichkeit nicht wahrhaben wollen?«

»Es gibt viele Arten der Unwissenheit, Mr. Chigwell«, erwiderte Emma zu ihrer eigenen Verwunderung. »Einige lassen sich leicht korrigieren, andere nicht. Ich finde es belustigend, wenn Leute, die zu dumm sind, ihre eigene Dummheit zu erkennen, zum Kampf gegen die Dummheit anderer aufrufen.« Sie drehte sich auf dem Absatz um und ließ ihn sprachlos und mit rotem Gesicht stehen.

Andere Gäste, auch einige der jungen Damen, waren herbeigekommen, um die Diskussion mit anzuhören. Als Emma davonging, sagte

Charlotte Price, die sich über das Interesse der Männer an Emma ärgerte, boshaft: »Man muss Verständnis für die arme Emma haben, Mr. Chigwell. Sie ist nie in den Genuss einer Schulbildung daheim in England gekommen. Man kann es ihr kaum zum Vorwurf machen, dass sie so merkwürdige Ansichten hat und damit andere brüskiert.«

Mrs. Price eilte aufgeregt über den Rasen und wirkte dabei wie ein Hirtenhund, der atemlos eine verirrte Herde zusammentreibt. Sie wollte die Herren dazu bewegen, ins Haus zu kommen, damit der Tanz eröffnet werden konnte. Emma wartete auf einen günstigen Moment und verschwand in Richtung des Buffets mit den Erfrischungen am anderen Ende des Esszimmers. Sie ärgerte sich mehr über sich selbst als über Charles Chigwell. Wütend stand sie vor dem Buffet und starrte auf die Auswahl an Sorbets.

Sie musste sich eingestehen, dass sie sich wieder einmal schlecht benommen hatte, obwohl sie sich genau das Gegenteil vorgenommen hatte. Sie war sehr unzufrieden über ihre mangelnde Selbstbeherrschung und griff gerade nach einem Glas, als sie plötzlich in das Gesicht von Damien Granville blickte. Er war dem Anlass entsprechend sehr elegant, sogar sehr auffallend gekleidet. Er trug einen modischen Abendanzug mit einer scharlachroten Samtjacke, darunter ein gerüschtes Seidenhemd mit einer auffälligen Foulardkrawatte. Vor Überraschung erstarrte Emmas Hand mitten in der Bewegung, und sie sah ihn fassungslos an.

Er verneigte sich, reichte ihr das Glas, trat lächelnd einen Schritt zurück und verschränkte die Arme. »Wie ich sehe, habe ich Sie überrascht. Dafür möchte ich mich entschuldigen.«

»Sie schmeicheln sich«, erwiderte Emma unwillig, die sich trotz allem einigermaßen unter Kontrolle hatte, »wenn Sie glauben, dass Sie die Fähigkeit besitzen, mich überraschen zu können.« Aber dann fragte sie ziemlich dumm: »Warum sind Sie hier?«

»Ich hatte gehofft, Sie wiederzusehen.«

Emma errötete. Sie glaubte ihm kein Wort. »Wirklich?«

»Ja, wirklich. Übrigens hat es mir sehr gefallen, wie Sie diesen aufgeblasenen Dummkopf Chigwell mundtot gemacht haben.«

Sie hatte sich wieder gefangen und blickte ihm gefasst in die Augen. »Ihre Komplimente bedeuten mir nichts, Mr. Granville. Ich halte überhaupt nichts von Ihrer Meinung.«

»Immerhin erinnern Sie sich an meinen Namen.«

»Nur weil ich ein gutes Gedächtnis für Unwesentliches habe.«

Sein Lächeln verschwand. »Warum haben Sie meine Visitenkarte zerrissen?«

»Weil ich nicht wollte, dass Sie mich besuchen.«

»Warum nicht?«

»Ich sehe keinen Grund, eine Bekanntschaft zu pflegen, die ich für unnötig und wenig erstrebenswert halte.«

Er hob eine Augenbraue. »Weil ich die körperliche Züchtigung untreuer Ehefrauen für angemessen halte?«

»Nein, weil ich Sie nicht mag, Mr. Granville. Ihre Ansichten sind für mich so unwichtig wie Ihre Komplimente. Aber da wir gerade über das Thema sprechen. Ich habe von Mr. Stowe erfahren, dass die Frau mit ihrem Liebhaber davongelaufen ist. Wie Sie sehen, ist körperliche Züchtigung keine so wirkungsvolle Strafe für untreue Ehefrauen, wie Sie zu glauben scheinen.«

Er zuckte mit den Schultern. »Man kann nicht jede Wette gewinnen, Miss Wyncliffe. Wie man weiß, machen auch die Besten unter uns hin und wieder einen Fehler.«

Die Besten unter uns!

Sie amüsierte sich über seine Selbstgefälligkeit. »Sie haben sich auch darin geirrt, dass mir ein Besuch von Ihnen große Freude machen würde!«

Er hob die Hände in spöttischem Eingeständnis seiner Niederlage. »Da es offensichtlich so ist, muss ich wohl warten, bis Sie es für richtig halten, mich zu besuchen.«

»Ich Sie besuchen?« Diese Vorstellung war so absurd, dass Emma lachte. »Wie ich sehe, Mr. Granville, haben Sie trotz Ihrer vielen wenig erfreulichen Eigenschaften einen gewissen Sinn für Humor.«

»Ich kann Ihnen versichern, auch einen gewissen Sinn für das, was unvermeidlich ist.«

»So? Und was soll mich dazu bewegen, das Unvermeidliche als solches zu erkennen, wenn es sich einstellt?«

Er sah sie unverwandt und aufmerksam an. »Das menschliche Gehirn ist überraschend anpassungsfähig, Miss Wyncliffe, besonders das Ihre. Zweifellos werden Sie sich etwas einfallen lassen.«

»Wenn es so ist, dann werde ich Sie wahrscheinlich besuchen, Mr. Granville!« Sie lächelte kalt. »Und zwar an dem Tag, an dem die Sonne im Westen aufgeht.«

»Es gibt merkwürdigere Dinge im Himmel und auf Erden, als sich sogar jemand wie Shakespeare hat träumen lassen, Miss Wyncliffe. Warum nicht auch ein kosmisches Wunder?«

Das Gespräch wurde ihr unheimlich. Sein unverwandter Blick war ihr unangenehm. Es lag etwas darin, das sie nicht ergründen konnte. Aber das wollte sie auch nicht. Doch als sie sich gerade umdrehen wollte, um zu gehen, eilte die Gastgeberin herbei und legte ihre Hand auf Granvilles Arm.

»Ach, Mr. Granville!«, flötete Georgina Price, »ich freue mich ja so, dass Sie sich doch noch entschlossen haben zu kommen. Ich hatte die Hoffnung schon aufgegeben. Meine Tochter Charlotte wartet auf Sie, denn sie möchte Ihnen alle möglichen Fragen stellen über … oh!« Sie brach verwirrt ab, als sie plötzlich Emma bemerkte. »Entschuldigung!« Sie blickte fragend von einem zu anderen. »Störe ich vielleicht ein sehr persönliches Gespräch?«

»Keineswegs, Mrs. Price«, erwiderte Emma. »Mr. Granville und ich haben uns nichts mehr zu sagen.«

»Kennen Sie sich?«, fragte Mrs. Price und bewegte den roten Fächer mit wachsender Missbilligung schneller. »Das wusste ich ja überhaupt nicht.«

»O ja, wir kennen uns!«, erklärte Granville mit Nachdruck. »Man könnte sagen, wir sind … gute Freunde.«

»Könnten wir jetzt …!« Mrs. Price wirkte nach diesen rätselhaften Worten noch ungehaltener über die unvermutete Konkurrenz für ihre Tochter.

»Nein, wir können nicht«, widersprach Emma. »Ich kenne Mr. Granville kaum.« Sie sagte das in einem Ton, der deutlich erkennen ließ, dass ihr nicht daran gelegen war, ihn besser kennen zu lernen. Sie entschuldigte sich und verließ die beiden.

Georgina Price gab sich keine Mühe, ihre Erleichterung zu verbergen. »Also, wie ich bereits gesagt habe«, flötete sie wieder, »Charlotte hat sich *so* darauf gefreut, Sie kennen zu lernen, Mr. Granville ... alle wollen Sie kennen lernen. Bitte ... gehen wir ...?«

Siegessicher schleppte sie ihre Trophäe in die Ecke des Raumes, wo Charlotte wartete, und gab im Vorbeigehen dem wartenden Quartett den Auftrag, einen Walzer zu spielen. Wenn Gott ihr Geoffrey Charlton nicht hatte geben wollen, so verriet ihre Haltung, dann machte der Herr das wieder gut, indem er für ihre Tochter einen Heiratskandidaten mit noch größeren Möglichkeiten schickte.

Emma machte sich zerknirscht auf die Suche nach Alec Waterford. Wo immer sie an diesem Abend auftauchte, sorgte sie für Ärger und Verdruss. Das alberne Streitgespräch mit Chigwell war schlimm genug gewesen, aber wie *kindisch* hatte sie sich erst bei Damien Granville aufgeführt! Sie hatte zugelassen, dass er sie völlig aus der Fassung brachte, und darüber hinaus hatte sie zugelassen, dass er seinen Erfolg *sehen* konnte, und das brachte sie noch mehr aus der Fassung. Emma war entschlossen, nicht noch mehr Aufsehen zu erregen. Verstimmt setzte sie sich neben Alec – sehr zu Alecs Freude und zum Ärger seiner Mutter – und hoffte inständig, das Abendessen werde bald beginnen.

Ungeachtet von Emmas Verdruss war der unerwartete Gast der Prices zweifellos der Star des Abends. Geoffrey Charltons Absage schien schnell vergessen. Emma sah mit stummem Abscheu, wie Charlotte Price – mit Billigung der anwesenden Mütter und Tanten – mit Augenaufschlägen, betörendem Lächeln und bezauberndem Seufzen um Granvilles Aufmerksamkeit warb, während sie zu Walzerklängen in seinen Armen dahinschwebte. Natürlich genoss er die Aufmerksamkeit. Das überraschte Emma keineswegs. Sie hätte auch nichts anderes von ihm erwartet.

»Er ist ein sehr attraktiver Mann«, flüsterte Jenny, die bemerkte, wie ihre Freundin Emma den von allen jungen Damen bewunderten Granville verstohlen aus den Augenwinkeln beobachtete.

»Wirklich? Das ist mir noch nicht aufgefallen.«

»Die Narbe am Kinn macht ihn irgendwie geheimnisvoll, finde ich!«

»Meinst du?«

»Er hat so ein … gewisses Etwas, eine Art unfassliches *je ne sais quoi*! Das musst du doch zugeben!«

»Wenn du damit Unverschämtheit und Selbstgefälligkeit meinst, stimme ich dir völlig zu.«

»Ich habe gesehen, wie du dich mit ihm am Buffet unterhalten hast. Was hat er eigentlich gesagt?«

»Nichts, was sich lohnen würde zu wiederholen.«

Jenny sah Emma neugierig an. »Du kennst ihn also?«

»Nein.«

»Ich habe dich beobachtet, als du dich mit ihm unterhalten hast. Es sah aus, als wärst du wütend.«

»Das stimmt nicht«, erwiderte Emma gereizt. »Warum sollte ich? Ich kenne ihn ja kaum.«

In diesem Augenblick wurde zum Abendessen gebeten. Emma dankte stumm für die rettende Unterbrechung. Sie blickte sich noch einmal suchend unter den Gästen nach David um. Er war nicht da. Wo konnte er nur sein? Einen Moment lang empfand sie ein gewisses Unbehagen, doch sie unterdrückte es schnell. Sie hakte sich bei Jenny unter, und mit dem treuen Alec sowie den kanadischen Missionaren im Schlepptau strebten sie dem Esszimmer zu.

Emma hatte sich ein wenig von dem verkochten Fisch und dem faden Geflügel-Curry genommen, dazu etwas klebrigen Reis und einen Löffel undefinierbares Gemüse, das unter einer Käsesauce verschwand. Sie suchte sich einen Platz in der Nähe eines offenen Fensters und wartete darauf, dass sich die anderen zu ihr gesellen würden. Damien Granville war offenbar seinen Anbeterinnen entkommen und nicht mehr zu sehen. Emma stocherte in dem Essen und hörte mit halbem Ohr – etwas, das sie eigentlich nie tat – einem Gespräch zu, das draußen auf der Veranda geführt wurde.

».. . könnte Ihnen nicht mehr widersprechen, Sir«, erwiderte jemand auf eine Äußerung, die Emma nicht gehört hatte. »Da die Arbeitslosigkeit zunimmt und die Überproduktion der Fabriken wächst, sucht Russland in ganz Zentralasien mit großem Erfolg nach neuen Märkten.«

»So, wie England das in Indien versucht«, hörte Emma eine Stimme sagen, die sie sofort erkannte. »Die Eroberung durch den Kommerz ist doch nur der Versuch, die Kolonisierung durch die Hintertür zu rechtfertigen.«

Es folgte ein betretenes Schweigen. »Wollen Sie damit andeuten, Granville, dass Indien uns nicht rechtmäßig gehört?«

»Ebenso wenig oder ebenso viel wie Zentralasien rechtmäßig Russland gehört.«

»Sie vergleichen das eine mit dem anderen?«

»Ein Vergleich ist durchaus legitim. Der einzige Unterschied besteht darin, dass wir, dank unseres großen Geschicks, uns selbst täuschen zu können, uns einreden, dass ein Vergleich nicht zulässig sei.« Es folgte ein beinahe hörbares Lächeln, dann: »Sie entschuldigen mich bitte!«, und Schritte, die sich entfernten.

Nach einem kurzen verblüfften Schweigen hörte Emma empörtes Lachen. »Bei Gott, der Mann hat Nerven, den Mund so voll zu nehmen!«

»Er kann es sich leisten, denn schließlich lebt er wohlweislich in Kaschmir unter dem Schutz dieses Maharadschas, der ein Handlanger der Russen ist. Kein Wunder, dass er bei uns hier so gut wie *non grata* ist.«

»Ich finde, man müsste diesem Grünschnabel den Hintern versohlen – und das würde ich weiß Gott am liebsten höchst persönlich tun!«

»Was kann man von jemandem mit diesem Elternhaus auch anderes erwarten? Na ja, genug über Granville. Was ich noch sagen wollte ...« Die Stimme klang plötzlich verschwörerisch leise, aber trotzdem noch laut genug, damit Emma alles verstand. »Ich nehme an, du hast gehört, was mit dem armen Butterfield passiert ist.«

»Der aus Simla?«

»Ja, der alte Jeremy.«

»Was ist mit ihm?«

»Ihn hat es erwischt.«

»Erwischt? Butterfield?«

»Ja, man sagt, irgendwo im Karakorum.«

»Das kann nicht wahr sein! Ich habe noch vor kurzem ein Bier mit ihm zusammen getrunken. Wann war das noch gleich ... im April? Ja, im Gymkhana-Club in Simla.«

»Etwa vor einem Monat ist er aufgeflogen. Er war offenbar auf dem Rückweg, als sie ihn erwischt haben.«

»Du liebe Zeit, wie schrecklich! Deshalb die Anspielungen von Charlton im *Sentinel?*«

»So ist es. Aber alles wird vertuscht, und wenn etwas gesagt wird, dann nur hinter verschlossenen Türen. Es geht um geheime Landkarten, und deshalb ...« Das Flüstern wurde vorübergehend unverständlich. »Simla ist natürlich so stumm wie ein Grab. Keiner macht den Mund auf, oder es heißt nur ›kein Kommentar‹.« Es entstand eine beklemmende Pause. »Aber sprich mit niemandem darüber. Wie ich gehört habe, ist es wirklich eine sehr heikle Sache.«

»Ich werde mich hüten, etwas zu sagen. Du weißt, dass ich den Mund halten kann. Von wem hast du es eigentlich erfahren?«

»Stell mir keine Fragen, dann muss ich nicht lügen.« Ein Lachen. »Man sagt auch, dass ...« Wieder folgte ein unverständliches Flüstern.

Emma wurde plötzlich bewusst, dass sie gelauscht hatte, und da sie das Ganze ohnehin nicht sonderlich interessierte, verließ sie schnell den Platz am Fenster. Zu ihrer großen Erleichterung bekam sie Damien Granville an diesem Abend nicht mehr zu Gesicht. Als das Essen vorüber war, hatte er sich bereits von den Gastgebern verabschiedet.

Auf dem Heimweg saß Emma neben Alec, der mit ungewöhnlicher Offenheit sagte: »Ich habe von deinem Streit mit Chigwell gehört, Emma. Alle haben darüber geredet. War es wirklich nötig, so hart mit dem armen Mann ins Gericht zu gehen?«

»Nein, das war es nicht«, erwiderte Emma schuldbewusst. »Ich habe einfach die Beherrschung verloren. Das hätte ich nicht tun sollen.«

»Chigwell war schon beinahe entschlossen, etwas für die Erneuerung der Bestuhlung in der Kirche zu spenden. Aber der Streit hat ihn so verstimmt, dass er nichts mehr davon hören will.«

»Das tut mir wirklich sehr Leid.« Sie wechselte schnell das Thema. »Sag mal, hattet ihr bei den Kanadiern mehr Glück?«

Er strahlte. »Sie haben uns morgen zum Mittagessen in die Missionsstation eingeladen, um alles Weitere zu besprechen. Der Reverend fand, es sei ein sehr nützlicher Abend gewesen.«

Aus der Sicht der Kirche vielleicht. Für Emma hätte der Abend nicht katastrophaler sein können. Ihr einziger Trost bestand darin, dass sie mit der Annahme der Einladung wenigstens ihrer Mutter eine Freude gemacht hatte.

*

Zu ihrer Erleichterung erfuhr Emma zu Hause, dass David in seinem Zimmer war und bereits schlief. Sie hatte ihn seit zwei Tagen nicht mehr gesehen. Am nächsten Tag, einem Sonntag, würde Zeit genug sein, um von ihm zu erfahren, warum er nicht auf der Burra Khana gewesen war.

Doch das sollte sich als schwieriger erweisen als gedacht. David verließ das Haus früh am Sonntagmorgen und kam die nächsten drei Tage nicht zurück. Emmas Mutter sagte, man habe ihn aufgefordert, in der Kaserne zu bleiben, um seine Unterlagen vor der Abreise nach Dun in Ordnung zu bringen.

Am vierten Abend wollte Emma gerade in ihr Zimmer gehen, als David plötzlich unten an der Treppe stand. »Emma? Bist du da?«, rief er leise.

»Ja.«

»Kommst du auf einen Sprung in mein Zimmer? Ich muss mit dir reden.«

»Schläft Mama schon?«, fragte sie aus alter Gewohnheit.

»Ja, ja, Mama liegt im Bett. Ich ... ich muss dir etwas sagen.«

Seine Stimme hatte einen so seltsamen Ton, dass Emma unwillkürlich das Geländer fester umklammerte. »Ich komme gleich!«, rief sie. »Ich muss mir nur noch ein neues Moskitonetz holen. Das Alte ist voller Löcher, und ich bin letzte Nacht so gestochen worden, dass ich kein Auge zutun konnte.«

Als sie zehn Minuten später in sein Zimmer kam, saß David mit dem Rücken zur Tür am Schreibtisch. Als er sich umdrehte, sah sie sein eingefallenes Gesicht. In der Hand hielt er ein Glas Cognac.

»Was ist los mit dir?«, fragte sie bestürzt. »Bist du krank?« Sie ging zu ihm und legte ihm die Hand auf die Stirn. Er schob ihre Hand beiseite. »Nein, ich bin nicht krank, aber ich wäre am liebsten tot.« Er vergrub das Gesicht in seinen Armen und verschüttete dabei den Cognac.

Emma zwang sich dazu, ruhig zu bleiben. Sie holte ein Tuch und wischte den Alkohol auf. Dann setzte sie sich auf das Bett. »Also gut, dann sag mir, was geschehen ist.«

»Ich habe etwas Schreckliches getan, Emma«, erwiderte er mit ersterbender Stimme.

»Du bist wieder auf dem Urdu-Basar gewesen!«

Er blieb stumm, aber die hängenden Schultern waren Antwort genug. Emma schluckte ihren Zorn und ihre Enttäuschung hinunter und wartete auf die üblichen Entschuldigungen.

Das Spielcasino auf dem Urdu-Basar in der Nähe der Jama Masjid, der größten Moschee der Stadt, war als Treffpunkt der gerissensten Berufsspieler bekannt. Es hatte eine Zeit gegeben, in der David in fragwürdiger Begleitung regelmäßig dort erschienen war. Das Spielen hatte ihm anfangs großen Spaß gemacht, und er hatte auch ein paarmal Glück gehabt und Geld gewonnen. Aber kurz bevor er die Nachricht von seiner Versetzung nach Leh bekam, waren seine Spielschulden gewachsen, und er geriet in Schwierigkeiten. Emma hatte ohne Wissen ihrer Mutter einen Goldring verkauft, ein Erbstück ihrer Großmutter, den sie sehr liebte, um David zu helfen. Beschämt und voll Reue darüber, dass er Hilfe bei seiner Schwester suchen musste, hatte er versprochen, nie wieder zu spielen. Offensichtlich hatte er das Versprechen mehr als einmal gebrochen. Auf den Besuch in der Spielhölle vor ein paar Tagen waren andere gefolgt. Das alles musste er Emma nicht sagen. Die Schuldgefühle waren ihm deutlich ins Gesicht geschrieben.

»Wie viel hast du diesmal verloren?«, fragte sie streng, als er beharrlich schwieg.

»Alles«, flüsterte er. »Alles …«

»Alles? Was soll das heißen?«

Er sagte es ihr und Emma starrte ihn einen Augenblick lang ungläubig an. »Khyber Kothi?«, wiederholte sie. »Was soll das heißen, du hast Khyber Kothi verloren …«

»Das, was es heißt«, murmelte er düster. »Genau das.«

Emma wurde zornig. »Wie viele Gläser Cognac hast du getrunken?«

»Bei Gott, Emma, ich bin nicht betrunken. Ich weiß, was ich sage!«

»Was soll das heißen? Soll das vielleicht ein Witz sein?«

»Wenn es das nur wäre!« Er holte zitternd Luft. »Ich hatte kein Geld mehr. Ich konnte nur noch Khyber Kothi setzen. Das habe ich getan. Ich habe das Spiel verloren und damit auch das Haus.« Er legte die Stirn auf den Tisch und begann zu weinen. Im Zimmer hörte man nichts außer seinem trockenen, keuchenden Schluchzen.

»Mein Gott, reiß dich zusammen!« Emma konnte die unglaublichen Worte ihres Bruders immer noch nicht richtig verstehen. Sie nahm sich einen Stuhl und setzte sich neben ihn. »So, jetzt erzählst du mir alles ganz genau. Was ist geschehen?«

»Da gibt es nicht viel zu erzählen. Ich habe das Haus als Einsatz genommen und verloren. Das ist alles.«

»Wann war das? Heute Abend?«

»Nein, vor drei Tagen. Ich hatte nicht den Mut, es dir zu sagen … oder überhaupt nach Hause zu kommen.«

»Hattest du bei dem Spiel getrunken?«, fragte sie wütend.

»Ja. Nein … ich weiß nicht. Ich war … nicht bei Sinnen. Ich schien nicht zu wissen, was ich tat.« Er schluchzte wieder. »O mein Gott, ich muss den Verstand verloren haben …«

»Du hast doch Mama nichts davon gesagt?«

»Nein, natürlich nicht.« Er hob den Kopf und wischte sich mit dem Ärmel seines Hemdes die Augen. »Wie könnte ich?«

Emma blieb eine Weile stumm sitzen. Sie ärgerte sich weniger über seine absurde Geschichte, als darüber, dass er sein Wort gebrochen hatte. Doch es würde wenig nutzen, wenn sie jetzt ihren Zorn an ihm ausließ. So viel wusste sie aus Erfahrung. »Mit welchen Leuten hast du gespielt?«

»Nur mit einem … mit dem Teufel in Person.« Er schüttelte sich vor Entsetzen. »Er hat nicht viel gesagt, Emma, aber seine Augen …«

»Mach die Sache durch dein albernes Gefasel nicht noch schlimmer!« Sie hätte ihn am liebsten an den Schultern gepackt und geschüttelt. »Man muss nicht Luzifer sein, um einen dummen Narren wie dich übers Ohr zu hauen!«

»Diesmal war es anders, Emma. Ich schwöre es. Diesmal war es anders!« Er sah sie angstvoll an. »Ich wollte nicht spielen. Du kannst es mir wirklich glauben, Emma. Aber plötzlich hatte ich keinen eigenen Willen mehr. Ich spielte mechanisch. Ich musste ihm gehorchen. Er hat mich zum Spielen gezwungen. Ich habe verloren und er hat gewonnen. Trotzdem konnte ich nicht aufhören … und dann hatte ich nichts mehr … nur noch das Haus … mein Gott, mein Gott …« Er schluchzte wieder. »Ich verdiene es nicht zu leben, Emma. Ich wäre am liebsten tot.«

»Hör mit deinem schrecklichen Selbstmitleid auf!«, fauchte sie. »Und dichte einem hartgesottenen Verbrecher keine Teufelskräfte an, nur weil er dich aufs Kreuz gelegt hat.«

»Du kannst dich ruhig über mich lustig machen, Emma. Aber du kennst ihn nicht. Niemand kennt ihn. Er ist … er ist ein Zauberer, ein Hexenmeister …«

»Und hat dieser Zauberkünstler auch einen Namen?«

»Das ist doch nicht wichtig.« Er schüttelte den Kopf und stöhnte. »Er wohnt nicht hier. Er ist ein Fremder in Delhi und heißt Granville.«

»Granville …?«

»Ja, Damien Granville.«

Emma überspielte ihren Schock und stand auf. »Du hast mit Damien Granville gespielt?«

»Ja.«

»Hast du schon öfter mit ihm gespielt?«

»Zweimal, und da hatte ich gewonnen.«

»Waren die Geschenke von dem Spielgeld gekauft?«

»Ja.« Er schlug die Hände vor das Gesicht. »Granville wird darauf bestehen, dass ich die Spielschulden einlöse. Er … er hat mich gewarnt, als der Einsatz gesetzt wurde …«

»Und du hast trotzdem gespielt?« Ihr Abscheu kannte keine Grenzen.

»Ich habe dir doch gesagt, der Mann ist die Verkörperung des Bösen. Er … hat mich hypnotisiert. Er hat mir meinen Willen genommen. Er hat meine Gedanken und alle meine Sinne unter seine Kontrolle gebracht …«

»Du hast gespielt, weil du spielen wolltest. Das hat nichts mit Hypnose zu tun!« Sie ging im Zimmer auf und ab. »Ist dieser … dieser Granville … ein professioneller Spieler?«

»Das weiß ich nicht. Aber die beiden Male, als ich dort war, erschien er ebenfalls. Highsmith hat den Einsatz bestätigt, und er beschäftigt gefährliche Männer, um Spielschulden einzutreiben. Außerdem, wenn jemals bekannt werden sollte, dass ich meine Spielschulden nicht bezahle, dann würde man mich …«

Emma hörte ihm nicht mehr zu. Das alles war geschehen, *bevor* Granville sie auf der Burra Khana so in Verlegenheit gebracht hatte! Sie konnte nicht glauben, dass jemand so schöne Worte machen konnte und gleichzeitig so verlogen sein sollte.

David klammerte sich in seiner Panik an ihren Arm. »Mein Gott, wie soll ich Mama das jemals sagen?«

»Das wird nicht nötig sein«, erwiderte Emma mit versteinertem Gesicht. »Kein Mensch, nicht einmal ein abgebrühter Spieler, kann erwarten, dass eine solche Spielschuld eingelöst wird.« Sie zweifelte nicht daran, dass David in seiner Naivität das Opfer eines üblen und besonders geschmacklosen Streichs geworden war. Außerdem konnte sie im Augenblick vor Müdigkeit nicht mehr klar denken. Sie wollte gehen.

David hielt sie fest. »Was sollen wir tun, Emma?«, fragte er mit tränenerstickter Stimme.

»Tun?« Sie riss sich los. »Ich weiß nicht, was du tun willst, aber ich gehe jetzt schlafen. Und das rate ich dir auch. Wir werden morgen darüber reden.« An der Tür blieb sie noch einmal stehen und fragte: »Was hat Damien Granville bei dem Spiel eingesetzt?«

»Sein Landgut in Kaschmir.«

»Und du glaubst allen Ernstes, er hätte es dir überlassen, wenn du gewonnen hättest?«

»Er hätte nicht verloren«, sagte David bitter. »Damien Granville verliert nur dann, wenn er verlieren will. Er ist der geborene Sieger.«

»Ach ja?« Emma kniff die Augen zusammen. »Das werden wir ja sehen.«

*

Emma hatte keinen Grund, daran zu zweifeln, dass David in dem Spielcasino gewesen war und sich dort in Schwierigkeiten gebracht hatte. Der Rest seiner bizarren Geschichte schien jedoch mehr als unwahrscheinlich. Damien Granville mochte vielleicht ein abgebrühter Abenteurer sein, von dem man wenig Gutes erwarten konnte, aber David hätte bestimmt auch für einen harmloseren Gauner ein lohnendes und einfaches Ziel geboten. David behauptete, ein willenloses Opfer gewesen zu sein, aber damit versuchte ihr schwacher Bruder nur, die Schuld, die einzig und allein auf seinen Schultern lastete, auf einen anderen abzuwälzen. Er war ein Hitzkopf, er handelte gedankenlos und naiv und glaubte in seiner Unerfahrenheit, sich als Mann zu beweisen, indem er Dinge tat, die er für besonders männlich hielt. Leider war er auch ein Dummkopf, dem man mühelos das Geld abnehmen konnte, oder wie in diesem Fall ein Haus, das ihm ihr Vater leider vererbt hatte.

Obwohl Emma sehr wütend auf David war, weigerte sie sich noch immer, die Sache wirklich ernst zu nehmen.

Als sie sich ihr Gespräch mit Damien Granville auf der Burra Khana noch einmal vor Augen führte, staunte sie über seine Unverfrorenheit. Er war unverblümt gewesen und hatte ihr gegenüber alle Regeln des Anstandes verletzt. Offenbar war er es gewöhnt, seinen Charme zu seinem Vorteil zu nutzen. Sie konnte sich jedoch trotzdem nicht dazu durchringen zu glauben, dass ein Schürzenjäger mit zu viel Selbstbewusstsein und zu wenigen Skrupeln einen unerfahrenen jungen Mann, der noch keinen Alkohol vertrug, zu einem unseriösen Spieleinsatz verleiten und dann noch erwarten würde, die Schuld zu kassieren. Das wäre einfach unerhört!

Trotz ihrer Überlegungen schlief Emma in dieser Nacht nicht gut. Im Morgengrauen weckte sie ungnädig das durchdringende Krähen ihrer Hähne auf dem hinteren Teil des Geländes. Dieses laute Krähen trieb die Bankshall-Schwestern zur Verzweiflung, und zum ersten Mal hatte Emma für ihre Beschwerden großes Verständnis. Als sie schließlich mit roten Augen und einem schweren Kopf aufstand, war ihr klar, dass es womöglich unklug wäre, Davids absurde Geschichte zu leicht zu nehmen. Deshalb beschloss sie, in einem ersten Schritt grundsätzliche Dinge über ihren Gegner herauszufinden.

»Du willst Informationen über Damien Granville?«, fragte Jenny Purcell erstaunt.

»Ja«, erwiderte Emma.

»Interessierst du dich für ihn?«

»Ich interessiere mich keineswegs für Mr. Granville«, erklärte Emma. »Ich versichere dir, dass mich noch kein Mann weniger interessiert hat als er. Aber, ja, ich möchte Informationen über ihn haben, und zwar aus Gründen, die nicht halb so aufregend sind, wie du gerne glauben möchtest.«

»Was für Gründe sind das?«

»Darüber möchte ich jetzt noch nicht sprechen. Wenn es vorbei ist, werde ich dir alles sagen.«

»Wenn *was* vorbei ist?

»Was auch immer.«

Jenny seufzte. Sie wusste, im Augenblick würde sie von ihrer Freundin nicht mehr erfahren.

Um ungestört miteinander sprechen zu können, saßen die beiden hinter dem Sommerhaus der Purcells im Garten. Die beiden Familien hatten nur wenige Geheimnisse voreinander. Die Purcells wussten über Davids Eskapaden auf dem Urdu-Basar Bescheid. Emma mochte Jenny wirklich sehr, doch in dieser Angelegenheit zögerte sie, ihr schon jetzt alles zu sagen. Ihr Besuch hatte allerdings einen einfachen Grund. Jenny war auch mit Grace Stowe befreundet, die zudem in Delhi über ein unglaubliches Wissen aus der Gerüchteküche verfügte, das sie liebenswürdigerweise mit allen ihren Freundinnen teilte. Jetzt wollte Emma dieses unerschöpfliche Reservoir anzapfen.

»Also, was genau willst du über ihn wissen?«, fragte Jenny verdrossen, denn die Geheimniskrämerei passte ihr überhaupt nicht.

»Alles, was du weißt. Für mich ist er ein völlig Fremder. Ich weiß nur, dass er in Kaschmir lebt. Was ist er von Beruf?«

Jenny lachte. »Bei dem Geld, das er hat, braucht er keinen Beruf! Wie Grace sagt, gehört ihm ein großes Gut in der Nähe von Srinagar. Es heißt Shalimar, so wie der Park dort. Ich würde sagen, er ist ein *Gentleman*-Farmer.«

Eine Umschreibung für Hedonist!

»Schon das macht ihn verdächtig. Ausländer dürfen in Kaschmir keinen Grund und Boden besitzen. Wie ist es ihm gelungen, auf verbotenem Territorium ein Anwesen zu haben?«

»Ich habe nicht die geringste Ahnung. Aber es ist ihm gelungen. Jemand hat gestern Abend gesagt, sein Vater war mit dem verstorbenen Maharadscha befreundet und stand in seiner Gunst. Ich möchte meinen, die königliche Huld erstreckt sich auch auf den Sohn.«

Emma erinnerte sich an das Gespräch, das sie ungewollt mit angehört hatte, und fragte: »Warum gilt er bei der indischen Regierung als *non grata?*«

»Wegen seiner politischen Ansichten«, erwiderte Grace. »Er sympathisiert mit den Russen und macht auch keinen Hehl daraus.«

»Aber er ist doch Engländer, oder?«

»Sein Vater war Engländer, aber seine Mutter, so sagt man, kam aus Österreich … möglicherweise auch aus Deutschland.« Obwohl niemand in der Nähe war und ihnen zuhörte, senkte sie die Stimme. »Grace hat kürzlich von jemandem gehört, sie sei in irgendeinen Skandal verwickelt gewesen. Angeblich ist sie mit einem anderen Mann davongelaufen, aber alles wurde unter den Teppich gekehrt.« Jenny reckte sich und gähnte. »Sie ist schon lange tot. Deshalb ist es wohl nicht weiter wichtig.«

»Hat er sonst noch Verwandte?«

»Du meinst, ob er verheiratet ist?« Jenny lächelte vielsagend. »Nein. Er und die Prices haben gemeinsame Freunde.«

»Was hat sein Vater gemacht?«, fragte Emma und übersah das anzügliche Lächeln. »Er war Offizier in der Armee«, sagte Grace.

»In Kaschmir?«

»Nein, bei den britischen Streitkräften. Du meine Güte, Emma!«, rief Jenny gereizt. »Wen interessiert das schon? Es ist doch nicht wichtig, was sein Vater gemacht hat! Wichtig ist doch nur, dass der Mann noch Junggeselle ist.«

»Wer, der Vater? Ja, das könnte ich mir vorstellen.«

Jenny kicherte. »Sei nicht albern! Der Vater ist schon lange tot.«

»Mich überrascht es nicht, dass der Sohn noch unverheiratet ist«, erwiderte Emma streng. »Welche vernünftige Frau würde einen so eingebildeten Schürzenjäger wie ihn heiraten wollen?«

»Charlotte Price schon. Sie hat sich geschworen, ihn zu erobern.«

»Ich habe von einer vernünftigen Frau gesprochen!«, erwiderte Emma bissig. »Also … er lebt allein.«

»Das hängt davon ab, was du unter allein verstehst.« Jenny zwinkerte ihr zu. »Er ist bei gewissen Damen sehr beliebt, und wie man weiß, kann er sich nicht über fehlende Angebote beklagen.«

»Daran zweifle ich nicht! Aber seine Moral – oder seine fehlende Moral – geht mich absolut nichts an. Warum auch?«

»Höre ich, dass sich eine gewisse Dame zu sehr ereifert?«, sagte Jenny spöttisch.

»Nein, das hörst du falsch!«, rief Emma entrüstet. »Warum witterst du nur hinter allem eine Liebesaffäre? Ich möchte nur wissen, was an diesem unangenehmen Mann so Besonderes ist, dass sich ganz Delhi um seine Aufmerksamkeit bemüht.«

»Unangenehm hin, unangenehm her, er ist jung, er ist reich und er will erobert werden. Angesichts der wenigen heiratsfähigen Männer am Ort frage ich dich, was kannst du anderes erwarten? Na komm schon, Emma«, Jenny lachte leise. »Du musst zugeben, dieser Mann ist attraktiv, ein guter Tänzer, und er hat tadellose Manieren. Charlotte Price ist bis über beide Ohren in ihn verknallt und behauptet, er sei der tollste Mann, dem sie je begegnet ist. Ein richtiger moderner Musketier.«

»Charlotte würde jede Vogelscheuche toll finden«, erwiderte Emma, »wenn sie Hosen anhat. Aber kommen wir zur Sache. Was macht er in Delhi?«

»Der Gärtner von Grace, dessen Bruder in dem Haus arbeitet, das Granville in der Nicholson Straße gemietet hat, sagt, er säße stundenlang mit seinem Privatsekretär, einem Mann namens Suraj Singh, in seinem Arbeitszimmer.«

»Ist der Sekretär ein Sikh?«

Jenny zuckte mit den Schultern. »Wer weiß?«

»Wie lange will er in Delhi bleiben?«

»Es scheint, als habe er sich richtig niedergelassen«, erwiderte Jenny und unterdrückte ein Gähnen. »Der Bruder des Gärtners sagt, er hat sehr merkwürdige Besucher, die aus noch merkwürdigeren Gegenden kommen. Und er scheint sehr viele Briefe zu schreiben und zu bekommen.«

»Was macht er abends? Hat Grace darüber etwas erfahren?«

»Er erscheint nicht auf Burra Khanas, das kann ich dir versichern! Mrs. Granger sagt, alle haben ihn eingeladen, aber er meidet gesellschaftliche Ereignisse wie die Pest. Niemand weiß, warum er die Einladung der Prices angenommen hat, selbst Grace kann es sich nicht erklären. Deshalb steckt Mrs. Granger ihre Nase im Augenblick buchstäblich in alles, was mit ihm zusammenhängt.« Als Jenny sah, dass die Bemerkung Emma die Röte ins Gesicht trieb, wagte sie einen

Vorstoß. »Du kannst dir nicht zufällig vorstellen, weshalb er die Einladung angenommen hat?«

»Nein, das kann ich nicht!«, erklärte Emma heftig. »Warum gerade ich?«

»Immerhin hat sich Granville gleich zu Beginn des Abends als Erstes mit dir unterhalten und bei dem Gespräch habt ihr beide sehr viel gelächelt.«

»Ich glaube mich zu erinnern, dass du gesagt hast, ich hätte wütend ausgesehen.«

»Du hast wütend ausgesehen, er hat gelächelt.«

»Womit beschäftigt er sich sonst noch?«, fragte Emma schnell, um das Thema zu wechseln.

Jenny sah sie von der Seite an, aber sie konnte Emmas Gesichtsausdruck nichts entnehmen. »Wie der Bruder des Gärtners sagt, verbringt er die Abende meist zu Hause … bis auf seine Besuche im Spielcasino auf dem Urdu-Basar.«

Emma wurde flau im Magen. »Er ist also ein Spieler …«

»Vermutlich, warum würde er wohl sonst in ein Spielcasino gehen?«

Jenny hatte genug von dem Spiel und fragte gereizt: »Sag mal, willst du nichts wissen, was wirklich wichtig ist … zum Beispiel, woher er die attraktive Narbe am Kinn hat?«

»Nein, aber wie ich sehe, lässt es sich nicht umgehen, dass du es mir sagst.«

Jenny wurde wieder munter. »Jeder hat seine eigene Theorie. Charlotte, mit der er dreimal getanzt hat, glaubt, er wurde bei einem Duell verletzt, bei dem er die Ehre einer Frau verteidigt hat. Prudence behauptet, die Narbe sei eindeutig eine Erinnerung an die Rache eines Mannes, den er zum betrogenen Ehemann gemacht hat. Grace dagegen, die immer alles am besten weiß, hält eine heroische Erklärung für angemessener – zum Beispiel einen Krieg im Himalaja, wo er als Einziger gegen zwanzig Afghanen gekämpft hat. Also, du kannst dir deine Version wählen.«

Emma musste lachen. »Was hatten die Bankshalls dazu zu sagen?«

»Oh, sie haben sich jeder Theorie enthalten. Eunice schwört, sie rieche bei ihm das Blut einer Einheimischen. Sie behauptet, er sei kein echter Engländer, denn sonst hätte er nicht gewagt, in der Öffentlichkeit ein scharlachrotes Samtjackett zu tragen, ganz abgesehen von dem gerüschten Hemd und der unglaublichen Foulardkrawatte. Bernice meint, er sei ein Mischling aus Südamerika und deshalb natürlich auch ein Betrüger.« Sie kicherte. »Ungeachtet der Herkunft der Narbe ist man sich in den Kreisen der Damen dahingehend einig, dass Damien Granville einfach ungeheuer attraktiv ist.«

»Und in den Kreisen der Herren?«

»Die sind weniger von ihm begeistert«, erwiderte Jenny seufzend. »John sagt, die Männer finden, Damien Granville sei ein Grünschnabel.«

Emma war ganz ihrer Meinung.

*

Simla, die Sommerhauptstadt der indischen Regierung, war während der Saison ein äußerst begehrter Wohnort, weil dort alles so *englisch* war. Die Stadt lag auf einer Höhe von etwa zweitausendeinhundert Metern über dem Meeresspiegel in den Vorbergen des Himalaja. Die schattigen Wälder boten eine erholsame Zuflucht von der unerträglichen Hitze und dem Schmutz der Städte. Das Klima ließ so wenig zu wünschen übrig wie die Umgebung, die sehr europäisch wirkte. Die nach Kiefern duftende Luft in den landwirtschaftlich genutzten Tälern und die schattigen Bergschluchten wirkten heilend und waren wunderschön und deshalb eine ausgezeichnete Kur gegen die durch die Ebenen hervorgerufene schreckliche Lethargie.

Im Norden erhoben sich die gewaltigen Gipfel des Himalaja, im Süden zogen sich die bewaldeten Hänge der Simlaberge bis in das weite Tal der Punjabebene hinunter. Auf den Wiesen und Weiden und entlang der tiefen Schluchten wuchs wilder Rhododendron. In den dichten Wäldern aus Himalajazeder, Kiefern, Eichen und Stechpalmen brüteten Scharen von Chakoren, die überall zu sehen waren.

Die Glücklichen, die während der Saison nach Simla versetzt wurden, sprachen euphorisch vom Olymp. Die anderen, die den Sommer schwitzend in der staubigen Hitze der Städte verbringen mussten, schimpften über die bürokratische Monstrosität. Ein besonders satirisch Begabter nannte Simla den »Olymp der kleinen Blechgötter«, und alle Neidgeplagten stimmten ihm bereitwillig zu. Fern von den erstickenden Winden und dem bürokratischen Alltag Kalkuttas bot Simla die Aussicht auf eine nicht abreißende Kette von Vergnügungen, denn welche Mängel die Sommerhauptstadt auch haben mochte, es fehlte ihr ganz sicher nicht an Möglichkeiten der Unterhaltung. Der Annandale-Club war ein idealer Schauplatz für Gymkhana-Pferderennen, Picknicks, Poloturniere, Krocket, Ausstellungen und für die aufregende Durand-Fußballmeisterschaft. In den Sälen gab es Veranstaltungen im Überfluss. Man ging zu Galakonzerten, Theateraufführungen, Maskenbällen und eleganten Burra Khanas, wo man Gelegenheit hatte, auf eine etwas persönlichere Weise Umgang mit den wichtigen und unwichtigen Persönlichkeiten zu pflegen. Spannungen verflogen in dieser vorwiegend bürokratischen Gesellschaft mit ihren Cliquen und Klüngeln, endlosen Intrigen, Gerüchten und vor allem den ewigen Wünschen nach Beförderungen dank guter Verbindungen. Für die nach Simla beorderten Bürokraten kam zu all dem auch die prickelnde Aussicht auf eine Affäre ohne moralische Verpflichtungen oder boshafte Kritik.

Das pulsierende Herz von Simla schlug entlang der Mall. Auf dieser halbmondförmigen Straße mit eleganten Geschäften bot sich tagtäglich die Möglichkeit, zu sehen und gesehen zu werden, zu bewundern und bewundert zu werden. Hier konnte man durch diskrete Augenkontakte ein heimliches Rendezvous in die Wege leiten. Entlang der Mall befanden sich auch die wichtigsten Institutionen der Stadt – das Innenministerium, die kaiserliche Bank, die Militärverwaltung, die Leitung der Streitkräfte, die römisch-katholische Kirche, Clubs, Bibliotheken, Hotels, Restaurants und Teehäuser. Am Ende der Mall stand der neue Palast des Vizekönigs, ein sechsstöckiges Bauwerk, das wie eine überreich mit Türmen und Kuppeln verzierte Festung aussah. Trotz der prunkvollen Ausmaße – oder vielleicht gerade deshalb – hieß es, der derzeitige Hausherr, Lord Lansdowne, sei beglückt darüber, endlich ein wirkliches englisches Zuhause zu haben und nicht nur eine indische Residenz.

Viele staunten immer wieder darüber, dass in dieser ehemals primitiven Wildnis mit unbefestigten Wegen und einfachen Holzhäusern in so kurzer Zeit eine so urbane Kultur hatte aufblühen können. Inzwischen nahm man es jedoch für selbstverständlich, dass täglich Blaskapellen aus London spielten, der Lachs aus Schottland kam, Sardinen vom Mittelmeer, Champagner und Weine von den französischen Weingütern, Delikatesskonserven von Fortnum & Masons', dass man Schweizer Patisserien genoss und die neueste europäische *Haute Couture* trug. Hübsche kleine englische Häuser mit hübschen kleinen englischen Gärten mit weißen Holztoren trugen englische Namen wie Dove Cote, Holyrood, Glendale und Brighton Belle. Zu Simlas Berühmtheit trug nicht zuletzt die Tatsache bei, dass in dieser paradiesischen Umgebung Lola Montez, eine der berühmtesten und berüchtigsten Kurtisanen des Jahrhunderts, ihre Verführungskünste zuerst geübt und dann vervollkommnet hatte.

Leider musste zwischen all den Vergnügungen und Annehmlichkeiten auch gearbeitet werden. Aber auch wenn manche Regierungsbeamte entschlossen zu sein schienen, die turbulente Saison nicht mit langweiliger Arbeit zu belasten, Oberst Wilfred Hethrington, Leiter des Nachrichtendienstes im Amt des Generalquartiermeisters der indischen Streitkräfte, gehörte nicht zu ihnen. Oberst Hethrington nahm seine Verantwortung äußerst ernst, denn er war sich der zentralen Rolle seiner Abteilung in Sachen Nachrichtenermittlung entlang der gefährdeten Nordgrenze durchaus bewusst. Da die Sommerhauptstadt in der Nachbarschaft der strategisch wichtigen Himalajakönigreiche im Norden lag, war der Geheimdienst ebenso wie das Hauptquartier des Oberkommandos der indischen Streitkräfte, unter dessen alleiniger Befehlsgewalt die Abteilung stand, ständig in Simla stationiert.

An dem fraglichen Morgen – es war ein besonders schöner Tag zu Beginn der Saison, an dem die Luft nach Kiefern duftete – erschien Oberst Hethrington sehr früh in seinem Büro an der Mall, setzte sich an seinen Schreibtisch und betrachtete nachdenklich eine Reihe von Gegenständen, die auf der Schreibtischplatte ausgebreitet waren – ein Sextant, ein Kompass, ein Feldstecher, eine versiegelte Porzellanschnecke, ein zusammenschiebbarer Gehstock, eine schmale Thermometerhülle und ein paar andere Kleinigkeiten, die zu dem geschickt getarnten Handwerkszeug eines Geheimagenten gehörten. Auf der einen Seite des Schreibtischs stand eine große und sehr mitgenommene Reisetruhe.

Der Oberst griff nach einem Blatt Papier und las noch einmal die Nachricht, die dort stand. Dann schlug er energisch auf die Handklingel. Die Tür öffnete sich mit einem schrillen Quietschen, und sein persönlicher Chaprassi erschien mit dem Teetablett.

»Sir?«

»Ist Hauptmann Worth Sahib aus Delhi zurück?«

Der Diener in Livree bestätigte es.

»Dann sagen Sie ihm, er soll hereinkommen.«

Der Diener stellte das Tablett auf den Schreibtisch, tupfte mit einer weißen Serviette ein paar auf die Untertasse verschüttete Tropfen auf, verneigte sich und verließ das Zimmer. Während Oberst Hethrington seinen Tee trank und ungeduldig auf seinen persönlichen Adjutanten wartete, blickte er gedankenverloren aus dem Fenster. Draußen vor dem einzigartigen Panorama hüpfte ungeduldig eine Makakenfamilie auf dem Fensterbrett herum. Die kleinen Äffchen bemühten sich um die Aufmerksamkeit des strengen Herrn, aber er beachtete sie an diesem Morgen nicht.

Wie viele andere fand auch Oberst Hethrington, der jährliche Umzug der indischen Regierung nach Simla sei eine Verschwendung von Zeit, Energie und öffentlichen Geldern. Man hielt an einer Entscheidung fest, die ein Vizekönig aus einer Laune heraus getroffen hatte, der die Sommerhitze in Kalkutta unerträglich fand. Wem erging es nicht so? Im Gegensatz zu einigen seiner Kollegen fand Hethrington jedoch die Saison unerträglich. Er staunte immer wieder von neuem über die Veränderungen, die sich bei sonst ehrenvollen, gottesfürchtigen Männern vollzogen – und das nur durch einen Ortswechsel. In Kalkutta achtete jeder auf Anstand und Würde, aber in der Luft des Himalaja schien das alles wie weggeblasen. Diejenigen, die ihre Familien in Kalkutta zurückgelassen hatten, waren natürlich die schlimmsten Sünder. Sie flirteten und verführten Frauen, die sie nie zuvor gesehen hatten – und die sie nach der Saison auch nicht wiedersehen würden. Sie wurden zu willfährigen Sklaven ihrer sinnlichen Begierden. Die Frauen trieben es wenn möglich noch schlimmer. Der harte Kern der jährlich erscheinenden Witwen, Strohwitwen und Jungfrauen hielt bei der Jagd nach einer Affäre alles für Freiwild, was Bereitschaft signalisierte und einen Bart hatte – Junggeselle, Ehemann oder Witwer.

Oberst Hethrington runzelte verdrießlich die Stirn bei dem Gedanken an die bevorstehenden skandalträchtigen Monate im Allgemeinen und an den Kostümball des Vizekönigs zum Saisonauftakt im Besonderen. Seine Frau, eine ansonsten tugendhafte fromme Dame ohne jeden Makel, hatte es sich in den Kopf gesetzt, als Königin Elizabeth und mit ihm als Sir Walter Raleigh auf den Ball zu gehen. Kein Bitten und Flehen hatte sie von dieser verrückten Idee abbringen können.

Sein Ärger über Simla, die Saison, die Welt und vor allem über seinen Adjutanten, der ihn warten ließ, wuchs von Minute zu Minute. Der Oberst wollte gerade noch einmal auf die Klingel schlagen, als die Tür mit dem vertrauten, aber verhassten Quietschen aufging und Hauptmann Nigel Worth erschien.

Der Hauptmann salutierte forsch. »Sie haben mich gerufen, Sir?«

»Wo zum Teufel sind Sie gewesen?«, fragte Oberst Hethrington gereizt. »Ich warte schon seit über einer halben Stunde auf Sie.«

Das war natürlich eine schamlose Übertreibung, aber Hauptmann Worth setzte sich nicht zur Wehr. »Ich habe Burra Babu Anweisungen gegeben, Sir, wie man das Militärische Ortslexikon auf den neuesten Stand bringt, denn das ist nötig. Deshalb dachte ich, ich sollte … ja, ich so-so-sollte …« Er brach ab, denn er musste gähnen und hielt sich schnell die Hand vor den Mund. »Entschuldigen Sie, Sir, aber wir hatten die ganze Nacht hindurch Proben, und mir fehlt der Schlaf …«

Der Versuch seines Adjutanten, das Gähnen zu erklären, machte seinen Vorgesetzten nicht gerade glücklicher. Er musterte schweigend und mit eisiger Missbilligung das gerötete Gesicht des jungen Mannes. Offensichtlich war diese verwünschte Jethroe mit ihm aus Delhi zurückgekommen, und der verdammte Narr war *wieder* einmal die ganze Nacht in ihren Krallen gewesen – aber nicht zu Proben! Oberst Hethrington bedauerte zutiefst, dass es nicht zu seinen Pflichten gehörte, über die Moral seines Stabs zu wachen. Bei Gott, hätte er freie Hand, dann wäre der gesamte liederliche Haufen wieder schnell auf dem schmalen, aber anständigen Pfad der Tugend. Er hatte mit Maurice Crankshaw einen erbitterten Kampf darum geführt, dass Worth nach Simla versetzt wurde. Die Saison war wirklich ein großes Pech für ihn! Endlich hatte er einmal einen tüchtigen Adjutanten gefunden, und dann muss dieser Bursche ausgerechnet ein Laienschauspieler sein, der seine Hose nicht zugeknöpft lassen konnte. Wäre Worth nicht so ein meisterhafter Diplomat gewesen, mit einem Gehirn, dessen Windungen so verschlungen waren wie das Labyrinth des Minotaurus, hätte er den jungen Liebhaber schon längst mit einer Mission betraut, um ihn aus Simla zu entfernen, bevor die liebestollen Heuschrecken aus den Städten über die Gegend herfielen.

»Setzen Sie sich, setzen Sie sich«, brummte er und schob das Teetablett mit dem Brief über den Tisch.

»Zu dem Projekt, Sir …«

»Später, Hauptmann, später.« Der Oberst wollte von dem Projekt im Augenblick nichts hören. »Wie Sie sehen, bestellt mich der Generalquartiermeister wieder einmal zu sich. Er möchte die Diskussion über die Hyperiontragödie fortsetzen.«

Worth warf einen sehnsüchtigen Blick auf den Tee, aber angesichts der schlechten Laune seines Vorgesetzten wagte er nicht, sich eine Tasse zu gönnen. Stattdessen griff er nach der Nachricht vom Generalquartiermeister, der ihr direkter Vorgesetzter war. »Das kann ich mir denken, Sir. Es bleiben gewiss noch ein paar Fragen offen.«

»Eine meisterhafte Untertreibung!« Hethrington stand auf, öffnete die Reisetruhe und legte die verschiedenen Gegenstände vom Schreibtisch hinein, schob den doppelten Boden darüber und setzte sich wieder. Dann griff er nach einem Blatt Papier und klopfte mit dem Zeigefinger darauf. »Ich wünschte, Hyperion hätte uns mit dieser Truhe eine umfassendere Nachricht übermittelt. Wir haben von Lal Bahadur alles bekommen, bevor er nach Kanpur geschickt worden ist, richtig?«

»Ja, Sir. Er hat alles genau untersucht. Aber Hyperion hätte heikle Einzelheiten auch nicht kodiert seinem Gurkha anvertraut, denn er wollte die Unterlagen persönlich überbringen.«

Die sehr einleuchtende Erklärung trug wenig dazu bei, die Laune des Oberst zu verbessern. »Und was soll ich inzwischen dem Generalquartiermeister sagen? Soll ich ihm erklären, wir wissen zwar, wo sich die Unterlagen befinden, aber Crankshaw hat sie sich wegnehmen lassen? Wie glauben Sie, würde dieses kleine Meisterstück dem Vizekönig, dem Oberbefehlshaber und dem Außenminister gefallen? Von dem verfluchten Whitehall ganz zu schweigen?«

»In aller Fairness, Sir, aber Mr. Crankshaw war sofort in der Karawanserei, nachdem er unseren Funkspruch erhalten hatte. Es ist kaum sein Fehler, dass es zu spät war, als er die Kaufleute endlich zum Reden gebracht hatte.« Er hüstelte höflich. »Schließlich und endlich, Sir, bitte ich zu bedenken, es hätte noch schlimmer kommen können.«

»Noch schlimmer?«

»Denken Sie nur daran, dass die Männer in Yarkand große Angst davor hatten, in die Angelegenheit hineingezogen zu werden. Sie hätten uns ohne weiteres Hyperions Sachen nicht übergeben können. Sie hätten alles mit der Leiche vergraben oder die Sachen einfach am Karakorumpass zurücklassen können. Wir haben von dem Überfall nur deshalb erfahren, weil Mr. Crankshaw so schnell gehandelt hat.«

»Und das hat uns bis jetzt auch wirklich viel geholfen!«, schnaubte der Oberst.

»Nun ja, Sir, wäre der Mullah nicht gerade auf dem Weg nach Mekka gewesen, hätte Mr. Crankshaw …«

»Schon gut, schon gut, das weiß ich alles zur Genüge.« Hethrington leerte die Tasse, stand auf und ging auf und ab. Eines der Äffchen auf dem Fenstersims, offensichtlich das Familienoberhaupt, klopfte an die Glasscheibe. In Gedanken versunken, hörte der Oberst das Klopfen nicht. Worth nutzte die Gelegenheit, schenkte sich schnell eine Tasse Tee ein und trank einen belebenden Schluck. »Hyperion war kein unvorsichtiger Mann, Sir. Das zumindest wissen wir.«

»Sie glauben, ich muss daran erinnert werden? Wie auch immer, es war reines Glück, dass die Räuber nur an der Beute interessiert waren und nur vernichtet haben, was sie in der Teppichtasche auf Anhieb finden konnten.«

»Sie konnten auch nicht lesen, Sir. Außerdem gibt es noch eine andere Möglichkeit, die wir ebenfalls in Betracht ziehen müssen, Sir.«

»Und die wäre?«

»Hyperion wusste, dass er verfolgt wurde und sein Leben in Gefahr war. Er muss unter erheblichem inneren Druck gestanden haben. Letztendlich, Sir, sind auch Spione, mögen sie noch so abgebrüht sein, nur Menschen und deshalb fähig, Fehler zu machen.«

Der Oberst setzte sich wieder an seinen Platz und drückte das Kinn an die Brust. »Richtig«, sagte er bekümmert. »Leider allzu wahr. Aber diese Möglichkeit in Betracht zu ziehen fällt mir am schwersten.« Er seufzte tief. »Er war ein guter Mann, Hauptmann, einer unserer besten. Ich kann Ihnen nicht sagen, wie sehr mich sein Verlust trifft.« Er holte tief Luft und klopfte mit der Fingerspitze auf den Schreibtisch. »Und zu allem Überfluss haben wir es jetzt auch noch mit Charlton zu tun.«

»Nun ja, Sir, er kann nur über Gerüchte berichten ...«

»Ja, so lange, bis er die Wahrheit herausgefunden hat!« Hethrington ärgerte sich wieder einmal über die Gewohnheit seines Adjutanten, alles von der positiven Seite zu sehen. Optimismus war schließlich nicht immer angebracht! »Gehen wir davon aus, dass der Jasmina-pass entdeckt wurde und dass die Unterlagen fehlen, dann landen die kleinen spitzen Pfeile, die Charlton abschießt, zu nahe am Ziel, um einfach ignoriert zu werden. Der Mann stellt zu viele Fragen und hat zu viel im Club herumgeschnüffelt. Ich wünschte, Sie würden die Sache nicht allzu leicht nehmen, Hauptmann.« Er trommelte nervös mit dem Finger auf die Schreibtischplatte. »Ich warne Sie, wenn Charlton auch nur eine leise Ahnung von dem haarsträubenden Projekt bekommt, das Sie sich ausgedacht und mir aufgedrängt haben … wie haben Sie es noch genannt?«

»Janus, Sir. Das Janusprojekt.«

»Ja, und jetzt verstehe ich, warum Sie ihm diesen Namen gegeben haben!« Hethrington lächelte bitter. »Wenn Charlton Ihr verdammtes Janusprojekt in die Schlagzeilen bringt, dann können Sie Gift darauf nehmen, dass wir *beide* künftig Dienst in der Feldküche im Ausbildungslager von Meerut tun werden. Ich muss vorübergehend den Verstand verloren haben, dass ich mir das von Ihnen habe einreden lassen.«

»Nun ja, Sir, da alles andere erfolglos blieb …«

»Und Sie glauben, das Janusprojekt wird uns weiterhelfen? Ha!«

»Wenn es fehlschlägt, befinden wir uns in keiner schlechteren Lage als jetzt.«

»Wir werden verdammt nochmal in einer sehr viel schlechteren Lage sein, wenn Charlton etwas davon erfährt!« Hethrington ließ sich schwer auf seinen Stuhl fallen. »Glauben Sie, es wird … fehlschlagen?«

»Hoffentlich nicht, Sir, aber …«, er zögerte.

»Genau!« Der Oberst kniff die Augen zusammen. »Dieses verdammte *Aber* lässt sich nicht leugnen!« Er stützte das Kinn in die Hand und schloss die Augen. »Die Sache stinkt zum Himmel, Hauptmann! Zu viele Unberechenbarkeiten. Außerdem traue ich Ihrem Mann nicht. Ich habe ihm schon nicht getraut, als ich ihn zum ersten Mal gesehen habe, und es hat sich nichts daran geändert. Ich bin immer noch der Meinung, dass seine Motive fragwürdig sind. Nun ja«, er holte tief und gequält Luft, »ich kann mir trotzdem anhören, was Sie mir zu berichten haben.«

Gelegentlich nickend hörte Hethrington mit gespitzten missbilligenden Lippen aufmerksam zu, dann lehnte er sich zurück und versank wieder in tiefes Nachdenken. Klugerweise ließ der Hauptmann einige Zeit vergehen, bevor er leise hüstelte, das bewährte Mittel, um die Aufmerksamkeit des Oberst wieder auf sich zu lenken. »Zu unserer Seite des Abkommens, Sir …«

»Ach ja, da wäre auch noch unsere Seite!«, bemerkte Hethrington sarkastisch. »Was ist damit? Der Mann ist doch unterwegs nach Kaschgar, oder?«

»O ja, Sir, mit den medizinischen Vorräten, die Capricorn bestellt hat. Mr. Crankshaw und ich waren vor meiner Abreise nach Delhi beim Aufbruch der Karawane in Leh dabei. Mit etwas Glück sollte er inzwischen die chinesische Grenze überquert haben.«

»Und dann?«

»Ich glaube, wir müssen Capricorn über einige grundsätzliche Dinge informieren.«

»Nein!« Hethrington schüttelte energisch den Kopf. »Noch nicht. Je weniger er weiß, desto kleiner ist das Risiko.« Er schüttelte noch einmal den Kopf. »Kräuterabführmittel, was?« Er schnaubte verächtlich. »Capricorn glaubt wirklich, dieses indische Quacksalbermittel kann den russischen Konsul in Kaschgar außer Gefecht setzen? Denken Sie an meine Worte, Hauptmann, er wird nicht einmal nahe genug an den Taotai herankommen, um ihn *furzen* zu hören!«

»Capricorn ist sehr einfallsreich, Sir.«

»Ich glaube immer noch, Capricorn rennt einem Hirngespinst nach. Aber gut, es ist zu spät, um sich darüber Gedanken zu machen.«

»Jawohl, Sir.« Worth nickte eifrig. »Jetzt bleibt uns nur noch die Möglichkeit abzuwarten, was geschieht.«

Hethrington durchbohrte ihn mit einem kalten Blick. »Wenn mich das beruhigen sollte, Hauptmann, dann bitte ich Sie davon abzusehen, meinen Verstand zu beleidigen, indem Sie das Offensichtliche aussprechen.«

Er sprang auf, durchquerte den Raum und öffnete das Fenster, wo die Äffchen immer noch geduldig auf ihre Tagesration warteten. Der Oberst nahm aus einer Schale, die auf einem kleinen Tisch stand, ein paar Bananen und warf sie einzeln in die Luft. Die Affen sprangen eifrig vom Sims und kämpften mit schrillen Schreien um ihre Leib- und Magenspeise. Hethrington beobachtete sie eine Weile, lauschte auf das Summen der Bienen, auf das Krächzen der Krähen und das

Wiehern eines Pferdes – es waren die beruhigenden Laute eines schönen Morgens im sommerlichen Simla. Er ließ die kühle, frische Luft langsam in seine Lungen dringen und beruhigte damit seine Gedanken und seine Nerven. Als ihm plötzlich noch etwas einfiel, drehte er sich um und ertappte seinen Adjutanten dabei, wie er ausgiebig gähnte.

Der Oberst runzelte die Stirn und behielt den Gedanken für sich. Er ging schweigend zu seinem Schreibtisch zurück. »Das wäre im Augenblick alles, Hauptmann«, sagte er kühl und freute sich, einen guten Grund zu haben, seinen Einfall in die Tat umzusetzen. »Da ich Sie offensichtlich wach halte, schlage ich vor, Sie schlafen über dem Ortslexikon weiter. Aber Sie könnten dem Reich und unserer Abteilung, die Ihnen Ihren Sold zahlt, einen großen Gefallen erweisen, indem Sie sich heute Nacht ausnahmsweise wirklich einmal ein paar Stunden Schlaf gönnen würden.«

Worth wurde bei dem Tadel über und über rot, sprang verlegen auf und eilte zur Tür. Wie üblich quietschte sie so laut, als läge sie in den letzten Zügen.

»Verlangen Sie ein paar Tropfen Öl, und befreien Sie uns von diesem schrecklichen Geräusch!«

»Jawohl, Sir. Ich werde mich sofort darum kümmern.«

»Und noch etwas, Hauptmann!«

»Sir?« Nigel Worth war bereits draußen im Gang. Er blieb verwundert stehen und kam unsicher ins Zimmer zurück.

»Wie heißt das Stück noch, das Sie angeblich die ganze Nacht geprobt haben?«

»Hm, *Elizabeth und Raleigh*, Sir.«

»Das dachte ich mir.« Der Oberst lächelte süßsauer. »Zufällig benötigen Mrs. Hethrington und ich Elizabeth- und Raleigh-Kostüme für den Maskenball Seiner Exzellenz am Samstag. In Anbetracht Ihres Einflusses bei dem Star des Gaiety-Theaters denke ich, Sie werden wissen, wie wir zu diesen Kostümen kommen.«

Er sah mit sadistischer Freude, wie sein verlegener Adjutant nickte, auf dem Absatz kehrtmachte und wie ein Blitz verschwand.

Viertes Kapitel

Die vielen Kleinigkeiten, die Jenny berichtet hatte, interessierten Emma nur am Rande. Immerhin bestätigten sie, dass wenigstens ein Teil von Davids Geschichte der Wahrheit entsprach. Damien Granville war ein Spieler und besuchte oft das Casino. Nun blieb ihr nichts anderes übrig, als sich so gut wie möglich über den Rest Klarheit zu verschaffen, auch wenn diese Aussicht alles andere als erfreulich war.

Ein überraschter Diener weckte den ebenso überraschten Bert Highsmith, Besitzer des Spielcasinos auf dem Urdu-Basar, weil eine Engländerin, noch dazu eine Dame, in seinem schäbigen Büro saß.

»Ja?« Der aus dem Schlaf gerissene Highsmith war nicht gerade höflich. »Was kann ich für Sie tun, Miss?«

Emma hielt sich nicht lange bei der Vorrede auf und nannte ihm ihren Namen. »Ich komme wegen eines Spiels, das angeblich mit Leutnant Wyncliffe und einem gewissen Mr. Granville vor einigen Tagen hier stattgefunden hat.«

»Was ist damit?«, erwiderte er, ohne sich die Mühe zu machen, ein müdes Gähnen zu unterdrücken, wobei man seine vom Tabak braun verfärbten Zähne und die belegte Zunge sah. Doch als er den Namen hörte, wurde er vorsichtig. Um Himmels willen, stöhnte er innerlich, eine verdammte Verwandte! »Sind Sie mit dem Mann verwandt?«

»Ja. Was für ein Spiel wurde gespielt?«

»Ponton!«

»Waren Sie bei dem Spiel anwesend?«

»Ja, ich bin immer bei Spielen anwesend, bei denen …« Er verstummte und sah sie argwöhnisch an. »Worum geht es eigentlich? Ist etwas mit dem Spiel?«

»Um das herauszufinden, bin ich hier«, sagte Emma. »Und?«

Er blickte finster auf seine dicken Hände. »Wollen Sie unterstellen, dass …«

»Ich möchte nur wissen, Mr. Highsmith, ob das Spiel von Leutnant Wyncliffe und Mr. Granville fair verlaufen ist. War es ein faires Spiel?« Sie wusste wohl, was für eine absurde Frage das war, aber sie ließ den Spielcasino-Besitzer nicht aus den Augen.

Er verteidigte sich. »Alle meine Spiele sind fair, das können Sie mir glauben! Wyncliffe ist Stammgast. *Er* kann es Ihnen bestätigen.«

»Und Mr. Granville? Ist er auch ein Stammgast?«

»Nein, leider nicht.« Er schüttelte bedauernd den Kopf. »Er ist ein richtiger Gentleman. Von dieser Sorte kommen nicht so viele zu uns.«

Emma überlegte bitter, was David wohl dazu sagen würde, während der Mann fortfuhr. »Er ist aber auch schlau, *sehr* schlau. Er weiß im Voraus, wie die Karten aussehen werden.«

Emma beugte sich über den Schreibtisch. »Kann jemand außer Ihnen bezeugen, dass es ein faires Spiel war? Bestimmt hat es doch andere Zeugen gegeben.«

»Nein.« Er sah sie vorsichtig an. »Spiele mit hohen Einsätzen finden im kleinen Kreis statt. Verstehen Sie? Die Spieler sitzen im Hinterzimmer und nicht vorne. Sie wollen nicht, dass ihnen Fremde über die Schulter blicken.« Er sah sie finster an. »Ich weiß nicht, was Sie hier wollen, Miss. Aber wie ich schon gesagt habe, wenn jemand behauptet, in meinem Casino gehe es nicht ehrlich zu, dann ist er ein verdammter Lügner!«

»Dann muss Mr. Carter lügen«, erklärte Emma, ohne mit der Wimper zu zucken, obwohl ihre Aussage nicht der Wahrheit entsprach. Aber sie kannte Highsmiths schlechten Ruf. »Mr. Carter hat da eine etwas andere Meinung.«

Highsmith war früher Matrose gewesen und stammte aus Liverpool. Er hatte sich vor Jahren in Bombay heimlich von Bord geschlichen. Er veranstaltete auch Sattaspiele, Hunde- und Hahnenkämpfe, Brieftaubenwettbewerbe und Wettkämpfe im Drachensteigen – natürlich strich er dabei jedes Mal satte Gewinne ein. Nach allem, was Emma gehört hatte, war er durch und durch ein Betrüger und kam oft mit dem Gesetz in Konflikt.

Bei der Erwähnung des Polizeichefs bekam Highsmith einen roten Kopf und änderte sein Verhalten. Das staunende Personal, das sich vor der Tür drängte und die englische Dame anstarrte, zog sich vorsichtig etwas zurück.

»Ich habe das Spiel persönlich überwacht«, stieß er mürrisch hervor. »Fragen Sie Wyncliffe, fragen Sie Granville! Sie können auch jeden von meinen Leuten fragen!« Er deutete mit großer Geste auf die eingeschüchterten Diener.

Emma sah ihm direkt in die Augen und er wich schnell ihrem Blick aus. Er hatte etwas zu verbergen. Aber wie sollte sie herausfinden, was? »Wie viele Tage hat der Verlierer, um seine Schulden zu bezahlen?«

»Fünfzehn. Das ist doch fair, oder?«

»Keine Ahnung. Und kann dieser Zeitraum verlängert werden?«

»Das hat nichts mit der Casinoleitung zu tun«, erwiderte er schulterzuckend. »Das kann nur der Gewinner entscheiden.«

»Können Schulden auch in Raten bezahlt werden?«

»Das macht keinen Unterschied.« Er zuckte wieder mit den Schultern, ohne seine Ungeduld zu verbergen. »Warum fragen Sie das nicht Mr. Granville?«

Emma fielen keine weiteren Fragen mehr ein. Sie schluckte zweimal, dann stellte sie die eine Frage, die sie sich bis jetzt aufgespart hatte. »Um welchen Einsatz hat man bei diesem Spiel gespielt?«

Aha! Er hatte es ihr nicht gesagt – typisch! »Die Geschäftsleitung steht auf dem Standpunkt …«, begann er steif, unterbrach sich aber selbst, als er an die Verbindung dieser aggressiven Frau mit dem verdammten Polizeichef dachte. »Um ihre Häuser haben sie gespielt«, sagte er mit zusammengekniffenen Augen. »Sie haben um ihre verdammten Häuser gespielt, jawohl!«

»Und Sie haben zugelassen, dass in Ihrem Casino um einen so ungeheuerlichen Einsatz gespielt wird?«, fragte Emma zornig. »Sie haben nichts unternommen, um das zu verhindern?«

»Wie konnte ich?«, jammerte er. »Ich habe versucht, es zu verhindern, so wahr mir Gott helfe! Aber der junge Wyncliffe war zu betrunken, um auf mich zu hören. Er hat gespielt und sein Haus verloren. Khyberpass oder so ähnlich heißt es.«

Emma kehrte niedergeschlagen nach Hause zurück. Ihr Zorn war verflogen. Die Begegnung mit der Schattenseite von Delhi und den Ganoven, die sich dort herumtrieben, hatte sie erschüttert. Hatte sich der Besuch im Spielcasino gelohnt? Sie wusste es nicht. Ebenso wenig wusste sie, was sie als Nächstes tun sollte.

Das Abendessen war bedrückend. David saß mit eingefallenem Gesicht und gesenktem Blick am Tisch und schwieg. Er stocherte lustlos in seinem Essen. Seine trüben Augen hatten dunkle Ringe. Er wirkte elend, und das Besteck in seiner Hand klirrte auf dem Porzellan, weil seine Finger zitterten. Doch Margaret Wyncliffe war völlig von ihrem Bericht über die neuesten Gefechte von Carrie Purcell mit Jenny wegen der steigenden Rechnungen für Jennys Aussteuer in Anspruch genommen. Deshalb fiel ihr nichts auf.

»Was um alles in der Welt soll ich bloß tun, Emma?«, rief David, als Emma ihn nach dem Essen in seinem Zimmer aufsuchte. »Ich habe schon zwei Zahlungsaufforderungen vom Besitzer des Spielcasinos erhalten – die zweite enthielt alle möglichen Drohungen.«

Das also war das wahre Gesicht des ehrlichen Betreibers einer Spielhölle!

»Glaubst du, ich sollte zu Granville gehen? Wenn ich ihm vielleicht erkläre, dass ...«

»Nein!« Emma unterbrach ihn heftig. »Du hast dich schon genug gedemütigt. Wie kannst du es wagen, daran zu denken, vor ihm zu kriechen? Hast du keine Selbstachtung mehr?« Sie hatte David nichts von ihrem Besuch bei Highsmith gesagt. Er brach ohnehin unter der Last seiner Schuldgefühle beinahe zusammen. Er hätte es zwar verdient gehabt, aber es wäre grausam gewesen, ihn noch mehr zu foltern.

»Was dann?« Seine Erleichterung darüber, dass ihm diese Erniedrigung erspart bleiben würde, war offensichtlich. »Soll ich einfach hier sitzen und nichts tun?«

»Du hast bereits genug getan«, sagte sie vorwurfsvoll. »Überlass alles andere mir.«

David ließ zerknirscht den Kopf sinken. »Ich weiß, du wirst dir etwas ausdenken. Dir fällt immer etwas ein, und dann weißt du genau, was zu tun ist.«

Sie hatte tatsächlich bereits etwas getan. Aber das verstärkte nur ihre Verbitterung über ihn. Doch am nächsten Morgen brachte ein unerwarteter Sonnenstrahl etwas Licht in die düstere Lage. Von Dr. Theodore Anderson traf ein Brief ein, der sie mit den Unterlagen ihres Vaters ins College bat.

*

»Wenn es so ist, dann werde ich warten müssen, bis Sie *mich* besuchen ... «

Emma biss die Zähne zusammen und setzte sich am Nachmittag an den Schreibtisch. Sie wollte eine Nachricht an Damien Granville schicken. Sie beließ es bei einigen wenigen kurzen Sätzen, mit denen sie um ein Gespräch mit ihm zum frühestmöglichen Zeitpunkt bat. Bevor ihre Entschlossenheit ins Wanken geriet, adressierte sie einen Briefumschlag, rief den Gärtner und trug ihm auf, die Nachricht in der Nicholson Road abzugeben.

Sie zweifelte immer noch nicht daran, dass dieser skrupellose Mr. Granville mit ihrem Bruder ein besonders böses Spiel trieb. Nur der Gesundheitszustand ihrer Mutter bewog sie, ihm nicht die Stirn zu bieten und es auf eine Auseinandersetzung ankommen zu lassen. Der Mann war ein Betrüger, und wie alle Betrüger war er bestechlich. Sie würde einfach herausfinden, was er verlangte, und dann konnte sie nur beten, dass sie in der Lage sein würde, den geforderten Preis zu zahlen.

Sie schob die unerquickliche Angelegenheit beiseite und machte sich entschlossen an die Arbeit. Das Arbeitszimmer war noch nicht aufgeräumt, und die Manuskripte und Unterlagen mussten sortiert und abgelegt werden. Außerdem waren die Kondolenzbriefe im Namen ihrer Mutter zu beantworten. Emma setzte sich an die Schreibmaschine ihres Vaters. Sie hatte sich das Maschineschreiben selbst beigebracht und war bald in ihre Arbeit vertieft. Beim erneuten Lesen der Briefe und Nachrufe der Kollegen ihres Vaters an den internationalen Universitäten überkamen sie wehmütige Erinnerungen und Trauer.

Sie war wieder eine Zehnjährige und befand sich mit ihrem Vater in den entlegenen Gebieten der Vergangenheit, die als die Wiege der menschlichen Zivilisation galten. Alle ihre Sinne schwelgten in den fröhlichen Sommerferien der Kindheit, mit der wundervollen Befreiung von strengen Pflichten, der ungezwungenen Kameradschaftlichkeit in den Lagern, der herrlichen Freiheit, alles zu erkunden, überall herumzustreifen, zu beobachten, zu fragen und zu lernen. Sie dachte voller Freude an die Mahlzeiten inmitten der Wiesenblumen und an die Gutenachtgeschichten von Helden einer längst vergangenen Zeit. Sie schmeckte wieder den eigenartigen Tee der Lamaklöster im Hochgebirge, der säuerlich und nach Butter schmeckte und von besonderen Kräutern stammte. Sie hatte ihn immer belebend und erfrischend gefunden.

Emma überließ sich ihren Erinnerungen und erlebte von neuem die unvergleichliche Spannung angesichts eines seltenen Fundes – in einem verstaubten Regal eines entlegenen und unbekannten Himalajaklosters mit vielen uralten Schriftrollen. Sie sah wieder den Geröllhaufen, der einmal ein ehrwürdiger Stupa gewesen war, und die dunkle Wand mit vergessenen Fresken. Sie dachte an das atemlose Staunen angesichts der Kunstschätze, die dreihundert Jahre vor Christus entstanden waren, zwei Jahrhunderte vor der römischen Eroberung von Britannien und siebenhundert Jahre, bevor im Inselreich England überhaupt ein Mensch gelebt hatte, den man wirklich als Engländer bezeichnen konnte.

Emma bemerkte kaum, dass ihre Schulfreundinnen die Sonne fürchteten, weil die Sonnenstrahlen ihre Haut dunkel färben würden. Sie kannte solche Ängste nicht. Sie durfte überall in dem weiten Land umherstreifen. Sie erkletterte steile Hänge und planschte in legendären Flüssen, wo ihr von weitem schläfrige Krokodile zusahen. Als Zehnjährige konnte sie schon schwimmen, reiten, angeln, und sie ging furchtlos mit auf die Jagd – zur Freude ihres Vaters und zum Entsetzen ihrer Mutter. Ihre rosige Haut wurde dunkelbraun und verriet mit ihrem seidigen Glanz, dass sie vor Gesundheit strotzte, auch wenn sich die gleichaltrigen Mädchen über sie lustig machten.

Das Leben in den Lagern war hart und unbequem, aber das fiel Emma überhaupt nicht auf. Sie konnte sehr viel besser auf die Bequemlichkeiten der Stadt verzichten als ihr weniger robuster Bruder. Zu Emmas Glück hatte die Familie nicht genug Geld, um beide Kinder nach England auf die Schule zu schicken. Nur David ging auf ein Internat, sie besuchte eine Klosterschule in Delhi. So konnte sie zu ihrer großen Freude viele Stunden mit ihrem Vater verbringen, von dem sie unendlich viel lernte, weil er so große Geduld mit ihr und ihren tausend Fragen hatte. Von ihm lernte sie auch, die kulturellen Reichtümer dieses unvorstellbar vielfältigen Landes zu schätzen, das er sich als Heimat erkoren hatte. Ihr Vater ermutigte sie in der Vorstellung, dass dieses vielschichtige Erbe auch ein Teil ihres Erbes sei.

Beschäftigt mit den Bildern und Erinnerungen längst vergangener Tage, flogen die Stunden vorbei, ohne dass es ihr bewusst wurde. Als sie die Danksagungen geschrieben, die Manuskripte geordnet und das Arbeitszimmer aufgeräumt hatte, war Emmas Trauer größer denn je. Der Vater fehlte ihr sehr. Sie konnte sich noch immer nicht damit abfinden, dass ein so lebensfroher und durch und durch anständiger Mann, der noch viel zum menschlichen Wissen hätte beitragen können, so gestorben sein sollte wie er – allein in einem unerforschten Land, an einem nicht bekannten Tag, ohne Freunde und fern von allen, die er liebte. Es schien eine bittere Ironie zu sein, dass der Tod in den Bergen auf ihn gewartet hatte – in jenen Bergen, die er so sehr geliebt und wo er viele der kostbaren Geheimnisse enträtselt hatte.

Emma hatte sich mit ihren Gedanken so weit in die Vergangenheit zurückbegeben, dass sie erst wieder an ihre Nachricht an Damien Granville dachte, als sie die Petroleumlampe auf dem Schreibtisch anzündete. Er hatte ihr nicht geantwortet. Sie ließ den Gärtner rufen, der berichtete, man habe ihn aufgefordert, den Brief dem Torwächter zu übergeben. Der Huzoor – so nannten die Diener ihren Herrn – werde den Brief am nächsten Tag beantworten.

Aber auch am nächsten Tag kam keine Antwort von Damien Granville.

Emma hielt sein Hinauszögern für Absicht. Das Warten schien ihr aus reiner Bosheit aufgezwungen zu werden. In Anbetracht der Umstände blieb ihr allerdings wenig anderes übrig, als die Geduld nicht zu verlieren und zu warten. Damien Granville meldete sich auch in den Nächsten zwei Tagen nicht. Als sie gerade den demütigenden Entschluss gefasst hatte, ihm eine Erinnerung zu schicken, wurde ihr seine Antwort überbracht. Er schrieb höflich, knapp und ohne ein Wort zu viel.

»Mr. Damien Granville freut sich, Miss Emma Wyncliffe am nächsten Donnerstag um elf Uhr vormittags an der oben genannten Adresse zu empfangen.«

Die Nachricht hatte Suraj Singh unterschrieben. Emma wusste von Jenny, dass er Damien Granvilles Privatsekretär war.

Also gut. Die Würfel waren gefallen. Sie konnte nicht mehr zurück. Emma hatte natürlich niemals daran gezweifelt, dass Granville ihrem Besuch zustimmen werde. Wie sollte er, wo es für ihn eine so ausgezeichnete Möglichkeit war, über sie zu triumphieren? Bis Donnerstag blieben ihr noch zwei Tage. Emma wollte in der Zwischenzeit nicht einfach dasitzen, nachdenken und Fingernägel kauen. Deshalb konzentrierte sie ihre ganze Energie auf die Vorbereitung des so überaus wichtigen Gesprächs mit Dr. Anderson.

*

»Ich habe von der schrecklichen Sache gehört«, begrüßte sie Dr. Anderson, als sie sein Arbeitszimmer am College betrat, wo er lehrte. »Ich hoffe, Sie haben nichts Wertvolles verloren?«

Er sprach natürlich von dem Diebstahl. »Glücklicherweise nicht«, erwiderte Emma. »Es war mehr Aufregung als ein wirklicher Grund für richtige Besorgnis.«

»Es freut mich, das zu hören.« Nachdem der Höflichkeit Genüge getan war, bat er sie, sich zu setzen. »Ich hätte nicht geglaubt, dass mir Zeit bleiben würde, Ihrem Vorhaben die angemessene Aufmerksamkeit zu schenken. Nach reiflicher Überlegung bin ich jedoch zu dem Schluss gekommen, dass ich mit meiner Absage etwas zu schnell war. Ein Projekt im Gedenken an einen engagierten Wissenschaftler, der so viel zu unserem Wissen über den Buddhismus beigetragen hat und der bei seinen Forschungen ums Leben gekommen ist, verdient Unterstützung. Wenn Sie also glauben, dass ein oder zwei Stunden Beratung in der Woche helfen können, dann stelle ich mich Ihnen gerne zur Verfügung. Mehr Zeit habe ich bedauerlicherweise nicht, denn ich bereite gerade meine nächste Expedition vor.«

Emma bedankte sich sehr für das Angebot und fügte hinzu, sie hoffe, seine Erwartungen nicht zu enttäuschen.

Er sah sie durchdringend an. »Ich frage Sie auch als Lektor, meine liebe Miss Wyncliffe, sind Sie sich der Komplexität dieser Aufgabe bewusst?«

»Nur allzu sehr«, erwiderte Emma. »Aber die bereits veröffentlichten Arbeiten meines Vaters sind hervorragend lektoriert, und nur die Fußnoten müssen auf den letzten Stand gebracht werden. Die unveröffentlichten Manuskripte verlangen allerdings zweifellos sehr viel Arbeit.«

»Sie begeben sich auf ein tückisches und gefährliches Gebiet«, sagte er nachdenklich. »Graham hat mit mir über seine Absichten gesprochen, bevor er zu der Expedition aufbrach. Ich habe ihm geraten, sich die Sache noch einmal sehr gründlich zu überlegen, aber er war entschlossen, dieses Kloster zu finden. Nichts konnte ihn davon abbringen. Um auf Ihr Buch zurückzukommen«, er wiegte bedächtig den Kopf, »ich weiß, Graham hat alle Einzelheiten sehr sorgfältig aufgezeichnet. Aber Einzelheiten müssen richtig interpretiert werden, wenn man wissenschaftliche Glaubwürdigkeit erreichen möchte.

Selbst als Herausgeberin werden Sie im Kreuzfeuer der Kritik stehen.«

»Andere, die weit mehr Erfahrung besitzen und ausgebildet sind, auch. Die dreiundzwanzig Bände von Alexander Cunningham zum Beispiel werden vielerorts als amateurhaft abgestempelt. Und er war der Generaldirektor der Archäologischen Landvermessung von Indien.«

Dr. Anderson nickte. »Ja, das ist ein gutes Argument. Andererseits müssen Sie sich unter allen Umständen Ihrer Sache völlig sicher sein, um eine Veröffentlichung, wie die von Ihnen geplante, zu rechtfertigen, auch wenn Sie Ihrem Vater und seinem Werk so nahe standen. Sind Sie das?«

»Ich weiß nicht so recht«, erwiderte Emma ehrlich. »Manchmal fürchte ich, dass ich mir zu viel vorgenommen habe. Aber gleichzeitig bin ich der Überzeugung, dass ich zumindest den Versuch unternehmen muss. Papa hätte es so gewollt.« Sie konnte dem Professor kaum sagen, dass sie sich bei der Arbeit an den Manuskripten ihrem Vater nahe fühlte, ohne sich damit lächerlich zu machen. In seiner Handschrift hörte sie ihn sprechen. Sie folgte seinen Gedankengängen, und die Stunden, die sie mit seinen Unterlagen verbrachte, machten es ihr leichter, die Trauer über seinen Tod zu ertragen.

Also sagte Emma: »Ich besitze zwar keine akademischen Vorkenntnisse, doch ich bin der Ansicht, mit dem Thema ausreichend vertraut zu sein. Auch wenn meine Fähigkeiten begrenzt sind, meine Aufrichtigkeit und meine Begeisterung sind es nicht.«

»Wie notwendig und wie lobenswert, das zu sagen. Aber bei einem so schwer zugänglichen und sehr speziellen Gebiet wird das vielleicht nicht reichen. Vor noch nicht allzu langer Zeit war das riesige buddhistische Reich in unserer Welt völlig unbekannt. Heute wächst besonders im Westen das Interesse, und buddhistische und hinduistische Praktiken und Philosophien werden sehr ernsthaft studiert. Intellektuelle und sogar kreative Künstler finden Inspiration in Asien. Wagner zum Beispiel verwendet in seinem *Parsifal* eine Episode aus dem Ramajana, und die Gemälde von Odilon Redon sowie die literarischen Werke von Tolstoi zeigen unmissverständlich ...« Er brach ab, weil er sich daran erinnerte, dass er sich nicht im Seminar befand, um einen Vortrag zu halten. »Ich bin leider etwas abgeschweift. Worüber haben wir noch gesprochen? Ach ja, über Ihre Fähigkeit, das Buch zusammenzustellen.«

»Oder meine mangelnde Fähigkeit!«, fügte Emma hinzu.

Dr. Anderson musterte das besorgte Gesicht vor ihm, und sein Ton wurde etwas freundlicher. »Vielleicht werden Sie meine Äußerungen für sehr hart halten, liebe Miss Wyncliffe, aber ich weise lediglich darauf hin, dass Sie der Sache besser gerecht werden, wenn Sie Grahams Arbeit ohne Gefühl betrachten. Professionalismus wird über Sentimentalität gesetzt werden müssen.«

»Wenn ich erst die Möglichkeit dazu habe, werden Sie feststellen, dass es mir an Professionalität nicht mangelt«, erklärte Emma. »Ebenso wenig wird es an meinem Bemühen und an meinem Willen mangeln. Mit Ihrem Rat als zusätzlicher Hilfe werden meine Bemühungen vielleicht nicht ganz vergebens sein.«

»Ausgezeichnet.« Dr. Anderson rieb sich die Hände. »Bevor ich etwas Näheres dazu sagen kann, muss ich mir genau ansehen, was Sie mitgebracht haben. Verständlicherweise ist seine letzte Expedition von allergrößtem Interesse für die Wissenschaft.«

»Papa hatte kaum die Zeit, die Notizen vor der Tragödie zu sichten. Aber ich habe alle Unterlagen mitgebracht, die wir von Dr. Bingham bekommen haben. Wann wollen Sie nach Tibet aufbrechen?«

Er runzelte die Stirn. »Wir haben immer noch nicht die ausreichenden Mittel. Nur unser verzögerter Aufbruch versetzt mich überhaupt in die Lage, Zeit für Ihre Unterlagen aufzubringen. Wenn die Mittel schneller als erwartet eintreffen sollten, was ich hoffe, und ich doch früher aufbrechen kann, werde ich schriftliche Anweisungen hinterlassen, um Ihr Vorwärtskommen nicht zu beeinträchtigen.«

Unter den gegebenen Umständen war das ein akzeptables Angebot, und Emma stimmte zufrieden zu.

»So, wenn ich jetzt noch meine Brille finde ...« Er blickte sich ungehalten nach allen Seiten um. Emma sah die Brille auf dem Stuhl liegen, auf den er sich gerade setzen wollte. Sie rettete die Brille noch rechtzeitig und reichte sie ihm.

Er klopfte auf den Schreibtisch, und Emma legte das ordentlich verschnürte Paket mit Manuskripten, Karten und Fotografien, mit denen sie sich schon so lange beschäftigt hatte, vor ihn hin. »Papas Handschrift ist nun einmal so ... wie sie eben *war*. Ich habe die letzten Aufzeichnungen auf der Schreibmaschine abgetippt.«

Er nickte, ohne richtig zuzuhören, denn er las bereits.

Emma war glücklich, dass er sie als Studentin angenommen hatte. Das gab ihrem Selbstvertrauen großen Auftrieb. Theo Anderson galt als eine Autorität auf dem Gebiet alter Texte in Pali und Kharosthi, die auf das alte Aramäisch zurückgingen. Er war ein Experte für Zentralasien und ein geachteter Tibetologe. Als einer der ersten westlichen Wissenschaftler bemühte er sich darum, nach Lhasa und in den Potalapalast der verbotenen Stadt zu gelangen, wenn bislang auch ohne Erfolg. Trotzdem hatte er wiederholt die westlichen Teile von Tibet durchquert und besaß ein umfangreiches Wissen über die Form des Buddhismus, die einst ihre Blüte in Zentralasien erlebt hatte. Auch seine Geduld schien groß zu sein.

In der nächsten Stunde beantwortete Dr. Anderson Emma viele Fragen zu jedem kleinen Detail ohne jedes Zeichen von Ungeduld und erklärte ihr damit die schwierigsten Aspekte der Arbeiten ihres Vaters. Dabei weckte er bei ihr Erinnerungen, ermöglichte ihr vergessene oder neue Einsichten und erteilte ihr fachkundigen Rat, wie sie die Notizen am besten zusammenstellen, koordinieren und redigieren sollte, um sie der sehr kritischen wissenschaftlichen Welt zugänglich zu machen. Am Ende der ersten Sitzung fühlte Emma sich sehr bestätigt, und sie war begeistert.

Als sie später bei einem erfrischenden Zitronentee zusammensaßen, den der ergebene Diener Ismail Khan zubereitet hatte, lehnte sich der Professor im Stuhl zurück und lächelte. »Ich muss gestehen, meine liebe Miss Wyncliffe, meine ursprüngliche Einschätzung Ihrer Fähigkeiten war falsch. Mich beeindruckt die Art, wie Sie die Arbeit Ihres Vaters in die Hand nehmen. Sie sind nicht nur gut mit dem Thema vertraut, sondern verstehen auch die Gedankengänge Ihres Vaters. Natürlich kommt hinzu, dass Sie intelligent, aufnahmefähig und für Ihr Alter ungewöhnlich gut informiert sind.«

Emma freute sich über das Lob.

Doch dann hob er warnend den Zeigefinger. »Ich möchte jedoch darum bitten, dass unsere Absprache ganz unter uns bleibt, sonst werde ich in Kürze mit ähnlichen Wünschen bombardiert werden. Und ich habe einfach nicht die Zeit, noch weitere Studenten anzunehmen.« Er stand auf. »Ich erwarte Sie morgen um dieselbe Zeit.«

»Morgen?« Emma schluckte verlegen. »Ich bedaure außerordentlich, Dr. Anderson, aber morgen habe ich ... habe ich eine andere Verabredung. Wäre es Ihnen möglich, mich am Freitag zu sehen ... also einen Tag später?«

»Du liebe Zeit, ist morgen Donnerstag?«, fragte er erschrocken. »Ich hatte ganz vergessen, dass ich in einem schwachen Augenblick ... einem äußerst schwachen Augenblick ... zugestimmt habe, am Donnerstag bei der Blumenschau im Rathaus als Preisrichter zu fungieren. Diese entsetzliche Mrs. Duckworth hat mich dazu überredet und sich einfach nicht abwimmeln lassen.« Er starrte finster auf eine Blumenvase. »So, dann werden wir uns am Freitag wieder treffen. Inzwischen hoffe ich, dass Sie sich das ansehen, was ...« Er machte eine unbestimmte Handbewegung und schien vergessen zu haben, was er sagen wollte.

*

Holbrook Conolly gefiel es in Kaschgar.

Kaschgar war die Hauptstadt von Chinesisch-Turkestan, von der neuen Regierung in Sinkiang umbenannt und lag strategisch günstig auf der Nord-Süd- und Ost-West-Achse der Seidenstraße. Die Stadt wurde auf drei Seiten vom Pamir, dem Tian Shan und dem Karakorum umschlossen. Und im Osten begann die Wüste Takla Makan. In dieser kosmopolitischen Stadt lebte ein buntes Gemisch unterschiedlicher ethnischer Gruppen friedlich zusammen. Deshalb hatte Kaschgar sehr viele angenehme Seiten.

Im Gegensatz zu dem hundert Meilen weiter südlich gelegenen Yarkand war Kaschgar keine schöne Stadt. Die fünfzehn Meter hohen Stadtmauern, der Palast des Taotai und die meisten der niedrigen Häuser waren aus Lehmziegeln gebaut. Die unbefestigten Straßen hatten tiefe Fahrspuren, und abgesehen von ein oder zwei Denkmälern gab es hier kaum etwas von historischem Interesse. Im Winter, wenn alles braun, trostlos und vereist war, wurde das Leben sehr unerfreulich. Weit und breit war dann kein Grün zu sehen. Der Himmel blieb ständig bleigrau. Man hörte die klagenden Rufe der Enten und Graugänse, die die Einöde verließen und nach Indien, in den wärmeren Süden flogen.

Im Frühling und Sommer leuchtete die Hauptstadt des Himmlischen Reichs in einer großen Farbenpracht. Die Bäume glänzten im Grün der frischen Blätter. Weiden und Klee kleideten sich in eine unendliche Vielzahl von Grüntönen. Die im Herbst zum Schutz vor dem Frost eingegrabenen Feigen und Weinreben wurden wieder ausgegraben und auf den Märkten türmten sich die sommerlichen Gemüse und Früchte. Es gab allein sechsundzwanzig unterschiedliche Arten von Melonen, darunter einige mit einem Umfang von eineinhalb Metern.

Holbrook Conolly fühlte sich aus unterschiedlichen Gründen in Kaschgar wohl. In Yarkand riefen die verunreinigten Wasserreservoirs oft schlimme Krankheiten hervor. Hier war die Luft sauber, das Trinkwasser war rein und schmeckte gut. Trotz der mangelnden Hygiene auf den überfüllten Basaren waren die Einwohner von Kaschgar im Allgemeinen gesund und weniger anfällig für Kropferkrankungen als sonst in der Gegend. Der allgemein gute Gesundheitszustand der Bevölkerung war für Conolly eindeutig von Vorteil, denn er führte eine gut gehende Arztpraxis, allerdings ohne Arzt mit einer abgeschlossenen Ausbildung zu sein.

Sein Vater war als Arzt und Missionar in China gewesen. Aus diesem Grund sprach Conolly fließend Mandarin und besaß Grundkenntnisse der Medizin. Drei Jahre am Medizinischen College in London hatten ihm genug praktische Kenntnisse vermittelt, um ohne weiteres kleinere Alltagsgebrechen behandeln zu können. In diesem weitläufigen, wenig bevölkerten Gebiet mit umherziehenden Stämmen und wandernden Händlern konnten nur wenige Menschen lesen und schreiben, und niemand kümmerte sich um den Nachweis akademischer Qualifikationen. Conollys Künste wurden allgemein dankbar in Anspruch genommen. Abgesehen vom Dienst für die Bevölkerung, den seine Arztpraxis leistete, war sie auch eine perfekte Tarnung für seine geheimdienstlichen Aufgaben. Ein Hindu-Banja, den er als Arzneimischer ausgebildet hatte, half ihm bei der Arbeit.

Conolly nicht eingerechnet, hatte Kaschgar nur fünf europäische Bewohner – den russischen Konsul Pjotr Schischkin, seine Frau und zwei Offiziere der zaristischen Armee, außerdem einen holländischen Konsul, der erstaunlicherweise auch ein Amateurbarbier war. Es gab in Kaschgar kein britisches Konsulat – und zwar aus dem einfachen Grund, weil der Taotai die Genehmigung dazu nicht erteilte. Auch Conolly besaß noch keine ständige Aufenthaltsgenehmigung und musste deshalb Kaschgar in regelmäßigen Abständen verlassen und wieder einreisen. Das war seinen eigentlichen Aufgaben sehr dienlich. Dank seines unschuldig wirkenden Gesichts, seines charmanten Wesens und der lebhaften Jugendlichkeit – er war noch nicht dreißig – gelang es Conolly alles in allem sehr gut, seine beiden Berufe erfolgreich in Einklang zu bringen.

Dass die Menschen im Allgemeinen einem Arzt vertrauensvoll ihr Herz öffnen, war für Conollys Arbeit als Geheimagent – sein Deckname lautete »Capricorn« – natürlich ein unschätzbarer Vorteil. So kam er durch die Geschichten der Dienstboten, der Reisenden und die Gerüchte der Kaufleute, die auf dem Basar kursierten, zu erstaunlich nützlichen Informationen für seine Vorgesetzten in Simla. Seinem ausgezeichneten Schachspiel verdankte er sogar den Zugang zum russischen Konsulat, wo er Schischkin auch als Arzt behandelte. Zurzeit konzentrierte Conolly jedoch seine ganze Energie auf eine andere Aufgabe – er wollte das Vertrauen des Taotai, des Statthalters der chinesischen Regierung, gewinnen.

Der Taotai verabscheute und hasste die Weißen und hatte deshalb bis vor kurzem bei gesundheitlichen Problemen grundsätzlich nur die Hilfe der einheimischen Medizin in Anspruch genommen. Doch vor zwei Wochen hatte er Conolly plötzlich und völlig überraschend für eine erste Untersuchung zu sich rufen lassen. Nach spannungsvollen vierzehn Tagen und sehr zu Conollys Freude war er wieder gerufen worden, diesmal jedoch zu einem Essen im Palast. In Anbetracht seiner letzten Anweisungen aus Simla war das gewiss ein viel versprechendes Zeichen.

Die neuesten Befehle von Hethrington – sie waren Conolly durch einen Belutschi-Kaufmann aus Leh zusammen mit der in Lederstiefeln versteckten Medizin überbracht worden – verwirrten Conolly. Man hatte ihm keine Erklärung für den seltsamen Auftrag gegeben, aber das war nichts Ungewöhnliches. Als Fußsoldat des Geheimdienstes stand es ihm nicht zu, die Launen seiner Vorgesetzten in Frage zu stellen. Er hoffte daher nach dem Essen an diesem Abend auf ein Wort unter vier Augen mit dem Taotai. Da er das Mandarin so gut beherrschte, brauchte er keinen Dolmetscher. Und deshalb bestand durchaus die Möglichkeit, nach dem Mahl mit dem Taotai allein bleiben zu können.

Während er sich einen Weg durch das Menschengewimmel auf dem Basar bahnte, um zum Palast zu gelangen, grüßte Conolly häufig nach rechts und links und tauschte mit den Vorübergehenden ein paar freundliche Worte. Er war in Kaschgar bekannt und beliebt. In Gedanken war er jedoch woanders. Er beschäftigte sich mit dem bevorstehenden Ereignis. Nach Aussagen von Ching Wang, dem Chefkoch des Taotai – und einer Quelle häufiger Informationen –, hatte der Gouverneur für diesen Abend ein üppiges Mahl mit siebenunddreißig Gängen bestellt. Das machte Conolly Sorgen.

Leider litt der chinesische Gouverneur an chronischen Blähungen. Bereits eine Spur Öl im Magen rief Blähungen hervor, die ihn fast zu einem öffentlichen Ärgernis machten. Da er oft Gäste hatte und reichhaltiger essen musste, als es bekömmlich war, musste er sich bei einem offiziellen Bankett häufig entschuldigen, um gewissen unaussprechlichen körperlichen Bedürfnissen, die nicht mehr seiner Kontrolle unterlagen, außer Hörweite der Gäste nachzukommen. Das war sehr peinlich und, was noch schlimmer war, entwürdigend. Wenn der Mangel des himmlischen Würdenträgers an Kontrolle über seine Verdauungsorgane in der Öffentlichkeit bekannt werden sollte, würde das nicht nur seine Autorität untergraben, sondern ihn zum Gespött und zum Ziel der derben Witze auf den Märkten machen. Der Umstand, dass er sich schließlich gezwungen gesehen hatte, einen der verachteten weißen Rundaugen – selbstverständlich unter der Bedingung absoluter Geheimhaltung – kommen zu lassen, sprach deutlich von seiner abgrundtiefen Verzweiflung.

Der Taotai empfing Conolly freundlich und mit einem Lächeln. Das war ein gutes Omen. Nach chinesischer Sitte wurden Weine zwischen den Gängen serviert. Deshalb nahmen sie sofort an der Tafel Platz, nachdem der unvermeidliche grüne Tee getrunken worden war. Conolly stellte zu seiner Erleichterung fest, dass das übliche Gefolge von Mandarinen und hohen Staatsbeamten fehlte – vermutlich in Hinblick auf das delikate Leiden des Taotai. Es war zwar bereits Frühling, aber trotzdem trieben Schneeflocken unter der Tür hindurch in den ungemütlich kalten und zugigen Raum. Unter dem runden Tisch hatte man ein Kohlebecken entzündet, damit die Beine der Speisenden nicht allzu kalt wurden.

Der erste Gang, eine winzige Portion geschnittener Ochsenzunge und Aprikosenmus, schmeckte hervorragend, ebenso der Fingerhut dampfenden Reisweins, der an den europäischen Glühwein erinnerte. Es folgte ein Reihe kleiner Häppchen in der Art von Vorspeisen. Jede Winzigkeit schmeckte besser als die vorangegangene. Die Engländer verstanden es, ausdauernd und zwanglos über das Wetter zu sprechen, aber die Chinesen hatten diese Fähigkeit zu einer wahren Meisterschaft verfeinert. Bei gefüllten Wachteleiern, knusprig gebratenem Reh und Pekingente unterhielten sie sich über den späten Schnee und sonst über wenig. Köstliche Haifischflossensuppe, Schweinefüße, Lotuswurzel sowie scharf und pikant gewürzte Bambussprossen wurden aufgetragen und abgetragen. Noch immer hatte sich der Taotai nicht entschuldigt und den Raum verlassen.

Nach dem vierzehnten Gang entspannten sich Conollys Nerven. Nach dem fünfundzwanzigsten Gang – Seegurken und Sauerteigbrot – erlaubte er sich ein vorsichtig angedeutetes Lächeln. Der eigentliche Test kam jedoch mit dem zweiunddreißigsten Gang – in Sesamöl knusprig braun gebratenes Spanferkel, wie Chin Wang ihm vorausgesagt hatte. Als das Spanferkel schließlich aufgetragen wurde, griff der Taotai kräftig zu und aß, ohne ein einziges Mal zu rülpsen. Nach zehn Minuten hatte er das Fleisch auf seinem Teller aufgegessen. Er schob die Essstäbchen beiseite, und ihm war nicht das kleinste Zeichen von Unwohlsein anzumerken. Holbrook Conolly jubelte innerlich. Er beging jedoch nicht den Fehler, sich seine Freude durch eine Bemerkung, eine Geste oder auch nur durch einen entsprechenden Gesichtsausdruck anmerken zu lassen. Er kaute zufrieden auf dem letzten Stück fetter Kruste, nahm sich noch etwas weiches Brot und erkundigte sich dann auf diplomatische Weise, ob sich das unerfreuliche Befinden der letzten Zeit etwas gebessert habe.

Der Taotai nickte mit völlig ausdruckslosem Gesicht. »Mit dem Segen meiner Ahnen, ja. Die Stürme der vier Winde haben sich gelegt.«

Ich möchte den Ahnen gewiss nicht zu nahe treten, dachte Conolly insgeheim lachend, aber der Segen kommt sehr wahrscheinlich von den altbewährten britischen Kohletabletten und dem Ayurveda-Verdauungspulver. Er verzog keine Miene. Er wusste, es würde nicht mehr über dieses Thema gesprochen werden. Die gute Laune seines Gastgebers hielt jedoch auch dann noch an, als das Gespräch um andere Dinge kreiste. Trotzdem wartete Conolly ab, bis sie ihre stark duftenden Opiumpfeifen rauchten, bevor er die chinesische Kunst der höflichen Umschreibungen aufgab und zu europäischer Direktheit überging. »Es gibt da eine Kleinigkeit, bei der ich mich verpflichtet fühle, um den Beistand des Reichs der Mitte nachzusuchen, Eure Exzellenz.«

Das Lächeln des Taotai wurde vorsichtig. »Und das wäre?«

»Es handelt sich um etwas Persönliches«, erwiderte Conolly.

»Oh, etwas Persönliches!« Das wohlwollende Lächeln stellte sich wieder ein. »Geht es vielleicht um eine Herzensangelegenheit?«

»Nun ja …«, Conolly hüstelte und gab sich verlegen. »Es geht um eine Frau, Exzellenz. Ich brauche Hilfe, um sie ausfindig zu machen.«

»Sie ausfindig zu machen? Aha!« Der Taotai lächelte wissend. »Ihre Konkubine ist mit Ihrem Nachbarn davongelaufen. Sie möchten, dass ich die beiden ausfindig machen und köpfen lasse?«

»Hm … nicht ganz so, Exzellenz.«

»Was sonst?«

»Ich suche eine Frau, die vermutlich in Sinkiang als Sklavin gehalten wird.«

Der Gouverneur runzelte die Stirn. »Es gibt keine Sklaven oder Sklavinnen in Sinkiang!«

»Zweifellos sind viele tausend in den letzten Jahren aus der Sklaverei befreit worden«, sagte Conolly schnell und beschwichtigend. »Aber es gibt immer noch Frauen in häuslichen Stellungen, besonders in den Häusern der reichen Kaufleute, die als Sklavinnen gehalten werden.«

»Wissen Sie, wie groß Sinkiang ist?«, fragte der Taotai gereizt.

»Ich weiß es, Exzellenz.«

»Wer ist diese Frau, die Sie finden möchten? Ist sie eine Engländerin? Mir ist nicht bekannt, dass jemand Ihrer Nationalität als Sklavin gehalten wird.«

»Nein, Exzellenz, es ist keine Engländerin. Sie ist«, er holte tief Luft, »eine Armenierin.«

»Eine Russin!«

»Nur als Folge der Eroberung von Armenien«, erklärte Conolly schnell.

Der Taotai wurde sichtlich kühler. »Wie auch immer, ich rate Ihnen, sich mit Mr. Schischkin in Verbindung zu setzen«, erklärte er abweisend. »Ich wünsche nicht, etwas mit den russischen Untertanen des Zaren zu tun zu haben, seien sie nun erobert worden oder nicht.«

»Ich zögere, Mr. Schischkin anzusprechen, Exzellenz. Man weiß, er ist sehr empfindlich, wenn es um das Thema Sklaverei geht. Außerdem«, er rauchte einen Augenblick lang schweigend in dem Bewusstsein, dass der Chinese den russischen Konsul und sein Land hasste und fürchtete. »Außerdem bin ich im Gegensatz zu Eurer Exzellenz der Ansicht, dass Mr. Schischkin kein Mitgefühl hat. Er hegt so wenig Zuneigung für die Engländer wie für das himmlische Volk Eurer Exzellenz. Wenn die Frau in Sinkiang als Sklavin gehalten wird, dann wird er zum Schaden der großen chinesischen Nation politisches Kapital daraus schlagen.«

Conolly wusste, dieses Argument würde dem Taotai einleuchten. Er klopfte mit dem Pfeifenkopf gegen die Tischkante, und der Gouverneur lächelte verschlagen. »Ihre Meinung über den russischen Konsul spricht von großer Kenntnis, aber sie erstaunt mich. Ich hatte den Eindruck, dass Sie ein Freund von Mr. Schischkin sind. Weshalb würden Sie ihn sonst wenigstens einmal im Monat besuchen?«

Es überraschte Conolly nicht, dass er überwacht wurde. »Wir teilen die gemeinsame Vorliebe für Schach, Eure Exzellenz. Außerdem hatte ich die Möglichkeit, Mr. Schischkin meine medizinischen Kenntnisse zur Verfügung zu stellen.«

Die Knopfaugen funkelten. »Woran leidet er?«

»Ich bedaure, aber ich kann nicht über Mr. Schischkins Krankheit sprechen, Eure Exzellenz«, erklärte Conolly entschieden. »Ebenso wenig würde ich mit anderen über Eure Leiden reden. Es verstößt gegen den Geist und das Gebot des hippokratischen Eids, das Vertrauen eines Patienten zu missbrauchen.«

Der Taotai hatte natürlich noch nie etwas von einem hippokratischen Eid gehört, aber er war dennoch sichtlich beeindruckt. Er lehnte sich gegen das Sitzpolster. »Suchen Sie die Frau … aus eher romantischen Gründen?«

Conolly gelang es, tugendsam zu erröten. Dann senkte er den Kopf.

»Ja, ja!« Der Taotai hob mahnend, aber sichtlich erfreut den Finger. »Also doch eine Herzenssache.« Das Lächeln verschwand und er zog wieder die Stirn in Falten. »Ich möchte Mr. Schischkin nicht vor den Kopf stoßen«, sagte er knapp. »Es wäre politisch nicht … angebracht.«

Wäre er nicht der Arzt und damit ein Eingeweihter in die Verdauungsprobleme des Gouverneurs gewesen, dann, das wusste Conolly, hätte der Taotai dieses Eingeständnis niemals gemacht. Der Taotai achtete sehr darauf, den russischen Konsul niemals zu verärgern, denn er kannte die Schwächen und die im Vergleich zu den Russen unzulänglichen Verteidigungsmöglichkeiten seines Landes. Die russischen Truppen standen einsatzbereit direkt an der Grenze in Ferghana. Sie waren dort ständig stationiert, und Taschkent drohte unheilvoll am Horizont dem Reich der Mitte.

»Es besteht kein Grund, dass Mr. Schischkin etwas von meiner Bitte erfährt«, sagte Conolly. »Ich würde Eure Exzellenz sogar darum bitten, die Sache so vertraulich zu behandeln, wie ich ... hm ... eine ärztliche Konsultation.«

Der Taotai verstand, was Conolly damit sagen wollte. Seine Lippen wurden schmal. »Eine Frau in Sinkiang zu suchen ist dasselbe, wie ein Teeblatt im chinesischen Meer zu suchen. Haben Sie genauere Informationen über diese Frau?«

»Ein paar, aber leider nicht genug. Deshalb habe ich Eure Exzellenz um Hilfe gebeten.« Conolly zog einen Umschlag aus seiner Tasche und legte ihn auf den niedrigen Tisch, der zwischen ihnen stand. Der Taotai ignorierte den Brief.

»Woher wissen Sie, dass die Frau nicht schon frei und in ihre Heimat zurückgekehrt ist?«

»Nachforschungen haben ergeben, dass diese Möglichkeit auszuschließen ist, Exzellenz. Bis jetzt weist alles darauf hin, dass sie sich noch in Zentralasien befindet.«

»Es wäre für meine Regierung sehr unangenehm, in aller Offenheit Nachforschungen über eine Frau mit russischer Nationalität anzustellen, die möglicherweise in Sinkiang als Sklavin gehalten wird.«

»Eurer Exzellenz steht das überaus effiziente Netz geheimer Nachrichtenüberbringer zur Verfügung, die für ihre Verschwiegenheit bekannt sind.«

»Ein solches Netz hat Mr. Schischkin auch«, brummte der Taotai ungnädig. »Die Arznei, die Sie mir verschrieben haben ...«

»Ja?« Conolly hielt den Atem an. Es schien ein sehr plötzlicher Wechsel des Themas zu sein, aber er wusste, die Frage hätte nicht geschickter und in einem besseren Augenblick gestellt werden können. Er wartete.

Der Taotai blickte aus dem Fenster. »Haben Sie genügend Vorräte von den schwarzen Tabletten und dem braunen Pulver?«

»Bis jetzt noch, Exzellenz.«

»Genug, um mich damit zu versorgen, falls die … hm … Winde sich wieder erheben sollten?«

»Das hängt davon ab, Eure Exzellenz.«

»Wovon hängt es ab?«

»Davon, wie unbehindert die Vorräte nach Kaschgar eingeführt werden dürfen.« Conolly blickte dem Taotai direkt in die Augen. »Da britische Waren nicht erwünscht sind und russischen Produkten der Vorzug gegeben wird, kann sich der Import von Arzneimitteln sehr verzögern. Außerdem muss ich hohe Zölle zahlen.«

»Nur auf legal eingeführte Waren«, erklärte der Taotai trocken. »Alles, was mit den Karawanen geschmuggelt wird, kommt zollfrei in das Land.«

Conolly schwieg klugerweise und enthielt sich jeden Kommentars.

Der Gouverneur trommelte mit den dicken Fingern auf seine Knie, sog an seiner Pfeife und dachte über das Problem nach. »Also gut, Mr. Conolly«, erklärte er schließlich entschlossen. »Ich werde das Notwendige in Hinblick auf Ihre Arzneimittel veranlassen. Ich werde auch über diese Sache mit der armenischen Frau nachdenken.«

Das kam fast einer Zusage gleich. Conolly atmete erleichtert auf.

»Vielen Dank, Eure Exzellenz. Ich bin Euch zu größtem Dank verpflichtet.«

Er stand auf und zog aus der Hosentasche ein Arzneifläschchen mit Tabletten sowie ein Päckchen mit Pulver. Er legte beides auf den Tisch. »Als Zeichen meiner Dankbarkeit für eine so wohlwollende Audienz und ein höchst genussvolles Mahl.«

Das wäre geschafft, dachte Conolly auf dem Rückweg. Wie es schien, war es ein sehr erfolgreicher Abend gewesen. Wieder einmal fragte er sich besorgt, ob der Taotai eindeutige Hinweise für seine wahre Tätigkeit hatte. In bestimmten Augenblicken während des Essens hatte Conolly den Eindruck gehabt, es sei der Fall. Die Arznei, die der alte Cranks aus Leh geschickt hatte, bot ihm für die nächste Zukunft eine gewisse Sicherheit. Aber von jetzt ab musste er noch sehr viel vorsichtiger sein und sich jeden Schritt genau überlegen. Wenn die Sache mit der Frau erledigt war und die Blähungen des hohen Herrn zuverlässig unter Kontrolle blieben, dann würde er den Taotai in aller Form darum bitten, ihn als britischen Konsul in Kaschgar zuzulassen.

Was zum Teufel mochte der Geheimdienst mit einer armenischen Sklavin wollen, von der bisher kein Mensch etwas gehört hatte? Auf diese Frage wusste Conolly leider überhaupt keine Antwort.

*

Delhi war ein Zentrum für Kaufleute, Händler und Geschäftsleute aus den anderen Provinzen und stand deshalb unter den reichen Städten von Britisch-Indien an siebter Stelle. Nirgendwo sonst als in der Chandi Chowk – der Silberstraße – dem Handelszentrum, war dieser Reichtum deutlicher zu sehen. Die Anwesen zu beiden Seiten der Straße stellten sichtbar unter Beweis, dass hier die Grundstücke am teuersten waren, und sie gehörten den reichen Hindus, Moslems und zugewanderten Marwari-Familien aus Radschputistan. Es war eine lange, breite Allee mit einem Kanal in der Mitte. Hohe Bäume boten den Fußgängern angenehm kühlen Schatten. Die wenigen Geschäfte der Europäer und Parsen verkauften Luxusgüter, die als Inbegriff importierter städtischer Kultur galten.

Emma war schon unzählige Male die Chandi Chowk entlanggegangen, und jedes Mal faszinierte sie das Flair dieser Gegend. Aber an diesem Tag hatte sie keinen Blick für zur Schau gestellte Eleganz. Sie lehnte sich so weit wie möglich zurück, um in der gemieteten Kutsche nicht gesehen zu werden. Ihre Gedanken kreisten um ganz andere Dinge.

Da sie wusste, dass Damien Granville ein gutes Auge für das Aussehen der Damen hatte, wollte sich Emma nicht blamieren. Deshalb hatte sie sich mit ihrer Toilette besondere Mühe gegeben. Sie hasste diese Art Verlogenheit, trotzdem hielt sie dieses Vorgehen unter den gegebenen Umständen für notwendig. Es wäre kindisch gewesen, ihm lediglich ihre Verachtung zu demonstrieren. Sie hatte wenige Pfeile in ihrem Köcher, und deshalb konnte sie es sich nicht leisten, einen nicht zu benutzen, der womöglich zu einem Treffer führen könnte. Doch als sie vor dem Verlassen des Hauses im Spiegel kritisch das Ergebnis ihrer Bemühungen betrachtete, schienen ihre körperlichen Unzulänglichkeiten trotz allem unverändert geblieben zu sein. Sie hatte ein zu langes Gesicht, einen zu großen Mund, eine zu hohe Stirn, und ihr Auftreten – das hatte ihre Mutter schon allzu oft gesagt – war zu selbstsicher, um auf jene Männer anziehend zu wirken, die an weibliche Unterwürfigkeit gewöhnt waren. Zu allem Übel war sie außerdem viel zu groß und zu hager. Ihre Knochen wirkten spitz, und sie hatte als Frau viel zu wenig weiche Kurven.

In einer seltenen Anwandlung von Neid dachte sie an Stephanie Marsden und an ihre strahlende Schönheit. Stephanie hatte eine zierliche Figur und porzellanblaue Augen, einen verführerischen Schmollmund, und sie gab sich in Gegenwart von Männern stets mit großem Erfolg als hilfloses, schutzbedürftiges Wesen. Emma fand, dass ihr unauffälliges Aussehen an diesem Tag noch unattraktiver als sonst wirkte. Sogar die großen blaugrünen Augen, das glänzende dichte Haar und ihr Lächeln – nach Aussage ihrer Mutter der einzige Trumpf, in welchem Zusammenhang auch immer – vermochten ihr keine Zuversicht zu geben. Am deutlichsten zeigte sich ihr kaum zu zügelnder Ärger. Emma wusste jedoch, dass an diesem delikaten Punkt so etwas wie Ärger gleichbedeutend mit Selbstzerstörung war. Deshalb wollte sie alles daransetzen, um sich davon auf keinen Fall etwas anmerken zu lassen.

Bevor sie sich auf den Weg machte, fasste sie einen klaren Vorsatz. Sie würde zu einem Kompromiss bereit sein, aber sie würde sich niemals erniedrigen, und sie würde Damien Granville auch nicht in seinem übertriebenen Selbstbewusstsein noch weiter bestärken. Mochte ihre Mission erfolgreich sein oder nicht, sie würde in aller Würde und unberührt von dem, was er ihr zu sagen hatte, nach Hause zurückkehren.

Margaret Wyncliffe staunte wieder einmal über die ungewohnte Eleganz ihrer Tochter. Aber sie verkniff sich jegliche Frage, als Emma erklärte, sie beabsichtige, Mr. Lawrence, den Anwalt der Familie, aufzusuchen. Doch im Stillen fragte sie sich, ob das gut geschnittene türkisfarbene Seidenkleid mit dem Spitzenkragen und den Spitzenmanschetten, die ausnahmsweise gelockten kastanienbraunen Haare und die dezent aufgetragene Schminke nicht einem – durfte sie wirklich wagen, sich Hoffnungen zu machen? – jüngeren und für Emma wichtigeren Gentleman galten. Zum Beispiel Howard Stowe?

Damien Granville hatte das große Herrenhaus von einer geldgierigen Begum gemietet. Nur jemand, der reich war, konnte sich die unglaublich hohe Miete überhaupt leisten. Es war ein hässliches Bauwerk, aus zahllosen architektonischen Stilen zusammengewürfelt, angefangen von ionischen Säulen bis hin zu den überladenen Verzierungen der Mogulzeit. Aber der Garten war sehr gepflegt. Die Blumenrabatten entlang des Rasens blühten mit unzähligen winzigen bunten Frühlingsblumen. Als die Kutsche vor dem Portal hielt, brauchte Emma einen Augenblick, um gegen das flaue Gefühl im Magen anzukämpfen. Doch als sie dann aus dem Wagen stieg, war ihr die Nervosität nicht anzusehen. Vor der breiten Treppe stand ein Mann im mittleren Alter. Er hatte einen sorgfältig getrimmten Bart und trug einen weißen, gestärkten Baumwollanzug und einen roten Turban.

»Suraj Singh steht Miss Wyncliffe zu Diensten«, stellte er sich mit einer knappen Verbeugung und einem kurzen militärischen Zusammenschlagen der Absätze vor. »Ich bin der Privatsekretär von Mr. Granville. Huzoor bedauert, dass er sich im Augenblick noch mit einer sehr wichtigen Angelegenheit beschäftigen muss, die ihm gerade vorgelegt worden ist. Er bittet Sie um Entschuldigung und erlaubt sich, die verehrte Memsahib aufzufordern, in seinen Privaträumen auf ihn zu warten.« Der Sekretär verneigte sich sehr würdevoll noch einmal und bedeutete ihr, ihm zu folgen.

Suraj Singh wusste offenbar, dass Emma die Landessprache beherrschte, denn er hatte mit ihr Urdu gesprochen. Er war kräftig und wirkte drahtig und schien trotz seines fortgeschrittenen Alters in hervorragender körperlicher Verfassung. Er hatte bereits graue Schläfen. Auch im Bart zeigte sich das erste Weiß. Sein militärisches Gehabe verriet deutlich den ehemaligen Radschputenkrieger. Er verhielt sich ihr gegenüber überhaus höflich, aber ohne dabei unangenehm zu wirken.

»Warte hier auf mich«, sagte Emma zu dem Kutscher und fügte mit Nachdruck hinzu: »Es wird nicht lange dauern.« Dann drehte sie sich um und folgte Suraj Singh ins Haus. Ihr fiel auf, dass er leicht hinkte.

Das Haus war im Innern ebenso bizarr wie die Fassade. Es enthielt eine seltsame Mischung aus Nippes, italienischen Statuen in den unmöglichsten Posen und dunklen, wenig begnadeten Ölgemälden. Es war ein dunkles, abweisendes Haus und weckte nicht gerade Vertrauen in jemanden, der ihr ohnehin größtes Unbehagen bereitete.

Der Raum im ersten Stock, in den sie geführt wurde, war etwas angenehmer. Er wirkte wie ein englisches Arbeitszimmer, war luftig und hatte eine große, helle Glastür, die auf einen Balkon direkt über dem Fluss ging. Die Wände verschwanden hinter Bücherregalen, vor denen ein großer Mahagonischreibtisch stand.

»Vielleicht wünscht die verehrte Memsahib Tee?«, fragte Suraj Singh.

»Nein, vielen Dank.« Emma nahm in dem Sessel Platz, den er ihr anbot, und begann, die Spitzenhandschuhe abzustreifen.

»Huzoor wird sofort hier sein«, sagte Suraj Singh, um seinen Herrn noch einmal zu entschuldigen. »Sollte die verehrte Memsahib ihre Meinung ändern und doch eine Erfrischung wünschen, so muss sie es nur sagen.« Er verabschiedete sich mit einer Verbeugung und ging, während der Khidmatgar auftauchte und vor der Tür Stellung bezog.

Emma war erleichtert, einen Augenblick allein zu sein, und sah sich in dem Raum um. Schließlich stand sie auf und trat vor einen Wandspiegel, um sich zu vergewissern, dass ihre Frisur nicht in Unordnung geraten war. Durch die Glastür blickte sie auf den Fluss hinunter, dessen Wellen gegen die Mauer klatschten. Am Ufer saßen ein paar Fischer und flickten ihre Netze. In der Ferne sah sie die Umrisse des Roten Forts, Sitz der alten Mogulherrscher.

Emma dachte noch einmal über den Vorschlag nach, den sie Damien Granville unterbreiten wollte – falls alles andere fehlschlagen würde. Sie konnte immer noch nicht glauben, dass jemand einen so skandalösen Einsatz wirklich einfordern wollte. Aber dieser Granville war ein Mann mit außergewöhnlichen Ansichten. Niemand konnte sagen, wie er auf ihre Vorschläge reagieren würde. Die vergoldete Standuhr schlug die halbe Stunde. Sie wartete bereits dreißig Minuten, und noch immer ließ sich der Hausherr nicht blicken. Die Unhöflichkeit war natürlich beabsichtigt. Doch wenn Granville hoffte, sie damit aus dem Gleichgewicht zu bringen, dann hatte er sich getäuscht. Diese Genugtuung würde sie ihm nicht geben.

Aber sie erkannte, das erneute Zusammentreffen würde schwieriger sein, als sie sich vorgestellt hatte.

Plötzlich ging die Tür auf. »Entschuldigen Sie bitte, dass ich Sie habe warten lassen, Miss Wyncliffe.« Seine tiefe Stimme füllte den Raum. Er kam mit großen Schritten zur Glastür, nahm ihre Hand und neigte sich formvollendet darüber. Bei der Berührung lief ihr unwillkürlich ein Schauer über den Rücken. Ihm entging das nicht. Er lächelte schwach und hob die Augenbraue. »Ja, es ist heute wirklich kalt, nicht wahr? Vielleicht kann eine Tasse Kaffee Sie wieder aufwärmen.«

Emma erwiderte das Lächeln nicht, aber sie entzog ihm – nicht zu schnell – ihre Hand. »Nein danke. Mir ist es warm genug und mir fehlt nichts.«

»Türkischen Kaffee, Maqsud.« Ohne auf ihre Ablehnung zu achten, bestellte er den Kaffee. »Wir dürfen doch nicht zulassen, dass sich unser verehrter Gast erkältet. Und natürlich gibt es zu dem Kaffee auch Baklava. Ich muss zu meiner Schande gestehen, Miss Wyncliffe, ich habe eine Schwäche für süße Sachen. Ich hoffe, Sie werden mich nicht bestrafen und mich zwingen, die Süßigkeiten ganz alleine zu essen.«

Emma widerstand seinem Charme mühelos und überging die Bemerkung. »Ich hatte allmählich den Eindruck, dass Sie unsere Verabredung vergessen haben«, sagte sie stattdessen kühl. »Ich war wie verabredet genau um elf Uhr hier.«

»Das hat man mir gesagt. Nun, ich habe mich bereits entschuldigt, aber wenn es Ihnen gefällt, werde ich es noch einmal tun.«

Eine Antwort blieb ihr erspart, da ein zweiter Diener mit einer großen silbernen Wasserpfeife erschien. Der Diener blieb stehen und sah seinen Herrn unsicher an. »Gestatten Sie, dass ich rauche, während wir uns unterhalten?«, fragte Granville.

Unterhalten! Er versuchte, ihren Besuch auf die Ebene einer belanglosen Plauderstunde zu reduzieren. Das war die nächste Provokation.

»Sie sind hier zu Hause und deshalb können Sie tun, was Sie wollen«, erwiderte sie abweisend.

»Vielen Dank. Nicht viele Engländerinnen tolerieren die Wasserpfeife. Aber mir ist bekannt, dass Sie nicht mit den anderen zu vergleichen sind, Miss Wyncliffe.« Er lachte und bat sie, Platz zu nehmen. »Ich glaube, Sie sitzen am besten hier mit dem Blick auf den Fluss. Alle anderen Sitzgelegenheiten sind so unbequem wie das ganze Haus und ausgesprochen geschmacklos.«

Emma nahm Platz. Granville setzte sich in einen ledernen Sessel mit Armlehnen ihr gegenüber. Sie spürte, dass er sie nicht aus den Augen ließ und ihr Aussehen sehr genau musterte. Deshalb blickte sie unverwandt auf die Wasserpfeife, die er zurechtrückte, bevor er den langen Schlauch unter dem Tisch zusammenrollte. Schließlich nahm er das Mundstück und zog vorsichtig daran. Das Wassergefäß begann leise zu blubbern. Emmas Vater hatte sich manchmal das Vergnügen einer Huka gegönnt, wenn er sich bei den Ausgrabungen mit den Arbeitern unterhielt. Als der aromatische Tabakduft den Raum erfüllte, empfand sie so etwas wie Wehmut.

»Nein, ich hatte die Verabredung nicht vergessen.« Granville griff ihre anfangs gestellte Frage auf und fügte besonders liebenswürdig hinzu: »Es wäre in der Tat sehr schwer, einen Tag zu vergessen, an dem die Sonne im Westen aufgegangen ist.«

Nun gut, es war ausgesprochen! Sie hatte natürlich damit gerechnet. Wie hätte er auch darauf verzichten können, sie auf diese Weise zu ärgern. Doch sie machte ihm nicht das Vergnügen, auf seine Bemerkung zu reagieren. »Ich würde nicht im Traum daran denken, Sie aufzusuchen, Mr. Granville«, sagte sie ruhig, »wenn ich nicht durch gewisse unglückliche Umstände dazu gezwungen worden wäre.«

»Oh? Was für Umstände sind das, wenn ich fragen darf?«

»Sie wissen so gut wie ich, wovon ich spreche, Mr. Granville. Also lassen Sie uns keine Zeit mit Wortspielereien verschwenden. Ich komme wegen Khyber Kothi, unserem Haus. Wie ich von meinem Bruder erfahren habe, behaupten Sie, in der vergangenen Woche beim Kartenspiel das Anwesen gewonnen zu haben ...«

»Das ist nicht ganz richtig, Miss Wyncliffe«, sagte er, und Emmas Herz begann schneller zu schlagen. »Ich behaupte nicht, das Haus gewonnen zu haben, ich habe es gewonnen!«

»Sie wollen den Gewinn allen Ernstes einfordern?«

Er sah sie überrascht an. »Was soll man mit einem Gewinn denn sonst tun, als ihn wirklich einzufordern?«

»Sie wollen damit sagen, dass Sie diesen angeblichen Gewinn beanspruchen, obwohl der Einsatz leichtsinnig und höchst unmoralisch war?«

»Ein Gewinn ist dazu da, beansprucht zu werden, Miss Wyncliffe. Und alle Einsätze sind leichtsinnig und unmoralisch, wenn man ein Spiel verloren hat. Das wird Ihnen jeder Verlierer bestätigen.«

Sie betrachtete ihn missbilligend. »Es war der Einsatz eines unreifen, unverantwortlichen jungen Mannes, der betrunken war.«

»Vermutlich war das an den vorausgegangenen Abenden auch der Fall, als dieser unreife, unverantwortliche junge Mann seine Gewinne mit beachtlicher Schnelligkeit einstrich.« Er machte eine Pause und widmete dem Mundstück der Huka große Aufmerksamkeit. »Der angebliche Mangel an Reife Ihres Bruders hat ihn nicht daran gehindert, das Spielcasino regelmäßig und mit großer Hingabe zu besuchen. Und was seine Neigung zum Alkohol angeht, das ist Ihr Problem, Miss Wyncliffe, nicht meines.«

»Sie haben ihn betrunken gemacht!« Emma bemühte sich noch immer um einen täuschend gelassenen Ton.

»Wohl kaum! Ich habe keine Handhabe, um einem Erwachsenen Alkohol einzuflößen. Ihr Bruder hat bereitwillig getrunken, Miss Wyncliffe, allzu bereitwillig!«

»Ich weiß, dass David impulsiv und unbedacht ist«, räumte sie ein. »Und ich billige sein Verhalten keineswegs. Das kann ich nicht. Aber Sie haben sich seine Schwäche zunutze gemacht. Sie haben ihn zum Spielen verführt und ihn gezwungen, immer höhere Einsätze zu wagen.«

»Hat er Ihnen das gesagt? Hat er Ihnen gesagt, dass ich ihn zum Spielen gezwungen habe?« Er lächelte verächtlich. »Reif oder nicht, Ihr Bruder ist älter als einundzwanzig, Miss Wyncliffe. Nach dem Gesetz ist er für seine Handlungen verantwortlich und muss demnach auch die Folgen dafür tragen. Und was soll das heißen? Ich habe ihn gezwungen … Kommen Sie, Miss Wyncliffe. Nicht einmal eine dumme Schwester und ganz bestimmt nicht eine, die so intelligent ist wie Sie, kann das ernsthaft glauben.«

Emma wurde rot, aber sie biss sich auf die Lippen und ließ sich nicht zu einer vorschnellen Erwiderung hinreißen, obwohl ihr eine passende Bemerkung auf der Zunge lag. »Sie haben um weit überhöhte Einsätze gespielt. Niemand kann behaupten, dass dieses Spiel fair war.«

»Es war ganz bestimmt ein faires Spiel, Miss Wyncliffe!« Zum ersten Mal klang Granvilles Stimme scharf. »Der Mann, den Sie vor ein paar Tagen aufgesucht haben, dieser Highsmith, hat Ihnen das bereits bestätigt. Er wird Ihnen auch bestätigen, dass ich Ihren Bruder vor dem Beginn des Spiels wiederholt darauf hingewiesen habe, dass ich beabsichtige, tatsächlich Anspruch auf sein Haus zu erheben, falls die Karten zu meinen Gunsten entscheiden würden.«

»Wäre das nicht der Fall gewesen, hätten Sie dann ohne weiteres Ihr Anwesen ihm überlassen?«

»Aber gewiss!« Seine Lippen wurden schmal. »Es gibt einen allgemein gültigen Grundsatz, an den sich alle Spieler halten müssen, Miss

Wyncliffe. Wenn man nicht den Mut hat zu verlieren, dann soll man nicht spielen.«

Dem konnte sie nichts entgegensetzen – das heißt, für keines der Argumente, die Granville angeführt hatte, gab es ein Gegenargument. Emmas Angriff hatte ihr jedoch nur als Orientierung gedient. Sie wollte wissen, ob sich hinter der harten, glatten Schale vielleicht eine gewisse Menschlichkeit verbarg. Das war nicht der Fall. Der Khidmatgar erschien mit einem Silbertablett, zwei Mokkatassen aus Porzellan und einem Teller mit aufgeschnittenem Baklava. Er stellte das Tablett auf einen Tisch neben Emmas Sessel und zog sich zurück. Granville stand auf und bot ihr das süße Baklava an. Sie schüttelte den Kopf. Er nahm eine Tasse und reichte sie ihr. Emma ließ es zu. Er nahm sich zwei Stücke Baklava, die andere Tasse mit dem türkischen Kaffee und setzte sich wieder in den Armlehnsessel. »Trinken Sie, so lange der Kaffee noch heiß ist. Kalt schmeckt er nicht so gut.«

Emma nahm ein kleinen Schluck. Der Kaffee war zuckersüß und aromatisch. Er schmeckte ausgezeichnet und half ihr, sich etwas zu entspannen. Sie trank den Kaffee schweigend, bis nur noch der Satz zurückblieb. Dann stellte sie die hauchdünne Porzellantasse wieder auf das Tablett. Die Pause hatte ihr eine Möglichkeit gegeben, das Angebot zu überdenken, das sie ihm machen wollte.

»Wenn Sie den Eindruck haben, Mr. Granville«, sagte sie förmlich und ohne Umschweife, »dass ich gekommen bin, um meinen Bruder zu entschuldigen oder uns Ihrer Güte zu überlassen, dann möchte ich klarstellen, das ist nicht der Fall.«

»So? Warum sind Sie dann gekommen?«

»Ich möchte Ihnen ein alternatives Angebot machen.«

Er hob die Augenbrauen. »Sie überraschen mich, Miss Wyncliffe. Ich warte ungeduldig auf Ihr Angebot.«

Emma ignorierte den Sarkasmus. »Ich zweifle nicht daran, dass es Ihnen bei dem Spiel in erster Linie um Geld geht. Deshalb schlage ich vor, den Wert unseres Anwesens schätzen zu lassen. Wir werden Ihnen die Summe, wie hoch sie auch sein mag, im Laufe eines Jahrs bezahlen.«

»Und woher, wenn ich fragen darf, wollen Sie das Geld nehmen?«

»Ich finde, das geht Sie nichts an, Mr. Granville. Ich versichere Ihnen, dass wir genug Mittel haben, um die Spielschulden meines Bruders zu begleichen.«

»Und was geschieht, wenn Khyber Kothi höher geschätzt wird als die Mittel, an die Sie denken?«

»Wir werden die Differenz irgendwie aufbringen. Aber auch das ist nicht Ihr Problem.«

Er lehnte sich zurück und schnipste etwas Asche von seinem Jackett. »Ihr Plan ist perfekt, Miss Wyncliffe, bis auf einen kleinen Fehler.«

Sie hielt den Atem an. »Ein Fehler kann in beiderseitigem Einverständnis behoben werden.«

»Der Fehler besteht darin, dass Ihr Vorschlag für mich leider unannehmbar ist.«

Emma ballte die Fäuste. »Und warum?«

»Ich bin nicht davon überzeugt, dass eine solch einfache Abmachung die Erfüllung meiner Ansprüche garantiert. Außerdem möchte ich das Haus haben.«

»Aber Sie wohnen doch nicht in Delhi!«, rief Emma. »Wie ich höre, besitzen Sie ein Haus in Kaschmir, und man sagt, Sie finden die Stadt abscheulich. Bestimmt sind Sie mehr an Geld interessiert!«

»Sie irren sich, Miss Wyncliffe. Wie wenig attraktiv ich Delhi auch finden mag, ich brauche einen Wohnsitz hier. Das Haus, das ich gegenwärtig bewohne, missfällt mir sehr. Ihr Haus kommt wie gerufen. Ich könnte mir keinen besseren Zeitpunkt vorstellen.«

Seine letzten Worte schockierten sie mehr als alles andere, was er bis jetzt gesagt hatte. »Sie wollen in unserem Haus wohnen?«

»Ja, so ist es«, erwiderte er freundlich. »Nach den entsprechenden Investitionen ist Khyber Kothi ein sehr erstrebenswertes Anwesen mit der richtigen Adresse. Mir gefällt, dass das Gelände groß ist, und ich finde die alten Bobäume und Ashokabäume sehr schön. So gesehen, müsste es meinen Ansprüchen an ein Stadthaus sehr wohl gerecht werden.« Er rieb genussvoll Salz in ihre Wunden!

»Khyber Kothi ist unser Zuhause. Und wir haben nur dieses eine!«

»Ich gehe davon aus, dass Ihrem Bruder das bewusst war, als er um das Haus spielte.«

»Aber es gibt doch bestimmt einen Kompromiss?« Emma verachtete sich für den verzagten Ton ihrer Frage. »Meine Mutter hat ein Herzleiden. Der Alptraum, das Haus zu verlassen, würde sie umbringen!«

»Ich bedaure, das zu hören«, sagte er ohne große Anteilnahme. »Es ist mir auch äußerst unangenehm, dass ich daran schuld bin, wenn Sie das Dach über dem Kopf verlieren, aber«, sein Ton wurde hart, »die Schuld daran trifft Ihren Bruder und nicht mich. Er sollte an Ihrer Stelle heute hier sein, Miss Wyncliffe. Ich habe wenig Sympathie für jemanden, der sich hinter den Röcken seiner Schwester versteckt.«

»David weiß nicht, dass ich hier bin. Ich … es war mein Entschluss, zu Ihnen zu kommen. Ich hatte gehofft, mich mit Ihnen irgendwie einigen zu können. Aber wie ich sehe, habe ich mich geirrt.« Sie unterdrückte ihre Verzweiflung, griff nach den Handschuhen und der Handtasche und stand so selbstbewusst auf, wie es ihr unter den Umständen noch möglich war. »Es besteht wenig Grund, dieses Gespräch fortzusetzen.«

»Sie haben sich große Mühe gegeben, Miss Wyncliffe. Diese Haltung verdient es, gewürdigt zu werden. Sie werden bestimmt noch einmal den Ruf der englischen Memsahib in Indien retten.«

»Ich bezweifle, dass Sie das für den Ruf des englischen Sahib tun werden, Mr. Granville!«, erwiderte sie, wütend über seine Herablassung. »Sie haben ein unehrliches Spiel gespielt. Nichts wird mich davon überzeugen, dass es nicht so war. Wie gedankenlos, egoistisch und unverantwortlich mein Bruder auch sein mag, Sie, mein Herr, sind ein Betrüger, ein Lügner und ein Schmarotzer, der mit seinen Machenschaften die anständige Gesellschaft bedroht.« Zu ihrem Entsetzen spürte sie das schreckliche Prickeln hinter den Augenlidern, das die plötzlich aufsteigenden Tränen ankündigte. Mit größter Mühe hielt sie die Tränen zurück und widerstand auch dem Wunsch davonzurennen. Stattdessen drehte sie sich langsam auf dem Absatz um und ging ohne Eile zur Tür. Mit der Hand am Türgriff zwang sie sich zum

Stehenbleiben. »Es wird Ihnen nicht gelingen, uns aus Khyber Khoti zu vertreiben, Mr. Granville«, sagte sie. »Ich verspreche Ihnen, ich werde bis zum letzten Atemzug darum kämpfen, Ihren herzlosen Plan zu vereiteln.«

Sie wollte die Tür hinter sich ins Schloss fallen lassen, als er sich noch einmal zu Wort meldete. »Warten Sie.« Er sagte es leise, aber es war ein Befehl. Gegen ihren Willen blieb Emma stehen. Granville stand auf, kam zur Tür und hielt sie auf. »Bitte kommen Sie herein, und setzen Sie sich.«

»Warum? Sie haben Ihre Absichten sehr deutlich gemacht. Was bleibt noch zu sagen?«

»Da ist noch etwas.«

Ihr Herz klopfte schmerzlich. Wollte er ihr Angebot vielleicht doch annehmen? Sie machte zögernd ein paar Schritte und betrat wieder den Raum.

»Bitte setzen Sie sich.«

»Ich kann auch im Stehen hören, was Sie sagen.«

»Wie Sie wollen.« Er schloss die Tür hinter ihr, ging zum Schreibtisch, setzte sich und betrachtete sie aufmerksam. »Auch ich habe Ihnen ein Angebot zu machen.«

Das war ein Hoffnungsschimmer, aber sie hütete sich, ihm ihre Erregung zu zeigen.

»Unter einer Bedingung wäre ich bereit, die Spielschuld Ihres Bruders nicht einzufordern.«

Emma blieb das Herz einen Moment lang stehen. »Wirklich?«

»Wie Ihnen offenbar bekannt ist«, fuhr er fort, ohne sie aus den Augen zu lassen, »lebe ich in Kaschmir. Ich weiß nicht, ob Sie diesen Staat kennen. Es ist ein wildes, schönes Land, das von der Natur wie kein zweiter Ort auf dieser Welt bevorzugt ist. Ich habe alles, was ein Mann sich wünschen kann – materielle Sicherheit, ein sehr fruchtbares und produktives Anwesen. Mein Haus ist ganz nach meinem Geschmack und mit allem Luxus ausgestattet, den man sich nur denken kann. Ich lebe so, wie es mir gefällt. Ich bin vollkommen frei und unabhängig.« Aus seinen Augen leuchtete der Stolz. »Nur etwas von allergrößter Bedeutung fehlt noch in meinem Leben.« Er senkte die Stimme. »Eine Frau.«

Es dauerte einen Augenblick, bis Emma die Bedeutung seiner Worte verstanden hatte, aber dann richtete sie sich auf. Ihre Wangen wurden so rot wie die Vorhänge des Zimmers, und sie starrte mit angehaltenem Atem auf den Fußboden. Er beobachtete sie aufmerksam, ohne etwas zu sagen. Schließlich hatte sie den Schock überwunden. Sie schob die zitternden Hände unter ihre Handtasche. »Wenn ich Ihre Gedankengänge richtig verstehe, Mr. Granville«, sagte sie mit einigermaßen fester Stimme, »dann verdienen sie keinen Kommentar. Ich finde Sie und Ihr Angebot verachtenswert.«

»So? Was glauben Sie denn, was für ein Angebot das ist?«

»Sie wollen, dass ich im Austausch gegen die Spielschuld meines Bruders Ihre Geliebte werde«, erwiderte sie, ohne sich die Mühe zu machen, die Sache zu umschreiben.

»Meine liebe Miss Wyncliffe!« Er hob, ganz Inbegriff missverstandener Tugend und in gespieltem Entsetzen, die Hände. »Sie setzen mich mehr und mehr in Erstaunen! Ich kann kaum glauben, dass einer so reinen, unberührten englischen Rose, wie Sie eine sind, auch nur bekannt ist, dass es so etwas wie eine Geliebte gibt.« Er lachte, stand auf, schob die Daumen in die Armlöcher seiner Weste und kam näher. Er blieb so dicht vor ihr stehen, dass sie seinen nach Tabak riechenden Atem im Gesicht spürte.

»Nein, Miss Wyncliffe«, sagte er. »Geliebte kann ich jede Menge haben. Ich bezweifle sogar, dass ich noch mehr von dieser Sorte Frauen verkraften kann, ohne meine Gesundheit zu gefährden. Deshalb werden Sie erleichtert sein zu hören, dass ich Sie nicht als Geliebte haben möchte.« Er gab sich gelassen, aber sein eindringlicher Blick verriet seine große Spannung. »Ich möchte Sie zu meiner Frau machen.«

Die Worte schienen eine Ewigkeit in der Luft zu hängen. Das Schweigen dehnte sich immer länger, die Spannung schien ins Unerträgliche zu wachsen, und es war nur noch das Ticken der Uhr zu hören. Emma starrte Granville mit großen ungläubigen Augen an. Ihr Staunen war so groß, dass sie nicht bemerkte, dass sie in den Sessel gesunken war.

»So, Miss Wyncliffe«, murmelte er. »Wie es scheint, habe ich doch die Fähigkeit, Sie zu überraschen.«

Sprachlos sah sie ihn an. Dieser beispiellose Frauenheld, dieser abgebrühte, skrupellose Spieler machte ihr einen Heiratsantrag?

Sie begann zu lachen und konnte nicht mehr aufhören. Sie lachte und lachte. Damien Granville erstarrte mit finsterer Miene und wurde rot. Noch ehe sie begriff, was er vorhatte, hob er die Hand und gab ihr eine schallende Ohrfeige. Das Lachen blieb ihr im Hals stecken. Sie rang nach Luft und hielt sich die Wange. Emma fühlte nichts. Sie sahen sich einen Augenblick lang wortlos an. Er war außer sich vor Wut und sie hatte nur noch entsetzliche Angst.

»Sie haben schon einmal über mich gelacht, Miss Emma Wyncliffe«, sagte er mit kalter Stimme. »Sie werden nie mehr über mich lachen. Bitte denken Sie in Zukunft daran.«

Sie stand unbeholfen auf und rannte, ohne ihn zu beachten, zur Tür. Er machte nicht den Versuch, sie am Gehen zu hindern. Als sie die Tür aufriss, sah sie ihn noch ein letztes Mal vernichtend an. »Im Gegenteil, Mr. Granville. In Zukunft werde ich mich im Zusammenhang mit Ihnen an nichts mehr erinnern! Ich verachte Sie. Ich staune über Ihre Unfähigkeit zu sehen, wie sehr ich Sie verachte!«

Sie schlug die Tür hinter sich zu und lief an dem wartenden Khidmatgar vorbei durch den Gang und die Marmortreppe hinunter zum Ausgang. Sie wusste nicht, ob Granville ihr folgte oder nicht. Sie drehte sich nicht mehr um. Noch bevor der Kutscher den Wagen zum Portal fahren konnte, war sie bei ihm, stieg ein und befahl ihm, sie nach Hause zu bringen.

Fünftes Kapitel

Das Manöver der Jutogh-Gebirgsjäger und einer Kompanie des Wilshire-Regiments dauerte bereits über zwei Stunden. Die von Mauleseln gezogenen Siebenpfünder-Kanonen, die Munitionswagen und die Soldaten hatten bereits die Stelle passiert, wo der Vizekönig, der Oberbefehlshaber, der Generalquartiermeister, der Befehlshaber des Simla-Freiwilligen-Korps, der Vizegouverneur des Punjab, die Ratsmitglieder, die dazugehörigen Sekretäre, hohe Regierungsbeamte und ihre Gäste saßen. Auf der anderen Seite befand sich der Jakkoberg mit dem kleinen Hanumantempel und den vielen dort heimischen Affen. Die herbeigeschafften Kanonen feuerten jetzt in kurzen Abständen – und entsprechend laut – auf Ziele, die unter lautstarken Protesten der Affenbevölkerung auf dem Berg aufgestellt worden waren.

Oberst Hethrington warf einen nervösen Blick auf seine Uhr, dachte an seinen Schreibtisch, auf dem sich die Arbeit türmte, und fluchte still. Dort warteten Nachrichten, die gelesen, beantwortet und weitergeleitet werden mussten. Reaktionen mussten überdacht, verfasst und versandt werden. Funksprüche mussten nach London, Leh, Srinagar und zweifellos auch nach Timbuktu auf den Weg gebracht werden. Hier draußen in der Sonne war es unerträglich heiß. Daran konnten die Sonnenschirme kaum etwas ändern, und der infernalische Lärm verstärkte die Kopfschmerzen, die er sich auf dem Ball in seinem Walter-Raleigh-Kostüm eingehandelt hatte.

Wo zum Teufel steckte dieser Satansbraten Worth? Oberst Hethrington hatte strikte Anweisung gegeben, ihn unter einem Vorwand nicht später als elf Uhr hier wegzurufen. Jetzt war es schon beinahe zwölf Uhr mittags, und sein Adjutant war noch immer nicht zu sehen. Oberst Hethrington war bereits entschlossen, aufzustehen und nach ihm zu suchen, als Hauptmann Worth lautlos wie der Geist aus Aladins Wunderlampe neben ihm auftauchte. »Ich bedaure die Verspätung, Sir, aber ich habe eine Nachricht dekodiert, die wir gerade von Mr. Crankshaw erhalten haben. Ich glaube, Sie sollten sie sofort lesen.«

Oberst Hethrington stellte eine halbe Stunde später in seinem Büro fest, dass er nicht nur tatsächlich eine Nachricht erhalten hatte, sondern dass sie alarmierend war. Maurice Crankshaw setzte ihn davon in Kenntnis, dass sich Geoffrey Charlton auf dem Weg nach Leh befand und beabsichtigte, nach Yarkand weiterzureisen.

Hethrington schloss die Augen und drückte vorsichtig die Fingerspitzen auf die Augenlider. »Verdammt!«

»Wir könnten ihn an der Fortsetzung der Reise hindern, Sir.«

»Dann werden wir wegen Behinderung der freien Presse und ihrer Informationspflicht gegenüber der Bevölkerung an den Pranger gestellt! Seien Sie nicht so einfältig, Hauptmann, das würde nur bestätigen, dass wir etwas zu verbergen haben.«

»Wir könnten zumindest dafür sorgen, dass sich seine Reise verzögert, Sir.«

»Ja, vermutlich ist es das Beste, was wir in Anbetracht der Umstände tun können. Informieren Sie Crankshaw in diesem Sinne. Haben wir Nachrichten von Capricorn?«

»Nein, Sir, noch nicht.«

Oberst Hethrington fluchte leise. »Was sollen wir tun? Dem Oberbefehlshaber und dem Generalquartiermeister die ganze Sache offen legen, damit wir mit Schimpf und Schande davongejagt werden?«

»Nicht dem Oberbefehlshaber, Sir«, sagte Nigel Worth schnell. »Nur dem Generalquartiermeister. Sir John mischt sich nur selten in Ihre Entscheidungen in Sachen des Nachrichtenwesens ein. Wenn er über das Projekt informiert ist und es billigt, wären wir ausreichend gegen mögliche Kritik geschützt, falls etwas daneben gehen sollte.«

»Ach so? Und wenn er dem Projekt nicht zustimmt?«

»Charlton ist der Sache bereits auf der Spur ...« Der Hauptmann lächelte. »Ihm bleibt keine andere Wahl, Sir.«

Der Oberst spreizte die Finger und blinzelte mit halb geschlossenen Augen. »Den Generalquartiermeister informieren, aber den Oberbefehlshaber aus der Sache heraushalten?«

»Ja, Sir. Der Oberbefehlshaber würde das Projekt abbrechen und die Beschlagnahmung der Unterlagen anordnen, um damit ein sehr schädliches Signal zu geben.«

»Und wenn der Generalquartiermeister genauso denkt?«

»Sir John hat die Abteilung bei Schwierigkeiten nie im Stich gelassen. Und wenn das keine Schwierigkeiten sind, dann weiß ich nicht, was man unter Schwierigkeiten verstehen soll.«

Oberst Hethrington war noch immer nicht ganz überzeugt und rieb sich das Kinn. »Einem vorgesetzten Offizier Informationen bewusst vorzuenthalten, das ist ein Amtsvergehen, Hauptmann.«

»Nicht in einer Abteilung, in der es grundsätzlich um Geheimhaltung geht, Sir. Außerdem ist das Amtsvergehen bereits begangen. Genau genommen hätte der Generalquartiermeister informiert werden müssen, bevor das Projekt begonnen wurde.«

Hethrington dachte nach und schwieg.

Es war allgemein bekannt, dass der Oberbefehlshaber der indischen Streitkräfte, General Sir Marmaduke Jerrold, ein aggressiver Falke war, der keinen Sinn für Großzügigkeit hatte und den Buchstaben getreu lebte. Dagegen wusste man, dass der Generalquartiermeister, Generalmajor Sir John Covendale, gelegentlich eine erstaunliche Vorliebe für das Unkonventionelle an den Tag legte. Bislang wussten von dem Projekt nur Hethrington, Nigel Worth und Maurice Crankshaw. Wenn der Generalquartiermeister ins Bild gesetzt wurde, konnte das helfen, später die eigene Haut zu retten, falls sich die Sache ihrer Kontrolle entziehen sollte. Ja, dachte Hethrington, der Vorschlag des Hauptmanns war vernünftig.

»Gut«, er schob das Projekt im Augenblick beiseite und griff nach der geheimdienstlichen Depeschentasche. »Jetzt zu etwas anderem.«

»Die Hunza-Affäre?«

»Ja, Hauptmann, die Hunza-Affäre, um unser schlechtes Gewissen zu beruhigen.« Er mühte sich kurz mit dem Schloss an der Depeschentasche ab, gab den Kampf aber bald auf. »Wie leicht könnte unser Leben sein, wenn unsere Grenzen so gut gesichert wären wie diese verdammten Depeschentaschen!«

Worth beeilte sich, das Erforderliche zu erledigen, öffnete das Schloss und setzte sich wieder mit dem Schreibstift in der Hand auf seinen Platz.

»Machen wir uns nichts vor, alle, von hier bis Whitehall und zurück, sind über die kleine Spritztour von Borokow völlig aus dem Häuschen.«

»Sehr richtig, Sir.«

»Hm.« Der Oberst blätterte in den Unterlagen und griff nach einer dünnen Mappe mit dem Stempel »Streng geheim!«. »Der Generalquartiermeister möchte über jede Einzelheit des Besuchs informiert werden, die wir haben. Aber da gibt es leider nur sehr wenig. Als Erstes wird er natürlich von mir wissen wollen, warum wir von dem Besuch erst so spät erfahren haben? Wann war dieser Russe dort...?«

»Mitte Januar, Sir. Safdar Alis Leute haben ihn über den Boroghil gebracht. Der Pass war noch frei. Wie wir von unserem Informanten im Amtssitz des Barons wissen, hatten sich die Abgesandten aus Hunza einige Wochen in Taschkent aufgehalten.«

»Francis Younghusband war im ... November in Hunza, richtig?«

»Ja, Sir, drei Monate nach Oberst Durand.«

»Bei den vorhandenen oder nicht vorhandenen Nachrichtenverbindungen ist zwar mit Verspätungen zu rechnen, aber so viele Wochen, Hauptmann?«

»Vielleicht werden Sie sich daran erinnern, Sir, dass die Nachricht aus Hunza von einem der Balti-Träger, der auf der neuen Maultierstraße arbeitet, nach Srinagar gebracht wurde. Wegen der Erdrutsche war nur ein langsames Fortkommen möglich, aber unser Resident in Srinagar hat uns die Nachricht telegrafisch übermittelt, sobald er sie in Händen hatte. Wir wissen, wie unzuverlässig manche dieser Boten sein können. Deshalb bin ich der Meinung, wir können von Glück sagen, dass wir die Nachricht schließlich doch noch erhalten haben.«

»Borokow war nach Grombetscheswskij der zweite Russe innerhalb der letzten achtzehn Monate in Hunza. Und Grombetscheswskij hat im letzten Herbst wieder Andeutungen über das Raksamtal gemacht. Abgesehen von ihm waren drei andere Gruppen im Pamir: Russen, Engländer und ein Franzose. Wie um alles in der Welt sollen wir das erklären?«

»Grombetscheswkij verabscheute Hunza und hat sich geweigert zurückzukehren. Das ist vermutlich die Erklärung für Borokows Reise. Die andere russische Expedition hatte eher einen wissenschaftlichen Auftrag. Sie sollte die chinesisch-tibetische Grenze kartografieren. Der Franzose kam als Teppichknüpfer im Auftrag der Regierung von Kaschmir, und die beiden Engländer wollten lediglich Jagd auf Bergschafe machen.«

»Und was hat Borokow wohl gejagt?«, fragte Oberst Hethrington sarkastisch. »Fingerschalen aus Kaschmir?«

Hauptmann Worth seufzte. »Wir wissen, wonach er jagt, Sir. Aber im Augenblick besteht sicher kein Grund, Alarm zu schlagen …«

»Sie und ich mögen das glauben, Hauptmann, aber ich würde Ihnen nicht raten, das Oberst Durand zu sagen oder den schießwütigen Papiertigern in Whitehall, die in jeder Schlucht und jedem Winkel des Himalaja zaristische Gespenster wittern. Natürlich trägt es auch nicht zur Verbesserung des Klimas bei, dass der Pamir mit jedem Jahr mehr und mehr einem Bahnhof gleicht. Wer ist dieser Borokow überhaupt?«

»Ein Berufsoffizier der russischen Garde des Zaren, Sir.«

»Hintergrund?«

Der Hauptmann öffnete seine Akte. »Wie unser Militärattaché in St. Petersburg berichtet, Sir, ist er etwa fünfzig Jahre alt und war das früh verwaiste Kind armer Eltern aus Charkow. Er kam von einem Waisenhaus in das andere, bis General Nikolaij Smirnow auf ihn aufmerksam wurde.«

»Alexej Smirnows Vater?«

»Ja, Sir. Smirnow senior war damals Kriegsminister. Er beschaffte Borokow einen Studienplatz an der Universität in Moskau. Dort machte er ein Examen als Ingenieur. Die Frau des alten Smirnow stammte ebenfalls aus Charkow und war mit Borokows Mutter weitläufig verwandt.«

»Mm, sehr ungewöhnlich. Weiter!«

»Bald nach seiner Ernennung zum Offizier wurde er wiederum durch Nikolaij Smirnows Einfluss im Rang eines Hauptmanns nach Zentralasien versetzt. Dort nahm er an dem Chiwa-Feldzug teil. Eine Zeit lang war er in der russischen Garnison Petro-Alexandrowsk außerhalb von Chiwa stationiert. Später war er am Bau des doppelstöckigen Wohnzugs für Offiziere der Transkaspischen Eisenbahn beteiligt. Er arbeitete auch bei der Ölförderung in Baku, danach wurde er vom Außenministerium nach St. Petersburg zurückgerufen. Zurzeit ist er ein Oberst und gehört zum Generalstab des Barons in Taschkent. Man sagt, sein Besuch in Hunza sei auf Anregung von General Alexej Smirnow, dem Militärrevisor am Zarenhof, erfolgt. Es heißt auch, Borokow und Smirnow stehen sich politisch nahe.«

»Kein Wunder, dass Borokow die Befugnis hatte, dem Mir so viele Köder vor die Nase zu halten!«, brummte Hethrington missmutig. »Und es ist nicht bekannt, dass er schon einmal in dieser Gegend gewesen ist?«

»Nein, Sir. Unser Militärattaché sagt, er sei ziemlich neu im Geheimdienst. Natürlich wird er vor allem von Alexej Smirnow beeinflusst, der sich schon lange ein Stück des Himalaja unter den Nagel reißen möchte. Wenn Sie sich erinnern, Sir, es war Smirnow, der den diplomatischen Zwischenfall mit Afghanistan am Murgabfluss ausgelöst hat. Damals war er als junger Offizier zum ersten Mal in Taschkent stationiert.«

Hethrington lehnte sich mit zusammengezogenen Brauen auf seinem Stuhl zurück. »Keine glückliche Situation, Hauptmann. Wenn Smirnow Nachfolger des Barons und Generalgouverneur wird, können wir bestimmt mit einem Feuerwerk im Pamir rechnen.«

»Diese Meinung teilt auch unsere Botschaft in St. Petersburg, Sir.«

»Natürlich vergrößern die fehlenden Telegrafenverbindungen das Problem. Wenn Durand erst einmal seine Maultierstraßen und seine Telegrafenleitungen hat, wird sich die Lage ändern. Zumindest wird er nicht zögern, mit seinen Truppen in Hunza einzumarschieren.«

»Er wird einen Grund finden müssen, Sir.«

»Einen Grund?« Hethrington lächelte böse. »Seit wann braucht politischer Wahnsinn einen Grund? Außerdem wird ihm dieser unberechenbare Safdar Ali schnell genug einen Grund liefern. Das weiß Durand sehr wohl.«

»Younghusband hält die Hunzaschlucht für unpassierbar.«

»Nichts ist unmöglich, und auch die Schlucht ist passierbar, Hauptmann! Der halbe Stab in der Gilgit-Vertretung gehört zu Algy Durands altem Netzwerk. Sie sprechen dieselbe Sprache und teilen dieselben Ansichten. Durand wird noch mehr Offiziere anfordern, noch mehr Gurkhas und noch mehr Gebirgsjäger und eine Revolverkanone, und er wird alles bekommen. Es hat seiner Laufbahn bis jetzt nicht geschadet, dass sein Bruder Außenminister ist!« Er lachte missbilligend. »Nun gut, was wissen wir noch über Borokows Treffen mit Safdar Ali?«

»Sehr wenig, Sir. Unser Mann am Ort erhielt die Information aus zweiter Hand, von einem seiner Vettern, der ein Leibwächter des Mir ist. Leider standen die Leibwachen außer Hörweite, und der Dolmetscher war ein Pathane, der nicht sehr gut Burishaski sprach. Unser Mann musste sich auf Vermutungen verlassen, und daher können auch wir nur Spekulationen anstellen. Das letzte Zusammentreffen nach der Hinrichtung war privater Natur. Dabei war ein anderer Dolmetscher anwesend.«

»Privater Natur! Dass ich nicht lache! Safdar Ali hat verlangt, dass die Russen ihm den Mond zu Füßen legen, und Borokow hat es ihm versprochen. Sie können natürlich ohne unser Wissen schwere Geschütze auf ihrer Eisenbahn befördern, aber sie müssen sie trotzdem über einen hohen Pass bringen. Und sie glauben und hoffen, dass sie so den Jasminapass zu sehen bekommen. Kalkutta jedenfalls kann eine solche Waffenlieferung als Kriegshandlung ansehen, und Durand wird dann keinen Augenblick länger mit der Invasion zögern. Borokow und auch Smirnow müssen sich dessen sehr wohl bewusst sein.«

»Diese Hinrichtung, Sir«, sagte Worth, »war doch nur ein Spektakel zur Abschreckung ...«

»Natürlich, nichts anderes, um sowohl die Russen als auch uns zu beeindrucken. Ist Borokow wieder in St. Petersburg?«

»Man nimmt es an, Sir.«

»Dann hoffen wir für uns beide, Hauptmann«, sagte Oberst Hethrington leise, »dass er sehr lange dort bleibt.« Er sprang auf und ging mit großen Schritten im Zimmer auf und ab. Mit der üblichen Schnelligkeit hatte dichter Nebel Simla vor den Augen der Welt verhüllt. Der undurchdringliche Schleier schien irgendwie ernüchternd und für die aktuelle Lage symbolisch zu sein.

»Die Hunzakut glauben, der Jasminapass sei ein Geschenk der Berggeister«, sagte Hethrington nachdenklich. »Seine Lage ist geheim. Nur die Bewohner von Hunza kennen den Pass. Und sie werden das Geheimnis nie lüften. Sie schwören, dass niemand außerhalb ihres Landes den Jasminapass gesehen hat. Und daran soll sich auch in Zukunft nichts ändern.« Er ging immer noch unruhig durch den Raum und klopfte gegen die Fensterscheibe. Sofort erschien ein kleines Köpfchen mit großen erwartungsvollen Augen. Der Oberst suchte in der Obstschale und warf dem Äffchen eine Feige zu. »Der Legende nach ist der Pass eine Frau, ein Wesen wie eine Purdahnasheen, die ihr Gesicht niemals einem Fremden zeigen darf. Ein Sufimystiker hat vor vielen Jahren prophezeit, wenn der Jasminapass der Welt bekannt sein wird, dann hört Hunza auf, als Nation zu bestehen. Das ist natürlich alles Unsinn, aber die Hunzakut glauben fest daran. Sie werden uns zweifellos bis zum Äußersten treiben, aber am Ende wird Safdar Ali keine einzige Waffe von den Russen bekommen, und die Russen nicht den Jasminapass.« Er schüttelte den Kopf, hob die Hand, um seinen Adjutanten zu entlassen, überlegte es sich dann aber anders. »Ach übrigens, Hauptmann ...«

»Sir?« Nigel Worth war bereits auf dem Weg zur Tür und blieb fragend stehen.

»Die Kostüme haben ihren Zweck bestens erfüllt. Mrs. Hethrington hat sich sehr darüber gefreut, dass Lady Lansdowne sie zu dieser Wahl beglückwünscht hat. Ich bin mir in meinem natürlich wie der Hofnarr vorgekommen, aber das schien niemandem außer mir etwas auszumachen. Jedenfalls, vielen Dank.« Er lächelte freundlich. »Bitte übermitteln Sie der Besitzerin der Kostüme unseren Beifall und unseren Dank. Es war sehr liebenswürdig von dieser Dame, sie uns zu leihen. Besorgen Sie bitte ein geschmackvolles Bukett und überreichen Sie es im Namen von Mrs. Hethrington und in meinem Namen. Außerdem lassen Sie mich bitte die Unkosten wissen.«

»Ja, Sir.« Hauptmann Worth verzog diszipliniert keine Miene. »Ich werde mich sofort darum kümmern.«

Geräuschlos und gut geölt fiel hinter ihm die Tür ins Schloss.

*

Als Emma wieder zu Hause ankam, war die Betäubung verflogen. Zurück blieb nur eine unglaubliche Wut. Sie presste ein Taschentuch an die Wange, lief in ihr Zimmer und musterte ihr Gesicht im Spiegel. Die roten Fingerabdrücke von Granville waren noch deutlich zu sehen. Emma sah sie in ohnmächtigem Zorn. Das Gefühl der Ohnmacht wuchs angesichts der demütigenden Beleidigung. Damien Granville hatte es gewagt, sie zu schlagen!

Sie warf sich auf ihr Bett und schluchzte.

Glücklicherweise hatte ihre Mutter Gäste zum Mittagessen, und sie hatten bereits gegessen. David war natürlich in der Kaserne. Als Mahima an die Tür klopfte, um ihr verspätet das Essen zu bringen, schützte Emma Kopfschmerzen vor und wollte nichts essen. Angesichts der unglaublichen Demütigung war im Augenblick sogar das Schicksal von Khyber Kothi zweitrangig. Wenn sie diesen Vormittag doch nur ungeschehen machen könnte! Das ging natürlich nicht – so wenig wie David sein unverzeihliches Versagen rückgängig machen konnte.

Emma durfte unmöglich ihr Gesicht zeigen, solange die Fingerabdrücke dort zu sehen waren. Unter dem Vorwand heftiger Kopfschmerzen blieb sie in ihrem Zimmer. Sie wusste, ihre Mutter konnte nicht die Treppe nach oben steigen. Sie lag auf dem Rücken im Bett und starrte an die Decke. In ihrer Wut versuchte sie, Mittel und Wege zu finden, um sich zu rächen. Aber in all den Stunden fiel ihr nichts ein. Sie hatte Granville heldenmütig angekündigt, sie werde bis zum letzten Atemzug kämpfen. Doch das waren nur leere Worte und leider nur eine sehr unangemessene Waffe. Wie sehr würde er über sie lachen!

Damien Granville heiraten? Nur über ihre Leiche!

Mrs. Wyncliffe machte sich Sorgen um ihre Tochter. Außerdem vermisste sie das abendliche Backgammon-Spiel, dem sie mit Leidenschaft frönte. Schließlich ließ sie Emma einen Teller Linsensuppe und zwei heiße Chapattis hinaufbringen. Emma wollte weiteren Fragen aus dem Weg gehen und zwang sich dazu, die einfache Mahlzeit im Schutz der Dunkelheit auf ihrer Veranda zu essen.

»Ist mein Bruder schon zurück?«, fragte sie Mahima, als die Ajah das Bett aufdeckte und das Moskitonetz richtete. Als Emma hörte, dass er zum Abendessen nicht zu Hause sein würde, machte sie sich keine Sorgen. Angesichts der drohenden Warnungen von Highsmith würde sich David bestimmt nicht in die Nähe des Urdu-Basars wagen.

Emma schlief unruhig in dieser Nacht. Bizarre, unverständliche und äußerst unerwünschte Bilder von Damien Granville ließen sie nicht zur Ruhe kommen. Kurz nach Mitternacht wachte sie plötzlich auf. Draußen wieherte ein Pferd – es war Davids Wallach. Zum ersten Mal im Leben fürchtete sie sich wirklich davor, ihren Bruder zu sehen. Nachdem sie so zuversichtlich erklärt hatte, sie werde eine Lösung für sein Problem finden, wusste sie nicht, was sie ihm jetzt hätte sagen können …

Zu ihrer großen Erleichterung kam David nicht zu ihr ins Zimmer.

Am nächsten Morgen kam ihr Mut wieder zurück. Der Himmel war kornblumenblau, und die Vögel sangen fröhlich ihre Lieder. Alles an diesem Morgen im März hatte so überhaupt nichts mit einer Niederlage zu tun. Energisch schob sie den Gedanken an die Demütigung beiseite und zwang sich, ihre Möglichkeiten ins Auge zu fassen. Jetzt wurde ihr deutlich bewusst, dass ihr persönlicher Zorn ihre Vernunft außer Kraft gesetzt hatte. In Wirklichkeit hatte sie ihre Fähigkeiten überschätzt und Damien Granville unterschätzt. Glühende Träume von einer angemessenen Rache, auch wenn sie noch so befriedigend sein mochten, brachten keine Lösung. Das Problem war nach wie vor da. Sie musste ihren verletzten Stolz vergessen, die Lage nüchtern überdenken und eine realistische Lösung finden. Nach diesem Entschluss machte sie sich daran, sich Klarheit über die eine Möglichkeit zu verschaffen, die immer noch Aussicht auf Erfolg verhieß.

»Das Kutub-Minar-Grundstück?« James Lawrence wiederholte überrascht Emmas Frage, als sie ihn nach dem Unterricht im Haus des Nawab aufsuchte. »Sie wollen das Land verkaufen?«

»Ja. Da Sie den Kauf abgewickelt haben, wissen Sie auch, dass Papa das Grundstück damals vor vielen Jahren als reine Kapitalanlage gekauft hat. Ich glaube, nach so langer Zeit muss der Wert erheblich gestiegen sein.«

»Ja, im Grunde ist das richtig. Haben Sie mit Margaret darüber gesprochen?«

»Nein. Wie Sie wissen, versuchen wir, Mama im Augenblick möglichst nicht mit finanziellen Problemen zu belasten. Aber es ist so, dass wir Geld brauchen.«

Der Anwalt sah sie forschend an. »Gibt es neue Probleme, von denen ich vielleicht wissen sollte, Emma?«

»Nein, es sind nach wie vor die alten«, erwiderte sie schnell. »Ich habe Ihnen gegenüber schon erwähnt, das Haus ist zu groß und zu aufwendig für unsere Verhältnisse. Die Instandhaltungskosten steigen Jahr für Jahr. Die Reparaturen werden viel zu teuer.«

»Das kann ich verstehen. Denken Sie an etwas Bestimmtes?«

»David und ich meinen, wenn wir das Grundstück zu einem guten Preis verkaufen, könnten wir vielleicht ein kleineres Haus für uns erwerben.«

»Aber meine Liebe, warum verkaufen Sie nicht einfach Khyber Kothi?«

»Ach, Mama würde dem nie zustimmen, Mr. Lawrence«, antwortete

Emma, und das war keine Lüge. »Sie wissen, wie sehr sie an dem Haus hängt. Im Grunde hängen wir alle daran. Aber wir denken daran, es zu vermieten.«

»Haben Sie schon einen Mieter?«

Emma wollte den alten grauhaarigen Anwalt nicht belügen, der ein treuer Freund und Vertrauter der Familie war. Aber im Augenblick konnte sie sich den Luxus eines reinen Gewissens kaum noch erlauben. Und vielleicht würde ihr Plan ja gelingen – wenn Granville irgendwie dazu überredet werden konnte, sich als Mieter auszugeben, zumindest, um in der Öffentlichkeit kein Aufsehen zu erregen. Das war zwar nur ein Strohhalm, an den sie sich klammerte, aber sonst blieb ihr nichts. Sie holte tief Luft und antwortete zuversichtlich: »Ja.«

»Ich verstehe.« Der Anwalt nahm den Kneifer ab, putzte die Gläser und setzte ihn wieder auf seine Nase. »Das ist gewiss ein vernünftiger und praktischer Plan, meine Liebe, aber …«, er sah sie bedauernd an. »Ich muss Ihnen leider sagen, er ist nicht machbar.«

»Warum nicht?«

»Weil das Grundstück bereits verkauft ist, liebe Emma.«

»Verkauft?«, fragte Emma erschrocken. »Wann? Und von wem?«

»Anfang letzten Jahres von Ihrem Vater. Er hatte befürchtet, das Budget der Geographischen Gesellschaft werde nicht alle Kosten der Expedition decken. Er hoffte, mit dem Verkauf die Lücke in der Finanzierung zu schließen. Ich konnte ihn nicht dazu überreden, eine Erhöhung des Etats zu beantragen. Sie wissen, wie stolz Ihr Vater war.«

»Aber das hat keiner von uns gewusst!«

»Überrascht Sie das?« James Lawrence lächelte. »Sie wissen so gut wie ich, dass Graham alles andere vergaß, wenn es um eine Expedition ging. Für mich war es kaum vertretbar, über den Verkauf meines Klienten zu sprechen.«

Emma sah ihn verzweifelt an. Sie hatte fest mit dem Geld aus dem Grundstücksverkauf gerechnet. Ihr Angebot, das sie Granville gemacht hatte, war nur mit dem Kapital, das ein Verkauf des Kutub-Minar-Grundstücks erbracht hätte, denkbar. Was wäre geschehen, wenn er ihr Angebot angenommen hätte? Voller Entsetzen lehnte sie sich zurück.

Der Anwalt öffnete eine Schublade und entnahm ihr einen Umschlag. »Mein liebes Kind, wenn es nur um die Reparaturen geht …«

Emma schüttelte schnell den Kopf. »Sie verzichten bereits auf Ihr Honorar und gewähren uns kostenlos Ihren Rat, das ist Hilfe genug, Mr. Lawrence. Ich bedanke mich sehr für Ihr Angebot, aber David hat bereits genug Geld für die Reparaturen zurückgelegt. Ich dachte nur, da David versetzt worden ist und mit der Aussicht auf einen reichen Mieter könnte ich Mama dazu überreden, in einem praktischeren Haus zu wohnen.« Sie stand auf. »Eines Tages werden wir umziehen müssen, aber so dringend ist es auch wieder nicht!«

Nicht dringend!

Emma verließ entmutigt die Kanzlei.

*

Als Emma am nächsten Tag nach einer Unterrichtsstunde nach Hause zurückkehrte, übergab ihr der Diener einen Umschlag. Der Brief war an ihre Mutter adressiert. Doch die Memsahib habe gerade ihre morgendliche Massage bekommen, als der Brief abgegeben worden sei, sagte der Diener. Deshalb habe er ihn zur Seite gelegt und dann vergessen.

Emma wusste sofort, von wem der Brief kam. Sie nahm ihn mit auf ihr Zimmer und öffnete ihn mit zitternden Fingern. Damien Granville schrieb, er sei ein großer Bewunderer von Dr. Graham Wyncliffe und seinen Arbeiten gewesen. Er habe von dem tragischen Tod erfahren und bitte um Erlaubnis, Mrs. Wyncliffe zu besuchen, um ihr sein Beileid auszudrücken.

Emma stockte der Atem. Zum ersten Mal empfand sie so etwas wie Panik. Die Bewunderung, die Granville für ihren Vater zum Ausdruck brachte, war natürlich erlogen, seine Absicht nur allzu offensichtlich. Die boshaften Machenschaften, zu denen er offenbar bereit war, um sein Ziel zu erreichen, erschreckten sie, und sie schrieb im Namen ihrer Mutter schnell eine Absage. Mit dem Hinweis auf den schlechten Gesundheitszustand ihrer Mutter bat sie ihn, den geplanten Besuch zu verschieben.

Diesmal war das Unglück nur durch Zufall gerade noch abgewendet worden. Was würde als Nächstes geschehen …?

Es blieb keine Zeit mehr. Der von Highsmith gesetzte Termin war bereits verstrichen. Es schien kaum angebracht, andere vage Möglichkeiten in Betracht zu ziehen, denn keine von ihnen hatte auch nur die geringste Aussicht auf Erfolg. Selbst wenn es gelingen sollte, einen Kredit zu bekommen, um ein kleineres Haus zu mieten, wie sollten sie den Kredit jemals zurückzahlen? Wie lange konnte es noch dauern, bis die Gerüchte von der Spielschuld den Leuten in der Stadt zu Ohren kamen und damit auch ihrer Mutter? Es gab keinen Ausweg aus dem Sumpf. Emma erkannte, dass sie ihre Mutter auf die Wahrheit vorbereiten musste.

»Wenn wir Khyber Kothi verlassen würden, um ein kleineres Haus zu mieten«, fragte Emma den Arzt nach der abendlichen Visite. »Wie würde Mama darauf reagieren?«

»Ausziehen?« Dr. Ogbourne sah sie verwundert an. »Warum?«

»Nun ja, wir sind nicht länger in der Lage, ein so großes Haus zu unterhalten. Unsere finanziellen Möglichkeiten sind begrenzt.«

»Margaret hat nichts von einem Umzug erwähnt«, sagte er ungnädig.

»Sie redet davon, das Dach in Ordnung bringen zu lassen. Das ist nur eine verhältnismäßig kleine Reparatur.«

Emma konnte ihm nicht in die Augen sehen. »An dem Haus muss so viel in Ordnung gebracht werden. David wird Delhi bald verlassen, und für uns zwei ist das Haus viel zu groß. Man muss Mama dazu überreden, in ein passenderes Haus umzuziehen.«

Dr. Ogbourne schien das überhaupt nicht zu gefallen. »Ich muss schon sagen, das ist ein großartiger Zeitpunkt für derart verrückte Ideen! Das Herz Ihrer Mutter wird langsam wieder kräftiger. Eigentlich geht es mit der Genesung sehr viel besser voran, als ich es erwartet hätte. Ein Umzug wäre nicht nur körperlich anstrengend, sondern auch emotional unverantwortlich. Kann man die Angelegenheit nicht ein oder zwei Monate verschieben?«

»Ich dachte, sie wäre vielleicht nicht so abgeneigt, wenn Sie, Dr. Ogbourne, den Umzug vorschlagen würden.«

Er sah sie finster an. »Meine Aufgabe ist es, die Patienten am Leben zu erhalten, und nicht, sie ins Grab zu bringen! Das können Sie von mir nicht verlangen. Wenn Sie wollen, dass Ihre Mutter wieder gesund wird, und das unterstelle ich einmal, dann rate ich Ihnen, einen Umzug nicht zu erwähnen.«

Damit hatte Emma alles versucht. Zum ersten Mal im Leben musste sie sich eingestehen, dass sie mit ihrem Verstand und ihren Möglichkeiten am Ende war. Mit dem Gefühl der Hilflosigkeit wuchs der Ärger auf ihren Bruder. Diesmal war die Last zu groß, um sie allein tragen zu können. Außerdem sah sie keinen Grund dazu. Sie musste David die Wahrheit sagen und ihn zwingen, seinen Teil der Verantwortung zu übernehmen.

Aber wieder einmal war das einfacher gesagt als getan. In letzter Zeit waren sie kaum jemals gleichzeitig zu Hause. Und wenn es der Fall war, dann ging er ihr aus dem Weg. Er schloss sich in sein Zimmer ein und erschien nur, wenn ihre Mutter in der Nähe war. Schließlich fiel selbst Mrs. Wyncliffe das seltsame Verhalten ihres geliebten Sohnes auf. »Was hat der Junge nur?«, fragte sie sichtlich besorgt. »Ich habe ihn noch nie so seltsam und so verschlossen erlebt. Glaubst du, mit seiner Stelle ist etwas nicht in Ordnung? Sollte ich vielleicht einmal mit Oberst Adams darüber sprechen?«

»Nein, es ist alles in bester Ordnung, Mama«, erwiderte Emma beruhigend. »Es fällt ihm schwer, sein Zuhause zu verlassen. Du kannst kaum etwas anderes von ihm erwarten.«

Margaret vertraute ihren Kindern voll und ganz. Sie gab sich mit dieser Antwort nur allzu gern zufrieden und stellte keine weiteren Fragen mehr – zumindest im Augenblick.

*

David kam an diesem Abend wie üblich sehr spät nach Hause und ging direkt auf sein Zimmer. Emma hatte auf ihn gewartet und eilte nach unten auf die Veranda. Zu ihrer Erleichterung stellte sie fest, dass er sich nicht wieder eingeschlossen hatte. Er saß im Dunkeln am Tisch mit dem Rücken zur Tür. Vor ihm stand ein Topf mit Wasser, in das er Watte tauchte, um sich das Gesicht zu säubern. Neben dem Wasser bemerkte sie eine offene Flasche mit einer dunklen Flüssigkeit. Es roch stark nach Jod.

Er zuckte zusammen, als Emma eintrat. »Du könntest wenigstens anklopfen«, murmelte er mürrisch.

Sie ging zu ihm. »Was machst du?«

»Ich wasche mir das Gesicht.«

Das war eine sehr merkwürdige Antwort. Um besser sehen zu können, stellte sie die Flamme der Petroleumlampe größer. David hatte über dem rechten Auge eine große aufgeplatzte Wunde, die offensichtlich stark geblutet hatte.

»Woher hast du das?« Sie griff nach seinem Kinn und zwang ihn, sie anzusehen.

»Ich bin gestürzt.«

»Nein, das stimmt nicht. Du hast dich mit jemandem geschlagen.«

Er zuckte mit den Schultern. »Wenn du es genau wissen willst, ich bin auf dem Heimweg überfallen worden. Highsmiths Schläger haben in der Nähe der Kaserne auf mich gewartet.«

Emma musste schlucken. »Hast du im Chowki Anzeige erstattet?«

»Damit die ganze Stadt erfährt, dass ich meine Spielschulden nicht bezahlen kann? Nein, ich habe keine Anzeige erstattet. Sie haben mir einen neuen Termin gesetzt – bis Samstag. Granville ist nicht bereit, länger zu warten. Das nächste Mal, das haben sie mir angedroht, werde ich nicht mit einem blauen Auge davonkommen.« Er betupfte die Wunde mit Jod, zuckte zusammen und fragte leise: »Hattest du mehr Glück als ich?«

»Nein.« Emma sagte nicht mehr, aber plötzlich erfasste sie eine Woge der Hoffnungslosigkeit. »Warum kümmern wir uns überhaupt noch um Granville?«, fragte sie heftig. »Was kann er tun? Er kann uns wohl kaum verklagen! Soll er doch versuchen, uns mit einem Gerichtsbeschluss aus dem Haus zu vertreiben, damit alle Welt erfährt, welch ein Schuft er ist!«

David lachte auf. »Sei nicht albern! Er muss nur zu Oberst Adams gehen. Dann werde ich mit Schimpf und Schande entlassen. Und wir beide wissen, was das für Mama bedeuten würde.«

Emma setzte sich stöhnend auf das Bett und sah ihren Bruder an. Seine Stimme klang seltsam, so ohne Gefühle und Kraft, als sei er völlig erschöpft.

»Was schlägst du vor, was sollen wir tun?«, fragte sie, um ihn aus seiner Erstarrung zu reißen und ihn zu zwingen, sich etwas einfallen zu lassen. »Sollen wir einfach hier warten, bis es mit uns geschieht?«

»Wir können nichts tun. Es ist alles vorbei, Emma. Meine Karriere beim Militär ist ruiniert. Mein Leben ist ruiniert.«

David wollte wirklich einfach aufgeben und sich begraben lassen? Emma wurde wütend. »Wenn das so ist, dann hast du auch nichts anderes verdient!« Ihre aufgestaute Enttäuschung der letzten Tage entlud sich, und sie kreidete ihm die eigene Niederlage an. »Wenn es nicht um Mamas Gesundheit ginge, würde ich es geschehen lassen. Wenn du dich den disziplinarischen Maßnahmen stellen müsstest, wärst du endlich gezwungen, erwachsen zu werden und ein Mann zu sein, anstatt wie ein winselndes Hündchen darauf zu warten, dass ihm von anderen die Pfoten abgetrocknet werden!«

Sie war noch nie so hart mit ihm ins Gericht gegangen, aber sein Gesicht blieb ausdruckslos. Stumm betupfte er sich die Wunde. Seine Teilnahmslosigkeit reizte sie noch mehr. »Warum muss ich immer die Lösungen suchen?«, fauchte sie. »Du solltest dich darum bemühen und nicht wie eine ins Wasser gefallene Katze mit eingezogenem Schwanz im Haus herumschleichen! Macht es dir denn nichts aus, dass du vielleicht morgen oder übermorgen Mamas Tod auf dem Gewissen haben wirst?«

Sie drehte sich auf dem Absatz um, verließ das Zimmer und schlug die Tür hinter sich zu. David hob nicht einmal den Kopf, um ihr nachzusehen. In ihrem Zimmer warf sie sich auf das Bett und überließ sich in einem seltenen Augenblick der Schwäche ihrem Selbstmitleid. Sie verwünschte ihren gleichgültigen Bruder, sie hasste Damien Granville und in einer Anwandlung von absurder Irrationalität auch ihre kranke Mutter, derentwegen sie diese unmögliche Lage ertragen mussten. Als sich jedoch später der Sturm ihrer Gefühle gelegt hatte und der Zorn verraucht war, verabscheute Emma vor allem sich selbst.

David mochte für die ausweglose Situation verantwortlich sein, aber familiäre Probleme mussten gemeinsam gelöst werden. Das war einer der wichtigsten Grundsätze ihres Vaters. Für ihn war es sogar die Grundlage des Familienlebens gewesen. »Warum soll ich immer nachgeben?«, hatte sie einmal bei einer der kindlichen Streitereien mit ihrem Bruder gefragt, als das Urteil ihrer Meinung nach ungerecht ausgefallen war. »Weil sich eines Tages sein Sohn vielleicht deinem Sohn gegenüber ebenso verhalten wird«, hatte ihr Vater geantwortet. »Und damit ist das Gleichgewicht wiederhergestellt.«

Diese Lektion hatte sie vergessen, obwohl sie es besser nicht getan hätte.

Sie hatte David noch mehr verwundet und damit nichts erreicht. Was hatte sie gesagt, was er nicht schon selbst empfinden musste? Sein Vergehen war unverzeihlich, aber wie immer fehlten ihm die Mittel, um den Schaden wieder gutzumachen. So war es schon immer gewesen, und daran hatte sich bis heute nichts geändert.

Die Uhr neben ihrem Bett zeigte ihr, dass es bereits drei Uhr morgens war. Im Haus war alles dunkel und ruhig. In der Stille der Nacht hörte Emma plötzlich ein Geräusch an der Rückseite des Hauses. Emma musste an den letzten Einbruch denken. Sie griff nach einer Laterne, zog den neuen Morgenmantel über und eilte nach unten. Davids Tür war nicht verschlossen, aber das Zimmer war leer. Beunruhigt richtete sie ihre Aufmerksamkeit auf den Garten. Dort war alles menschenleer. Doch am anderen Ende, im Stallgebäude, entdeckte sie einen Lichtschimmer. Sie erstarrte.

Einbrecher?

Sie löschte das Licht, machte sich Mut und ging auf Zehenspitzen durch den Garten. Während Baraks Abwesenheit hatte der Gärtner die Aufgabe, abends den Stall abzuschließen. Emma stellte erschrocken fest, dass die Tür einen Spalt breit offen stand und ein schwacher Lichtschein in die Dunkelheit fiel. Mit angehaltenem Atem schob sie die Tür etwas weiter auf und sah zu ihrer großen Erleichterung ihren Bruder im Stall.

»Ich bin es …«, sagte sie leise, als er sich umdrehte. »Ich habe ein Geräusch im Garten gehört und wollte nachsehen, ob hier jemand ist.«

Er stand neben einer großen Kutsche. Das einst so stolze Gefährt war inzwischen viel zu teuer, um es instandzuhalten und zu benutzen. Die beiden Pferde in den Boxen wurden unruhig, und Emma ging zu ihnen, um sie zu beruhigen.

Ohne ihn anzusehen, sagte sie: »Es tut mir Leid …, was ich gesagt habe, David. Du sollst wissen, dass ich es nicht so gemeint habe. Ich kann mich nur damit entschuldigen, dass ich erschöpft und niedergeschlagen bin so wie du und deshalb die Nerven verloren habe. Es tut mir wirklich sehr Leid.«

»Trotzdem hast du nur die Wahrheit gesagt«, erwiderte er tonlos. »Ich bin kein Mann, Emma. Ich verdiene deine Verachtung.«

»Sei still!« Ihr kamen die Tränen. »Mach nicht alles noch schlimmer, als es schon ist!«

»Seit Papa tot ist, habe ich mich einfach auf dich verlassen, so als wärst du für uns alle verantwortlich. Du bist immer so vernünftig gewesen, so stark und über alle Gefühle erhaben. Ich bin und bleibe ein Versager.« Er richtete sich auf und erklärte in einem kurzen Aufflammen seiner Gefühle: »Sag jetzt nicht, dass ich mich nur meinem Selbstmitleid überlasse, Emma! Das stimmt nicht!«

»David, niemand steht mir näher als du«, erwiderte sie unglücklich.

»Nur du weißt, wie jähzornig ich manchmal sein kann.« Sie ging zu ihm und wollte ihn in die Arme schließen. »Verzeih mir, David. Natürlich halten wir auch diesmal zusammen und natürlich bin ich nicht …« Sie blieb stehen. Er wich zurück, und etwas fiel mit lautem

Klirren zu Boden. Sie runzelte die Stirn und wollte es aufheben. »Was ist das …?«

»Nichts.« Er kam ihr zuvor, griff nach dem Gegenstand und versteckte ihn hinter dem Rücken. »Geh wieder schlafen. Ich möchte einfach noch etwas allein sein.«

»Erst zeigst du mir, was du in der Hand hast!« Da er sich nicht bewegte, griff sie nach seinem Unterarm und zwang ihn, den Gegenstand fallen zu lassen. Wieder klirrte es, und dann sah sie, dass es sein Dienstrevolver war. Im ersten Augenblick begriff sie nicht, aber dann erstarrte sie.

Er bückte sich, hob die Waffe auf und legte sie mit einem Schulterzucken auf den Tisch neben ein paar lange Bürsten und ein Staubtuch. »Ich habe den Revolver gereinigt.«

»Mitten in der Nacht?«

»Ich konnte nicht schlafen, und er muss gereinigt werden. Warum also nicht mitten in der Nacht? Warum die Aufregung?«

»Wenn du den Revolver nur reinigen wolltest, warum hast du ihn dann vor mir versteckt?«

»Weil ich wusste, wie du reagieren würdest – genau so, wie du reagiert hast!« Er nahm den Revolver, griff nach einer der langen Bürsten und schob sie in den Lauf.

Sie sah ihn ungläubig an. »Du … wolltest ihn wirklich nur reinigen?«

»Ja! Mach dir keine Sorgen«, er lachte bitter. »Ich wollte mich nicht erschießen – obwohl das eine Lösung wäre, nicht wahr? Ohne David keine Spielschuld, kein ruiniertes Leben … so einfach ist das!«

Emma versuchte, die Fassung wiederzufinden. Sie bemühte sich, möglichst ruhig zu bleiben, und setzte sich auf ein Trittbrett der Kutsche. »Das würde alles in Ordnung bringen? Unser Leben vor dem Ruin bewahren?«

»Es wäre jedenfalls sehr viel leichter als mit anzusehen, wie du dich abmühst, Geld zu beschaffen, um meine Spielschulden zu bezahlen.« Er hob den Revolver und blickte mit einem Auge in den Lauf.

Trotz seiner gespielten Sorglosigkeit lief Emma ein kalter Schauer über den Rücken. »Und was wäre dann mit Mama und mit mir?«, rief sie. »Hast du vielleicht auch daran gedacht, was aus uns werden würde?«

»Ach, du wirst es überleben, Emma … und Mama wird alles schnell genug erfahren. Weder ich noch du können sie jetzt noch davor bewahren. Wie du richtig gesagt hast, bin ich für ihren Tod verantwortlich.«

Emma konnte vor Mitleid, Bedauern, vor Liebe und entsetzlicher Angst nichts anderes tun, als ihn schützend in die Arme nehmen. Sie wollte die Verzweiflung aus dem geliebten Gesicht vertreiben, aber sie war noch immer wie gelähmt. »Wie kannst du auch nur denken, uns mit einer so unverdienten Grausamkeit zu bestrafen?«, fragte sie und versuchte, ihre Angst zu unterdrücken. Sie wollte ihm die teuflische Waffe entreißen. »Ich werde das nicht zulassen!«

Er legte den Revolver wieder auf den Tisch und sah sie an. »Wenn ich mich erschießen will, Emma«, sagte er ruhig, »dann kannst du mich nicht daran hindern. Vielleicht kannst du mich heute Nacht oder morgen Nacht oder auch in der Nacht danach bewachen, aber es werden zu viele Nächte kommen, um stets Wache zu halten. Und es wird die eine Nacht kommen, in der du nicht zur Stelle bist.«

»Du willst wirklich den Weg eines Feiglings gehen?«

»Das bin ich nun einmal, Emma. Ich bin ein Feigling.« Er verzog den Mund zu einem traurigen Lächeln. »Ich habe keine Kämpfernatur wie du. Ich bin nicht so stark. Das bin ich nie gewesen und werde ich auch nie sein.«

Der Streit nahm ihr die ganze Kraft. Sie hatte nur noch Angst und war verzweifelt. Emma starrte auf den Revolver und musste daran denken, wie stolz die Waffe immer glänzte und wie viel Mühe sich David gab, seinen Revolver in gutem Zustand zu halten. Wenn er sich in einer plötzlichen Anwandlung von Wahnsinn damit das Leben nahm, dann würde auch sie sterben, das wusste Emma. Sie sah in seinen besiegten Augen die Augen ihres Vaters und hörte durch Davids Verzweiflung hindurch seine Stimme. Sie stand auf, nahm seine Hand und drückte sie sanft an ihre Wange.

»Wenn du nicht die Kraft hast, ist das nicht schlimm«, flüsterte sie. »Ich bin stark genug für uns beide.«

*

Auch wenn allgemein bekannt war, dass diejenigen, die mit Selbstmordgedanken spielen, sich selten wirklich das Leben nehmen, veränderte das Geschehen in dieser Nacht Emmas Prioritäten. Sie war erschrocken über Davids labiles Gleichgewicht, und in ihrer Panik hörte sie auf, vernünftig zu denken. So wie sich jemand, der ertrinkt, an den letzten Strohhalm klammert, so war sie jetzt zu allem bereit.

Doch bevor Emma den letzten Rest ihres Selbstbewusstseins aufgeben und Damien Granville schreiben konnte, um ihn um ein zweites Gespräch zu bitten, überraschte er sie noch einmal. Am Morgen nach der schrecklichen Nacht erschien er plötzlich wie aus dem Nichts – so schien es zumindest – in einer schmalen Gasse im Viertel der Einheimischen. Emma hatte Unterricht gegeben und war gerade auf dem Nachhauseweg. Sie ging in Richtung Company Bagh, wo Mundu auf sie wartete. Dort wollte sie eine Tikka Gharry nehmen, um in das Europäerviertel zu fahren.

»Da nur wenig Aussicht darauf besteht, dass Sie mir einen zweiten Besuch abstatten«, sagte Granville, nachdem er von seinem gestriegelten Araber absaß, »hatte ich gehofft, Ihnen auf Ihrem Nachhauseweg zu begegnen.«

Emma blieb verwirrt stehen. »Woher ... woher wissen Sie, dass ich diesen Weg nehme?«

»Ich kenne die Häuser, die Sie aufsuchen. Ich bin Ihnen gefolgt, als Sie die Grangers verlassen haben, und ich weiß, dass Sie keine Angst vor Delhis kleinen Gassen haben.«

Er war ihr gefolgt! Warum? Ihre Befürchtungen wuchsen.

»Ich möchte mich bei Ihnen dafür entschuldigen, dass ich Sie geschlagen habe«, beantwortete er ihre unausgesprochene Frage. »Das war unverzeihlich von mir. Ich bin zutiefst beschämt. Können Sie mir vielleicht trotzdem vergeben?«

Ihr Staunen wurde immer größer. Die Entschuldigung kam völlig unerwartet – so unerwartet wie sein plötzliches Auftauchen. Deshalb fiel ihr keine passende Antwort ein.

»Ich möchte Ihnen auch versichern, dass ich nichts mit dem Überfall auf Ihren Bruder zu tun hatte«, erklärte er mit ernster Miene. »Das war einzig und allein das Werk von Highsmith, und er ist deshalb entsprechend zurechtgewiesen worden. So, verdiene ich jetzt, dass Sie mir verzeihen?«

Emma suchte in seinem Gesicht Anzeichen für Spott. Aber er sah sie nur ernst an. In ihrer Verwirrung wurde ihr nicht bewusst, dass sie den Kopf sinken ließ und nickte. Dann ging sie entschlossen in Richtung Bagh weiter. Ihre Gedanken überschlugen sich, und sie versuchte, ihr Gleichgewicht wiederzufinden.

»Miss Wyncliffe, bitte warten Sie.«

»Sie haben sich entschuldigt, und ich habe Ihre Entschuldigung angenommen«, sagte sie über die Schulter hinweg, ohne ihren Schritt zu verlangsamen. »Für mich ist die Angelegenheit damit erledigt.«

»Aber für mich nicht! An jenem Vormittag habe ich Ihnen einen Antrag gemacht. Sie sind mir noch die Antwort schuldig.«

Emma blieb wieder wie angewurzelt stehen. »Mir scheint, Mr. Granville«, sagte sie errötend, »eine öffentliche Straße ist ein sehr eigenartiger Platz für ein ebenso eigenartiges Gespräch!«

Er ließ sich von ihrer Bemerkung nicht aus der Ruhe bringen. »Hier wohnen nur Inder. Europäer würden nicht nur zögern, hierher zu kommen, sondern wären auch peinlich berührt, in dieser Umgebung gesehen zu werden. Und die indischen Anwohner werden sich bestimmt nicht um unsere Heiratspläne kümmern!«

»Wir haben keine Heirats …«

»Warum setzen wir uns nicht und sprechen in aller Ruhe über die Sache?«, unterbrach er sie geschickt, bevor sie ihrer Empörung Ausdruck verleihen konnte. »Dann können wir unsere Diskussion einigermaßen zivilisiert fortsetzen.«

Er nahm ihren Ellbogen und führte sie zu einem kleinen gepflasterten Hof zwischen zwei Häusern. Dort stand eine Bank. Es war ein ruhiger und etwas abseits liegender Platz. Vermutlich war er Privateigentum, aber Granville schien das nicht zu kümmern. Die Bescheidenheit, mit der er sich bei ihr entschuldigt hatte, war verschwunden. Jetzt war er wieder ganz der Draufgänger, so wie sie ihn kannte. Sie hätte ihm am liebsten eine Abfuhr erteilt, aber es wäre töricht gewesen, einer Begegnung aus dem Weg zu gehen, um die sie ihn ohnedies hatte bitten wollen. Sie war erleichtert, dass ihr wenigstens die Demütigung eines zweiten Briefs erspart bleiben würde, und nahm auf der Bank Platz – aber ohne jegliche Andeutung von Freundlichkeit. Er setzte sich auf eine niedrige Mauer ihr gegenüber und sah sie erwartungsvoll an.

»Also, was wollten Sie gerade sagen?«

»Ich wollte gerade mein Erstaunen bekunden, dass Sie eine Antwort überhaupt für notwendig halten, Mr. Granville«, sagte sie mit gepresster Stimme. »Ich hatte gedacht, ich hätte meine Gefühle bereits deutlich genug zum Ausdruck gebracht.«

»Sie meinen, dass Sie mich verachten?« Er schob das beiseite. »Sie erwarten doch nicht, dass ich das wirklich ernst nehme!«

»Warum nicht? Es war mir ernst genug damit!«

»Das ist immer noch keine Antwort. Ich erwarte von Ihnen ein klares ›Ja‹ oder ›Nein‹. Und in Anbetracht der Dinge rechne ich kaum mit einem ›Nein‹.«

Seine Überheblichkeit ärgerte sie, aber aus reinem Selbsterhaltungstrieb war sie gezwungen, ihre Zunge im Zaum zu halten. »Sagen Sie mir, Mr. Granville«, fragte sie, »warum wollen Sie mich heiraten?«

»Ach du liebe Zeit, was für eine seltsame Frage!«, rief er belustigt. »Ich möchte Sie heiraten, weil Sie eine bewundernswerte Frau sind, Emma Wyncliffe. Warum sonst?«

»Ich bin keine bewundernswerte Frau, Mr. Granville!«, erwiderte Emma abweisend. »Billigen Sie mir wenigstens genug Intelligenz zu, um das zu wissen. Sie hätten die Wahl unter den unendlich vielen schmachtenden Püppchen, die anbetungswürdige Geschöpfe sind und mit angehaltenem Atem nur darauf warten, von Ihnen darum gebeten zu werden, Ihr Haus und Ihren Herd zu schmücken. Warum sollten Sie unter allen Frauen ausgerechnet mich heiraten wollen?«

Er musterte sie neugierig. »Sie schätzen sich so gering, dass Sie eine solche Frage stellen?«

»Ich schätze Sie so wenig, dass ich mich frage!«

»Also gut, würden Sie mir glauben, wenn ich Ihnen sage, dass ich Sie leidenschaftlich liebe?«

»Nein, das würde ich nicht! Ich weiß, dass Sie mich nicht leidenschaftlich lieben. Deshalb ist mir das alles ein Rätsel.«

»Sie halten Liebe für eine notwendige Zutat bei einer Ehe? Tag für Tag werden glückliche Verbindungen geschlossen, ohne dass dabei emotionale Exzesse im Spiel sind.«

Da sie bereits einige seiner bizarren Meinungen kannte, schockierte sie sein Zynismus nicht. »Es macht Ihnen nichts aus, eine Frau heiraten zu wollen, die Sie noch nicht einmal mag?«

»Ich beabsichtige nicht, Sieger in einem Beliebtheitswettbewerb zu werden, Miss Wyncliffe! Gefühle sind weder weiß noch schwarz. Liebe und Hass sind bedeutungslose Extreme, die sehr wenig mit der Wirklichkeit zu tun haben.«

»Sie finden es bedeutungslos, dass sich Mann und Frau lieben sollten, bevor sie sich entschließen, ein ganzes Leben miteinander zu verbringen?«

Er machte eine wegwerfende Geste. »Liebe wächst im Laufe der Zeit.«

»Wie ein Kürbis?« Sie hätte beinahe gelacht, aber das wagte sie nicht.

Trotzdem war er verärgert. »Sind alle diese Fragen wirklich notwendig? Wie Sie selbst gesagt haben, gibt es in Delhi viele Frauen, die meinen Heiratsantrag mit Freuden annehmen würden.«

»Bitte, wählen Sie eine, und erlösen Sie die armen Wesen aus ihrem Elend, Mr. Granville!«

Er sah sie lange und durchdringend an. »Sie können wirklich nicht verstehen, warum ich Sie höchst attraktiv finde?«

Sein Blick machte Emma verlegen, und sie schüttelte nur stumm den Kopf.

Er sah sie noch eine Weile aufmerksam an, dann schien er plötzlich einen Entschluss gefasst zu haben. »Also gut, ich muss es Ihnen wohl in aller Deutlichkeit sagen.« Er sprang von der Mauer und ging mit großen Schritten im Hof auf und ab. »Ich bin zweiunddreißig, Miss Wyncliffe. Man könnte sagen, im besten Alter. Leider bin ich auch der letzte lebende Mann meiner Familie. Wenn ich heute sterben würde, dann hätte ich keine Nachkommen, und der Besitz in Kaschmir würde in andere Hände übergehen. Das ist für mich undenkbar! Deshalb brauche ich unbedingt einen Sohn.«

»Sie wollen nur aus diesem Grund heiraten …?« Emma glaubte, ihren Ohren nicht zu trauen. »Ein Kind zur Welt bringen ist keine besondere Kunst, Mr. Granville. Jede einigermaßen gesunde junge Frau kann Ihnen ohne größere Schwierigkeiten einen Erben schenken!«

»Nein, das ist nicht der einzige Grund.« Er dachte nach und sprach weiter. »Sehen Sie, Miss Wyncliffe, ich glaube daran, dass Tugenden vererbt werden. Und Sie besitzen viele Tugenden, die ich auch bei meinem Sohn wiederfinden möchte. Sie sind intelligent, Sie haben Kraft, Sie halten sich entschlossen an Ihre Grundsätze, und Sie schätzen den Wert von Bildung. Außerdem haben Sie keine Angst. Sie lassen sich nicht von engstirnigen gesellschaftlichen Vorurteilen beeindrucken und auch nicht von der Dummheit der öffentlichen Meinung.«

Er blieb stehen, verschränkte die Hände im Rücken und starrte auf die Pflastersteine. »Ich möchte, dass mein Sohn dieses Land einmal so liebt wie ich – wie Sie. Ich möchte, dass er stolz auf sein Erbe ist und als Teil der Menschen seiner Umgebung heranwächst. Ich möchte, dass er ihre Sprache spricht, ihre Speisen gut findet, ihre Sitten versteht und ihre Tradition würdigt. Er soll sie als Gleiche mit Achtung anerkennen und nicht als minderwertige Wesen mit Verachtung behandeln. Ich möchte, dass er bescheiden genug ist, sich daran zu erinnern, dass er der Eindringling ist, nicht sie.« Seine Stimme klang etwas belegt. »Und letztendlich, Miss Wyncliffe, möchte ich, dass mein Sohn Kaschmir Ehre macht, so wie sein Vater und Großvater es aus Dankbarkeit für das Glück und den Wohlstand, den Kaschmir unserem Leben schenken, getan haben.«

Er sah sie an. »Shalimar ist mein Zuhause. Es ist das Paradies auf Erden, aber Blut, Schweiß und Tränen sind notwendig, um es als ein Paradies zu erhalten. Für die meisten Memsahibs ist es bereits eine Strafe, sich selbst anzukleiden. Sie dagegen sind durch die Umstände dazu gezwungen, Ihr Leben selbst in die Hand zu nehmen. Sie wissen, was harte Arbeit bedeutet. Ich kann mir wirklich keine angemessenere Ehefrau als Sie vorstellen, denn Sie werden eine vorbildliche Herrin von Shalimar sein und eine gute Mutter für meinen Sohn.« Er versuchte, einen etwas leichteren Ton zu finden, und fügte lächelnd hinzu: »Außerdem sind Sie die erste Frau, die ich kennen gelernt habe, die mich nicht ganz zu Tode langweilt.«

Das war ein erstaunliches Geständnis, das sie überraschte und verwirrte. Emma hatte gegen ihren Willen aufmerksam zugehört. Mit Mühe befreite sie sich aus dem Bann seiner Worte. »Danke für das ›nicht ganz‹«, sagte sie. »Ich glaube, ich sollte über dieses außergewöhnliche Lob geschmeichelt sein, aber ich weiß nicht recht, ob ich es wirklich bin. Für Sie ist die Ehe offenbar ein genetisches Experiment, um einen Vollblutsohn zu bekommen, so wie man ein Vollblutpferd oder einen Rassehund züchtet. Ich bin da anderer Meinung. Für mich wäre eine solche Heirat eine Karikatur.«

»Eine sehr profitable Karikatur!«

»Das wäre vielleicht der einzige Vorteil.«

»Vielen Dank für das ›vielleicht‹!« Er lachte. »So, wann darf ich mit Ihrer Antwort rechnen?«

»Glauben Sie nicht, die Antwort bereits zu kennen?«

»Ich habe noch immer kein klares ›Ja‹ oder ›Nein‹ gehört, Miss Wyncliffe.«

Verwirrt legte sie die Hand auf die Augen. »Ich … ich brauche Zeit, um darüber nachzudenken …«

»Wie viel?«

»Einen Monat? Oder vielleicht auch zwei …?«

»Sie haben drei Tage Zeit zum Nachdenken, Miss Wyncliffe.«

»Drei Tage?« Sie war entsetzt. »Drei Tage reichen einfach nicht aus!«

»Sie werden ausreichen, denn mehr Zeit haben Sie nicht. Ich erwarte Ihre Antwort am Freitag!« Mit einem Blick auf seine Taschenuhr fügte er hinzu: »Um zwölf Uhr mittags. Ich wünsche Ihnen einen guten Tag.«

Er drehte sich um und ging davon.

*

Was sollte sie David sagen?

Er hatte seit der letzten Nacht nicht mehr mit ihr gesprochen. Als sie später am Tag in sein Zimmer kam, packte er für Dehra Dun. Sein Gesicht wirkte noch immer eingefallen und sein Blick verzweifelt. Er sah sie kaum an. Emma wusste nicht, wie sie ihm das sagen sollte, was ausgesprochen werden musste. Sie beobachtete ihn schweigend und setzte sich dann auf sein Bett. »Ich habe heute Morgen Damien Granville besucht«, sagte sie und wandelte die Wahrheit damit etwas ab.

Seine Hände verharrten für einen Augenblick in der Bewegung, aber er schwieg.

»Er war sehr … freundlich.«

David packte weiter.

»Er hat mir mit großer Geduld zugehört, David. Ich hatte ihn mir wirklich nicht so verständnisvoll vorgestellt.« Nachdem sie erst einmal mit dem Lügen angefangen hatte, kamen ihr die Worte mühelos über die Lippen, obwohl sie nicht gerade überzeugend klangen. Wäre David nicht so am Boden zerstört gewesen, hätte er ihre Geschichte bestimmt nicht geglaubt, aber er war so sehr in seiner Verzweiflung gefangen, dass er keine Zweifel äußerte. Nur seine wachsamen Augen straften die gespielte Gleichgültigkeit Lügen, und Emma sah, dass er ihr unbedingt glauben wollte. Warum auch nicht? Schließlich vertraute er ihr uneingeschränkt.

»Es besteht Hoffnung, dass wir zu einer Einigung kommen werden. Er wird vielleicht … die Spielschuld etwas geringer ansetzen.«

»Warum sollte er das tun?«

»Weil ich ihm einen guten Tausch angeboten habe – das Kutub-Minar-Grundstück an Stelle von Khyber Kothi. Der Vorschlag schien

ihm zu gefallen. Er hat gesagt, er werde ernsthaft darüber nachdenken.« Damit sie David nicht ansehen musste, legte sie eine Strickweste
zusammen und verstaute sie in seinem Koffer. »Er wird mich seine
Entscheidung am Freitag wissen lassen.«

»Dann bin ich nicht mehr da. Ich werde morgen früh abreisen.«

»Ich weiß. Ich werde dir schreiben, sobald ich etwas von Mr. Granville gehört habe.« Sie legte ihm die Hand auf den Arm. »Versprich
mir, dass du inzwischen nichts … Dummes tust.«

Einen Augenblick lang sagte er nichts, dann nickte er unmerklich.

Am nächsten Morgen verließ David die Stadt und fuhr nach Dehra
Dun. Zwei Tage später schickte Emma Damien Granville einen Brief
mit nur einem Satz, in dem sie seinen Heiratsantrag annahm.

Sechstes Kapitel

Damien Granville verlor mit der Antwort auf Emmas Nachricht keine Zeit. Am nächsten Tag erschien Suraj Singh mit einem Brief für Mrs. Wyncliffe, den er ihr in aller Form übergab.

Margaret Wyncliffe hatte natürlich von dem geheimnisvollen Fremden aus Kaschmir gehört, der das Haus der Begum in der Nicholson Road gemietet hatte. Carrie Purcell war in letzter Zeit ein wandelndes Lexikon der Gerüchte und Prognosen über Damien Granville gewesen. Jane Tiverton, die drei Töchter zu verheiraten hatte, hatte beim Mittagessen in der letzten Woche ebenfalls über nichts anderes gesprochen.

»Kannst du dir vorstellen, weshalb mich Mr. Granville besuchen möchte?«, fragte Mrs. Wyncliffe ihre Tochter unruhig und sehr neugierig.

»Nein.«

»Vielleicht kannte er deinen Vater und möchte nur sein Beileid bekunden ...«

»Vielleicht.«

Emmas Mutter warf einen besorgten Blick auf ihre einsilbige Tochter. »Aber du wirst doch da sein, wenn er uns heute Nachmittag besucht.«

»Ja.«

Nachdem das geklärt war, dachte Mrs. Wyncliffe an die nächsten Punkte. »Glaubst du, wir sollten Saadat Ali bitten, zum Tee Obsttörtchen vorzubereiten?«

»Wenn du willst.«

»Und vielleicht ein Dutzend Gemüsehäppchen? Dein Vater mochte sie immer, weißt du noch? Auch Fischpaté-Sandwiches wären angebracht. Bei Saadat Ali schmecken sie wirklich sehr appetitlich. Und würdest du den Gärtner bitten, zwei Köpfe Salat zu bringen. Der Salat schmeckt in diesem Jahr wirklich besonders herzhaft.« Sie dachte einen Augenblick lang nach. »Carrie hat gesagt, er kommt aus Kaschmir, wo man scharf gewürzte Speisen liebt. Glaubst du, wir sollten Mr. Granville Kartoffel- und Zwiebel-Bhajias anstelle der Sandwiches anbieten?«

»Wenn du möchtest, können wir beides vorbereiten«, sagte Emma. »Obwohl ich gehört habe, dass Mr. Granville nichts von gesellschaftlichen Konventionen hält. Er wird vermutlich kaum etwas anrühren und nur ein paar Minuten bleiben.«

Aber Emma sollte sich irren.

Damien Granville erschien Punkt vier, aber nicht einfach auf dem Pferd, wie sie gedacht hatte, sondern in dem prächtigen Brougham mit den Grauschimmeln davor, die sie schon einmal gesehen hatte. Auf dem Bock saß ein Kutscher in Livree. Damien Granville trug einen korrekten dunkelblauen Anzug mit weißem Seidenhemd und Krawatte. Die dichten dunklen Haare hatte er ausnahmsweise ordentlich zurückgekämmt. Die schwarzen modischen Stiefel glänzten und hatten blitzende Messingschnallen. Er hielt den Kopf selbstbewusst hoch wie immer, als er die Kutsche verließ, aber er gab sich sehr charmant. Die Dienstboten von Khyber Kothi in frisch gebügelter Dienstkleidung, die eigens aus den verschiedenen Truhen geholt worden war, hatten vor dem Portal Aufstellung bezogen und boten ein eindrucksvolles Bild. Auch sie waren sehr beeindruckt von dem Gast, denn seit dem Tod des Burra Sahib hatte man in diesem Haus keinen so elegant gekleideten Besucher mehr gesehen.

Emma begrüßte Damien Granville mit versteinertem Gesicht an der Tür. Er blieb stehen und betrachtete sie ernst von Kopf bis Fuß. Emma trug bewusst und gegen den ausdrücklichen Wunsch ihrer Mutter das schlichteste Kleid, das sie besaß. Sie hielt es für überflüssig, Energie und Zeit auf ihr Aussehen zu verschwenden, nachdem der Pakt bereits geschlossen worden war. Sie blickten sich kurz an, er sie siegessicher und fragend, sie ihn trotzig und herausfordernd. Er verbeugte sich, ergriff ihre Hand und hielt sie fest – zweifellos ein Schauspiel für die neugierigen Zuschauer. Unwillkürlich lief Emma ein Schauer über den Rücken. Sie schloss die Augen, um ihre unbeabsichtigte Reaktion hinter der dünnen Fassade zu verbergen.

Ich werde den Rest meines Lebens mit ihm zusammen sein! Allmächtiger Gott, wie soll ich das überleben ...?

»Ich hätte nicht gedacht«, sagte er mit einem angedeuteten Lächeln, »dass wir uns so schnell wiedersehen würden und dazu noch unter so besonderen Umständen.«

»Das hätten Sie wirklich nicht gedacht?« Sie entzog ihm die Hand. »Täuschen Sie sich nicht, Mr. Granville, Sie haben mich gezwungen, Ihren Antrag anzunehmen, aber auch Erpressung kann mich nicht dazu bringen, Sie zu mögen.«

Ohne ihm die Möglichkeit zu einer Antwort zu geben, drehte sie sich um und ging ins Wohnzimmer, wo ihre Mutter wartete. Nach den munteren Schritten zu urteilen, mit denen er ihr folgte, schien ihn die frostige Begrüßung nicht beeindruckt zu haben.

Was Damien Granville und ihre Mutter danach besprachen, wusste Emma nicht. Sie gab sich auch keine Mühe, es zu erfahren. Nachdem sie die beiden miteinander bekannt gemacht hatte, entschuldigte sie sich, während die Konversation noch höflich um das Wetter kreiste. Doch es war nur eine vorübergehende Flucht. Sie wusste, ihre Mutter würde sie bald genug rufen. Darauf wartete sie zitternd in ihrem Zimmer. Eine halbe Stunde später verkündete Mahimas Klopfen, dass der gefürchtete Augenblick gekommen war. Um ihre Mutter nicht noch mehr zu beunruhigen, zwang sie sich zu der Andeutung eines Lächelns und ging die Treppe hinunter.

Damien stand am offenen Fenster und blickte auf den blühenden Garten. Auf dem Sofa saß mit gerötetem Gesicht und fest ineinander verschlungenen Fingern Margaret Wyncliffe. Die spärlichen Reste auf dem Tisch verrieten deutlich, wie sehr sich Emma getäuscht hatte. Damien Granville hatte keineswegs nur höflich eine Tasse Tee getrunken und ein oder zwei Häppchen genommen, sondern offenbar mit großem Appetit gegessen. Als Emma eintrat, drehte er sich um, verschränkte die Arme und lehnte sich lässig an die Fensterbank. Sie blickte nicht in seine Richtung.

Mrs. Wyncliffe forderte ihre Tochter auf, sich neben sie zu setzen. »Ich … ich weiß kaum, was ich sagen soll, liebe Emma«, stammelte sie. »Ja, ich bin sozusagen sprachlos. Mr. Granville hat mich um die Erlaubnis gebeten, dich zu seiner Frau machen zu dürfen …!« Sie schien nicht zu bemerken, dass ihre ungläubigen Augen nicht gerade ein Kompliment für ihre Tochter waren.

Emma lächelte tapfer und hoffte, ihre Mutter würde es als Zeichen ihrer Freude deuten. Sie hielt die Augen dabei auf die gefalteten Hände gerichtet und nickte. Der Mann am Fenster hätte ebenso gut überhaupt nicht vorhanden sein können.

»Und … und was hast du dazu zu sagen, mein Kind?«, fragte Mrs. Wyncliffe verwirrt. »Willst du Mr. Granvilles Antrag annehmen?«

»Ja.« Das Lächeln wich nicht von Emmas Lippen. Ihre Augen blickten auf den Schoß. Das unmerkliche Zögern fiel nicht weiter auf.

Margaret Wyncliffe betupfte sich die feuchte Stirn mit einem Taschentuch. »Aber, mein Kind, ich wusste überhaupt nicht, dass du Mr. Granville kennst!«

Emma hob den Kopf und blickte auf den Kaminsims. In diesem Augenblick durchzuckte sie der absurde Gedanke, wieso ihrer Mutter noch nicht aufgefallen war, dass die Uhr fehlte.

»Ich … wir …« Die Worte blieben ihr im Hals stecken.

»Wir haben uns … hm … zufällig kennen gelernt und sind uns dann bei dem Abendessen der Prices wiederbegegnet«, half ihr Damien geschickt, die Frage zu beantworten. »Wir kennen uns nicht lange, aber doch gut genug, um zu wissen, dass wir hervorragend zueinander passen. Das findest du doch auch, liebe Emma?«

Emma hoffte inständig, dass die tiefe Röte, die ihr Gesicht überzog, als jungfräuliche Bescheidenheit gedeutet werden würde, aber sie litt so sehr unter der peinlichen Scharade, mit der sie ihre arme vertrauensvolle Mutter täuschte, dass sie nur stumm nickte.

»Da ihr offenbar bereits soweit übereingekommen seid …«, hauchte Mrs. Wyncliffe und hüstelte, um etwas Zeit zu gewinnen. »Dann denke ich … ihr habt meine Einwilligung.« Sie rang nach Luft und begann, sich heftig zuzufächeln. »Ich denke …, also ich hoffe doch, dass zumindest meine Tochter besser über Sie informiert ist, Mr. Granville, als ich es bin. Ich kenne Sie wirklich nur vom Hörensagen.«

Er setzte sich sofort in den Sessel ihr gegenüber. »Was möchten Sie über mich wissen, Mrs. Wyncliffe?« Er schien keineswegs ungeduldig zu sein. »Es gibt natürlich Fragen, die beantwortet werden müssen. Ich werde nur allzu gern alle Ihre Fragen beantworten.«

Emma stand auf und griff nach der Teekanne. »Der Tee ist kalt«, murmelte sie. »Ich werde Saadat Ali sagen, er soll noch eine Kanne machen.« Bevor ihre Mutter reagieren oder etwas einwenden konnte, eilte sie aus dem Zimmer.

Draußen auf der rückwärtigen Veranda lehnte sie sich gegen die Wand. Der aberwitzige Nachmittag schien völlig unwirklich zu sein. Emma war beinahe überzeugt davon, tief zu schlafen und einen unangenehmen Traum zu haben. Bald würde sie erwachen, und dann wäre alles wieder so wie früher. Emma versuchte, des Sturms ihrer Gedanken Herr zu werden, und hörte verwundert das fröhliche Lachen im Wohnzimmer. Seit dem Tod ihres Vaters hatte ihre Mutter nicht mehr so herzlich gelacht. So angenehm das auch war, die Ursache der Heiterkeit war es nicht. Sie konnte verstehen, dass Damien Granville seinen Charme voll ausspielte, aber dass ihre Mutter so rückhaltlos darauf hereinfiel, empfand sie als Verrat.

»Emma, mein Kind?«

Sie gab dem wartenden Diener die Teekanne und ging zurück ins Wohnzimmer. Margaret Wyncliffe wirkte nicht länger verwirrt. Sie sah erfrischt und angeregt aus und schien mit dem Gast in bestem Einvernehmen zu stehen. Das blasse, schmale Gesicht strahlte, und die Augen leuchteten vor Freude.

»Also, wir hatten unser kleines *Tête-à-tête*, mein Kind«, erklärte sie glücklich. »Ich muss sagen, ich bin wirklich sehr beeindruckt. Vielleicht möchtest du jetzt Mr. Granville …«

»Nennen Sie mich bitte Damien«, unterbrach er sie heiter.

»Ja, natürlich … hm, Damien in den Garten führen, um ihm deine Rosen zu zeigen?« An ihn gewendet fügte sie hinzu: »Der Rosengarten ist Emmas besondere Freude. Er ist sehr hübsch und außerdem sehr persönlich.«

Emma reagierte verstimmt auf das durchsichtige Spiel ihrer Mutter. »Es ist nur ein einfaches Blumenbeet, sonst nichts«, erwiderte sie ungnädig. »Aber wenn du willst, kannst du es dir ansehen.«

»Nichts würde mir mehr Vergnügen bereiten, liebste Emma!« Damien sprang auf. »Obwohl ich mir kaum vorstellen kann, dass etwas, dem du dich widmest, ›einfach‹ ist, Liebste.« Er übersah ihren wütenden Blick, beugte sich über Mrs. Wyncliffes Hand und berührte sie mit seinen Lippen. »Wir sehen uns bald wieder, vielleicht morgen, wenn es Ihnen recht ist. Ich bedanke mich für den wundervollen Tee und vor allem dafür, dass Sie mir so freundlich erlaubt haben, Ihre Tochter zu heiraten. Ich fühle mich sehr geehrt.«

Nachdem sich Mrs. Wyncliffe von dem Schock über das unerwartete Glück ihrer Tochter erholt hatte und sie vom Charme und den geschliffenen Formen dieses wie vom Himmel gefallenen Bräutigams immer noch ganz überwältigt war, lächelte sie glücklich. Wer würde es glauben, dass dieser überaus begehrte und angesehene junge Mann, der dazu noch gut aussah und ein großes Vermögen besaß, bald der Mann ihrer unauffälligen und eigensinnigen Tochter sein würde? Jede junge unverheiratete Frau in Delhi und jede Pläne schmiedende Mutter würde Emma beneiden! Sie konnte es kaum erwarten, die große Neuigkeit Carrie zu berichten und der unerträglich arroganten Betty Marsden. Die ganze Stadt sollte es erfahren!

Im Rosengarten, wo es nach Frühling duftete, sah Emma mit unverhohlener Verachtung Damien an. »Sie haben nicht viel Zeit vergehen lassen, um Ihre Rechte geltend zu machen!«

»Das ist meine Art«, erwiderte er. »Außerdem sehe ich keinen Grund zu warten.«

»Sie haben die Trophäe gewonnen und wollen sofort Ihre Rechte in Anspruch nehmen.«

»Vielleicht nicht auf der Stelle. Ich möchte Ihre Gärtner nicht erzürnen.«

»Es besteht kein Grund, unverschämt zu sein«, entgegnete Emma wütend. »Sie haben mich schon genug gedemütigt.«

Er lachte, streckte unvermittelt die Hand aus und streichelte ihre Wange. »Kannst du nicht das Vergangene auf sich beruhen lassen, Emma, und mir das alles verzeihen?«

Sie zuckte unter seiner Berührung zusammen. »Wie kann ich Ihnen trauen? Sie haben mir Ihre Ansichten zu körperlicher Strafe sehr deutlich gemacht.« Sie wechselte abrupt das Thema. »So, ich habe meinen Teil des Abkommens erfüllt. Wie steht es mit Ihnen?«

Er holte einen Umschlag aus der Jackentasche und reichte ihn ihr. Darin befanden sich Davids Schuldschein und eine eidesstattliche Erklärung, dass alle Spielschulden von Leutnant David Wyncliffe, wohnhaft in Khyber Kothi, Europäerviertel Delhi, gegenüber Mr. Damien Granville, wohnhaft in Shahi Bagh, Nicholson Road, Delhi, für nichtig erklärt waren. Beigefügt war eine Bestätigung von Bert Highsmith, dem Besitzer des Spielcasinos, mit demselben Inhalt. Emma nahm sich Zeit, die Dokumente genau zu lesen. Es schien alles in Ordnung zu sein. Der schreckliche Alptraum der vergangenen Wochen war vorüber, und ihr wurde ganz schwach vor Erleichterung, wenn ›Erleichterung‹ unter diesen Umständen das richtige Wort war.

»Zufrieden?«

»Zufriedenheit hat wenig damit zu tun, Mr. Granville, aber ja, das Abkommen scheint rechtlich in Ordnung zu sein.« Bitter fügte sie hinzu: »Ich finde, unsere Ehe kommt auf höchst einzigartige Weise zustande – nicht unter dem Schutz des Himmels, sondern dem einer Spielhölle.«

»Ein Teufel, den man kennt, ist besser als ein unbekannter Engel«, sagte er fröhlich. »Und was ist schon dabei, wenn sich zwei verwandte Seelen im gesegneten Stand der Ehe vereinen?«

»Wir sind keine verwandten Seelen«, erwiderte Emma zornig, denn sie wusste, dass er sich über sie lustig machte. »Und diese Ehe ist nicht gesegnet.«

»Hättest du dich unter anderen Umständen dazu bereit erklärt, mich zu heiraten?«

Emma gab keine Antwort.

Er schob die Hand wieder in die Tasche. »Ich glaube, es ist Sitte, der zukünftigen Braut einen Ring zu geben.« Noch ehe sie reagieren konnte, hatte er ihr einen Ring über den Ringfinger der linken Hand gestreift. Emma sah sich den Ring einen Augenblick fassungslos an. Es war ein Platinring mit kleinen funkelnden Diamanten um eine Perle von der Größe einer Erbse. Der Ring war natürlich unendlich teuer und wirklich sehr schön. Sie hätte nie an einen Verlobungsring gedacht und verabscheute den Ring vom ersten Augenblick an.

»Wollen Sie damit Ihren Besitzanspruch dokumentieren?«, fragte sie und entzog ihm die Hand.

»Und meine ehrenhaften Absichten.«

»Eine Ehe, die mit vorgehaltener Waffe zustande kommt, ist wohl kaum ehrenhaft, unabhängig davon, welcher Schmuck dabei im Spiel ist!« Sie zog den Ring vom Finger und ließ ihn in die Tasche ihres Kleids gleiten.

Er neigte den Kopf zur Seite. »Sag mir, Emma, und ich frage aus reiner Neugier, ist die Vorstellung zu heiraten für dich wirklich so schrecklich, wie du behauptest?«

»Nein, aber wenn ich das Ausmaß meines Abscheus gegenüber meiner Mutter erkennen ließe, würde sie diese Farce verbieten, und wir hätten kein Zuhause mehr.«

Sie wollte ihn verwunden. Und diesmal war es ihr gelungen. Seine Wangen röteten sich vor Zorn. »Oh, die Farce wird zu einer Hochzeit führen«, entgegnete er. »Ich möchte dir versichern, ich habe das vor drei Tagen im Ernst gesagt. Ich beabsichtige als dein rechtmäßiger Mann meine ehelichen Rechte auszuüben.«

Sie sah ihn verzweifelt an. »Eine Frau zum Beischlaf zu zwingen, auch wenn es die Ehefrau ist, nimmt Ihnen als Mann nicht die Ehre?«

»Ich habe noch nie eine Frau zum Beischlaf gezwungen, und auch dich werde ich nicht dazu zwingen.«

Die eiserne Disziplin der letzten Stunden brach in sich zusammen.

Emma glaubte, ohnmächtig zu werden. Sie schwankte, und er stützte sie schnell. Sie richtete sich auf und zuckte wie ein aufgeschrecktes Kaninchen zusammen. Aber plötzlich war sein Gesicht ganz nahe. Er sah sie eindringlich an. Sie konnte ihm nicht ausweichen. Hilflos sah sie, wie seine Lippen über ihren schwebten. Sein Arm legte sich um ihre Taille. Einen Augenblick lang, nur eine Sekunde, rührte sie sich nicht. Dann gewann ihre Abwehr wieder die Oberhand, und sie stieß ihn von sich. Er ließ sie sofort los, und zwar so plötzlich, dass sie stolperte und gegen den Stamm einer Mimose fiel.

»Wie können Sie es wagen …!« Sie rang nach Luft und fuhr sich mit der Hand über die Lippen. »Wie können Sie es nur wagen!«

Er lehnte am Holzzaun und freute sich über ihre Wut. »Ich wage es, weil du meinen Ring angenommen hast, ob du ihn tragen wirst oder nicht, und übrigens auch den Schuldschein deines Bruders.«

»Nur weil ich erpresst werde«, flüsterte sie mit tränenerstickter Stimme. »Nur weil ich erpresst werde!«

Er sah sie lange und nachdenklich an. »Du bist wirklich ein sehr mutiges Mädchen, Emma«, sagte er, »aber eben immer noch ein Mädchen. Es wird mir ein Vergnügen sein, dich zur Frau zu machen.«

*

Der Frühling brach an, und die hohen Pässe nach Kaschmir würden bald wieder passierbar sein. Deshalb machte Damien kein Geheimnis aus seiner Ungeduld, sobald wie möglich nach Srinagar zurückzukehren. Er bestand darauf, bei der Hochzeit alles möglichst einfach zu halten. Die Gäste sollten auf die Familie und den engsten Freundeskreis beschränkt werden. Dem stimmte Emma uneingeschränkt zu. Ihre Mutter dagegen hätte am liebsten die ganze Welt eingeladen, um das unerwartete Ende des schon beinahe altjungfernhaften Lebens ihrer Tochter zu feiern. Aber wer sollte ein solches Fest bezahlen?

Im Allgemeinen hörte Emma den Gesprächen über die Hochzeit mit distanziertem Schweigen zu und äußerte nur selten ihre Meinung. Sie zeigte wenig Interesse an den Plänen und war mit allem einverstanden, was Damien vorschlug, und nur wenn sie dazu gezwungen war, sagte sie so viel wie eben nötig.

»Wäre Samstag nächster Woche ein guter Termin für die Hochzeit?«, fragte er.

»Ach du liebe Zeit, nein!« Mrs. Wyncliffe war entsetzt. »Da haben wir ja keine Zeit für unsere Vorbereitungen.«

»Was gibt es denn vorzubereiten?«, fragte er leicht ungeduldig.

»Unzählige Dinge, lieber Damien! Das Haus muss wenigstens weiß angestrichen werden. Wir brauchen einen Shamina für den Garten, falls es regnet, für den Empfang müssen die richtigen Lieferanten verpflichtet werden, die Einladungen müssen verschickt sein ... und selbst eine kurze Gästeliste bedarf gewisser Überlegungen.« Sie warf ihrer Tochter einen beschwörenden Blick zu, erhielt von dieser Seite aber keine Unterstützung. »Und was ist mit dem Hochzeitskleid? Emma muss genug Zeit haben, um wenigstens das vorzubereiten!«

Die Probleme der Frauen interessierten ihn nicht. »Kann sie nicht etwas Passendes in ihrer ... wie nennt man das noch ... Aussteuertruhe finden?«

Mrs. Wyncliffe fehlten im ersten Moment die Worte. Sie konnte kaum eingestehen, dass Emmas Abneigung gegen, wie sie es nannte, unnötigen Kram, dazu geführt hatte, dass es keine Aussteuertruhe gab. Sie hatte sich längst mit der Aussicht auf eine unverheiratete Tochter abgefunden und bestand schon seit langem nicht mehr auf einer Aussteuer. Sie warf noch einen verstohlenen Blick auf Emma, als wollte sie sagen: »Oh, diese Männer!«, aber Emma reagierte auch diesmal nicht.

Es überraschte Margaret Wyncliffe nicht im Geringsten, dass ihre Tochter Damien Granville ihr Jawort gegeben hatte. Aber warum er Emma zur Frau nehmen wollte, verstand sie nicht – obwohl sie sich eher die Zunge abgebissen hätte, als einen so unschönen Gedanken zu äußern. Trotz ihrer gelegentlichen Zweifel beruhigte sie sich schnell und gab sich mit allem zufrieden. Das Herz der Menschen, so erinnerte sie sich, besaß eine eigene Logik, auch wenn sie für den Verstand manchmal unbegreiflich war. Aber wer war sie, fragte sie sich unschuldig, um die wundersamen Wege des Herren zu hinterfragen? Damien konnte seine Ungeduld, Delhi mit seiner Braut zu verlassen, kaum zügeln. Und Margaret Wyncliffe schloss daraus, dass er leidenschaftlich in sie verliebt war. Er wollte seine Emma ganz für sich haben, nur darauf kam es schließlich an.

Manchmal bemerkte sie eine seltsame Spannung zwischen den beiden, doch sie beschloss, auch das zu übersehen. Die beiden waren jung, eigensinnig und stark. Anfängliche Meinungsverschiedenheiten konnten da nicht ausbleiben. Um die Wahrheit zu sagen, Margaret Wyncliffe wollte es nicht so genau wissen. Sie war entschlossen, in der kurzen Zeit, die ihr zur Verfügung stand, zu handeln, um in den Augen der europäischen Gesellschaft Delhis das Beste aus dem Augenblick des Triumphs zu machen.

Die europäische Gesellschaft von Delhi war in der Tat wie elektrisiert. Das Aufgebot in der *Mofussilite* am Tag nach Damiens formellem Besuch führte dazu, dass jede Mutter einer heiratsfähigen Tochter nach dem Riechfläschchen griff und jede heiratsfähige Tochter selbst nach dem Taschentuch. Gleichzeitig wurde in vielen Häusern der Frühstückstisch zum Schauplatz tränenreicher Tragödien.

»Das ist gemein!«, schluchzte die schockierte Charlotte Price. »Damien Granville hat mit mir dreimal getanzt und mit Emma überhaupt nicht! Wie konnte er mich so enttäuschen?«

»Da steckt mehr dahinter«, fauchte ihre Mutter, wütend über den eindeutigen Missbrauch ihrer Gastfreundschaft. »Ich sage euch, sie hat ihn mit einer Greifzange gepackt! Wie sonst könnte ein Mann wie Damien Granville auch nur im Traum daran denken, eine Frau zu heiraten, die so hässlich und unweiblich ist wie Emma Wyncliffe? Das ist … das ist …« Zumindest einen Augenblick lang fand sie keine Worte mehr.

»Ich habe es an diesem Abend schon geahnt. Jawohl, ich schwöre es!«, jammerte ihre untröstliche Tochter. »Ich konnte es daran erkennen, wie sie das arme hilflose Lämmchen angesehen hat, das ihr in die Falle ging. Wie jeder weiß, haben die Wyncliffes nichts außer dem abscheulichen silbernen Teeservice, und Grace sagt, dass sie es jeden

Monat verpfänden, um die Lebensmittelrechnungen bezahlen zu können.«

»Vielleicht liebt er sie«, warf Mr. Price begütigend ein, sobald er die Möglichkeit hatte, sich ebenfalls zu dem Thema zu äußern. »Emma ist vielleicht keine große Schönheit, aber wie unbändig dieses Füllen auch sein mag, das Mädchen ist intelligent und sehr selbstbewusst.«

»Du meinst, sie ist ein schwarzes Schaf!«, zischte seine Frau und warf ihm einen giftigen Blick zu, während Charlotte wieder in Tränen ausbrach. »Ich jedenfalls werde nicht ruhen, bis ich der Sache auf den Grund gegangen bin. So wahr mir Gott helfe!«

Als Carrie Purcell, die Emma ganz besonders ins Herz geschlossen und schon immer in Schutz genommen hatte, die Zeitung las und in Khyber Kothi erschien, erstickte sie Emma mit Küssen. Aber Jenny, die sie begleitete, drückte ihr nur mit schmalen und kalten Lippen einen Kuss auf die Wange.

»Ich habe es dir doch gesagt, Margaret!«, rief Carrie Purcell triumphierend. »Die ständigen Sorgen waren alle umsonst! Ich habe es auf der Burra Khana sofort gespürt, dass es zwischen den beiden gefunkt hatte. Jeder konnte doch sehen, dass Damien und Emma nur noch Augen füreinander hatten.« Sie senkte die Stimme und fügte schmunzelnd hinzu: »Er ist aber auch wirklich ein sehr attraktiver junger Mann!«

Emma lächelte und schwieg bescheiden.

Sie hatte dem Besuch der Purcells mit gewissen Ängsten entgegengesehen. Schließlich mochte es noch angehen, die eigene Mutter mit klugen Antworten zu täuschen, aber die aufgebrachte beste Freundin würde sich nicht so leicht mit Ausreden zufrieden geben.

»So, so!«, sagte Jenny mit funkelnden Augen, als sie einen Moment allein waren. »Der ach so verschmähte Mr. Granville ist offenbar doch nicht so hassenswert! Ich hatte nicht die geringste Ahnung, dass du überhaupt fähig bist, so plötzlich deine Meinung zu ändern – oder besser gesagt, so scheinheilig mit gespaltener Zunge zu reden!«

Emma seufzte und umarmte sie. »Es ist alles so unerwartet gekommen. Mir schwirrt immer noch der Kopf. Vergiss nicht, Jenny, ich habe dir versprochen, ich würde dir alles erklären, wenn …«

»Aber das hast du nicht getan!« In Jennys Augen standen Tränen. »Ich musste es wie alle anderen in der Zeitung lesen …« Diese Schmach schien sie wirklich kaum verwinden zu können. Doch die Neugier siegte. »Jetzt möchte ich wirklich von dir wissen, wieso du einen Mann heiraten willst, den du angeblich aus tiefster Seele hasst?«

Emma holte Luft. »Ich habe mich in Damien geirrt«, sagte sie kleinlaut. »Als ich ihn besser kennen lernte, habe ich festgestellt, dass er … eigentlich … nett ist.«

»So? Und sein verborgenes wahres Ich hat sich dir innerhalb von vierzehn Tagen enthüllt?«, spottete Jenny. »Lüg mich nicht an, Emma. Und wage nicht zu behaupten, es sei Liebe auf den ersten Blick gewesen, weil ich weiß, dass es das bestimmt nicht war.«

»Nein, es war nicht Liebe auf den ersten Blick.« Emma seufzte resigniert. »Da du darauf bestehst, werde ich dir wohl die Wahrheit sagen müssen.«

Jennys Augen blitzten. »Also?«

»Damien sieht gut aus und ist außerdem reich. Nach den Kriterien des Heiratsmarkts gilt er vermutlich als ein guter Fang. Als er sich auf der Burra Khana für mich interessierte, gab ich vor, wütend zu sein. Aber ich gestehe beschämt, ich fühlte mich geschmeichelt. Ich war allerdings so verlegen, dass ich es auch dir nicht gestehen wollte. Deshalb habe ich meine Gefühle verborgen. Das ist alles.«

»Aha!« Jennys Vorwürfe waren vergessen. Sie brannte vor Neugier, mehr zu erfahren. »Dann liebst du ihn also wirklich?«

»Nein.« Sie runzelte die Stirn. »Es gibt eine Frage, die ich dir stellen möchte. Ich würde nicht wagen, sie jemandem sonst zu stellen.«

Gespannt beugte sich Jenny vor. »Ja?«

»Findest du mich selbstsüchtig, wenn ich gestehe, dass ich Damien in erster Linie heirate, weil … weil er reich ist?«

»Nein«, antwortete Jenny erstaunlich schnell und ohne zu überlegen.

Emma hatte es nicht anders erwartet. »Ganz bestimmt nicht! Es ist nichts dagegen einzuwenden, wenn man heiratet, um in bessere finanzielle Verhältnisse zu kommen.«

»Ach, ich bin ja so froh, dass du das sagst!« Emma umarmte sie noch einmal. »Du kannst dir nicht vorstellen, wie sehr ich deswegen mit meinem Gewissen zu kämpfen hatte.«

Jenny seufzte und sagte nachdenklich: »Ich will ehrlich sein. Wenn mein John reicher wäre, würde ich ihn sehr viel mehr lieben, ohne deshalb die leisesten Schuldgefühle zu haben.«

»Wirklich? Es erleichtert mich, das aus deinem Mund zu hören. Es hätte mich sehr bekümmert, wenn du mich für geldgierig halten würdest.«

»Aber nein, wirklich nicht!« Völlig ausgesöhnt drückte sie Emma an sich. »Seien wir ehrlich, auch wenn du es nur auf das Geld abgesehen hättest, es gibt schlimmere Männer als Damien Granville! Schließlich sieht er so gut aus, dass wirklich alle Mädchen von ihm träumen. Und ausgerechnet du bist die Glückliche, in die er sich verliebt hat!«

Jenny kicherte, und Emma lächelte verlegen.

*

Es wurde eine ungewöhnliche Verlobungszeit, wenn man die beiden Wochen überhaupt so bezeichnen konnte.

Mrs. Wyncliffe war entschlossen, wenigstens einige der gesellschaftlichen Gepflogenheiten und Erwartungen zu erfüllen, auch wenn sie ihren eigenwilligen zukünftigen Schwiegersohn nicht verärgern wollte. Sie bestand darauf, dass das junge Paar – natürlich in der richtigen Begleitung – zusammen auf Burra Khanas erschien, um die Glaubwürdigkeit der Verlobung in aller Öffentlichkeit unter Beweis zu stellen. Sie ließ sich auch nicht davon abbringen, dass so schnell wie möglich eine richtige Hochzeitsanzeige in der *Mofussilite* erschien, denn das war so Sitte. Als sie Emma um ihre Meinung fragte, zuckte ihre Tochter nur stumm mit den Schultern. Auf eine verlogene Demonstration mehr oder weniger bei diesem makabren Spiel kam es nun auch nicht mehr an.

Margaret Wyncliffe kämpfte noch immer mit ihrer Verwirrung über die Schnelligkeit, mit der alles geschehen war. Außerdem kannte sie die ansonsten so klaren und kompromisslosen Ansichten und die scharfen Bemerkungen ihrer Tochter. All das ließ sich schwer mit dem plötzlichen Entschluss vereinbaren, diesen rätselhaften Mr. Granville zu heiraten. Emmas unveränderte Verschlossenheit beunruhigte sie schließlich, und sie wurde den Verdacht nicht los, dass vielleicht doch nicht alles zum Besten stand, wie sie angenommen hatte. »Bist du wirklich sicher, dass du ihn heiraten willst?«, fragte sie deshalb eines Tages, nachdem Damien gegangen war.

»Ganz sicher.« Emma ärgerte sich nach wie vor darüber, dass ihre Mutter diesen überheblichen Damien vorbehaltlos akzeptiert hatte, aber jetzt reagierte sie ebenso gereizt angesichts der verspäteten Zweifel. »Hältst du ihn vielleicht nicht für einen würdigen Schwiegersohn?«, fragte sie herausfordernd.

»Aber natürlich! Du scheinst nur so ... so ungewöhnlich nachgiebig zu sein. Du bist so wortkarg, dass ich mir Sorgen mache. Außerdem verstehe ich die Eile nicht, mit der du eine so wichtige Entscheidung getroffen hast. Das sieht dir überhaupt nicht ähnlich, Emma.«

»Da ich mit Damiens Ansichten übereinstimme, halte ich es nicht für notwendig, meine Zustimmung ständig zu wiederholen. Und was die Eile angeht ... auch wenn man sich Zeit lässt mit dem Heiraten, heißt das nicht, dass man es hinterher nicht weniger bereut, Mama!«

»Aber ... könntet ihr beide nicht wenigstens so lange warten, bis ihr euch besser kennt? Wenn ich gewisse Vorbehalte gegen die Entscheidung habe, liebe Emma, dann ist es nur das.«

»Möchtest du, dass ich mit der Hochzeit warte, bis er einer anderen einen Antrag macht?«

»Du meine Güte, natürlich nicht!« Dieser Gedanke erfüllte Mrs. Wyncliffe mit so großem Entsetzen, dass sie ihre Haltung sofort revidierte. »Wenn ich es mir recht überlege, mein Kind, ist die schnelle Hochzeit vielleicht wirklich eine vernünftige Entscheidung. Schließlich kann man so etwas Wichtiges nicht bis in alle Ewigkeit hinausschieben!«

Damit war die Sache erledigt. Sie kam auf dieses Thema nicht mehr zu sprechen.

Emma wollte ihre Lügen nicht auch noch schriftlich dokumentieren und hatte deshalb nicht wie versprochen David geschrieben. Er kam am Ende der Woche nach Hause zurück und stellte sie augenblicklich im Rosengarten zur Rede. Emma wusste, Jenny konnte sie mit geschickten Worten ablenken, aber bei ihrem Bruder musste sie sich etwas Besseres einfallen lassen.

»Mama sagt, du heiratest Damien Granville«, begann er verstört.

»Ja.«

»Aber warum, in Gottes Namen …?«

»Warum?« Sie hob den Kopf nicht und fuhr unbekümmert fort, die abgeblühten Rosen zu schneiden. »Das ist wirklich eine seltsame Frage!«

»Deine Antwort ist ebenso seltsam.«

»Ich heirate Damien, weil ich ihn heiraten will, warum sonst?«

»Und er möchte dich heiraten? Du meine Güte, ihr kennt euch doch kaum!«

»Ich kann dir versichern, er möchte mich trotzdem heiraten.«

»Aber warum …?«

»Das musst du ihn selbst fragen. Aber vielen Dank für deine schmeichelhafte Einschätzung. Du scheinst deine Schwester nicht gerade für besonders begehrenswert zu halten.« Sie lachte spöttisch. »Um deine Frage zu beantworten, wir wollen heiraten, weil wir der Meinung sind, dass wir … Gefühle füreinander haben.«

»Gefühle?« Er sah sie mit großen Augen an. »Was für Gefühle?«

»Achtung, Bewunderung und, wie ich glaube, gegenseitige Zuneigung.« Als David sie nur stumm ansah, fügte sie schnell hinzu: »Damiens Antrag hat mich ebenso schockiert wie dich, David.« Das jedenfalls war die Wahrheit! »Ich wollte ihn eigentlich auf der Stelle ablehnen, und das habe ich auch getan. Aber dann haben andere Gesichtspunkte meine anfänglichen Bedenken zurückgedrängt.« Sie kauerte auf der Erde. »Du kannst es mir glauben oder nicht, für eine Heirat kann es auch andere Gründe als die große Liebe geben.«

Er nahm sie bei den Schultern und zwang sie aufzustehen. »Haben diese Gründe etwas mit meinen Spielschulden zu tun?«

»Nein, natürlich nicht. Wir haben uns einige Male gesehen und festgestellt, dass wir uns … nun ja, mögen.«

»Ich bin bestimmt manchmal ein Dummkopf, Emma, aber so dumm bin ich auch wieder nicht! Sag mir ehrlich, was ist geschehen, als du dich mit ihm wegen der Spielschulden getroffen hast?«

»Ich habe dir bereits gesagt, was geschehen ist. Ich habe ihm das Kutub-Minar-Grundstück angeboten, und er war bereit, es als Ersatz anzunehmen.«

»Hat er dir bei diesem Treffen den Heiratsantrag gemacht?«

»Nein, das kam später.«

»Der Heiratsantrag oder das Aussetzen der Spielschuld? Oder geschah beides zusammen?«

»Die Spielschuld hat nichts mit meiner Entscheidung zu tun!«, erklärte Emma energisch. »Wenn du es genau wissen willst, Damien hatte nie vor, auf der Einlösung dieser Spielschuld zu bestehen. Er wollte dir lediglich eine Lektion erteilen.«

»So, so! Hat er dir das gesagt?«

Schweigend reichte sie ihm den Umschlag, den sie in der Tasche trug. Er blätterte schnell in den Dokumenten, als schäme er sich, sie zu sehen. Dann schob er sie in seine Tasche.

»Glaubst du mir jetzt?«, fragte sie.

David fuhr sich mit der Hand durch die Haare. »Offen gesagt, ich weiß nicht, was ich glauben soll! Ich weiß nur, dass du mich noch nie belogen hast, Emma, aber …«

»Und ich belüge dich auch jetzt nicht! Ich glaube, Damien und ich passen zusammen. Er hat ehrenhafte Absichten, und er wird mir ein gutes Zuhause schenken.«

»Damien Granville steht im Ruf, ein Frauenheld zu sein. Er ist, weiß Gott, ein sehr fragwürdiger Mann, Emma! Wie kannst du glauben, dass er ehrenhaft ist?«

Sie schob die Gartenschere in die Schürzentasche. »Es gibt noch einen Grund, weshalb ich zugestimmt habe, ihn zu heiraten.«

Er wurde blass. »Was für einen Grund?«

Sie ging zu der Steinbank, setzte sich und bedeutete ihm, neben ihr Platz zu nehmen. Widerwillig tat er es.

»An dem Abend, als du das Geld gewonnen hattest, hast du mir eine Frage gestellt. Erinnerst du dich daran?« Er wusste nicht, wovon sie sprach. »Du hast mich gefragt, ob ich so den Rest meines Lebens verbringen will.«

»Und?« Er runzelte die Stirn. Offenbar konnte er sich nicht an das Gespräch erinnern.

»Ich habe geantwortet, dass ich den Rest meines Lebens *nicht* so verbringen will. Damals hatte ich nicht gründlich darüber nachgedacht, aber seitdem hatte ich sehr viel Zeit dazu. Es ist die Wahrheit, David, dass ich auf meine Weise ebenfalls sehr unzufrieden bin. Ich bin nur in der Lage, es besser zu verbergen als du.« Sie drehte sich um und sah ihn an. »Ich bin vierundzwanzig. Aber ich bin nicht Stephanie oder Jenny oder eines der anderen Mädchen, denen die Männer nachlaufen, seit sie fünfzehn sind. Ich bin weder das begehrteste noch das reichste Mädchen in der Stadt, und es wird kaum vorkommen, dass sich die Männer auf der Stelle erschießen, weil ich ihr Flehen nicht erhöre. Bislang habe ich einen Heiratsantrag bekommen ... von Alec Waterford, der mich aus einem unerfindlichen Grund unwiderstehlich findet.« David hörte aufmerksam zu, ohne ihr Lächeln zu erwidern. »Bevor ich Damien kennen lernte, hatte ich mich damit abgefunden, nie zu heiraten. Ich war entschlossen, nicht einfach zu heiraten, weil das so üblich ist, sondern lieber unverheiratet zu bleiben. Aber jetzt ...«, sie blickte zu Boden, »sind mir doch Zweifel gekommen.«

David versuchte sie zu verstehen, aber ohne großen Erfolg.

»Weißt du, David«, sagte sie freundlich. »Ich bin es leid ... ich bin es einfach leid, aus einem leeren Fass die Reste herauszuholen. Ich bin es leid, ein armseliges Leben ohne Sinn und ohne Würde zu führen. Ich bin es leid, keine Zukunft zu haben. Ich habe wie du den Eindruck, dass das Leben an mir vorbeigeht, dass ich auf der Stelle trete. Ich sehe deutlich, wie ich langsam alt werde und immer einsamer. Und, David, der Gedanke, für den Rest meines Lebens zu bleiben, wo ich bin, erfüllt mich mit Schrecken …« Emma staunte über die Worte, die ihr mit solcher Heftigkeit über die Lippen kamen, und noch mehr wunderte sie sich über die Tränen, die plötzlich in ihren Augen brannten.

»Um ganz offen zu sein, David«, sagte sie mit gepresster Stimme, »ich habe Damiens Antrag angenommen, weil ich vermutlich keinen besseren mehr bekommen werde, und ich kann mich nicht dazu durchringen, ihn auszuschlagen.« Sie lehnte sich zurück und starrte blicklos über seine Schulter. Nur mit Mühe gelang es ihr, die Tränen zurückzuhalten. »So, jetzt habe ich dir mein Innerstes offenbart. Glaubst du immer noch, dass ich lüge?«

David hatte noch nie erlebt, dass sie so offen über ihre geheimsten Gedanken mit ihm sprach und ganz sicher nicht mit solchen Gefühlen. Er musste schlucken. Sie hatte ihm einen Teil ihres Wesens offenbart, den er nicht kannte. Für ihn war Emma stets unverwundbar und völlig selbständig gewesen. Er hätte sich niemals träumen lassen, dass es anders sein könnte. Naiv, wie er war, und ohne Erfahrung mit den Gedanken und Motiven von Frauen wusste er nicht, wie er sich verhalten sollte.

»Kannst du schwören, Emma«, sagte er schließlich, »dass deine Worte wirklich der Wahrheit entsprechen?«

»Ja.«

»Schwörst du, dass deine Heirat mit Damien nichts mit meiner Spielschuld zu tun hat?«

»Ja, das schwöre ich.«

Er nickte und ging davon, ohne noch weitere Fragen zu stellen.

Emma blieb zitternd auf der Bank sitzen. Ihre Worte hatten sie erschüttert, ebenso die Mühelosigkeit, mit der sie das alles ausgesprochen hatte. Es schien, als hätten diese Gedanken sie schon seit Tagen beschäftigt und nur darauf gewartet, ausgesprochen zu werden.

War es möglich, dass sie Damien wirklich heiraten wollte …? Nein, das war absurd! Sie heiratete ihn, weil er sie dazu gezwungen hatte. Ihr Stolz verbot es ihr, etwas anderes in Betracht zu ziehen.

*

Zwei Tage vor der Hochzeit stellte sich bei Emma wieder die Angst ein. »Sei ehrlich, Damien«, fragte sie nach einem Streit über etwas Unwichtiges. »Warum willst du mich heiraten? Du kennst mich überhaupt nicht.«

»Ich kenne dich gut genug, um meine Entscheidung zu rechtfertigen.«

»Du hast nur hier und da etwas über mich gehört. Und das überzeugt dich bereits, dass wir füreinander bestimmt sind?«

»Wir sind uns nur in der Frage der Bestrafung treuloser Frauen uneinig, ansonsten bin ich der Meinung, dass wir erstaunlich gut zueinander passen.«

»Wenn ich nur halb so viel über dich wüsste«, sagte sie, »dann könnte ich dir vielleicht zustimmen, dass wir zueinander passen …, aber vermutlich hätte ich eher die Bestätigung dafür, dass wir überhaupt nicht zueinander passen. Ich halte deine genetische Theorie noch immer für absurd.«

»Bei Pferden bewährt sie sich bestens, warum nicht auch bei uns Menschen?«

»Aber ich weiß nichts über dich!«

»Wenn du dich dafür interessieren würdest, dann hättest du mir Fragen stellen können.«

Emma wurde rot. Das stimmte. Wenn sie so wenig über den Mann wusste, den sie heiraten sollte, dann lag es an ihrem Stolz. Deshalb hatte sie ihm keine Fragen gestellt, und von sich aus hatte er wenig gesagt. »Na ja, das alles ist ja auch nicht weiter wichtig. Ich werde es vermutlich bald genug selbst feststellen.«

»Wie ich deiner Mutter bereits erzählt habe«, sagte er, ohne auf ihre gereizte Antwort zu achten, »sind meine Eltern tot. Ich führe ein angenehmes und gutes Leben. Und so wird es für dich auch sein. Ich beschäftige mich mit meinem Landgut, das du bald kennen lernen sollst. Meine literarischen Interessen sind breit gefächert, wie meine Bibliothek auf Shalimar beweist. Im Grunde lese ich alles, was gedruckt wird. Ja, und das Essen ... ich esse eigentlich alles.« Er dachte einen Augenblick lang nach und fügte dann hinzu: »Auberginen kann ich nicht ausstehen. Ich mochte sie noch nie. Am liebsten esse ich Gushtav, das sind die traditionellen Kaschmir-Fleischbällchen. Es gibt nichts Besseres auf der Welt. Sonst noch etwas?«

»Nein, natürlich nicht«, erwiderte sie gereizt. »Diese bemerkenswert umfassende Autobiografie sagt alles, was eine Frau über ihren zukünftigen Mann wissen möchte.«

Er hob die Hände. »Findest du es nicht seltsam, dass ein Mann und eine Frau, die die engste Beziehung beginnen wollen, die man sich vorstellen kann, es nicht möglich finden sollten, über ein neutrales Thema ruhig und sachlich zu reden?«

»Ich kann mir kein Thema vorstellen, das neutral genug wäre, um ruhig und sachlich mit dir darüber zu reden.«

»Erzähl mir etwas über deinen Vater.«

»Mein Vater ...?« Emma schwieg bestürzt.

»Ich weiß, dass du eine sehr enge Beziehung zu ihm hattest.«

Damien hatte nie das geringste Interesse an ihrem Vater gezeigt – abgesehen von dem erlogenen Brief, den sie abgefangen hatte. Es machte sie wütend, dass er jetzt seine Anteilnahme zeigen und ein so schmerzliches Thema auf die Ebene eines belanglosen Gesprächs herunterziehen wollte.

»Was gibt es da zu sagen? Er hat gelebt, gearbeitet und ist gestorben.«

»Aha. Das ist eine noch umfassendere Biografie des Brautvaters.«

Sie standen gefährlich kurz vor einem neuen Streit. Doch dazu fehlte Emma die Kraft, und deshalb wechselte sie das Thema. »Du magst es billigen oder nicht«, erklärte sie, »ich habe vor, die Arbeit an den Manuskripten meines Vaters wieder aufzunehmen, sobald wir in Kaschmir sind. Ich werde auch sicherstellen, dass mir genug Zeit dazu bleibt.«

»Bitte, gern – wenn deine intellektuellen Höhenflüge deine eigentlichen Pflichten nicht beeinträchtigen.«

»Was für Pflichten?«

»Dich um Haus, Hof und um deinen Mann zu kümmern.«

Emma errötete, ließ ihn im Garten stehen und rannte ins Haus zurück.

*

Der erste Samstag im April war ein warmer und wolkenloser Tag. Die Sonne stand am Himmel und tauchte die Stadt schon am frühen Morgen in blasses Gold. Die Luft hatte noch die Frische des Winters, aber überall duftete es nach den Blüten des Frühlings, und das Grün der neuen Blätter ließ das alte Jahr vergessen.

Trotz Damiens Forderungen hatte sich Margaret Wyncliffe wenigstens in einigen Dingen durchgesetzt. Schon im Morgengrauen, noch bevor die Hähne krähten, setzten in Khyber Kothi die hektischen Aktivitäten ein. Die Lieferanten erschienen in einer nicht enden wollenden Prozession und brachten die unzähligen Dinge, die sie auf ihrer Liste abhakte. Da alle gleichzeitig redeten und sich Gehör verschaffen wollten, entstand ein ohrenbetäubender Lärm, und wie immer in Indien, selbst wenn es um die einfachsten Aufgaben ging, wuchs das Durcheinander von Minute zu Minute.

Mrs. Wyncliffe saß in der Mitte des Hofs in einem hohen Armlehnsessel mit der getreuen Carrie Purcell an ihrer Seite und lenkte mit grimmiger Entschlossenheit das Geschehen wie ein General, der im Begriff steht, seine Truppen in die Schlacht zu führen. Von ihrer Hinfälligkeit war nichts mehr zu sehen, die schlaffen Wangen gehörten der Vergangenheit an, Schmerzen und Müdigkeit waren längst vergessen. Mit überraschender Energie erhob sich ihre Stimme wie die eines Ochsenfroschs über das Geschrei.

Etwas Gutes hat diese Hochzeit offenbar doch, dachte Emma mit seltsamer Gelassenheit, während sie das hektische Treiben von der Veranda aus beobachtete.

David war aus dem Schlaf gerissen worden und nahm gähnend von seiner Mutter die Tagesbefehle entgegen. Seit dem Gespräch im Rosengarten war er Emma aus dem Weg gegangen und redete nur mit ihr, wenn es absolut unumgänglich war. Er mied Damien, wie Emma feststellte, aber auch Damien machte einen Bogen um ihren Bruder. Er sprach mit ihr nie über David.

Heute ist mein Hochzeitstag, erinnerte sich Emma und fragte sich, was sie angesichts dieser Tatsache empfinden sollte. Welche Gefühle hatten Bräute an ihrem Hochzeitstag? Waren sie nervös? Brach ihnen das Herz, weil sie das Nest verlassen mussten? Wollten sie singen und tanzen oder vor Freude durch die Luft schweben? Sie fragte sich, wollte ihre Gefühle verstehen, aber sie empfand nur … was? Es gelang ihr nicht, in dem Durcheinander ihrer Emotionen etwas Erkennbares, Eindeutiges zu finden. Sie waren so wirr wie das Gedränge auf dem Hof.

Als sie am Tag vor der Hochzeit die ausstehenden Rechnungen durchgesehen hatte, erinnerte sich Margaret Wyncliffe plötzlich an die silberne Uhr auf dem Kaminsims im Wohnzimmer und fragte Emma danach. »Ich habe sie in meinen Koffer gepackt«, erklärte Emma, ohne mit der Wimper zu zucken, denn sie kannte sehr wohl den Grund für die Frage. »Ich möchte sie nach Srinagar mitnehmen … das heißt, wenn du nichts dagegen hast.«

»N … nein, natürlich nicht, mein Kind«, erwiderte ihre Mutter und versuchte, sich ihre Enttäuschung nicht anmerken zu lassen. Sie ließ stattdessen das silberne Teeservice verkaufen, um das zu bezahlen, was nicht auf Kredit gekauft werden konnte.

Die private Hochzeitszeremonie fand im engsten Familienkreis im Wohnzimmer von Khyber Kothi statt. Die Trauung vollzog Reverend Desmond Smithers unter Mithilfe des untröstlichen, aber männlich stoischen Alec Waterford. Als Trauzeugen des Bräutigams hatte Damien seinen Privatsekretär Suraj Singh gewählt. Das ließ die europäische Gemeinschaft erschauern.

»Eine Schande! Das ist einfach ein Skandal!« Charles Chigwell machte sich in der Offiziersmesse zum Wortführer der öffentlichen Meinung, auch wenn er nicht auf der Gästeliste stand. »Man gibt ihnen den kleinen Finger, und sie nehmen die ganze Hand. Als Nächstes sollen wir diesen Trauzeugen vermutlich auch noch in den Club aufnehmen!«

Damien hatte Margaret Wyncliffes vorsichtigen Einspruch ungeduldig beiseite geschoben. »Suraj Singh ist nicht nur ein Angestellter, sondern auch ein Freund und zweimal mehr der Mann, den die aufgeblasenen Sahibs vorgeben zu sein. Ich mache mir absolut nichts daraus, was die anderen denken.«

Die Braut wurde von ihrem Bruder dem Bräutigam zugeführt.

Margaret Wyncliffe hatte jedoch um keinen Preis auf den Augenblick ihres Triumphs verzichten wollen und auf einigen grundlegenden Reparaturarbeiten am Haus bestanden. Das Dach war geteert und die Wände waren einmal weiß getüncht worden. Auch das große Tor hatte man instand gesetzt. Der Hochzeitsempfang war etwas weniger persönlich als die Trauung, aber trotzdem sehr bescheiden. Es wurde auf dem rückwärtigen Rasen gefeiert, der in aller Eile gemäht, gerecht und auch an den Rändern geschnitten worden war. David war es zu verdanken, dass seine Regimentskapelle zu einem großzügig verbilligten Preis spielte.

Emma machte mit Haltung und Lächeln gute Miene zum bösen Spiel. Sie ertrug die übertriebene Fröhlichkeit und die vielen guten Wünsche, auch die ebenso spürbaren mörderischen Blicke, die geflüsterten Bosheiten und die ungläubigen Gesichter der Gäste. Niemand bemerkte die schmalen Lippen, die gequälten Augen und die seltsame Blässe, als sie den ersten Walzer in den Armen ihres charmanten Bräutigams tanzte. Wenn jemand etwas sah, dann wurde es dem verständlichen Schmerz des bevorstehenden Abschieds von der Mutter zugeschrieben und natürlich der Nervosität vor der Hochzeitsnacht. Alle Anwesenden – und viele taten es mit größtem Widerwillen – mussten jedoch zugeben, dass Emma eine würdevolle und bescheidene Braut war.

Die Gäste trösteten sich mit den alkoholischen Getränken und ergingen sich eifrig in Klatsch und Konversation. Vielleicht auch deshalb wurde der Schmuck der Braut mehr beachtet und kommentiert als die Braut selbst. Es war ein sehr altes, sehr schönes und sehr kostbares Geschmeide, ein Hochzeitsgeschenk des liebenden Bräutigams – wie Margaret Wyncliffe nicht unterließ, jedem stolz zu verkünden.

»Was für eine Verschwendung!« Charlotte Price vergaß einen Augenblick lang ihr gebrochenes Herz und erklärte verächtlich: »Man könnte ebenso gut ein Trampeltier aus Radschputistan mit Diamanten behängen.«

»Ist das Kleid nicht ein Witz?«, fragte Stephanie Marsden. »Ich glaube, sie haben es für einen Sonderpreis bei einem der billigen Spitzenklöppler in der Nähe von Jama Masjid gefunden. Typisch!«

»Na ja, richtige Spitzen aus Brüssel können sie sich sowieso nicht leisten. Außerdem würde sie den Unterschied nicht sehen.«

Alle Blicke richteten sich erwartungsvoll auf Grace Stowe. »Ich habe gehört«, sagte Grace langsam und mit betont geheimnisvoller Stimme, »in Srinagar gibt es eine gewisse Dame, die …«

Sie machte eine Pause und ließ die unausgesprochene Anspielung genüsslich wirken.

Die aufgeregte kleine Gruppe drängte sich um die Hohepriesterin der Gerüchte in der Stadt. »Die was …?«

»… im Augenblick namenlos bleibt, aber von der man glaubt …« Ihre Stimme sank zu einem Flüstern, damit nur die wenigen Bevorzugten etwas hören konnten.

Nur Alec Waterford, der ergeben und traurig seine Niederlage hinnahm, wagte zu widersprechen. »Sollen die, die ohne Tadel sind«, psalmodierte er fromm, »es wagen, den ersten Stein …«

»Halt den Mund!«, befahl seine Mutter. »Wenn du auch nur einen Funken Verstand hättest, würdest du jetzt die Kerzen für einen Dankgottesdienst anzünden!«

Lange bevor die Gäste sich verabschiedeten, zogen sich die neu Vermählten zurück. Jenny und die treuen und wahren Freundinnen bewarfen Braut und Bräutigam zum Abschied mit einem Schauer von Reis und Konfetti, während sich die untröstliche Margaret Wyncliffe ihrer Tränenflut überließ. »Was soll ich nur ohne meine beiden Kinder machen?«, schluchzte sie erstickt.

»Dir wird es sehr gut gehen«, erklärte Carrie Purcell und machte damit dem Gezeter energisch ein Ende.

Es war eine kühle, aber windstille Nacht. Das Brautpaar saß schweigend in der Kutsche. Die Erleichterung, die beide empfanden, gehörte zu den wenigen Gefühlen, die sie teilten, während sie aus den unterschiedlichen Fenstern blickten.

Damien fuhr mit dem Finger um den Rand seines Hemdkragens und öffnete ihn. »Gott sei Dank, das wäre geschafft, und die Hochzeit ist endlich vorbei«, murmelte er. »Wir hätten den Alptraum vermeiden können, wenn wir uns einfach davongemacht hätten.«

»Dann hättest du ohne mich fahren müssen«, erwiderte Emma.

Er brummte: »Diese Price war überaus unhöflich. Weißt du, warum?«

»Vermutlich weil sie gehofft hatte, du würdest ihre Tochter heiraten«, erwiderte Emma, und ihr Tonfall ließ erkennen, dass auch sie das besser gefunden hätte.

»Welche von den Mädchen ist das? Die mit den vorstehenden Zähnen?«

»Nein, die mit der langen Nase. Die Mutter von dem Mädchen mit den vorstehenden Zähnen hat dich geschnitten. Wie du siehst, lässt du in Delhi die gebrochenen Herzen vieler reizender junger Mädchen zurück.«

»Reizend und von liebenswürdigem Wesen.«

»So? Nun ja, aber du willst doch keinen Sohn mit einer überlangen Nase oder vorstehenden Zähnen!«, sagte Emma boshaft.

»Nein, aber mir scheint, ich werde mich mit einem Sohn abfinden müssen, der wie du immer schlechte Laune hat.«

Emma biss sich auf die Lippen und blickte wieder aus dem Fenster. Bis zum Ende der Fahrt nach Shahi Bagh sprachen sie kein Wort mehr miteinander.

*

Vor dem Portal des Hauses in der Nicholson Road hatten sich die Dienstboten aufgestellt, um ihre neue Herrin zu empfangen. Das Aufgebot der vielen Leute war beängstigend. Auf die Braut wartete eine eigens für sie hergerichtete Suite neben den Gemächern des Huzoor.

Emmas persönliche Dienstboten bestanden aus einer munteren älteren Frau mit roten Wangen und einem fröhlichen Wesen, die Sharifa hieß, und einem sehr jungen Mädchen mit scheuen Augen. Man sagte ihr, es sei Sharifas Nichte Rehmat. Die beiden Frauen waren aus Srinagar mit nach Delhi gekommen, um das rein männliche Personal im Herrenhaus zu ergänzen. Emma hätte lieber wenigstens für ein paar Tage Mahima bei sich gehabt. Aber sie wusste, dass ihre Mutter Mahima mehr brauchte als sie. Deshalb hatte sie nichts dergleichen erwähnt.

Erschöpft sank sie auf das Brokatpolster eines Sofas in ihrem Wohnzimmer. Die Suite bestand aus einem Schlafzimmer, einem Wohnzimmer und den üblichen Nebenräumen und war mit derselben geschmacklosen Üppigkeit eingerichtet wie das ganze Haus. Damien ging durch den Raum und öffnete die Fenster, dann schickte er die wartenden Dienstboten hinaus. »Ich hoffe, es ist alles zu deiner Zufriedenheit?«, fragte er, öffnete Schubläden und Schränke und sah sich prüfend um.

»Bestens«, antwortete sie mechanisch und ohne Interesse. Sie wollte nur allein sein – wenn ihr dieser Luxus von jetzt an überhaupt noch gewährt wurde!

»Das hier ist alles nur vorübergehend, wie du weißt. Wir werden in vierzehn Tagen nach Kaschmir aufbrechen. Ich hoffe, Shalimar wird mehr deinem Geschmack entsprechen.«

»In vierzehn Tagen?« Sie richtete sich erschrocken auf. »Ich dachte, wir würden noch mindestens einen Monat bleiben! Ich … ich hatte nicht genug Zeit mit meiner Mutter und meinem Bruder, der in Kürze nach Leh aufbricht. Außerdem bin ich Ehrendame bei Jennys Hochzeit im nächsten Monat. Ich kann sie doch unmöglich in letzter Minute im Stich lassen …«

»Das tut mir Leid, aber es wird nicht anders möglich sein. Später, wenn du in Kaschmir zu Hause bist, kannst du deine Familie und

Freunde einladen. Ich werde alles Nötige veranlassen, wenn sie uns besuchen wollen.«

»Und ich muss mich doch um meine Mutter kümmern!«, sagte Emma den Tränen nahe.

»Alles Notwendige für deine Mutter ist bereits eingeleitet. Du musst dir keine Sorgen machen.«

»Vom wem eingeleitet?«

»Zur Abwechslung einmal von deiner Mutter selbst.«

Ihre Mutter hatte Entscheidungen getroffen, ohne sie um Rat zu fragen? Emma konnte es nicht fassen, aber ihr Verdruss wurde von Müdigkeit erdrückt. Sie brachte nicht einmal mehr die Kraft auf, sich zu beschweren. Wenn Damien ihr schrecklicher Zustand auffiel, dann machte er keine Bemerkung darüber. Er zog die Jacke aus, schob die Ärmel des weiß gerüschten Hemds hoch und öffnete die oberen Knöpfe. Dann setzte er sich auf das Sofa und legte die Beine auf einen Hocker vor dem offenen Kamin.

»Komm zu mir.« Er deutete auf den Platz neben sich. Es war ein Befehl, aber es klang nicht unfreundlich.

Mit trockener Kehle und klopfendem Herzen stand Emma auf und ging zu ihm. Sie entschied sich jedoch bewusst für einen Sessel, der dem Sofa gegenüberstand. Er beobachte sie stumm und betrachtete die schlanke Gestalt in dem seidenen Spitzenkleid. Der tiefe Ausschnitt zeigte den sich schnell hebenden und senkenden Busen. Sie legte sich nervös das Seidentuch um die Schultern. Er beugte sich vor und umfasste sanft ihre kleine verkrampfte Faust.

»Warum hast du Angst vor mir? Ich beiße nicht, wenn man mich nicht reizt.«

Sie richtete sich auf und wollte ihm die Hand entziehen, aber er ließ sie nicht los. »Ich habe keine Angst vor dir«, erwiderte sie. »Mir ist … alles … einfach gleichgültig.«

»Wirklich?« Er musterte sie mit zusammengekniffenen Augen. »Man hat mir schon viel vorgeworfen, aber noch nie, dass ich Gleichgültigkeit hervorrufe.«

»Weibliche Gefühle sind eben unberechenbar. Das ist eine Besonderheit unseres Geschlechts. Außerdem hast du gesagt, ich sei anders als alle anderen Frauen, die du bis jetzt kennen gelernt hast.«

Ärgerlich ließ er ihre Hand los und stand auf. »Es ist ein Bote aus Kaschmir eingetroffen. Er hat Nachrichten, auf die ich gewartet habe«, sagte er knapp. »Es wird vielleicht spät werden, bis ich zurückkomme.« Sie atmete auf. Selbst eine oder zwei Stunden gesegneter Einsamkeit wären für sie schon eine große Erleichterung. »Aber«, sagte er dann und knöpfte das Hemd zu. »Ich werde kommen, darauf kannst du dich verlassen.«

Sie wandte sich ab, um seine Selbstsicherheit mit einer treffenden Bemerkung zu erschüttern, aber ihr fehlten die Worte. Als ihr endlich etwas einfiel, war er nicht mehr im Zimmer.

Niedergeschlagen rief sie Sharifa und machte sich lustlos ans Auspacken. Die Frau und ihre Nichte bereiteten das riesige Himmelbett für die Nacht vor, trugen die leeren Kisten aus dem Zimmer und brachten ihre Toilettengegenstände ins Bad. In der Truhe lag ganz oben das Brautnachthemd mit dem passenden Morgenmantel. Es war aprikosenrosa und so duftig und seidig wie eine Wolke. Mrs. Wyncliffe hatte es im besten Geschäft von Delhi zum doppelten Preis anfertigen lassen, weil es in Rekordzeit genäht worden war. Wäre der Anlass nicht so schrecklich gewesen, hätte Emma es hinreißend gefunden. So aber lief ihr nur ein kalter Schauer über den Rücken.

»Frieren Sie, Begum Sahiba?«, fragte Sharifa.

Begum Sahiba?

Würde man sie von jetzt an so nennen? Emma schüttelte den Kopf und lächelte schwach. »Nein, mir ist nur etwas eingefallen.«

»Wie bitte?«

Emma begriff, dass die Frau kaum Englisch sprach und wechselte zu Urdu. »Mir ist nicht kalt, ich bin nur müde. Ich werde euch dann nicht mehr brauchen. Ihr könnt gehen. Gute Nacht.«

Sharifa sah sie überrascht und erfreut an. »Begum Sahiba beherrscht die Landessprache sehr gut«, sagte sie voller Hochachtung. »In Kaschmir sprechen nur sehr wenige Leute Englisch.«

»Was redet ihr dort, Kashur und Dogri?«

»Ja, Begum Sahiba.«

»Ist es schwer, diese Sprachen zu lernen?«

»Für jemanden, der so klug ist wie Sie, Begum Sahiba, bestimmt nicht. Sie werden es im Handumdrehen können.« Sie hob die gefalteten Hände zur Stirn, verneigte sich, nahm Rehmat an der Hand, und die beiden gingen davon.

Emma löste die Haare und genoss das Gefühl, sie auf den Schultern zu spüren. Mit stummem Seufzen schlüpfte sie aus den Schuhen, zog das unbequeme ausladende Brautkleid aus und legte dann den Schmuck ab. Sie warf nur einen flüchtigen Blick auf die einzelnen Stücke, legte die Diamanten in die mit Samt ausgekleidete Schmuckschatulle und verstaute sie ganz unten in der Truhe. Sie schwor sich dabei, diesen Schmuck nie wieder zu tragen. Wenn Damien glaubte, Diamanten und Rubine seien eine angemessene Entschädigung für eine unter Erpressung zustande gekommene Ehe, dann kannte er sie weit weniger, als er sich das vielleicht vorstellte.

Dieser Tag war der Höhepunkt eines Albtraums, aber gleichzeitig begann ein anderer. Der Ring am Ringfinger der linken Hand erinnerte sie daran, dass sie nun die Frau eines Fremden war. Das Gelübde band sie an ihn bis ans Ende ihrer Tage, und er hatte alle rechtlichen Sanktionen, mit ihr nach seinem Gutdünken zu verfahren. Sie zwang sich, keine Tränen zu vergießen, und ging ins Bad. Dort erfrischte sie sich mit viel köstlich kühlem Wasser und wusch die Erschöpfung von den müden Gliedern. Sie rieb sich trocken, ging ins Schlafzimmer zurück und zog unglücklich das schöne Nachthemd an. Sie fand, es trug wenig dazu bei, entweder ihre Stimmung oder ihr Aussehen zu verbessern. Emma stand vor dem Spiegel, musterte sich sehr genau und fand, dass sie schrecklich aussah.

Die Anspannungen der letzten Wochen standen ihr deutlich im Gesicht geschrieben und lasteten ihr auch erkennbar auf den hängenden Schultern. Ihre sonnengebräunte Haut wirkte leblos und fleckig. Die glanzlosen Augen hatten dunkle Ringe. Ihr großer schlanker Körper schien dünner und irgendwie eckig. Um ihr das Überleben in den vergangen Wochen zu ermöglichen, hatte sie die Fähigkeit, sich nur auf bestimmte Dinge zu konzentrieren, zu einer Kunst entwickelt und deshalb bewusst auch darauf verzichtet, sich Gedanken über die Intimität zu machen, die zu einer Ehe dazugehörte. Doch jetzt, als die Stunde der Wahrheit immer näher rückte, konnte sie das nicht länger beiseite schieben.

Eine Braut in der Hochzeitsnacht – oder ein Lamm, das geschlachtet wurde?

Sie wusste von Anfang an, dass Damien sie nicht liebte. Doch sehr zu ihrem geheimen Verdruss hatte sie in letzter Zeit seine fehlende Zuneigung geschmerzt. Zu ihrem Ärger stellte sie fest, dass sie seine Nähe immer beunruhigender fand, je mehr sie sich dagegen wehrte. Sie reagierte auf seine Berührung in einer Weise, die sie für schändlich hielt. Selbst eine flüchtige Berührung – ein Streifen der Schulter, seine Hand, ein Arm um ihre Taille, wenn sie tanzten – rief Gefühle hervor, die sie noch nie zuvor erlebt hatte. Sie konnte diese Empfindungen nicht verstehen und wollte sie nicht einfach nur hinnehmen. Deshalb war sie entschlossen, Derartiges nicht zu ermutigen. Als er beim Aussteigen aus der Kutsche einmal ihren Ellbogen gehalten hatte, fing sie so heftig zu zittern an, dass er es bemerkte. »Warum wehrst du dich gegen meine Berührung?«, hatte er gefragt, ohne ihre Reaktion richtig zu verstehen. »Ist deine Abneigung so heftig?«

»Ja«, hatte sie erwidert, um ihre Verlegenheit zu überspielen. »Aber ich werde mit der Zeit bestimmt Mittel finden, es zu verbergen.«

Er war rot geworden, und sie hatte sich in dem Triumph gesonnt, der übergroßen Selbstsucht eines Mannes, der nichts dabei fand, sich ihre Verzweiflung zunutze zu machen, einen Schlag versetzt zu haben. Emma war entschlossen, ihre inneren Reaktionen künftig nicht mehr zu zeigen, und deshalb nahm sie seine Überheblichkeit keineswegs hin und zahlte ihm seine Gleichgültigkeit mit gleicher Münze heim.

Das musste sie auch in dieser Nacht tun!

Emma saß lange am offenen Fenster und bürstete sich gedankenverloren die Haare, während in ihr ein heftiger Kampf tobte. Vom Hof unten hörte sie Gesang, das Schlagen von Trommeln und das Klingeln von Glöckchen. Die Dienstboten feierten die Hochzeit ihres Huzoor. Sie hörte mit halbem Ohr der Musik zu und wartete mit wachsenden Befürchtungen auf ihren Mann.

Ihr Mann!

Wie seltsam das Wort klang – seltsam und beängstigend. Würde sie sich jemals daran gewöhnen können?

Emma überlegte, wie sie ihre überreizten Nerven beruhigen könnte, und bemerkte plötzlich eine Glasvitrine mit mehreren Karaffen. Sie roch an den Getränken und nahm schließlich einen Schluck aus einer Karaffe. Der rote Wein schmeckte stark und trocken. Es musste ein Bordeaux sein, ein Wein, den man auch auf den Burra Khanas trank. Sie füllte sich ein Glas und begann zu trinken. Der warme, blumige Geschmack war angenehm. Ihre Spannung ließ etwas nach, und die Angst legte sich ein wenig. Als Damien schließlich morgens um halb zwei erschien, hatte sie die halbe Karaffe geleert.

Emma hörte, wie sich die Tür zu seiner Suite öffnete und schloss. Sie stand am Fenster und betrachtete die verschwommene Spiegelung einer Laterne im Fluss und richtete sich erschrocken auf. Sie hielt den Atem an, ballte die Fäuste und schloss die Augen. Sie hörte leise Schritte vor ihrer Tür – die Schritte gingen weiter. Sie ließ den Atem mit einem Stoßgebet langsam entweichen.

O Gott, hoffentlich hat er es sich anders überlegt …

Aber Damien hatte es sich nicht anders überlegt. Ein paar Minuten später klickte die Klinke der Verbindungstür zwischen ihren Räumen. Damien trat ins Zimmer und kam geradewegs zu ihr, ohne ihr Zeit für eine Reaktion zu lassen. Dicht vor ihr blieb er stehen, und sie spürte seinen nach Tabak riechenden Atem auf der Wange. Er roch offenbar den Wein, den sie getrunken hatte, denn er lachte. »Du hast Angst vor mir …!« Er war außergewöhnlich guter Laune. In seiner Stimme lag Triumph, und seine Lippen streiften zart wie ein Sommerwind ihre Stirn. Erschrocken wollte sie zurückweichen, aber er legte ihr den Arm um die Taille. Mit der anderen Hand berührte er ihren Nacken und streichelte ihre Haut mit federleichten Fingerspitzen.

Emma biss die Zähne zusammen, um den Schrei zurückzuhalten, der ihr in der Kehle steckte. Sie schloss die Augen, damit sie sein Gesicht nicht sehen musste. Seine Lippen glitten bis zu der Vertiefung an ihrem Hals. Seine Hand lag auf ihrem Rücken, und er zog sie näher an sich, ohne jedoch Druck auszuüben.

Sie wollte zurückweichen, aber der Kaminvorsatz hinderte sie daran. Ihre Angst kehrte zurück, und sie wollte sich befreien, aber er lachte nur leise an ihrer Haut. Emma wusste, sie war seinen körperlichen Kräften nicht gewachsen, und zwang sich, gefühllos wie ein Stein zu sein. Ihr Gesicht wurde ausdruckslos. Er bedeckte es mit leichten, sehnsüchtigen Küssen. Er verweilte ein wenig an den Mundwinkeln, auf den fest geschlossenen Augenlidern, und dann streifte er mit den weichen Lippen zärtlich entlang der Ohrläppchen.

Er ließ die Hände sinken, und sie löste sich sofort von ihm. »Frauen, die sich sträuben, sind noch begehrenswerter«, sagte er leise. »Hast du das gewusst?«

»Begehrenswert?« Trotz ihrer trockenen Kehle gelang ihr eine Art Lachen. »Natürlich, das ist sehr wichtig für dich, denn schließlich hältst du Liebe für unnötig!«

»Ich habe noch nie eine Frau kennen gelernt, die zu deiner Version der Liebe fähig gewesen wäre. Meine dagegen habe ich bei vielen gefunden.«

»Du meinst, deine Version von Lust!«

»Wenn du es so nennen willst. Es kommt auf das Wort nicht an. Wichtig ist, dass es gefällt. Lust bewegt die Sinne, ohne das Herz zu verwirren.«

»Und mehr willst du nicht von einer Ehe?«, fragte sie. »Die Sinne bewegen, ohne das Herz zu verwirren?«

»Da du behauptest, mich zu verachten, solltest du dankbar dafür sein.«

Sie entfernte sich und war erschrocken darüber, dass seine Bemerkung sie so sehr verletzte. »Vielleicht hast du meinen Körper mit deinem verwerflichen und unmoralischen Abkommen erworben, und ich sehe, dass du mir nicht ermöglichst, ihn dir zu verweigern, sosehr ich das auch möchte. Aber mehr als das wird dir nie gehören. So viel kann ich dir versprechen.«

Er war mit wenigen Schritten bei ihr. Seine Hand schloss sich um ihr Handgelenk. »Und ich werde dich nie vergessen lassen, dass dein Körper mir gehört. Das kann ich dir versprechen!«

Sie riss sich von ihm los. »Eine Vergewaltigung, die das Gesetz billigt!«

»Vergewaltigung?« Er schüttelte den Kopf. »Wie ich dir schon einmal gesagt habe, ich habe nie mit einer Frau gegen ihren Willen geschlafen – auch mit dir werde ich es nicht tun.«

Bevor sie darauf gefasst war, hatte er sie wieder umarmt. Diesmal schien sein Mund etwas mehr zu fordern, seine Zungenspitze etwas mehr zu suchen. Emma erschauerte, aber sie entzog sich ihm nicht, sondern blieb starr und regungslos stehen. Sie duldete, dass seine Lippen zärtlich die Vertiefungen hinter ihren Ohren erkundeten, das dichte, weiche Haar berührten, den Konturen ihrer Schulterblätter folgten. Das alles war unerwartet sanft und überhaupt nicht so, wie sie es sich vorgestellt hatte. Der nachdrückliche, aber gleichzeitig zärtliche Angriff richtete sich nicht auf ihren Körper, sondern auf ihre Sinne. Das traf sie völlig unvorbereitet und verängstigte sie noch mehr.

Allmählich und beinahe unmerklich weckten unsichtbare, aber erschreckend spürbare Kräfte irgendwo in ihren Fußsohlen das Echo einer Empfindung. Das Gefühl begann, in ihren Gliedern nach oben zu steigen, bahnte sich seinen Weg durch das Netz ihrer Adern, fand jede kleinste Nische ihres Körpers. In ihr begann ein Aufruhr, ein Krieg, während sie darum kämpfte, die Kontrolle nicht zu verlieren. Diese Mühe hätte sie sich sparen können. Es war, als versuche sie, einen Orkan mit den Händen aufzuhalten. Ihre Abwehr wurde allmählich schwächer, denn sie war hilflos angesichts der Wellen der Lust, die immer höher schlugen, und sie begann, sich in den wunderbaren Empfindungen zu verlieren. Die angespannten Muskeln lockerten sich. Ihr gleichmäßiger Atem befreite sich mit stürmischer Gewalt aus den Fesseln der Disziplin. Die Kapitulation kam so plötzlich, dass sie sich Halt suchend an ihn lehnte. Noch wehrte sie sich, aber dann war plötzlich alles vorbei. Wie eine Knospe, die von der mutwilligen Sommersonne dazu verlockt wird, sich voll zu entfalten, öffnete sich ihr Mund seinen Lippen, und der Kampf war so gut wie verloren.

Seine Arme umschlossen sie fester. Die Knie gaben unter ihr nach, und sie sank an sein klopfendes Herz. Im Bann einer Kraft, gegen die jeder Widerstand zwecklos war, vermochte sie nicht mehr, sich zu bewegen, und erstaunlicherweise wollte sie das auch nicht. Zusammen mit ihrem klaren Bewusstsein schwanden ihre Widerstandskräfte immer mehr, und viel zu schnell auch ihre letzte Willenskraft. Obwohl sie in ihrem Kopf wie aus weiter Ferne den Befehl vernahm, das alles nicht zuzulassen, hoben sich ihre Arme und schlangen sich um seinen Hals.

Behutsam und ohne sich von ihrem Mund zu lösen, streifte er ihr das Nachthemd herunter. Die aprikosenrosa Spitzenwolke sank zu Boden. Als seine Hand ihre Brust berührte, löste das eine Explosion der Gefühle aus, die so stark, so qualvoll schön waren, dass Emma unbewusst stöhnte, und der letzte Rest ihres Widerstands schwand. Er hob sie hoch, als sei sie so leicht wie ein Blatt, und trug sie zum Bett. Sein Gesicht im Halbdunkel über ihr war ein verschwommener Fleck aus Wärme und Atem und leuchtenden Augen. Noch einmal versuchte sie, sich zu retten.

»Damien, bitte warte, hab Mitleid mit mir, warte …«

»Warum?«

»Ich kann nicht …«

»Du kannst und du willst. Ich werde dich dazu bringen. Du kannst mir vertrauen.«

»Noch nicht, noch nicht …«

Ihr schwacher Protest verhallte ungehört. Seine großen sonnengebräunten Hände, die gleichzeitig kraftvoll und unglaublich zart waren, nahmen Besitz von ihrem ganzen Körper, fanden die runden und weichen Konturen und hinterließen eine Spur ungeahnter, beseligender Verwüstung. Eine seltsame Mischung von Lauten, die aus ihrem Innern aufstiegen, drang aus ihrer Kehle. Schreie der Überraschung,

Schmerzenslaute und unvorstellbare Lust entfesselten gewaltige Urkräfte. Ihre liebkosenden Hände wurden mutiger, fordernder, und ihre Reaktionen wurden immer heftiger. Sie wollte, dass er nie mehr aufhören würde. Er sollte weitermachen, denn sie konnte nicht begreifen, mit welcher Schnelligkeit sie lernte, das zu genießen, was sie noch nie erlebt hatte. Sie war wie besessen, und nur ein winziger Teil in ihr war empört, dass ihr so gut gefiel, was Damien mit ihr machte. Sie hörte ihren Aufschrei, aber sie war nicht länger im Besitz ihres Verstandes und noch weniger ihres Körpers. Ohne eigenes Zutun erwiderte sie seine Küsse und Liebkosungen. Sie überwand alle Barrieren, sie wollte und konnte ihr Begehren nicht mehr zügeln, obwohl es sie entsetzte. Sie wollte nur noch mit ihm in alle Ewigkeit eins sein.

Er führte sie sicher in die Bereiche eines unbekannten Himmels. Sie erhob sich in ekstatische Höhen, streifte unvorstellbare Gipfel der Lust, schwebte über den endlos weiten Himmel, durchdrang Wolkenschleier und stieg höher, immer höher hinauf. Als sie schließlich glaubte, die süßen Qualen nicht länger ertragen zu können, spürte sie den köstlichen Schmerz der Erfüllung. Ihr Körper erschlaffte, nur ihre Empfindungen waren noch lebendig. Glücklich, träge und zufrieden glitt sie in das Tal des kleinen Todes und fand den süßen Frieden glückseliger Befriedigung. Sie gelangte in das Wunderreich der Traumwelten. Zeit und Raum hatten aufgehört zu existieren. Wenn sie durch Damien den Himmel gefunden hatte, dann wollte sie nie wieder auf die Erde zurück. Irgendwann schlief sie ein, aber sie wusste nicht, wann. Als sie wieder erwachte, lag sein Kopf an ihrer Schulter, und seine Fingerspitzen glitten zart durch ihre seidigen Haare.

Emma hob den Kopf und blickte in das unbekannte Gesicht über ihr. Sie wusste nicht, wo sie war, und konnte nicht klar sehen. Die kleine Bewegung löste ein schmerzliches Stechen aus, und sie stöhnte. Er drehte sich zur Seite und nahm sie in die Arme. Er küsste sie einmal auf die Lippen und legte sie dann in die Kissen zurück. Sie blickte ihn schlaftrunken an, erstaunt über das unbekannte Gesicht, das sich so zärtlich über sie beugte.

»Damien ...?«

»Psst! Schlaf weiter.«

Sie lächelte unbewusst und schlief wieder ein. Diesmal war ihr Schlaf tief und traumlos. Als sie erwachte, wusste sie nicht, wie viel Zeit vergangen war, aber er lag nicht mehr neben ihr. Sie befand sich allein in der Dunkelheit.

Sie fühlte sich zu schwach, um denken zu können. Deshalb blieb sie eine Weile still liegen und überließ sich der Fülle der Gefühle und Empfindungen ihres Körpers. Die schmerzenden Stellen vertrieben den Nebel, und die klare Erinnerung stellte sich wieder ein. Sie stand auf und ging schwankend ins Bad. Trotz der kühlen Nachtluft wusch sie sich mit kaltem Wasser und genoss das Gefühl, sich zu reinigen und zu erleben, wie das Wunder der Wiederbelebung sie heilte.

Lange Zeit saß sie am Fenster und blickte in die Nacht, ohne etwas zu sehen. Wenn sie noch etwas mit der Wirklichkeit verband, dann war es nur das Wissen, dass von nun an nichts mehr so sein würde wie bisher.

Siebtes Kapitel

Oberst Hethrington hatte sich nicht auf das Gespräch gefreut, das General Sir Marmaduke Jerrold, der Oberbefehlshaber der indischen Streitkräfte, dem der Nachrichtendienst in letzter Instanz Rechenschaft ablegen musste, anberaumt hatte. Angesichts des heiklen Themas waren die Herren in das private Arbeitszimmer des Oberbefehlshabers in seiner offiziellen Residenz Snowdon gebeten worden und nicht ins Amt.

»Sie mögen sich ja noch so viel Mühe geben, Oberst«, begann Sir Marmaduke energisch und klopfte mit dem Finger auf eine Akte mit Hethringtons Bericht. »Aber der Gestank, den dieser besondere Fisch erzeugt, kann nicht länger mit wohlriechenden Worten überdeckt werden. Ich jedenfalls werde mich nicht damit zufrieden geben! Whitehall möchte Köpfe rollen sehen, und ich schwöre bei Gott, es soll nicht meiner sein!«

Der Oberbefehlshaber kam gerade erst richtig in Fahrt, denn aufgestachelt durch ständige provokante Fragen der britischen Presse, scharfe Äußerungen von Sir Mortimer Durand, dem Außenminister, empörten Anfragen aus London und einer keineswegs sanften Ermahnung des Vizekönigs sah er allmählich rot.

»In Anbetracht der Motive für den Mord«, fuhr er fort, »kann man die Erregung bestimmt nicht als ungerechtfertigt abtun. Haben Sie gelesen, was in der Presse für Vermutungen über den Verlust der Papiere angestellt werden?«

Das war eine rhetorische Frage. In den absurden Unterstellungen wurde behauptet, die Russen seien mit Safdar Ali übereingekommen,

Hyperion zu ermorden, um in den Besitz der Jasmina-Unterlagen zu kommen. Außerdem behauptete die Presse, diese Unterlagen seien inzwischen in Afghanistan, in China, in Deutschland und in der Türkei gelandet. Und das Verrückteste von allem, Hyperion habe die Unterlagen eigenmächtig einem russischen Spion verkauft.

»Das alles ist nur das Werk verantwortungsloser Schreiberlinge, Sir, für eine noch weniger verantwortungsbewusste Leserschaft«, erwiderte Hethrington gelassen. »Ich bin der Ansicht, man sollte diese fantasievollen Spekulationen nicht durch eine offizielle Stellungnahme aufwerten.«

»In dieser Hinsicht stimme ich mit Ihnen überein, Oberst, obwohl ich nicht so weit gehen würde, Geoffrey Charlton als einen verantwortungslosen Schreiberling zu bezeichnen! Ist Ihnen bewusst, wie viele Leute inzwischen anfangen, seine ›fantasievollen Spekulationen‹ zu glauben? Die Hälfte von Whitehall und Simla. Und man kann ihnen allen kaum einen Vorwurf machen!« Er schloss kurz die blitzenden Augen und beugte sich über den Tisch. »Sagen Sie, Oberst, da wir gerade bei diesem Thema sind, wie ist Charlton zu all den Erkenntnissen gekommen, wenn man bedenkt, wie sorgsam Sie Ihre kleinen Geheimnisse hüten?«

Der Sarkasmus trieb Oberst Hethrington die Röte ins Gesicht. Doch er fing den warnenden Blick des Generalquartiermeisters auf und widerstand der Versuchung, sich zu einer vorschnellen Antwort hinreißen zu lassen.

»Er macht es wie alle, Sir«, erwiderte der Oberst trocken. »In Simla haben die Wände Augen, Ohren und Zungen. Charlton hat das Gedächtnis eines Elefanten und die Spürnase eines Bluthundes. Er musste nur ein paar Überlegungen anstellen, ein wenig herumhorchen, ein paar Runden im Club ausgeben und den gleich gesinnten Klatschtanten schmeicheln.«

»Man kann ihm keinen Vorwurf daraus machen, wenn man an Ihre knappen offiziellen Stellungnahmen denkt! Seine Fragen sind durchaus berechtigt. Wenn man zum Beispiel weiß, dass es in dieser Gegend von Safdar Alis Räubertrupps nur so wimmelt, wie konnte Hyperion dann …« Er unterbrach sich. »Ich weiß, Sie sind mehr als zurückhaltend, wenn es um Ihre Agenten geht, Oberst. Aber da dieser unglückliche Mann nun einmal tot ist, können wir auf den Decknamen verzichten. Also, wieso hat sich dieser Butterfield plötzlich so verdammt unvorsichtig verhalten?«

Hethrington schien empört. »In aller Fairness, Sir, Jeremy Butterfield war ein höchst verantwortungsbewusster Beamter. Wenn er …«

»Ach, das nennen Sie Verantwortungsbewusstsein, wenn er geheime Unterlagen so sorglos wie seine Unterhosen in einer Teppichtasche mit sich herumträgt!«

Oberst Hethrington verstummte. Es war nicht das erste Mal, dass er am Konferenztisch Meinungsverschiedenheiten mit Sir Marmaduke auszutragen hatte, aber angesichts der dünnen Eisdecke, die seine Abteilung diesmal überqueren musste, wollte er keine Provokation riskieren. Hauptmann Worth saß neben dem Sekretär des Oberbefehlshabers am Fenster und steckte den Kopf so tief wie möglich in sein Notizbuch.

Ein Klopfen an der Tür kündigte eine wohltuende Unterbrechung an. Der persönliche Chaprassie von Sir Marmaduke erschien mit einem Tablett, auf dem Kaffee und Gebäck standen, außerdem brachte er eine Schachtel mit Reißzwecken. Bevor sich der Sekretär in Bewegung setzen konnte, war Nigel Worth aufgesprungen, griff nach den Reißzwecken und machte sich daran, die lose Ecke der großen Wandkarte hinter dem Schreibtisch zu befestigen. Er beschäftigte sich damit bewusst etwas länger, um seinem Oberst Zeit zu geben, eine angemessene Antwort zu finden.

Oberst Hethrington ließ seinen Blick ungnädig über den männlich eingerichteten Raum mit den wuchtigen Ledersesseln und den schmucklosen Teppichen schweifen. An den Wänden hingen Militärkarten, viele Kriegstrophäen und andere militärische Erinnerungsstücke. Schließlich konzentrierte er sich auf das bekannte Gesicht einer in Silber gerahmten Fotografie. Es war der frühere Generalquartiermeister, Generalmajor Sir Charles MacGregor, der auch einmal sein Vorgesetzter gewesen war. Die Erinnerung war wenig erfreulich.

Während seiner Amtszeit hatte Sir Charles ein Buch mit dem Titel *Die Verteidigung Indiens* geschrieben. Dort stand unter anderem zu lesen: »Ich bin allen Ernstes der Ansicht, es kann erst dann zu einer wirklichen Lösung der russisch-indischen Frage kommen, wenn Russland aus dem Kaukasus und aus Turkestan vertrieben ist.« Nachdem Sir Charles diese martialische Haltung als aktiver Offizier vertreten hatte, steigerte er seine Unbesonnenheit dadurch, dass er seinen Bericht unter der Hand der Presse zukommen ließ, was sowohl in Westminster als auch in St. Petersburg zu einem großen Wirbel führte.

Der erboste William Gladstone sah in dem Buch eine unverblümte Kritik seiner liberalen Politik, und die vorhandenen Exemplare der bemerkenswert undiplomatischen Abhandlung wurden schnell, aber nicht schnell genug eingezogen. Ein paar gelangten in russische Hände, und schließlich blieb nur der demütigende Ausweg einer offiziellen diplomatischen Entschuldigung. Sir Charles erhielt einen strengen Verweis. Um das Gesicht zu wahren, durfte er seine Dienstzeit als Generalquartiermeister beenden. Doch danach wurde er auf einen unbedeutenden Posten versetzt, der das Ende seiner Laufbahn bedeutete.

Hethrington war damals noch ein junger Offizier im Stab von Sir Charles gewesen, aber auch er hatte einen unverdienten Verweis erhalten. Die Erinnerung daran schmerzte ihn noch immer. Charles MacGregor war inzwischen tot, doch es gab in Indien und in England viele hohe Offiziere, die sein kämpferisches und kompromissloses Misstrauen gegenüber Russland offen teilten. Dazu gehörte auch General Sir Marmaduke, der gegenwärtige Oberbefehlshaber.

Der grobknochige, kräftige Mann, der ebenso unsympathisch war wie seine aggressiven militärischen Ansichten, hatte dichtes, kräftiges Haar, in dem sich noch keine grauen Strähnen zeigten. An seiner Brust prangten zahllose Orden. Er war leicht erregbar und hatte schmale, entschlossene Lippen und eine böse Zunge, die er nur selten im Zaum hielt. Als überzeugter Gegner der Russen machte er keinen Hehl daraus, dass er mit dem größten Vergnügen England einen Krieg gegen Russland verschaffen würde, wenn sein Land das wollte.

Nein, Hethrington hatte guten Grund gehabt, sich nicht auf dieses Treffen zu freuen.

»Wie ich bereits in meinem Bericht erwähnt habe, Sir«, begann er, nachdem sich Nigel Worth wieder gesetzt hatte und die Kaffeetassen und das Gebäck vor ihnen auf dem Tisch standen, »war Butterfields letzte Nachricht, die uns von seinem Gurkha überbracht wurde, zwar kodiert, aber trotzdem sehr vorsichtig abgefasst. Er vermutete, der Jasminapass sei entdeckt worden, aber da kein Beweis dafür vorlag, konnte er sich seiner Sache nicht sicher sein.« Der Oberst zwang sich, die Hände nicht zu Fäusten zu ballen, sondern legte sie nur locker gefaltet auf die spiegelglatt polierte Platte des Sheraton-Schreibtischs. »Ich muss wiederholen, Sir, Butterfield war ein verantwortungsbewusster Agent. Seine Entscheidungen verrieten stets eine sehr sorgfältig abgewogene Haltung.«

Das unbewegte Gesicht des Oberbefehlshabers zeigte deutlich, dass er nicht zum Einlenken bereit war. »Ich versichere Ihnen, Oberst, Sie müssen mich nicht an das schreckliche Geschehen erinnern, und ich zweifle keineswegs an der Loyalität Butterfields zu seiner Königin und seinem Land. Doch«, sein Blick hinter den halbmondförmigen Brillengläsern wurde hart, »in Anbetracht der Gerüchte und Anschuldigungen müssen die alten Fragen von neuem gestellt und beantwortet werden, und zwar im Interesse der Glaubwürdigkeit der Streitkräfte und mit Rücksicht auf den britischen Steuerzahler.«

Er schob den Schreibtischsessel zurück und stand auf. Mit großen Schritten ging er zu der Wandkarte. »Butterfield hatte den Auftrag, zu erkunden, ob sich ein Nachschublager in dieser Gegend anbietet!« Er deutete mehrmals mit dem Zeigefinger auf eine bestimmte Stelle.

»Ja, Sir. Das Amt für Bodenforschung beabsichtigt, noch in diesem Jahr die Hisparo- und Biafogletscher zu erforschen. Mit einer Ausdehnung von sechsunddreißig Meilen sind sie das längste subpolare Gletschersystem der Welt, und deshalb hält man ein gut erreichbares Nachschublager in der Nähe von Askole für unverzichtbar. Wegen der Nähe zur Hunzaschlucht hat man stets angenommen, dass sich irgendwo in dieser Gegend der Jasminapass befinden muss.«

Der Oberbefehlshaber verschränkte die Arme auf dem Tisch. »Wenn Butterfield vermutete, dass er durch Zufall den Jasminapass entdeckt hatte, dann frage ich Sie, warum ist er nicht geradewegs nach Simla, nach Dun oder vielleicht sogar nach Leh zurückgekehrt? Warum der Umweg nach Nordosten über Shahidullah?«

»Sir, wir können in der jetzigen Lage nur Vermutungen anstellen«, erwiderte Hethrington innerlich seufzend, denn all das war natürlich bereits zur Genüge gesagt worden, und er musste seine ganze Geduld zusammennehmen, um sachlich zu antworten. »Butterfield hat sowohl seine Route als auch seine Identität geändert, weil er befürchten musste, verfolgt zu werden. Er wählte den Umweg über Shahidullah, um sich einer Karawane anzuschließen, vermutlich in der Hoffnung, so in größerer Sicherheit zu sein. Im Nachhinein können wir sagen, er hat sich getäuscht.«

»In einer so wichtigen Situation kann sich ein angeblich so verantwortungsbewusster Agent den Luxus einer Fehleinschätzung nicht erlauben, Oberst! Charlton stellt unangenehm zutreffende Fragen, und die große Besorgnis in Whitehall ist völlig berechtigt.«

»Dass Charlton und Whitehall so übertrieben reagieren«, entgegnete Hethrington mit einem Anflug von Schärfe, »ist nicht anders zu erwarten, Sir. Überreaktionen sind ein typisches Symptom für die Paranoia, an der die gesamte Nation zu leiden scheint.«

»Paranoia, ja?« Sir Marmaduke ging zum Schreibtisch zurück, ließ seinen beneidenswert muskulösen Körper in den Sessel sinken und richtete den durchdringenden Blick seiner eisblauen Augen unverwandt auf Hethringtons Gesicht. »Sie glauben, es ist ein Zeichen von Paranoia, wenn man sich große Sorgen wegen einer höchst wahrscheinlichen russischen Invasion über einen uns unbekannten Pass macht, Hauptmann?«

Hethrington nahm sich zusammen. Er wich dem flammenden Blick des Oberbefehlshabers aus und trank ruhig noch einen Schluck Kaffee. »Ich glaube, Sir, bei allen Sorgen, die wir uns machen, sollten wir die grundlegenden Tatsachen nicht aus den Augen verlieren«, erwidert er gelassen. »Bisher besteht kein Grund zur Panik, es gibt keinen

Beweis dafür, dass Butterfield tatsächlich den Jasminapass gefunden hat, und ganz bestimmt keinen Beweis dafür, dass seine Karten auf irgendwelchen krummen Wegen in die Hände der Russen gelangt sind oder in nächster Zeit gelangen werden.«

»Und Sie bieten uns diese tröstliche Beruhigung an, Oberst, ohne auch nur zu wissen, was in diesen Papieren enthalten ist, die sich scheinbar in Luft aufgelöst haben?«

Hethrington bewegte sich unruhig auf seinem Stuhl. »Wir müssen gezwungenermaßen annehmen, Sir, die Papiere waren …«

»Die Wölfe in London sind kurz davor, mir den Schwanz abzubeißen«, unterbrach ihn Sir Marmaduke aufgebracht. »Da genügen Annahmen nicht mehr. Es interessiert Whitehall absolut nicht, wo die Papiere waren, sondern wo sie sind!«

An diesem Punkt räusperte sich Sir John völlig unerwartet und beschloss einzugreifen. »Jeremy Butterfields Papiere sind dort, wo der Bericht des Hauptmanns sagt, dass sie sind, Sir – in den Schluchten des Karakorum und in alle Winde zerstreut.«

Bislang hatte der Generalquartiermeister nur zugehört und seinen Beitrag an der Diskussion auf Nicken und einsilbiges Murmeln beschränkt. Damit ließ er zu, dass sein Leiter des Nachrichtendienstes sich der ersten Welle der Kritik stellen musste. Es erstaunte Hethrington, dass er sich plötzlich energisch zu Wort meldete.

Sir Marmaduke sah seinen Generalquartiermeister durchdringend an. »Sind wir wirklich ganz davon überzeugt, John, dass alle Aufzeichnungen Butterfields bei dem Überfall vernichtet wurden?«

Es war plötzlich sehr still geworden im Arbeitszimmer des Oberbefehlshabers. Hethrington hielt wie alle Anwesenden die Luft an und blickte durch die Glastüren der Terrasse scheinbar interessiert auf die hübschen Schweizer Chalets zwischen den majestätischen Himalajazedern an den Hängen. Die Antwort schien eine Ewigkeit auf sich warten zu lassen.

»Wir haben keinen Grund, etwas anderes zu glauben, Sir«, erwiderte der Generalquartiermeister ruhig, und Hethrington wagte, wieder zu atmen, während sich die anderen Herren unruhig räusperten.

»Und Crankshaws dürftige Bestandsaufnahme ist das einzige Verzeichnis, das von den Dingen existiert, die Butterfield außerdem noch bei sich hatte?«

»Ja, Sir, und zwar aus völlig einsichtigen Gründen, die in dem Bericht genannt werden.« Sir Johns Gesicht wirkte nach wie vor gelassen. »Die Kaufleute fürchteten, in den Mordfall verwickelt zu werden. Sie haben deshalb alles in die bewusste Teppichtasche getan und in der Koranschule in Leh abgegeben. Das wenige, was Crankshaw später von ihnen erfahren hat, basierte nur auf Erinnerungen. Der Mullah wollte seine Reise nach Mekka nicht verschieben und hat die Teppichtasche vor der Abreise zu einem guten Zweck verschenkt.«

Sir Marmaduke runzelte die Stirn. Er hatte offensichtlich immer noch Zweifel. Aber bevor er weitere Fragen stellen konnte, schloss Sir John die Akte und sprach weiter.

»Ich muss sagen, ich unterstütze voll und ganz Oberst Hethringtons Einschätzung der Lage, Sir. Wir können unmöglich herausfinden, unter welchen schrecklichen Zwängen Jeremy Butterfield damals seine Entscheidung treffen musste. Aber sein Vorgehen jetzt anzuzweifeln würde bedeuten, einem Mann von erwiesenermaßen großen Fähigkeiten, der sich nicht mehr selbst verteidigen kann, ein schweres und unverdientes Unrecht anzutun.«

Der Oberbefehlshaber war damit wenigstens für den Augenblick wirkungsvoll zum Schweigen gebracht. Er lehnte sich sichtlich unzufrieden zurück und dachte nach.

Hethrington war erleichtert. Als er Sir John von dem Janus-Projekt in Kenntnis gesetzt hatte, war der Generalquartiermeister entsetzt gewesen und hatte seine Billigung verweigert. Bis vor wenigen Augenblicken hatte Hethrington nicht die leiseste Ahnung gehabt, wie weit Sir John bei diesem Treffen bereit war, das Janus-Projekt geheim zu halten oder offen zu legen. Die Mühelosigkeit, mit der Sir John die Halbwahrheiten über die Lippen gekommen waren, erstaunte den Oberst. Und natürlich fiel ihm ein Stein vom Herzen.

»Also gut«, sagte Sir Marmaduke weniger streng. »Sprechen wir über den nächsten Punkt.« Er hob den Finger, und Oberst Hartley beeilte sich, ihm ein Blatt Papier auf den Schreibtisch zu legen. »Das Telegramm aus Whitehall in der Angelegenheit Borokow. Wie sollen wir darauf reagieren, meine Herren? Was schlagen Sie vor?«

Weder Sir John noch Oberst Hethrington riskierten es, etwas zu sagen, denn sie wussten sehr wohl, dass der Oberbefehlshaber seine eigenen Vorstellungen hatte.

»Also, haben wir eine vernünftige Erklärung dafür, dass dieser Borokow kurz nach dem Verschwinden der Butterfield-Papiere in St. Petersburg auftaucht? Und dass gleichzeitig die russische Presse nichts Besseres zu tun hat, als von einer bevorstehenden Invasion über den neu entdeckten Jasminapass zu berichten?«

Da Sir John seinen Beitrag zur Unterstützung der Nachrichtenabteilung bereits geleistet hatte, überließ er das Feld wieder Hethrington.

»Die britische Presse besitzt nicht das Monopol, Gerüchte in die Welt zu setzen, Sir«, erklärte Hethrington nicht ohne eine gewisse Genugtuung. »Wir wissen, dass die russischen Journalisten dieses Metier noch sehr viel besser beherrschen als unsere Landsleute. Unser Botschafter hat erst kürzlich telegrafiert, dass zum Beispiel die beiden größten Tageszeitungen, die *Novoje Vremya* und die *Morning Post* übereinstimmend berichtet haben, unsere Königin sei dem Alkohol verfallen und sinke abends völlig betrunken ins Bett – und jeder Russe glaubt das! Ebenso hält sich hartnäckig das Gerücht, die britische Presse unterstehe der Kontrolle der britischen Regierung. Unsere Zeitungen werden in Russland weitgehend gekaviart. Lord Castlewood ...«

»Weitgehend was?«

»Gekaviart, Sir ... umgangssprachlich für zensiert.«

»Ah.«

»Lord Castlewood ist der einzige Engländer in Russland, der seine Zeitungen unzensiert bekommt.«

Der sich selbst als Russenfreund bezeichnende britische Botschafter, der als Mann mit gemäßigten Ansichten bekannt war und sich am Hof des Zaren größter Beliebtheit erfreute, vertrat in jeder Hinsicht eine völlig andere Ansicht als Sir Marmaduke. Deshalb verfinsterte sich die Miene des Oberbefehlshabers erwartungsgemäß bei der Erwähnung dieses Namens.

»Darf ich fragen, mit welcher erleuchteten Weisheit seine Lordschaft die Anwesenheit Borokows zu erklären weiß ?«

»Seine Lordschaft ist natürlich besorgt, aber er ist ebenfalls der Ansicht, dass die Gerüchte über eine Invasion absurd sind. Außerdem gibt es überhaupt keine Beweise in dieser Richtung.«

»Auf welche Beweise wartet er … vielleicht auf eine offizielle Ankündigung im Hofanzeiger des Zaren in St. Petersburg?« Sir Marmaduke lachte grimmig. Niemand wagte, ebenfalls zu lachen. »Und wie wollen Sie die russischen Truppenkontingente erklären, die plötzlich überall im Himalaja auftauchen wie Pilze nach einem warmen Sommerregen?«

»Die Idee zur Erkundung des Himalaja geht unter anderem auf die außergewöhnlichen Ergebnisse von Younghusband zurück, Sir. Außerdem«, er räusperte sich, »der Himalaja ist noch immer offenes Territorium. Wir sind kaum in der Lage zu bestimmen, wer ihn erforscht und wer nicht.«

»Noch nicht, Oberst, noch nicht«, sagte Sir Marmaduke selbstzufrieden. »Die Russen bewegen sich im Pamir, als sei es ihr Garten, und Safdar Ali schickt regelmäßig Abgesandte nach Taschkent. Das ist …« Er wurde von Oberst Hartley, seinem Sekretär, unterbrochen. »Ja, Oberst, was ist?«

Oberst Hartley beugte sich vor und flüsterte ihm etwas ins Ohr. Der Oberbefehlshaber warf einen Blick auf die Uhr, schob das Telegramm in die Akte und schloss sie. »Ich muss in einer Stunde nach Peschawar aufbrechen. Wir beraten dort über unsere Verteidigungsstrategien«, erklärte er etwas ungehalten. »Deshalb müssen wir den Fall Borokow bis nach meiner Rückkehr vertagen. Ich möchte Sie jedoch darauf hinweisen, meine Herren, ich bin entschlossen, die Diskussion fortzusetzen! Der Verlust der Butterfield-Unterlagen, die veränderte Lage in St. Petersburg nach Borokows Auftauchen dort und der Umstand, dass Smirnow der nächste Generalgouverneur in Zentralasien werden soll – all das verlangt unsere ernsthafte Aufmerksamkeit. Ich sehe mich nicht in der Lage, den Vizekönig und den Außenminister zu beruhigen, wenn ich nicht selbst davon überzeugt bin, dass unsere Sicherheit nicht bedroht ist. Ich muss kaum betonen, dass ich sehr wohl der Ansicht bin, dass unsere Sicherheit in Gefahr ist, und vermutlich mehr als das! Guten Tag, meine Herren.«

Die Anwesenden erhoben sich, schlossen die Akten, verabschiedeten sich und gingen hinaus in den hochsommerlichen Sonnenschein auf die Mall.

Wie immer drängten sich während der Saison auf der Mall um die Mittagszeit die Leute zum Einkaufen und Spazierengehen. Die drei Offiziere gingen an Gorton Castle, dem Regierungssitz und der Christuskirche, die, wie es hieß, die schönsten Buntglasfenster im ganzen Land hatte, vorbei und geradewegs in das eigene Amt. Simla war zwar ein Urlaubsort, aber man konnte trotzdem keinen Augenblick vergessen, dass hier das Herz des indischen Reichs schlug. Inmitten der Sommerhüte, der gerüschten Sonnenschirme, der angeleinten Hunde und der riesigen Einkaufstüten sah man eilende Boten in Livree mit versiegelten roten Nachrichtentaschen, in denen über das Schicksal einer Nation entschieden wurde. Von den dreihundertfünfzig Millionen Bewohnern dieser Nation war jedoch nur wenig zu sehen. Inder durften sich auch in Begleitung ihrer Herrschaft nicht auf der Mall aufhalten, und vor allem nicht in einheimischer Kleidung.

»Wieder ein Sargnagel mehr, Wilfred!« Sir John machte diese düstere Bemerkung, als sie schließlich in seinem Büro saßen.

»Vielen Dank für Ihre Unterstützung im rechten Augenblick, Sir«, murmelte Hethrington.

»Vor allem deshalb, weil Sie keine Ahnung hatten, ob Sie diese Unterstützung bekommen würden, nicht wahr?«

Hethrington wurde rot.

»Da wir die Sache schon mehrmals durchgesprochen haben, will ich keine Zeit mit Vorhaltungen verlieren. Aber ich möchte Sie doch daran erinnern, dass ich das Projekt für ungeheuerlich halte. Wer hat sich dieses böse kleine Spiel überhaupt ausgedacht – Nigel?«

»Ja, Sir.«

»Das dachte ich mir. Sie hatten nicht die Befugnis, es in Gang zu setzen, ohne vorher um Erlaubnis zu fragen.«

»Wenn ich das getan hätte, Sir, hätten Sie es dann genehmigt?«

»Nein.« Sir John sah ihn mit gerunzelter Stirn an. »Ich habe nicht den Wunsch, beruflichen Selbstmord zu begehen.« Er schwieg besorgt. »Es ist eine Sache, einem vorgesetzten Offizier vorübergehend Informationen vorzuenthalten, selbst wenn es im Interesse einer Angelegenheit geschieht, die man zu Recht oder zu Unrecht für größer hält und glaubt, sie rechtfertige ein solches Vorgehen, Wilfred! Das haben wir in jungen Jahren alle getan. Aber den Oberbefehlshaber der indischen Streitkräfte anzulügen ... ihn zu *belügen* ...!« Ihm fehlten die Worte.

»Wir wissen beide, Sir, hätten wir Sir Marmaduke die Wahrheit gesagt, hätten wir die Hoffnung aufgeben können, die Unterlagen jemals wiederzubekommen, ohne einen großen Wirbel auszulösen«, erwiderte Hethrington sachlich. »Wollen wir dieses Risiko eingehen?«

»Nein. Außerdem haben wir uns inzwischen viel zu weit vorgewagt.« Sir John drückte die Fingerspitzen gegen die Schläfen und schloss die Augen. »Wilfred, ich habe mich schließlich aus drei Gründen dafür entschieden, Ihren skandalösen Plan zu unterstützen. Erstens, da ich Butterfield kannte und achtete, möchte ich seine Absichten nicht anzweifeln. Ich bin davon überzeugt, dass der Jasminapass entdeckt worden ist. Wäre das nicht der Fall, hätte man ihn nicht umgebracht. Das ist sehr einfach. Aber bis diese Unterlagen wieder in unserem Besitz sind, müssen wir – und zwar unter allen Umständen! – ihr Vorhandensein leugnen.

Zweitens, ich habe Ihnen stets große unabhängige Befugnisse zugestanden, weil ich Ihrem Urteil vertraue. Und, das geht auf mein Sündenkonto«, fügte er hinzu, »ich bewundere die Fähigkeiten ungemein, mit denen Hauptmann Worth das Netz seiner Intrigen spinnt.«

Nigel stand mit dem Rücken zur Wand wie vor einem Hinrichtungskommando. Er entspannte sich, weil er Sir Johns Worte für ein Kompliment hielt.

»Und drittens«, fuhr Sir John fort, »ich bin nun einmal der Ansicht, dass ein Reich weder dadurch gemacht noch erhalten wird, dass die Regeln befolgt werden.« Er öffnete die Augen und lächelte andeutungsweise. »Ich glaube, bei einer so besonderen Aufgabe wie der unseren, bei der man in keiner Dienstvorschrift Rat finden kann, sind für den Erfolg Einfallsreichtum und Vorstellungskraft ausschlaggebend. Eine Spur des Unkonventionellen verleiht wie eine Prise Chili der eintönigen Alltagskost Würze. Die Zunge hat etwas zu schmecken, die Geschmacksknospen geraten in Bewegung, und in das nüchterne, bedrückende Geschäft, Nachrichten zu sammeln, kommt etwas Glanz.« Er lächelte schwach. »Die Risiken Ihres verschlagenen kleinen Komplotts mögen mir vielleicht Magengeschwüre einbringen, aber ich weiß auch, der Plan könnte gelingen.«

Hethrington sah sehr zufrieden aus, und Nigel strahlte.

»Andererseits«, Sir John wurde wieder ernst, »kann es auch sein, dass er nicht gelingt. Wenn Ihr Pferd die Zügel abwirft, dann muss ich Sie nicht an die Konsequenzen erinnern. Ich gehe davon aus, dass Crankshaw entsprechend unterrichtet wurde.«

»Ja, Sir«, antwortete der Oberst.

»Und was meint er?«

»Er hat gewisse Vorbehalte geäußert, Sir.«

»Ha, ha! Da bin ich sicher!« Sir John lachte leise und sagte dann ernst: »Wir müssen sehr vorsichtig sein, Wilfred. Wenn Ihr Projekt ein Leck reißt, dann sinkt die ganze Nachrichtenabteilung … und alle, die auf diesem Schiff sitzen. Abgesehen von der persönlichen Schande wird unser Etat noch weiter gekürzt werden, und er ist bereits dürftig genug.«

»Es gibt einfach keinen anderen Weg«, erklärte Hethrington. »Bei Gott, wir haben alles versucht. Aber wir werden nicht sinken, Sir. Davon bin ich überzeugt. Wir werden sicher mit allen an Bord den Hafen erreichen.«

Die impulsiven Worte, die Hethrington mit mehr Überzeugung aussprach, als er tatsächlich besaß, klangen zwar schön, aber der Oberst wurde schnell wieder mutlos, als er in sein Büro zurückkehrte. Wenn die Unterlagen in andere Hände gelangen sollten, wäre das nicht nur ein schwerer Schlag für seine Abteilung. Er machte sich keine Illusionen über sein eigenes Schicksal in diesem Fall. Wieder einmal drohte die Feldküche im staubigen Ausbildungslager von Meerutam am düsteren Horizont. Er versuchte, nicht daran zu denken.

*

Die Mittagssonne stand hoch am Himmel und schien grell in das Zimmer. Emma zog stöhnend die Decke über den Kopf und blieb mit geschlossenen Augen liegen. Der sanft schmerzende Körper kam ihr so fremd vor, als sei es nicht mehr der ihre. Alle Glieder waren schwer und schienen von einem seltsam sinnlichen Wohlgefühl erfüllt zu sein, das alles andere als unangenehm war. Eine Weile blieb sie in dem Zustand körperloser und unbeteiligter Schwere. Sie überließ sich den feuchten, bittersüßen Schmerzen, verweilte in dem Reich zwischen Schlafen und Wachen und zog es vor, den verschwommenen Träumen nichts entgegenzusetzen. Sie konnte sich nicht daran erinnern, wo sie sich eigentlich befand.

Dann stellte sich die Erinnerung wieder ein, und sie wurde schlagartig wach. Ihre Gedanken begannen von neuem zu arbeiten, und damit wurde auch das Geschehene wieder lebendig. In aller Deutlichkeit sah sie ihre eigene aktive Rolle bei dem nächtlichen Abenteuer. Im schonungslos hellen Tageslicht fühlte sie sich bloßgestellt und entehrt. Damien hatte mit ihr geschlafen, obwohl er wusste, dass sie ihn nicht liebte. Er hatte mit seinen geübten Händen mit ihr gespielt wie ein erfahrener Musiker, der ein stummes Instrument zum Klingen bringt. Aber das Schlimmste von allem: Wie bereitwillig hatte sie sich vom ihm verführen lassen! Beschämt beklagte sie die Schwäche des Fleisches und errötete im Nachhinein bei dem Gedanken, wie leicht sie sich von den niederen Instinkten hatte besiegen lassen. Andererseits staunte sie darüber, wie ein so derber und rein sinnlicher Akt, über den es wenig Worte zu verlieren gab, die Macht besaß, diese unglaubliche Vielfalt von Empfindungen auszulösen. Es war die atemberaubende Entdeckung der geheimnisvollen, unvorstellbaren Dimensionen des menschlichen Körpers, die ihr kritischer Verstand nicht wahrhaben wollte. Du meine Güte, wie war es möglich, dass sie ihre Gedanken so gut und ihren Körper so wenig kannte?

Der heftige innere Zwiespalt raubte Emma viel Kraft. Vielleicht schlief sie wieder ein oder döste nur vor sich hin. Doch als sie die Augen irgendwann wieder aufschlug, war der Sturm vorüber. Sie empfand nur noch einen dumpfen Schmerz. Er war der Beweis dafür, dass Damien, so wie er es ihr versprochen hatte, sie aus einem unschuldigen Mädchen in eine Frau verwandelt hatte. Wenn ihm diese Metamorphose gefallen hatte, dann, das musste sie sich zu ihrer Schande gestehen, hatte es ihr ebenso gefallen.

Emma entschloss sich schließlich aufzustehen und sah stirnrunzelnd das aprikosenrosa Nachthemd auf dem Boden liegen. Sie brachte es in den Wäschekorb in ihrem Bad, wusch sich das Gesicht mit kaltem Wasser und spülte den faden Geschmack aus dem Mund. Sie badete noch einmal in dem reinigenden kalten Wasser und wusch sich mit duftender Sandelholzseife, um die Spur seiner Hände abzuwaschen. Sie trocknete sich gründlich ab und kämmte die zerzausten Haare. Dann zog sie ein leichtes buntes Leinenkleid an. Im Schlafzimmer strich sie das Laken glatt, machte ein betont würdevolles Gesicht und klingelte nach Sharifa.

Sie war froh, dass von Damien nichts zu hören und nichts zu sehen war. Mit glühend roten Wangen dachte sie verlegen daran, wie sie ihm je wieder in die Augen sehen sollte …

Ein leises Klopfen verriet, dass die Dienerin und ihre Nichte vor der Tür standen. Die beiden traten mit gesenkten Köpfen ein und berührten mit den Fingerspitzen die Stirn zu dem traditionellen Gruß. Dann warteten sie auf Emmas Befehle.

»Ich hätte gerne Tee, Sharifa«, sagte Emma und beschäftigte sich mit den Falten ihres Kleids.

Sharifa verneigte sich. »Ich werde den Tee sofort holen. Rehmat wird hier bleiben, um der Begum Sahiba zu Diensten zu sein. Möchten Sie auch frühstücken?«

»Danke, Tee ist genug«, erwiderte Emma. »Ich habe keinen Hunger.« Sie hob beim Sprechen nicht den Kopf, denn sie wusste, dass die beiden sie fragend und mit wissendem Lächeln anblickten.

Als Sharifa kurz darauf mit einem großen Frühstückstablett zurückkam, stellte Emma zu ihrer Überraschung fest, dass sie großen Hunger hatte. Die beiden Frauen räumten das Zimmer auf, während sie den hellen Minztee trank und Obst, Nüsse sowie Toast, Rührei und Marmelade mit größtem Genuss aß.

»Vielleicht möchte die Sahiba heute ausruhen?«, fragte Sharifa, als sie das Tablett mitnahm. »Sie müssen müde sein.«

»Ich bin überhaupt nicht müde«, erwiderte Emma übertrieben heftig. »Im Gegenteil!«

Sie überlegte kurz, ob sie fragen sollte, wo Damien sei, damit sie sich auf seine Rückkehr vorbereiten konnte, aber dann beschloss sie, lieber zu schweigen. Wo auch immer er sein mochte, sie hatte keine Sehnsucht danach, ihn zu sehen, und eine Frage mochte dazu führen, dass er unnötigerweise bei ihr erschien.

Unsicher und irgendwie verloren wusste Emma nicht, was sie tun sollte. Am liebsten wäre sie zu ihrer Mutter gefahren, aber das wagte sie nicht. Wenn Damien heraufkam und feststellte, dass sie ausgegangen war, würde er sich ärgern. Und sie hatte einfach nicht die Kraft zu streiten. Aber alle ihre Überlegungen erwiesen sich als unnötig.

»Es sind wichtige Nachrichten aus Kaschmir eingetroffen«, sagte Sharifa. »Deshalb hat Huzoor heute viel zu tun.«

Das erleichterte Emma. »Wird er zum Mittagessen da sein?«

»Das weiß ich nicht, aber ich werde Sahib Singh fragen, ob …«

»Das ist nicht nötig«, unterbrach Emma sie schnell. »Es war nur eine Frage.«

Emma verbrachte den Rest des Vormittags auf dem Balkon und genoss die schöne Aussicht auf den Jamuna. Ein paar Dhobis kauerten auf den Stufen am Flussufer und bearbeiteten klatschend Wäsche auf den glatten Steinen, die dann im fließenden Wasser gespült wurde. Eine dickbauchige Fähre brachte Passagiere zum anderen Ufer, und ein Fischer saß allein mit einer Angel in seinem Boot und sang. Dabei unterhielt sich Emma zwanglos mit den beiden Frauen, die ihre Räume in Ordnung brachten, und machte den beiden eine große Freude, weil sie Fragen über ihre Heimat stellte. Sharifa beantwortete eifrig alles, was Emma wissen wollte. Sie war als sehr junge Braut eines Kochs nach Shalimar gekommen und war seitdem dort. Ihr Mann lebte nicht mehr, aber ihr Sohn Hakumat war in Srinagar Huzoors persönlicher Khidmatgar.

»Sie haben als Kinder zusammen gespielt«, erzählte sie stolz.

»Du warst schon dort, als die verstorbene Begum Sahiba noch lebte?«

»Nein. Die verstorbene Begum Sahiba war damals schon nicht mehr da.«

»Nicht mehr da?« Sie meinte doch sicher gestorben? »Warum war sie nicht mehr da?«

»Ja …« Die Dienerin warf einen unsicheren Blick zur Tür. »Begum Sahiba muss mit Huzoor über seine verstorbene Mutter reden.«

Emma fiel ein, dass Jenny etwas von einem Skandal gesagt hatte. Sie wartete in der Hoffnung, Sharifa werde weitersprechen, aber die Dienerin schien keine zusätzlichen Informationen geben zu wollen. Emma wusste, Kaschmir hatte eine turbulente und geheimnisvolle Geschichte, und bis vor kurzem waren nur wenige Europäer dort gewesen. Der Staat war Schauplatz vieler Kämpfe gewesen, und eine ganze Folge despotischer Herrscher hatte viel zu dem grausamen Blutvergießen beigetragen. Über geschichtliche Ereignisse lagen öffentlich zugängliche Aufzeichnungen vor. Doch was, so fragte sich Emma plötzlich, war von der Geschichte der fremden Familie zu berichten, deren Namen sie jetzt trug?

Huzoor erschien nicht zum Mittagessen. Sharifa berichtete, er sei nicht zu Hause und werde erst abends zurück sein. Das war ein gnädiger Aufschub! Emma nahm sich aus dem Bücherregal in ihrem Wohnzimmer eine Übersetzung des *Rajtarangini*, eine historische Abhandlung über das Kaschmirtal von dem Geschichtsschreiber Kalhana aus dem zwölften Jahrhundert. Sie ließ sich viel Zeit beim Mittagessen. Es gab gekochten Reis, Lammcurry, Joghurt und frische Wintergemüse. Sie las beim Essen mit großem Interesse.

Nach dem Mittagessen fühlte sie sich etwas besser und wieder mehr im Gleichgewicht. Sie legte sich auf das Bett, um bequemer lesen zu können. Bevor sie jedoch eine Seite zu Ende gelesen hatte, fiel ihr das Buch aus den Händen, und sie war fest eingeschlafen.

*

Das selbstbewusste Klopfen an der Tür, vor dem sich Emma den ganzen Tag gefürchtet hatte, kam, als sie nach einer langen und erholsamen Siesta eine Tasse Tee trank. Die Tür ging auf, und Damien trat ein. Er wirkte erhitzt und besorgt, und seine Kleider waren staubig. Emma, die gerade die Tasse zum Mund führen wollte, erstarrte, und ihr wurde flau im Magen.

Er ließ sich auf das Sofa fallen, zog ein Taschentuch hervor und trocknete sich die Stirn. »Es ist brüllend heiß da draußen, und das im April!«

Sie gab keine Antwort, trank ihren Tee und blickte unverwandt auf das Buch. Doch die Wärme in ihrer Wange verriet ihr, dass sie errötete. Sie ließ den Kopf noch tiefer über die Seiten sinken. Falls Damien ihre Verlegenheit bemerkte oder sich an die vergangene Nacht überhaupt erinnerte, dann ließ er sich wenig davon anmerken. Wie es seine Art war, lag er ausgestreckt auf dem Sofa und blickte, ohne etwas zu sehen, in den leeren Kamin. Er schien sich offenbar echte Sorgen zu machen und war so tief in Gedanken versunken, dass er Emmas Anwesenheit überhaupt nicht zu bemerken schien.

Sollte sie ihm eine Frage hinsichtlich der Nachrichten aus Srinagar stellen oder warten, bis er auf das Thema zu sprechen kam? Während Emma noch darüber nachdachte, verriet ein Klopfen das Erscheinen seines Khidmatgar. Sie hatte den Diener bei ihrem ersten Besuch hier gesehen. Er brachte ein Tablett mit frischem Tee. Ohne Zögern stellte er das Tablett vor Emma auf den Tisch. Da Huzoor jetzt eine Frau hatte, fand er es offenbar für ganz selbstverständlich, dass sie die Ehre hatte, ihrem Mann den Tee einzuschenken. Emma wartete einen Augenblick. Damien hing noch immer seinen Gedanken nach und schien den Diener überhaupt nicht wahrgenommen zu haben.

»Möchtest du eine Tasse Tee?«, fragte sie.

Er nickte, ohne sie dabei anzusehen. Sie füllte die Tasse und wartete unsicher ab. Trank er den Tee mit Zucker oder lieber mit einer Scheibe Zitrone? Sie hatte sich nie die Mühe gemacht, darauf zu achten, und wusste nicht, was sie tun sollte.

»Keine Milch, nur etwas Zitrone und einen halben Löffel Zucker.«

Emma biss sich auf die Lippen. Er hatte sie also beobachtet. Mit der Tasse in der Hand ging sie zu ihm und stellte den Tee vor ihn hin. Sie wollte zu ihrem Platz zurück, aber er hinderte sie mit einer Geste daran.

»Warum setzt du dich immer so weit von mir entfernt?«

»Ich ... mein Buch liegt auf die Tisch ...«, murmelte sie, ohne ihm in die Augen blicken zu können.

»Ach, das Buch! Du wirst noch lange genug ohne mich sein, und dann kannst du so viel lesen, wie du willst.«

Ihr Herz schlug schneller. »So?«

Vermutlich sah er den Hoffnungsschimmer in ihren Augen, aber er kommentierte ihn nicht. »Ich muss heute Abend abreisen«, sagte er unvermittelt und rührte im Tee. »Es ist etwas Dringendes.«

Er gab keine weiteren Erklärungen, und sie ließ es dabei bewenden und fragte: »Und ... soll ich in Delhi bleiben?«

»Sosehr ich bedaure, deine Hoffnungen zunichte zu machen, nein. Du wirst wie geplant in vierzehn Tagen nach Kaschmir abreisen. Suraj Singh wird dich begleiten und alle notwendigen Vorkehrungen treffen.«

Emmas Enttäuschung war groß. Sie wandte den Kopf ab, damit er ihre Verzweiflung nicht sah. »Vierzehn Tage sind nicht genug, Damien! David muss schon morgen abreisen. Ich muss wenigstens so lange in Delhi bleiben, bis meine Mutter versorgt ist.«

»Ich habe dir bereits gesagt, für die Zukunft deiner Mutter ist gesorgt.«

»In welcher Weise?«

»Das kannst du sie fragen, wenn du sie siehst. Deine Mutter ist, wenn ich das sagen darf, weder ein Kind noch geistesschwach. Ich würde dir deshalb raten, sie entsprechend zu behandeln. Sie hat die Entscheidungen alle selbst getroffen, und das wird sie dir bestimmt auch sagen.«

Ihr blieben nur noch zwei Wochen im geliebten und vertrauten Delhi!

»Macht dir die Aussicht, ohne mich zu sein, keine Freude?«, fragte er.

Der Spott ließ all die quälenden Fragen des Vormittags wiederaufleben. Die Zärtlichkeiten, die samtigen Liebkosungen, die gemurmelten Liebesbeteuerungen – all das hatte er vor ihr schon vielen anderen zuteil werden lassen. Abgesehen von den körperlichen Empfindungen hatte ihr die Hochzeitsnacht wenig bedeutet, aber ihm noch sehr viel weniger.

»Aber gewiss doch!«, erwiderte sie. »Ich bin nur enttäuscht, weil deine Abwesenheit so kurz sein wird.«

»Ach ja!« Seine Augen funkelten. »Also war dein Verhalten in der letzten Nacht nur ein Beweis für deine schauspielerischen Fähigkeiten?«

Sie hatte gewusst, dass er sie verhöhnen würde. »Brauchst du noch einen Beweis?« Sie hob den Kopf und sah ihn an. »Du hast bereits genug Beweise für meine schauspielerischen Fähigkeiten. Ganz Delhi glaubt, dass ich leidenschaftlich in dich verliebt bin.«

»Und … bist du das nicht?«

Sie lachte. »Wenn du das glaubst, Damien, dann nur, weil deine Selbstüberschätzung dir so angenehme Scheuklappen aufsetzt.«

»Selbst nach der letzten Nacht?«

Sie zuckte mit den Schultern. »Die letzte Nacht war für mich so unwichtig wie für dich. Das hat nur die Sinne bewegt, ohne das Herz zu verwirren – genauso, wie es deiner Vorstellung von einer befriedigenden Ehe entspricht.«

Diesmal hatte sie ihn getroffen. Seine sonnengebräunte Haut wurde noch dunkler, und die Narbe am Kinn leuchtete rot. Aber sie hatte ihn mit seinen eigenen Waffen geschlagen, und deshalb wusste er nicht, was er darauf erwidern sollte. Er kämpfte sichtlich gegen seinen

Zorn an. Er stand auf, kam zu ihr, schob ihr einen Finger unter das Kinn und hob es mit einem Ruck hoch.

»Eines Tages«, stieß er hervor, »wird es dein Herz berühren, wie du es dir nicht vorstellen kannst, Emma. Ich wette um mein Leben!«

»Wette nicht ....« Sie bewegte nicht den Kopf und senkte auch nicht die Augen. »Trotz deiner erwiesenen Fähigkeiten als Spieler wirst du diese Wette verlieren.«

Er ließ ihr Kinn los, packte sie an den Armen und zog sie hoch. Mit seinem zornigen Mund verschloss er ihr die Lippen, bevor sie reagieren konnte. Sie presste die Augen fest zu und war entschlossen, nicht wieder schwach zu werden. Seine Hände, die ihr Gesicht umfasst hielten, waren nicht sanft, und sein Kuss schmerzlich fordernd. Sie ballte die Fäuste und presste die Nägel in die Handflächen, aber sie gab ihm nicht das Vergnügen einer Reaktion.

»Du spielst gut«, murmelte er und hob den Kopf, ohne sie loszulassen. »Es wird schön werden, mit dir auf Shalimar zu sein. Ich kann eine Wiederholung der Hochzeitsnacht kaum erwarten.«

»Wirklich? Und wie wirst du dir bis dahin die unerträglich einsamen Stunden vertreiben ... mit einem willfährigen Ersatz?«

»Würde dich das stören?«

»Überhaupt nicht! Im Gegenteil, ich würde mich freuen, deine unangenehmen Forderungen nicht allein erfüllen zu müssen.«

Bevor er eine Antwort geben konnte, klopfte es an der Tür. Er ließ sie nicht los.

»Draußen ist jemand ...« Sie wollte sich von ihm befreien.

»Wer es auch sein mag, er kann warten.«

»Lass mich los, Damien ...!«

»Warum?« Sein Griff wurde fester. »Schämst du dich, wenn jemand sieht, dass dich dein Mann umarmt?«

»Ja ... nein ... oh, lass mich los!« Heftig schob sie ihn zurück und rang nach Luft.

Er lachte, aber er umarmte sie nicht noch einmal. Statt dessen rief er etwas, und Suraj Singh trat ein.

»Wir müssen uns beeilen, Huzoor«, sagte er zu Damien und verbeugte sich in Emmas Richtung. »Der Zug fährt bereits in weniger als einer Stunde ab.«

»Warum hast du mir das nicht früher gesagt?«, schimpfte Damien sehr unvernünftig, wie Emma fand. Suraj Singh schien jedoch nicht beleidigt zu sein.

»Ist alles gepackt?«

»Ja, Huzoor.«

»Gut. Ich komme gleich hinunter.« Als Suraj Singh das Zimmer verlassen hatte, sah er Emma an. Er schien wie verwandelt. Seine Augen wirkten wieder besorgt, und sein Gesicht war ausdruckslos. »Suraj Singh wird veranlassen, dass alles gepackt wird, was du mitnehmen möchtest.«

»Das ist nicht nötig …«

»Es ist nötig! Diese Reise ist lang, und schlecht gepackte Kisten können leicht beschädigt werden. Meine Leute haben besondere eisenbeschlagene Truhen, in denen deine Sachen gut geschützt sind. Außerdem möchtest du bestimmt mit deiner Mutter und deinem Bruder zusammen sein und nicht Zeit mit etwas verschwenden wollen, was andere für dich erledigen können.«

Das war sicher ein guter Rat, und sie staunte über seine Rücksicht. Aber da sie nicht wusste, wie sie darauf reagieren sollte, nickte sie nur. Gleichzeitig begann sie schon zu überlegen, mit welcher Ausrede sie die Abreise aus Delhi hinauszögern würde.

»Mach dir keine Mühe, dir irgendwelche Gründe auszudenken, um deine Abreise zu verschieben«, sagte Damien, als könnte er ihre Gedanken lesen. »Du wirst genau wie geplant aufbrechen, und zwar heute in vierzehn Tagen.«

Ohne ein weiteres Wort, ohne die kleinste Geste des Abschieds drehte er sich um und verließ das Zimmer.

*

Welch eine Erleichterung!

Nach dem schrecklichen Trauma der vergangenen Wochen war sie endlich wieder einmal allein und konnte ihr Schicksal selbst bestimmen. Trotz der kurzen Zeitspanne sonnte sich Emma in dem Gefühl ihrer Freiheit.

Als Damien gegangen war, schickte sie ihrer Mutter eine Nachricht, und dann verzehrte sie mit großem Genuss ein kräftiges Abendessen. Sie ging früh zu Bett und las weiter das *Rajtarangini*. Diesmal hielt sie ihre Zufriedenheit bis lange nach Mitternacht hellwach. Dann wurde sie schließlich angenehm müde, und ihr fielen die Augen zu. Da sie das große Himmelbett ganz für sich allein hatte, schlief sie außergewöhnlich gut und erwachte erst, als die Vorhänge geöffnet wurden und die Teetasse munter auf dem Nachttisch klirrte. Sie setzte sich gähnend auf, trank den belebenden Tee und begann, Pläne für den ersten Tag ihrer neuen Freiheit zu machen.

»Hat mein … hat Huzoor gestern Abend noch den Zug erreicht?«, fragte sie Sharifa.

»Ja, Begum Sahiba, aber in letzter Minute. Der Zug setzte sich schon in Bewegung, als sie am Bahnhof ankamen.«

»Wie konnte er dann noch einsteigen?«

»Huzoor ließ den Zug anhalten.«

»Und das hat man gemacht?«

»Aber ja.« Sharifa sah sie erstaunt an. »Niemand würde es wagen, unserem Huzoor nicht zu gehorchen.«

Nun ja, vielleicht niemand mit Ausnahme seiner Frau!

Es war wieder ein strahlender Morgen. Die Sonne stand am Himmel, aber es war nicht unerträglich heiß. Vom Fluss drangen die Alltagsgeräusche herauf. Emma wollte den Tag in Khyber Kothi verbringen. Jenny würde zum Mittagessen kommen. Nach einem ausgiebigen Bad zog sie einen einfachen Rock und eine Baumwollbluse an und ließ sich das Frühstück auf den Balkon bringen. Als sie sich an den Tisch setzte, bemerkte sie ein grünes Päckchen mit einer goldenen Schnur, das halb unter der Serviette lag.

»Das ist von Huzoor«, sagte Sharifa. »Er hat angeordnet, es der Begum Sahiba heute Morgen zu übergeben.«

Staunend öffnete Emma das Päckchen. In rotes Seidenpapier gewickelt fand sie ein besticktes Tuch, das weicher war als alles, was sie bisher in den Händen gehabt hatte. Es war ein cremeweißes Schultertuch, und es war wunderschön bestickt. Die Stiche waren so fein, dass man glauben konnte, es sei eine kunstvoll gewebte Tapisserie oder ein Gemälde, das jemand mit einem Haarpinsel gemalt habe. Emma hatte schon viele Kaschmirtücher gesehen, aber noch nie etwas so Kostbares. »Es ist eine Shatushstola«, erklärte Sharifa, zufrieden mit Emmas Reaktion. »Die Wolle stammt vom Unterfell einer besonderen Antilope, die man in Tibet findet, der Chiruantilope.«

Stumm ließ Emma die Finger über die zarten Falten gleiten. Ihr fehlten vor Staunen die Worte.

»In Kaschmir sagen wir, das ist eine Ringstola. Ich werde Ihnen zeigen, warum, Begum Sahiba.« Sie ergriff ein Ende der Stola, nahm einen Ring vom Finger und zog das Tuch mühelos hindurch. Stolz erklärte sie: »Diese Stola stammt von den Webern auf Shalimar.«

»Es gibt Weber auf Shalimar?«

»O ja! Burra Huzoor hat das Weben von Tuch angefangen. Er ging früher mit Mian Qadir selbst in die Berge, um die Paschmina- und Shatushwolle zu sammeln.«

»Wer ist Mian Qadir?«

»Huzoors Meisterweber. Er ist ein Afghane. Huzoor hat ihn nach Shalimar gebracht und ausgebildet. Er hat diese Stola selbst gewoben und signiert. Sehen Sie hier!« Sie drehte das Schultertuch an dem einen Ende herum und zeigte ihr die gestickte Signatur. »Tücher mit Mian Qadirs Namen erzielen einen besonders hohen Preis.«

Die völlig bestickte Stola konnte von beiden Seiten getragen werden, denn man sah keinen einzigen Knoten. Emma legte sich das Tuch um, trat vor den bodenlangen Spiegel und genoss das Gefühl auf ihrer Haut. Das Tuch war so weich und warm wie das Fell einer jungen Katze. Noch nie hatte sie etwas so Königliches besessen, das so wertvoll war. Sie war entzückt.

Wenn es doch nur kein Geschenk von Damien gewesen wäre!

*

Die Rückkehr nach Hause war schön und gleichzeitig unerträglich traurig. Alles war wie immer, aber gleichzeitig war alles anders, und nichts würde wieder so wie früher sein.

Bei ihrer Ankunft stellte Emma überrascht fest, dass Suraj Singh sie bereits mit den Packern erwartete. Seine Zuverlässigkeit beeindruckte Emma. Sie führte ihn sofort in das Arbeitszimmer und gab ausführliche Anweisungen, wie alles eingepackt werden sollte. Angesichts der vielen Bücher und Manuskripte, die sie mitnehmen wollte, zeigte sich schnell, dass Damien ihr einen guten Rat gegeben hatte.

Kurz bevor Jenny eintraf, machte Mrs. Wyncliffe eine erstaunliche Bemerkung.

»Du willst Khyber Kothi verkaufen?«, fragte Emma fassungslos. »Wann bist du zu dieser Entscheidung gekommen?«

»Nun ja, ich bin eigentlich nicht zu einer Entscheidung gekommen, mein Kind«, erklärte Margaret Wyncliffe schnell. »Ich ... ich würde so etwas nicht entscheiden, ohne vorher mit dir gesprochen zu haben. Aber ich habe in den letzten Wochen über vieles nachgedacht.« Sie sah sich wehmütig um. »Man kann nicht immer in der Vergangenheit leben. Ich liebe dieses Haus und alles, was darin ist. Aber es ist Zeit, neue Prioritäten zu setzen. Das heißt natürlich nur, wenn ihr beide, du und David, damit einverstanden seid.« Sie spürte die Betroffenheit ihrer Tochter und fügte begütigend hinzu: »Ihr müsst euer eigenes Leben führen, so wie ich von nun an mein Leben selbst in die Hand nehmen werde. Ich bin für euch lange eine schwere Last gewesen. Jetzt muss ich loslassen, und das sollt ihr auch tun.«

»David mag ja das Haus geerbt haben«, murmelte Emma noch immer schockiert, »aber Vater hat es für dich gebaut ...« Dann fügte sie kleinlaut hinzu: »Natürlich sind wir einverstanden.«

Mrs. Wyncliffe schien sehr erleichtert zu sein. »Es stimmt ja wirklich, was ihr beide schon lange sagt. Das Haus ist zu groß für uns und erst recht für mich allein. Ich würde darin herumkullern wie ein Stein in einer Blechdose, und das wäre entsetzlich. Außerdem, bei den Gerüchten über eine Haussteuer ...«

»Aber wenn du das Haus verkaufst, wo willst du dann wohnen?«

»Habe ich dir das nicht gesagt?« Sie errötete und sagte dann sichtlich verlegen: »Ach, natürlich nicht! Wie konnte ich das vergessen! Aber bei allem, was geschehen ist, war dazu einfach keine Zeit. Also, ich habe mit Carrie gesprochen. Du weißt, Jenny heiratet und wird noch in diesem Monat nach Kalkutta ziehen. Deshalb wird im Bungalow der Purcells eine Suite frei. Carrie hat vorgeschlagen, dass ich vorübergehend bei ihnen einziehe.«

»Und später?«

»Pass auf, du kennst doch das Sommerhaus, das die Purcells in ihrem Garten haben? Carrie findet, von dem Geld aus dem Verkauf von Khyber Kothi kann ich es zu einem Cottage mit vier Zimmern erweitern und an der Rückseite die notwendigen Dienstbotenunterkünfte bauen. Wenn das Cottage fertig ist, werden die Purcells mir das Grundstück verkaufen, und dann bin ich unabhängig. Das kleine Kapital, das mir aus dem Verkauf von Khyber Kothi bleibt, wird mir helfen, die Schulden der Hochzeit zu bezahlen, und der Rest reicht für meine sonstigen Ausgaben.« Sie sah Emma fragend an. »Wie findest du diesen Plan, mein Kind? Das ist doch wirklich eine befriedigende Gesamtlösung!«

Das schien es wirklich zu sein.

»Das hast du dir alles selbst ausgedacht?«, fragte Emma ungläubig.

»Ach du liebe Zeit, nein.« Sie wirkte wieder verlegen. »Um die Wahrheit zu sagen, Damien hat es mir vorgeschlagen.«

»Damien …?«

»Ja.« Sie ergriff Emmas Hand und drückte sie entschuldigend. »Findest du nicht auch, er hat so gute Ideen, und du hattest so viele andere Dinge zu bedenken. Ich wollte dich nicht auch noch damit belasten. Dr. Ogbourne ist übrigens der Meinung, ein kleineres Haus ohne Treppe wäre nicht nur aus medizinischer Sicht ratsam, sondern auch, weil es sehr viel leichter zu pflegen und instand zu halten ist. Die liebe alte Mahima und die anderen Dienstboten werden auch in Zukunft für mich da sein, und da Barak wieder zurück ist, muss ich mir keine Sorgen mehr um meine Sicherheit machen. Und vor allem, Archie und Carrie sind dann meine unmittelbaren Nachbarn.«

»Und der Verkauf des Hauses? Wie willst du das allein bewältigen?«

»John Lawrence wird die Formalitäten erledigen ...«

»Aber Mama, zuerst muss man einen Käufer finden!«

Margaret Wyncliffe schlug die Augen nieder. »Darüber müssen wir uns keine Gedanken machen, mein Kind. Weißt du ...«, sie zögerte und sah ihre Tochter mit leicht geröteten Wangen an. »Damien hat angeboten, das Haus zu kaufen ... natürlich nur, wenn ihr, du und David, damit einverstanden seid. Findest du das nicht unglaublich großzügig von ihm?«

Emma starrte ihre Mutter sprachlos an. Und dann begann sie zu lachen. Nachdem sie erst einmal angefangen hatte zu lachen, konnte sie nicht wieder aufhören. Margaret Wyncliffe, die die Ironie der Situation nicht verstand, sah ihre Tochter verwirrt an.

»Ich musste Damien versprechen, es dir erst später zu sagen«, fügte sie hinzu, als Emma wieder verstummte. »Es sollte eine Überraschung sein.«

»Oh, das ist es«, versicherte Emma. »Das kannst du mir glauben. Es ist eine Überraschung!«

Nach dem Mittagessen berichtete Emma ihrer Freundin Jenny, dass sie Delhi verlassen werde.

»In zwei Wochen?«, rief Jenny enttäuscht. »Dann bist du ja bei meiner Hochzeit nicht da!«

»Leider«, erwiderte Emma niedergeschlagen. »Aber weißt du, ich kann nicht mehr selbst über mein Leben bestimmen. Nichts scheint mehr so wie früher. Jetzt soll ich alles nur noch so machen, wie man es mir sagt.« Es sollte nicht bitter klingen, aber ihre Unzufriedenheit war unüberhörbar.

»Oje!« Jennys Enttäuschung war vergessen. Sie sah Emma aufmerksam an. »Ist die Braut etwa verstimmt?«

»Nein, natürlich nicht!« Emma lächelte tapfer. »Ich meine nur, ich bin einfach nicht daran gewöhnt und finde es komisch, mein Leben in Einklang mit den Wünschen eines anderen zu bringen. Natürlich werde ich das bald auch lernen. Dir wird es bestimmt nicht anders gehen!« Sie wollte die Angelegenheit mit einem Lachen abtun. »Damien hat mich gebeten, dich und John als unsere Gäste auf Shalimar einzuladen, wann immer ihr Zeit und Lust dazu habt.« Sie ergriff Jennys Hand und drückte sie fest. »Bitte kommt nach Kaschmir, Jenny – es würde mir … uns … so viel bedeuten.«

Trotz der tapferen Fassade schien es Emma plötzlich unerträglich, Jenny nicht mehr um sich zu haben. Es würde für sie in Kaschmir keine Vertraute mehr geben oder jemanden, der sie trösten konnte. Wenn sich ihre Wege erst einmal getrennt hatten, lag ein ganzer Kontinent zwischen ihnen, und mit dem täglichen Miteinander war es vorbei. Doch dann wurde Emma bewusst, dass sie ihre Freundin unnötig beunruhigte. Schnell sagte sie etwas Scherzhaftes, um nicht in Trübsal zu versinken.

David würde bald zum Bahnhof aufbrechen müssen, um nach Leh zu reisen. Er hatte sie nicht in der Nicholson Road besucht. Emma wusste, das würde er natürlich niemals tun. Obwohl er ihr immer noch aus dem Weg ging, wollte sie ein letztes Mal mit ihm unter vier Augen sein. Sobald sich Jenny verabschiedet hatte, suchte sie ihn in seinem Zimmer auf. »Kennst du Mamas Pläne für das Haus?«, fragte sie.

»Ja, sie hat davon gesprochen.« Er erledigte noch letzte Dinge und ließ sich nicht ablenken. »Sie scheint sich alles selbst ausgedacht zu haben.«

Emma fragte sich, ob ihre Mutter diplomatischerweise David nichts von Damiens Einfluss auf diese Pläne erzählt hatte, und sagte: »Mir wäre es lieber gewesen, sie hätte vorher mit mir darüber gesprochen.«

»Warum? Ich finde, es klingt für alle Beteiligten, besonders für Mama, bestens. Sie kann doch zur Abwechslung auch einmal selbst eine Entscheidung treffen.«

Der Vorwurf war nicht zu überhören, und Emma musste einsehen, dass mit David nicht zu reden war. Er hatte ihr noch nicht verziehen. »Du magst Damien nicht besonders, nicht wahr?«, fragte sie aus einem Impuls heraus.

»Nein, aber deinetwegen werde ich mich dazu durchringen müssen.«

»Damien mag viele Fehler haben«, sagte sie und staunte über sich selbst, »aber er kann auch sehr … rücksichtsvoll sein.«

»Rücksichtsvoll?« Er hob die Augenbraue, lächelte, verließ das Zimmer und ließ sie stehen.

Emma wusste, sie hatten beide Schuld an ihrem Zerwürfnis. Was immer er Damien auch vorwarf, David hatte ihre schrecklichen Worte in jener Nacht nicht vergessen und auch nicht verziehen. Auch sie konnte nicht leugnen, dass sie ihm noch Vorwürfe machte. Trotzdem fand sie seine abweisende Art sehr verletzend, denn trotz aller Unstimmigkeiten empfanden sie als Geschwister eine tiefe Liebe füreinander.

Beim Abschied auf dem Bahnhof konnte David nicht länger die gespielte Gleichgültigkeit aufrechterhalten. Er breitete die Arme aus und drückte sie mit feuchten Augen an sich. »Sei glücklich, Schwesterherz«, murmelte er mit belegter Stimme. »Versprich mir, dass du gut auf dich Acht gibst.«

»Das werde ich, David, ganz bestimmt«, flüsterte Emma und erwiderte die Umarmung. »Gott schütze dich in Ladakh. Bitte schreib mir …«

Er zögerte kurz, dann sagte er: »Hüte dich vor ihm, Emma. Er ist gefährlich.«

Sie zeigte ihm nicht ihre Überraschung. »Gefährlich?«

»Er ist nicht das, was er zu sein scheint, Emma.« Seine Stimme verriet seine große Besorgnis.

»Ach, weißt du, David, wenn man ehrlich ist, wer von uns kann das von sich schon behaupten?« Sie zwang sich zu einem unbeschwerten Lächeln.

»Du verstehst mich nicht«, sagte er erregt. »Man sagt, er …«

Der Pfiff der Lokomotive übertönte seine letzten Worte. David sprang auf die Stufen des Wagens und schloss die Tür hinter sich, während sich der Zug langsam in Bewegung setzte. Emma blickte ihm mit Tränen in den Augen lange nach, bis die letzten Wagen hinter den schwarzen Rauchwolken verschwunden waren.

Würde sie ihren Bruder je wiedersehen?

Der große Abschiedsschmerz ließ sie seine Warnung zunächst einmal vergessen.

*

»So! Jetzt erinnern Sie sich endlich wieder an das Versprechen, das Sie mir so aufrichtig und enthusiastisch gegeben haben?« Dr. Theodore Anderson war sehr wütend, wie sein vorwurfsvoller Ton und sein abweisendes Verhalten bewiesen.

Da Emma den Tadel verdient hatte, blieb ihr wenig zu ihrer Verteidigung zu sagen. Sie hatte Dr. Anderson nach dem ersten Gespräch, bei dem sie ihre Arbeitsbereitschaft so überzeugend bekundet hatte, nicht mehr gesehen. Sie hatte sogar die Verabredung am Freitag völlig vergessen. Als es ihr schließlich wieder einfiel, hatte sie ihm eine Entschuldigung geschrieben, die er jedoch nicht einmal beantwortet hatte. Zu allem Überfluss hatte sie auch nicht daran gedacht, ihn zur Hochzeit einzuladen. Da er in seinem akademischen Elfenbeinturm lebte, hoffte sie, er habe nichts davon erfahren. Aber da täuschte sie sich. »Es ist immer dasselbe mit euch Frauen«, schimpfte er. »Heiraten, heiraten, heiraten um jeden Preis … mehr wollen die Frauen nicht vom Leben. Und genau aus diesem Grund bin ich nicht bereit, eine Frau als Studentin anzunehmen. Frauen haben kein Verantwortungsbewusstsein, keine akademische Integrität, keine …«

Als sein Zorn nach einem beachtlichen Redeschwall schließlich verraucht war, machte er eine Pause, um Luft zu holen, und wartete auf ihre Erklärungen, falls sie überhaupt etwas zu sagen hatte. Kurz und bescheiden gab sie ihm eine geschönte Zusammenfassung der Ereignisse der letzten Wochen – waren wirklich nur drei Wochen vergangen, seit sie hier in diesem Zimmer gesessen hatte? – und bemühte sich tapfer darum, eine glückliche und strahlende Ehefrau zu sein. In Wirklichkeit schämte sie sich jedoch zutiefst, ihren freundlichen Mentor mit so fadenscheinigen Entschuldigungen beruhigen zu müssen. »Ich weiß nicht, wie ich mich bei Ihnen entschuldigen soll, Dr. Anderson«, schloss sie höchst verlegen. »Ich kann zu meiner

Verteidigung nur sagen, als ich Sie um Ihre Hilfe gebeten habe, wusste ich wirklich nicht, dass diese unvorhersehbaren Umstände es mir unmöglich machen würden, meine Absichten in die Tat umzusetzen.«

Er hatte ihr mit frostigem Schweigen zugehört, brummte etwas und schien wenigstens etwas besänftigt zu sein. »Sie werden also Delhi verlassen und im Norden leben?«

»Ja. Mein … Mann ist schon vorausgefahren. Ich werde ihm am Samstag folgen.«

»Sie sagen, er lebt in Kaschmir?«

»Ja, im Tal von Srinagar.«

»Das bedeutet dann wohl das Ende Ihrer noblen Bemühungen um Ihren Vater. Zweifellos wird das Projekt bald zweifelhaften häuslichen Pflichten und zukünftiger Mutterschaft zum Opfer fallen.«

»Auch wenn mir Ihre unschätzbare Hilfe fehlen wird, Dr. Anderson«, beteuerte Emma schnell, »bin ich noch immer entschlossen, das fortzusetzen, was ich begonnen habe. Ich hoffe, dass größere Anstrengungen meinerseits wenigstens zum Teil aufwiegen können, was mir an Rat und Belehrung von Ihrer Seite fehlen wird.«

»Hm …« Er schwieg einen Augenblick und dachte mit gerunzelter Stirn nach. »Vielleicht ist noch nicht alles verloren. Wir könnten die Unterlagen durch zuverlässige Dakboten austauschen.«

»Und Ihre Expeditionspläne für Tibet, Dr. Anderson?«

»Die Expedition ist auf unbestimmte Zeit verschoben worden«, antwortete er ungehalten. »Die entsprechenden Mittel sind nicht eingetroffen.«

Emma freute sich zwar über sein Angebot, den Kontakt durch Boten aufrechtzuerhalten, aber sie wusste, praktisch war das undurchführbar. »Ich muss gestehen, dass ich wenig Vertrauen zu den Dakboten habe, Dr. Anderson. Vielleicht darf ich auf Ihr freundliches Angebot zurückkommen, wenn ich das nächste Mal in Delhi bin.«

Das nächste Mal. Wann wird das sein? Vielleicht in einem anderen Leben …

Er hatte bereits das Interesse verloren und zuckte nur mit den Schultern. »Also gut, wie Sie wünschen.« Er stand auf, ging zu einem Aktenschrank und nahm den Ordner heraus, den sie ihm das letzte Mal überlassen hatte. »Ich habe mir alles angesehen und Notizen an den Rand geschrieben sowie ein paar Ratschläge für Bücher gemacht, die Sie lesen sollten. Was hier vorliegt, rechtfertigt nicht, daraus eine neue Arbeit zu machen. Sie können im günstigsten Fall versuchen, einen Sammelband herauszugeben, wie Sie es ursprünglich geplant hatten. Und wie ich bereits gesagt habe, für die akademische Welt sind nur unveröffentlichte Manuskripte von Interesse.«

Trotz seiner Verstimmung, das sah Emma sehr wohl, beschäftigte er sich in Gedanken nicht mit ihr. Sie wusste, wie enttäuscht er über das Nichtzustandekommen der Expedition sein musste, und hatte Verständnis für seine Lage.

»Ihr Rat hat mir sehr geholfen, Dr. Anderson«, sagte sie und stand auf. »Ich bin Ihnen dafür sehr dankbar. Die Anhaltspunkte, die Sie mir gegeben haben, werden bestimmt dazu beitragen, dass ich dem Buch eine kompaktere Struktur geben kann. Vielleicht darf ich Ihnen von Zeit zu Zeit schreiben, wenn ich Ihren Rat brauche?«

»Sie können jederzeit schreiben«, sagte er und warf einen Blick auf die Wanduhr. »Und jetzt, wenn Sie mich bitte entschuldigen …« Er begleitete sie zur Tür und wünschte ihr undeutlich murmelnd alles Gute für die Zukunft.

Als Emma das Haus verlassen hatte, ging Dr. Anderson sofort zu seinem Schreibtisch zurück und setzte sich. Er runzelte nachdenklich die Stirn und trommelte geistesabwesend mit den Fingern auf die Schreibtischplatte. Dann schloss er die Augen, konzentrierte sich und bewegte auch die Finger nicht mehr. Er blieb eine Weile unbeweglich mit geschlossenen Augen sitzen. Schließlich stand er auf, öffnete die Tür und rief den treuen Afghanen, der im Gang auf einem Hocker saß, zu sich ins Arbeitszimmer. Er schloss hinter ihm die Tür.

»Ismail, noch heute muss eine dringende Nachricht auf den Weg gebracht werden.«

»Sehr wohl, Sahib.«

»Du wirst den üblichen Weg nehmen und die Nachricht unserer Kontaktperson übergeben.«

»Verstanden, Sahib.« Der Afghane wollte gehen.

»Noch etwas, Ismail.«

Er blieb stehen. »Sahib?«

»Bitte sorge dafür, dass ich in der nächsten Stunde nicht gestört werde.«

»Sehr wohl, Sahib.«

Als der Mann gegangen war, verriegelte Dr. Anderson die Tür und setzte sich wieder an den Schreibtisch. Eine Weile blickte er auf das leere Blatt Papier, dann griff er nach seiner Schreibfeder und tauchte sie in das Tintenfass.

Er begann, langsam und sorgfältig zu schreiben. »Mein lieber Oberst Borokow ...«

Achtes Kapitel

Die zwei Wochen waren beinahe vorüber, und Emma wusste nicht, wo die Zeit geblieben war. Niedergeschlagen half sie ihrer Mutter beim Umzug, packte ihre eigenen Sachen und verabschiedete sich von den alten Freunden, die sie lange nicht mehr sehen würde. Sie hatte den Eindruck, es sei ihr kaum Zeit zum Luftholen geblieben, als sie schließlich am Bahnsteig stand, wo sie vor vierzehn Tagen David verabschiedet hatte. Umgeben von Gepäckbergen, einer großen Dienerschaft sowie ihrer weinenden Mutter und den Freunden glaubte sie, ihr würde das Herz brechen.

»Du meine Güte, Emma!« Jenny verbarg den Abschiedsschmerz hinter einem tränenfeuchten Lächeln. »Du reist in das schönste Tal der Welt, um dort mit dem aufregendsten Mann der Welt zu leben. Du sollst doch nicht enthauptet werden!«

»Ich weiß nicht, wann wir uns wiedersehen werden«, erwiderte Emma, die ihre Tränen nur mit Mühe zurückhalten konnte. »Kaschmir liegt am anderen Ende der Welt.«

»Ach was! Vergiss nicht, in diesem Augenblick gibt es kein junges Mädchen in Delhi, das dich nicht beneidet. Von Grace soll ich dir ausrichten, Charlotte Price will der Welt entsagen und in ein Kloster gehen, weil sie Damien Granville nicht bekommen hat. So, geht es dir jetzt nicht wieder besser?«

Emma lächelte matt.

Der Abschied von ihrer Mutter war besonders schmerzlich. Natürlich erleichterte es Emma sehr, dass sich der Gesundheitszustand ihrer Mutter sehr verbessert hatte und die liebe Carrie Purcell gut für sie sorgen würde. Trotzdem lag ein schreckliches Gefühl der Endgültigkeit über diesem Abschied. Emma drückte sie an sich und versuchte, nicht zu weinen.

»Du musst mir sofort schreiben, mein Kind. Ich will alles erfahren, was du tust, jede winzige Einzelheit. Und übernimm dich nicht. Versuch, dich zurückzuhalten ...« Ihre Stimme versagte, und sie schluchzten beide.

Der Bahnhofsvorsteher blies die schrille Pfeife und hob die grüne Flagge. Fauchend und zischend setzte sich der Zug mit dicken schwarzen Wolken in Bewegung. Als der beißende Rauch in das Abteil drang, hielt sich Emma mit der einen Hand Mund und Nase zu, mit der anderen winkte sie durch das Abteilfenster. Die Gestalten auf dem Bahnsteig wurden immer kleiner und verschwanden schließlich im nebelhaften Grau.

Wieder war ein Kapitel ihres Lebens abgeschlossen. Delhi lag hinter ihr, und sie hatte alle geliebten Menschen zurücklassen müssen. Vor ihr lag eine gefühlskalte Wüste. Sie würde für den Rest ihres Lebens an einem fremden Ort, der ebenso gut auf dem Mond hätte sein können, mit einem Mann leben, den sie weder kannte noch verstand. Plötzlich hatte Emma Angst.

*

Seine Exzellenz Baron Boris von Adelssohn, Generalgouverneur des russischen zentralasiatischen Reichs, machte sich die allergrößten Sorgen. Er war ein begeisterter Amateurzoologe und liebte Fauna und Flora. Sein ganzer Stolz war der private Zoo in Taschkent. Als er an diesem Morgen zur ersten Fütterung in das Vogelhaus gegangen war, hatte er festgestellt, dass eine seiner wertvollen Golddrosseln jämmerlich aussah, die Flügel hängen ließ und die normalerweise munteren kleinen Augen ungewöhnlich teilnahmslos wirkten. Der Baron wusste, wie zart diese schönen Vögel von Natur aus waren, und erschrak. Er ließ sofort den Veterinär der Streitkräfte rufen, der eine Mageninfektion diagnostizierte, aber nicht wusste, wie er die Krankheit heilen sollte.

Als man den Baron kurz darauf davon in Kenntnis setzte, dass zwei fragwürdige Männer unbekannter Herkunft und ohne Papiere auf russischem Territorium gefasst worden waren, reagierte er verständlicherweise sehr gereizt. »Oberst Borokow soll sich mit dieser Angelegenheit befassen«, befahl er seinem Adjutanten durch den Drahtzaun. »Sie sehen doch, dass ich zu tun habe.«

»Oberst Borokow befindet sich noch in St. Petersburg, Exzellenz«, erinnerte ihn der Adjutant.

»Nun, wie wäre es mit Hauptmann Wassili oder den vielen tausend anderen? Gibt es hier keinen einzigen Offizier, der mir diese Trivialität abnehmen kann?«

»Die beiden Männer beharren auf einer persönlichen Audienz, Eure Exzellenz, und zwar wegen des Tiers.«

»Ein Tier?« Der Baron wurde hellhörig. »Was für ein Tier?«

»Das weiß ich nicht, Exzellenz. Ich habe noch nie ein solches Tier gesehen.«

»Also, wie sieht es aus, Mann? Ist es ein Fuchs?« Man hatte ihm ein Paar Silberfüchse für seinen Zoo versprochen, die in diesen Tagen angeliefert werden sollten.

»Nein, Sir. Ich habe Füchse in Russland gesehen. Dieses Tier sieht aber eher aus wie eine Ziege, wie eine sehr große Ziege. Wenn Exzellenz es befehlen, werde ich …«

»Schon gut, schon gut. Ich werde mich selbst darum kümmern. Bringen Sie die zwei Männer auf die vordere Veranda.«

Kurz darauf saß der Baron in seinem Thronsessel, in dem er üblicherweise die Scharen der Bittsteller empfing. Das gehörte zu dem täglichen Kreuz, das er zu ertragen hatte.

Der Baron musterte die zwei Männer mit Widerwillen. Sie waren armselig angezogen, ungepflegt, ungebildet und stanken zum Gotterbarmen. Hätte er sie in den Palast kommen lassen, dann wäre der Gestank in den nächsten Tagen nicht mehr verschwunden, und da der Abschiedsball bevorstand, wäre seine Olga hysterisch geworden.

»Wir haben sie im Wohnviertel der Offiziere entdeckt. Sie hatten keine Ausweispapiere, Exzellenz«, erklärte der Hauptmann der Kosaken. »Als wir sie verhört haben …«

»Welche Sprache sprechen sie?«, unterbrach ihn der Baron ungeduldig.

»Turki, Exzellenz.«

Der Baron sah die beiden Männer finster an. »Was macht ihr ohne ordentliche Genehmigung auf russischem Gebiet?« Der Ältere der beiden antwortete in dem eigenartigen Turki, das viele Völker in Asien sprachen, das aber in keiner Hinsicht dem Türkisch glich, das der Baron verstand. »Was hat er gesagt?«

Einer der Kosaken trat vor und übersetzte. »Er sagt, sie wollten kein Unrecht begehen. Sie sind gekommen, um Eurer Exzellenz ein Geschenk zu übergeben, aber sie haben sich verlaufen.«

Das war ja wohl alles andere als die Wahrheit! Der Baron musterte sie noch einmal finster. Sie trugen die traditionellen weiten Hosen und Hemden. Die fleckigen gesteppten Mäntel wurden von einer Schnur zusammengehalten. Wie alle Moslems trugen sie bestickte Käppis und darüber die üblichen in vierzig Falten gewickelten Turbane, die früher vielleicht einmal weiß gewesen waren. Die hohen Stiefel waren mit Schlamm bedeckt, und die Gesichter verschwanden fast völlig hinter dichten Bärten. Bestimmt hatten sie sich seit vielen Tagen nicht mehr gewaschen. Von einem Tier war nichts zu sehen. »Wenn ich herausfinde, dass euch der alte dicke Chinamann aus Kaschgar zum Spionieren geschickt hat, dann werde ich euch auf der Stelle köpfen lassen!«

»Wir sind keine Spione!«, erwiderte der alte Mann demütig. »Da wir wissen, wie sehr Eure Exzellenz Tiere lieben, wollen wir Euch ein Tier bringen, wie es Eure Exzellenz noch nie gesehen hat.«

»Na und, wo ist das Tier?«

Der Hauptmann der Wache gab einem Kosaken ein Zeichen, und der Mann verließ die Veranda. Kurz darauf kam er zurück und zog ein Tier an einem Seil hinter sich her. Es war etwa einen Meter groß und hatte ein graues Fell. Es war ein junges männliches Tier mit Hörnern, die sich ausgewachsen dreimal drehen würden. Das Tier schien zahm zu sein, denn es begann sofort, das kurze Gras am Rand der Veranda zu fressen. Auch vor dem Gärtner, der in der Nähe in einem Blumenbeet Unkraut jätete, schien es sich nicht zu fürchten.

Es war ein Markhor, ein Schraubenziegenbock!

Der Baron hatte Mühe, sich seine Erregung nicht anmerken zu lassen. Das Markhor war im Himalaja ein begehrtes Ziel der Jäger und deshalb nur noch sehr selten anzutreffen. Er hatte schon die Hoffnung aufgegeben, ein Exemplar zu finden, bevor er Taschkent verließ.

»Wo habt ihr das Tier gefunden?«

»In Kaj Nag, Exzellenz. Der Bock war von der Mutter verlassen worden. Wir haben ihn aufgezogen.«

Die Brunst der Markhors war im Dezember, und die Kitze kamen im Juni zur Welt. Deshalb war dieser Markhor nicht älter als zehn Monate. Der Baron stand auf, ging zu dem Tier und kraulte es vorsichtig an den Ohren. Der Ziegenbock schüttelte den Kopf, scheute aber nicht, sondern fraß ungestört weiter. Der Baron war begeistert. »Wie viel wollt ihr dafür haben?«, fragte er betont gelangweilt.

»Wir wollen kein Geld«, erwiderte der jüngere Mann.

»Was sonst?«

»Wir bitten um eine Gefälligkeit.«

»So, eine Gefälligkeit.« Der Baron verzog enttäuscht das Gesicht. Er wusste natürlich alles über Gefälligkeiten – eine Stelle für meinen Bruder, ein Grundstück für meinen Vater, eine Handelslizenz für meinen Freund, einen Reisepass. »Nein, keine Gefälligkeiten«, erklärte er energisch. »Das kommt überhaupt nicht in Frage!«

»Wenn Sie uns anhören, Exzellenz.« Der jüngere Mann ließ sich nicht beirren. »Es geht wirklich nur um eine Kleinigkeit.«

»Am Anfang scheinen alle Gefälligkeiten nur unbedeutend zu sein, aber sie haben die unangenehme Eigenschaft, später die größten Kopfzerbrechen zu machen.« Er überlegte unentschlossen einen Augenblick, dann seufzte er. »Also gut, was für eine Gefälligkeit ist es? Mach schnell, ich kann nicht den ganzen Tag hier stehen. Ich habe eine kranke Golddrossel zu versorgen.«

Der alte Mann blickte auf die wartenden Kosaken. »Was wir zu sagen haben, ist vertraulich und nur für die Ohren Eurer Exzellenz bestimmt.«

Der Baron wollte diese erneute Unverschämtheit gerade energisch zurückweisen, als der junge Markhor den Kopf hob und ihm voll Vertrauen und Zuneigung die Hand leckte. Der Baron gab den Kosaken ein Zeichen, sich außer Hörweite um die nächste Ecke zu begeben. »So, ihr Lumpenvolk, wenn da irgendeine List dahinter steckt, dann ...«

»Es geht nicht um eine List, Exzellenz. Eure Kosaken haben sich bereits davon überzeugt, dass wir unbewaffnet sind.«

»Also?«

Der jüngere Mann ergriff das Wort und sprach diesmal gebrochen Russisch. »Wir bitten Eure Exzellenz, uns zu helfen, eine vermisste Person zu finden.«

»Woher kommt ihr überhaupt?«

»Wir sind Darden, Exzellenz. Mein Onkel lebt in einem Dorf in Chitral. Ich lebe in Wakhan.«

»Und was wollt ihr?« Der Baron betrachtete den jungen Ziegenbock eingehend. »Ach so, ihr wollt jemanden finden. Und wer ist das?«

»Ein Sklave, Exzellenz.«

»Es gibt in Russisch-Turkestan keine Sklaven mehr!«

»Der Begriff ist vielleicht nicht ganz richtig gewählt, Exzellenz. Die Frau könnte auch eine Dienerin in einem Haus ...«

»Eine Frau?« Der Baron war noch ungehaltener. »Habe ich richtig verstanden? Ihr sucht eine Frau?«

»Ja, Exzellenz. Sie ist eine Armenierin und stammt aus Chiwa. Man hat ihre Spur bis nach St. Petersburg verfolgt, aber von dort führt sie zurück nach Taschkent.«

Der Baron sah die beiden Männer erstaunt an. »Ihr seid nach St. Petersburg gereist, um diese Frau zu finden?«

»Nein, nicht wir, Exzellenz, aber andere, gute Freunde, die sie unbedingt finden wollen. Diesen Leuten hat man gesagt, die Frau diene im Augenblick bei einem russischen Offizier.«

Der Baron glaubte natürlich kein Wort der Lügengeschichte. Mit diesen Besuchern war etwas nicht in Ordnung. Instinktiv misstraute er ihnen. Die Männer waren bestimmt Verbrecher. Sie hatten von seiner Leidenschaft für Tiere gehört und benutzten den Markhor nur dazu, eine Audienz bei ihm zu bekommen. Die gesuchte Frau mochte ihre Komplizin sein, vielleicht war sie eine Verräterin, eine Diebin, eine Mörderin oder alles zusammen. Er hatte keine Lust, sich in etwas so Unangenehmes hineinziehen zu lassen. Seine fünf Jahre als Generalgouverneur waren beinahe vorüber, und er würde endlich in die Heimat zurückkehren und aus dem Dienst ausscheiden. Dort erwarteten ihn ein Haus in Moskau, seine Datscha am Schwarzen Meer, die Enkelkinder und glückliche, ungestörte Stunden mit seiner Sammlung von Tieren, die er mit größter Hingabe und Mühe zusammengestellt hatte. Da ihm nur noch wenige Wochen im Amt blieben, würde er auf keinen Fall seinen Abschied in Ehren aufs Spiel setzen, nur weil er unüberlegt gehandelt hatte. »Abgesehen davon, dass ich euch nicht traue«, erklärte er ärgerlich und riss sich vom Anblick des jungen Markhorbocks los, »bin ich nicht bereit, Regierungsgelder zu verschwenden, um eine absurde Menschenjagd zu veranstalten.« Er drehte sich um und ging zu seinem Thronsessel zurück. »Also nehmt euer Tier und geht. Wenn ihr euch nach achtundvierzig Stunden noch auf russischem Gebiet befindet, werde ich euch verhaften lassen.«

»Einen Augenblick, Exzellenz!« Der jüngere Mann hob die Hand. Der Baron wollte schon die Kosaken zurückrufen, aber er unterließ es schließlich doch. »Wir sind in der Lage, jeden Aufwand wieder gutzumachen, sodass sich die Suche wirklich lohnt.«

Er suchte in den unzähligen Taschen seines weiten Mantels und zog ein Blatt Papier hervor, das er dem Baron reichte. Der Generalgouverneur hielt es vorsichtig an einer Ecke, warf einen kurzen Blick auf die kyrillischen Buchstaben und stöhnte innerlich. Du liebe Zeit, nicht schon wieder! »Ist das ein Scherz?«, fragte er vorsichtig, zerknüllte das Blatt und warf es ärgerlich über die Schulter.

»Nein, Exzellenz, es ist kein Scherz.«

»Wisst ihr, wie oft mir von Leuten wie euch jedes Jahr Karten vom Jasminapass angeboten werden?«

»Die anderen sind Gauner und Betrüger, Exzellenz. Aber unsere Informationen sind richtig.«

»Wirklich! Und wie, wenn ich fragen darf, seid ihr zu den richtigen Informationen gekommen, die dem Rest der Menschheit verweigert werden?«

»Durch reinen Zufall, Exzellenz«, erwiderte der jüngere Mann. »Ein britischer Spion wurde vor einigen Monaten von Räubern aus Hunza getötet. Ich war Kameltreiber bei der Karawane. Die Karten vom Jasminapass befanden sich im Besitz des getöteten Agenten.«

»Und jetzt gehören sie dir? Wie?«

»Ich habe sie gestohlen, Exzellenz.«

Der Baron kratzte sich am Kinn. Borokow hatte ihm natürlich von dem Überfall berichtet, bei dem der englische Spion ermordet worden war. Trotzdem gefiel ihm die Geschichte nicht. Wie zum Teufel sollte er wissen, ob die Karten nicht gefälscht waren? Er warf einen verstohlen Blick auf den jungen Bock. Der graste immer noch zufrieden.

Allmählich wurde der Baron verwirrt. Die Angelegenheit schien komplizierter zu sein, als er sich vorgestellt hatte. Er wünschte, Borokow wäre hier. »Habt ihr die Karten bei euch?«

»Nein, Exzellenz. Sie werden Euch bei der Übergabe der Frau zur Prüfung vorgelegt werden.«

Es waren Gauner, daran zweifelte der Baron nicht. Aber etwas merkwürdig Beunruhigendes ging von ihnen aus. Er griff sich wieder ans Kinn und überlegte. Aber je mehr er nachdachte, desto größer wurde seine Verwirrung. »Warum ist diese Frau wichtig genug, um einen so hohen Preis zu rechtfertigen?«, fragte er stirnrunzelnd.

»Sie ist überhaupt nicht wichtig, Exzellenz, außer für ihre Freunde.«

Der Baron musste sich eingestehen, dass er den Männern zwar nicht glaubte, aber auch die Situation nicht durchschaute. Wenn es eine List war, dann sah er nicht das Motiv. Aber wenn keine List dahinter steckte, was war es dann? Er kannte Borokows Besessenheit, was den Jasminapass anging, und auch Borokows enge Beziehung zu Alexej

Smirnow, deshalb beschloss er, Zeit zu gewinnen. Wenn Borokow zurück war, sollte er sich um die Angelegenheit kümmern und tun, was er für richtig hielt. »Habt ihr nähere Information über diese Frau?«

»Ja, Exzellenz.« Der Mann kramte wieder in seinen schmutzigen Taschen und zog ein zweites Blatt Papier hervor. Er reichte es dem Baron.

Als der Baron die Beschreibung las und das sorgfältig gezeichnete Bild betrachtete, runzelte er die Stirn. Lange blieb er unbeweglich sitzen und versuchte, sich sein Staunen nicht anmerken zu lassen.

War es denn möglich? Nein, das war unmöglich. Das konnte doch nicht …

Als er seine Stimme wiederfand, versuchte er, energisch zu klingen. »Ich werde Nachforschungen anstellen müssen. Das wird Zeit in Anspruch nehmen. Inzwischen bleibt ihr beide in Taschkent, bis einer meiner Offiziere aus St. Petersburg zurück ist, der eine gründliche Untersuchung durchführen wird. Ich werde mich persönlich um den Markhor kümmern.«

Wieder hinderte ihn der junge Mann daran, als er die Kosaken zurückrufen wollte. »Leider können wir nicht bleiben, Exzellenz. Wir werden zu der Untersuchung wiederkommen.«

»Haltet ihr mich für einen Dummkopf?«, fragte der Baron aufgebracht. »Natürlich werdet ihr bleiben!«

»Wenn die Frau gefunden wird, müssen wir ohnehin zurückkommen. Wenn man uns jetzt verhaftet, dann werden die Eier in unserer Abwesenheit ausgebrütet. Die Küken holt sich dann ein anderer, oder sie sind groß genug, um davonzufliegen, wenn wir zurückkommen.«

»Was für Küken?«

»Im Nest eines Goldadlers. Im letzten Spätherbst haben wir zufällig …«

»Das Nest eines Goldadlers gefunden?« Der Generalgouverneur erhob sich wie elektrisiert halb von seinem Thron. »Wo habt ihr das Nest gefunden?«

»In Hazara, Exzellenz, in den Wäldern entlang der Schlucht. Wäre die Sache mit der Frau für unsere Freunde nicht so wichtig, wären wir in Hazara geblieben, um das Nest zu beobachten. Ein englischer General Sahib hat uns beauftragt, ihm die flüggen Adler zu bringen. Der General Sahib ist in Rawalpindi stationiert und wie Eure Exzellenz ein Sammler von Tieren. Wir sind arm, Exzellenz. Wenn wir eingesperrt werden, dann verlieren wir nicht nur die Küken, sondern auch die große Belohnung, die man uns versprochen hat.«

Der Baron wagte vor Erregung kaum zu atmen. In diesem Augenblick interessierte ihn weder der General in Rawalpindi noch Michail Borokow oder der verwünschte Jasminapass. Aber ein Goldadler …!

Der *Aquila chrysaetus* war das seltenste geflügelte Lebewesen im Himalaja. Viele hatten jahrelang danach gesucht, ohne jemals einen dieser Adler zu Gesicht zu bekommen, geschweige denn einen Nistplatz. Wenn es ihm gewährt sein sollte, einen Goldadler in seinem privaten Gehege aufzuziehen – bei Gott, jeder Ornithologe in Russland würde ihn beneiden! Aber was sollte er in dieser heiklen Situation machen?

Der ältere Mann half ihm aus der Verlegenheit. »Ein Vorschlag, Exzellenz.«

»Ja?«

»Ein Horst muss nicht von zwei Männern beobachtet werden. Wenn man meinem Neffen erlaubt, nach Hazara zurückzukehren, werde ich als Geisel hier bleiben, bis er mit dem Küken zurückkommt. Dann haben Eure Exzellenz auch Zeit, Nachforschungen wegen dieser Frau anzustellen.«

Der Baron überlegte. Das schien alles in allem ein vernünftiger Vorschlag zu sein, der den Interessen beider Seiten gerecht wurde. Die zweifelhafte Glaubwürdigkeit der Männer beunruhigte ihn nicht mehr. Sie hatten Recht, wenn sie die Frau haben wollten, dann mussten sie wieder herkommen.

»Wie lange wird es dauern, bis du zurück bist?«, fragte er den jüngeren Mann.

»Ich werde hier sein, bevor Eure Exzellenz Turkestan verlassen.«

Der Baron nickte. »Gut, aber beim ersten Anzeichen von Betrug werde ich deinen Onkel in Ketten legen und zu Tode peitschen lassen.«

»Wir sind keine Betrüger, Exzellenz«, beteuerten beide. »Wir sind arm und können kaum …«

»Schon gut, schon gut! Wollen wir die Sache in Angriff nehmen!« Er konnte seine Gier kaum noch verbergen und beugte sich mit glänzenden Augen vor. Sogar der Markhor hatte ein wenig an Bedeutung verloren. »Also, diese Küken …«

Der kasachische Gärtner jätete unbeachtet die Blumenbeete und hörte dabei mit größter Aufmerksamkeit zu.

*

Die lange Fahrt nach Amritsar, dem Endpunkt der Bahnlinie, war heiß, staubig und unbequem. Die eckigen Holzwagen schwankten und schaukelten bei der Höchstgeschwindigkeit von zwanzig Meilen gefährlich. Sharifa und Rehmat bedienten Emma im Erste-Klasse-Abteil, in das Suraj Singh vorsorglich Milch- und Sodawasserflaschen, Brot, Butter, Bohnen, Thunfisch und Schinkenkonserven, einen Obstkorb und genug Lesestoff hatte bringen lassen. Er befand sich im nächsten Wagen und vergewisserte sich bei jedem Aufenthalt, dass es den Frauen gut ging.

Emma war die Strecke bereits mit ihrem Vater gefahren und kannte den Punjab, das Land der fünf Flüsse. Zwischen Delhi und Amritsar lag eintöniges flaches Land, wo es nicht viel zu sehen gab. Obwohl eine Wanne mit Eis im Abteil stand, um die Hitze erträglicher zu machen, fühlte sich Emma schmutzig und erschöpft, und sie hatte Kopfschmerzen, als der Zug am nächsten Tag langsam in den Bahnhof von Amritsar einfuhr. Bis zu dem langwierigen und mühsamen Aufstieg zum Pir-Panjal-Pass lag jedoch noch ein langer Weg über die kahle Ebene vor ihnen. Der eintägige Aufenthalt in Amritsar war deshalb höchst willkommen, denn er versprach die Erfüllung der grundlegendsten Bedürfnisse – ein kühles Bad, eine heiße Mahlzeit und ein Bett zum Schlafen, in dem nicht ständig die Gefahr bestand, sich alle Knochen zu brechen.

Emma machte es sich in dem Dak-Bungalow so bequem wie möglich.

Da es tagsüber wenig zu tun gab, vergingen die Stunden mit nötigen Bädern und langem Schlaf. Als sich am Abend der Staub gelegt hatte und die Luft verhältnismäßig frisch geworden war, schlug Suraj Singh eine Kutschfahrt durch die Stadt und einen Besuch des Goldenen Tempels vor, des größten Heiligtums der Sikhs.

Früh am nächsten Morgen verriet noch vor Sonnenaufgang der Lärm auf dem Gelände, dass die Packtiere und die Kulis eingetroffen waren, aus denen ihre Karawane bestand. Emma fühlte sich ausgeruht und stand ebenfalls bald auf. Sie betrachtete kritisch die Sänfte, die Suraj Singh für sie hatte kommen lassen. »Ich würde es vorziehen zu reiten«, erklärte Emma, denn sie wollte nicht wie ein Sack Kohle auf den Rücken von Männern getragen werden.

»Das würde Huzoor nicht billigen«, wehrte Suraj Singh nervös ab.

»Huzoor wird es nicht erfahren«, widersprach Emma, denn sie war entschlossen, sich so weit wie möglich nichts vorschreiben zu lassen.

»Begum Sahiba wird die Hitze unerträglich finden ...«

»Nicht unerträglicher als alle anderen auch.«

»... und der Staub wird überall sein.«

»Das lässt sich nicht verhindern, und auf etwas mehr oder weniger Staub kommt es nun auch nicht mehr an.«

Suraj Singh seufzte. »Ja dann, wenn die Begum Sahiba also darauf besteht ...«

»Das tue ich!«

Er fügte sich mit unnachahmlicher Höflichkeit. »In diesem Fall werde ich alles Nötige veranlassen.«

Zuzeiten der Moguldynastien verbrachten die Herrscher die Sommer vorzugsweise in Kaschmir und unternahmen die endlos lange Reise dorthin in Begleitung von Tausenden von Tieren und Dienern. Emma dachte an die Gewohnheit ihres Vaters, möglichst unbeschwert zu reisen, nur mit ein paar Trägern und dem allernötigsten Gepäck. Sie staunte über die Größe ihrer Karawane: Pferde, Kamele, zwei Elefanten, Punjabi-Maulesel, Träger und Kulis für die Ausrüstungsgegenstände. Außerdem gab es Knechte für die Tiere, Ziegen für frische

Milch und Fleisch auf dem Weg, Baburchis zum Kochen, Khidmat-gars zum Bedienen, Bewaffnete als Schutz gegen Überfälle von Banditen und natürlich die entsprechende Lagerbegleitung.

Suraj Singh wählte für sie eine gescheckte Stute mit sanften Augen und ruhigem Wesen. Emma hatte sich noch nie im Damensattel wohl gefühlt, deshalb ritt sie wie die Männer und trug einen geteilten Rock, der für solche Zwecke angefertigt worden war. Suraj Singh galoppierte an ihre Seite und überreichte ihr einen Tropenhelm, den er für sie in Amritsar gekauft hatte. »Er sieht vielleicht nicht elegant aus«, sagte er entschuldigend, »aber damit behalten Sie einen kühlen Kopf.«

Sie bedankte sich für seine Umsicht, lehnte aber dankend ab. »Ich bin an Sonne gewöhnt und brauche wirklich keinen Tropenhelm. Trotzdem vielen Dank.«

»Begum Sahiba ist eine sehr ... unternehmungslustige Frau«, sagte er besorgt.

Emma wusste, dass er mit unternehmungslustig im Grunde eigensinnig meinte, und lachte. »Meine Mutter würde Ihnen zweifellos zustimmen, Suraj Singh, und das vermutlich noch mit größerer Missbilligung.«

Zuerst folgten sie einem kleineren Flusslauf. In der staubigen Ebene des Punjab war keine einzige Erhebung zu sehen. Es wehte ein angenehmer Frühlingswind, der die Hitze erträglich machte. So war die Reise nicht allzu schlimm. Suraj Singh trabte unermüdlich auf und ab und überwachte die Karawane. Er rief Befehle und trieb mit scharfen Ermahnungen alle an, die zurückblieben.

Um die Mittagzeit befahl Suraj Singh eine Rast. Es gab etwas zu essen und eine verdiente und notwendige Ruhepause. Dann machten sie sich wieder auf den Weg zu ihrem fernen Ziel, den Ausläufern der Berge, die sich langsam am unbewegten Horizont abzeichneten. Die Hitze und der Staub der trockenen Ebene, die verschlungenen Flüsse und die stachligen Büsche, an denen sie vorüberzogen, brachten Emma schmerzliche Erinnerungen. Sie überließ sich dem bequemen Gang des Pferdes und hing ihren Gedanken nach. Ehe sie sich versah, verschwand die Sonne hinter den fernen Bergen, und Suraj Singh ließ die Karawane für die Nacht anhalten. Sie hatten eine der vielen Karawansereien erreicht, die sich entlang des Weges befanden. Sie stammten noch aus der Zeit der Moguln, die sie für die Reisenden hatten errichten lassen. Jede Karawanserei hatte einen von Gebäuden umschlossenen Hof mit Ställen und Zimmern für die Gäste. Aber inzwischen waren die meisten infolge der schweren Regenfälle und regelmäßigen Überschwemmungen mehr oder weniger verfallen.

Für das Gefolge und die Packtiere wurde am Flussufer ein Lager aufgeschlagen. Es dauerte nicht lange, und ein Kessel hing über einem Petroleumkocher, eine Ziege wurde gemolken, und mit einer Tasse Tee gegen den Durst vertrieb man sich die Müdigkeit. Das Essen aus Gemüse, Reis und Linsen war angenehm vertraut, das Geschirr der Küche klapperte, und das allgemeine geschäftige Treiben im Lager sorgte für Bewegung. Trotz der fehlenden städtischen Bequemlichkeiten fühlte sich Emma sehr wohl.

Später machte sie einen kleinen Spaziergang und setzte sich schließlich auf einen Stein am Ufer. Dort beobachtete sie das tanzende, immer schwächer werdende Licht auf dem sich langsam verdunkelnden Wasser.

»Gibt es noch etwas, was Begum Sahiba für die Nacht brauchen könnte?«, hörte sie hinter sich Suraj Singhs Stimme.

»Nein, vielen Dank.« Sie forderte ihn mit einer Geste auf, sich neben sie zu setzen.

»Ich habe erfahren, dass Begum Sahiba schon einmal durch diese Gegend gereist ist«, sagte er und setzte sich auf einen anderen Stein.

»Ja, sogar schon mehr als einmal. Das erste Mal liegt viele Jahre zurück. Mein Vater erforschte damals die Ruinen der alten buddhistischen Gelehrtenschule von Taxila. Ich weiß noch, er hat mich bis Koh Murree mitgenommen, um mir die hohen Berge zu zeigen. Damals habe ich zum ersten Mal Schnee gesehen.« Sie nahm einen Schluck Tee. Das starke Aroma erinnerte sie an damals, als sie den Tee aus einem einfachen Lagerteekessel getrunken hatte.

»Begum Sahiba hat die Stadt nicht vermisst?«

»Manchmal, aber im Großen und Ganzen war es ein wunderbar ruhiges Leben, morgens mit der Sonne aufzustehen und beim Sonnenuntergang den Tag zu beenden. Wir schliefen im Freien unter den Sternen und lernten die Schönheiten der Natur und die Einsamkeit zu schätzen.«

Suraj Singh nickte. »Huzoor zieht auch die Einsamkeit der Berge dem geschäftigen Treiben in der Stadt vor.«

Das zumindest schienen sie als Vorliebe zu teilen!

Sie sagte jedoch nicht, dass sie in Koh Murree von ihrem Vater zum ersten Mal von Kaschmir gehört hatte und von dem einzigartigen Ring der hohen Berge, die das Tal umgaben. Trotz der wenig verheißungsvollen Umstände stellte Emma fest, dass sie es seltsam aufregend fand, über das Ziel dieser ersten Reise hinaus in das gut geschützte Tal von Kaschmir vorzudringen. Zum ersten Mal seit dem Tod ihres Vaters empfand sie wieder die Erregung der Forscherin auf der Schwelle ins Unbekannte.

Sie bat um eine zweite Tasse Tee. Das zerstoßene Kardamom brannte angenehm im Mund. »Sie kennen diesen Weg natürlich besonders gut, Suraj Singh.«

»Das ist richtig, Begum Sahiba.«

»Und mein ... Mann?«

»Huzoor auch. Er ist in Kaschmir geboren, wie Begum Sahiba weiß, und reist oft nach Indien. Ihm ist diese Gegend ebenso vertraut wie mir.«

Emma hatte das nicht gewusst, aber sie sagte nichts. Ihr kam ein Gedanke. Im Halbdunkel musterte sie sein Gesicht aus dem Augenwinkel. Suraj Singh musste etwa fünfzig Jahre alt sein. Er war kräftig, gewandt und immer wachsam. Die sonnengebräunte und verwitterte Haut verriet, dass er sein Leben im Freien verbrachte. In ihrer Gegenwart verhielt er sich stets zurückhaltend und korrekt, aber an diesem Abend schien er etwas zugänglicher zu sein. Das war eine gute Gelegenheit, die sich Emma zunutze machen wollte, denn Davids Abschiedsworte über Damien fingen an, sie zu beschäftigen. »Sie sind schon viele Jahre bei den Granvilles?«

»Ja, Begum Sahiba.«

»Sie waren schon bei ihnen, als der Vater meines Mannes noch lebte?«

»Nein, Begum Sahiba. Ich begann meinen Dienst nach dem Tod von Major Granville.«

»Die Mutter meines Mannes war natürlich schon früher gestorben ...«

»Ja, Begum Sahiba.« Bildete sie es sich nur ein, oder hatte sich seine Haltung etwas geändert. »Sie war schon lange tot, als ich nach Shalimar kam.«

»Wie war das noch?«, sie runzelte die Stirn und schien nachzudenken. »Als sie starb, so hat mein Mann gesagt, war er ...?«

Sie machte eine betont lange Pause nach der angedeuteten Frage.

»Huzoor war gerade zwölf geworden«, half ihr Suraj Singh bereitwillig. »Im selben Jahr wurde er nach England ins Internat geschickt.«

Damien war in England im Internat? Auch das hatte sie nicht gewusst. »Wollte er wie sein Vater Offizier werden?«

»Huzoor hält nicht viel von den britischen Streitkräften«, erwiderte er. »Außerdem stand für ihn Shalimar immer an erster Stelle.«

»Major Granville war in ... Rawalpindi stationiert, oder?«

»Nein, in Peschawar. Er war bei einem Gurkharegiment.«

»Ja, natürlich. Dort hat er die verstorbene Mrs. Granville kennen gelernt, und dort haben sie auch geheiratet.« Er nickte in Bestätigung dessen, was sie seiner Meinung nach wusste. »Major Granville ist relativ jung aus dem Militärdienst ausgeschieden, um sich in Kaschmir niederzulassen ...«

»Burra Huzoor hat früh seinen Abschied genommen.«

Da sie das leichte Zögern bemerkte, sagte Emma auf gut Glück: »Wegen dieser ... Sache?«

»Ja, leider ...«

Sie spürte das leichte Unbehagen. Das »leider« war ein Hinweis, aber da er glaubte, sie kenne den Grund, konnte sie kaum näher danach fragen.

»Wie mein Mann gesagt hat, war alles ziemlich unangenehm. Aber auf lange Sicht«, sie wagte einen weiteren Vorstoß, »hat es sich doch gelohnt.«

»Da Seine Hoheit dem Plan rückhaltlos zustimmte, hat Burra Huzoor den Abschied vom Militär nie bereut. Wie er sich vorgestellt hatte, wurde das Dorf der Weber im Tal ein großer Erfolg und hat viel zur Tuchproduktion des Landes beigetragen. Im Nachhinein kann man sagen, die Neuerungen und der Erfolg des Projekts waren mehr als eine Entschädigung für die militärische Laufbahn des Burra Huzoor.«

Auf diese Weise war es Major Granville also gelungen, sein Shalimar zu bekommen! Es fiel Emma nicht schwer, zwischen den Zeilen zu lesen. »Ausländern ist in Kaschmir nicht erlaubt, Land zu besitzen. Deshalb muss die Ausnahmeregelung des Maharadschas zugunsten eines Engländers für ein so großes Anwesen im Tal mit Unmut aufgenommen worden sein.«

»Von einigen, ja. Gewisse Leute erhoben Einspruch und sind immer noch dagegen. Aber damals unterschied sich die politische Situation in Kaschmir sehr von der heutigen. Die Engländer waren nicht so fest etabliert, und der Maharadscha Ranbir Singh hatte genug Macht, um den Plan zu genehmigen. Solange das Gut dazu genutzt wird, Arbeitsplätze für qualifizierte Handwerker zu schaffen und den Wohlstand und das Ansehen von Kaschmir zu mehren, wird die Familie auch in Zukunft den Status von Mulkis, von Staatsbürgern, behalten.«

»Und wenn nicht?«

»Wenn sie Kaschmir in Misskredit bringt oder wenn …«, er hüstelte diskret, »die Granvilles ohne Erben sterben – Gott behüte! –, dann fällt das Anwesen an den Staat zurück.«

»Und wurde«, fragte Emma dankbar für die Dunkelheit, weil Suraj Singh ihre glühenden Wangen nicht sah, »das Ansehen von Kaschmir vergrößert?«

»Zweifellos. Die Weber fertigen noch immer allerbeste Qualität, und es gibt genug Käufer, die das zu würdigen wissen. Doch«, er senkte den Kopf, »nichts kann Chota Huzoor den großen Verlust vergessen lassen.«

Den großen Verlust? Suraj Singh schien nicht daran zu zweifeln, dass sie ein Recht darauf hatte, mehr zu erfahren. Trotzdem wagte Emma nicht, ihn um eine Erklärung der letzten Bemerkung zu bitten ... zumindest nicht im Augenblick.

»Ja, es muss ihm das Herz gebrochen haben«, murmelte sie.

»Das stimmt. Huzoor hat sich nie von dem Schlag erholt.«

Dem Schlag, dass seine Mutter die Familie verließ?

»Mein Mann hat gesagt«, erklärte sie kühn, »nur die Liebe zu Shalimar und zu seiner Arbeit haben seinem Vater geholfen, danach ... weiterzumachen.«

»Ja, aber ich glaube, er ist schließlich aus Kummer gestorben.«

»Waren sie glücklich?«

Wieder zögerte er kaum merklich. »Das kann ich nicht beurteilen. Aber ich habe es immer angenommen.«

Also war die Ehe nicht glücklich gewesen!

»Die verstorbene Mrs. Granville muss sich in Kaschmir sehr wohl gefühlt haben«, sagte Emma und blickte ihn von der Seite an, während sie sich die nächste Frage überlegte. »Schließlich gibt es hier viel, was sie an Österreich und an die schönen Alpen ihrer Heimat erinnert.«

Diesmal erstarrte er sichtlich. »Wie bitte ...?«

Sie hatte das Falsche gesagt!

Durch die unglückliche Bemerkung aus dem Gleichgewicht gebracht, stammelte Emma etwas, um den Schaden wieder gutzumachen, aber sie wusste, es klang alles wenig überzeugend. Deshalb schwieg sie schließlich. Aber das Unglück war geschehen. Suraj Singh stand auf und sah sie mit verschlossenem Gesicht an. »Vielleicht ist es angemessener, wenn Huzoor Begum Sahiba mit dem Rest vertraut macht.«

Emma ließ das Thema fallen. Sie ärgerte sich über sich selbst. Sie hatte eine günstige Gelegenheit verpasst – wenn auch unwissentlich. Mit scheinbarer Unbeschwertheit hob sie lächelnd den Kopf und sagte etwas über die wunderschöne Nacht und erkundigte sich, wann sie die Berge erreichen würden. Sichtlich erleichtert erwiderte er, die Pir-

Panjal-Berge seien noch einige Tagesreisen entfernt, und fragte hoffnungsvoll, ob das Reiten für die Begum Sahiba zu anstrengend sei. Sie könne jederzeit, fügte er hinzu, die Sänfte benutzen.

»Nein danke, Suraj Singh.« Sie amüsierte sich über seine Hartnäckigkeit. »Ich kann stundenlang im Sattel sitzen und werde nicht müde.«

Er nickte. »Wenn ich mir erlauben darf, das zu sagen«, erklärte er ernst, »Begum Sahiba ist eine sehr mutige Frau und Huzoor ein sehr glücklicher Mann.«

Er verschwand schnell in der Dunkelheit.

Suraj Singh kannte die äußerst merkwürdigen Umstände ihrer Ehe. Daran hatte Emma nie gezweifelt. Schließlich war er Damiens Trauzeuge gewesen! Aber das, so wusste sie jetzt, war kein Grund zur Sorge. Angesichts der Hartnäckigkeit, mit der er die Geheimnisse der Familie hütete, der er diente, würden die Umstände ihrer Ehe bei ihm so sicher bewahrt sein wie die Perle in einer geschlossenen Auster.

*

Nach der Niederlage der Sikhs im Kampf gegen die Truppen der Ostindischen Gesellschaft in der Schlacht von Sobraon im Jahre 1846 empfahl der damalige Generalgouverneur Lord Hardinge, den Sikhs die Flügel zu stutzen, um die Sicherheit der Engländer für die Zukunft zu garantieren. Deshalb fasste man den Entschluss, ihnen Kaschmir zu nehmen.

Kulu, Manid, Nurpur und Kangra wurden herausgelöst und unter die Verwaltung der Ostindischen Gesellschaft gestellt. Das Kaschmirtal, Ladakh und Baltistan wurden ihrem getreuen Dogara-Verbündeten, dem Maharadscha Gulab Singh von Jammu, als Belohnung für seine Unterstützung der Engländer bei der Eroberung des Punjab für siebeneinhalb Millionen Rupien verkauft. Durch den Vertrag von Amritsar wurde Gulab Singh der erste Dogra-Maharadscha von Kaschmir und damit Herrscher über ein Reich mit zweieinhalb Millionen Untertanen in dem fünfundachtzigtausend Quadratmeilen umfassenden Kaschmir, eines der begehrtesten und schönsten Länder der Welt.

Die Engländer machten sich jedoch weniger um die landschaftlichen Schönheiten Gedanken, als um die strategische Bedeutung von Kaschmir als Grenzstaat. In ihrer Entschlossenheit, die Nordgrenze zu sichern, benutzten sie den Vorwand einer möglichen russischen Invasion über den Himalaja und entsandten 1870 einen politischen Vertreter nach Srinagar. Es war nur eine Frage der Zeit, bis sie den Zugriff verstärkten. 1887 wurde der politische Vertreter durch einen Residenten ersetzt, der die Macht hatte, den Maharadscha zu überstimmen, und der rücksichtslos den Willen Kalkuttas durchsetzte.

Emma interessierte diese politische Vergangenheit nicht im Geringsten, als sie den Pir-Panjal-Pass erreichten und sie zum ersten Mal einen Blick in das Land werfen konnte, das sich unter ihr ausbreitete. Der Weg zum Pass mit den dichten Eichenwäldern, dem leuchtend violetten Rhododendron und den gelben Glockenblumen war bereits traumhaft schön gewesen, aber der Ausblick von der Herberge auf den Pass nahm ihr den Atem. Es schneite leicht. Die Luft war frisch und kalt. Der böige Wind ließ die Schneeflocken hoch über ihr tanzen. Emma nahm den Wollschal vom Kopf, zog die Lederhandschuhe aus und ließ sich den Schnee um die Haare wirbeln. Sie griff nach den zarten Flocken und hielt sie in den Händen, bis sie vor Kälte gefühllos wurden. Sie staunte über das samtige Gefühl der daunigen, weißen Kristalle und staunte über das Panorama, das sie umgab.

»Auf der ganzen Welt gibt es kein Tal von der Ausdehnung Kaschmirs«, sagte Suraj Singh, »das völlig von Bergen umschlossen ist.«

Emma nickte. Wenn man es heute sah, konnte man sich kaum vorstellen, dass das Tal vor vielen tausend Jahren einmal ein See gewesen sein sollte.

»»Umschlossen von allen Seiten wie ein kostbares Juwel / An den Hängen Häuser, Safran, eisiges Wasser und Trauben / Dinge, die selbst im Himmel schwer zu finden sind ...‹« Als sie diese Zeilen eines Dichters aus dem sechsten Jahrhundert zitierte, fand sie sofort große Zustimmung bei Suraj Singh. »Begum Sahiba hat viel über Kaschmir gelernt. Nur wenige Europäerinnen haben ein so großes Wissen. Es ist nicht erstaunlich, dass Begum Sahiba die Bewunderung von Huzoor verdient hat.«

Hatte sie das wirklich?

Beim Abstieg in das Tal konnte sie sich nicht sattsehen an dem endlosen Grasteppich, der in allen Grün-, Blau- und Goldtönen schimmerte. Sie ritten über üppige Wiesen, schattige Lichtungen und durch smaragdgrüne Wälder, in denen Bäche rauschten, an deren Ufern Geißblatt, Jasmin, Azaleen, Klematis und wilde Rosen blühten. Auch die Obstbäume standen in voller Blüte – Äpfel, Pfirsiche, Birnen, Aprikosen, Kirschen und Maulbeeren. An den Berghängen leuchteten gelbe Krokusse und Wiesenblumen wie funkelnde Edelsteine. Und an allen Seiten ragten in den tiefblauen Himmel über dem ewigen Frühling dieses paradiesischen Tals die verschneiten Gipfel des Himalaja auf. Alles bot sich ihr dar wie in einem Schaufenster ausgestellt, so dass Emma nicht wusste, wohin sie zuerst blicken sollte. Die unbeschreibliche Schönheit füllte ihr die Augen mit Tränen.

Sie hatte alle Beschreibungen des Kaschmirtals für fantasievolle Übertreibungen gehalten. Jetzt erkannte sie jedoch, dass dem nicht so war. Wenn überhaupt, dann überstieg die Wirklichkeit bei weitem ihre Erwartungen. Es schien unmöglich, dass hier normale Menschen ein normales und geschäftiges Leben führen sollten, so wie in der restlichen, mit weniger Schönheit bedachten Welt. Wie war es möglich, dass es in einem so himmlischen Tal so viel Schönheit gab? Im Vergleich dazu schien der Rest der Welt wahrhaft ungerecht benachteiligt zu sein.

»Begum Sahiba ist beeindruckt?«

Emma nickte, denn sie konnte Suraj Singh nicht gestehen, dass sie zum ersten Mal im Leben keine Worte fand.

Sie machten zum letzten Mal auf dieser Reise auf einer Wiese neben einem Bach Rast, die mit Veilchen und Narzissen übersät war. Beim Essen zeigte ihr Suraj Singh die Berge, die bei den Hindus als heilig galten: der Haramuk im Osten und der Mahadeo im Süden. Im Osten und Norden erstreckten sich die Gebirgszüge, hinter denen Zanskar, Ladakh und der riesige Karakorum lagen. »Viele dieser Berge wurden noch nie bestiegen«, sagte er.

»Vielleicht sollte das auch nie geschehen«, sagte Emma. »Es scheint unvorstellbar, dass Menschen diese jungfräulichen Gipfel entweihen sollten, von denen so viele glauben, sie seien Wohnungen der Götter.«

Erst, als sie Srinagar beinahe erreicht hatten und Emma den ersten Blick auf den Dalsee werfen konnte, über dem sich die Stadt erhob, stellte sich die alte Unruhe wieder ein. »Wie weit ist es noch bis Shalimar?«, fragte sie beklommen.

»Etwa fünfzehn Meilen, Begum Sahiba. Shalimar liegt im Südwesten von Srinagar auf dem Weg nach Barramulla.«

»Ich weiß, mein Mann ist sehr stolz auf das Anwesen.«

Suraj Singh dachte kurz nach. »Für Huzoor ist Shalimar mehr als eine Sache, auf die man stolz ist«, erwiderte er ruhig. »Shalimar ist sein Leben.«

Emma staunte, dass die sonst so unbeteiligt wirkenden Augen des treuen Suraj Singh plötzlich sehr besorgt wirkten.

*

Die Dämmerung brach herein, als sie die Vororte von Srinagar erreichten. Die alte Stadt lag etwas mehr als eintausendfünfhundert Meter über dem Meeresspiegel. Der buddhistische Herrscher Ashoka hatte sie im dritten Jahrhundert vor Christi Geburt gegründet, und Emma freute sich darauf, diese Stadt kennen zu lernen.

Auf einer großen Wiese ließ Suraj Singh die Karawane anhalten. Sharifa, ihre Nichte, ein Khidmatgar und er selbst würden bei Emma bleiben und am nächsten Morgen mit ihr nach Shalimar reiten. Der Rest der Karawane sollte mit dem Gepäck noch an diesem Abend weiterziehen.

»Mein Mann hat ein Haus in Srinagar?«, fragte Emma und freute sich auf den kurzen Aufenthalt in der Stadt.

»Kein Haus, Begum Sahiba, ein Hausboot. Es trägt den Namen *Nishat* und liegt auf dem Dalsee.«

Emma fand das wunderbar. Die schwimmenden Häuser auf den Seen von Kaschmir sollen eine Idee des Mogul-Herrschers Akbar gewesen sein. Man sagte, sie seien hübsch, bequem und zum Wohnen sehr komfortabel ausgestattet.

In der Stadt saßen sie ab, denn die Straßen waren eng, und in der frühen Abendstunde drängten sich dort die Leute. An den Verkaufsständen entlang der gepflasterten Gassen herrschte ein reges Treiben. Die Einheimischen trugen Käppis, Turbane und weite Gewänder. Der Anblick einer weißen Frau war noch immer etwas sehr Ungewöhnliches, und deshalb starrten die Leute sie neugierig an. Emma hatte nichts dagegen und musterte die Menschen ebenso aufmerksam und ohne Scheu. »Was tragen sie in ihren Phirrens?« Emma deutete auf die seltsam vorgewölbten Bäuche unter den langen Gewändern. »Sind das die Kangris?«

»Ja, Begum Sahiba. Was Laila für Majnu war, ist der Kangri für die Kaschmiris.«

Emma lachte über den Vergleich mit dem berühmtesten Liebespaar des Punjab, denn irgendwie schien es zu stimmen. Die Wölbungen wirkten sehr komisch, aber nur wenige Kaschmiris hätten sich träumen lassen, auf die kleinen irdenen Töpfe mit glühender Kohle zu verzichten, die sie in Weidenkörbchen um die Hüfte trugen, um sich warm zu halten.

»Was benutzen sie zum Brennen?«

»Sie benutzen Huk, Begum Sahiba – Holzkohle aus Treibholz und getrocknete Chinarblätter. Beides brennt lange und erzeugt eine angenehme Wärme.«

»Sind diese kleinen Öfchen nicht gefährlich, wenn man sie unter den Gewändern trägt?«

»Gelegentlich kommt es zu einem Unfall«, erwiderte Sharifa lachend, »aber jedes Kind in Kaschmir lernt früh, vorsichtig zu sein.«

Es wurde kühler. Emma zog sich die dicke, mit Schaffell gefütterte Jacke enger um die Schultern, als sie von dem hölzernen Steg auf die

Holztreppe stieg, die zum Hausboot führte. Der See war von dichten Teppichen aus Lotusblättern bedeckt. Überall spiegelten sich die Lichter der Stadt im Wasser. Im Westen leuchteten schwach die letzten Farben des Sonnenuntergangs, und die verschneiten Gipfel der Berge schienen rosa.

Am Bug des Hausbootes stand der Name *Nishat*. Das schwimmende Haus erhob sich hoch aus dem Wasser, hatte ein flaches Dach und bestand aus mehreren Booten, die miteinander vertäut waren. Das Hauptboot hatte ein geräumiges Wohnzimmer, zwei Schlafzimmer-Suiten und ein Esszimmer. Bug und Heck waren überdacht. Die Küche, Vorräte und Unterkünfte der Dienstboten befanden sich auf den anderen Booten. Die Räume waren geschmackvoll möbliert und mit weichen persischen Teppichen aus Isfahan ausgelegt. Es gab schwere Vorhänge, und an den Wänden hingen Bilder oder standen Bücherregale. Alles war so angenehm und einladend, wie man es sich für ein gemütliches Zuhause nur wünschen konnte. »Ist mein Mann oft auf dem Boot?«, fragte Emma.

»Jedes Mal, wenn er nach Srinagar kommt«, erwiderte Suraj Singh. »Huzoor hat geschäftlich viel in der Stadt zu tun.«

Ihr Reisegepäck war bereits im Ankleidezimmer neben dem Schlafzimmer sorgsam ausgepackt worden. Offensichtlich benutzte Damien diese Suite, wenn er hier war. Anders als in dem Haus in Delhi dominierten auf dem Hausboot helle Bezugsstoffe aus dünnem geblümtem Kaliko, und die geschnitzten Möbel waren aus hellbraunem Nussbaum. Das Bett im Zentrum hatte einen gerüschten Himmel, und in den Vasen standen frische Frühlingsblumen. Auf einem Schreibtisch entdeckte sie einen Pfeifenhalter, und daneben sah sie ein gut gefülltes Bücherregal. Ein paar Kleidungsstücke von Damien hingen im großen Kleiderschrank, und unter dem Bett standen mit Lammfell gefütterte Pantoffeln. Das Zimmer roch wie das Haus in Delhi schwach nach Tabak.

Es war merkwürdig, Damiens persönliche Dinge um sich zu haben, denn in Delhi hatten sie getrennte Schlafzimmer gehabt. Die vielen unübersehbaren Erinnerungen an Damiens starke Persönlichkeit machten ihr deutlich bewusst, dass das angenehme Zwischenspiel persönlicher Unabhängigkeit bald zu Ende sein würde. Am nächsten Tag würde sie auf Shalimar eintreffen. Dann war sie wieder auf Gedeih und Verderb einem Fremden ausgeliefert, und sie musste die Rolle der pflichtbewussten, liebenden Frau übernehmen. Einerseits erfüllte sie eine vorsichtige Erwartung, andererseits fürchtete sie die unvermeidlichen Spannungen, die ständigen Reibereien und die zermürbenden Auseinandersetzungen. Außerdem blieb die unentrinnbare Intimität der Nächte! Sie musste ständig auf der Hut sein und ihre Auflehnung im Zaum halten. Das alles war entmutigend. Doch dann erinnerte sie sich daran, dass der Tag morgen immerhin noch ihr gehörte, und ihre Niedergeschlagenheit schwand.

Nach einem wohltuenden Bad und einem guten Essen mit warmem indischem Brot, würzigen Lammkoteletts und frischem Obst ging Emma auf das Terrassendach des Hausboots, um im Freien zu sitzen und die Sterne zu betrachten, die sich im Wasser spiegelten. Sie wollte die frische, aromatische Frühlingsluft genießen und das Gefühl einer fremden Kultur in einer neuen Umgebung in sich aufnehmen. Aber kaum hatte sie sich auf der Terrasse niedergelassen, fielen ihr die Augen zu. Sie versuchte vergeblich, wach zu bleiben. Schließlich gab sie den Kampf auf und ging zurück ins Schlafzimmer. Zum ersten Mal seit vielen Tagen lag sie wieder in einem richtig bequemen Bett. Deshalb schlief sie sofort ein, als ihr Kopf das Kissen berührte.

Emma erwachte im strahlenden Licht des frühen Morgens. Durch die Schlafzimmerfenster schimmerte das Wasser des Sees wie ein goldenes Tuch. Große rosa und weiße Lotusblüten schaukelten auf den Wellen, und erstaunlich unterschiedliche Boote fuhren auf dem See. Mehrere andere Hausboote, darunter einige, die unbewohnt waren, ankerten am Ufer und wurden für den alljährlichen Ansturm der Touristen vorbereitet. Emma war munter und voller Energie, und sie freute sich auf diesen Tag. »Ich möchte mir nach dem Frühstück gern die Stadt ansehen«, sagte sie zu Suraj Singh. »Deshalb schlage ich vor, die Weiterreise nach Shalimar um einen Tag zu verschieben.«

Suraj Singh reagierte erschrocken auf ihren Vorschlag, so wie sie es erwartet hatte. »Aber Huzoor hat angeordnet, dass …«

»Huzoor wird meinen Wunsch verstehen, Srinagar kennen zu lernen«, erwiderte sie unbeirrt. »Bestimmt wird ein Tag länger keine besonderen Probleme machen.«

Er hatte inzwischen gelernt, dass es wenig half, mit ihr zu streiten, und gab sich mit seiner üblichen Höflichkeit geschlagen. »Also gut, Begum Sahiba. Ich werde eine Sänfte kommen lassen.«

»Ich werde zu Fuß gehen. Es wäre albern, in einer Stadt nicht zu laufen, die geradezu dafür geschaffen ist.« Ohne ihm die Möglichkeit zu geben, Einspruch zu erheben, eilte sie die Stufen hinunter zum Bootssteg und sprang ans Ufer.

Sie spazierte durch die engen gewundenen Gassen mit Suraj Singh und Sharifa in sicherer Nähe. Die vielen Holzhäuser entlang der gepflasterten Wege hatten spitzwinklige Dächer und Gitterfenster mit kunstvollen Läden. Die Stadt wirkte unglaublich malerisch. Einst, so hatte Emma gelesen, gab es in Kaschmir siebenhundert Mogul-Gärten. Der berühmteste, der Shalimar Bagh, lag wie einige andere am Ufer des Dalsees. Da Emma so wenig Zeit hatte, konnte sie sich bei diesem ersten Besuch höchstens einen der Parks flüchtig ansehen.

»Es wäre eine Schande, den Gärten nicht die Aufmerksamkeit zu schenken, die sie verdienen, Begum Sahiba«, wehrte Suraj Singh ab, als sie ihren Wunsch äußerte. »Es gibt in jedem der Parks viel zu bewundern.«

»Ich kann doch später jederzeit zu einem zweiten Besuch zurückkommen, Suraj Singh«, entgegnete sie. »Es bleiben doch sicher ein oder zwei Stunden für den Shalimar Bagh!«

»Bestimmt nicht, wenn Sie auch einige der Läden sehen wollen, die in der entgegengesetzten Richtung liegen. Wenn ich Sie richtig verstehe, Begum Sahiba, möchten Sie ein Geschenk für Huzoor kaufen.«

Es war das erste Mal, dass von einem Geschenk die Rede war, und sie fragte sich, wieso Suraj Singh das für eine Selbstverständlichkeit hielt. In dieser peinlichen Situation blieb ihr jedoch keine andere Wahl, als wenigstens eine gewisse aufrichtige Zustimmung zu zeigen. »Sehr gut.« Sie seufzte stumm, aber sie wollte keine Schwierigkeiten machen. »Dann muss der Shalimar Bagh wohl noch warten.«

»Die Mogul-Gärten sind der Stolz und die Freude jedes Kaschmiri«, sagte Suraj Singh. »Huzoor möchte Begum Sahiba den Park bestimmt persönlich zeigen, denn das Gut Shalimar wurde danach benannt.«

Emma bezweifelte das zwar, aber natürlich verzichtete sie darauf, Huzoor etwas anderes zu unterstellen. Beim Gedanken an ein Geschenk erinnerte sie sich an die kostbare Stola, die er ihr in Delhi hatte übergeben lassen. Sie war bis jetzt nicht auf die Idee gekommen, sich dafür zu revanchieren, aber da nun ein Geschenk für ihn gefunden werden sollte, beschloss sie, gute Miene zum Spiel zu machen.

In den kleinen Dak-Läden drängten sich wieder die Käufer. Auf der Suche nach einem passenden Geschenk führte sie Suraj Singh zu einem Geschäft, wo, wie er sagte, nur Dinge von bester Qualität verkauft würden.

Sie betraten das Haus durch eine niedrige Einfahrt, überquerten einen Hof und stiegen eine Treppe hinauf. Oben kamen sie in einen hellen luftigen Raum, wo eine Vielzahl von Dingen ausgestellt waren. Emma sah Tücher, Teppiche, Kunsthandwerk aus Papiermaché, Schnitzereien aus Nussbaumholz, silberne Pokale und Schränke mit Mänteln, Jacken, Phirrens und Ballen glänzender Seide in allen erdenklichen Farben.

Der Besitzer war ein kleiner, kahlköpfiger Kaschmiri mit einem Schnauzbart und zierlichen, flinken Händen. Er war der Ratgeber des Maharadschas für Kunst und Antiquitäten. Bei Suraj Singhs Anblick lächelte er zuvorkommend und begrüßte ihn mit vielen Verneigungen und noch mehr blumigen Worten des Willkommens. Der Mann erklärte Emma, er heiße Jabbar Ali. Seine Familie sei vor vielen Jahrzehnten aus Buchara gekommen, um sich in Kaschmir niederzulassen. Sein Geschäft, fügte er hinzu, sei wie jene Läden in Pestonjee und Abdus in ganz Hindustan bekannt. Das Unternehmen gehöre ihm und seinem Bruder Hyder Ali, der im Augenblick auf Reisen sei. Nachdem er das alles gesagt hatte, kamen sie auf den eigentlichen Zweck des Besuchs zu sprechen.

»Ein Geschenk für Huzoor?«, fragte Jabbar Ali beglückt. »Zufällig habe ich genau das Richtige, was die Begum Sahiba sucht.«

Da Emma nicht die leiseste Ahnung hatte, was das sein könnte, wartete sie belustigt darauf, was der eifrige Kaschmiri ihr vorschlagen würde. Er verschwand in einem der hinteren Räume und erschien kurz darauf mit einer großen ledernen Kiste wieder. Doch bevor er seine Ware zeigte, bat er seine erlauchte Kundin, bequem auf dem dicken Bodenpolster mit den weichen Kissen Platz zu nehmen, und ließ einen Samowar mit Qahwa, dem traditionellen würzigen Kaschmirtee, bringen. Dann öffnete er die Kiste und nahm eine Reihe bestickter Wollwesten heraus. Die Westen hatten einen Stehkragen und zwei Seitentaschen. Der Stoff war unvorstellbar glatt und weich, und die Seidenstickereien fielen durch kunstvoll gearbeitete Muster sofort ins Auge. Die Westen waren mit Seide gefüttert, was ihnen eine besondere Qualität verlieh.

»Ist das Pashminawolle?«, fragte Emma und betastete den Stoff.

»Aber natürlich!« Jabbar Ali war entsetzt, dass sie etwas anderes hätte denken können. »Wie könnte ich es wagen, für einen Gentleman und Kenner wie Huzoor nicht das Allerbeste vorzuschlagen?«

Die Westen waren zweifellos schön, aber Emma hatte wirklich keine Ahnung, was Damien in Hinblick auf Farbe und Muster gefallen oder missfallen mochte. Sie hielt zwei der schönsten Westen hoch und sah dabei unsicher Suraj Singh an.

»Die blassblaue mit der safrangelben und weißen Stickerei«, antwortete Suraj Singh ohne Zögern. »Wie Begum Sahiba schon bemerkt haben muss, hat Huzoor eine Abneigung gegen Beige. Er behauptet, Beige sei etwas für Sandmenschen.« Suraj Singh erlaubte sich den Luxus eines Lächelns. »Huzoor liebt diese Westen sehr. Durch ein Missgeschick hat er erst kürzlich eine, die ihm gehörte, unbrauchbar gemacht, da er versehentlich eine noch brennende Pfeife in die Tasche steckte. Er war sehr unglücklich über den Verlust.«

Diese Angelegenheit war damit zu Emmas Erleichterung schnell und angenehm erledigt. Man hatte ihr zwar nahe gelegt, ihrem Mann ein Geschenk zu kaufen, aber jetzt war sie zufrieden mit ihrem Fund.

Während die Weste verpackt wurde, tranken sie Tee, und Jabbar Ali versuchte, ihr Interesse für alles andere, was er zu bieten hatte, zu wecken, angefangen von Dolchen bis hin zu Kämmen und Bürsten und Parfümflacons für den Toilettentisch. Emma kannte die Verkaufskünste der Geschäftsleute nur allzu gut. Sie widerstand seinen Angeboten und lenkte ihn mit einer Frage ab.

»Die Jigha?« Er dachte nach. »Man sagt, der erste Mogul-Herrscher trug dieses mandelförmige Ornament mit dem kleinen Federbusch an seinem Turban. Einer der Weber übernahm die Form für ein Tuch, das er im Auftrag des Herrschers anfertigte. Es gefiel so gut, dass der Herrscher befahl, dass alle Weber in Hindustan und Persien dieses Emblem übernahmen. Seit dieser Zeit zählen in Kaschmir die Jigha, das Chinarblatt und das Paisleymuster zu den beliebtesten Motiven. Die Webkunst in Kaschmir reicht viertausend Jahre zurück, und unsere Wolltücher sind für viele Zwecke benutzt worden. Die königlichen Zelte des Maharadschas Ranjit Singh zum Beispiel wurden aus Kani- und Jam-e-war-Tüchern angefertigt.«

Er fühlte sich geschmeichelt von Emmas echtem Interesse für Kaschmirtücher und die Geschichten, die man über sie erzählte, und berichtete, dass Kaiser Napoleon von einem Staatsbesuch in Ägypten viele Schultertücher für Kaiserin Josephine nach Paris mitgebracht hatte. Auf diese Weise wurden sie in Frankreich Mode. Nachdem das Geschäft zusammen mit dem üblichen geselligen Geplauder, ohne das in Indien ein Kauf nicht abgeschlossen ist, beendet war, standen sie auf, um zu gehen.

»In meinem und im Namen meines abwesenden Bruders Hyder Ali«, sagte er mit ehrerbietiger Stimme, »erlaube ich mir, Begum Sahiba und Huzoor meine bescheidenen Glückwünsche zu dem freudigen Anlass ihrer Hochzeit auszusprechen. Mahshallah! Es ist bei Gott eine Verbindung, die die Engel im Himmel gestiftet haben.«

Wohl eher von den Teufeln in der Hölle, dachte Emma bitter, als sie wieder hinaus in den Sonnenschein traten!

Neuntes Kapitel

Shalimar!

Das hohe schwarze Eisentor zwischen zwei hübschen Pförtnerhäusern, die von weißen Blütenranken bedeckt waren, wurde geöffnet, als sie sich näherten. Die Torwächter in Livree grüßten ehrerbietig. Emma spähte durch den Vorhang der Sänfte, um besser sehen zu können, aber von ihrem verhängten Sitz aus hatte sie keinen guten Blick. Sehr zu Suraj Singhs Erleichterung hatte sie sich bereit erklärt, diesmal die Sänfte zu benutzen. Wie immer ihre persönlichen Gefühle in Hinblick auf Damien auch sein mochten, Emma musste einsehen, dass es für seine Braut unangemessen wäre, auf dem Pferderücken in ihr neues Heim zu kommen. Huzoor mochte es billigen oder nicht, das konservative Personal würde Anstoß daran nehmen, und Emma wollte die Probleme nicht noch vermehren, indem sie gleich zu Anfang ins Fettnäpfchen trat.

Sie sah durch das Guckloch nur wenig von der geschwungenen Allee und dem unglaublich grünen Park mit blühenden Büschen. In den gepflegten Beeten blühten Blumen mit fedrigen Blüten, die so groß wie Staubwedel waren. Rosa, gelbe, elfenbeinfarbige und weiße Frühlingsblüten hingen verschwenderisch und in voller Pracht an den dichten Zweigen. Überall sangen Vögel, Rotwild äste auf den Wiesen, und braune Hörnchen kletterten und sprangen in den Bäumen. Als die Sänfte vorübergetragen wurde, unterbrach das Heer der Gärtner die Arbeit und blickte mit unverhüllter Neugier auf die Ankömmlinge. Vom Haus konnte Emma nichts sehen.

Als die Sänfte schließlich abgestellt wurde, verließ sie erleichtert das enge Gefährt und betrat den von Säulen getragenen Portikus. Der Sitte gemäß trug sie ein Tuch auf dem Kopf. Eine breite Treppe führte zu einer Doppeltür mit Buntglas. Davor standen schweigend und mit gesenkten Köpfen Männer, Frauen und Kinder aufgereiht. Als Emma die Treppe erreichte und die Stufen hinaufging, verbeugten sich alle in geübtem Einklang.

»Wer sind die vielen Leute?«, fragte Emma ihre Dienerin Sharifa nervös und reagierte mit einem Nicken, einem Lächeln und gefalteten Händen auf die Begrüßung.

»Huzoors Dienerschaft mit ihren Familien, die auf Shalimar arbeiten. Sie sind gekommen, um Huzoors Frau ihre Achtung zu erweisen.«

Aber von Huzoor, so stellte Emma fest, war weit und breit nichts zu sehen.

Sharifa gab in ihrer bevorzugten Stellung als persönliche Dienerin der Hausherrin eine Reihe Befehle, und sofort machten sich die Leute eilfertig daran, sie auszuführen. Während das persönliche Gepäck abgeladen wurde, führte sie Suraj Singh unter den geflüsterten Bemerkungen der Umstehenden zur Haustür.

»Sie hat eine braune Haut«, bemerkte eine Frau leise auf Urdu.

»Wenn sie nicht so groß wäre«, antwortete eine andere, »könnte sie beinahe eine von uns sein.«

»Vielleicht ist sie überhaupt keine Firanghini«, sagte eine Dritte. »Jedenfalls ist sie nicht so hübsch wie die anderen.«

Die anderen!

Emma wurde rot und betrat mit gesenktem Kopf schnell die Eingangshalle. Sie war in den Abmessungen ausgewogen, hatte eine hohe Decke, glänzendes Parkett und war teilweise mit geometrisch gemusterten Bucharateppichen ausgelegt. Emma nahm undeutlich viele Korridore wahr und prachtvolle Blumenarrangements in glänzenden Bronzevasen. An den hellen, altehrwürdigen Wänden hingen Wandteppiche und Gemälde. Sie sah kunstvoll geschnitzte, hochglänzende Möbel in dunklem und hellem Nussbaum. Durch die großen Fenster fiel helles Sonnenlicht. In der angenehmen Kühle registrierte sie als Erstes den guten Geschmack, die Eleganz und den bewusst zurückhaltend zur Schau gestellten Reichtum. Auf der teppichbelegten

Treppe, die sie nach oben gingen, standen in Bronze- und Kupfergefäßen wie Tänzer eines anmutigen Balletts hellgrüne Farne. An den Wänden hingen Fotografien. Auf dem Treppenabsatz im ersten Stock begrüßte sie ein dickbauchiger Mandarin aus Porzellan, der auf einem niedrigen Tisch stand und geheimnisvoll lächelte, als wisse er um höchst fragwürdige Geheimnisse.

Hier im ersten Stock befanden sich Emmas Gemächer, die die halbe Länge des Flurs einzunehmen schienen. Das große luftige, rechteckige Wohnzimmer ging nach Südwesten und war sehr sonnig. Anstelle der schwülstigen Opulenz des gemieteten Hauses in Delhi war hier alles eher zurückhaltend und von gemäßigter Schlichtheit, um dem Auge die Möglichkeit zu geben, sich zu entspannen. Die Bezüge der Sitzmöbel hatten unauffällige Muster in Pastelltönen. Die Antiquitäten aus Elfenbein, Porzellan und Bronze waren sparsam verteilt. Ihre ausgesuchte Qualität verriet Geschmack und Kultur. Sogar die Flammen im offenen Kamin brannten, wie es schien, mit dezenter Zurückhaltung. Ein angenehmer Duft lag in der Luft und gab das Gefühl bewohnter Räume. Es war ein Zuhause, wie Emma mit sinkendem Mut erkannte, in dem sie jetzt die Hausherrin war. Neben dem bequemen Wohnzimmer lagen ein großes Schlafzimmer, ein Ankleidezimmer und ein Bad mit bemerkenswert modernen Armaturen. Eine Tür führte auf einen offenen Balkon.

Dahinter befand sich noch ein Raum, der so lichtdurchflutet war, dass Emma verblüfft stehen blieb.

»Huzoor hat ein Arbeitszimmer für Begum Sahiba herrichten lassen«, erklärte Suraj Singh. »Wenn irgendetwas unabsichtlich vergessen worden ist, dann habe ich den Auftrag, das sofort in Ordnung bringen zu lassen.«

Emma stand in der offenen Tür und sah sich um. Ein Schreibtisch, zwei Schränke mit Glastüren, ein drehbares Bücherregal, Wandregale, Bilder, ein Drehsessel, ein dicker weicher Teppich, Samtvorhänge. Der Raum bot mehr Platz, als sie sich jemals hätte träumen lassen, er bot viel mehr, als sie von einem Arbeitszimmer erwarten konnte. Emma war überwältigt.

Es war eine wunderschöne Wohnung. Der eigentliche Charme und die ungewöhnliche Atmosphäre entstanden jedoch durch den Blick nach draußen, den die großen Fenster boten. Die grünen, fruchtbaren Hänge mit dem abwechslungsreichen natürlichen Muster von Feldern zogen sich bis hinunter ins Tal. Am Ende ragten hinter flaschengrünen Bäumen und den blühenden Kaskaden der großen, alten Rhododendronbüsche ein paar spitze Dächer hervor. Überall leuchteten die bunten Farben dieser blühenden Landschaft – alle Schattierungen von Gelb, Rosa und Rot verschmolzen ineinander wie die Farben eines riesigen Mantels. Wiesenblumen bedeckten eine Seite des fruchtbaren Tals, auf dessen Sohle hellgrün das Wasser eines Flusses funkelte. Dahinter erhoben sich in der Ferne majestätisch und blendend weiß vor dem strahlend saphirblauen Himmel die gewaltigen Wächter Kaschmirs – die Berge des Himalaja, deren Gipfel in ewigen Schnee gehüllt waren.

Mit diesem Anblick würde sie von jetzt an jeden Morgen erwachen …

Ein leises Hüsteln brachte Emma in die Wirklichkeit zurück. Suraj Singh ahnte offenbar ihre unausgesprochene Frage. Er bewegte sich leicht unruhig hin und her und senkte den Blick. »Wie ich von den Dienern höre, ist Huzoor nicht da.«

Das hatte sie bereits geahnt, aber die Bestätigung versetzte ihr doch einen Stich. War es Erleichterung? Enttäuschung?

Sie musterte Suraj Singhs verlegenes Gesicht. »Sie haben nicht gewusst, dass er bei unserer Ankunft nicht hier sein würde?«

»Ich hatte gehofft, dass er inzwischen zurück sein würde.«

»Wo ist er?«

»In Leh. Er musste dorthin, um eine neue Lieferung Wolle in Empfang zu nehmen.«

»Er ist von Delhi direkt nach Leh gereist?«

»Ja.« Er reichte ihr einen Briefumschlag. »Ein Bote hat diesen Brief aus Leh gebracht. Vielleicht enthält er nähere Informationen.« Wie immer war er die Diskretion in Person, ließ Emma mit dem Brief allein und wartete draußen vor der Tür.

Auf dem Umschlag stand nicht ihr Name, sondern »Begum Sahiba«. Er hatte ihr nur ein paar Sätze geschrieben.

»Ich bin gezwungen, aus geschäftlichen Gründen unterwegs zu sein. Ich hoffe, so bald wie möglich zurückzukehren. Suraj Singh weiß, dass er jeden deiner Wünsche wie einen Befehl erfüllen soll. Alle Dienstboten stehen uneingeschränkt zu deiner Verfügung. Bitte tu das, was dir gefällt. Ich bitte, meine Abwesenheit zu entschuldigen.«

Er hatte den Brief mit seinen Initialen »D. G.« unterschrieben. Eine ausführlichere Erklärung gab es nicht. Emmas ungewollte Enttäuschung verflog. Sie war erleichtert. Das bedeutete ein paar Tage mehr gesegneter Unabhängigkeit!

»So viel also zu Huzoors Befehl, schnellstens hierher zu kommen«, bemerkte sie spitz, als Suraj Singh wieder zu ihr trat. »Wir hätten ohne weiteres in Srinagar bleiben und die Gärten besuchen können.«

»Huzoor hatte mir in Delhi klare Anweisungen gegeben«, erwiderte er unbeeindruckt. »Ich musste gehorchen.«

Huzoors Anweisungen! Diese Worte missfielen ihr immer mehr.

»Ist Begum Sahiba mit den Räumen zufrieden?«

Sie spürte sein aufrichtiges Bemühen, ihr alles recht zu machen, und verzichtete darauf, sich über Huzoor zu beschweren. Stattdessen lächelte sie ihn an. »Wie könnte es anders sein? Ich habe selten Räume mit so vielen schönen Dinge gesehen, geschweige denn in einer solchen Umgebung gelebt.«

Er ging zu der Verbindungstür am anderen Ende ihres Wohnzimmers und öffnete sie. »Huzoors Gemächer befinden sich hier. Natürlich kann die Begum Sahiba sie nach Belieben nutzen.«

Emma nickte, machte aber keine Anstalten, die Räume zu betreten. Die Anspannung der Ankunft war verflogen, und sie fühlte sich plötzlich erschöpft. Sie wusste, dass sich der fürsorgliche Suraj Singh um tausend Dinge kümmern musste und dass noch mehr Aufgaben auf ihn warteten. Außerdem würde er wahrscheinlich ebenfalls müde sein. Deshalb entließ sie ihn zusammen mit ihren beiden Dienerinnen. Sie schloss hinter ihnen die Tür, legte sich auf ein Sofa und ließ den Kopf auf ein Kissen sinken.

Eine Weile blieb sie einfach dort und überließ sich der Wirkung ihrer Umgebung. Sie atmete tief die nach Blüten duftende Luft ein, genoss die warme Sonne auf den Wangen und staunte immer wieder über den weiten wundervollen Blick. Dann schlüpfte sie aus den Sandalen, lief im Zimmer umher und freute sich über den weichen Teppich, der ihre Fußsohlen umschmeichelte. Sie betastete die glatt polierten glänzenden Möbel und die raschelnden schweren Vorhänge. Die Schränke im Ankleidezimmer hatten viele Schubladen und Fächer. Sie begann sich vorzustellen, wie sie ihre Sachen hier unterbringen würde, und freute sich über den großzügigen Platz, der ihr zur Verfügung stand. Als sie schließlich wieder das offene Fenster erreichte, blickte sie staunend zu den Bergen und spürte in Gedanken den Schnee auf ihren Fingern. Schließlich konnte sie die Neugier nicht länger unterdrücken und öffnete die Verbindungstür zu Damiens Räumen.

In Größe und Schnitt glichen sie spiegelbildlich den ihren, aber alles sprach deutlich davon, dass hier ein Mann wohnte. Im Wohnzimmer standen viel benutzte Ledersessel, die Einrichtung war nüchtern und in schlichten Erdfarben gehalten. Die Bücherschränke waren bis zum Rand gefüllt. Die Wohnung wirkte nicht steif, aber sie hatte einen förmlichen Akzent, sie war bequem und in keiner Hinsicht extravagant. Der schon vertraute Tabakgeruch unterstrich die männliche Atmosphäre. Eine kostbar verzierte silberne Huka stand neben einem Sessel vor dem offenen Kamin. Auch in Damiens Abwesenheit brannte das Feuer, falls er unerwartet zurückkehren würde.

Emma bemerkte viele Gegenstände, die sie bereits aus dem Haus in Delhi kannte. An der Tür im Badezimmer hing sein seidener Morgenmantel. Neben dem Waschbecken lag vergessen eine angerauchte Meerschaumpfeife. Auf dem Toilettentisch entdeckte sie eine tickende Taschenuhr, die Hakumat zweifellos trotz der Abwesenheit seines Herrn Tag für Tag aufzog. In dem großen geschnitzten und verspiegelten Mahagonikleiderschrank hing zwischen anderen Kleidungsstücken der taubengraue Anzug, den er bei der Hochzeit getragen hatte.

Ein kleinerer Raum, Damiens Arbeitszimmer, befand sich neben dem Schlafzimmer und entsprach ihrem. Die Tür war nicht abgeschlossen. Beim Eintreten fiel ihr Blick sofort auf eine Reihe Familienfotos in Silberrahmen, die auf einem Regal hinter dem Schreibtisch standen. Ein großer Mann in Uniform, dessen Gesicht zur Hälfte unter der Mütze verschwand, stand in Habachtstellung vor einem Zelt, das sich in einem Wald befand. Edward Granville? Er sah gut aus, hatte strenge, durchdringende Augen, aber nichts an seinem Aussehen verriet eine Ähnlichkeit mit seinem Sohn. Die beiden anderen Fotos zeigten Damien mit seinem Vater, einmal auf der Jagd, mit einem Gewehr und einem Berg von Patronenhülsen zu ihren Füßen. Auf dem anderen stand er in einem Blazer, Anzughose und Schlips vor einem gotischen Gebäude – das Internat in England? Auf dem Bild befand sich noch ein Junge in Schuluniform. Emma betrachtete nachdenklich das jugendliche Bild ihres Mannes – ein ungelenker, magerer Schuljunge mit verspanntem Hals, melancholischen Augen und einem unsicheren, angedeuteten Lächeln. Er glich so überhaupt nicht dem selbstsicheren Mann, den *sie* als Damien Granville kannte! Von seiner Mutter sah sie keine Fotografien.

Auf einem Zeichentisch mit geneigter Platte standen Kästchen mit Kalligraphiestiften, Farbstiften, Pinsel, eine Palette und Farben. Emma sah verschiedene Lupen, Radiergummi, Lineale, Klammern, Kompasse und andere Zeichenutensilien. In Regalen fand sie Bücher über das Weben von Wolle und Tüchern. Außerdem bemerkte sie Werke über die einheimische Flora und Fauna und Geschichtsbücher. In einem großen Album mit Seidenpapier befanden sich kunstvolle, gezeichnete Diagramme und Muster. Die Korrespondenz, die offensichtlich mit dem Anwesen zu tun hatte, lag alphabetisch geordnet in entsprechend gekennzeichneten Schubkästen. Nach den dicken Aktenordnern in den Regalen zu urteilen, schien das Geschäft zu florieren.

Emma stand inmitten der persönlichen Gegenstände eines Mannes, der für sie im Grunde noch ein Fremder war, und fühlte sich plötzlich völlig fehl am Platz, als hätte sie sich in verbotenes Gebiet vorgewagt. Schnell verließ sie das Arbeitszimmer und Damiens Wohnräume und kehrte in ihren Bereich zurück. Da sie nicht wusste, was sie tun sollte, ging sie in ihr eigenes Arbeitszimmer. Sie setzte sich auf eine Ecke des Schreibtischs und blickte auf die Berge. Das scharlachrote Licht der Sonne ließ die Gipfel aufglühen. Der Tag neigte sich dem Ende zu. Die Sonne verschwand hinter den verschneiten Hängen und eine indigoblaue Nacht senkte sich über das Tal.

In der zunehmenden Dunkelheit überkam Emma ein überwältigendes Gefühl des Selbstmitleids. Damiens Abwesenheit war eine Demütigung. Es schien eine unverzeihliche Gefühllosigkeit zu sein, dass er nicht zur Stelle war, um seine junge Frau in ihrem neuen Heim willkommen zu heißen. Emma kam aus bescheidenen Verhältnissen, und Geldmangel gehörte zu ihrem Alltag. Und jetzt sollte sie Herrin dieses riesigen, vornehmen und beängstigenden Hauses sein? Sie wusste nichts über die Ordnung in diesem Haushalt, nichts über die Bewohner. Worin bestanden ihre Pflichten in dem gut geordneten und von zahllosen Dienstboten geführten Anwesen? Welches Verhalten wurde von ihr erwartet, und wer würde ihr sagen, wodurch sie Anstoß erregte und wodurch nicht? Wenigstens dabei hätte ihr Damien helfen können, um die ersten Tage der Unsicherheit und Verwirrung zu meistern!

Emma fühlte sich schrecklich einsam und verlassen, und ihr traten die Tränen in die Augen. Mit dem Zeigefinger fuhr sie die sauber glänzenden Konturen der Schreibtischplatte nach, um ihre Sicherheit wiederzufinden. Dann unterdrückte sie energisch die Tränen. Sie schloss die Augen und zwang sich zu der Vorstellung, wie sie hier in diesem Zimmer mit ganzer Hingabe arbeiten würde. Der kleine Raum in Khyber Kothi, den sie geliebt und von ihrem Vater geerbt hatte, war keineswegs ideal gewesen. Es fehlte an Regalen und an Abstellfläche. Hier jedoch hatte sie alles im Überfluss.

In Gedanken richtete sie das Arbeitszimmer ihren Wünschen entsprechend ein. Auf dem Schreibtisch würde sie die Manuskripte ihres

Vaters ausbreiten. Die Nachschlagewerke wollte sie direkt neben seine Landkarten, Vermessungsblätter und Zeichnungen stellen. Dahinter sollte ihr Lieblingsfoto von ihm stehen. Seine wertvolle Sammlung buddhistischer Funde aus weit verstreuten und unbekannten Klöstern – Bilder und Ikonen, Schriftrollen, Tankas, rituelle Instrumente, Öllampen und sakrale Gegenstände – würde mit genauen Angaben und Katalognummern versehen in den Glasschränken an der gegenüberliegenden Wand einen würdigen Platz finden. Den kleinen Tisch am Fenster wollte sie für die unentbehrliche Schreibmaschine benutzen und direkt neben den Schreibtisch stellen.

Ihre lebhafte Vorstellungskraft zahlte sich aus. Es gelang ihr, in dieser höchst eigenartigen Situation ein Gefühl für die Wirklichkeit zu finden und ihrem Bewusstsein wieder einen Mittelpunkt zu geben. Umgeben von dem, was ihr vertraut war, korrigierte sie das gestörte innere Gleichgewicht. Sie war entschlossen, ihr Leben wieder auf ein Ziel zu richten.

Emma sprang vom Schreibtisch auf, schüttelte die Niedergeschlagenheit ab und griff nach dem Klingelzug neben dem Schreibtisch. Als Sharifa erschien, befahl sie ihr, die Petroleumlampen zu entzünden, ließ sich eine Kanne Zitronentee bringen und heißes Wasser für ein notwendiges Bad. Dann aß sie mit Vergnügen ein leichtes Abendessen mit Gemüsesuppe, Toast und frischem Obst.

Am nächsten Tag wollte sie ihr Leben neu ordnen und über ihre Zukunft nachdenken, aber in dieser Nacht, das nahm sie sich fest vor, wollte sie nicht von Damien träumen.

*

Das tat sie auch nicht.

Frisch und voller Energie begrüßte sie buchstäblich mit der Lerche den neuen Tag. Ein kleiner blaugelber Vogel hüpfte mit schrillem Pfeifen auf der Fensterbank hin und her. Emma entnahm daraus, dass er Hunger hatte. Sie sprang aus dem Bett, öffnete das Fenster und warf ein paar Kekse in die frische Luft. Dann amüsierte sie sich über die Vögel, die gierig darüber herfielen. Die Berge in der Ferne färbten sich im Morgengrauen orange. Ein erster Sonnenstrahl fiel auf einen der Gipfel und ließ ihn langsam erglühen, und dann leuchtete im nächsten Augenblick das ganze Gebirge auf wie ein Feuer, das von einem Streichholz entzündet wird.

Emma nahm ein Bad und verzehrte anschließend das zu ihrer Überraschung sehr englische Frühstück mit Hafergrütze, Eiern und Frischkäse aus der Molkerei. Danach begann sie, ihre Truhen auszupacken. Während sie die Bücher und Manuskripte auf den Schreibtisch und in die Regale stellte, kümmerte sich Sharifa um den Berg Wäsche, der sich auf der Reise angesammelt hatte. Sie beauftragte ihren Sohn Hakumat, die schmutzige Wäsche in das Dhobihaus zu bringen. Hakumat war ein gut erzogener, stiller und intelligenter junger Mann mit geschickten Fingern. Er hatte Kraft im Überfluss und gab sich große Mühe, Emma zu gefallen. Nachdem in ihren Räumen wieder eine Art Ordnung eingekehrt war, ließ Emma Suraj Singh rufen und erklärte, sie sei jetzt bereit, die Dienstboten einzeln kennen zu lernen.

Abgesehen von denen, die im Haus arbeiteten, gab es die Angestellten auf dem Anwesen, allen voran Brentford Lincoln, der eurasische Verwalter mit seinem Stab, die Landarbeiter, die Gärtner, die Leute in der Molkerei, die Pfleger der Krankenstation und verschiedene andere mit mehr als nur einer Aufgabe, dazu viele mit Frauen und Kindern und den ganzen Familien. Die Weber lebten in einem Dorf am Rande des großen Guts und bildeten eine besondere Gemeinschaft. Emma wollte sie später aufsuchen.

Emma stellte Fragen, machte die eine oder andere Bemerkung und versuchte, so gut wie möglich die Hausherrin zu spielen. Insgeheim war sie jedoch entsetzt. Wie sollte sie diese vielen Menschen jemals wirklich einzeln kennen lernen, wie man es von ihr erwartete?

Und diese vielen Leute dienten nur einem Mann …

Dieser Gedanke, der ihr plötzlich kam, machte sie unerwartet traurig.

Nachdem sie den ersten Pflichten nachgekommen war, schlug Suraj Singh vor, ihr das Haus zu zeigen.

Es war nicht ganz so groß, wie es zuerst den Anschein hatte. Das Gebäude war symmetrisch gebaut und besaß zwei Flügel. Im ersten Stock befand sich in der Mitte ein holzgetäfelter großer Salon und im Erdgeschoss ein entsprechendes Speisezimmer. In beiden Flügeln gab es lange Flure und hohe Räume. Der Nordflügel wurde nicht bewohnt und war verschlossen. In einiger Entfernung hinter dem Haus befanden sich Unterkünfte der Dienstboten und die verschiedenen Arbeitsbereiche wie die Molkerei, die Küchen-, die Garten- und Dhobihäuser. Getreidespeicher, Ställe, Remisen und zahllose andere Bauten standen im Westen zwischen den Obstgärten und dem Hauptgebäude. Die große Küche im Erdgeschoss mit ihren Vorratskammern unterstand dem Chefkoch, einem Brahmanen aus Kaschmir. Sie glänzte geradezu vor Sauberkeit. In den Speisekammern sah Emma große, saubere Tonnen mit Reis, Weizen, Linsen und anderen Getreidesorten ohne jedes Anzeichen von Spinnweben oder Würmern. Die Büros der Gutsverwaltung, so erklärte ihr Suraj Singh, befanden sich in einiger Entfernung vom Haus hinter einem Platanenwäldchen.

Bei genauerer Betrachtung zeigte sich ihr jedoch ein Aspekt des Hauses, der ihr bei dem ersten flüchtigen Eindruck am Vortag entgangen war. Sie hatte zuerst geglaubt, hier herrsche eine besondere Ruhe, aber stattdessen spürte sie jetzt etwas ganz anderes. Es war eine Art Verfall. Auch wenn alles hervorragend gepflegt und instand gehalten wurde, fehlte es dem Haus an Leben. Die Räume wirkten eher wie unpersönlich hergerichtete Schaufenster, die Schaulustigen Anregungen boten, oder wie Wartezimmer, in denen niemand wartete. Die Salons und die Gesellschaftsräume hallten hohl. Es waren riesige leere Säle, in denen man nur noch das Echo einer längst vergangenen Zeit vernahm. Über allem lag eine bedrückende Atmosphäre unentrinnbarer Melancholie, die alles durchdrang, so wie der allgegenwärtige starke Geruch von Kiefernholz. Die tanzenden Staubteilchen in der Luft, die von den Sonnenstrahlen sichtbar gemacht wurden, schienen das einzig Lebendige zu sein.

Früher einmal musste in den Räumen gelacht, getanzt, gesungen und gefeiert worden sein, aber jetzt kam sich Emma wie in einem gespenstischen Mausoleum vor, in dem eine erwartungsvolle Stille herrschte. Der große Steinway im Musikzimmer war hoffnungslos verstimmt und wartete darauf, dass ihn jemand spielte. In dem seit Jahren unberührten Billardzimmer standen die verhüllten Tische und die Billardstöcke in den Gestellen an der Wand. Alles schien bereit für ein Spiel, das nie begann. Die glänzende Mahagonitafel für vierundzwanzig Personen hatte schon seit Jahrzehnten keine festlichen Diners mehr gesehen. Die großen Kerzenleuchter auf dem Tisch wurden ebenso wenig angezündet wie die Kronleuchter an der Decke. Der makellos gepflegte Parkettboden, über den früher einmal bestimmt viele klappernde Füße gelaufen waren, blieb stumm und leer. Die Vergangenheit war wie ein Traum, der sich immer weiter von der Wirklichkeit entfernte.

Emma stellte sich plötzlich vor, wie ein Mann umgeben von eilfertigen Dienstboten allein in seinen Gemächern saß und sein Mahl in der Stille einer leblosen Gegenwart verzehrte, die nur ein ununterbrochenes Schweigen verhieß. Und wieder empfand sie ein seltsames und unerwartetes Gefühl der Anteilnahme für Damien.

Der Rundgang endete im Untergeschoss, das klugerweise tief in das Felsgestein eingelassen war. Die gewölbten Räume dienten nicht nur als Weinkeller, sondern auch als natürliche Kühlkammern für die leicht verderblichen Küchenvorräte. Als sie wieder das Erdgeschoss erreichten, wollte Emma nach links gehen, aber unerwartet stand sie vor einer verschlossenen Gittertür.

»Die beiden Gemächer auf diesem Flur wurden von Burra Huzoor und seiner Frau bewohnt«, erklärte Suraj Singh auf ihre Frage. »Leider ist das Parkett vom Holzwurm befallen, und der Fußboden ist nicht mehr begehbar. Huzoor hat befohlen, den Flur zu verschließen, nachdem die Holzdecke unter einem der Küchenjungen nachgab und er sich ein Bein gebrochen hat. Eines Tages wird Huzoor bestimmt Zeit finden, um die Reparaturarbeiten in Angriff nehmen zu lassen.«

Der verschlossene Teil des Hauses lag direkt unter ihren Räumen, wie Emma feststellte.

»Haben Sie gesagt, mein Mann ist in Leh, um die neue Wolle zu über-prüfen?«

»Ja, Begum Sahiba.«

»Kommt die Paschminawolle für die Weber aus Leh?«

»Sie kommt aus den Bergen. Huzoor nimmt sie persönlich in Emp-fang, um sich von der Qualität der Wolle zu überzeugen.«

Emma wollte gerade erzählen, dass ihr Bruder in Leh stationiert sei, aber dann erinnerte sie sich an die Feindseligkeit zwischen David und Damien und verzichtete darauf. »Ich glaube, früher konnte man diese Wolle nur auf der Hochebene von Tibet bekommen.«

»Ja, Begum Sahiba, aber jetzt ist es einfacher, die Männer der Stämme damit zu beauftragen, denn sie kennen sich in den Bergen gut aus.«

»Sie können die Ziegen in der Wildnis scheren?«

»Die Wildziegen müssen nicht geschoren werden. Im Winter wach-sen ihnen am Bauch zusätzliche Lagen daunenweicher Wolle. Wenn es warm wird, reiben sie sich an Felsen oder dornigen Büschen und verlieren auf diese Weise die Wolle wieder. Die Männer der Stämme sammeln die Wollbüschel und bringen sie ins Tal.«

»Aber den einheimischen Ziegen wächst diese zusätzliche Wolle doch bestimmt auch?«

»Ja, aber sie hat nicht dieselbe Qualität.«

»Wäre es dann nicht einfacher, die Wildziegen im Tal anzusiedeln?«

»Das war eines der ersten Projekte von Burra Huzoor, aber es hatte keinen großen Erfolg. Wegen der fehlenden extremen Kälte wächst den Ziegen diese Wolle nicht. Einen gewissen Erfolg hatten wir aller-dings damit, Wildziegen mit unseren Ziegen zu kreuzen. Ihr Vlies ist zwar nicht so weich wie Paschminawolle und bestimmt nicht mit Sha-tush zu vergleichen, aber es werden ja auch Tücher von mittlerer Qualität verlangt, die entsprechend billiger sind.«

»Ich finde alles, was zur Herstellung dieser einzigartigen Wollstoffe dazugehört, sehr faszinierend. Wann reiten wir in das Dorf der We-ber?«

»Heute nach dem Mittagessen, wenn Begum Sahiba es wünschen.«

Sie gingen wieder einen langen Flur entlang, nachdem ähnlich endlose Gänge bereits hinter ihnen lagen. Emma machte eine entsprechende Bemerkung.

»Die Flure in den drei Stockwerken des Hauses sind zusammen eine halbe Meile lang«, erklärte Suraj Singh daraufhin.

»Ach du liebe Zeit! Haben Sie die Gänge wirklich ausgemessen?«

»Ja, Begum Sahiba.«

»Wie das? Mit einem Maßband?«

»Nein, Begum Sahiba, mit meinen Schritten.«

Sie wollte ihm eine andere Frage stellen, aber dann dachte sie daran, dass er etwas hinkte, und vermied dieses Thema taktvoll. »Sehr einfallsreich«, murmelte sie stattdessen.

Nach dem Mittagessen zog Emma schnell ihre Reitsachen und die schwarzen Lederstiefel an. Sie freute sich sehr auf den Besuch bei den Webern. Ihr Reitkostüm war dazu gedacht, im Damensitz zu reiten. Sie wusste, wenn sie auf dem Gut Damiens Ansehen schadete, dann würde sie auch sich selbst schaden, deshalb fügte sie sich der Konvention. Der Sitte entsprechend verhüllte sie auch ihren Kopf mit einem Tuch.

Sie hatten gerade die Stallungen verlassen, als Hakumat hinter ihnen herrannte und einen Gast ankündigte.

»Einen Gast?« Emma nahm überrascht die Visitenkarte entgegen. »Wer ist Mrs. Chloe Hathaway?«

»Mrs. Hathaway ist eine verwitwete Dame, die in Srinagar wohnt«, antwortete Suraj Singh. »Mr. Hathaway war bis zu seinem Tod vor zwei Jahren Zollkommissar und ein Freund von Huzoor.«

»Da sie sich die Mühe gemacht hat, den weiten Weg hierher zu kommen, muss ich sie wohl empfangen. Aber sagen Sie, ist es im Tal üblich, ohne vorherige Ankündigung Besuche zu machen?«

»Nein, Begum Sahiba, es ist nicht üblich.« Suraj Singh schien über die Besucherin nicht gerade erfreut zu sein. »Aber Mrs. Hathaway gehört nicht zu den Damen, die sich an die Konventionen halten.«

»Oh?« Emma lachte. »Dann muss ich die arme alte Witwe unbedingt empfangen! Sie ist nicht nur mein erster Gast, sondern auch jemand, der nicht so konventionell ist. Das macht mir Spaß.«

Als Emma jedoch kurze Zeit später – sie hatte schnell wieder ein Kleid und Sandalen angezogen – in das Empfangszimmer trat, blieb sie vor Überraschung stehen. Sie hatte irgendwie geglaubt, Mrs. Hathaway sei eine ältere Dame. Jetzt stellte sie fest, dass sie sich geirrt hatte. Vor ihr stand nicht nur eine junge, sondern auch eine sehr attraktive Frau – das ganze Gegenteil einer netten alten Witwe. Die große schlanke Gestalt war sehr gepflegt, die Frisur modisch, und sie trug ein elegantes blaues Leinenkleid, das mit Brüsseler Spitze besetzt war. Die glänzenden rosa Lippen lächelten überaus charmant. Die sorgsam gezupften und nachgezogenen Augenbrauen wölbten sich in vollkommenen Bögen. Mrs. Hathaway hätte in jedem eleganten Salon von London oder Paris eine gute Figur gemacht. Emma sah sie einen Augenblick wie gebannt an, dann fand sie schnell ihre Haltung wieder und reichte ihr, wie es sich gehörte, die Hand. »Mrs. Hathaway? Ich bin Emma Wyn … hm … Granville.« Der Versprecher ließ sie leicht erröten. »Wie freundlich von Ihnen, uns zu besuchen. Ich freue mich, Ihre Bekanntschaft zu machen.«

Chloe Hathaway umfasste Emmas Hand mit ihren beiden kühlen Händen und musterte sie lange und eindringlich. Offenbar war sie mit dem, was sie gesehen hatte, zufrieden, denn sie lächelte noch liebenswürdiger. »Danke. Wie ich höre, ist Damien wieder unterwegs.« Wie nicht anders zu erwarten war, hatte sie eine sehr gepflegte und klangvolle Stimme.

»Ja, aber ich denke, er wird bald zurück sein«, erwiderte Emma ebenfalls lächelnd.

»Also, ich finde, der Mann ist einfach unmöglich!« Mrs. Hathaway nahm anmutig in einem der bequemen Ohrensessel Platz und ließ die Spitzenstola von den Schultern gleiten. »Er hat mir versprochen, mich *sofort* nach seiner Rückkehr aus Delhi in Srinagar zu besuchen, aber dann muss ich erfahren, dass er schon wieder unterwegs ist. Ich werde mit ihm ein ernstes Wörtchen reden müssen, das kann ich Ihnen versichern. Das sollten Sie auch tun, mein Liebe«, erklärte sie streng. »Auch einem Damien sollte man es nicht verzeihen, seine junge Frau in einem leeren Haus allein zu lassen.«

»*Leer* ist das Haus wohl kaum, Mrs. Hathaway«, erwiderte Emma mit einem selbstbewussten Lachen, um ihre Verlegenheit zu verbergen. »Ich habe den Eindruck, auf Shalimar leben mindestens halb so viel Leute wie in Srinagar! Übrigens, Damien ist wegen dringender Geschäfte direkt von Delhi nach Leh gereist, ohne Zwischenstation auf Shalimar zu machen.« Bei diesen Worten fragte sich Emma erstaunt, warum sie sich die Mühe gab, ihren Mann bei seinen Freunden zu entschuldigen, obwohl er es überhaupt nicht verdiente.

»Ach, Unsinn! Damien hat immer dringende Geschäfte!« Chloe Hathaway wollte das Alibi nicht gelten lassen. »Ich an Ihrer Stelle würde diesem Mann nicht alles glauben, was er an Ausreden vorbringt. Ich kann ein Lied davon singen, er hat eine ganze Sammlung davon mit einigen ganz besonderen Juwelen an Einfallsreichtum. Aber«, sie zeigte mit ihrem bezaubernden Lächeln wieder ihre makellosen, weißen Zähne, »ich freue mich, Sie endlich kennen zu lernen, Mrs. Granville. Ich muss gestehen, nachdem ich so viel von Ihnen gehört habe, konnte ich meine Neugier kaum noch bezähmen. Deshalb habe ich mir die Freiheit erlaubt, ohne Ankündigung hier einfach aufzutauchen.«

»Vor mir gehört? Von wem, wenn ich fragen darf?«

Chloe Hathaway lachte so melodisch wie ein Glockenspiel. »Ah! Das möchten Sie natürlich wissen … wir haben in Delhi gemeinsame Freunde.« Sie zögerte kurz, ließ Emma aber nicht allzu lange warten. »Unter anderem die Prices, Reggie und Georgina und Felicity Duckworth. Ich glaube, Sie kennen meine Freunde?«

»Ja.« Emma konnte sich sehr gut die Berichte vorstellen, die Mrs. Hathaway von diesen Leuten bekommen hatte!

Sie drehte sich um und suchte den Klingelzug, aber diskret wie immer erschien Hakumat bereits ungerufen in der Tür. Emma wusste nicht genau, was sie hätte bestellen sollen, deshalb ließ sie einfach Tee und Erfrischungen kommen. Unsicher fragte sie sich, was man in der Küche ohne genaue Anweisungen tun werde, aber dann beschloss sie, den Tee dem Schicksal zu überlassen, und richtete ihre Aufmerksamkeit wieder ganz auf den Gast.

»Wie sind Ihre ersten Eindrücke von Kaschmir?«, fragte Mrs. Hathaway. »Lieben Sie unser Tal bereits wie offenbar alle, die hierher kommen, oder fehlt Ihnen das gesellschaftliche Leben von Delhi?«

»Ich glaube, es wäre sehr anmaßend von mir, bereits eine Meinung zu äußern, denn ich bin erst gestern eingetroffen«, erwiderte Emma. »Aber ja, ich gestehe, es besteht eine gewisse Gefahr, sich in dieses Land zu verlieben. Und was Delhi angeht ... mir fehlt kaum das gesellschaftliche Leben, wie Sie es bezeichnen. Aber natürlich vermisse ich meine Freunde und meine Familie.«

»Und das Gut? Was halten Sie von Damiens Shalimar?«

»Ich hatte noch nicht die Zeit, mir wenigstens auch nur einen Teil anzusehen. Ich wurde gerade herumgeführt, als man mir Ihren Besuch gemeldet hat.«

Chloe Hathaway überging die Anspielung mit einem Lächeln. »Ich habe das Haus immer bewundert!«, erklärte sie mit Nachdruck. »Diese Ordnung, diese Ruhe und diese himmlische Einsamkeit. Der Lärm und der Schmutz von Srinagar sind hier weit, weit weg.«

»Sie kennen Shalimar gut?«, fragte Emma und beobachtete den munteren Gast unauffällig. Bei genauerem Hinsehen war Chloe älter, als es zuerst den Anschein hatte. Um die Augen hatte sie unverkennbar Krähenfüße, die auch ihre kosmetischen Künste nicht völlig verbergen konnten.

»O ja!« Die großen Augen wurden vor Erstaunen über diese Frage noch größer. »Ich möchte behaupten, genauer kann man es nicht kennen. Claude fühlte sich nirgends so wohl wie hier.«

Emma vermutete, dass Claude der verstorbene und vielleicht nicht sonderlich betrauerte Gatte war, und murmelte etwas, das nach ihrem Beileid klang. Dann fragte sie: »Sie haben sich aus freien Stücken entschlossen, in Srinagar zu bleiben?«

»Eine Stadt sind eigentlich die Menschen, die dort wohnen, nicht wahr? Sosehr ich Delhi, Kalkutta und Simla auch liebe, nach Claudes Tod konnte ich mich einfach nicht dazu durchringen, einen Ort zu verlassen, wo ich so viele Freunde habe.«

»Ja, das kann ich mir gut vorstellen«, murmelte Emma und vermutete nicht allzu erfreut, dass Damien zu dieser Kategorie zählte. »Ich kann mir vorstellen, wie leicht man von der Schönheit des Tals verführt wird. Mein Mann sagt, er könnte nirgends sonst auf der Welt leben.«

»Damien ist natürlich von seinem Shalimar besessen. Und das kann man auch gut verstehen … nicht wahr, Geoffrey?«

Emma drehte sich herum und sah, wie Suraj Singh einen großen Mann zum Eintreten aufforderte. »Darf ich Ihnen einen lieben Freund vorstellen, Mrs. Granville?«, fragte Chloe Hathaway ohne die geringste Überraschung über den Ankömmling. »Ich wusste nicht, ob Geoffrey sich doch noch bereit finden würde hereinzukommen, deshalb habe ich nicht über ihn gesprochen. Wir sind zufällig auf dem Weg von Baramulla hier vorbeigekommen, und ich hatte die Idee, Ihnen bei dieser Gelegenheit meine Glückwünsche auszusprechen. Geoffrey wollte sich nicht aufdrängen und ist draußen im Wagen geblieben. Es freut mich wirklich, dass er es sich anders überlegt hat. Vielleicht ist ihm sein Ruf bereits vorausgeeilt und Sie kennen ihn, Mrs. Granville?«

Es war Geoffrey Charlton!

Diese Überraschung machte Emma noch verlegener, und sie sagte unsicher: »Ich … ich freue mich wirklich sehr … Sie schließlich doch noch kennen zu lernen, Mr. Charlton.«

»Schließlich?« Er drückte ihre Hand und wartete auf eine Antwort.

»Oh, ich habe natürlich Ihre Artikel im *Sentinel* gelesen«, erwiderte Emma etwas atemlos und bemühte sich, nicht wie ein dummes Schulmädchen zu klingen. »Die letzte Serie über Zentralasien war eindrucksvoll und sehr informativ. Und den Lichtbildervortrag in Delhi habe ich natürlich unglaublich schön gefunden.«

Er lächelte ein schüchternes, jungenhaftes Lächeln, an das sich Emma gut erinnern konnte. »Vielen Dank für Ihre Bewunderung, Mrs. Granville. Ich weiß nicht recht, ob ich so großes Lob wirklich verdiene, aber als bedauerlich schwacher Mensch kann ich nicht leugnen, dass ich mich darüber freue.« Er lächelte entschuldigend. »Ich hoffe, Sie verzeihen uns diesen Überfall, Mrs. Granville. Ich hatte vor, etwas später einen etwas offizielleren Besuch bei Ihnen zu machen, aber

Mrs. Hathaway hat mir versichert, ein unangemeldeter Besuch sei auf Shalimar keine Unhöflichkeit.«

»Aber nein!«, beteuerte Emma schnell. »Ich freue mich, dass Mrs. Hathaway Sie überreden konnte, sie zu begleiten, Mr. Charlton. Vielleicht habe ich jetzt endlich eine Möglichkeit, Ihnen die vielen Fragen zu stellen, die mir schon in Delhi auf der Zunge brannten.«

»Geoffrey wird nur allzu gerne bereit dazu sein, das versichere ich Ihnen«, erklärte Mrs. Hathaway nicht gerade beglückt. »Er wollte Sie unbedingt kennen lernen, nicht wahr, mein lieber Geoffrey?« Ohne eine Antwort abzuwarten, sah sie Emma wieder an. »Meine Liebe, Geoffrey bezaubert das schwache Geschlecht mit unglaublicher Leichtigkeit. Die Einzigen, die darüber natürlich nicht glücklich sein können, sind verständlicherweise die Männer. Sie finden seinen Charme alles andere als amüsant.« Geoffrey Charlton wollte sie kennen lernen? Emma kam aus dem Staunen nicht heraus.

»Chloe übertreibt natürlich wie immer.« Er setzte sich geschickt über diesen Angriff hinweg und wurde keineswegs verlegen. Offensichtlich kannten sich die beiden sehr gut. »Aber ja, es stimmt, ich wollte Sie unbedingt kennen lernen, Mrs. Granville. Ich hatte die Ehre, Dr. Wyncliffe einmal im Zanskartal zu begegnen, und die Nachricht von seinem frühen Tod hat mich wie ein Schlag getroffen.«

Sie sprachen kurz über ihren Vater, aber dann erinnerte sich Emma an die gesellschaftlichen Prioritäten und fragte: »Kennen Sie meinen Mann, Mr. Charlton?«

»Wir kennen uns natürlich. Jeder hier im Tal kennt Damien Granville. Aber ich freue mich darauf, ihn eines Tages noch besser kennen zu lernen. Sie sagen, Sie waren bei dem Lichtbildervortrag, Mrs. Granville, und wollten mir Fragen stellen?«

»Viele Fragen!« Emma lachte. Sie konnte es noch immer kaum glauben, dass dieser berühmte Mann Gast in ihrem Haus war. »Ich habe in Delhi darauf verzichtet, Ihnen nach dem Vortrag eine Frage zu stellen, denn Sie waren von so vielen Leuten umringt. Und in der folgenden Woche konnten Sie die Burra Khana bei den Prices nicht besuchen.«

»Ach ja, leider. Ich musste an diesem Tag nach Simla abreisen. Wie auch immer«, sagte er und setzte sich, »nachdem wir uns schließlich kennen gelernt haben, stehe ich ganz zu Ihrer Verfügung.«

»Ach du liebe Zeit!« Mrs. Hathaway schob eine Haarsträhne, die es gewagt hatte, ihr in die Stirn zu fallen, an den zugewiesenen Platz zurück. »Du wirst nicht schon *wieder* nur über dein Lieblingsthema reden, Geoffrey! Ich warne Sie, Mrs. Granville, wenn Geoffrey erst einmal den russischen Zug bestiegen hat, dann ruht er nicht, bis alle Einzelheiten untersucht und jede politische Nuance analysiert worden ist.«

Emma hätte sich nichts Schöneres vorstellen können, aber sie hielt es für taktlos, das zu sagen. Hatten die beiden eine Affäre?

»Ich dagegen möchte von Ihnen, Mrs. Granville«, fuhr Mrs. Hathaway fort, »unbedingt den neusten Klatsch aus Delhi erfahren. Sagen Sie mir, ist es wahr, dass die junge Charlotte Price in den Hauptmann O'Reilly verliebt ist, der im Königlich Irischen Regiment in Peschawar stationiert ist? Wie ich höre, hat dieser Mann die erstaunlichsten roten Haare und himmelblaue Augen, und er soll ihr doch wirklich in Kürze einen Antrag machen.«

»Das weiß ich leider nicht. Ich kenne Hauptmann O'Reilly nicht, und von einer Verlobung war bei meiner Abreise aus Delhi nichts zu hören.« Emma hatte plötzlich den boshaften Wunsch zu erzählen, dass Charlotte Price weit entfernt davon war, sich zu verloben, sondern ins Kloster gehen wollte, weil sie Damien Granville nicht hatte heiraten können. Aber sie biss sich auf die Zunge und schwieg.

Chloe Hathaway feuerte unbekümmert eine ganze Kanonade von Fragen über die gemeinsamen Freunde ab. Emma wusste natürlich nur sehr wenig zu berichten, aber sie tat ihr Bestes, um die unersättliche Neugier ihrer Besucherin mit dem üblichen gesellschaftlichen Klatsch zufrieden zu stellen.

Die Tür wurde geöffnet, und Hakumat erschien, gefolgt von Dienern, die auf Servierwagen die Erfrischungen hereinrollten. Dadurch wurde Mrs. Hathaways Redeschwall erfreulicherweise unterbrochen. Wegen der Erfrischungen hätte sich Emma keine Sorgen machen müssen. Was sich ihren Blicken bot, war mehr als zufrieden stellend. Sie beschäftigte sich mit der Teekanne und gab Hakumat zu verstehen, den auf wundersame Weise vorhandenen frischen Kuchen herumzureichen und danach die Sandwiches und Käsehäppchen.

Bevor Mrs. Hathaway ihre Stimme wiederfand, sagte Emma schnell zu Geoffrey Charlton: »Ich kann verstehen, dass Sie auf vieles nicht eingehen konnten, um den Vortrag nicht ungebührlich in die Länge zu ziehen, aber ich war enttäuscht, dass Sie so wenig über die alten Kulturen in Zentralasien gesagt haben.«

»Ich habe das bewusst getan«, erwiderte er. »Ich hatte den Eindruck, die Zuhörer waren mehr an den gegenwärtigen Themen interessiert als an den vergangen Dingen der Geschichte.«

»Mein Vater hat sich oft gefragt, ob die russische Regierung einer britischen Expedition erlauben würde, zum Beispiel die drei alten Städte von Merw auszugraben. Ich weiß, das hätte er liebend gern getan.«

»Das bezweifle ich sehr. Russland wacht über die eroberten Gebiete, und Engländer sind natürlich noch verdächtiger als alle anderen Ausländer. Außerdem hat die russische Regierung wenig Interesse an der Erhaltung historischer Denkmäler. Deshalb befinden sich diese Stätten auch in einem denkbar traurigen Zustand. Der fruchtbare Boden bringt reiche Ernten, und das wirtschaftliche Wachstum ist bewundernswert, aber die Pracht der alten Paläste und Gärten, die ein halbes Jahrtausend die Reisenden in Staunen versetzt haben, ist zerfallen.«

»Ach, wie schade! Sagen Sie, Mr. Charlton, sind Sie im Auftrag Ihrer Zeitung hier?«

Er zögerte. »Das könnte man so sagen.«

Emma lächelte. »Ich weiß, Journalisten reden nicht gerne über ihre Aufträge, deshalb werde ich Ihnen keine unhöflichen Fragen stellen, aber wenn Ihr Auftrag mit Kaschmir zu tun hat, dann denke ich, werden Sie eine Weile hier bleiben.«

»O ja, ich bleibe hier.«

Darüber freute sich Emma sehr. »Sie sind natürlich schon oft in Srinagar gewesen und kennen die Stadt gut.«

»Einigermaßen, ja. Ich war im letzten Herbst hier auf meinem Weg nach Gilgit, um Algernon Durand zu treffen. Die Kommandantur ist wieder eröffnet worden, wie Sie sicher gehört haben.«

Emma hatte es nicht gehört, aber da sie auch nicht wusste, wer Algernon Durand war und welchen Zweck und Aufgabe die Gilgit-Kommandantur haben mochte, nickte sie nur.

»Und das aus gutem Grund«, erklärte Charlton. »Der russische Einfluss in den nördlichen Gebieten nimmt alarmierend zu. Durand macht sich große Sorgen wegen möglicher Übergriffe vom Pamirgebirge aus.« Er trank einen Schluck Tee. »Ebenso sehr bekümmern ihn die falschen Informationen, die von russischen Sympathisanten in Indien verbreitet werden.«

»Ach ja?« Emma erinnerte sich, dass Charlton in seinem Vortrag auch darüber gesprochen hatte. Damals konnte sie für dieses Thema wenig Interesse aufbringen, jetzt dagegen bemühte sie sich, wenigstens den Anschein zu erwecken.

Er richtete sich auf und beugte sich vor. »Das Problem dabei ist natürlich die Verwundbarkeit von Kaschmir. Wenn es darum ginge, dass ...«

»Ermutigen Sie ihn nicht, Mrs. Granville!«, rief Mrs. Hathaway in gespieltem Entsetzen, »oder wir werden ewig hier sitzen! Geoffrey sieht hinter jedem Baum im Tal einen russischen Spion.«

Charlton lachte gutmütig. »Ich muss gestehen, Mrs. Hathaway hat leider Recht. Ich neige dazu, mich manchmal zu vergessen.«

»Offenbar denken viele andere ebenso«, sagte Emma. »In Delhi reden die Männer über nichts anderes als über Politik.«

»Oder Geschäfte, und beides ist wirklich sehr langweilig!« Mrs. Hathaway richtete ihre Aufmerksamkeit wieder auf Emma und aß etwas von dem köstlichen Pflaumenkuchen. »Haben Sie sich auf dem Weg nach Shalimar etwas von Srinagar ansehen können?«

Emma stöhnte innerlich auf. Sie erkannte, dass ein ernsthafteres Gespräch mit Geoffrey Charlton auf eine andere Gelegenheit verschoben werden musste. Sie fügte sich in ihr Schicksal und erwiderte: »Leider nicht sehr viel, aber ich hoffe, mehr von der Stadt zu sehen, wenn Damien zurück ist. Abgesehen von dem romantischen Eindruck, den sie macht und der für eine Hauptstadt bestimmt einmalig ist, hat Srinagar auch viele archäologische Schätze zu bieten.«

»Vermutlich«, sagte Mrs. Hathaway und rümpfte die Nase, die, wie Emma bemerkte, absolut vollkommen geformt war. »Wenn man den Schmutz und die mangelnde Hygiene übersieht. Diese Leute waschen sich nie, und ich finde, sie sehen wirklich … primitiv aus.«

»Primitiv? Im Gegenteil, auf meinem kurzen Rundgang durch die Stadt hatte ich einen ganz anderen Eindruck. Viele Kaschmiri sehen sehr attraktiv aus.«

»Vielleicht ein paar«, räumte Mrs. Hathaway ein. »Besonders die mit heller Haut, blonden Haaren und europäischem Blut.« Sie beugte sich vor und spießte ein Käsehäppchen auf die Gabel. »Wie zum Beispiel Nazneen. Sie müsste sich nur ein anderes Kleid anziehen und alle würden sie für eine Europäerin halten.«

Der an diesem Gespräch nicht sonderlich interessierte Charlton entschuldigte sich, stand auf und betrachtete die Wandteppiche.

»Wer ist Nazneen?«, fragte Emma.

»Nazneen?« Chloe spielte mit dem Häppchen auf ihrem Teller. »Oh, Nazneen ist eine … eine gemeinsame Bekannte von uns … von Damien und mir.« Sie machte eine bedeutsame Pause und widmete ihre ganze Aufmerksamkeit dem Käsehäppchen, das sie vertilgte.

»Dann freue ich mich darauf, sie kennen zu lernen«, sagte Emma unbeeindruckt. »Ich möchte alle Freunde meines Mannes im Tal kennen lernen.«

Die Konversation ging weiter. Emma hörte aufmerksam zu und versuchte, dabei so unbeschwert wie möglich zu erscheinen. Hinter dem geübten Lächeln fragte sie sich jedoch wiederholt, wie gut Chloe Hathaway Damien wirklich kannte. Sie hätte blind sein müssen, um nicht zu bemerken – und sie sollte es offensichtlich auch bemerken –, dass die beiden sich nicht nur als gute Freunde kannten, und das schon seit einiger Zeit.

Charlton ging offenbar sehr beeindruckt durch den Raum. Er betrachtete alles mit großer Aufmerksamkeit, vor allem die kostbaren Wandteppiche, die antiken französischen Möbel, die geschmackvolle Uhrensammlung und das chinesische Porzellan, die vergoldeten Spiegel und die belgischen Vasen. Er kniete sich sogar auf den Fußboden, um die Knoten der feinen Seidenteppiche zu zählen. Dann betrachtete er die Familienfotografien in den Silberrahmen auf den Beistelltischen und stand lange nachdenklich vor dem großen Ölgemälde von Edward Granville. Schließlich kam er zum Tisch zurück und setzte sich wieder Emma gegenüber auf seinen Platz. »Ich hoffe, Sie verzeihen mir meine unhöfliche Neugier, Mrs. Granville«, sagte er. »Aber ich habe schon so viel über den Besitz Ihres Mannes gehört, dass ich mich veranlasst sehe, allem hier die gebührende Aufmerksamkeit zu schenken.«

»Bitte, legen Sie Ihrer Neugier keine Zügel an, Mr. Charlton«, sagte Emma, die sich über seine Rückkehr freute. »Ich bin sicher, mein Mann wäre von Ihrem fachkundigen Interesse beeindruckt. Und es würde ihm schmeicheln, wenn die Errungenschaften und der Geschmack seiner Familie von Ihnen bestätigt werden würden.«

»Das Porträt von Edward Granville ist bestimmt eine sehr gelungene Arbeit«, sagte Charlton. »Das Gegenstück ist offenbar von seinem Platz entfernt worden, wie man an den schwachen Konturen noch sehen kann. War es vielleicht ein Porträt der verstorbenen Mrs. Granville?«

»Ich habe gehört, eine Ecke des Gemäldes ist durch die Feuchtigkeit beschädigt worden«, erwiderte Emma in Erinnerung an Suraj Singhs Antwort auf ihre Frage am Morgen. »Es wurde nach Lahore zur Ausbesserung gebracht.«

»Dort scheint es aber schon sehr lange zu sein!«, sagte Mrs. Hathaway. »Ich habe es in all den Jahren nie gesehen. Aber das ist auch nicht weiter überraschend, nicht wahr?« Sie wechselte einen schnellen Blick mit Charlton.

Emma errötete vor Verlegenheit. »Leider bin ich noch nicht mit allem hier im Haus vertraut«, sagte sie etwas förmlich. Wie gut Mrs. Hathaway Damien und das Geschick seiner Familie auch kennen mochte, sie hatte keine Lust, im Augenblick darüber zu sprechen. »Ich wollte Damien danach fragen, wenn er zurück ist.«

»Und wenn er Zeit hat«, bemerkte Mrs. Hathaway mit einem bezaubernden Lächeln, das der Anspielung die Spitze nahm. Das Gespräch kreiste danach nur noch um Belanglosigkeiten. Schließlich erhob sich Mrs. Hathaway. »Komm, Geoffrey«, sagte sie und klopfte die Krümel von ihrem Kleid. »Wir müssen uns auf den Weg machen, und Mrs. Granville wollte sich Shalimar ansehen. Ich fürchte, wir beide haben sie leider daran gehindert. Dafür möchte ich mich noch einmal entschuldigen.«

»Keineswegs«, erwiderte Emma. »Ich habe mich sehr über die Unterbrechung gefreut und besonders darüber, Sie, Mr. Charlton, kennen zu lernen. Ich hoffe, Sie besuchen uns wieder.« Sie sah ihn an. »Ich bin entschlossen, Antworten auf meine Fragen zu bekommen, Mr. Charlton«, sagte sie lachend. »Ich werde nicht erlauben, dass Sie wieder entschwinden. Vielleicht besuchen Sie uns einmal abends, wenn mein Mann da ist.«

»Das wäre mir eine große Ehre.« Er verbeugte sich und lächelte charmant. »Aber ich muss Sie warnen, Mrs. Granville. Wenn über Zentralasien gesprochen wird, höre ich am liebsten mich selbst reden.«

»Ich werde Ihre Warnung nicht vergessen, Mr. Charlton«, erwiderte Emma fröhlich. »Aber davor habe ich keine Angst. Ich versichere Ihnen, Sie werden in mir eine sehr aufmerksame und ausdauernde Zuhörerin finden.«

»Wenn ich Ihnen irgendwie zu Diensten sein kann, Mrs. Granville, dann wird mich Ihre Nachricht jederzeit im Dak-Bungalow von Srinagar erreichen.«

»Vielen Dank.« Irgendwie war Emma erleichtert, dass er nicht als Gast bei Chloe Hathaway wohnte. »Ich werde es nicht vergessen.«

»Ich denke, Damien wird mit Ihnen Walter und Adela Stewart besuchen, wenn er wieder hier ist«, sagte Chloe Hathaway, als Emma sie vor das Haus brachte, wo die Diener und die Kutsche warteten. »Er ist der hiesige Resident. Walter ist ein umgänglicher Mann und ein sehr guter Tänzer. Adela ist leider langweilig, obwohl sie sich solche Mühe gibt, die Arme, das muss man ihr lassen.« Emma reagierte nicht auf die volle Salve, die auf die bedauernswerte Adela Stewart abgefeuert worden war, und Mrs. Hathaway fuhr fort: »Leider sind Damien und Walter in allen Punkten unterschiedlicher Meinung, deshalb frage ich mich, ob er ihn überhaupt besuchen wird. Nun ja«, sie lächelte gewinnend, »Sie müssen beide bald zum Abendessen zu mir kommen. Damien findet, dass mein Koch die besten Gushtav von ganz Kaschmir macht. Und Fleischbällchen isst er am liebsten. Er rührt natürlich keine Auberginen an. Hat er Ihnen das schon gestanden?« Sie hob den schönen Samtrock ein wenig, tippte dem Kutscher auf die Schulter und stieg in die kleine Kutsche, die nur von einem Pferd gezogen wurde.

Emma ging in ihr Zimmer zurück und dachte über den Besuch nach. Insgesamt, so fand sie, hatte sie sich gut gehalten. Sie hatte nicht auf die vielen kleinen Sticheleien von Mrs. Hathaway reagiert und ihre Versuche, Schaden zu stiften, vorerst abgewehrt. Ihre Besucher hatten in ihr eine untadelige erwachsene Frau vorgefunden. Diese Dame wäre bestimmt sehr enttäuscht, wenn sie wüsste, wie wenig sich Emma für Damiens vergangene, gegenwärtige und zukünftige Affären interessierte! Mit Chloe Hathaway hatte er jedenfalls ein Verhältnis und auch mit dieser Nazneen. Wie hätte sie das nicht ahnen sollen, da sich Mrs. Hathaway so große Mühe gegeben hatte, ihr genau diese Information zu übermitteln?

Sie amüsierte sich über die vergeblichen Bemühungen dieser gefährlichen Dame und bedauerte sehr viel mehr, dass der Besuch bei den Webern auf den nächsten Tag verschoben werden musste.

*

Die Sonne ging gerade unter. Die schönen venezianischen Glaslampen in ihren Räumen wurden angezündet und das Feuer im Kamin mit Kiefernzapfen neu entfacht. Emma öffnete die Glastür, die zu dem kleinen Balkon vor ihrem Schlafzimmer führte, und überließ sich im geheimnisvollen Zwielicht eine Weile gedankenverloren dem Blick in die Ferne. Ihr Vater hatte den Standpunkt vertreten, der Himalaja besitze die Kraft, das menschliche Bewusstsein zu erweitern und jedem zu helfen, die richtige Ausrichtung zu finden. Als sie sich jetzt daran erinnerte, glaubte sie, die Wahrheit seiner These zu verstehen.

Nachdem sie in das Wohnzimmer zurückgekehrt war und auf das Badewasser wartete, unterhielt sie sich zwanglos mit Rehmat. Das Mädchen war sehr schüchtern und in ihrer Gegenwart viel zu ängstlich. »Bist du in die Schule gegangen, Rehmat?«, fragte sie, um das Eis zu brechen. Rehmat wurde rot, weil sie direkt angesprochen wurde, schlug die Augen nieder und schüttelte den Kopf. »Kannst du lesen und schreiben?« Wieder verneinte sie. »Möchtest du es lernen?«

Die Kleine sah sie überrascht an und ließ dann wieder den Kopf sinken. »Ja«, flüsterte sie. »Wenn Abba es erlaubt.«

»Weshalb sollte dein Vater das nicht erlauben?«

»Ich bin kein Junge. Alle werden mich auslachen.«

»Er wird es erlauben, wenn du bei mir lernst.«

Das Mädchen bekam große Augen. »Begum Sahiba würde mich unterrichten?«

»Warum nicht?« Sie stand auf. »Wenn du mir beim Suchen hilfst, finden wir für dich im Arbeitszimmer sicher einen Schreibblock und ein paar Schreibstifte. Dann können wir auf der Stelle anfangen.«

Die Kleine lief eifrig voraus. Als Emma die notwendigen Sachen gefunden und die ersten Buchstaben des Urdu-Alphabets für sie zum Nachschreiben auf den Block gezeichnet hatte, war die Schüchternheit verflogen, und Rehmat redete munter drauflos. Ihre Eltern wohnten in Srinagar, erzählte sie, und ihrem Vater gehörte eine Schneiderei auf dem Basar. Sie hatte fünf Brüder, aber keine Schwestern. Sharifa Khala, die Schwester ihrer Mutter, hatte sie vor fünf Monaten auf das Gut gebracht, um sie als Kammerzofe der zukünftigen Hausherrin auszubilden.

»Wir können deinen Vater vielleicht dazu überreden, dich in die Schule zu schicken, wenn ich mit ihm spreche«, meinte Emma. »Wo befindet sich euer Haus in Srinagar?«

»Nicht weit von Naseem Bagh.«

»Naseem Bagh?« Emma runzelte die Stirn und versuchte, sich an ihre kurzen Rundgänge in der Stadt zu erinnern. »Wo ist dieser Park?«

»Am See und ganz in der Nähe von Shalimar Bagh. Unser Haus steht in einer kleinen Gasse direkt gegenüber der neuen Masjid mit den grünen Glasfenstern.« Um es Emma noch besser zu erklären, fügte sie hinzu: »Unsere Gasse ist neben der, wo Nazneen Bibi ihre Khota hat.«

Eine *Khota?* Emma staunte. Nazneen war ein Tanzmädchen mit einer Wohnung am Basar? Auf diese Weise erfuhr sie nicht nur das Gewerbe der Frau, sondern auch, dass den Dienstboten ihr Verhältnis zu Damien sehr wohl bekannt war!

Die unschuldig weitergegebene Information war so schockierend, dass Emma eine Weile brauchte, bis sie die Fassung wiedergefunden hatte. Doch dann staunte sie über ihre Reaktion. Wieso konnte sie etwas so tief treffen, das sie ohnehin vermutet hatte? Emma fragte sich, wie eine Frau auf die Mitteilung reagieren sollte, dass ihr Mann in der Vergangenheit – und zweifellos auch in der Gegenwart – Mätressen hatte? Bei einer normalen Ehefrau, das wusste sie, rechnete man damit, dass sie in Ohnmacht fallen, hysterisch werden, das Essen verweigern und schließlich an gebrochenem Herzen sterben würde. Emma suchte in sich solche Anzeichen der »Normalität«, aber nichts wies darauf hin, dass sie entweder den Appetit verlor oder dass ihr das Herz brach. Sie war sehr zufrieden darüber, dass sie Damiens lockeren Lebenswandel mit so bewundernswerter Reife und Selbstverständlichkeit hinnahm, und machte sich gelassen daran, ihren Kleiderschrank einzuräumen. Als Sharifa die Wasserträger mit dem heißen Badewasser ins Bad führte, hatte Emma endgültig beschlossen, Chloe Hathaway und die geheimnisvolle Nazneen aus ihren Gedanken zu verbannen.

Nachdem Emma gebadet und zu Abend gegessen hatte, entließ sie die Dienstboten und ging wieder in Damiens Räume. Diesmal suchte sie ein Buch, das er bestimmt besaß: Godfrey Thomas Vignes *Reisen durch Kaschmir, Ladakh und Iskardu.* Sie stöberte eine Weile in den Bücherschränken und wollte gerade eines der Bücher, das sie herausgezogen hatte, zurückstellen, als aus Versehen ein kleiner Band auf den Boden fiel. Sie hob das Buch auf und stellte fest, dass es in einer fremden Sprache geschrieben war. Auf dem Einband sah sie dieselben seltsamen Schriftzüge. War es Russisch? Emma wusste nicht, dass Damien Russisch lesen konnte. Aber woher sollte sie das auch wissen? Sie kannte ihn ja kaum.

Sie dachte nicht weiter darüber nach und ging noch immer hellwach in ihr Arbeitszimmer zurück. Dort setzte sie sich auf den bequemen Drehstuhl und begann zu lesen. Obwohl sie das Thema sehr interessierte, vermochte sie sich nur schwer auf den Text zu konzentrieren. Sie empfand eine merkwürdige Ruhelosigkeit und Nervosität. Wäre sie ein Mensch gewesen, der zu Selbsttäuschungen neigte, hätte sie ohne weiteres einen Grund für ihren Zustand erfinden können, aber da sie im Wesentlichen ehrlich mit sich war, gelang ihr das nicht.

Zu ihrer Schande musste sie sich gestehen, dass es ihr nicht gelang, Chloe Hathaway so leicht aus ihrem Kopf zu vertreiben, wie sie es gerne getan hätte. Vor ihrem inneren Auge zogen immer noch die wenig erfreulichen Bilder vom Besuch der lustigen Witwe vorüber, sie sah das wissende Lächeln, die Blicke von der Seite und hörte die gezielten Anspielungen. Über allem schwebte jedoch undeutlich, aber hartnäckig der Schatten des unbekannten, anonymen Gesichts der Frau, die Nazneen hieß.

Emma wurde wütend, aber mehr auf sich selbst als auf die beiden Frauen, die verantwortlich für ihre Reaktionen waren, und sie beschloss spontan, etwas zu tun, um ihre Unabhängigkeit unter Beweis zu stellen. Sie nahm aus der Schublade des Schreibtischs einen unbenutzten Schreibblock mit einem sehr eleganten gedrucktem Briefkopf, den sie bereits beim Einräumen entdeckt hatte. Sie riss ein Blatt von dem Block ab und schrieb einen kurzen Brief – der Erste mit ihrer neuen Adresse.

Emma schrieb an Geoffrey Charlton und lud ihn mutig in der folgenden Woche zum Tee ein. Sie rechnete damit, dass Damien bis dahin zurück sein würde.

Zehntes Kapitel

Wilfred Hethrington hatte sich schon auf das zurückliegende Gespräch mit dem Oberbefehlshaber nicht gefreut, aber die Aussicht auf eine Fortsetzung verbesserte weder seine Laune noch die Fähigkeit, seinen Unmut zu zügeln.

Wieder einmal saßen sie in Sir Marmadukes Arbeitszimmer in Snowdon und wurden in Kurzform über die in Peschawar erörterten Verteidigungspläne für den Fall einer russischen Invasion unterrichtet. Nach der Begegnung mit Francis Younghusband und den Informationen aus erster Hand über die erfolgreichen Erkundungen der verschiedenen neuen Himalajapässe, darunter auch des gefährlichen Mustagh, befand sich der Oberbefehlshaber in vergleichsweise freundlicher Stimmung. Doch keiner der Anwesenden gab sich der Illusion hin, dass sich daran im Verlauf des Gesprächs nichts ändern werde.

»So, kommen wir auf das zurück, worüber wir schon beim letzten Mal sprechen wollten – über Whitehalls Bitte um unsere Einschätzung der Lage, die sich in Hunza zusammenbraut.« Die halbmondförmigen Brillengläser des Oberbefehlshabers bündelten das Licht, das vom Papier reflektiert wurde, als er die entsprechende Nachricht in die Hand nahm. »Wenn ich *Bitte* sage, dann ist das höflich ausgedrückt, denn wie Sie, meine Herren, vielleicht festgestellt haben, ist der Ton des indischen Ministeriums keineswegs höflich. Und ich möchte hinzufügen, auch der Außenminister war nicht sehr höflich, als ich mit ihm in Peschawar zu Abend gegessen habe. Meine Herren, die Amerikaner würden sagen, die Zeit der leisen Töne ist vorbei. Sir Mortimer erwartet, dass wir einen umfassenden, genauen und richtungweisenden Bericht nach London telegrafieren. Aber ehe wir etwas zu Papier bringen, möchte ich die Lage von allen erdenklichen Seiten beleuchten.« Er legte das Telegramm auf den Tisch zurück. »Also, zu diesem Borokow ... ich möchte alles erfahren, was er in St. Petersburg gemacht hat.« Wieder einmal richtete sich sein durchbohrender Blick auf Hethrington.

Der Oberst blätterte in einer Akte. »Nach Aussagen des Militärattachés unserer Botschaft, Sir, hat Oberst Borokow in Begleitung von General Smirnow verschiedene militärische Einrichtungen besucht. Ein Besuch galt dem Ausbildungslager in Krasnoje Selo, das sich außerhalb der Hauptstadt befindet, um die geheimen Schießübungen mit den neuen Gewehren und dem kürzlich entwickelten rauchlosen Pulver zu beobachten.«

»Das Projekt ist bereits in Gang. Wann soll es abgeschlossen sein?«

»Nach Einschätzung der Russen, Sir, nicht vor fünf Jahren. Die gegenwärtige russische Produktion kann die Bedürfnisse des Heeres nicht erfüllen. Das ist jedenfalls die Meinung unseres Militärattachés.«

»Sollen wir glauben, sie betreiben die Umrüstung ihrer Infanterie und Kavallerie nur zum Spaß?«

»Jede Armee rüstet um, wenn neue Waffen zur Verfügung stehen, Sir«, erklärte Hethrington. »Wir ersetzen zurzeit die alten Gewehre durch die neuen Martini Henrys.«

»Ich wünschte, ich könnte ebenso leicht beruhigt sein wie Sie, Oberst!«, erwiderte Sir Marmaduke scharf. »Nun gut, wir kommen darauf gleich zurück – der nächste Punkt?«

»Zwei der Besuche, die Smirnow und Borokow gemacht haben«, fuhr Hethrington fort, »galten einem Geschützdepot in der Nähe von Moskau.«

»Zum Teufel, da haben wir es!« Sir Marmaduke stützte die Ellbogen auf den Tisch und fasste sich am Kinn. »Was noch?«

»Wir wissen durch Informationen aus dem Jachtklub, in dem Borokow und unser Attaché Mitglieder sind, dass Smirnow und Borokow zusammen an Spieltischen und bei privaten Abendessen mit Smirnows elitärem inneren Kreis gesehen wurden.«

»Aha, sie sind noch immer gute Freude. Also ich glaube, wir können davon ausgehen, dass Zweck und Zeitpunkt der Reise Borokows von Bedeutung sind. Er wurde von Smirnow gerufen, um die Waffen für Hunza zusammenzustellen.«

»Diesen Eindruck wollen uns die Russen zumindest vermitteln, wie es eindeutig den Anschein hat, Sir.«

»Gewinnen Sie daraus nicht mehr als nur einen Eindruck, Oberst?«

»Bislang nicht, Sir. Die Russen haben bis jetzt kaum die Möglichkeit, Hunza mit Waffen zu beliefern. Wenn es ihnen durch ein Wunder gelingen sollte, dann schließt eine solche Lieferung sehr wahrscheinlich nicht die neuen Gewehre ein, denn davon produzieren sie zu wenig. Safdar Alis Leute benutzen noch Luntenschlossmusketen, Hinterlader, afghanische Musketen und selbst gefertigte Munition. Der Mir wäre froh über alles, mit dem man schießen kann. Und in den russischen Waffenlagern befinden sich wie in den unseren nur verrostete Gewehre und untaugliche Munition. Möglicherweise, Sir, hat sich Smirnow davon ein Bild machen wollen«, er hustete höflich, »natürlich mit großem Glockengeläut, das man bis London hören sollte.«

Der Oberbefehlshaber starrte finster auf die polierte Zigarrendose auf seinem Schreibtisch. »Ich nehme an, Ihnen ist bekannt, dass der russische Hof Smirnows Ernennung zum Generalgouverneur in Taschkent offiziell bekannt gegeben hat.«

Natürlich wusste Hethrington das! Aber er schwieg.

Sir Marmaduke öffnete den Deckel der Zigarrendose, wollte sich eine Zigarre nehmen, überlegte es sich jedoch anders und klappte den Deckel wieder zu. »Es ist allgemein bekannt, dass Zentralasien ein bevorzugtes Jagdrevier ehrgeiziger russischer Offiziere ist, Oberst. Smirnows frühere Spielchen haben bewiesen, dass er ehrgeizig, aggressiv und tollkühn ist. In Verbindung mit der Tatsache, dass der Verbleib der Butterfield-Papiere noch immer nicht geklärt werden konnte – zumindest nicht zu meiner Zufriedenheit –, bekommt eine

Waffenlieferung nach Hunza ernste Dimensionen. Ich möchte Ihnen deshalb nicht raten, die angeblich für uns inszenierten Ereignisse zu verniedlichen, Oberst.«

Sir John öffnete den Mund, überlegte es sich jedoch anders, nickte in Richtung Oberst Hethrington und überließ ihm das Wort.

Hethrington begann zögernd zu sprechen. »Es macht den Russen großes Vergnügen, mit dem Säbel zu rasseln, um unsere übertriebenen Reaktionen zu beobachten, Sir.« Hethrington gab sich große Mühe, die Balance zwischen Wahrheit und Takt zu halten, und fuhr entschlossen fort. »Die beiden Vorfälle mit dem Kordit und den Einheitspatronen sind typisch für diese Haltung. Ich bin dafür, dass wir den Russen diesmal das Vergnügen nicht gönnen.«

»Ah, ja.« Der Oberbefehlshaber nickte beinahe freundlich. »Wir sind also wieder bei der Paranoia angelangt, nicht wahr?« Er griff nun doch nach der Zigarre und schob das Kästchen in Sir Johns Richtung. »Sie finden, dass unsere hiesige Regierung und Whitehall übertrieben auf pures Säbelgerassel reagieren?«

Hethrington lehnte die angebotene Zigarre ab und überging die Frage. »Ich zweifle nicht an der Möglichkeit einer Waffenlieferung an Hunza, Sir, sondern nur an der Wahrscheinlichkeit, dass sie jemals dort ankommt. Safdar Alis Vater hatte sich mit einer ähnlichen Bitte an China gewandt, das Hunza ohnehin für sich beansprucht, um uns aus dem Land zu halten. Es wurden zwei chinesische Kanonen auf den Weg gebracht, aber sie erreichten nie ihren Bestimmungsort. Sie blieben im Schnee des Hindukusch stecken, und dort befinden sie sich mit größter Wahrscheinlichkeit immer noch.«

»Das ist Jahre her! Inzwischen macht es das Eisenbahnnetz leichter und schneller für die Russen, ihre Einflusssphäre auszudehnen. Das politische Gleichgewicht in Zentralasien hat sich verändert, Oberst!«

»Das Wetter und die Topographie aber nicht, Sir. Der Himalaja ist immer noch eine natürliche unüberwindliche Barriere und insofern ein weit wirkungsvollerer Schutz, als der Mensch jemals hoffen kann zu errichten.«

»Nicht ganz so unüberwindlich, wenn die Russen Zugang zum Jasminapass haben!« Der Oberbefehlshaber zog heftig an seiner Zigarre, legte sie auf den Rand des Aschenbechers, stand auf und trat vor die Wandkarte. »Außerdem bestätigt Younghusband, dass die Pässe im Hindukusch unvorstellbar leicht zu überqueren sind. Man hat erfolgreich leichte Artillerie über den Boroghil nach Chitral transportiert und über den Darkot nach Yasin. Wir haben eine Straße, die direkt nach Gilgit, Chilas und am Indus entlangführt. Wenn die Russen Truppen von Khokand nach Wakhan bringen wollen, dann müssten sie weniger als fünfzig Meilen auf der Straße marschieren. Das ist sehr viel einfacher und schneller als für uns, Truppen vom Punjab nach Yasin oder Hunza zu verlegen.«

»Aber im Fall einer eventuellen Invasion«, beeilte sich Sir John schnell hinzuzufügen, denn ihn beunruhigte die Vorstellung, was Hethrington in seiner unverblümten Art als Nächstes sagen werde, »erhalten wir mit Sicherheit genug Vorausinformationen, um eine bessere Gegenoffensive vorzubereiten, Sir.«

»Aber nicht, wenn sie Strecken benutzen, die uns nicht bekannt sind.« Der Oberbefehlshaber klopfte auf einen Punkt auf der Landkarte. »Vergessen wir nicht, es gibt mehrere Pässe, die nicht mehr als einen Tagesritt von Gilgit entfernt sind, und Verschiedene andere sind das ganze Jahr über passierbar.«

»Aber keiner dieser Pässe kann unbemerkt von einer großen Streitmacht mit schwerer Artillerie überquert werden, Sir. Das haben General Lockhart und Ney Elias bestätigt. Elias berichtet, von den etwa vierzig Pässen, die er erkundet hat, könnten nur ein oder zwei Pässe im Hindukusch von einer kleinen Truppeneinheit zwischen Juli und Dezember überquert werden. Aber um den Badakshanpass zu benutzen, müssen die Russen den Amir auf ihre Seite bringen, und das scheint höchst unwahrscheinlich. Letztendlich eignen sich also nur zwei Pässe für den Vormarsch einer größeren Armee – der Khyberpass und der Bolanpass. Aber in beiden Fällen ist dazu die Kooperation Afghanistans erforderlich.«

»Falls die Russen eine Invasion planen sollten, John«, sagte Sir Marmaduke, »dann wären sie nicht so dumm, ihre gesamte Streitmacht auf einen Pass zu konzentrieren. Wie General MacGregor in seinem Buch erklärt hat, würden sie an vielen Punkten mit unspektakulären Vorstößen kleiner Kampfeinheiten beginnen. Das würde ich auch tun, wenn ich auf ihrer Seite stünde. Deshalb kommt dem Jasminapass eine so große Bedeutung zu. Ein Pass im Hunzagebiet, den wir nicht kennen, verschafft ihnen den Vorteil der Überraschung.«

»Trotzdem, Sir, sind die Aussichten für eine bevorstehende russische Invasion über eine größere oder kleinere Zahl von Pässen ...« Sir John suchte nach dem am wenigsten beleidigenden Wort, »bestenfalls zweifelhaft. Aber«, so fügte er schnell hinzu, »das ist meine rein persönliche Meinung.«

»Eine fragwürdige Meinung, John! Wir haben siebzigtausend britische Soldaten in Indien. Doppelt so vielen Sepoys ist der Gebrauch moderner Waffen verboten, und das macht sie mehr oder weniger nutzlos. In einem Land mit einhundertachtzig Millionen Bewohnern kommt durchschnittlich ein Bewaffneter auf eintausendfünfhundert Zivilisten. Und unsere Verbindungs- und Nachschubwege in den Norden sind viel zu lang. Die Russen haben fünfundvierzigtausend Mann in Zentralasien stehen, um zweieinhalb Millionen Zivilisten zu kontrollieren. Ihre Truppen sind den unseren nicht nur in der Ausbildung im Gebirge überlegen, sondern die geographischen Verhältnisse, die Transkaspische Bahn und die politischen Realitäten in Zentralasien – das alles begünstigt die Russen.«

Sir John kratzte sich am Kinn. »Aber diese Faktoren wären nur im Fall eines offenen Kriegs von Bedeutung, Sir, und das ...«

»Ich bin nicht so dumm zu glauben, John«, unterbrach ihn der Oberbefehlshaber gereizt, »dass Russland eine Eroberung im Sinn hat. Es träumt seit über hundert Jahren von einer Invasion! Geplante Vorstöße, ein Stich hier, ein Schlag dort und ein Scheinangriff dazwischen, um uns zu verwirren.« Bei dieser Vorstellung begannen seine Augen erwartungsvoll zu funkeln. »Selbst ein bedeutungsloses Vordringen in die Hunzaschlucht wäre eine unerträgliche Demütigung, auf die wir angemessen reagieren müssten.«

»Die Taktik der Russen könnte ein Täuschungsmanöver sein, Sir.«

»Damit wir in Kalkutta anstatt in Konstantinopel beschäftigt sind?«, erwiderte Sir Marmaduke schroff. »Nein, John! Ich habe nie den Glauben geteilt, dass Russland nicht mehr will als die Herrschaft über den Bosporus. Hinter Borokows Flirt mit Hunza steckt ebenso eine ernste Absicht wie hinter Smirnows Ernennung. Ich muss offen gestehen, ich möchte mir lieber Klarheit verschaffen, als mich durch Selbstzufriedenheit täuschen zu lassen. Ich möchte auf keinen Fall«, er schlug mit der Hand so heftig auf den Schreibtisch, dass ein Tintenfass aus Onyx ins Wanken geriet, glücklicherweise aber nicht umfiel, »dass wir unvorbereitet überrascht werden, so wie es schon in der Vergangenheit vorgekommen ist.«

»Nein, Sir.« Der Generalquartiermeister bevorzugte den Rückzug. »Natürlich nicht.«

»Was Smirnow angeht, wünsche ich *alles* zu erfahren, was der Kerl tut, sobald er in Turkestan eintrifft. Haben Sie das verstanden?«

»Ja, Sir.«

»Wen haben wir im Augenblick dort?«

»Oberst?« Der Generalquartiermeister überließ das Feld wieder Hethrington.

»Da Taschkent beinahe ausschließlich ein militärischer Stützpunkt ist und sich in ständiger Alarmbereitschaft befindet, war es uns nicht möglich, einen unserer Männer permanent dort unterzubringen. Bei unseren Informationen stützen wir uns meistens auf einen usbekischen Buchhalter in einer der weniger wichtigen Abteilungen im Amt des Barons. Natürlich helfen uns auch die Basargerüchte, die uns Reisende übermitteln.«

»Ist dieser Usbeke noch derselbe Kontaktmann, den unser Militärattaché in St. Petersburg bei seinem Besuch in Taschkent aufgetan hat?«

»Ja, Sir. Der Mann spricht etwas Englisch, und deshalb haben ihn die Russen auch während des Aufenthalts des Militärattachés als Dolmetscher eingesetzt.«

»Hat er sich als zuverlässig erwiesen?«

»Durchaus, Sir. Er ist intelligent und in Maßen einfallsreich, obwohl er weniger die Initiative ergreift. Aber seine Informationen, die er uns mit Karawanen zukommen lässt, haben sich bisher als zutreffend erwiesen. Er hat uns zum Beispiel darauf hingewiesen, dass Safdar Alis Abgesandte nach Taschkent gekommen sind, um den Baron zu treffen, womit der Besuch von Borokow in Hunza vorbereitet wurde.«

»Ich möchte, dass Smirnow und Borokow beobachtet werden. Alles Ungewöhnliche, sei es auch noch so trivial, muss uns sofort mitgeteilt werden.«

»Der Usbeke ist bereits entsprechend unterrichtet worden, Sir.«

»Wie weit sind die Russen mit dem Bau ihrer neuen Straße von Osch?«

»Der Fortgang der Arbeiten wird von einem unserer Leute beobachtet, Sir. Es ist ein neuer Offizier, der aber mit den Einheimischen auf gutem Fuß steht. Jede unerwartete militärische Aktivität wird uns sofort gemeldet.«

Sir Marmaduke runzelte die Stirn. Er wusste, die Nachrichtenabteilung war bei ihren Operationen auf äußerste Geheimhaltung bedacht. Darüber ärgerte er sich zwar, aber er stellte keine weiteren Fragen. »Wann sind Safdar Alis Abgesandte in Taschkent gewesen – vor Durands Besuch oder danach?«

»Kurz nach dem Besuch, Sir.« Hethrington hatte wieder relativ sicheren Boden unter den Füßen und sprach, nicht ohne boshafte Kritik zu üben, weiter. Sein Misstrauen gegenüber Oberst Durand und seiner Arbeit in Gilgit war in Offizierskreisen kein Geheimnis. »Safdar Ali hat Durands Überheblichkeit sehr übel genommen und ebenso seinen undiplomatischen Vorwurf, dass er mit zwei Zungen spreche.«

»So?« Sir Marmaduke hob die Augenbrauen. »Sie halten es nicht für unerträglich, dass dieser verdammte Kerl die Kühnheit besitzt, sich auf die Seite Russlands zu schlagen?«

»Der verdammte Kerl steht auch auf unserer Seite, Sir«, erinnerte Hethrington seinen Vorgesetzten liebenswürdig. »Wäre Durand etwas weniger aggressiv gewesen und ein wenig zuvorkommender, dann hätten wir uns sehr viel leichter mit ihm einigen können. Bei allem

Respekt, Sir, kleine Königreiche müssen schließlich mit zwei Zungen sprechen, wenn sie zwischen die Fronten zweier feindlicher Riesen geraten.«

Diese Bemerkung gefiel dem General überhaupt nicht, wie seine funkelnden Augen verrieten. »Was schlagen Sie demnach vor, Oberst? Sollen wir dem Hurensohn um den Bart kriechen, während er mit dem Feind flirtet? Sollen wir zusehen, wie ihm die Russen Waffen liefern?«

Hethrington entging nicht, dass sich der Generalquartiermeister unruhig hin und her bewegte, und schluckte seine Erwiderung. »Nein, Sir. Aber solang er nur flirtet …« Er zuckte mit den Schultern und verstummte.

Der Oberbefehlshaber kniff die Augen zusammen. »Es wird Sie vielleicht interessieren zu erfahren, Oberst, dass trotz Ihres Optimismus auf der Verteidigungstagung über die neueste Entwicklung der Ereignisse«, er hob die Stimme, »Ereignisse, die eine Mobilisierung rechtfertigen könnten, erhebliche Bestürzung herrscht!« Er hob die Hand und zählte sie an den Fingern auf: »Der Mord an Butterfield, der mysteriöse Verlust seiner Unterlagen, Borokows dreister Besuch in Hunza, seine Freundschaft mit Smirnow und die Reise nach St. Petersburg, Smirnows schlechter Ruf und seine bevorstehende Ankunft in Taschkent, die Sache mit den neuen Gewehren und dem rauchlosen Pulver …« Er hob die Hände. »Was muss denn noch geschehen, um uns aus der Ruhe zu bringen, verdammt nochmal! Vielleicht eine Breitseite auf Simla?«

Hethrington spürte, wie ihm das Blut in den Kopf stieg, aber mit größter Willensanstrengung versagte er sich eine Erwiderung. George Aberigh-Mackay, ein ebenso bissiger Satiriker wie Rudyard Kipling, hatte einen ehemaligen Oberbefehlshaber einmal den »Revolver der indischen Regierung« genannt. Die Bezeichnung traf auch auf den derzeitigen Amtsinhaber zu. Hethrington sah jedoch ein, dass eine Widerrede nur seine Versetzung bedeuten würde. Deshalb schwieg er.

Sir Marmaduke atmete schwer nach seinem Ausbruch und nahm sich die zweite Zigarre. Er zündete sie an und rauchte heftig. »Wenden wir uns noch einmal der Sache Butterfield zu …«

Der Generalquartiermeister verzog keine Miene, aber Hethrington besaß die Geistesgegenwart, seinen Schreibstift auf den Teppich fallen zu lassen. Er bückte sich und nahm sich Zeit, um ihn aufzuheben. »Ich weiß, Ihre Abteilung hat Vorbehalte gegen Butterfields Behauptung, John. Aber sagen Sie, glauben Sie persönlich, dass er den Jasminapass wirklich entdeckt hat?«

Sir John betastete nachdenklich sein Ohr. »Es könnte natürlich so sein. Wir dürfen diese Möglichkeit nicht völlig ausschließen, andererseits können wir sie nicht bestätigen.«

»Sie meinen, weil die Unterlagen im Karakorumgebirge in alle vier Winde verstreut wurden?« Die Frage hätte nicht sarkastischer gestellt werden können.

»Ja, Sir.« Man musste Sir John zugute halten, dass er bei seiner Antwort keine Miene verzog. »Aber unabhängig davon, was Butterfield glaubte, gefunden zu haben, Sir, bin ich zuversichtlich, dass die fehlenden Unterlagen keine unmittelbare Gefahr für unsere Sicherheit bedeuten.«

»Ohne das ›unmittelbar‹ könnte ich besser schlafen, John.« Der Oberbefehlshaber sah ihn verkniffen an. »Ist diese Aussage stichhaltig genug, um sie Whitehall zu übermitteln?«

»Nein, Sir. Ich glaube, es wäre unklug, uns auf mehr festzulegen, als auf eine wohl durchdachte Meinung zu den Möglichkeiten, zu der unser Instinkt entsprechend den vorliegenden Informationen gelangt ist. Wie auch immer, Whitehall verlangt von uns eine Einschätzung und keine Garantieerklärung.«

Die bürokratische Gabe verbaler Verschleierung löste bei Hethrington insgeheim ein Lächeln aus. Aber er verzog natürlich keine Miene.

Sir Marmaduke war immer noch sehr skeptisch und nickte unzufrieden. »Gut, dann setzen Sie bitte einen Entwurf auf, den Seine Exzellenz und der Außenminister billigen können. Und sorgen Sie dafür, dass ich ihn noch heute Nachmittag vorliegen habe.«

»Ja, Sir.«

»Es wäre vielleicht ein gute Idee, Ihre Zweifel noch einmal zu betonen, John, wenn damit auch nur unsere Köpfe besser geschützt sind. Empfehlen Sie auch, diese Aspekte der Presse zur Verfügung zu stellen, damit sich die Herren Journalisten damit befassen und vielleicht zur Abwechslung ein paar andere Gerüchte in Umlauf kommen. Ansonsten werden wir wohl abwarten und beobachten müssen, was geschieht, sobald Smirnow auf der Bühne erscheint. Noch etwas?«

Da alle schwiegen, schien man sich einig. Eine Welle geräuschvoller Erleichterung erfüllte den Raum, als die Herren sich räusperten, die Aktenmappen schlossen und die Stühle zurückschoben. Hethrington seufzte befreit auf. Es war natürlich nur ein kurzer Aufschub, aber wenigstens doch ein Aufschub. Mit etwas Glück hatten sie ein paar Wochen gewonnen, um das Projekt erfolgreich zum Abschluss zu bringen.

Das hieß, wenn überhaupt!

*

In den Ställen gab es eine große Vielfalt an Pferden. Suraj Singh wählte für Emma am folgenden Morgen eine hellbraune Stute. Sie war, wie er betonte, gutmütig und leicht zu lenken.

»Demnach das Gegenteil von diesem Hengst hier«, bemerkte Emma und musterte einen temperamentvollen Rappen in der nächsten Box, der die Mähne schüttelte und laut schnaubte.

»Ach, das ist Toofan, Huzoors Lieblingspferd. Er ist gewiss nicht leicht zu lenken – und er hört nur auf Huzoor.« Als der Hengst seinen Namen hörte, blähte er die Nüstern, scharrte mit den Hufen und blickte sie durchdringend an.

Suraj Singh lachte. »Sie verstehen jetzt, warum er Toofan heißt. Er ist so wild wie ein Sturm, aber auch so ausdauernd. Deshalb ist er ein ideales Pferd für lange Strecken. Auf dem Gut reitet Huzoor meist Sikandar, einen Araber mit weniger Temperament, aber besseren Manieren.«

Sie entfernten sich im leichten Trab, und als Emma aus einiger Entfernung das Haupthaus betrachtete, bewunderte sie die klare, wuchtige Architektur. Das Haus war hellgelb gestrichen, die Fensterläden salbeigrün. Es sah sehr schön aus. Suraj Singh beantwortete bereitwillig Emmas Fragen zu dem Gut. Er wusste bis in alle Einzelheiten Bescheid und war sichtlich stolz auf Shalimar.

»Kommen Sie aus einer landwirtschaftlichen Familie, Suraj Singh?«, fragte sie.

»Nein, Begum Sahiba. Mein Vater war Soldat.«

»Aus Radschputistan?«

»Nein, Begum Sahiba. Wir stammen aus Jammu.«

»Oh? Dann sind Sie ein Dogra?«

»Ja, Begum Sahiba.«

Mit einem Blick auf seine Beine fragte sie: »Hinken Sie aufgrund einer Kriegsverletzung?«

»Nein, Begum Sahiba, ich wurde von einer Lawine erfasst.«

Emma wechselte das Thema, denn sie wusste, dass er persönliche Fragen nicht schätzte. Beiläufig erwähnte sie, dass sie Geoffrey Charlton in der folgenden Woche zum Tee eingeladen hatte. Höchst wahrscheinlich wusste er es bereits, da sie am frühen Morgen darum gebeten hatte, dass der Brief nach Srinagar gebracht wurde, aber er äußerte sich nicht. Sein kurzes Nicken verriet Emma jedoch, dass er die Einladung nicht billigte. »Erwarten Sie auch Mrs. Hathaway?«, fragte er.

»Nein.« Sie glaubte, in seinen Augen eine gewisse Erleichterung zu bemerken. Ohne dazu verpflichtet zu sein, sprach sie weiter: »Mr. Charlton ist ein sehr geachteter Korrespondent und Experte über Zentralasien. Ich würde von ihm gerne mehr Wissen aus erster Hand bekommen. Mr. Charlton hat erwähnt, dass er meinen Mann kennt.«

»Sie haben sich kennen gelernt, das stimmt.« Er zögerte. »Ich möchte mich nicht einmischen, Begum Sahiba, aber ich fühle mich verpflichtet, darauf hinzuweisen, dass Huzoor diesen Herrn nicht … besonders schätzt.«

Das machte die Aussicht auf seinen Besuch natürlich noch sehr viel erfreulicher! »Und Mrs. Hathaway?«, fragte Emma unschuldig und genoss seine Verlegenheit. »Schätzt Huzoor diese Dame ebenfalls nicht?«

»Das weiß ich nicht«, erwiderte er förmlich. »Mir ist nicht bekannt, welche Meinung Huzoor zu jedem Einzelnen seiner Bekannten hat.«

Aha, Chloe war demnach nur eine Bekannte? Emma amüsierte sich über die loyale Ausdrucksweise.

»Möchte Begum Sahiba, dass ich den Tee wie üblich im Wohnzimmer servieren lasse?«

»Nein, ich glaube im Obstgarten auf der Terrasse des Sommerhauses ist der Blick noch schöner. Es wäre schade, den wunderschönen Sonnenuntergang nicht genießen zu können.« Das war eine wohl überlegte Entscheidung. Wenn Damien in der nächsten Woche wieder da war – und das hoffte sie –, dann würde er sich über die Anwesenheit von Charlton ärgern. Dann kam es nicht darauf an, wo sie mit ihrem Gast den Tee trank. Sollte er jedoch noch nicht zurück sein, dann erhielt der Platz eine besondere Bedeutung. Geoffrey Charlton war jung, sah gut aus und war Junggeselle. Bei der sehr konservativen Einstellung der Leute hier würde es weniger unangenehmes Aufsehen erregen, wenn Emma mit ihrem Besucher vor den Augen aller Dienstboten im Freien saß.

Sie ritten durch ein Feld mit zart violetten Safranblüten. Kaschmir hatte seit alter Zeit ein Monopol auf Safran, der für Griechen und Römer eine besondere Bedeutung besaß. Man gewann daraus ein Parfüm, das die Griechen für die öffentlichen Plätze benutzten und die Römer für die Straßen, wenn der Kaiser eine Stadt besuchte. In Indien verwendete man das aromatische Gewürz in erster Linie in der Küche, um traditionellen Gerichten die hellgelbe Farbe und das besondere Aroma zu verleihen. Unter den vielen Bäumen, die auf dem Gut wuchsen, sah Emma Weiden, Chinar, Pappeln, Zypressen und Zedern, aber einige andere kannte sie nicht. Die üppige Blütenpracht der Obstbäume versprach eine reiche Ernte. Man hatte ihr gesagt, dass sich in Kaschmir etwa alle dreihundert Höhenmeter das Klima

änderte und dass man entsprechend der Höhe Schnee, Frühlingsblüten und Sommerfrüchte finden konnte.

Ihr Ziel war ein kleines Dorf mit eng beieinander stehenden Hütten.
Einige hatten die traditionellen spitzwinkligen Dächer, die mit Holz-
schindeln gedeckt waren, andere hatten Schilfdächer. Das Schilf
wuchs am See. Im gepflasterten Hof saßen die Weber unter Apfel-
und Aprikosenbäumen an den Webstühlen, die sie im gleichmäßigen Rhythmus eines unsichtbaren Metronoms in Schwung hielten.
Eine Gruppe Frauen kauerte um einen Berg weißer Wolle. Sie
schichteten die Wolle auf zwei Haufen. Andere saßen mit gekreuzten Beinen an den Spinnrädern und spannen aus den Wollballen
dünne Fäden, die sie beim Spinnen drehten. Da in Kaschmir nur der
Adel die Purdah beachtete, hatten die Frauen das Gesicht nicht verhüllt. Hinter dem Dorf floss ein schmaler Bach. An den grasbewach-
senen Ufern leuchteten die korallenroten Wurzeln der Weiden. Auf
den umliegenden Feldern blühte bronzefarben der Reis, der in der
Mittagssonne wie glänzendes Metall schimmerte. Eine schnatternde
Entenfamilie kam aus dem Wasser. Die orangefarbenen Schnäbel
klapperten wie Kastagnetten. Auf einer Seite weidete im hohen Gras
eine große Ziegenherde.

Als sich Emma den Webern näherte, erhoben sich die Leute und be-
grüßten sie mit höflich geneigten Köpfen. Dann warteten sie darauf,
ihr vorgestellt zu werden. Hinter den Bambusvorhängen der Türen
standen staunend und stumm viele Kinder und spähten neugierig auf
die Besucher. Es dauerte nicht lange, und sie begannen zu kichern.
Qadir Mian, der alte afghanische Weber, wurde ihr als Erster vorgestellt. Es war der Meister, von dem Sharifa bereits in Delhi mit großem Stolz gesprochen hatte.

Emma beglückwünschte ihn auf Urdu zu der schönen Shatush-Stola,
die sein Werk war und die ihr Huzoor zum Geschenk gemacht hatte.
Er bedankte sich bescheiden mit einem kurzen Nicken für das Kompliment, aber Emma sah, dass er sich freute. »Arbeitet weiter«, sagte
sie zu den Leuten. »Ich möchte euch nicht stören.«

Sie kehrten alle an ihre Plätze zurück. Drei Männer saßen an den

Webstühlen, und das Stakkato der Webschiffchen begann von neuem. Emma erfuhr, dass die rein weiße Wolle der besten Qualität zu Fäden gesponnen wurde, aus denen die kostbarsten Tücher gemacht wurden. Die graue Wolle war weniger wertvoll. Sie wurde gefärbt und für Einschlag- und Schlussfaden verwendet. Der Talim Guru, der Meister, der für die Muster verantwortlich war, schrieb seine sehr genauen Anweisungen in dem traditionellen »Tuch-Alphabet«, und der Tarah Guru, der Farbenexperte, rief seine Anweisungen laut aus. Er nannte die Farben und die Zahl der Webfäden für die Schiffchen. Die Weber hatten die Anweisungen wie Musiker die Partitur vor sich am Webstuhl. Die Fäden wurden ständig mit dünner Reispaste bestrichen, um ein Ausfransen zu vermeiden.

War ein Tuch fertig, wurde es zuerst im Fluss gewaschen, dann mit nackten Füßen gewalkt und schließlich fest gegen Steine geschlagen, um auch den letzten Rest Reisstärke herauszuwaschen. Der Vorgang wurde mehrmals wiederholt, bevor das Tuch im Schatten zum Trocknen ausgebreitet wurde. Als Emma entsetzt fragte, wie man so ein zartes Gewebe so brutal behandeln konnte, lachte Qadir Mian. »Diese letzte Behandlung verleiht den Kaschmirtüchern ihre unvergleichliche Weichheit, Begum Sahiba. Unsere Flüsse haben Zauberkräfte, die in keinem anderen Gewässer der Welt zu finden sind.«

»Wie lange dauert es, ein Schultertuch herzustellen?«

»Ungefähr eineinhalb Jahre.«

Die mühsame und präzise Arbeit schadete offensichtlich den Augen. Einige Weber trugen Brillen, und Qadir Mians Brille hatte besonders dicke Gläser.

»Es ist der großen Kunst von Qadir Mian zu verdanken«, erklärte Suraj Singh, »dass die jährlichen Geschenke für die englische Königin auf Shalimar hergestellt werden.« Emma hob fragend die Augenbraue. »Huzoor hat mit Begum Sahiba nicht darüber gesprochen?«

Wenn er nur wüsste, wie wenig Huzoor mit seiner Begum Sahiba gesprochen hatte! Emma schüttelte den Kopf.

»Im Vertrag von Amritsar verpflichtete sich der Maharadscha, Königin Victoria ein jährliches Geschenk zu machen – und zwar ein Pferd, zwölf Kaschmirziegen, das heißt sechs Böcke und sechs Ziegen und drei Paar Kaschmirtücher. Als unsere Produktion so erfolgreich wurde, beauftragte der Maharadscha den verstorbenen Huzoor mit der Vorbereitung der königlichen Geschenke. Die Tücher werden hier auf Shalimar gewoben, die Pferde in Huzoors Ställen in Gulmarg gezüchtet und aufgezogen.«

»Die Kaschmirziegen überleben die lange Reise nach England?«

»Leider nein. Die meisten sind verendet, deshalb hat die Königin schließlich vorgeschlagen, mit dieser Tierquälerei aufzuhören. Zurzeit bestehen die Geschenke aus zehn Pfund reiner Paschminawolle, je vier Pfund gepackter schwarzer, grauer und weißer Wolle und je einem Pfund Garn der drei besten Qualitäten. Zusammen mit einem Pferd und drei Tüchern gelten sie als hinreichender Beweis für Kaschmirs Loyalität gegenüber der Krone ... wie auch immer sie aussehen mag.«

Emma wusste, wie verhasst den Kaschmiri die britische Präsenz in ihrem Staat war, und verstand den Sarkasmus der letzten Worte sehr wohl. »Wie viele Berufsweber gibt es in Kaschmir?«

»Vor zwanzig Jahren waren es noch vierzigtausend, aber nur viertausend haben die Hungersnot vor dreizehn Jahren überlebt. Hunderte wurden damals auf Anweisung von Burra Huzoor täglich auf Shalimar mit Essen versorgt. Aber insgesamt sollen zweihunderttausend Menschen ums Leben gekommen sein. Deshalb ist es heute sehr schwer, einen solchen Meister, wie Qadir Mian einer ist, unter den Webern zu finden.«

»Es ist unpraktisch, über der Tournure ein Schultertuch oder eine Stola zu tragen. Aber die Tournure ist in Europa zurzeit große Mode. Hat die Nachfrage in den letzten Jahren deshalb nicht stark nachgelassen?«

»Leider ja. Heute verdient ein Weber in Kaschmir durchschnittlich nicht mehr als eineinviertel Annas am Tag. Er arbeitet unter unglaublich schlechten Bedingungen und stirbt jung an Unterernährung. Aber«, fügte er schulterzuckend hinzu, »die Mode ist unberechenbar. In jeder Saison gib es etwas Neues. Huzoor glaubt allerdings, dass Tücher dieser besonderen Qualität in schönen Mustern immer Liebhaber finden werden, die einen guten Geschmack haben und die Qualitätsunterschiede erkennen.«

»Das Weben von Wolle scheint für einen Offizier eine sehr wenig nahe liegende Tätigkeit zu sein«, sagte Emma. »Woher stammte Major Granvilles großes Interesse daran?«

»Die Mutter des verstorbenen Huzoor war Französin, und einer ihrer Brüder besaß eine Weberei in Frankreich. Er reiste zu einer der großen Ausstellungen nach London und nahm Burra Huzoor mit. Dort nahm seine Leidenschaft für die hohe Kunst des Wollwebens ihren Anfang.«

»Und mein Mann teilt diese Leidenschaft?«

»Sie können selbst urteilen, Begum Sahiba.« Er deutete auf einen der Webstühle. »Huzoor hat die Muster, die sie weben, selbst erfunden. Er ist ein hervorragender Künstler.«

»Wie sein Vater?«

»Nein. Der verstorbene Huzoor hat sich mehr für Fotografie interessiert. Er hatte ein gutes Auge für Muster, aber er war kein Künstler.«

»Dann wie seine Mutter?«

»Ja, Begum Sahiba.«

»War sie eine ausgebildete Künstlerin?«

»Nein, Begum Sahiba.« Suraj Singh wirkte befangen. »Ich habe gehört, dass sie eine natürliche Begabung für Farben und Muster hatte.« Qadir Mian näherte sich ihnen, und bevor Emma noch eine Frage stellen konnte, führte er sie in eine Hütte, um ihnen das Färben der Wolle zu zeigen.

Wieder einmal musste Emma darauf verzichten, mit Suraj Singh über die verstorbene Mrs. Granville zu sprechen.

Der Vormittag erwies sich jedoch als sehr interessant. Emma war von allem fasziniert, was man ihr zeigte. Sie erfuhr, dass das Gut in Hinblick auf Lebensmittel völlig unabhängig war, und das große Spektrum der Arbeiten setzte sie in Erstaunen. Auf den Maulbeerbäumen züchtete man Seidenwürmer für Kaschmirseide. Ein sehr großes Gelände war dem Anbau von medizinisch verwertbaren Pflanzen vorbehalten, die in der Gutsapotheke zu Arzneimitteln verarbeitet wurden. Es gab Fische in den Flüssen und Bächen, eine sehr produktive Molkerei, eine Getreidemühle, einen Nusswald mit drei verschiedenen Nussarten, verschiedene Obstplantagen und eine Konservenfabrik, um die nicht zum sofortigen Verzehr bestimmten Früchte zu verarbeiten.

»Wer kümmert sich um alles, abgesehen von meinem Mann und Ihnen?«, wollte Emma wissen, die über so viele und unterschiedliche Produktionszweige staunte.

»Lincoln, den Sie bereits kennen gelernt haben. Er ist der Verwalter. Das Gut wird als eine Genossenschaft betrieben. Jeder, der hier arbeitet, hat seinen Anteil am Gewinn und ist deshalb motiviert, sich einzusetzen und ehrlich zu sein.«

Sie ritten durch hüfthohe Weizen- und Reisfelder und kamen an gut gepflegten Küchengärten vorbei, während sie auf einem anderen Weg zum Haus zurückkehrten. Es war Zeit zum Mittagessen. In den dicht belaubten Weinbergen hingen dicke rote und weiße Trauben. Die Regierung von Kaschmir habe Huzoor geraten, Weinberge anzulegen, erklärte Suraj Singh. Jetzt beabsichtige er, mit der Weinherstellung zu experimentieren. »Es wachsen in Kaschmir nicht mehr so viele Weintrauben wie noch zuzeiten der Moguln. Damals konnte man acht Sihr für ein Vierzigstel einer Rupie kaufen. Später hat der Maharadscha Ranbir Singh Reben aus Bordeaux importiert, und man hat in Gupkar eine Kellerei eingerichtet. Das Experiment ist noch im Gang, aber der Erfolg hat sich noch nicht eingestellt, da die Weinreben von der Reblaus befallen werden.«

»Und die Reben hier auf Shalimar?«

»Sie stammen aus Amerika. Man glaubt, sie seien kräftiger und weniger anfällig für den Befall durch Schädlinge.«

»Gibt es in Kaschmir einen Markt für Wein?«, fragte Emma.

»Nur in Srinagar. In Indien wird natürlich Wein getrunken, und es besteht eine entsprechende Nachfrage, aber die hohen Transportkosten und Zölle erschweren es uns, den Wein zu einem angemessenen Preis zu verkaufen.«

»Warum interessiert sich mein Mann für ein Projekt, das wenig Erfolg verspricht?«

Suraj Singh seufzte. »Aus genau diesem Grund, Begum Sahiba. Huzoor weicht keiner Herausforderung aus, und ebenso wenig ist er bereit, eine Niederlage hinzunehmen.«

*

»Bei Gott, Wilfred!«, sagte Sir John kopfschüttelnd, als sie sich an den Schreibtisch setzten, um ein Telegramm zu formulieren, das Sir Marmaduke gutheißen würde. »Müssen Sie ihn bei jeder Gelegenheit wie einen Stier reizen? Wäre es nicht klüger, ihm hin und wieder auch einmal etwas zu sagen, was er hören will?«

»Ich halte es für unehrlich, eine falsche Meinung zu äußern, Sir«, erwiderte Hethrington. »Und ich muss meinem Gewissen folgen und ihm die richtige Meinung sagen. Es ist lächerlich, jedes Mal Alarm zu schlagen, wenn die Russen mit dem Säbel rasseln.«

Sir John schüttelte seufzend den Kopf. »Bei aller Fairness, Wilfred, Sir Marmadukes Standpunkt ist nicht unvernünftig. Die Kombination der Ereignisse *ist* Besorgnis erregend, und wir müssen Vorsichtsmaßnahmen ergreifen. Auf jeden Fall ärgert er sich über Ihre Hinhaltetaktik, wie er es nennt. Ich fand es jedenfalls nicht gerade taktvoll, die Schießpulver- und Patronenaffäre wieder anzuschneiden.«

»Warum nicht, Sir? Mir fällt es schwer, eine Außenpolitik zu billigen, die ausschließlich auf Gerüchten basiert. Außerdem habe ich ganz bestimmt eine Meinung geäußert, die von Millionen gemäßigter Engländer vertreten wird.«

»Das sind alles Stimmen in der Wüste, Wilfred, und wir beide wissen, was Sir Marmaduke davon hält!«

»Es muss ein paar Politiker geben, die Vernunft besitzen und …«

»Politiker und Vernunft?« Sir John lachte. »Sie sind ein Träumer, Wilfred. Ein Träumer! Glauben Sie mir, Sie werden so wenig einen Schneeball in der Hölle finden wie einen vernünftigen Politiker!« Er konzentrierte sich wieder auf das Telegramm.

Hethrington schwieg verstimmt. Er staunte immer wieder darüber, dass die Regierung Russland auf Grund von Gerüchten und Gerede so bereitwillig die schlimmsten Absichten unterstellte. Halbinformationen, Fehlinformationen, ausgesprochene Lügen – all das war Wasser auf die Mühlen der Klatschtanten. Die Sache mit dem Zündpulver war ein gutes Beispiel dafür. Whitehall war in helle Aufregung geraten, weil gemunkelt wurde, Russland sei es gelungen, eine Probe des britischen Zündpulvers zu stehlen. Kurz darauf bewies ein deutscher Wissenschaftler, der für das französische Kriegsministerium an der Entwicklung von rauchlosem Pulver arbeitete, dass das britische Zündpulver chemisch fehlerhaft und untauglich war und es sich nicht lohnte, dieses Pulver zu stehlen. Diese Einschätzung erwies sich später als richtig.

Die Sache mit den Einheitspatronen war noch peinlicher. Auf die Frage, ob es richtig sei, dass Russland die Artillerie mit Einheitspatronen ausgestattet habe, erklärte der britische Militärattaché, dass es so sei. Es folgte der übliche Aufruhr, bis der Attaché, der nichts von Artillerie verstand, gestehen musste, dass er irrtümlicherweise angenommen habe, Einheitspatronen seien Munition, die für jeden Waffentyp einsetzbar wären. Tatsächlich waren Einheitspatronen aber die Patronen, die in einem Gehäuse als Munitionseinheit in die Waffen eingeführt werden konnten, um schnelleres Schießen zu ermöglichen. Selbstverständlich war die russische Artillerie noch nicht mit diesem System ausgerüstet. Wieder einmal lachte sich St. Petersburg ins Fäustchen.

Sir John legte den Stift zur Seite und richtete sich auf. »Also gut, Wilfred, sagen Sie mir das eine. Können Sie in aller Aufrichtigkeit behaupten, dass die bevorstehende Ankunft von Smirnow in Taschkent für Sie kein Anlass zur Sorge ist?«

»Nein.« Hethrington fasste sich an die Nasenspitze. »Ich mache mir größte Sorgen. Ich weiß, dass sich in Taschkent etwas zusammenbraut, und nach Smirnows Eintreffen wird die Suppe noch heißer. Aber bloße Vermutungen werden die Lage nicht verbessern. Wir müssen wachsam sein und ganz bestimmt auch pragmatisch, aber nicht hysterisch und dumm. Haben Sie das Telegramm von Lord Castlewood gelesen, Sir?«

»Ja, aber Sir Marmaduke will nichts davon wissen. Er glaubt, wenn die Umrüstung auf die neuen Waffen erfolgt ist, wird Russland Krieg führen, vermutlich gegen England, und höchstwahrscheinlich wird Indien der Kriegsschauplatz sein.«

»Russische Hitzköpfe sorgen für Feuerbrände, um Orden zu bekommen, Sir. Das geschieht nicht unbedingt mit dem Segen des Zaren. Da die Nachrichtenverbindungen nach wie vor schlecht sind, hat man in St. Petersburg wenig Möglichkeiten, diese übereifrigen Offiziere unter Kontrolle zu halten.«

»Und das soll für uns eine Beruhigung sein? Selbst wenn wir davon ausgehen, dass diese jungen Helden gegen ihre Befehle handeln, dann ist es doch seltsam, wie man in St. Petersburg auf die Disziplinlosigkeit reagiert. Alexej Smirnow wurde für seine Kampfhandlungen gegen die Afghanen auf dem Mirghab – und das war ein höchst unverantwortliches Vorgehen – noch befördert!«

»Sein Vater war damals Kriegsminister.«

»Und glauben Sie, der junge Smirnow ist weniger einflussreich in seiner Position als Militärrevisor am Zarenhof?«

Hethrington schüttelte den Kopf. »In Russland hat nur einer die Macht, Sir, und das ist Alexander der Dritte. Der Zar delegiert wenig. Sogar die Ausgaben eines Militärattachés müssen persönlich vom Zaren abgezeichnet werden. Offiziell haben die Streitkräfte in Zentralasien den strikten Befehl, nicht in umstrittenes Territorium vorzudringen.«

»Und Sie billigen, was diese russischen Abenteurer inoffiziell tun, wann immer es ihnen gefällt?«

»Nein, Sir. Ich weise lediglich darauf hin, dass jeder russische Offizier, der seine Grenzen in Asien überschreitet, das gegen ausdrücklichen Befehl tut und nicht als Auftakt zu einem Krieg. Vereinzelte Übergriffe gehören ebenso wenig zu der russischen Außenpolitik wie die Verteidigung Indiens durch Sir Charles zu unserer.«

Sir John hob die Hände. »Es kommt nicht darauf an, was Sie und ich denken, Wilfred«, sagte er betrübt. »Algy Durand, der Oberbefehlshaber, der Außenminister und Whitehall denken anders, und das, mein Freund, ist die Realität.« Sein Ton wurde etwas härter. »Sie sollten nicht vergessen, Wilfred, dass die Nachrichtenabteilung noch immer sehr jung ist und sich sozusagen in der Erprobungsphase befindet. Unser Etat bleibt ein umstrittenes Thema. Ich bin sicher, dass ich Sie daran nicht erinnern muss ...«

»Ich bitte um Entschuldigung, Sir«, Nigel Worth war nach kurzem Klopfen eingetreten und hielt ein Telegramm in der Hand. »Das ist gerade eben von Mr. Crankshaw eingetroffen.«

Der Generalquartiermeister und Hethrington hoben gleichzeitig die Köpfe. »Was meldet er?«, fragten sie besorgt.

»Mr. Crankshaw teilt uns mit, dass Geoffrey Charlton nach seiner Rückkehr von Yarkand und Leh in Srinagar eingetroffen ist.«

Sir John legte die Hand an die Stirn. »Das hat uns heute gerade noch gefehlt!«, murmelte er bitter.

Hethrington hatte noch nicht einmal die Kraft zu nicken.

*

»Wenn Sie mich nach Merw fragen ...«, sagte Geoffrey Charlton und runzelte die Stirn. »Ich glaube, Sie wären von dem heutigen Zustand mehr als enttäuscht.«

»Wirklich?« Emma beugte sich vor, um ihn besser verstehen zu können. »Und die drei historischen Städte? Von den alten Kulturen muss doch noch etwas zu sehen sein!«

»Nur Ruinen, etwa zehn Meilen von der neuen Stadt entfernt. Das Gebiet erstreckt sich bis zum Horizont, und es gibt kaum eine Stelle, wo man nicht halb vergrabene und vergessene Überreste findet.« Er machte eine Pause und ließ sich von Hakumat einen Teller mit in Scheiben geschnittenem Pfirsich und Sahne reichen. »Als die Eisenbahn gebaut wurde, bekam die Stadt vorübergehend eine gewisse Bedeutung, aber jetzt sind fast alle Händler weitergezogen. Die neue Stadt besteht aus einem Gewirr von Hütten, einem verzweigten Fluss, ein paar Holzhäusern und einem oder zwei öffentlichen Gärten.«

»Und was ist mit Koushid Khans Festung und Giaour Kala? Es sind die ältesten Städte, die auf Alexander den Großen, Zarathustra und die Mazedonier zurückgehen.«

»Alles zerfällt! Innerhalb der alten Mauern wohnen in neuen Gebäuden russische Offiziere. Außerdem befinden sich dort der Sitz des Provinzgouverneurs, eine kleine Militärgarnison, ein Park und eine Kirche.«

»Was für ein trauriges Ende für etwas, das die Reisenden einmal zum Schwärmen gebracht hat!«, rief Emma bestürzt. »Sagen Sie, Mr. Charlton, erheben die Einheimischen keinen Protest gegen die bewusste Vernachlässigung ihrer historischen Stätten und der legendären Helden?«

Charlton lächelte. »Wie ich sehe, sind Sie eine Romantikerin, Mrs. Granville.«

»Eine Romantikerin? Jeder, der sich mit Geschichte befasst, wird den barbarischen Niedergang bedauern. Sie etwa nicht, Mr. Charlton?«

Charlton zuckte mit den Schultern. »Es kommt darauf an, wie man seine Prioritäten setzt. Als Journalist bin ich in erster Linie Realist. Mich beschäftigt weniger die unveränderliche Vergangenheit, sondern die sich sehr schnell verändernde Gegenwart. Und ich mache mir große Sorgen darüber, mit wie viel Erfolg es Russland gelingt, die Zukunft in seinem Sinn zu gestalten.«

»Sie behaupten, die Zerstörung habe etwas mit Erfolg zu tun?«

»Zerstörung?« Er lachte. »Im Gegenteil, Mrs. Granville. Die Oasen sind heute ertragreicher als jemals zuvor.« Er schob die Tasse beiseite und betupfte sich den Mund mit der Serviette. »Deshalb erheben die Einheimischen keinen Einspruch. Für sie gibt es nur einen Helden, und das ist General Kaufman, der erste russische Generalgouverneur. An Tamerlan und an Alexander den Großen wird sich der eine oder andere vielleicht noch unbestimmt erinnern, aber niemand hat noch Zeit, sich um die Antike zu kümmern.« Er stand auf, reckte sich und blickte gedankenverloren auf die fernen Berge und in die helle Sonne. »Die Russen mögen skrupellos und eroberungssüchtig sein, Mrs. Granville, aber leider sind sie gute Kolonialherren.«

»Sie meinen im Gegensatz zu den Engländern?«

»Im Gegensatz zu allen anderen Kolonialherren.« Er blickte sie an und lächelte belustigt. »St. Petersburg hat Leute zur Wiederbelebung der Oasen geschickt, lange bevor Merw annektiert wurde. Es ist eine von der Natur begünstigte Gegend. Sie ist durch die sechzig Millionen Bäume, die die Russen gepflanzt haben, noch fruchtbarer geworden. Vernachlässigte Bewässerungsgräben wurden neu ausgehoben, wissenschaftliche Bewässerungsmethoden eingeführt und der Saltun-Bend-Damm am Murghab wieder instand gesetzt. Die Baumwollproduktion in der Provinz Ferghana hat sich in den vergangenen fünf Jahren um das Fünfundzwanzigfache gesteigert, und das einheimische Handwerk steht in voller Blüte. Die turkmenischen Teppiche zum Beispiel werden in Europa für dreißigtausend Pfund verkauft. Wie Sie sehen, Mrs. Granville, blüht Merw unter den Russen auf, der Handel nimmt zu, und den Menschen geht es gut. Warum sollten sie sich Gedanken um die tote Geschichte machen, wenn sie in der lebendigen Gegenwart so große Gewinne erwirtschaften können?«

Emma war von seinem Sarkasmus enttäuscht. Das schien überhaupt nicht zu ihm zu passen. »Sie finden, materieller Reichtum rechtfertigt die Vernachlässigung des antiken Erbes?«

»Ich rechtfertige nichts, Mrs. Granville. Ich berichte Ihnen nur von den Realitäten, wie sie sich heute darbieten. Die Russen sind nicht daran interessiert, die Geschichte zu bewahren. Sie wollen Geschichte machen. Die Ausgrabungen, die man in Angriff genommen hat, waren halbherzige Versuche und zum Scheitern verurteilt.«

»Aber warum erlauben sie nicht Ausländern, die Ausgrabungen in Angriff zu nehmen? Viele Wissenschaftler würden die Möglichkeiten nutzen!«

»Der Handel in Merw bringt jährlich geschätzt fünf Millionen Rubel, Mrs. Granville. Das alles gelangt in den persönlichen Besitz des Zaren. Die Russen werden keine Aktivitäten zulassen, die möglicherweise die Aufmerksamkeit der Menschen von ihren täglichen Pflichten ablenken.«

»Aber das ist doch reine Ausbeutung!«

»Die Menschen dort sehen das nicht so. Sie wissen, weil Merw den Reichtum des Zaren vergrößert, floriert die Wirtschaft, und das wiederum garantiert ihren eigenen Reichtum.«

Emma runzelte die Stirn. Dieser Logik vermochte sie nicht zu folgen. »Soll das heißen, Sie billigen die russische Kolonisierung?«

»Nein, im Gegenteil. Sie beunruhigt mich zutiefst, weil sie so erfolgreich ist. Der Reichtum russischer Prägung beginnt bereits vielen Einheimischen von Britisch-Indien, besonders in den Grenzstaaten, zu gefallen.« Sein Blick folgte einem riesigen rotgelben Schmetterling, der auf der Suche nach einer geeigneten Blüte über den Tisch schwebte. »Sie vergessen, dass der Mensch zwar nicht allein vom Brot lebt, dass aber demjenigen, dem man das tägliche Brot auf dem Tisch verdankt, schließlich auch die Seele gehört.«

»Gilt das nicht für alle Kolonialherren?«, fragte Emma. »Auf die eine oder andere Weise spielen sie alle Mephistopheles.«

»Aber, verstehen Sie, die Russen beherrschen diese Rolle noch besser. Zum Beispiel machen sie …« Er brach mitten im Satz ab. »Wie ist es uns eigentlich gelungen, das Gespräch in diese Richtung zu lenken, obwohl wir doch über die alten Städte von Merw gesprochen haben?«

Emma lachte. »Das habe ich mich auch schon gefragt!«

Er zeigte sofort große Reue. »Das lag eindeutig an mir, und ich bitte um Entschuldigung. Es wäre eine unverzeihliche Sünde, einen so vollkommenen Nachmittag mit einer hoffnungslosen politischen Diskussion zu ruinieren. Also«, er setzte sich wieder und sah Emma freundlich an. »Was haben Sie mich über Buchara gefragt?«

Emma war erleichtert, denn sie interessierte sich keineswegs für Politik oder die russischen Methoden der Kolonisation. Das ehemalige Khanat Buchara, dessen Architektur nachhaltig von indischen Baumeistern beeinflusst worden war, verdankte seinen Namen dem Wort *Vihara*, das im Sanskrit so viel wie »Kollegium weiser Männer« bedeutet. Emma wollte lediglich wissen, ob auch heute noch etwas von der Weisheit dort zu spüren sei. Sie freute sich, dass sich das Gespräch wieder auf erfreulicheren und weniger kontroversen Bahnen bewegte, und wiederholte die Frage.

Es war in der Tat ein vollkommener Nachmittag. Die Luft war kühl und samtig. Die Bienen summten und der frische Frühlingswind trug den schweren süßen Duft der reifen Früchte zu ihnen. Wie besprochen, war Charlton, leger gekleidet und ohne Hut, pünktlich um drei auf Shalimar eingetroffen. Er schien sich aufrichtig über die Einladung zu freuen und brachte eine Reihe Bücher über Zentralasien mit, die, wie er glaubte, für Emma von Interesse sein würden. Auf dem Teetisch lag eine blütenweiße Damasttischdecke. Das Teeservice aus hauchdünnem Porzellan wurde ergänzt von schwerem Silberbesteck, und kunstvolle Spitzenhauben schützten die Speisen vor den Insekten. Hakumat und Sharifa hatten das Decken des Teetischs für den Gast persönlich überwacht. Doch bevor sich Emma mit Charlton auf die Terrasse setzte, zeigte sie ihrem Besucher das Gut. Seine Begeisterung für alles, was er zu sehen bekam, hatte beinahe etwas Jungenhaftes. Er lobte Damien in den höchsten Tönen und machte kein Geheimnis daraus, wie sehr er von Shalimar beeindruckt war. Diskret und mit – wie immer – unbewegter Miene folgte ihnen Suraj Singh.

Damien war noch nicht wieder zurück. Emma fand das unverzeihlich und hatte sich bereits verärgert geschworen, Charlton noch einmal zum Tee einzuladen.

Die Politik war vergessen. Sie sprachen jetzt über Buchara, Samarkand und den magischen Fluss Oxus, der im ewigen Gletschereis des Pamirgebirges entsprang und seine geflüsterten Geheimnisse seit einer Million Jahren bis zum Aralsee trug. Im Laufe des Gesprächs erfuhr Emma auch etwas über das Leben von Charlton. Bemerkungen über seine Familie und seine Ausbildung entnahm sie, dass er aus einer Bergwerksstadt in Yorkshire stammte und durch ein Stipendium die höhere Schule und später die Universität in Manchester hatte besuchen können. Seine ausführliche Artikelserie im *Sentinel* hatte ihm großen Erfolg beschert, aber das änderte nichts an seiner Bescheidenheit, die er auch im Rathaus von Delhi unter Beweis gestellt hatte. Während Emma zuhörte, wie er ihre Fragen sehr präzise beantwortete, staunte sie von neuem über seine Redegewandtheit. Er sprach mit angenehmer Stimme, musste selten nach den richtigen Worten suchen und wurde nie ungebührlich laut.

Schließlich stand er auf, ging zu einem Pfirsichbaum und sah sie fragend an. Emma lächelte und nickte. Er sprang hoch und pflückte sich einen Pfirsich, rieb ihn an seinem Hemd sauber und biss in die saftige, süße Frucht. »Als Mogul Akbar auf dem Sterbebett nach seinem letzten Wunsch gefragt wurde, sagte er nur Kaschmir.«

»Demnach gefällt Ihnen das Leben hier ebenfalls«, sagte Emma.

Er aß den Pfirsich mit großem Genuss und warf den Kern ins Gras. Als er seine klebrigen Hände ansah, eilte Hakumat mit einem Wasserkrug, Seife und einer frischen Serviette herbei.

»Ja, das Tal gefällt mir.« Er wusch sich die Hände und trocknete sorgfältig jeden Finger einzeln ab. »Es hat für Zentralasien eine sehr geeignete Lage. In dieser paradiesischen Ruhe kann man ohne Störung schreiben, und Walter Stewart, der Resident, ist so freundlich, mir zu erlauben, den Telegrafen zu benutzen, sodass ich ohne große Mühe London verständigen kann.« Er hob das Gesicht und blickte in Richtung der Berge, dann holte er tief Luft.

Emma lächelte über seine Ungezwungenheit und die aufrichtige Freude über alles, was ihn umgab. Ja, er hatte eindeutig ein charmantes und unverdorbenes Wesen. Sie bedeutete Hakumat, frischen Tee zu bringen.

»Wie ich bereits erwähnt habe«, sagte Charlton, »hatte ich die Ehre, einmal Ihrem Vater zu begegnen. Er hat großen Eindruck auf mich gemacht, sowohl als Mensch als auch als Gelehrter. Ich hätte ihn gerne besser kennen gelernt. Er suchte damals die alten Klöster entlang der Handelswege, auf denen auch die buddhistischen Pilger reisten.«

»Ja.« Emma seufzte. »Er war sein Leben lang besessen von den geheimen Klöstern, die im Gebirge entlang der Seidenstraße versteckt lagen. Im Tien Shan hatte er eines entdeckt. Die Chinesen nennen das Tien Shan die himmlischen Berge. In den Magarhöhlen fand er die älteste und umfangreichste buddhistische Sammlung von Wandbildern und Schriften der Welt. Er liebte die Hochgebirgswiesen im Tien Shan und erzählte immer, dass die Wiesenblumen dort in allen erdenklichen Farben blühen. Er sagte, es sei unmöglich, einen Schritt zu machen, ohne auf Blumen zu treten.«

Sie sprachen eine Weile über das Leben von Graham Wyncliffe, von seiner Leidenschaft für die Geheimnisse des uralten Wissens, und plötzlich stellte Emma zu ihrer Überraschung fest, dass sie sogar von seinem Tod erzählte. Angesichts der schmerzlichen Erinnerung erstaunte es sie, dass sie mit jemandem darüber reden konnte, den sie kaum kannte. Aber Geoffrey Charlton hatte etwas Natürliches, Tröstliches und ungeheuer Mitfühlendes an sich. Als guter Journalist war er aus Gewohnheit ein schmeichelhafter Zuhörer, und es fiel ihr unglaublich leicht, mit ihm zu reden. Emma befreite sich dadurch von ihren seelischen Lasten und fühlte sich getröstet.

»Es schien so unglaublich grausam«, sagte sie und versuchte, den Schmerz nicht in ihrer Stimme anklingen zu lassen, »dass wir nicht einmal den kleinen Trost hatten, Blumen auf sein Grab zu legen ..., wenn es überhaupt ein Grab gibt, da niemand weiß, wo genau er gestorben ist. Mein Vater verteidigte seine Unabhängigkeit energisch und ging oft allein auf Erkundungen. Seine Mannschaft hatte Verständnis für sein Bedürfnis, allein zu sein. Manchmal erschien er tagelang nicht im Lager, und niemand machte sich deshalb besondere Sorgen. Aber das eine Mal kehrte er leider nicht wieder zurück.«

»Aber wie ...?« Charlton zögerte, sah sie besorgt an und legte flüchtig seine Hand auf ihre Finger. »Bitte sagen Sie mir, wenn ich die Grenzen überschreite, Mrs. Granville. Ich möchte Ihnen auf keinen Fall mit meinen ungeschickten Fragen noch mehr Kummer bereiten.«

Emma schüttelte den Kopf. In ihren Augen standen keine Tränen. »Vielleicht ist es gut, wenn ich darüber rede. Es tut so weh, das alles in mir festzuhalten. Außerdem ist die Geschichte inzwischen allgemein bekannt.« Sie lehnte den Kopf an die Stuhllehne und blickte in den rosaroten Himmel. »Viele Wochen später, als seine Expedition bereits zurückgekehrt war, teilte uns der Gouverneur von Delhi mit, dass Nomaden seinen Leichnam im Gebirge gefunden hatten. Sie entschlossen sich, ihn zu begraben, obwohl wir nicht genau wissen, wo. Wir hatten bis dahin die Hoffnung nicht aufgegeben und um ein Wunder gebetet, aber es sollte nicht sein.«

Er sah ihre große Trauer, die sie nicht verbergen konnte. Deshalb stand er auf und schlenderte durch den Obstgarten, um ihr Zeit zu geben, sich zu fassen. Als er sich schließlich wieder an den Tisch setzte, nahm er das Thema nicht noch einmal auf, sondern fragte stattdessen: »Wie ich höre, ist Mr. Granville in Leh.«

Emma löste sich von der Vergangenheit und nickte. »Ja, ich erwarte seine Rückkehr jeden Tag.«

»Ihr Mann ist äußerst klug, Mrs. Granville.«

War das ein Kompliment? Sie wusste es nicht so genau.

»Man hat mir gesagt, er kennt beinahe jede Pflanze mit Namen, jedes Tier und jeden Vogel in Kaschmir, und die Berge sind ihm so vertraut wie sein Zuhause. Außerdem spricht er fließend mehrere Sprachen.«

»Er ist in Kaschmir aufgewachsen. Er spricht Urdu ebenso perfekt wie Kushar und Dogri.« Beinahe hätte sie hinzugefügt: So hat man mir gesagt, aber sie unterließ es.

»Er sprich natürlich auch Russisch.«

Emma bückte sich gerade, um ihre Serviette aufzuheben, und musste deshalb nicht sofort antworten. Überrascht dachte sie an das russische Buch, das sie in Damiens Bücherschrank gesehen hatte. Als sie sich schließlich aufrichtete, hatte sie ihre Fassung wiedergefunden.

»Natürlich«, sagte sie lächelnd. »Auch Russisch.«

»Übrigens habe ich Ihren Mann im Jachtklub von St. Petersburg kennen gelernt, Mrs. Granville.« Er hob behutsam einen Marienkäfer von seinem Knie und setzte ihn auf seinen Handrücken.

»Er war vermutlich auf einer Geschäftsreise, denn Kaschmirtücher werden auch in Russland sehr geschätzt.«

»Ja, vermutlich.«

Emma verstand nicht genau, worauf er hinauswollte und welche Antwort er von ihr erwartete, und schwieg. Eine Weile beobachtete Charlton aufmerksam, wie der Marienkäfer langsam auf dem Ärmel seiner Jacke immer höher krabbelte. Schließlich senkte er den Kopf und blies ihn davon. Er zog die Uhr aus der Tasche, warf einen Blick darauf und sprang erschrocken auf. »Du meine Güte! Ich hatte keine Ahnung, dass es schon so spät ist. Ich hoffe, ich habe meinen Besuch nicht zu lange ausgedehnt.«

Emma versicherte ihm, das Gegenteil sei der Fall. Sie bedauerte, dass er nicht noch länger bleiben würde.

Aber die Dämmerung brach wie immer in den Tropen schnell herein. Der Nachmittag hatte ihr sehr gefallen und die Stunden waren unbemerkt verstrichen. Obwohl dies erst ihre zweite Begegnung war, fühlte sie sich in seiner Gesellschaft sehr wohl. Er war ungewöhnlich gut belesen und besaß einen amüsanten Zynismus, der unterhaltsam war, wenn man sich daran gewöhnt hatte. Emma stellte erleichtert fest, dass sie nicht über Chloe Hathaway gesprochen hatten.

Als ihr bewusst wurde, dass Charlton sie mit großem Interesse ansah, wurde sie rot. »Es hat mich sehr gefreut, dass Sie sich die Mühe gemacht haben, den weiten Weg hierher zu kommen, nur um meine Neugier zu befriedigen, Mr. Charlton. Ich hoffe, ich habe Sie mit meinen Fragen nicht gelangweilt.«

»Im Gegenteil, Mrs. Granville. Wie ich bereits gestanden habe, ist es für mich das größte Vergnügen, als Redner vor einem atemlosen Publikum zu stehen – und als Zuhörerin sind Sie unübertroffen.«

Emma lächelte. Seine ironische Selbstverleugnung war typisch für ihn. »Wenn mein Mann wieder da ist, müssen Sie uns zum Essen besuchen«, sagte sie mutig.

Er reagierte nicht, sondern sah sie nur ernst und beunruhigt an, ohne den Blick von ihrem Gesicht zu wenden. »Es wäre mir eine große Ehre, Mrs. Granville«, sagte er dann plötzlich, »wenn Sie mir erlauben würden, eine Bitte zu äußern.«

»Du meine Güte, warum so ernst, Mr. Charlton?«, rief sie lachend.

»Wenn ich daran denke, wie lange ich darauf gewartet habe, Sie kennen zu lernen, um mich mit Ihnen unterhalten zu können, dann bin ich nur zu gern bereit, Ihnen beinahe jede Bitte zu erfüllen.«

»Dann bitte ich Sie um die Ehre, Ihr Freund sein zu dürfen.« Er blieb noch immer ernst und fügte ohne Lächeln hinzu: »Es könnte sein, dass Sie in naher Zukunft vielleicht einen Freund brauchen.«

Elftes Kapitel

Oberst Borokow ging gemächlich durch die schöne, breite Allee in Taschkent, die in Romanoff-Straße umbenannt worden war. Hohe Akazien, Pappeln und Weiden säumten nach dem Willen der russischen Kolonialherren seit vielen Jahren in geometrischen Viererreihen die breite Straße. Diese anschauliche Demonstration von Ordnung und dauerhafter militärischer Präsenz erfüllte den Oberst mit Stolz. Borokow hielt viel von Geometrie. Ebenso schätzte er das Kriegsrecht und das Gefühl von Disziplin, das mit dem Zarentum gekommen war und Taschkent zur Hauptstadt von Russlands asiatischem Reich gemacht hatte. Der Militärherrschaft war es mittlerweile wirkungsvoll gelungen, die »Stadt aus Stein« zu modernisieren. Und sie hatte seinen Bewohnern Zivilisation und einen Anflug von europäischer Verfeinerung gebracht. Taschkent ließ sich der Größe nach mit Paris vergleichen, besaß allerdings weniger als ein Zehntel der Bewohner – und weniger als ein Hundertstel der Bewohner, wenn man die hunderttausend Einheimischen nicht mitrechnete – und war das Zentrum des russischen Asienhandels.

Als er am Paradeplatz und der Kaserne vorbeiging, salutierte eine geordnete Formation Soldaten. Borokow legte seinem hohen Rang entsprechend lässig den Finger an die Mütze. Obwohl er Ordnung und Disziplin billigte, hielt er Taschkent für eine freudlose Stadt. Der Militärklub mit den einfallslosen Bällen und Buffets ödete ihn an, und die Offiziere, die dort verkehrten, langweilten ihn noch mehr. Seiner Meinung nach waren die zwanzigtausend hier stationierten Männer in der Mehrzahl geistig zurückgeblieben und eines kameradschaftlichen Umgangs nicht würdig. Den Einheimischen aller erdenklichen Rassen, Hautfarben und Volkszugehörigkeiten in Taschkent brachte er die gleiche Geringschätzung entgegen. Er hatte unter ihnen nicht einen Einzigen getroffen, den er gerne an seinem Tisch sehen würde. In dieser Stadt fehlte es an individueller Lebensfreude, intellektueller Reibung und gesellschaftlicher Kultiviertheit. Die Ironie war für ihn nicht zu übersehen. Das Kriegsgesetz hatte bedauerlicherweise die lebendigen Seiten des städtischen Lebens zerstört, denen zum Beispiel St. Petersburg seine prickelnde Atmosphäre verdankte. Borokow bedauerte es sehr, dass in Taschkent die Klasse gebildeter, kultivierter und wohlhabender Einheimischer fehlte, die man in den Städten des britisch-indischen Reichs fand.

Deshalb wollte Borokow nach St. Petersburg zurückkehren. Ihm fehlten die Fröhlichkeit und der Glanz des Nachtlebens, die Soireen und Bankette, der exklusive Jachtklub, wo die weltläufige russische Elite wahre Eleganz und Lebensstil zur Schau trug. Er konnte es nicht leugnen, er vermisste auch das Privileg der Mittagessen im Palast des Zaren. Solche Glanzpunkte verdankte er gelegentlich Alexej Smirnow. Trotz aller Vorbehalte gegen Alexej musste Borokow einräumen, dass sein Gönner ein wirklicher Aristokrat war. Als Sohn einer reichen Familie besaß Alexej die gesellschaftliche Selbstsicherheit, die Privilegien mit sich bringen. Darum beneidete ihn Borokow, der immer ein Außenseiter der Adelsgesellschaft sein würde.

Mit einem tiefen Seufzer schob er die Erinnerungen an St. Petersburg beiseite. Das Leben, das er eigentlich anstrebte, musste noch eine Weile warten. Borokow arbeitete ehrgeizig daran, einen Plan zu erstellen, um die Hunza-Mission erfolgreich zu Ende zu bringen. Niemand ahnte etwas davon, aber Borokow glaubte fest daran, dass ihm mit dem Jasminapass der große Wurf gelingen würde, sein Leben grundsätzlich zu ändern. Dann würde er auf seine Weise mit allen abrechnen, die ihn sein Leben lang in demütigender Abhängigkeit gehalten hatten.

Seine Taschenuhr verriet, dass ihm bis zu dem Gespräch mit dem Baron noch etwas Zeit blieb. Borokow spazierte deshalb durch einen kleinen Park, von denen es in Taschkent viele gab, und setzte sich schließlich auf eine Bank.

Der Baron war zwar ein aufgeblasener Hohlkopf, bei dem sich alles nur um seine Tiere und seine Volieren drehte, doch er achtete peinlich genau auf Pünktlichkeit und hasste es, wenn jemand zu spät kam, aber auch wenn man zu früh erschien. Borokow konnte sich hundertprozentig auf Iwana, seine Haushälterin, verlassen. Sie sorgte dafür, dass er sich niemals verspätete. Manchmal jedoch ärgerte er sich über ihre unfehlbare Tüchtigkeit. Anstatt im Park zu sitzen und Däumchen zu drehen, hätte er eine halbe Stunde länger in seinem Büro verbringen und den Bericht für St. Petersburg vervollständigen können.

Während er geistesabwesend einem Jungen zusah, der mit einem Hund spielte, dachte er an seine geheimen Gespräche mit Alexej Smirnow. Alexej hatte den Versuch, sich ohne offizielle Genehmigung ein paar der neuen Schnellfeuergewehre zu beschaffen, für gefährlich gehalten. Doch Borokow konnte sich nicht vorstellen, wie Safdar Ali davon überzeugt werden sollte, veraltete Waffen zu akzeptieren. Das Problem würde natürlich der Zeitpunkt der Übergabe sein. Safdar Ali würde sie nicht eher zum Jasminapass führen, bis die Gewehre nicht wieder zusammengebaut und ausprobiert worden waren. Sie dagegen würden es natürlich auf jeden Fall ablehnen, die Waffen zusammenzubauen, bevor sie nicht Zugang zum Jasminapass hatten. Aber woher wussten sie, dass der verräterische Mir sie nicht umlegen würde, sobald sie auf dem Pass standen? Borokow seufzte noch einmal. Bis zu Smirnows Ankunft blieb die ganze Sache in der Schwebe. Der Oberst hatte keine Ahnung, ob alles sich schließlich so fügen konnte, wie er sich das wünschte, oder ob ihn das Unternehmen den Kopf kosten würde. Um seine Frustration abzuschütteln, sprang er auf und ging mit schnellen Schritten in Richtung Palast, ohne noch einmal einen Blick auf seine Uhr zu werfen.

Der Amtssitz des Generalgouverneurs von Russisch-Turkestan war genau genommen nichts Besonderes. Es war ein hässliches Gebäude. Der trostlose Eindruck wurde zum Teil durch den großen Park hinter dem Palast aufgewogen. Die sehr gepflegte Anlage zog sich an einem künstlich angelegten Bach mit einem Wasserfall entlang. Die vielen blühenden Sträucher und die riesigen gepflegten Rasenflächen boten einen herrschaftlichen Anblick. Seit der Baron dort residierte, waren jedoch die großen Volieren und Gehege, in denen seine seltenen Tiere und Vögel untergebracht waren, eine ganz besondere Zierde. Auf der einen Seite befand sich ein Bärenzwinger. Die Bären hatten es sich leider zur Gewohnheit gemacht, ihre Pfleger aufzufressen, und waren deshalb getötet worden. Inzwischen lebte dort ein vor kurzem angeliefertes Paar weniger gefährlicher Silberfüchse.

Da der Baron meist viele Stunden des Tages inmitten seiner Menagerie im Park verbrachte, empfing er auch heute Oberst Borokow dort. »Sie sind pünktlich, Oberst, wie ich sehe.« Der Baron nickte zufrieden. Er bahnte sich einen Weg durch die Meute seiner Hunde aller erdenklichen Größen, Rassen und Farben und setzte den Falken von seiner behandschuhten rechten Hand auf die linke. »Ich mag Männer, die auf die Zeit achten, Oberst! Bis zur nächsten Fütterung bleibt zwar noch eine Stunde, aber seien Sie so freundlich und fassen Sie sich kurz.«

Er verlor das Interesse an seinem Besucher und richtete seine Aufmerksamkeit wieder auf einen Käfig mit seltenen Rebhühnern aus den Chimganbergen. Borokow betrachtete gelangweilt einen Oxusfasan, der ihn mit kreisrunden Augen anstarrte und nicht mit der Wimper zuckte.

Der Baron war ein kleiner dicker Mann mit einem Monokel, Hängebacken und weit nach unten gezogenen Mundwinkeln. Er erinnerte irgendwie an einen seiner scheinbar tieftraurigen Spaniels. Die Ähnlichkeit wurde im Augenblick noch dadurch verstärkt, weil er wirklich Anlass zu Trauer hatte. Seine geliebte Golddrossel war tot. Schließlich nahm der Baron wieder Notiz von Borokow. »Also, Oberst, fangen Sie an! Was führt Sie hierher?«

»Sie haben mir befohlen, mich bei Ihnen zu melden, sobald ich aus St. Petersburg zurück bin.«

»Ach so, ja. Hm ... Wie ist alles gelaufen?«

»So gut, wie man es nur erwarten konnte, Exzellenz.« Es war sinnlos, dem Baron Einzelheiten der Gespräche mit Alexej zu berichten. Der alte Schwachkopf würde sich ohnedies nur an jedes zehnte Wort erinnern. »Die Waffen sind ausgesucht, aufgelistet und werden im Augenblick auseinander genommen.«

»Waffen?«

Borokow seufzte innerlich. »Für Hunza, Exzellenz.«

»Ah!« Der Baron hielt den Zeigefinger hoch, um zu unterstreichen, dass er verstanden hatte. »Natürlich. Aber weshalb werden sie auseinander genommen?«

»Wir könnten sie nicht einfach über das Gebirge transportieren, ohne eine gefährliche Reaktion der Engländer hervorzurufen, Exzellenz. Die in einzelne Teile zerlegten Waffen lassen sich besser tarnen.«

»Ich verstehe. Aber ich hoffe, es sind keine von diesen neuen Gewehren dabei.«

»Nein, Exzellenz. General Smirnow bezweifelt, dass sie genehmigt werden.«

»Dem stimme ich zu. Also, wann beginnt die Lieferung?«

»Später in diesem Sommer, Exzellenz. Zu diesem Zeitpunkt werden Eure Exzellenz bedauerlicherweise Taschkent bereits verlassen haben.«

Die Sorgenfalten auf der Stirn des Barons verschwanden, und er lächelte glücklich. »Schade«, murmelte er und versuchte, aufrichtiges Bedauern zur Schau zu tragen. »Schade. Ich hätte es gerne gesehen, wenn unsere Verpflichtungen noch vor meiner Abreise erfüllt gewesen wären. Wie, sagten Sie doch vorhin, hieß der Mann in Hunza?«

»Safdar Ali, Exzellenz.« Borokow versuchte, einen großen Rüden unbestimmbarer Rasse abzuschütteln, der sein rechtes Bein in dem Glauben umklammerte, es sei eine willige Hündin.

»Will er nicht auch Geld von uns?«

»Jawohl, Exzellenz. St. Petersburg wird es jedoch erst dann schicken, wenn der Handel zu unserer Zufriedenheit abgeschlossen ist.«

»Handel?« Der Baron sah ihn verständnislos an. Dann verzog er das Gesicht und setzte schnell den Falken zurück auf die Stange. Er bückte sich und rieb den Handschuh über das feuchte Gras, um die Kotspuren des Vogels abzuwischen. »Hm …, helfen Sie meiner Erinnerung ein wenig nach …«

»Sehr wohl, Exzellenz. Als Gegenleistung für die Waffen und die Hilfsgelder haben wir den Zugang zum Jasminapass gefordert.«

»Zum Jasminapass!«

Das Gesicht des Barons hellte sich plötzlich auf. »Ach ja, jetzt erinnere ich mich.« Sein Blick richtete sich auf das Gehege, in dem die Schraubenhornziege aus Kaschmir graste. Wieder einmal stellte er sich voller Stolz vor, wie die Hörner tatsächlich einmal drei Windungen haben würden. Als sich jedoch die Erinnerung an das überraschende Geschenk und damit an die ganze vertrackte Geschichte einstellte, sanken seine Mundwinkel missmutig nach unten. Er hoffte noch immer, dass der verwünschte Darde vor seiner Abreise mit den Goldadlerküken erscheinen würde, doch der andere Mann schien im großen Taschkent verschwunden zu sein. Aber der Baron machte sich nicht wirklich Sorgen, denn einer der beiden würde wegen der Frau schließlich zurückkommen *müssen* – oder vielleicht doch nicht?

Er holte tief Luft, um das Unvermeidliche zur Sprache zu bringen. »Während Sie weg waren, Borokow, haben die Dinge eine recht eigenartige Entwicklung genommen«, begann er nervös. »Lassen Sie uns deshalb ins Herrenzimmer gehen, wo wir ungestört miteinander reden können.«

Borokow folgte ihm und versetzte dem liebestollen Hund beiläufig einen heftigen Tritt in den Bauch, womit er die Liebesglut wirkungsvoll löschte. Der Rest der Hundebrigade folgte ihnen hechelnd, schnappend und fröhlich kläffend dicht auf den Fersen ins Haus.

Das Heiligtum des Barons war ein gemütlicher Raum, den nicht einmal die Baronin ohne seine Erlaubnis betrat. Die Kassetten der Täfelung und die Kranzleisten hatte ein einheimischer Künstler bemalt, und die Diwane waren mit einem roten, speziell in Buchara gewebten Samt bezogen. Das Zimmer lag neben dem offiziellen Empfangszimmer des Barons. Dort hingen an der Wand hinter einem Thronsessel riesige Ölporträts des letzten und des gegenwärtigen Zarenpaares. Obwohl es ein angenehm warmer Spätnachmittag war, brannte im offenen Kamin ein Feuer. Die Hunde rannten sofort dorthin, breiteten sich in einem unordentlichen Knäuel vor dem Kamin aus und balgten sich lärmend um die besten Plätze.

»Eine eigenartige Entwicklung, Exzellenz?« Borokow konnte diese Frage erst stellen, als sie vor zwei Gläsern Slivowitz und Schalen mit gerösteten Mandeln saßen und die Hunde zum Schweigen gebracht worden waren.

»Ja, sehr eigenartig.«

»Eigenartig zu unseren Gunsten, Exzellenz?«

»Eigenartig, weil ich das nicht weiß. Und ich bin auch nicht sicher, wie Sie das Ganze beurteilen werden.« Der Baron wurde zunehmend unruhiger und beschäftigte sich äußerst konzentriert mit einer Zigarre. »Ich hatte Besuch von zwei Männern, die behauptet haben, Darden zu sein. Sie haben einen höchst erstaunlichen Vorschlag gemacht.«

Borokow sank das Herz. Was hatte der Schwachkopf jetzt schon wieder angestellt? In welche schreckliche Lage hatte er sie gebracht?

Es war unerträglich warm. Er stand auf, öffnete das große Fenster, löste den Halsbund seiner Uniform ein wenig und füllte seine Lunge mit der kühlen Luft. Erfrischt ging er zurück und setzte sich wieder.

Vor dem offenen Fenster, direkt unter dem überstehenden Sims, kauerte ein Gärtner, der Kasache, im Gras und beschnitt die Rosen. Borokow hatte ihn nicht gesehen.

Der Baron kniff die Augen zusammen und starrte ins Feuer. »Sagen Sie mir, Borokow, wie würden Sie reagieren, wenn Ihnen jemand einen jungen Schraubenhornziegenbock, außerdem junge, noch nicht flügge Goldadler und … ein wundersames Geschenk des Himmels auf einem Teller präsentieren sollte?«

»Ich wäre sofort misstrauisch, Exzellenz.«

»Richtig.« Der Baron nickte unglücklich und zündete seine Zigarre an. »Und wie würden Sie reagieren, wenn Ihnen dieser Jemand all das im Tausch gegen etwas anbieten sollte, das er haben möchte?«

Borokow hatte keine Ahnung, wovon der Baron redete, und wurde ungeduldig. »Nun, dann würde ich zu dem Schluss kommen, dass, was immer *er* haben will, für ihn von beträchtlichem Wert sein muss – was sonst?«

»Genau!« Der Baron wirkte erleichtert. »Genauso sehe ich das auch, obwohl ich verdammt sein will, wenn ich das Ganze verstehe.«

»Könnte ich Ihnen dabei vielleicht behilflich sein, Exzellenz?«, fragte Borokow, der vor Ungeduld und Ärger beinahe mit den Zähnen knirschte. »Man sagt, zwei Köpfe sind immer besser als einer.«

»Nun, das hoffe ich doch sehr, Oberst! Das hoffe ich doch sehr.« Er zog heftig an seiner Zigarre. »Man hat mir detaillierte Karten vom Jasminapass angeboten, deren Echtheit verbürgt ist.«

»Ich verstehe.« Borokow entspannte sich. »Das neue Tier im Garten, wie heißt es noch? Das haben diese Männer gebracht, nicht wahr?«

Der Baron errötete verlegen. »Ein junger Schraubenhornziegenbock aus Kaschmir, Borokow, mit dreifach gedrehten …«

»Und ganz nebenbei haben diese Männer auch die Karten vom Jasminapass angeboten.«

»Nun ja, nicht ganz so …«

»Wie viel Geld haben sie für die Karten verlangt?«

»Sie wollten kein Geld. Sie verlangen eine …«

»Und diese Männer haben behauptet, sie seien Darden?«, unterbrach Borokow ihn ungeduldig.

»Ja, aber unter ihren vielen Haaren und dem Dreck sehen diese Leute für mich alle gleich aus. Einer der Männer – ich glaube der Neffe – sprach gebrochen Russisch, der andere nur Turki.«

»Und woher haben sie diese angeblichen Karten?«

»Sie haben gesagt, die Karten seien gestohlen.«

»Woher?«

»Der Neffe behauptete, Kameltreiber bei der Karawane gewesen zu sein, mit der dieser Angliski gereist ist, den man umgebracht hat ... hm, wie hieß er noch?«

»Butterfield?«

»Ja, dieser Butterfield.«

Borokow richtete sich auf. »Hat er den Namen Butterfield erwähnt?«

»Ich erinnere mich nicht. Aber er hat behauptet, er hätte die Karten nach dem Überfall aus Butterfields Tasche gestohlen.«

Borokow schwieg. Er wusste von der Ermordung des Engländers durch einen seiner gelegentlichen Informanten, einen Pferdehändler, der in der Karawanserei in Leh davon gehört hatte. Inzwischen stand es natürlich in allen englischen und russischen Zeitungen, trotz der hektischen Versuche Simlas, die Angelegenheit unter Verschluss zu halten. Wie auch immer, der Behauptung der Darden misstraute er, aber die Geschichte des Barons fand auch er, gelinde gesagt, verwirrend. »Ich frage mich«, begann er nachdenklich, »ob da eine Verbindung besteht ...«

»Verbindung? Was für eine Verbindung? Hören Sie auf, vor sich hin zu murmeln, Mann!«

Borokow setzte zu einer Erklärung an, ließ es aber sein. Es wäre in den Wind geredet, dem Baron in allen Einzelheiten zu berichten, was er zufällig in Hunza entdeckt hatte. Statt dessen fragte er. »Haben Sie die Männer laufen lassen?«

»Nur einen. Er muss das Nest bewachen und die Jungen hierher bringen, wenn sie geschlüpft sind ... und natürlich die Karten holen. Der andere ist noch in Taschkent.«

»Wo?«

Der Baron machte eine unbestimmte Handbewegung. »Irgendwo. Wen interessiert das schon, solange er in unserem Zuständigkeitsbereich bleibt.«

»Sie haben ihn nicht festnehmen lassen?«, fragte Borokow erstaunt über die grenzenlose Dummheit des Barons.

»Das war nicht nötig. Ich habe Ihnen doch gesagt, die beiden erwarten eine Gegenleistung!«

»Was immer sie wollen, sie werden nicht noch einmal auftauchen«, rief Borokow verärgert, »weder mit noch ohne jungem Adler und Karten!«

»Sie werden hier auftauchen, denn diese Männer wollen sie haben.«

»Sie? Wen?«

Der Baron hustete lange, dann stand er auf und stocherte im Feuer. Er sah Borokow nicht an. »Dem Anschein nach sind sie gekommen, um eine Frau ausfindig zu machen, die irgendwo in unserem Gebiet arbeiten soll. Wenn ihnen die Frau übergeben wird, werden sie die Adlerküken und die Karten bei mir abliefern.« Er nahm wieder Platz, hob einen kleinen, flauschigen weißen Spitz auf und setzte ihn auf seinen Schoß.

»Wer *ist* diese Frau, die sie für all diese Schätze haben wollen?«, fragte Borokow fassungslos. »Und wie kann man sie ausfindig machen?«

»Ich habe sie bereits ausfindig gemacht.«

»Wo?«

Der Baron war völlig davon in Anspruch genommen, eine Zecke von der Pfote des Hundes zu entfernen. Er riss sie los, warf sie mit einer Grimasse des Abscheus ins Feuer und setzte den Spitz wieder auf seinen Platz vor dem Kamin.

»Hier in Taschkent. Die Männer haben diese Angaben über sie zurückgelassen.« Er hielt Borokow ein Blatt Papier hin.

Borokow machte keine Anstalten, es entgegenzunehmen. »Und, Exzellenz«, sagte er sehr gereizt. »Was erwarten Sie von mir? Was soll ich dabei tun? Ich habe genug andere Dinge, die meiner Verantwortung unterliegen.«

Der Baron legte das Blatt Papier auf den Tisch. »Ich glaube, Sie sollten lesen, was hier steht, Oberst. Die Männer haben gesagt, die Frau sei eine Armenierin und trage vermutlich einen bestimmten Anhänger um den Hals.« Er sah Borokow eindringlich an. »Ich bin überzeugt, Oberst, dass die Frau, die die Männer suchen, Iwana Iwanowa, Ihre Haushälterin, ist.«

Der Gärtner vor dem Fenster sammelte sein Handwerkszeug zusammen und verließ geräuschlos sein Versteck.

*

Emma war seit mehr als acht Wochen allein. Damien war noch nicht zurückgekommen.

Nach ihrer Hochzeit, so hatte sie sich ausgerechnet, waren sie weniger als achtundvierzig Stunden zusammen gewesen. Die Zeit davor war eine Folge leerer Gesten, hohler Worte und falschen Lächelns gewesen. Ihre Ehe war die passende Fortsetzung. Sie wusste, dass man auf Shalimar wegen Damiens Abwesenheit dieses und jenes munkelte, und sie konnte dem nichts entgegensetzen. Er ließ sie praktisch sitzen, und das bewies, dass ihm nichts an ihr lag. Emma fragte sich wieder einmal, weshalb er sie überhaupt geheiratet hatte.

Es beunruhigte sie jedoch sehr, dass seine Abwesenheit sie störte. Sie hatte sich eingeredet, das Alleinsein sei eine Wohltat, und die Freiheit zu tun und zu lassen, was sie wollte, sei ein Segen. Doch nachdem sie wochenlang allein im Mittelpunkt eines großen, unbekannten Haushalts in einem fremden Land gestanden hatte, stellte sie mit Erschrecken fest, dass seine offensichtliche Gefühllosigkeit ihr nicht nur sehr nahe ging, sondern sie verletzte.

Zu all dem kam hinzu, dass sie Geoffrey Charltons Besuch zwar sehr genossen hatte, dass er sie aber auch verwirrte. Sie konnte nicht leugnen, dass er ein unterhaltsamer Erzähler, ein angenehmer Gesellschafter und ein verständnisvoller Zuhörer war. Sie erkannte, dass sie beide schon nach der kurzen Bekanntschaft ein gewisses Maß an Einfühlungsvermögen für den anderen entwickelt hatten. Trotzdem beunruhigte sie seine Bitte beim Abschied. War es selbst für einen Fremden so offensichtlich, dass sie sich einsam fühlte und dringend einen Freund brauchte?

Doch ungeachtet aller Zweifel füllte Emma ihre Tage mit selbst ersonnenen Aktivitäten. Sie befriedigte ihre natürliche Neugier und ging daran, das Personal kennen zu lernen, indem sie die Häuser und die

Familien der Leute aufsuchte. Sie stellte viele Fragen, erforschte jeden Winkel des Besitzes, nahm alles in Augenschein und versuchte, diesen wilden und schönen Ort, an den sie die Laune des Schicksals geführt hatte, in all seinen feinen Nuancen voll und ganz in sich aufzunehmen. Man sagte ihr, die Reisfelder würden nach der Ernte und dem Dreschen hervorragenden Reis für die anspruchsvollen Tafeln Indiens liefern. Sie erfuhr, dass man im nächsten Monat Safran anpflanzen und ihn im Oktober ernten würde, wenn sich die Narben der Blüten rot färbten. Zu Qadir Mians großer Belustigung nahm sie bei ihm Unterricht im Scheren und Krempeln der Wolle der langhaarigen Bergziegen, bevor sie zu Paschmina, dem feinen Tuch, gewebt wurde. Bald würde eine Hochzeit auf dem Besitz gefeiert werden. Fasziniert von den Gebräuchen und Riten einer ihr weitgehend unbekannten brahmanischen Kaschmiri-Zeremonie, machte sie sich umfangreiche Notizen in ihrem Tagebuch zur späteren Verwendung. Damit sie sich besser unterhalten konnte, bestellte sie einen schüchternen, gelehrtenhaften Sekretär aus dem Büro der Gutsverwaltung zu sich, der sie in Kaschur unterrichtete, dem besonderen Dialekt des Tals. Er basierte auf Sanskrit, war aber im Laufe der Jahrhunderte von vielen anderen Sprachen beeinflusst worden.

Bei schlechtem Wetter studierte sie Dr. Andersons Anmerkungen und arbeitete an ihrem Buch. Die buddhistischen Artefakte ihres Vaters hatten bereits ihren Platz in den Glasvitrinen des Arbeitszimmers gefunden. Seine Bücher standen geordnet in den Regalen, und an den cremeweißen Wänden hingen die kostbaren tibetischen Seidentankhas. Emma freute sich über das geräumige Arbeitszimmer und katalogisierte, etikettierte und arrangierte nach Herzenslust Dinge in den Vitrinen. Um die einsamen Stunden am Abend zu füllen, bestellte sie interessante kaschmirische Gerichte und gewöhnte sich an neue Geschmacksrichtungen. Dabei gab sie sich große Mühe, nicht nur aus der Not eine Tugend zu machen, sondern auch Nutzen daraus zu ziehen. Sie suchte in der Bibliothek im ersten Stock nach Lektüre und fand vieles, was sie fesselte. Und bevor sie abends zu Bett ging, setzte sie sich an den Schreibtisch und verfasste lange, begeisterte Briefe an ihre Mutter, an die Purcells, an Jenny und John sowie an David. Darin pries sie die Vorzüge ihres neuen Heims und ihres Ehemannes in den höchsten Tönen und erfand glaubhaft wirkende Einzelheiten, die die Empfänger vermutlich von ihr hören wollten.

Doch bei gutem Wetter verbrachte Emma viele Stunden des Tages im Dorf der Weber, deren Können und Geschick sie immer noch am meisten faszinierten.

»Begum Sahiba stellen Fragen, wie sie es immer getan hat«, sagte Qadir Mian eines Morgens bei einer Tasse kräftigen Qahwa. Der alte Mann hatte angefangen, sie mit einer Ungezwungenheit zu behandeln, die, wie Emma erkannte, ein Hinweis auf seine zunehmende Akzeptanz ihrer täglichen Anwesenheit war.

»Wie wer?«, fragte sie, während sie in einer ordentlich mit Stichworten versehenen Mappe von Entwürfen blätterte.

»Die frühere Begum Sahiba.« Er nahm eine Prise Schnupftabak, sog etwas davon in jedes Nasenloch und nieste laut und genussvoll. »Sie wollte auch immer alles wissen und alles sehen – zumindest in den Anfangsjahren.«

»Und später?«

»In späteren Jahren schien sie viele Kümmernisse zu haben.« Er schüttelte den grauen Kopf. »Sie war ebenfalls eine vornehme Dame und, wie Sie sehen können, eine sehr begabte Künstlerin.« Er wies auf das Musterbuch.

»Hat sie die Muster entworfen?«

»Diese und viele andere. Ihre Entwürfe waren so leicht und zart wie Schmetterlingsflügel und voller Farben, so wie die von unserem Chota Huzoor. Wissen Sie, sie kannte die Geheimnisse der Kaschmirkiefer, deren Muster wie Poesie gelesen werden und wie Musik klingen. Aber sie hat hauptsächlich gemalt, um ihr Leid zu lindern. Manchmal saß sie tagelang viele Stunden mit gesenktem Kopf am Zeichenbrett, und die Tränen liefen ihr über die Wangen.«

»Was war die Ursache für ihr Leid?«

Der alte Mann war in Gedanken versunken und hörte ihre Frage nicht. »Manchmal ließ sie mich in ihr Zimmer rufen, wo sie am Fenster saß und malte. Dann sprach sie von ihrer Heimat, von ihrer Familie und erzählte mir Geschichten über ihr Elternhaus und ihre Kindheit.«

»Hat sie Ihre Sprache gut beherrscht?«

»Nein, nicht gut, aber die Sprache des Leids ist universal.«

Emma wiederholte ihre Frage.

»Die Ursache für ihr Leid? Auch die war universal. Sie war in Kaschmir eine Fremde, sie konnte niemanden ins Herz schließen, der nicht ihrer Welt angehörte.«

»Waren Sie hier, als sie ging?«

»O ja«, erwiderte er bereitwillig, denn er schien ihr Recht, ihn alles fragen zu können, nicht anzuzweifeln.

»Und Chota Huzoor und sein Vater?«

Seine Wangen zitterten, als er tief Atem holte. »Wären die beiden an jenem Abend hier gewesen, hätten sie es nicht zugelassen. Aber sie waren zur Numaisch nach Bombay gefahren und kamen erst zurück, als sie schon lange weg war.«

Emma vermutete, dass er von einer der regelmäßigen Handelsmessen sprach, die in indischen Städten veranstaltet wurden. »Sie erinnern sich an all das noch immer so gut?«

»O ja. Zwei unserer Weber demonstrierten in Bombay die Herstellung eines Tilikar. Das ist ein Vierecktuch mit kleinen quadratischen Mustern wie dieses hier. Man hat die zwei dafür sehr gelobt.«

Emma bewunderte das Tuch, das er hoch hielt. Es war wirklich eine hervorragende Arbeit, doch in Gedanken beschäftigte sie sich mit etwas anderem. »Ist sie allein gegangen?«

»Allein? O nein! Sie ist mit dem Mann gegangen, der gekommen war, um sie zu holen.«

»Wer war er? Ein Firanghi?«

Der alte Mann nickte.

»War er jung?«

»Wer kann das bei einem Firanghi schon sagen? Nur Zaibun hat ihn gesehen und sie war damals schon halb blind. Allah hat sie vor fünf Jahren zu sich genommen.«

»Die Zofe von Begum Sahiba?«

Er nickte und blickte zurück in das Dunkel seiner Erinnerungen. »Es war eine kalte Nacht. Wir lagen alle in unseren warmen Betten, sogar die Chowkidars. Heftiger Regen sorgte mitten in der Apfelernte für Erdrutsche und Überschwemmungen. Ich erinnere mich gut daran, weil einige unserer Schafe während des Sturms ausgebrochen waren, und wir mussten am Morgen durch so hohen Schlamm waten«, er führte eine Hand bis zum Knie, »und die Tiere suchen.«

»Weiß jemand, wohin sie gegangen ist?«

Er blickte hinauf zum blauen Himmel und streckte die Hände mit gespreizten Fingern aus. »Dorthin, wohin das Kismet die arme Sahiba führte. Nun ist sie tot und wird nie mehr zurückkommen.«

Emma sah selbst durch seine dicken Brillengläser hindurch, dass seine Augen feucht waren. »Ich werde diese Nacht nie vergessen. Sie hat Burra Huzoor das Leben gekostet und das Leben von uns allen für immer verändert. Unser Chota Huzoor …« Er schüttelte den Kopf. »Er war damals noch ein Junge und zu jung, um es zu verstehen, und zu alt, um zu weinen. Burra Huzoor hat ihn bald darauf weggeschickt. Wir haben uns einigermaßen zurechtgefunden, aber es war nicht mehr wie früher. Es hat einmal eine Zeit gegeben, da waren die Tücher so viel wert wie Gold, wie Juwelen. Jetzt ist das vorbei.«

Er strich liebevoll über das Tilikartuch. Offenbar verlor er den Faden, denn er klagte über die Probleme beim Erwerb der besten Wolle, dem »weichen Gold« von den Ziegen aus Usch Tarfan in Tibet.

Emma sah ein, dass es vergeblich sein würde, weiter in ihn zu dringen. Trotzdem kam ihr eine kühne Idee. Suraj Singh würde es natürlich nicht billigen, aber wenn sie den Zeitpunkt mit Umsicht wählte, brauchte Suraj Singh überhaupt nichts davon zu wissen.

*

Es war eine angenehme, klare und ruhige Nacht. Die stille Luft war warm wie ein Tuch. Wolkengaleonen segelten über die nächtlichen Meere, und die unendlich vielen Sterne, die der Melonenmond, der sich im Geäst eines Chinarbaums verfangen hatte, noch nicht verblassen ließ, strahlten hell genug, damit Emma ihren Weg durch den Garten fand. Bis auf die Schreie der Nachttiere und den fernen Klang von Musik und rhythmischem Singen herrschte völlige Stille.

Es war die Nacht der Hochzeit. Das Personal feierte und mit ihnen auch Suraj Singh. Als Hausherrin und Ehrengast hatte Emma den Familien ihre Glückwünsche überbracht, das Brautpaar gesegnet und, wie Suraj Singh ihr geraten hatte, ihre Geschenke übergeben: Zwanzig silberne Rupien, bestickte Phirrens und Puts, einen Seidenturban, zwei goldene Armreifen und Platten mit Süßigkeiten. Nachdem die Ehe durch das siebenmalige Umschreiten des Feuers geschlossen war und nach dem Verzehr einiger Süßigkeiten hatte sich Emma verabschiedet, damit das zwanglosere Feiern seinen Anfang nehmen konnte.

Inzwischen ging es auf Mitternacht. Ohne Furcht, entdeckt zu werden, verließ Emma mit einer schwach brennenden Laterne, einer Schachtel Streichhölzer und einem Schraubenzieher ihre Räume. Sharifa und Rehmat, die in einem Vorzimmer am Ende des Flurs schliefen, waren auf der Hochzeit und würden wahrscheinlich erst in einigen Stunden zurückkehren. Suraj Singh lebte in einem kleinen Haus auf dem Besitz und suchte das Herrenhaus nach Einbruch der Dunkelheit selten auf, wenn er nicht gerufen wurde. Auf der Treppe und in der hohen Eingangshalle war es still. Im Haus befand sich außer ihr kein Mensch. Die Chowkidars, die auf dem Anwesen ihre Runden drehten, achteten mehr auf das Fest und hatten gut gegessen und getrunken. Es war unwahrscheinlich, dass sie etwas von Emmas kleinem Ausflug bemerken würden. Durch die Seitentür der Spülküche im Erdgeschoß betrat sie den Garten.

Es stellte sich heraus, dass es leichter war, in die Räume im Erdgeschoß einzudringen, als Emma erwartet hatte. Bei einem früheren Erkundungsgang waren ihr an der Rückseite des Hauses zwei verschlossene Türen aufgefallen, die offenbar jeweils in eine der Suiten führten. Mit dem Schraubenzieher machte sie sich am Schließband der einen Tür zu schaffen. Es war alt und verrostet, und die Schrauben lösten sich ohne größere Anstrengung. Emma stieß leicht gegen die Tür. Sie öffnete sich mit einem halblauten Quietschen, das verriet, dass sie lange nicht benutzt worden war, nach innen. Sie trat ein, schloss die Tür hinter sich und stellte die Flamme der Laterne höher. Wie sie sich ausgerechnet hatte, handelte es sich um ein Badezimmer. Es lag an der gleichen Stelle wie Damiens Bad im ersten Stock. Die Anordnung der Räume war leicht zu erraten. Sie vergeudete keine Zeit und ging weiter durch das daneben liegende Ankleidezimmer in das ehemalige Wohnzimmer von Edward Granville.

Sie hob die Laterne und sah sich um. Zu ihrer Erleichterung – und nicht geringen Überraschung – stellte sie fest, dass die Petroleumlampen auf den Tischen gefüllt waren. Da die schweren Vorhänge an den Fenstern zugezogen waren, zündete sie ein Streichholz an und hielt es an einen gut geschnittenen Docht. Die Lampe brannte sauber und hell. Sie schnupperte; die Luft roch frisch, als sei das Zimmer vor kurzem gelüftet worden. Eingedenk der Worte von Suraj Singh tastete sie sich mit vorsichtigen Schritten auf dem Parkett vorwärts. Das Holz unter den Teppichen knarrte nicht. Offenbar war der Fußboden in hervorragendem Zustand.

Weshalb hatte sich Suraj Singh dann einen solchen Vorwand einfallen lassen?

Emma sah sich neugierig um. Die Möbel waren unauffällig, beinahe spartanisch und schienen alles andere als bequem zu sein. Das Zimmer wirkte gepflegt, aber es gab nur wenige Zeichen von Eleganz. Die Möbel waren nicht abgedeckt, und sie sah keinen Staub. Von irgendwo in der Suite drang unverkennbar das Ticken einer aufgezogenen Uhr. Ihr kam es vor, als sei Edward Granvilles Suite keineswegs schadhaft und gefährlich, wie Suraj Singh angedeutet hatte, sondern in gutem Zustand und werde regelmäßig benutzt.

Und die zweite Suite?

Emma quälte die Neugier, und sie hätte nur allzu gerne auch die anderen Räume untersucht. Doch in dieser Nacht hatte sie dazu keine Zeit.

Das beherrschende Möbelstück zwischen all den unauffälligen Gegenständen war ein Schreibtisch. Er bestand aus glänzendem, schön gemasertem Mahagoniholz und hatte zu beiden Seiten Schubladentürme, die als Füße dienten. Im Licht der Lampe funkelten die offenbar frisch polierten Messinggriffe. Emma stellte die Lampe auf die spiegelnde Tischplatte und untersuchte den Schreibtisch. Die Schubladentürme wurden von an der Platte befestigten, abgeklappten und mit Riegeln gesicherten kleineren Platten in ihrer Position gehalten. An den Schließbändern der Schubladen hingen Messingschlösser. Emma betastete die Schlösser. Sie schienen geölt, und es gab keine Anzeichen von Rost. Zu welchem Zweck wurde der Schreibtisch benutzt, fragte sie sich. Und warum ein abgeschlossener Schreibtisch in einer verschlossenen, angeblich nicht benutzbaren Suite, wenn es im oberen Stock und im Büro des Gutsverwalters mehr als genug Platz gab?

Emma setzte sich in den Drehsessel vor dem Schreibtisch und betrachtete nachdenklich die Schlösser. Sollte sie …?

Das Motiv für den Einbruch war harmlos und in ihren Augen zu rechtfertigen: Sie wollte mehr über die Granvilles erfahren. Selbst in zerfallenen und staubigen, lange ungenutzten Räumen musste es Bücher, Bilder, Fotoalben und Relikte geben, die wenigstens etwas über den Hintergrund der geheimnisvollen Familie verraten würden, in die sie eingeheiratet hatte. Und wenn es Geheimnisse zu entdecken gab, dann hatte sie als Damiens Ehefrau sicherlich ein Recht, sie zu kennen.

Emma unterdrückte ihre Skrupel und griff nach dem Schraubenzieher.

Doch bevor sie ihn ansetzen konnte, fingen ihre Ohren ein Geräusch auf. Sie erstarrte und lauschte. Ja, da war es wieder, ein Knarren, gefolgt von einer Reihe leicht erkennbarer Geräusche – ein Schlüssel, der im Schloss gedreht wurde, das Klirren einer Kette, eine eiserne Gittertür, die geöffnet wurde und laut gegen die Wand schlug, schwere Schritte. Jemand wollte den Flur betreten, der zu den Suiten führte, und dieser Jemand gab sich keine Mühe, seine Anwesenheit zu verheimlichen.

Damien?

Emma unterdrückte einen erschrockenen Schrei, blies die Lampe aus, nahm sie schnell vom Tisch, griff nach ihrer Laterne und lief barfuß in das Badezimmer. Natürlich würde man die Lampe vermissen, aber besser das, als der verräterische Geruch des glimmenden Dochts und der heiße Glaszylinder. Leise schloss sie die Badezimmertür hinter sich und lehnte sich zitternd vor Angst an die Wand, um wieder zu Atem zu kommen. Die Tür des Wohnzimmers wurde geöffnet, und sie hörte Schritte auf dem Parkett, die schließlich von den Teppichen verschluckt wurden. Dann war alles still. Die Schritte waren ungleich. Da wusste Emma, dass es sich bei dem unerwarteten Gast nicht um ihren Mann handelte, sondern um Suraj Singh, der sich bedauerlicherweise nicht so sehr dem Feiern überließ, wie sie angenommen hatte.

Sie wartete und rechnete jeden Augenblick mit der größten Demütigung. Er würde in das Badezimmer kommen und sie finden, wie sie in der Ecke kauerte! Wie sollte sie ihm erklären, dass sie sich heimlich zu den Räumen Zutritt verschafft hatte?

Doch die Minuten vergingen, und nichts geschah. War Suraj Singh gegangen? Sie öffnete die Tür einen winzigen Spalt, betete, dass sie nicht knarren würde, und spähte in das Dunkel. Sie entdeckte einen schwachen Lichtschimmer und schloss daraus, dass er noch da war. Was um alles in der Welt tat er hier?

Wieder siegte die Neugier, und sie öffnete mit angehaltenem Atem die Tür so weit, dass sie hindurchschlüpfen konnte. Vorsichtig tastete sie sich durch das Ankleidezimmer, um nicht gegen unsichtbare Hindernisse zu stoßen, blieb in der Türöffnung zum Wohnzimmer stehen und spähte hinter dem Vorhang hervor. Suraj Singh stand mit dem Rücken zu ihr über den Schreibtisch gebeugt und untersuchte im Licht einer Lampe, die direkt neben ihm stand, etwas auf der Platte. Von Emmas Platz aus wirkte es wie ein weißes Stoffbündel. Eines der Schließbänder war hochgeklappt und die unterste Schublade herausgezogen. Er war völlig von dem in Anspruch genommen, was er tat. Emma nahm an, dass er das Fehlen der Lampe nicht bemerkt hatte.

Einer ihrer Armreifen streifte leise klirrend die Wand, und sie hielt den Atem an. Er drehte sich nicht um. Warum sollte er auch? Er erwartete keinen Besuch, und es kam ihm nicht in den Sinn, dass er beobachtet werden könnte. Seine Bewegungen und die Selbstverständlichkeit, mit der er Papiere hoch nahm und wieder an ihren Platz zurücklegte, verrieten Emma, dass ihm der Schreibtisch und sein Inhalt vertraut waren. Er setzte sich und begann zu schreiben. Das kratzende Geräusch seines Federhalters zeugte von der Schnelligkeit, mit der er über das Papier glitt. Wenig später nahm er einen Umschlag aus der Schublade, steckte das gefaltete Blatt hinein, adressierte ihn und versiegelte ihn mit rotem Wachs, das er über der Lampe zum Schmelzen gebracht hatte.

Emma wusste bereits, dass Suraj Singh das Vertrauen und die Achtung Damiens genoss. Doch dass er mit den verborgenen Winkeln von Damiens Leben besser vertraut sein sollte als sie, erschien ihr plötzlich unerträglich. Zornig dachte sie über die Ironie nach, dass sie sich als Damiens Frau heimlich in die Suite schleichen musste, während er, ein Angestellter, ganz offen ein und aus ging!

Suraj Singh hatte seine Aufgabe beendet. Er richtete sich auf und steckte den Umschlag in die Tasche. Dann schob er die Schublade zu und klappte das Schließband darüber. Enttäuscht stellte Emma fest, dass seine Schlüssel an einem großen Schlüsselring hingen, dessen Kette an einem Knopfloch seines Jacketts befestigt war. Er zündete die kleine Laterne an, die auf dem Schreibtisch stand, blies die Lampe aus, verließ das Zimmer und schloss die Tür hinter sich. Dabei summte er leise vor sich hin. Was immer er getan hatte, er war offensichtlich sehr mit seiner Arbeit zufrieden.

Es hatte wenig Sinn, sich noch länger hier aufzuhalten. Falls Suraj Singh zurückkommen und sie dabei entdecken sollte, wie sie im Schreibtisch herumstöberte, würde sie das in eine höchst unangenehme Lage bringen. Enttäuscht beschloss sie, ihre Nachforschungen auf eine andere Gelegenheit zu verschieben. Sie wartete noch fünfzehn Minuten, um sicher zu sein, dass Suraj Singh die Suite wirklich verlassen hatte, und nahm dann den Weg durch das Badezimmer, den sie gekommen war. Sie schraubte das Schließband der Tür wieder fest, eilte in die Spülküche und rannte nach oben. Das Fest dauerte noch an, und Sharifa und Rehmat waren noch nicht zurück.

Ihre Abwesenheit war unbemerkt geblieben.

*

Am nächsten Morgen erhielt Emma zu ihrer großen Freude zwei Briefe. Es war die erste Post seit ihrer Ankunft und alles andere war vergessen. Ein Brief kam von ihrer Mutter, der andere von David aus Leh.

David war offenbar immer noch gekränkt, denn sein Brief war steif und förmlich und enthielt nur die nötigsten Informationen über sein neues Leben. Sein Bungalow sei adäquat, sein Diener, ein Ladakhi, ein Dieb, und Maurice Crankshaw sei ein anspruchsvoller, aber gerechter Mann. Es gäbe viel Büroarbeit, aber wenig andere Aktivitäten. Das Kloster auf dem Berg sei ein interessantes Refugium mit einer guten Bibliothek alter Texte und das sommerliche Wetter dauere an. Man habe ihm eine erste Aufgabe übertragen – David verriet nicht, wo –, und er hoffe, sie zur Zufriedenheit seiner Vorgesetzten erfüllen zu können. Er hoffe auch, dass es ihr gut gehe und dass ihr Kaschmir gefalle.

Er erkundigte sich nicht nach Damien.

Der lange Brief ihrer Mutter dagegen war voller Neuigkeiten und floss über vor Wärme. Sie war zu Carrie und Archie gezogen und fühlte sich dort sehr wohl. Jennys Trauung in St. James war feierlich und der Empfang hinterher ein rauschendes Fest gewesen. Die Gäste hatten bis nach dem Frühstück am nächsten Morgen getanzt. Die Purcells und ganz besonders Jenny hatten Emma sehr vermisst. Georgina hatte Charlottes bevorstehende Verlobung angedeutet, aber ohne zu verraten, wer der Zukünftige war – für den Fall, dass er wie alle anderen in letzter Minute einen Rückzieher machen würde. Aber jeder wusste, dass es sich um den jungen Patrick O'Reilly handelte, den Kavalleristen, der dem Drabble-Mädchen den Hof gemacht hatte, bevor sie mit diesem – wie hieß er noch? – aus Karatschi durchgebrannt war. Es war nicht mehr die Rede davon, dass Charlotte der Welt entsagen würde, und man vermutete allgemein, ihr Plan, sich Gott zu weihen, sei auf unabsehbare Zeit verschoben worden.

Außerdem ging das Gerücht um, Stephanie Marsden werde den jungen Alexander Sackville schließlich aus seinem Elend erlösen und ihn erhören – obwohl sie das schon öfter behauptet hatte und nie etwas daraus geworden war. Der Vizegouverneur war zur Hochzeit gekommen – zu Jennys – und hatte sich nach ihr – Emma – erkundigt. Alec Waterford hatte einen in der Krone gehabt, war über den Tisch mit den Getränken gefallen, und das Kleid der armen Carrie war bei diesem Missgeschick über und über mit rotem Sorbet besprizt worden. Alle hatten die Stirn gerunzelt, vor allem Reverend Smithers, und das trotz der kanadischen Spende. Das jung verheiratete Paar verbrachte die Flitterwochen in Agra – wo eine Schwester von John lebte –, und von dort würden sie geradewegs nach Kalkutta weiterfahren.

Der nette Clive Bingham unternahm eine weitere Expedition, aber der arme Theo Anderson wartete immer noch auf Mittel für die seine, und die Handleys hatten schließlich ihr Haus räumen müssen. Sie waren vorübergehend bei den Bankshalls untergekommen, allerdings für einen Preis, den alle skandalös fanden, denn sie mussten selbst für den morgendlichen Tee zahlen. Es sah so aus, als werde sich Howard Stowe schließlich doch für Prudence entscheiden. Sie, Margarete Wyncliffe, vermisste sie beide schrecklich – wann würden sie sich wiedersehen?

Emma war nach Neuigkeiten ausgehungert und verschlang den Klatsch gierig. Die etwas krakelige Handschrift, die vertrauten Wendungen und die vielen Beteuerungen der Zuneigung ließen Wogen des Heimwehs in ihr aufsteigen, die sie schließlich übermannten. Sie begann zu weinen. Als Sharifa gegen Abend kam, um die Lampen anzuzünden, hielt Emma sie davon ab. Ihr Gesicht war tränenverschmiert und ihre Augen waren bestimmt geschwollen. Sie fühlte sich besser, nachdem sie geweint hatte, aber sie blieb, in die Erinnerungen an zu Hause versunken, mit geschlossenen Augen im Dunkeln sitzen.

Als sie die Augen wieder aufschlug, sah sie Damien in der Tür stehen.

Das Flurlicht beleuchtete nur seinen Rücken, und Emma brauchte einen Moment, um die dunkle Gestalt richtig wahrzunehmen. Als sie ihn erkannte, setzte ihr Herz einen Schlag aus. Wie lange stand er schon da?

Sie legte verwirrt die Hand über die Augen, fand jedoch schnell die Fassung wieder. Sie hatte nicht gewusst, dass er an diesem Abend zurückerwartet wurde.

Damien betrat das Zimmer, kam zu ihr und blickte ihr ins Gesicht. »Warum sitzt du im Dunkeln?«

»Aus keinem ... aus keinem bestimmten Grund.« Die Anstrengung, normal zu klingen, war so groß, dass sie zitterte. »Ich habe den Sonnenuntergang beobachtet und muss eingeschlafen sein.«

Er betrachtete sie genauer. »Hast du geweint?«

»Natürlich nicht!« Es gelang ihr zu lächeln. Sie stand auf und eilte in ihr Schlafzimmer. Sie wusch sich das Gesicht und nahm sich ein paar Augenblicke Zeit, um einen klaren Kopf zu bekommen. Sie ging zurück und griff nach dem Klingelzug. Als Hakumat kurz darauf eintrat, befahl sie ihm, die Lampen anzuzünden und ein Tablett mit Tee und Häppchen zu bringen.

»Wäre es dir lieber, ich würde Abendessen bestellen?«, fragte sie. »Du musst Hunger haben.«

Damien hatte die Arme hinter dem Kopf verschränkt und hielt die Augen geschlossen. Er schüttelte den Kopf. »Noch nicht. Für den Augenblick reichen eine Tasse Tee und ein Bad.«

Sie schwieg und suchte verzweifelt nach einem Thema, über das sie reden konnten. »Deine Reise ... war sie erfolgreich?«

»Einigermaßen.« Er lag beinahe auf dem Sofa und hatte die Beine ausgestreckt. Er wirkte müde. Dunkle Bartstoppeln bedeckten seine Wangen. Sein Hemd hatte Schweißflecken, und die Stiefel waren mit Erde beschmiert. Hakumat bewegte sich hinter ihm geräuschlos hin und her. Er entzündete geübt und schnell die Lampen.

»Hast du die Wolle bekommen?«

»Wolle?«

»Die Wolle, die du in Leh abholen wolltest.«

»Ach das! Ja, ja, ich habe sie bekommen.« Mit der Spitze des einen Stiefels schob er den anderen von seinem Fuß. Er fiel mit einem dumpfen Geräusch zu Boden. »Die Karawane kam spät. Offenbar waren sie durch einen Erdrutsch abgeschnitten worden und sind kaum mit dem Leben davongekommen.«

Emma zögerte. »Hast du ... David gesehen?«

»Nein.« Er hatte die Augen wieder geschlossen und die Finger hinter dem Kopf ineinander geschlungen.

»Und Mr. Crankshaw?«

»Wen?«

»Das ist sein vorgesetzter Offizier in Leh.«

»Nein.« Er verzog das Gesicht. »Ich habe Mr. Crankshaw nie kennen gelernt – und habe auch nicht den Wunsch, ihn kennen zu lernen. Du weißt, was ich von diesen britischen Kommissaren halte.«

»Ich hätte gerne gewusst, wie es David bei seiner neuen Arbeit geht. In seinem Brief verrät er kaum etwas darüber.«

Damien gab keine Antwort. Sein unerwartetes Erscheinen machte sie unruhig, deshalb stand sie auf. Sie bedeutete Hakumat mit einer Geste, die Stiefel wegzuräumen, und stellte den Docht der Lampen höher. Im Zimmer wurde es hell. Damien beobachtete schweigend, wie sie ein Holzscheit auf das niedergebrannte Feuer im Kamin legte. Erst als sie wieder saß, fragte er: »War deine Reise hierher bequem? Ich nehme an, Suraj Singh hat sich um all deine Bedürfnisse gekümmert, so wie ich es ihm gesagt hatte.« Er klopfte auf den Platz neben sich auf dem Sofa. Emma tat, als bemerke sie es nicht, und blieb, wo sie war.

»O ja. Danke. Es gab keinen Grund zur Klage. Ganz im Gegenteil.«

»Und wie findest du Kaschmir?« Er machte ein Handbewegung in Richtung Fenster. »Gefällt dir dieser Ort, wo sich Himmel und Erde treffen, wie man sagt?«

»Kaschmir gefällt mir. Aber du hast deine Fragen selbst beantwortet.«
Er beugte sich vor und sah sie eindringlich an. »Und das Haus? Das
Personal? Deine Räume, besonders das Arbeitszimmer? Ist das alles
zu deiner Zufriedenheit?«

Sein unverwandter Blick entwaffnete sie. Doch Emma nahm Zuflucht
zu ihrer distanzierten Haltung. »Wie könnte es anders sein? Dein
Shalimar hat alle Bequemlichkeiten, die man sich nur denken kann,
und dein Personal ist überaus aufmerksam.«

Sie unterhielten sich freundlich, aber wie Bekannte, die belanglos miteinander plaudern. Auf die vielen Fragen, die folgten, gab sie wohl
überlegte, präzise Antworten. Mit einer gewissen Belustigung wurde
ihr plötzlich klar, dass dies im Grunde ihr erstes Gespräch war, das
man auch nur im Entferntesten als zivilisiert bezeichnen konnte. In
seiner Banalität klang jedoch alles merkwürdig und sehr gespreizt.
Das verstärkte Emmas Verlegenheit. Aber wenn ihm das auffiel, dann
machte er keine Bemerkung darüber. »Es tut mir Leid, dass ich bei
deiner Ankunft nicht hier sein konnte.«

Emma hatte die Entschuldigung nicht erwartet und wollte nicht weiter darauf eingehen. Sie sagte nur: »Das macht nichts. Dein Personal
hat gut für mich gesorgt.«

»Du meinst, du hast mich überhaupt nicht vermisst?«

»Überhaupt nicht«, versicherte sie lächelnd im gleichen unbekümmerten Ton, in dem er die Frage gestellt hatte. »Ich bin es gewohnt,
außer mir selbst keine Gesellschaft zu haben, und mir blieb wenig
Zeit zum Nachdenken, denn ich musste mich mit deinem Shalimar
vertraut machen.«

Er hob eine Braue. »Mein Personal, mein Shalimar ...«

Sie errötete. »Das ... das ist unbeabsichtigt. Ich bin so wenig an
Reichtum gewöhnt, dass es einige Zeit dauern wird, bevor ich Anspruch auf diesen Luxus erheben kann.«

Bevor sie seine Reaktion voraussehen konnte, hatte er sich vorgebeugt
und ihre Hand ergriffen. »Alles, was hier ist, gehört auch dir«, sagte er
sachlich, ja sogar eine Spur gereizt. »Ich möchte, dass du auf Shalimar
glücklich bist.«

»Tatsächlich? Hast du meine Ankunft deshalb mit der unerträglichen Ungeduld erwartet, wie du es in Delhi angekündigt hattest?«

»Meine Abwesenheit war nicht gewollt.« Er ließ ihre Hand los. »Ich konnte es nicht ändern. Und ich habe mich bereits entschuldigt.« Er lächelte. »Es ist nur natürlich, dass du dich anfangs an einem neuen Ort nicht wohl fühlst. Du wirst sehen, du gewöhnst dich schnell genug ein.« Mit etwas Schärfe fügte er hinzu: »Es ist schließlich dein Zuhause.«

»Ach ja? In diesem Fall musst du deine Mätressen bitten, es sich nicht zur Gewohnheit werden zu lassen, mich uneingeladen zu besuchen.« Noch während ihr diese Worte entschlüpften, hätte Emma sich am liebsten auf die Zunge gebissen. Sie hatte wirklich nicht vor, so tief zu sinken, indem sie *das* zur Sprache brachte! Doch nachdem es gesagt war, konnte sie es nicht mehr zurücknehmen, und deshalb machte sie ein trotziges Gesicht.

»Du meinst Chloe?«, fragte er. »Ja, ich habe gehört, dass sie mit Charlton im Schlepptau hier gewesen ist.«

Er gab sich nicht einmal die Mühe zu leugnen? Das Thema schien ihn sogar zu amüsieren. »Du darfst dich von Chloe nicht aus der Fassung bringen lassen. Sie ist im Grunde ziemlich harmlos. Und hin und wieder ist sie nützlich.«

»Ungefähr so harmlos wie eine Kobra!«, fauchte Emma. »Es sei denn, in Kaschmir sind Kobras harmlos! Und ich bin sicher, dass sie nützlich ist, wie du es so taktvoll ausdrückst. So wie ich zweifellos auch nützlich bin.«

»Du stellst dich auf eine Stufe mit Chloe Hathaway? Du bist meine Frau und keine Mätresse.«

»Du gibst also zu, dass sie deine Mätresse ist!«

»Ja, bis auf die Zeitform. Chloe *war* einmal meine Mätresse. Die Beziehung hatte keine große Bedeutung.«

»Du meinst«, sagte Emma gehässig. »Sie hat die Sinne bewegt, ohne das Herz zu verwirren?«

Das Zitat seiner Worte ärgerte ihn. »Wenn du schon fragst, jawohl, das hat sie getan. Aber ich habe sie seit meiner Reise nach Delhi nicht mehr gesehen.« Plötzlich hob er die Arme. »Hätte ich dich belügen sollen, Emma? Du weißt, dass ich kein Heiliger war. Welcher ungebundene Mann ist das? Du bist doch bestimmt alt genug, um zu wissen, dass es gewisse körperliche … Bedürfnisse gibt, die danach verlangen, befriedigt zu werden? Hast du noch nie gehört, dass Männer bestimmte Energien verausgaben müssen, um andere zu bewahren?«

Er behandelte sie schon wieder gönnerhaft! Sie ärgerte sich darüber und schwieg. Der Tee wurde zusammen mit einer Platte frisch gebratener Samosas gebracht. Der Koch war offensichtlich besser auf die Rückkehr des Hausherrn vorbereitet als sie. Sie nahm zwei Samosas und etwas Chutney, legte sie auf einen Teller, reichte ihn Damien und goss den Tee ein. »Eine Frage. Würdest du als verheirateter Mann diese Haltung in Hinblick auf die Bedürfnisse des weiblichen Körpers bei deiner Frau akzeptieren?«

Er betrachtete interessiert ein Samosa und biss hinein. »Um diese Bedürfnisse zu befriedigen, hat sich eine Frau an ihren Mann zu halten.«

»Und wenn sie es vorziehen sollte, sie woanders zu befriedigen?« Seine männliche Überheblichkeit und Selbstsicherheit machten sie ebenso wütend wie sein müheloses Geständnis.

»Mit wem?«, fragte er nachsichtig und immer noch lächelnd.

»Nun ja, zum Beispiel …« Sie sprach den ersten Namen aus, der ihr einfiel. »… mit Geoffrey Charlton?«

Er war im Begriff, sich eine Pfeife zu stopfen. Bei ihrer Antwort verharrte seine Hand für den Bruchteil einer Sekunde in der Luft. Er sah sie nicht an. Dann widmete er sich wieder mit scheinbarer Hingabe seinem Vorhaben. Erst als er sich die Pfeife in den Mund gesteckt und mit einem brennenden Zweig aus dem Kamin angezündet hatte, sprach er weiter. »Wenn die Frau so etwas behauptet, würde ihr Mann hoffen, dass sie lügt.«

»Oh?« Emmas Augen funkelten. »Und wenn es nicht so wäre, was dann?«

Er aß das Samosa zu Ende. »Nun ja, ich nehme an, dann müsste der arme Ehemann wie jeder Hahnrei, der noch eine Spur Selbstachtung besitzt, etwas Lästiges tun, zum Beispiel könnte er dem Liebhaber mit der Reitpeitsche einen Besuch abstatten.«

»Um jemanden zum Hahnrei zu machen, gehören zwei Leute.« Emma war wütend darüber, dass er sie nicht ernst nahm.

Damien lehnte sich zurück und musterte sie. »Wenn es sich bei der Ehefrau, von der wir sprechen, um dich handelt, dann rate ich dir, lass dich nicht auf dieses Spiel ein, Emma. Zumindest so lange nicht, bis du es beherrschst.« Ungerührt legte er den Kopf bequem zurück, schloss halb die Augen und zog genussvoll an der Pfeife. »Abgesehen davon, dass du meine Einstellung zu untreuen Ehefrauen und ihrer Behandlung kennst, machen sich weltfremde Frauen wie du dabei meist lächerlich.«

Sie wollte sehen, wie der selbstgefällige Ausdruck von seinem Gesicht verschwand. Sie wollte ihn verletzen, damit er sie ernst nehmen würde. Deshalb schoss sie den nächsten Pfeil ab. »Und was ist mit weltlichen Frauen wie Nazneen?«

Er machte einen Lungenzug und blies den Rauch langsam aus. »Wer hat dir von Nazneen erzählt?«

Wieder kein Leugnen, nicht die Spur einer Entschuldigung!

»Wie unter Dieben, so scheint es auch unter Mätressen wenig Ehre zu geben. Mrs. Hathaway war so freundlich, mich über Nazneen aufzuklären. Das schien sogar der einzige Grund ihres Besuches zu sein.«

Emma stand unvermittelt auf. »Ich werde Hakumat sagen, er soll heißes Wasser für dein Bad bringen und in einer Stunde das Abendessen auftragen lassen.« Sie drehte sich um und wollte in ihr Schlafzimmer gehen.

Damien war trotz seiner Müdigkeit nicht gewillt, klein beizugeben. Er richtete sich auf, legte die Pfeife auf den Kaminsims und war so schnell an ihrer Seite, dass ihr keine Zeit blieb zu reagieren. Bevor sie wusste, wie ihr geschah, hatte er ihr den Weg versperrt und nahm ihr Gesicht in seine Hände. »Ich habe dir bereits gesagt, dass ich viele Mätressen hatte«, flüsterte er. »Warum bringt dich das jetzt plötzlich aus der Fassung?«

»Dein Hang zu Mätressen interessiert mich nicht.« Sie achtete darauf, sich nicht zu bewegen, und blickte ihm kalt in die Augen. »Du kannst so viele haben, wie deine Gesundheit und deine Zeit es erlauben, solange sie nicht meine Schwelle besudeln. Wie du siehst, lerne ich schnell.«

»Das Thema interessiert dich mehr, als du es dir eingestehen möchtest!« Sein belustigter Blick verriet, dass er immer noch Spaß machte. »Wer hätte das gedacht, dass die desinteressierte, absolut unabhängige Emma Wyncliffe tatsächlich eifersüchtig ist?«

»Nein, Damien, das bin ich nicht. Wenn es so wirkt, dann liegt das nur daran, dass deine Eitelkeit wie üblich die Realität verdunkelt.«

»Ist das wahr, mein Gott …!« Er umfasste mit beiden Händen ihre Taille, senkte den Kopf und küsste sie auf den Mund. Sie erstarrte, bewegte sich nicht und stellte keinerlei Reaktion bei sich fest. Er küsste sie nicht noch einmal. Statt dessen trat er zurück und stützte den Ellbogen auf den Kaminsims. »Ich sehe, meine Abwesenheit hat dir Zeit gelassen, deine schauspielerischen Fähigkeiten noch mehr zu verfeinern!«

»Wahrscheinlicher ist, dass du nicht ganz so unwiderstehlich bist, wie du gerne glauben möchtest!«

»Das werden wir heute Nacht feststellen«, erwiderte er langsam und griff nach dem Klingelzug. Hakumat erschien im Zimmer. »Sag Lincoln, er soll die Unterlagen bereit haben, die mit dem Steuerstreit zusammenhängen. Ich werde bald hinunterkommen. Und der Bhisti soll das Wasser für mein Bad heraufbringen … viel Wasser und sehr heiß.« Er wandte sich an Emma. »Warte mit dem Abendessen nicht auf mich. Hakumat wird mir etwas ins Büro bringen.« Er verschwand durch die Verbindungstür in seine Räume.

Emma sank in den Sessel und starrte mit leerem Blick in die Flammen. Sie hatte zugelassen, dass die Unterhaltung außer Kontrolle geraten war, und ärgerte sich über sich selbst. Sie wünschte, sie hätte sich weniger gehässig und würdevoller benommen. Ganz bestimmt hatte sie nicht beabsichtigt, ihm sofort beim Nachhausekommen Beschuldigungen an den Kopf zu werfen. Aber es war ernst gemeint, was sie gesagt hatte. Sie war nicht bereit, die Partnerinnen seiner Zügellosigkeit – frühere oder derzeitige – in ihrem Haus zu dulden und sich auf seinem und ihrem Besitz zum Gespött machen zu lassen.

Emma hatte keine Lust mehr auf das Abendessen und schickte Sharifa weg. Sie löschte die Lampen und das Feuer im Kamin und schloss beide Türen zu ihrer Suite ab. Sie wusch sich, zog das Nachthemd an und legte sich ins Bett. Sie fror zwischen den kalten Laken. Der Versuch, einschlafen zu wollen, war sinnlos. Sie wusste, sie würde nicht schlafen.

Als das mitternächtliche Schlagen der Uhr die dunkle Stille durchdrang, hörte Emma schließlich das Geräusch einer Türklinke, die nach unten gedrückt wurde. Sie biss die Zähne zusammen, zog die Decke bis zum Kinn und blieb bewegungslos liegen. Die Türklinke wurde noch einmal gedrückt, dann herrschte Stille. Sie lauschte und wagte kaum zu atmen, doch das Geräusch wiederholte sich nicht. Ihre angespannten Muskeln wurden schlaff, mit einem leisen erleichterten Seufzen streckte und reckte sie sich unter der Decke.

Die Erleichterung war von kurzer Dauer. Kaum eine Minute später krachte ein Schuss. Holzsplitter flogen durch das Zimmer und die Verbindungstür sprang nach einem heftigen Fußtritt auf. Mit einem unterdrückten Aufschrei sprang Emma aus dem Bett, um in ihr Arbeitszimmer zu fliehen. Doch Damien kam mit großen Schritten herein und versperrte ihr den Weg. Er hielt den Revolver noch in der Hand. Der beißende Pulvergeruch stieg ihr in die Nase und sie begann zu husten.

Er stand breitbeinig vor ihr und stemmte die Hände in die Hüften. Im Halbdunkel konnte sie sein Gesicht nicht sehen, aber sie wusste auch so, dass er wütend war. Einen Moment lang starrte er sie nur an und wartete darauf, dass sie sich beruhigte. Als sie nicht mehr zitterte, tastete sie sich rückwärts zum Bett, ließ sich darauf fallen und zog die Decke bis zum Hals.

»Lass mich in Ruhe, Damien!«, jammerte sie. Emma hatte entsetzliche Angst und wollte es nicht zeigen. »Lass mich doch in Ruhe …«

»Mach das nie wieder«, sagte er, und weil seine Stimme so ruhig klang, wirkten die Worte noch bedrohlicher. »Verschließe nie mehr deine Tür vor mir.«

Mit einem Aufschrei vergrub Emma das Gesicht in der Decke. »Geh! Kannst du nicht sehen, dass ich dich nicht in meiner Nähe haben will?«

Er warf den Revolver mit einer geringschätzigen Geste auf einen Stuhl. »Wenn du immer noch glauben willst, ich hätte dich gegen deinen Willen genommen, dann kannst du dir das ruhig weiterhin vormachen.« Er ging zum Fenster und wandte ihr den Rücken zu. Er war starr vor Zorn. »Ich gebe dir mein Wort, dass ich nicht mehr zu dir kommen werde … so lange nicht, bis du mich darum bittest.«

»Ich werde dich nie darum bitten, nie!«

»Ach!« Sie ahnte das spöttische Lächeln eher, als dass sie es sah. »Die Sonne ist schon einmal im Westen aufgegangen, sie wird es wieder tun. Du magst eine Frau sein, Emma, aber du hast, weiß Gott, noch einen langen Weg vor dir, bevor du eine Ehefrau bist!«

»Warum soll ich mir die Mühe machen, wenn du andere wie diese Nazneen hast, um deine körperlichen Bedürfnisse, wie du es nennst, zu befriedigen?«

»Eine kluge Frau weiß, wann sie sich behaupten und wann sie sich fügen soll. Das zum Beispiel könntest du von Nazneen sehr gut lernen.«

»Dann geh doch zu deiner Nazneen, diesem … diesem … Ausbund an Vollkommenheit!«, rief sie. »Und lass mich in Ruhe.«

In der Dunkelheit glänzte das Weiße seiner Augen. »Ja«, murmelte er, »vielleicht werde ich das tun.«

Er ging an ihr vorbei und verließ das Zimmer.

Am nächsten Morgen erfuhr sie, dass Damien sehr früh aufgestanden und nach Gulmarg geritten war.

Zwölftes Kapitel

Emma erkannte voller Bitterkeit, dass ein zermürbender Kreislauf ihre Ehe bestimmen würde – ein Ehemann, der ständig fort war, ein leeres Haus und, sobald sie zusammen sein würden, gäbe es hässliche Szenen. Ihr Leben verlief scheinbar auf parallelen Bahnen, denen es bestimmt war, sich nie zu treffen. Damien würde auch in Zukunft nach Belieben kommen und gehen und ohne Rücksicht auf den Klatsch ein unabhängiges Leben führen. Welche Freude würde es seinen vielen Geliebten machen, wenn sie erfuhren, dass seiner Frau nichts daran lag, das Bett mit ihm zu teilen.

So sehr Emma es auch bedauerte, die erniedrigende Szene provoziert zu haben, so war sie doch entschlossen, ihm seine Ausschweifungen nicht zu verzeihen. Damien irrte sich, wenn er glaubte, die Sonne werde noch einmal im Westen aufgehen. Das würde nicht geschehen. Sie würde ihn nicht darum bitten, wieder in ihr Bett zu kommen!

Als sie später am Morgen zu ihrem täglichen Besuch im Dorf der Weber aufbrach, fragte sie sich mit Unbehagen, wie Damien den Schuss in der Nacht erklärt hatte. Als Unfall aus Nachlässigkeit? Aus Unwissen, dass der Revolver geladen gewesen war? Ein verlorener Schlüssel?

Suraj Singh erwartete sie auf der Koppel und machte wie üblich ein ausdrucksloses Gesicht, das nichts verriet. Aber etwas anderes hatte sie auch kaum erwartet. Plötzlich fiel ihr auf, dass er die Zügel eines Pferdes hielt, das sie nicht kannte. Es war eine wunderschöne dunkle Fuchsstute mit einer hellen Mähne, hellen Fesseln, hellem Schweif und dunklen sanften Augen. Das Leder des prächtigen Sattels war handgeprägt. »Huzoor denkt, Begum Sahiba wird ein eigenes Pferd auf dem Gut brauchen«, sagte er. »Zooni ist aus diesem Grund von Gulmarg hierher gebracht worden.«

Emma war völlig überrascht.

»Die Stute hat eine hervorragende Abstammung. Da sie sehr gut erzogen ist, aber auch einen eigenen Willen hat, glaubt Huzoor, dass sie sich sehr gut für Begum Sahiba eignet.« Das sagte er mit dem Anflug eines Lächelns. »Huzoor hat sie Zooni genannt, nach der berühmtesten Dichterin Kaschmirs, die in Gulmarg gelebt hat.«

Das großzügige Geschenk weckte die peinliche Erinnerung an ein anderes Geschenk, das Shatushtuch. Sie hatte sich bei Damien noch nicht dafür bedankt und hatte ihm auch noch nicht die in Srinagar erstandene Jacke gegeben. Während sie die Stirn der Stute streichelte und das weiche Fell bewunderte, fühlte sie so etwas wie Schuld.

»Wann wird mein Mann aus Gulmarg zurückkommen?«

»Das ist schwer zu sagen. Das Haus muss instand gesetzt werden, ebenso die Mauer und das Haupttor. Es ist noch vieles andere zu tun, bevor ...« Er brach ab.

»Bevor?«

»Bevor der Regen einsetzt. Ich reite morgen früh ebenfalls nach Gulmarg.«

Ursprünglich hatte er etwas anderes sagen wollen und Emma seufzte innerlich. Wieder hatte sie mit einer unschuldigen Bemerkung einen Nerv getroffen. »Das Haus dort ... ist es so bequem wie das Haus hier?«

»O ja, es ist so bequem, allerdings viel kleiner. Es ist aus Holz gebaut und hat bei weitem nicht so viele Zimmer. Huzoor legt Wert darauf, dass er bei seinen gelegentlichen Aufenthalten dort ungestört ist.«

Aufenthalte mit Chloe? Mit Nazneen ...?

Das leichte Schuldgefühl erstarb spurlos, und Emma hatte wieder einen bitteren Geschmack im Mund.

Die ganze Nacht lang hatte in ihrem hellwachen Kopf eine Idee gekeimt. Es war eine gewagte Idee, so kühn, dass sie beinahe undenkbar war. Jetzt wurde sie von dem neu auflodernden Zorn genährt. Die

Idee schlug plötzlich Wurzeln und stieß an die Oberfläche ihres Bewusstseins. »Ich habe irgendwo gelesen, dass Henry Lawrence vor vielen Jahren die erste Kutsche nach Kaschmir gebracht hat.«

»Ja«, bestätigte Suraj Singh. »Aber da es damals in Kaschmir keine Straßen gab, behielt man sie als Ausstellungsstück in Srinagar. Die Kutsche war eine solche Sensation, dass unser Burra Huzoor auf die Idee kam, eine Zweite aus Lahore kommen zu lassen.«

»Ja, ich habe sie in der hinteren Scheune gesehen. Aber wie um alles in der Welt ist sie über den Pass gekommen?«

»Man hat sie für den Transport in ihre Einzelteile zerlegt und hier wieder zusammengebaut. Sie ist sehr klein, wie Begum Sahiba bemerkt haben muss …«

»Und wo benutzt man sie, wenn überhaupt? Schließlich gibt es in Kaschmir immer noch keine Straßen.«

»Hauptsächlich hier auf dem Gut. Aber vor nicht allzu langer Zeit ist zwischen Baramulla und Srinagar eine Straße gebaut worden. Eigentlich ist es nur ein Weg, aber man kann ihn befahren. Huzoor ist mit der Kutsche ein- oder zweimal nach Srinagar gefahren.«

»Ist es der Weg, den man von den Safranfeldern aus sieht?«

»Ja. Er führt nach Srinagar im Norden und nach Baramulla im Süden. Um Gulmarg zu erreichen, biegt man in Narabal ab.«

»Wie weit ist es von hier nach Srinagar?«

»Ungefähr vierzehn Meilen.«

Emma meinte, in der kleinen Kutsche sei das wohl eine sehr unbequeme Fahrt. Suraj Singh stimmte ihr zu, und damit war die Angelegenheit erledigt.

»Eine kluge Frau weiß, wann sie sich behaupten und wann sie sich fügen soll. Das könntest du zum Beispiel von Nazneen sehr gut lernen«, sagte sich Emma.

Der Tadel, den sie nicht bereit war zu vergessen, schmerzte noch immer. Doch die Erniedrigung und der Zorn vom Abend zuvor wurden inzwischen von Neugier verdrängt. Wer war diese Nazneen? Was hatte sie an sich, dass Damien sie genug bewunderte, um sie ohne Gewissensbisse seiner Frau als Vorbild anzupreisen? Trotz ihres großen

Zorns hatte Emma den drängenden und widersinnigen Wunsch, mehr über diese angebliche Perle an weiblicher Vollkommenheit zu erfahren.

Sie stand im Morgengrauen auf. Nachdem sie sich davon überzeugt hatte, dass Suraj Singh tatsächlich nach Gulmarg aufgebrochen war, setzte sie Sharifa von ihrer Absicht in Kenntnis, mit der Kutsche nach Srinagar zu fahren, um sich den Shalimar Bagh anzusehen. Sharifa war gleichzeitig überrascht, besorgt und hocherfreut. Doch die Überraschung und die Beunruhigung schwanden nach Emmas Versicherung, dass Huzoor seine Zustimmung gegeben habe. »Hakumat ist bei Huzoor in Gulmarg«, sagte Sharifa aufgeregt. »Deshalb sollen uns zwei Männer zu Pferd begleiten. Huzoor wäre nicht damit einverstanden, dass wir bei dem Ausflug keine Eskorte haben.«

Emma erklärte, das sei eine großartige Idee. »Dann kann ja auch Rehmat mitkommen. Während ich mir den Park ansehe, besucht ihr beide eure Familie. Vielleicht kann ich mit deinem Schwager sprechen, damit er erlaubt, dass Rehmat bei mir Lesen und Schreiben lernt.«

Sharifa stimmte erfreut zu.

»Noch etwas, bevor ich es vergesse«, fügte Emma hinzu. »Wenn wir zurückkommen, muss mein Schrank mit Desinfektionsmittel ausgewaschen werden. Gestern Abend habe ich in einer Wäscheschublade eine Schabe gesehen, und das beunruhigt mich sehr.«

»Eine Schabe!« Sharifa war entsetzt. »Toba, toba! Woher ist der kleine Teufel gekommen? Huzoor ist sehr kompromisslos, wenn es um Schaben und Mäuse geht, sehr kompromisslos. Ich glaube deshalb, dass ich keinen Moment länger verstreichen lassen sollte, bis ich den Schrank desinfiziere, Begum Sahiba. Es ist nicht richtig, wenn ich nach Srinagar gehe! Warum nehmen Sie nicht einfach nur Rehmat mit? Das Mädchen ist unterhaltsam und wird sich auch gut um Sie kümmern.«

Damit war das Problem natürlich zufrieden stellend gelöst.

Während sich Emma auf den Ausflug vorbereitete, überlegte sie nicht ohne makabre Belustigung, was man bei dem Besuch der Geliebten des eigenen Mannes wohl angemessenerweise tragen sollte. War Gesellschaftskleidung richtig? Oder etwas Zwangloses? Etwas Auffälliges? Etwas Schlichtes? Schließlich entschied sie sich für ein sehr modisches Kleid aus chartreusefarbenem Rippsamt mit einem kleinen Hut. Sie bürstete ihre Haare, bis sie glänzten, frisierte sich mit ungewohnter Sorgfalt und verzichtete auch nicht auf etwas Kosmetik. Als sie fertig war, blickte sie trotzig in den Spiegel. Diesmal überraschte sie, was sie sah. Die dunklen Ringe unter den Augen waren verschwunden und die Wangen wirkten nicht mehr eingefallen. Die vielen Stunden im Freien hatten der früher eher honigfarbenen Haut einen rosigen Schimmer verliehen, und erstaunlicherweise waren die kantigen Linien ihres Körpers inzwischen weicher geworden. Das Schlüsselbein stand nicht mehr so spitz hervor. Bewusst oder unbewusst hielt sie inzwischen den Kopf selbstsicher hoch, und in ihren Augen lag ein Glanz, der, wie sie hätte schwören können, in Delhi nicht da gewesen war.

Alles in allem war das Bild beruhigend, das ihr aus dem Spiegel entgegenblickte. Egal, welche Vorzüge die unvergleichliche Nazneen besitzen mochte, sie, Emma, würde nicht allzu schlecht abschneiden. Die Aussicht, noch einer von Damiens Mätressen gegenüberzustehen, war jedoch höchst unangenehm. Aber da Emma sich kannte, wusste sie, dass sie keine Ruhe geben würde, bis sie ihre hartnäckige Neugier befriedigt hatte.

Die Kutsche war klein und bequem und wie neu. Auch das muntere Pferd, das sie zog, war in hervorragender Verfassung, was man von dem livrierten Kutscher allerdings nicht behaupten konnte. Er war unerfahren, nervös und sichtlich erschrocken darüber, dass plötzlich seine Dienste in Anspruch genommen wurden, und so verlief der Start etwas holprig. Emma hätte die Zügel sehr viel lieber selbst in die Hand genommen, und noch lieber wäre sie geritten. Aber bei so viel Freizügigkeit wäre das Personal entsetzt gewesen, und sie wollte keineswegs zu weit gehen. Nachdem sie ein- oder zweimal beinahe im Graben gelandet wären, wurde der Kutscher allerdings ruhiger und sicherer, und sie fuhren mit passabler Geschwindigkeit und ohne Gefahren für Leib und Leben in Richtung Stadt. Die beiden Chowkidars ritten voraus, um nach verborgenen Gefahren Ausschau zu halten. Rehmat war vor Angst wie gelähmt. Sie umklammerte Emmas Hand und betete. Der Weg bestand aus einer Mischung von tiefen Furchen und Löchern. Die Kutsche schaukelte und holperte, und Emma und Rehmat schwankten mehr als nötig. Doch der frühe Sommermorgen war kühl, die wechselnden Aussichten waren prächtig, und schließlich gewöhnte sich selbst Rehmat an das Erlebnis, in einer Kutsche zu sitzen.

Drei Stunden später hielt der Kutscher am Rand von Srinagar auf einem Feld am Südufer des Dalsees an. Einer der Chowkidars wurde vorgeschickt, um eine Shikara zu besorgen, die sie über den See zum Naseem Bagh bringen würde, in dessen Nähe Rehmats Eltern lebten. Emma wäre sehr viel lieber zu Fuß um den See gegangen, aber die Zeit war knapp, und sie musste den Besuch hinter sich bringen, bevor der Mut sie verließ. Sie gab dem andern Chowkidar ein Stück Stoff. Er sollte im Geschäft der Gebrüder Ali in der Stadt einen Meter passender Seide kaufen. Sie gab den Männern Geld für das Mittagessen und wies den Kutscher an, bei seinem Gefährt auf ihre Rückkehr zu warten.

»Dort bin ich zu Hause!«, rief Rehmat ganz aufgeregt, als sie aus der Shikara stiegen. »Dort, in dieser Gasse gerade um die Ecke.«

»Gut.« Emma drückte dem Mädchen eine Silberrupie in die Hand. »Ich warte um ein Uhr im Shalimar Park in der Nähe des Eingangs auf dich. Komm nicht zu spät. Wir müssen zu Hause sein, bevor es dunkel wird.«

Rehmat lief davon. Der Chowkidar folgte der Kleinen pflichtbewusst. Emma wartete noch ein wenig. Als die beiden nicht mehr zu sehen waren, zog sie die mitgebrachte Burqua über den Kopf, ging zur Straße und bog in die Gasse ein, an deren Ende sie das Minarett einer Moschee sah. Um sie herum drängten sich die Menschen, aber sie waren alle mit ihren eigenen Angelegenheiten beschäftigt, und niemand würdigte sie eines zweiten Blickes. Sie blieb an dem kleinen Geschäft eines Silberschmieds stehen, um sich nach dem Weg zu erkundigen.

Der Besitzer hielt sie für eine Kundin, zeigte ein gewinnendes Lächeln und begann, ihr seine Stücke vorzulegen. Doch als er ihre Frage hörte, veränderte sich sein Gesichtsausdruck sofort. »Das Haus von Nazneen Sultana?« Emma war sofort in seiner Achtung gesunken, er räumte seinen Schmuck weg und machte eine unbestimmte Handbewegung. »Das Haus neben der Moschee«, sagte er knapp. »Das mit den grünen Fensterläden.« Er drehte ihr den Rücken zu und verschwand brummend in seinem Laden.

Das weiß getünchte zweistöckige Haus neben der Moschee war schmal und hoch. Ohne sich eine Pause zu gönnen, drückte Emma die grün gestrichene Tür auf und trat ein. Sie stand in einem mit Ziegelsteinen gepflasterten Innenhof. Ihr Herz klopfte heftig, und sie wunderte sich noch einmal über die verrückte Idee, hierher zu kommen. Angenommen, die Frau war unhöflich und beleidigend? Angenommen, sie weigerte sich, Emma überhaupt zu empfangen?

Eine dicke, verschlafene ältere Frau, die in einer Ecke saß und Ungeziefer aus einem Tablett voll Reis las, stand auf. »Ja?«

Emma legte die Burqua ab und stellte sich vor. »Ich bin gekommen, um Begum Nazneen Sultana zu sehen.«

Die Frau bekam große Augen. Ihr schlaffer, vom Betel verfärbter Mund wurde noch schlaffer, während sie Emma staunend betrachtete. Dann drehte sie sich wortlos um, stieg schwerfällig eine enge Steintreppe nach oben und bedeutete Emma, ihr zu folgen. Hinter grün gestrichenen Fensterläden beobachteten verborgene Augen das Geschehen und Emma wurde wieder nervös. Was würde Damien sagen, wenn er jemals von ihrem unerklärlichen Besuch erfuhr?

Durch einen Bogen mit einem bunten Glasperlenvorhang betraten sie einen Raum, der mit einem reich gemusterten persischen Teppich, dicken, mit rotem Samt bezogenen und mit Gold bestickten Sitzpolstern und üppigen Rückenpolstern ausgestattet war. In einer Ecke standen traditionelle Musikinstrumente sowie ein Korb mit Fesselglöckchen aus Messing.

Es war das Handwerkszeug einer Kurtisane!

Ein zweiter Türbogen mit einem ähnlichen Perlenvorhang führte in ein angrenzendes Zimmer. Emmas Schritte wurden langsamer. Was sollte sie zu der Frau sagen? Wie sollte sie den unerklärlichen Drang erklären, den sie selbst kaum verstand? Wäre die alte Frau nicht bei ihr gewesen, hätte sie sich umgedreht und wäre geflohen. Und dann war es zu spät.

»Bitte kommen Sie herein, Mrs. Granville. Ich bin Nazneen Sultana.« Der glitzernde, klirrende Vorhang teilte sich und in der Türöffnung stand eine Frau. Emma wurde in ein kleineres, persönlicheres Zimmer geführt, das im westlichen Stil eingerichtet war – mit Sesseln, Tischen, einem Sofa und einem niedrigen Diwan, vor dem die Frau stehen blieb. Sie war in eine traditionelle kaschmirische Phirren und eine Pluderhose gekleidet. Auf dem Kopf trug sie einen hauchdünnen rosafarbenen Schleier. Sie war schlank und zierlich und von mittlerer Größe. Selbst ihre sparsamen Bewegungen waren von einer selbstverständlichen Anmut, die ihren Beruf ebenso verriet wie schon die Begrüßung, bei der sie sich mühelos und tief verneigt hatte. »Bitte setzen Sie sich, Mrs. Granville. Ich fühle mich geehrt, dass Sie jemanden so Unwürdigen wie mich besuchen.« Sie hielt die mit Kohle geschminkten Augen gesenkt. »Hätte ich es früher gewusst, hätte ich mich besser vorbereitet, um Sie entsprechend Ihrer Stellung zu empfangen.« Sie wandte sich an die alte Frau und bestellte einen Samowar für Tee und Süßigkeiten.

Sie hatte mit Emma Englisch gesprochen. Ihre Stimme war sanft und kultiviert. In ihrem Benehmen lag kein Anflug von Spott, sondern nur eine Spur Ehrerbietung, die die Unhaltbarkeit von Emmas Situation noch unterstrich. Emma versuchte, die Möglichkeiten für ein Gespräch mit der Mätresse des eigenen Mannes zu finden, und war zunächst einen Augenblick lang sprachlos. Die Frau – das Mädchen – war erstaunlich jung, vielleicht sogar jünger als Emma. Sie hatte große graue Augen und dichtes, mit Henna getöntes braunes Haar. Es war zu einem Zopf geflochten, der ihr bis zu den Knien reichte. Ihre blasse rosa Haut glänzte und war so glatt wie ein Blütenblatt. Die vollen Lippen waren korallenrot geschminkt. Sie war unverkennbar eine Eurasierin und – das war nicht überraschend – sehr schön. Selbst in Anwesenheit einer nicht erwarteten und möglicherweise einschüchternden Besucherin verriet sie keine Anzeichen von Verlegenheit. Sie wirkte völlig gefasst, weit gefasster, als Emma es war.

Sie hob den Blick und lächelte – vielleicht um das Schweigen weniger unangenehm zu machen. »Ich habe viel über Sie gehört, Mrs. Granville. Aber ich hätte nicht gedacht, dass wir uns kennen lernen würden.«

Emma fand ihre Stimme wieder. »Viel über mich gehört? Von wem?«

»Natürlich von Huzoor«, erwiderte sie unbefangen, als sei es die natürlichste Sache der Welt, dass sie von dem Mann sprachen, den sie sich teilten.

Tatsächlich errötete nicht sie, sondern Emma, die dadurch noch mehr aus dem Gleichgewicht geriet. Es ärgerte sie, dass sie sich so groß und linkisch vorkam, dass ihr all die Anmut fehlte, die dieses Mädchen mühelos ausstrahlte.

»Wie gefällt Ihnen meine Heimat?« Sie stellte die allgemein übliche Frage, förmlich, aber doch ungezwungen. »Es kommen nicht viele Europäer nach Kaschmir, aber alle, die hier waren, preisen die Gegend in den höchsten Tönen.«

Emma schluckte. »Ja, das Tal ist sehr schön.«

»Und Shalimar? Ist das nicht eine bezaubernde eigene Welt?«

Emma erstarrte innerlich. »Sie waren auf Shalimar …?«

»O nein! Es wäre nicht passend gewesen, wenn mich Huzoor in sein Haus gebracht hätte. Das ist das Reich seiner Ehefrau.« Sie sagte das bescheiden, ungekünstelt und ohne Bitterkeit. »Huzoor hat jedoch so oft von Shalimar gesprochen, dass ich es mir sehr gut vorstellen kann.«

Trotz ihres sichtlichen Unbehagens und ihres heimlichen Zorns spürte Emma, dass die Neugier wieder erwachte. Sie fand es unglaublich, dass von diesem Mädchen trotz seines Berufs eine so schlichte … Unschuld ausgehen sollte. War das Fassade? Ein nützliches Hilfsmittel? Zweifellos!

Die alte Frau kam mit einem Samowar und einem Tablett mit Erfrischungen zurück. Während sie die Sachen auf den Tisch stellte, schwiegen sie und hingen ihren eigenen Gedanken nach.

Die Frau ging, und Nazneen goss den gewürzten Tee so behutsam in kleine Kupfertassen, als handle es sich um ein religiöses Ritual. Sie stand auf und reichte Emma einen Teller mit Süßigkeiten, die Emma mit einem Kopfschütteln ablehnte. Den Tee nahm sie entgegen und trank davon, auch wenn sie damit nur ihre raue Kehle glätten wollte. Er wärmte von innen und schenkte ihr so wenigstens etwas Selbstvertrauen.

»Wie kann ich Ihnen dienen, Mrs. Granville?«

»Dienen?« Die in dem Begriff eingeschlossene Anmaßung trieb Emma von neuem die Röte ins Gesicht. Welchen möglichen Dienst erwartete sie von diesem Mädchen? Auf einmal wurde ihr die Absurdität ihrer Situation nur noch deutlicher bewusst. Emma wusste nicht einmal, weshalb sie hier war. Sie hatte sich nur lächerlich gemacht. Sie stellte die Tasse auf den Tisch und erhob sich. »Ich hätte nicht kommen sollen«, sagte sie sichtlich verlegen. »Ich kann weder mein Kommen erklären, noch weiß ich, was ich sagen soll. Sie müssen mir verzeihen, dass ich in Ihre Privatsphäre eingedrungen bin.«

Doch bevor sie flüchten konnte, stand Nazneen Sultana ebenfalls auf. »Huzoor hat mir gesagt, dass Sie eine ungewöhnlich mutige Dame sind«, sagte sie leise. »Er hat Recht. Es kann nicht leicht gewesen sein, diesen Besuch zu machen.«

»Weder leicht noch klug. Ich ...« Sie brach ab. Sie wusste nicht, wie die misslungene Begegnung zu beenden sei, genauso wenig wie sie zu beginnen war. Nazneen verhinderte jedoch geschickt, dass das Schweigen überhand nahm. »Sie und ich, wir befinden uns beide in einer merkwürdigen Situation, Mrs. Granville«, sagte sie und bat Emma damit unausgesprochen, sich wieder zu setzen. »Engländerinnen, selbst jenen, die hier geboren und aufgewachsen sind, fällt es schwer, diese Situation zu verstehen oder zu akzeptieren. Aber im Osten ...«, sie hob die mit Henna gefärbten Hände und lächelte. »Wir im Osten lernen, dass es im Leben eines Mannes viele fest umrissene Bereiche gibt, die alle ihre bestimmte Funktion haben. Ich sehe, es ist

Ihnen peinlich, hierher gekommen zu sein. Bitte, es sollte Ihnen nicht peinlich sein. Sie haben Fragen, für die Sie Antworten suchen. Es sind Fragen, auf deren Beantwortung Sie ein Recht haben. Bitte fragen Sie mich, was immer Sie wollen. Ich werde keinen Anstoß nehmen.«

Fragen? O ja, Emma hatte Fragen. Aber wie um Himmels willen konnte sie sich noch weiter erniedrigen und diese Fragen stellen? Trotzdem setzte sie sich wieder. Sie war so verwirrt, dass ihr das nicht einmal bewusst wurde. »Hat mein Mann Sie gestern Abend besucht?« Schon beim Sprechen erkannte Emma die Absurdität der Frage – ganz offensichtlich konnte er das nicht getan haben, denn er war um Mitternacht auf Shalimar gewesen und am frühen Morgen nach Gulmarg aufgebrochen!

Doch Nazneen nahm die Frage als ganz natürlich hin. »Nein, Huzoor hat mich nicht mehr besucht, seit er nach Delhi gefahren ist. Im Grunde sind Sie in der Hoffnung hierher gekommen, das zu hören, Mrs. Granville. Ist es nicht so?«

Ja!

»Nein. Ich war … neugierig auf Sie, das ist alles.«

»Huzoor hat mit Ihnen über mich gesprochen?«

»Wohl kaum. Ich habe von Ihnen von … von anderen gehört.«

»Ah!« Sie gab keine Erklärung ab, doch in der einen Silbe lag völliges Verstehen.

»Wie lange kennen Sie meinen Mann?«, fragte Emma ermutigt.

»Seit zwei Jahren. Huzoor wurde durch seinen guten Freund Mian Hyder Ali, der meine Mutter kannte, auf mich aufmerksam.«

Damien hatte dieses Mädchen zwei Jahre lang besucht! Diese Enthüllung versetzte Emma unerwartet einen Stich ins Herz.

»Für Frauen wie mich, Mrs. Granville, ist das die einzig mögliche Arbeit«, fuhr Nazneen mit derselben unerschütterlichen Ruhe fort. Sie bezog sich dabei natürlich auf ihre Eltern. »Ich hatte einen englischen Vater und eine Kaschmirimutter. Sie waren nicht verheiratet. Mein Vater war ein in Umballa stationierter Heeresoffizier auf Urlaub. Meine Mutter war ein ungebildetes Kaschmirimädchen und arbeitete als Wäscherin im Dakbungalow. Sie war sehr jung und sehr unschuldig.«

Geistesabwesend drehte sie einen Goldring an ihrem Finger hin und her. »Ein uneheliches Kind zweier Kulturen hat in Indien keine Zukunft. Für Mädchen ist es noch schlimmer. Sie haben keine andere Wahl als …«, sie brach mit einem kaum erkennbaren Anflug von Zorn ab. »Täuschen Sie sich nicht, Mrs. Granville, ich entschuldige mich nicht, ich verlange kein Mitgefühl. Das ist eine ehrliche Arbeit. Es ist keine Schande, jemandem Genuss zu verschaffen, selbst wenn es seinen Preis hat.«

Erschrocken bei der Aussicht, sie könnte Intimitäten hervorlocken, die sie nicht hören wollte, hob Emma abwehrend die Hand. Doch das Mädchen schüttelte nur den Kopf. »Sie haben ein Recht, das zu wissen«, sagte Nazneen wieder gefasst. »Sie sind seine Frau.« Sie machte eine Pause, füllte die Teetassen, lehnte sich an das Polster und legte die wohlgeformten Finger im Schoß ineinander. »Mir ist es im Leben besser gegangen als den meisten anderen, Mrs. Granville. Ich hatte das große Glück, nur die Aufmerksamkeit eines einzigen Mannes zu genießen. Und er kann sehr nett sein.«

Nett?

Nazneen sah die Skepsis in ihrem Blick und lächelte. »Sie haben einen Mann von starken Überzeugungen und heftigen Extremen, Mrs. Granville. Seine Schale ist hart, denn sie verdeckt viele Wunden, aber in seinem Inneren ist er weich wie Butter. Bedauerlicherweise zeigt er das nicht ohne weiteres. Um eine andere Meinung als er vertreten zu können, muss man ihm zuerst zustimmen.«

»Wenn er das nicht so ohne weiteres zeigt, wie sind *Sie* dann zu diesem Schluss gekommen?«, fragte Emma mit einer gewissen Schärfe.

Nazneen blickte auf den persischen Teppich und ihre Augen schienen konzentriert das komplizierte Muster zu studieren. »Wissen Sie, Mrs. Granville, die Männer, die zu uns kommen, halten uns für Menschen ohne Bedeutung. Deshalb neigen sie dazu, in unserer Gesellschaft nicht so sehr auf der Hut zu sein.« Zum ersten Mal klang Bitterkeit an, die aber sofort wieder verschwand. »Ohne es zu wissen, zeigen sie sich, wie sie wirklich sind. Aber oft ist es ihnen auch gleichgültig. Und wir lernen früh zu akzeptieren, dass man uns vertraut.

Wir müssen das Vertrauen respektieren.« Sie hob den Blick und sah Emma in die Augen. »In den zwei Jahren habe ich viele Seiten Ihres Mannes kennen gelernt, Mrs. Granville. Es sind Seiten, die seine Frau möglicherweise noch nicht kennt.«

Hätte sie es nicht mit solcher Offenheit gesagt, wäre es beleidigend gewesen. Trotzdem überkam Emma völlig unerwartet das Gefühl, betrogen worden zu sein. Damien hatte diesem Mädchen erlaubt, außer seinem Körper auch seine intimen Gedanken, seine verborgenen Empfindungen zu kennen. Ein heftiges Gefühl loderte in ihr auf, ein Gefühl, das ihrem Wesen so fremd war, dass sie es nicht als Eifersucht erkannte.

Nazneen beobachtete sie aufmerksam. Sie bemerkte die aufsteigende Röte, das zornige Blitzen in den Augen und vielleicht sogar die flüchtigen Nadelstiche des Schmerzes. »In unserem Beruf, Mrs. Granville, ist es unklug, festgesetzte Grenzen zu überschreiten. Huzoor hat mich als das genommen, was ich bin. Er hat keine Forderungen gestellt, die über das hinausgegangen wären, was mir meine Stellung zu erfüllen erlaubte. Ich habe nichts erwartet und nichts verlangt, was über das hinausgegangen wäre, was mir zustand.«

Emma runzelte die Stirn und versuchte, das zu verstehen. »Und für Sie war eine solche Beziehung befriedigend?«

»Beziehung?« Das Wort schien Nazneen zu verwirren. »Beziehungen sind nur zwischen Gleichgestellten möglich, Mrs. Granville. Huzoor ist mein Lehrer, mein Wohltäter und vielleicht auch mein Gönner. Aber es wäre sehr ungehörig von mir, mich auf eine Stufe mit ihm – oder sogar mit Ihnen – stellen zu wollen. Wenn er sich in irgendeiner Form für mich interessiert hat, die darüber hinausgeht, dann lag das nicht an seiner mangelnden Korrektheit. Ich habe das nur meinem Glück zu verdanken.«

Es war ein bewundernswertes Lehrstück in Offenheit. Emma erkannte, dass sie auf subtile Weise beruhigt wurde. Gleichzeitig lernte sie, ihren Platz in Damiens Leben zu erkennen. Es war offensichtlich, dass es bei diesem bizarren, unnatürlichen Spiel, das sie hatte spielen wollen, in der Tat Regeln gab, die sie erst lernen musste. Die Erkenntnis, dass Nazneen das Motiv für ihren Besuch erraten hatte, das ihr selbst verborgen geblieben war, war demütigend. Emma sank in ihrer Selbstachtung noch tiefer.

»Ich fahre in sieben Tagen nach Lahore, um mit meiner Mutter und meiner Schwester zusammen zu sein«, sagte Nazneen.

Noch eine Beruhigung!

»Ich werde weiter tanzen in der Hoffnung, durch die Güte Allahs einen anderen Lehrer zu finden, der gut zu mir und meiner Familie ist.« In den grauen Augen des Mädchens lag Stolz, doch irgendwo dahinter lauerte Belustigung, in die sich eine Spur Verachtung mischte. »Ich habe Huzoor Freude geschenkt, wie es meine Aufgabe war. Aber ich versichere Ihnen, in seinem Herzen habe ich keinerlei Spuren hinterlassen. Sie können in Frieden nach Hause gehen, Mrs. Granville. Ihr Mann wird mich nicht wieder besuchen.«

Was konnte Emma noch sagen? Das Mädchen hatte alles beantwortet, jede gestellte und ungestellte Frage. Doch dann fiel Emma ein, dass da noch etwas war, ein sehr wichtiger Punkt, der geklärt werden musste. »Wann hat mein Mann mit Ihnen über mich gesprochen?«, fragte sie.

»Kurz bevor er nach Delhi gefahren ist.« Sie streckte die geschmeidigen Beine aus und stand auf. »Ich bete, dass Allah Ihre Verbindung segnen wird, Mrs. Granville. Ich bete, dass Sie Huzoor viele Söhne schenken werden.«

Emma ging wie in einem Nebel die Treppe hinunter. Ihre Handflächen fühlten sich kalt an, und ihr zitterten die Beine. Damien hatte vor seiner Reise nach Delhi mit dem Mädchen über sie gesprochen? Das war unmöglich! Bevor er nach Delhi gekommen war, hatten sie sich nie gesehen!

*

Als Conolly zum Gouverneur geführt wurde, erkannte er, dass es nicht gut um ihn stand. Tatsächlich, der Taotai war wütend.

Doch wie die chinesische Etikette es verlangte, tranken sie unabhängig von den Umständen zuerst Tee und unterhielten sich eingehend über das Wetter. Conolly mochte grünen Tee nicht. Er fand, dieser Tee schmecke wie heißes Wasser mit einem Anflug von Farbe. Aber er bemühte sich sehr darum, gelassen zu wirken, hielt den Deckel der Tasse mit dem Zeigefinger und trank mit allen Anzeichen von Genuss den Tee, der durch den schmalen Spalt floss. Sie waren allein, doch draußen vor der Tür standen nicht von ungefähr sehr wachsam zwei der vertrautesten Höflinge des Taotai.

Schließlich kam der Gouverneur zur Sache. »Ich habe etwas erfahren, das mich sehr beunruhigt, Dr. Conolly.«

Es war ein wenig verheißungsvoller Anfang. Conolly versuchte, nicht darauf zu achten, dass sein Herz einen Schlag aussetzte, lächelte tapfer weiter und wartete.

»Wie Ihnen bekannt ist, Dr. Conolly«, fuhr der Taotai fort, »wollen die Engländer in Kaschgar ein Konsulat eröffnen.«

Natürlich war ihm das bekannt! »Wollen sie das?« Er wirkte höflich überrascht. »Ja, aber das wäre doch sehr schön.«

»Nein, das wäre *nicht* sehr schön, Dr. Conolly. Ich will keine Ausländer in meinem Gebiet und ganz besonders keine Engländer. Die Angelsachsen besitzen das unvergleichliche Talent, noch mehr Unruhe zu stiften als die Slawen.«

Conolly nahm die Sünden seiner Landsleute in demütigem Schweigen auf sich.

»Vor vier Jahren«, sagte der Gouverneur, »als Mr. Andrew Dalgleish hier war und bevor er bedauerlicherweise im Karakorum ermordet wurde, hat die indische Regierung eine Delegation nach Kaschgar entsandt. Damals dachten wir nicht daran, Ihren Repräsentanten den Aufenthalt zu gestatten, denn wir hatten bereits gelernt, Ihrem Volk nicht zu trauen. Jetzt ist ein neues Ersuchen um eine Einreisegenehmigung für Mr. George MacCartney, Ihren Repräsentanten in Yarkand, und für Hauptmann Francis Younghusband eingetroffen. Zweifellos ist Ihnen das bekannt.«

Conolly wollte wieder den Erstaunten spielen, besann sich aber eines Besseren. »Ein Konsul würde den Handel fördern, Eure Exzellenz«, erklärte er kühn, achtete jedoch darauf, nicht zu begeistert zu klingen.

»Und das würde unseren beiden großen Nationen Vorteile bringen.«

Der Taotai hob die bleistiftdünnen Augenbrauen. »So wie die Ostindische Gesellschaft Hindustan Vorteile gebracht hat, Dr. Conolly?«

Conolly beabsichtigte nicht, seine künftige Stellung durch einen Streit zu gefährden. Er lachte gutmütig und hob den Zeigefinger. »Ja, ja ... da haben Eure Exzellenz sehr Recht.« Er übertrieb seine Belustigung nicht. »Aber, wie Eure Exzellenz wissen, interessiere ich mich nicht für Politik. Ich finde das alles höchst langweilig.«

»Wirklich, Dr. Conolly?« Der Taotai teilte seine Belustigung nicht. »Erweisen Sie mir die Ehre, mich nicht zu belügen oder meine Intelligenz zu unterschätzen. Ich weiß, Sie sind ein englischer Geheimagent und von Ihrer Regierung geschickt, um uns auszuspionieren.«

Conolly öffnete den Mund, um zu widersprechen, schloss ihn aber schnell wieder. »Ich habe Sie heute kommen lassen, um Ihnen zu sagen, dass es keine Einreisegenehmigung für Mr. MacCartney und Hauptmann Younghusband geben wird.« Er machte eine Pause und betrachtete seine Fingerspitzen. Conolly stockte der Atem. »Es sei denn, vorher sind bestimmte Bedingungen erfüllt.«

Conolly begann ganz langsam wieder zu atmen. »Bedingungen, Exzellenz?«

Der Gouverneur erhob sich mühsam und richtete sich auf, so dass er seinen Gast überragte. »Erstens will ich mehr über diese Armenierin wissen, die alle suchen.«

»Alle?« Conolly drehte sich der Magen um, so dass ihm beinahe übel wurde. »Hm, wer noch, Exzellenz?«

»Obwohl Sie das nichts angeht, Dr. Conolly, werde ich Ihnen eine Antwort geben, aber nur, um Ihnen persönlich einen Gefallen zu tun. Der russische Generalgouverneur in Taschkent hat vor kurzem eine gleich lautende Anfrage erhalten.«

Conolly war entsetzt. »Von ... wem?«

»Ich hatte gehofft«, erwiderte der Taotai trocken, »Sie könnten mir das sagen.« Conolly hatte es die Sprache verschlagen und deshalb erwiderte er nichts. »Nun, Dr. Conolly, heraus mit der Wahrheit. Wer genau ist diese Frau?«

»Sie ist nur eine … eine unwichtige Sklavin, Exzellenz«, sagte Conolly schwach und suchte nach einer Erklärung. »Ich weiß, dass es in Sinkiang immer noch Tausende von Sklaven gibt.«

»Ach was! Lügen, alles Lügen.« Die Behauptung wurde mit einer verächtlichen Handbewegung beiseite gewischt. »Wie auch immer, ich habe Sie nicht hierher bestellt, um meine Zeit mit üblen Gerüchten zu vergeuden. Dr. Conolly, ich habe Sie hierher bestellt, um über diese mysteriöse Frau zu sprechen. Ich will mehr Einzelheiten über sie wissen.«

»Außer den Einzelheiten, die ich Ihnen bereits genannt habe«, erklärte Conolly und verfluchte im Stillen Wilfred Hethrington mit allen ihm zu Gebote stehenden Verwünschungen, »weiß ich nichts über sie. Um die Wahrheit zu sagen, ich habe Ihnen die Bitte … einem guten Freund zuliebe vorgetragen.«

Der Taotai kniff die Augen zu glänzenden Schlitzen zusammen. »Sie sind von Ihren Vorgesetzten in Simla angewiesen worden, diese Frau zu finden.«

»Ich habe in Simla keine Vorgesetzten.«

»Das ist eine Lüge! Aber ich will, nein, ich verlange zu wissen, warum Sie diese Frau haben wollen!«

Conolly hätte beinahe gelacht. Wenn der Taotai nur wüsste, was *er* darum geben würde, genau das zu wissen!

»Treiben Sie es nicht zu weit, Dr. Conolly«, brüllte der Taotai. »Ich will auf der Stelle eine Antwort auf meine Frage!«

»Ich kann eine persönliche Angelegenheit nicht …«

»Wieso drängt Ihre Regierung plötzlich auf die Freilassung einer unwichtigen Sklavin?«

»Ich habe keine Verbindung zur Re …«

»Genug!«

Conolly machte sich auf einen gefährlichen Zornesausbruch gefasst und geriet beinahe in Panik. Doch das Verhalten änderte sich wie das launische Wetter. Der Taotai nahm wieder Platz, faltete die dicken

kurzen Finger über dem großen Bauch und zuckte mit den Schultern.
»Wie Sie wollen, Dr. Conolly. Sie und ich werden in Kürze die Antwort auf diese Frage erhalten. Sie sollen wissen, dass ich die Frau bereits ausfindig gemacht habe.«
Conolly rang nach Luft. »Verd …! In Sinkiang?«
»Diese Frage wird für den Augenblick unbeantwortet bleiben.«
Conolly hob hilflos die Hände. »Ich kann nicht mehr sagen, Exzellenz, weil ich nicht mehr weiß.« Zumindest das entsprach der Wahrheit. »Ich erweise nur einem Freund einen Dienst.«
Der Taotai wandte das Gesicht ab und betrachtete aufmerksam die gegenüberliegende Wand.
»In aller Fairness, Exzellenz«, fuhr Conolly bittend fort. »Ich habe bestimmt das Recht, wenigstens zu erfahren, wer in Taschkent nach dieser Frau gefragt hat, damit ich die Information an meinen … hm … Freund weitergeben kann.«
Der Taotai zuckte wieder mit den Schultern und gab nach. »Die Bitte kam von zwei Männern, die behaupteten, Darden zu sein. Aber zweifellos sind es Söldner, die jemand angeheuert hat. Sie haben diesem russischen Spaßmacher von einem Baron einen Besuch abgestattet und im Austausch für die Frau wichtige Informationen angeboten.«
»Welche wichtigen Informationen?«
»Authentische Karten vom Jasminapass.«
Holbrook Conolly sank auf seinen Stuhl zurück. Vorhin war er verwirrt gewesen, jetzt verstand er überhaupt nichts mehr.
Darden? Der Jasminapass? Bei Gott, worum ging es bei dieser ganzen Sache überhaupt?
Als Beamter der Nachrichtenabteilung hatte man ihm beigebracht, sich nie so weit überraschen zu lassen, dass er seine Unwissenheit verriet. Er schluckte und verbarg seine Verwirrung etwas zu spät hinter einem tapferen Lächeln.
»Aus meinen sicheren Quellen habe ich erfahren, Dr. Conolly, dass die Engländer den Jasminapass lokalisiert haben.«
Sichere Quellen! Conolly hätte beinahe gelacht. Seit Wochen waren

entsprechende Gerüchte in allen englischen Zeitungen zu lesen gewesen. Er versuchte, erstaunt zu wirken. »Bei Gott, wirklich?«

»Wenn Ihre Streitkräfte den Pass jetzt auch noch besetzen und mit ihm das bekannte Niemandsland, werden die Russen mit Sicherheit Einspruch erheben, und es kommt unvermeidlich zu Feindseligkeiten. Das Volk im Reich der Mitte hat nicht den Wunsch, in einen Krieg zwischen zwei habgierigen Reichen verwickelt zu werden.«

»Zu Recht, Exzellenz«, beteuerte Conolly. »Aber … was hat das alles mit mir zu tun?«

»Ihre gespielte Unschuld macht Ihnen alle Ehre, Dr. Conolly. Aber«, er lächelte traurig, »jetzt schlage ich vor, Sie geben das Spiel auf. Die Leute Ihres militärischen Geheimdienstes in Simla sind sehr schlau, aber das sind meine Geheimagenten auch.« Er lächelte flüchtig und triumphierend. »Die Menschen im Reich der Mitte sind nicht dumm, Dr. Conolly. Auch wir können ohne allzu große Mühe zwei und zwei zusammenzählen, und es kommt vier heraus.«

Wer zum Teufel hatte dem Taotai den ganzen Unsinn erzählt? Pjotr Schischkin? Conolly war verwirrt und wütend. Natürlich war die ganze Geschichte mit dem Jasminapass unsinniges Gerede, aber ganz sicher ging irgendetwas hinter den Kulissen vor. Warum hatte ihm Simla dann nicht zusammen mit den geschmuggelten Medikamenten mehr Informationen über diese unglückselige Frau geschickt?

»Und deshalb, Dr. Conolly«, fuhr der Taotai fort, »werden Sie sich von Ihrer Regierung, zu der Sie, wie Sie sagen, keine Verbindung haben, die Autorität erteilen lassen müssen, die Sie behaupten, derzeit nicht zu haben, wenn Sie die Frau in die Hand bekommen wollen.«

»Im Austausch gegen was?«, fragte Conolly unglücklich, da er die Antwort bereits kannte.

»Im Austausch gegen die Karten vom Jasminapass. Ich erwarte, dass die Unterlagen baldmöglichst einem bevollmächtigten Vertreter der Regierung des Reichs der Mitte ausgehändigt werden, nämlich mir. Die Frau wird Ihnen erst übergeben werden, wenn die Karten geliefert wurden und wir Zeit hatten, ihre Echtheit zu überprüfen.«

Conolly wischte sich die Stirn. »Ich wünschte, ich könnte helfen, Exzellenz«, erklärte er frostig. »Aber ich kann nicht etwas liefern, was zu bekommen nicht in meiner Macht steht.«

»Ich werde Ihnen die Mittel dazu verschaffen. Sie werden über Shahidullah, von wo Sie üblicherweise Nachrichten nach Leh senden, eine Nachricht an Ihre Leute schicken und sie von der Situation in Kenntnis setzen. Wenn Sie innerhalb von acht Wochen die Karten, von denen Sie behaupten, nichts zu wissen, nicht in der Hand haben, werden Sie hingerichtet.« Eine unheilvolle Pause. »Und die Frau, die Ihre Regierung sucht, ebenfalls. Sollten Sie sich dafür entscheiden zu fliehen, werde ich die Frau hinrichten lassen.«

Trotz der erschreckenden Ankündigung spitzte Conolly aufgeregt die Ohren. Hieß das, die Frau befand sich bereits in chinesischem Gewahrsam und war hier in Kaschgar?

»Ich bin sehr nachsichtig mit Ihnen gewesen, Mr. Conolly«, fügte der Gouverneur hinzu und beendete damit das gespannte Schweigen, »und zwar hauptsächlich wegen Ihres medizinischen Könnens. Sie haben meinem Volk gute Dienste geleistet. Aber nun ist meine Nachsicht zu Ende.« Er beugte sich vor und kniff die kleinen Knopfaugen zu wütenden Halbmonden zusammen. »Sie werden die Regierung, mit der Sie nicht in Verbindung stehen, auch von meiner Entscheidung in Kenntnis setzen, Mr. MacCartney und Hauptmann Younghusband nicht zu erlauben, Kaschgar zu betreten, solange ich die Karten nicht in der Hand halte und wir Zeit hatten, ihre Echtheit angemessen zu überprüfen.«

Conolly wusste, Erklärungen und Entschuldigungen waren sinnlos. Die Katze war aus dem Sack und seine Tage in Kaschgar waren gezählt. Er entschied sich für den Weg des geringsten Widerstandes. »Ich werde sehen, was ich tun kann, Exzellenz«, sagte er mit einem ergebenen Seufzen. »Aber ich kann nichts versprechen. Zufällig brauche ich ebenfalls einige Antworten.«

»Nun?«

»Die Russen wollen einen geheimen Pass, über den sie Truppen nach Kaschmir schicken können. Die Briten wollen den Pass, um das zu verhindern. Doch das Reich der Mitte hat keine territorialen Ambitionen jenseits des Himalaja. Woher kommt dann Ihr plötzliches Interesse an dem Jasminapass?«

»Das Reich der Mitte erstreckt sich bereits über den Himalaja hinaus«, erwiderte der Taotai kalt. »Hunza gehört uns, und deshalb auch der Jasminapass. Wir wollen nichts, was uns nicht schon rechtmäßig gehört.«

Conolly wagte ein schwaches Lächeln. Die großspurige Erklärung war natürlich nicht der wirkliche Grund.

An dem fünfzig Meilen breiten Niemandsland zwischen West-Singkiang und Afghanistan stießen drei Reiche aneinander, und es war und blieb ein potenzieller Gefahrenherd. Südlich des Himalaja lauerten die verhassten Briten, im Westen saßen dauerhaft stationierte russische Heere den Chinesen im Nacken, und in Kaschgar drohte der gefürchtete Pjotr Schischkin. Kein Wunder, dass das Reich der Mitte in ständiger Angst lebte! Wenn der Taotai die Karten vor den Russen in seine kleinen dicken Hände bekam – was für einen besseren Hebel konnte es bei den Verhandlungen geben, um den großen bösen Bären im Schach zu halten?

Er behielt diesen Gedanken für sich. »Die zwei Unzen Goldstaub, die jährlich aus Hunza kommen, haben nur symbolischen Wert, Exzellenz«, sagte er stattdessen. »So viel zahlt Hunza auch an Kaschmir.«

Der Taotai musterte ihn voll Missfallen. »Für einen Mann, der Politik langweilig findet, Dr. Conolly, scheinen Sie bemerkenswert gut informiert zu sein. Wie auch immer«, er legte seine Pfeife auf den Tisch, »wenn meine Forderungen nicht innerhalb von zwei Monaten erfüllt sind, können Sie davon ausgehen, dass Ihr Aufenthalt hier und Ihr Leben zu Ende sind. Sie können jetzt gehen.«

Conolly stand auf und verließ den Raum.

Auf dem Rückweg über den Basar konnte Conolly nicht leugnen, dass er tatsächlich beunruhigt war. Sein Leben war ohne eigenes Verschulden in Gefahr. Er diente als Pfand in einem dunklen politischen Komplott, in das er nicht eingeweiht war. Er hatte keine Informationen über diese verwünschte Frau, wusste nichts über den ominösen Jasminapass, nichts über die Darden oder über die listigen Spiele, die in Simla und Taschkent gespielt wurden. Selbst wenn er nur die leiseste Ahnung gehabt hätte, wo sich die Karten befanden – und dem war nicht so –, wäre es ihm unmöglich gewesen, sie in die Hand zu bekommen. In den mehrere Wochen alten englischen Zeitungen, die er durch Karawanen erhielt, hatte er natürlich von dem armen alten Jeremy Butterfield gelesen. Aber was die neueren Ereignisse anging, tappte er völlig im Dunkeln.

Während Conolly langsam nach Hause ging und über seine gefährliche Lage nachdachte, gab im Palast der Taotai seinen vertrauenswürdigen Höflingen genaue Anweisungen. »In Taschkent gibt es eine Frau«, sagte er, »die auf dem schnellsten Weg nach Kaschgar gebracht werden muss. Wie sie entführt wird, ist Nebensache, und Geld spielt keine Rolle. Aber es darf ihr nichts geschehen. Sie heißt Iwana Iwanowa. Sie befindet sich im Haus eines gewissen Oberst Michail Borokow. Sie arbeitete dort als Haushälterin.«

»Es ist schon so gut wie geschehen, Exzellenz.«

»Ist Padsha Khan noch hier?«

»Jawohl, Exzellenz. Er wartet auf die Erlaubnis, zu gehen und seine Arbeit im Park des Barons wieder aufnehmen zu dürfen, bevor man ihn dort vermisst.«

Der Taotai nickte. »Er soll sofort zurückkehren. In Taschkent wird seine Hilfe bei der Durchführung dieser Mission gebraucht werden. Und seht zu, dass seine Belohnung großzügiger ausfällt als sonst. Diesmal hat er sie sich wirklich verdient.«

*

Am Eingang des Shalimar Parks waren weder Rehmat noch der Chowkidar zu sehen. Emma konnte nicht leugnen, dass sie erleichtert darüber war. Sie musste allein sein, sie brauchte Zeit zum Nachdenken, um ihr Gleichgewicht wiederzufinden. Sie machte einen langen Spaziergang durch den Park.

Es verblüffte sie, dass Damien von ihr gesprochen hatte, bevor sie sich überhaupt kannten. Sie hatte den Eindruck gehabt, ihre erste Begegnung in der Nähe des Qudsiaparks sei zufällig gewesen. Jetzt musste sie annehmen, dass es möglicherweise nicht so war, dass Damien das Zusammentreffen vielleicht bewusst gesucht hatte. Die ungewöhnlichen Gründe, aus denen er sie heiraten wollte und die er in Delhi aufgezählt hatte, hatten sie schon immer mit Zweifel erfüllt. Konnte es sein, fragte sie sich jetzt verwundert, dass sie sich wirklich nicht hoch genug einschätzte? Hatte Damien sie so hartnäckig umworben, weil sie ihm tatsächlich gefiel?

Das war unvorstellbar, gleichzeitig aber auch sehr wohltuend. Sie spürte, wie ein leichtes Kribbeln durch ihren Körper lief, und schlang zitternd die Arme um sich.

Aus diesem und aus anderen Gründen hatte sie das Treffen mit Nazneen innerlich so aufgewühlt. Sie war entschlossen gewesen, die Frau zu verachten, die die Mätresse ihres Ehemannes war. Sie hatte sich zu ihrer eigenen Beruhigung eingeredet, ihre kühne Mission sei auf Neugier zurückzuführen. Dass Nazneen mühelos ihr wahres Motiv erkannt und ihr auf den Kopf zugesagt hatte, sie sei nur gekommen, um sich beruhigen zu lassen, verblüffte sie nicht nur, sondern hinterließ unerwartet auch ein Gefühl der Demütigung.

Wie auch immer, Damien hatte Recht gehabt. Sie hatte von Nazneen etwas Nützliches gelernt.

»Mrs. Granville? Tatsächlich, Mrs. Granville …«

Emma drehte sich um und entdeckte auf dem Weg Geoffrey Charlton, der mit großen Schritten näher kam.

»Welch eine angenehme Überraschung, Mr. Charlton!«, rief Emma fröhlich, denn sein Anblick erfreute sie tatsächlich. »Zufällig habe ich an Sie gedacht.«

»Ja? Und wem oder was habe ich dieses unverdiente Privileg zu verdanken?« Er ging neben ihr her.

»Ich meine, ich habe über unsere Unterhaltung nachgedacht und überlegt, wann wir sie möglicherweise fortsetzen können.«

»Wann immer Sie wollen. Ich stehe ganz zu Ihren Diensten.« Er blickte sich um. »Sind Sie allein in Srinagar?«

»Nein, ich bin in Begleitung und sehr gut aufgehoben. Ich bin gekommen, um ein paar Einkäufe zu machen, und natürlich auch, um mir den Park anzusehen. Das Mädchen und einer der Chowkidars, die mich begleiten, müssten bald hier sein.«

»Es erleichtert mich, das zu hören. Trotz der beruhigenden Tatsache, dass es in Kaschmir beinahe keine Verbrechen gibt und die Polizisten ein sehr ruhiges Leben führen, ist es für eine Dame keine gute Idee, ohne Begleitung spazieren zu gehen. Haben Sie etwas dagegen, wenn ich Ihnen Gesellschaft leiste, bis Ihre Begleiter zurückkommen?«

»Nein, natürlich nicht. Im Gegenteil, ich freue mich, jemanden getroffen zu haben, mit dem ich all diese außerordentlichen optischen Freuden teilen kann.«

»Die Freude ist ganz auf meiner Seite«, murmelte er galant.

In unausgesprochener Übereinstimmung schlenderten sie Seite an Seite durch die schöne Szenerie. Der Park war im siebzehnten Jahrhundert von dem Mogulherrscher Jehangir mit symmetrischer Präzision entworfen worden. Die kühn angelegten Terrassen gruben sich tief in die Hänge. Hohe Chinarbäume säumten künstliche Wasserläufe mit zahllosen Fontänen. Treppen, Säulengänge und Miniaturwasserfälle verbanden die einzelnen Terrassen miteinander. Am Fuß des Hügels wurde der Blick von zwei winzigen Inseln begrenzt, zwischen denen sich eine Brücke spannte. Dahinter lag der ruhige jadegrüne See, in den das Wasser aus dem Park mündete. »Die Moguln haben Landschaftsgestaltung und Gartenanlagen zu einer in Indien einmaligen Kunstform entwickelt«, sagte Charlton. Sie unterhielten sich eine Weile über diesen und andere Parks in Kaschmir. Emma bemerkte, sie habe mehrere Übersetzungen des Wortes ›Shalimar‹ gelesen, die alle voneinander abwichen. Einige deuteten es als eine Oase der Liebe, andere sahen in dem Wort eine Verbindung von *Shala* – Berg und *mar* – schön.

»Für welche Interpretation würden Sie sich entscheiden, Mr. Charlton?«, fragte Emma.

»Ist das nicht unwichtig, solange der Park tatsächlich schön ist?«

Sie stimmte ihm mit einem Lachen zu. Er begann, andere interessante Einzelheiten des Parks aufzuzählen. Doch Emma stellte nach kurzer

Zeit fest, dass ihre Aufmerksamkeit nachließ. Schließlich machte er eine Pause, um Luft zu holen, und sie blieben stehen. »Sie haben neulich beim Abschied etwas sehr Merkwürdiges gesagt, Mr. Charlton. Darf ich fragen, was Sie damit gemeint haben?«

»Dass Sie sehr bald einen Freund brauchen werden?« Er gab nicht vor, sich nicht zu erinnern. »Ich fürchte, ich habe das aus einem Impuls heraus gesagt und die Bemerkung war fehl am Platz. Ich hätte es nicht sagen sollen.« Er ging sichtlich verlegen weiter.

Sie eilte ihm hinterher. »Aber Sie haben es gesagt und deshalb habe ich doch bestimmt auch das Recht auf eine Erklärung.«

Er ging langsamer. »Ich meinte nur, da Sie fremd im Tal sind, würden Sie vielleicht die Freundschaft eines verwandten Geistes begrüßen. Ich habe, wie jeder Freund es tun würde, meine Dienste für den Fall angeboten, dass sie gebraucht werden.«

Emma sah ihn streng an. »Wenn Sie möchten, dass wir Freunde sind, Mr. Charlton, müssen Sie aufhören, meinen Verstand so gering zu achten. Neulich schienen Sie anzudeuten, dass dieser Fall eintreten würde, und zwar sehr bald.«

Ein kleiner Junge, der in Begleitung seiner Eltern war, rannte zwischen ihnen hindurch und handelte sich damit von seinem Vater eine Ohrfeige ein. Charlton wartete ein paar Minuten, bis das empörte Geschrei des Jungen verstummte. »Ja«, sagte er schließlich zögernd, »vielleicht ist eine Erklärung für meine Impertinenz angebracht.«

»Warum setzen wir uns dann nicht und machen es uns bequem?« Sie sah in der Nähe eine Bank und ging sofort darauf zu, ohne ihm eine Gelegenheit zu geben, ihren Vorschlag abzulehnen. Mit einem leichten Neigen des Kopfes und einem Lächeln fügte er sich. »Wie Sie wünschen, Mrs. Granville.« Er setzte sich an das andere Ende der Bank. »Ich bedaure, aber ich kann keine Erklärung abgeben, ohne mir eine weitere Aufdringlichkeit zu erlauben. Gestatten Sie, dass ich Ihnen eine äußerst delikate Frage stelle?«

Emma nickte.

»Wie gut kannten Sie Ihren Mann vor der Hochzeit?«

»Gut genug, um ihn zu heiraten, Mr. Charlton!«

Sie nahm die Frage leicht, aber er blieb ernst. »Und wie gut kannten Sie die Geschichte der Familie Granville?«

»Ich weiß, dass sich Damiens Eltern in Peschawar kennen gelernt und geheiratet haben. Major Granville war damals dort stationiert. Kurze Zeit später nahm er seinen Abschied und ließ sich in Kaschmir nieder.«

»Wissen Sie, weshalb Edward Granville seinen Abschied genommen hat?«

Sie zögerte. »Weil das Leben in der Armee nicht so attraktiv war wie das Leben, das in Kaschmir lockte?«

»Edward Granville hat seinen Abschied genommen, weil man es von ihm verlangte.«

»Oh.«

»Das wussten Sie nicht?«

»Um ehrlich zu sein, ich habe nie danach gefragt. Aber ich habe gehört, dass es in der Familie eine Art … Skandal gab.«

»Ja. Ich nehme an, das könnte man sagen.«

Emma sah, dass er nur zögernd fortfuhr. Etwas in ihr wollte sie dazu bewegen, die Angelegenheit auf sich beruhen zu lassen, aber ihre Neugier war inzwischen geweckt und ließ es nicht zu. »Was immer auch geschehen sein mag, Mr. Charlton, es ist vor vielen Jahren geschehen. Ich möchte nicht, dass Sie das Gefühl haben, Sie missbrauchen das Vertrauen irgendeines Menschen, denn das tun Sie nicht. Ich hätte das ebenso gut von Damien erfahren können, ich habe nur bis jetzt nie daran gedacht, danach zu fragen.«

»Ich finde immer noch, es steht mir nicht zu, Ihnen Einzelheiten zu enthüllen, Mrs. Granville«, sagte er mit sichtlichem Unbehagen. »Familienangelegenheiten sollten im Kreis der Familie besprochen werden. Ich schlage vor, Sie überlassen es Ihrem Ehemann, Ihnen nach seiner Rückkehr aus Gulmarg den Rest zu erzählen.«

Woher wusste er, fragte sie sich eher beiläufig, dass Damien in Gulmarg war?

»Wenn es bei dem Skandal um einen anderen Mann ging, Mr. Charlton, so sind selbst in unserer Zeit Liebhaber und Geliebte an der

Tagesordnung«, sagte sie und hoffte, dass ihm die Wehmut entgehen würde, die sie in ihrer Stimme hörte.

»Der Skandal hatte nichts mit Liebhabern und Geliebten zu tun.«

»Nun, dann vielleicht mit etwas ähnlich Unschicklichem. Schließlich hat der Klatsch viele Farben und Schattierungen.«

»Nein, es war kein Klatsch …« Er brach ab und sah sie eindringlich an. »Es ist mir peinlich, dass ich es Ihnen sagen soll, Mrs. Granville. Aber vielleicht haben Sie in Ihrem eigenen Interesse das Recht, mehr zu erfahren. Ich muss allerdings darauf bestehen, dass Sie mir verzeihen, wenn ich Ihnen etwas verrate, was mich nichts angeht.«

In meinem eigenen Interesse?

»Ihre verstorbene Schwiegermutter, Greta von Fritz«, begann er, »kam nach Indien, als sie erst neunzehn war. Man sagte, sie sei eine österreichische Aristokratin aus Wien gewesen, sehr reich und tragischerweise so jung bereits Witwe. Und sie war sehr schön.«

»Man sagt?«

»Ja.« Er wich ihrem Blick aus. »In Wirklichkeit war Greta von Fritz eine Russin und hieß Natascha Vanonkowa.«

Irgendwie ließ sich Emma ihr Erstaunen nicht anmerken. Kein Wunder, dass Suraj Singh beinahe der Schlag getroffen hatte, als sie die Alpen erwähnte! »Der Skandal hatte also nur damit zu tun? Ich meine damit, dass sie eine Russin war?«

»Nur …?«

Emma lachte. »Mr. Charlton. Sie wissen besser als jeder andere, dass in Indien alle Russen automatisch verdächtig sind. Ich kann kaum glauben, dass Mrs. Granville nicht ebenfalls vielen Verdächtigungen ausgesetzt war.«

»Mrs. Granville, der Fall war nicht ganz so einfach«, erwiderte er und sah sie seltsam an. »Natascha Vanonkowa kam vor dreißig Jahren als Angehörige des russischen Geheimdienstes illegal nach Indien. Sie wurde von einem gewissen Igor Petrowski hierher gebracht, einem Offizier der Kiew-Dragoner, der sich als österreichischer Adliger und ihr Onkel ausgab. Sie reisten mit gefälschten Papieren über Bombay ein, fuhren den Jhelum hinauf und ließen sich in Peschawar nieder.

Dort war und ist immer noch die britische Armee sehr präsent.« Er sprach mit monotoner, betont sachlicher Stimme weiter. »Petrowski erkundete heimlich Bergrouten. Während er angeblich die lokale Flora studierte, freundete sich Natascha Vanonkowa mit Armeeoffizieren an und sammelte dabei Informationen über Truppenbewegungen an der unsicheren Nordwestgrenze zu Afghanistan. Sie war jung, schön, lebenslustig und eine begabte Pianistin und Malerin. Sie konnte jedes Gesicht innerhalb von Minuten in allen seinen Einzelheiten skizzieren. Das trug nicht nur zur Belustigung auf Gesellschaften bei, sondern half St. Petersburg, die Spitzen der britischen Armee in Indien zu identifizieren.«

Er sah Emma fragend an, sie nickte stumm, und er sprach weiter. »Dank dieser vielen Talente wurde Greta von Fritz schnell ein fester und beliebter Bestandteil der guten Gesellschaft von Peschawar und die Häuser der meisten Militärs standen ihr offen. Geld für ihren luxuriösen Lebensstil hatte sie genug. Es kam aus den Kassen der russischen Regierung. Einer der britischen Offiziere, der sich für Greta von Fritz interessierte, war Major Edward Granville. Zu seinem Pech verliebte er sich unsterblich in sie.« Charlton machte eine Pause und warf ihr einen schiefen Blick zu. Emma blickte starr geradeaus und reagierte nicht.

»Schließlich kursierten die ersten Gerüchte über die mysteriöse österreichische Gräfin«, fuhr Charlton fort. »Obwohl Edward Granville von seinem vorgesetzten Offizier gewarnt wurde, weigerte er sich, den Gerüchten Glauben zu schenken. Als das Getuschel überhand nahm und die Lage für Greta schwierig wurde, machte ihr Granville einen Heiratsantrag. Man konnte ihr nichts nachweisen, und das Militär wollte keinen öffentlichen Skandal. Trotzdem legte man Granville inoffiziell nahe, den Dienst zu quittieren, sich aus Peschawar zurückzuziehen und sich irgendwo außerhalb der Grenzen von Britisch-Indien niederzulassen. Nach einer überstürzten Hochzeit begab sich das junge Paar nach Amritsar und später nach Kaschmir. Dort erfreute sich Granville der Protektion des Herrschers, denn er interessierte sich seit langem für die Weberei. Die Armee war sehr erleichtert, die unangenehme Situation einigermaßen glimpflich bereinigt zu haben, und man kehrte die ganze Sache unter den Teppich. Der Maharadscha erteilte Natascha Granville eine Aufenthaltserlaubnis und die Granvilles ließen sich in Kaschmir nieder. Petrowski verschwand aus Peschawar, ohne eine Spur zu hinterlassen. Man vermutete, dass ihm Kontakte in Afghanistan den Rückweg nach Russland ermöglicht hatten.«

Nicht weit von ihnen entfernt schoss ein Eisvogel ins Gras und stieg mit einem schrillen Schrei wieder auf. Emma verfolgte seinen Flug mit den Augen, bis er in den Wolken verschwand. Es kostete sie beträchtliche Mühe zu verbergen, wie schockiert sie war. Nur die Hände in ihrem Schoß umfassten sich etwas krampfhafter. Sie begriff jetzt, warum Charlton gezögert hatte, und sie machte sich Vorwürfe, ihn dazu gebracht zu haben, ihr diese schreckliche Geschichte zu erzählen.

»Ich kann Ihnen nicht sagen, wie sehr ich es bedaure, dass es mir zugefallen ist, Sie von all dem in Kenntnis zu setzen, Mrs. Granville«, sagte Charlton leise.

Emma verbarg ihre Verlegenheit hinter einem tapferen Lächeln. »Ja, das ist alles Vergangenheit, Mr. Charlton. Ich kann nur sagen, dass mir die arme Natascha Leid tut. Nur Gott mag wissen, unter welch schrecklichem Druck sie das alles getan hat.«

Sie war hin und her gerissen zwischen dem Wunsch, alles zu erfahren, und einem Schuldgefühl angesichts der Indiskretion, die den Beigeschmack mangelnder Loyalität gegenüber Damiens Familie hatte, und kämpfte innerlich mit sich. Das wäre nicht nötig gewesen. Charlton spürte ihr Unbehagen und erlöste sie aus ihrem Dilemma. »Ich schlage vor, dass Sie sich an Ihren Mann wenden, um das Übrige zu erfahren, Mrs. Granville. Ich habe Ihnen nur eine Erklärung für das Angebot meiner Freundschaft gegeben, das übrigens immer noch gilt. Wenn ich meine Grenzen noch einmal überschritten habe, dann bitte ich um Vergebung. Vielen Dank für das Privileg Ihrer Gesellschaft. Wenn ich mich nicht irre, kommen Ihre Begleiter gerade durch das Parktor. Einen guten Tag, Mrs. Granville.« Er wartete ihre Reaktion nicht ab und ging eilig davon.

Von Ferne näherten sich Rehmat, der Chowkidar und ein älterer bärtiger Mann, bei dem es sich vermutlich um den Vater des Mädchens handelte.

Natascha Vanonkowa ... eine russische Geheimagentin!

Obwohl die Enthüllung sie schockiert hatte, war Emma tief berührt. Die Geschichte hatte ergreifende Zwischentöne und enthielt Andeutungen einer schrecklichen Tragödie. Sie hatte hauptsächlich deshalb wenig über die traurige Geschichte von Damiens Mutter gewusst, weil sie sich nie die Mühe gemacht hatte, sich mehr als oberflächlich nach ihr zu erkundigen. Doch jetzt war sie fasziniert. Allerdings wusste Emma, dass es angesichts der anhaltenden Spannungen zwischen ihnen unmöglich sein würde, Damien danach zu fragen.

Nach allen Informationen, die es möglicherweise noch gab, würde sie selbst suchen müssen.

*

Emmas zweiter nächtlicher Ausflug stellte kein Problem dar. Suraj Singh war abwesend, und Sharifa und Rehmat schliefen tief und fest. Sie wartete mit dem Schraubenzieher, Streichhölzern und der kleinen Laterne in der Hand bis nach elf Uhr und lief dann wieder mutig die Treppe nach unten zur Rückseite des Hauses.

Sie zweifelte nicht daran, dass Charlton die Wahrheit gesagt hatte. Schließlich gab es für ihn keinen Grund zu lügen. Es war nicht schwierig, vertuschte Skandale aufzudecken, wenn man wusste, wo man suchen und wen man fragen musste. Doch da sich Emma nicht für politische Intrigen und die heimlichen Spiele von Regierungen interessierte, hatte sie bemerkenswert leicht ihre eigene Sicht der Dinge wiedergefunden. In der politischen Arena waren die Verbündeten von heute die Feinde von morgen und im Grunde war der Verräter des einen der Held des anderen. Die Tatsache, dass Damiens Mutter eine Spionin gewesen war, berührte sie überhaupt nicht.

Was Geoffrey Charlton gesagt hatte, beunruhigte sie weit weniger als das, was unausgesprochen geblieben war. Der Jahrzehnte alte Skandal war so tot und vergessen wie die Beteiligten. Doch auf eine merkwürdige unausgesprochene Weise hatte Charlton erkennen lassen, dass die Ereignisse der Vergangenheit irgendwie in Verbindung mit der Gegenwart standen.

Durch Damien …?

Das Schließband an der zweiten Hintertür ließ sich ebenso leicht entfernen wie das erste, und Emma verschaffte sich ohne große Mühe Zugang zu Natascha Granvilles Badezimmer. Auf den Kacheln hatte sich stellenweise Schimmel gebildet, und es roch stark nach Moder. Doch es war unverkennbar, dass es sich um das Bad einer Frau handelte. Die Messinghähne waren elegant geformt, und auf den Handtuchhaltern an der Wand hinter der Badewanne hingen schlaff und verstaubt mehrere Handtücher, die mit erlesenen Stickereien versehen waren. Emma konnte es kaum erwarten, die Räume zu untersuchen, und ging eilig durch das Bad und das Ankleidezimmer in das angrenzende Wohnzimmer. Das schwach flackernde Licht ihrer Laterne tat wenig, um die tiefe Dunkelheit zu erhellen. Im Wohnzimmer, das genau ihrem eigenen entsprach, zog sie einen Vorhang zurück. Eine Staubwolke stieg ihr in Nase und Augen, und sie sah beinahe nichts mehr. Sie hielt sich hustend den Zipfel ihres Morgenmantels vor die Nase und öffnete den Fensterladen. Das Mondlicht, das in Streifen auf den Boden fiel, reichte für einen flüchtigen Überblick aus. Auf den Tischen standen Lampen, aber sie waren alle leer und trocken. Die Dochte fühlten sich spröde an. Sie stellte die Flamme ihrer Laterne höher, und das Licht verlieh dem Zimmer eine erkennbare Perspektive, so wie ein Bild, dem man eine dritte Dimension gibt. Trotz der Schutzbezüge über den vielen Möbeln herrschte ein auffälliger Unterschied zwischen diesem und Edward Granvilles Wohnzimmer. Emmas erster Eindruck war der einer überladenen Schatzhöhle. Schwere vergoldete Uhren, deren tickende Herzen vor langer Zeit zum Stillstand gekommen waren, standen neben Statuetten aus Marmor und Onyx. Juwelenbesetzte silberne Tabakdosen, die durch die jahrelange Vernachlässigung schwarz angelaufen waren, lagen zwischen chinesischen Drachen aus Jade, Begräbnisurnen und feinen Glasgegenständen. Der Brokatbezug eines schön geschnitzten kleinen Sofas war unter dem Schutzbezug matt geworden, doch die herzförmigen Satinkissen schimmerten immer noch im Glanz einer vergangenen Zeit.

Die bodenlangen Vorhänge an den Fenstern waren alle zugezogen und hatten Querbehänge mit Fransen und Quasten. Geschützt vor dem zerstörerischen Sonnenlicht, war jeder Vogel, jede Blüte des reich gemusterten Seidenteppichs trotz der Staubschicht von Farbe und Leben erfüllt. An den Holzbalken hingen zwei beschlagene Kristallleuchter, und an den Wänden mit einer Maiglöckchentapete sah Emma verblasste Aquarelle von vereisten weißen Seen und verschneiten Bäumen, die ein arktischer Winter aller Blätter beraubt hatte. Die Ikone einer russischen Madonna mit dem Kind spähte traurig zwischen den nicht ganz zugeklappten Flügeln eines nachgedunkelten Triptychons hervor. Über dem Schreibtisch hing ein Kalender mit russischer Schrift und informierte über eine vergangene Zeit, die hier seit zwanzig Jahren niemand mehr beachtet hatte.

Das Parkett unter den Teppichen war in einem hervorragenden Zustand. Es gab keine Anzeichen für morsche Stellen.

Emma fühlte sich inzwischen sicherer und ging zu dem Zeichenbrett auf dem Schreibtisch, auf dem ein unfertiger Entwurf lag. Er zeigte stilisierte Kiefernzapfen mit einer Bordüre von ineinander verschlungenem Laubwerk. Das Papier war vergilbt, und die Ecken hatten sich aufgewölbt. An der Wand lehnte eine Mappe mit anderen Entwürfen. Sie waren ordentlich durch Seidenpapier geschützt, das vor Alter brüchig raschelte. Zwischen Buntstiften, Radiergummis, Bleistiften, Papierklammern, einem Knäuel Schnur, einer Flasche eingetrocknetem Kleber und gerolltem Zeichenpapier lag in der Vertiefung einer Palette ein Federhalter, dessen Feder noch mit Tusche verkrustet war. Hinter dem eleganten Schreibtisch entdeckte sie, von einem Vorhang beinahe völlig verborgen, die Ecke eines großen vergoldeten Bilderrahmens. Das Bild wollte sie sich später ansehen.

Sie ging in das Schlafzimmer. Auf der bestickten Steppdecke lagen in einer Satinschachtel ordentlich gefaltet ein Morgenmantel und ein

Nachthemd aus Spitze. Unter dem Himmelbett stand ein Paar pelz-gefütterte Hausschuhe mit roten Lederschleifen. Auf der messing-beschlagenen Kommode neben dem Bett lag ein aufgeschlagenes Buch mit dem Rücken nach oben. Emma rieb mit dem Finger über den staubigen Einband und sah, dass es einen russischen Titel hatte. In Vasen befanden sich noch Sträuße verdorrter Frühlingsblumen. Auf einem Tisch entdeckte sie eine liebevoll in verstaubte Seide gewickelte Balalaika. Die gerissenen Saiten waren verdreht und wanden sich wie die wirren Ranken einer Pflanze.

Emma kehrte wieder in das Ankleidezimmer zurück und öffnete eine Schiebetür des Schranks. Dort hingen Dutzende Kleider: pailletten-besetzte Abendroben, elegante Jacken und Röcke, bestickte und be-druckte Tageskleider, auf deren Musselinschutzhüllen eine dicke Staubschicht lag. Auf den Regalbrettern standen Schuhe mit Span-nern, und daneben sah sie Handtaschen, Satinbeutel und eine un-glaubliche Vielfalt von Hüten. Auf dem Boden lag neben einem Paar offenbar eilig ausgezogener Lederhandschuhe mit Spitzenbesatz ein achtlos hingeworfener Schal.

Plötzlich nahm Emma aus dem Augenwinkel eine Bewegung wahr. Vor ihr tauchte eine geisterhafte Gestalt auf, und sie griff sich vor Schreck an die Kehle. Doch dann erkannte sie, dass sie sich selbst in dem beschlagenen dreiteiligen Spiegel des Ankleidezimmers gesehen hatte, und sie atmete erleichtert auf.

Vor dem Spiegel waren ordentlich auf bestickten, spitzenbesetzten Deckchen neben Kosmetika, Toilettenartikeln und Parfümzerstäu-bern silberne Haarbürsten und Kämme aufgereiht. Emma griff nach einem Kamm. In den Zähnen hingen helle Haare – Erinnerungen an die Besitzerin, die ihn zum letzten Mal benutzt hatte. So unglaublich es auch war, in der Luft hing ein schwacher Duft von Parfüm, wie ein Geist, der die Vergangenheit beschwor und sich hartnäckig weigerte, diesen Ort zu verlassen. Emma zog am Glasknopf einer Schublade. Sie ließ sich mühelos öffnen. Die Schublade war für Schmuck be-stimmt und in kleine, mit rotem Samt ausgeschlagene Fächer unter-teilt, in denen jedoch nichts lag.

Emma schloss die Schublade schnell wieder und ging tief bewegt zurück ins Wohnzimmer.

Natascha Granville hatte inmitten von Schönheit und Eleganz gelebt. Weder der Staub der Jahre noch der Moder konnten verbergen, dass sie einen guten Geschmack gehabt hatte, eine Schwäche für schöne Dinge, und dass sie das Leben liebte. Doch obwohl sie verwöhnt, geliebt und von Luxus umgeben gewesen war, hatte sie nicht das Glück gefunden, nach dem sie sich sehnte. Eine Traurigkeit umgab alles, eine tiefe Melancholie, die selbst zwei Jahrzehnte nicht hatten auslöschen können.

Unvermeidlich richteten sich Emmas Augen auf den Rahmen hinter dem Vorhang. Sie zog das Bild hervor, drehte es um, und vor ihren Augen wurde Natascha Granvilles Gesicht lebendig. Das Ölgemälde war das Gegenstück zu Edward Granvilles Porträt im Salon.

Auch in diesem Punkt hatte Suraj Singh gelogen.

Emma saß lange da und betrachtete das Gesicht, dessen Schönheit sie faszinierte. Blasse, flachsblonde Ringellöckchen fielen in die klare glatte Stirn. Auf den vollen, geschwungenen Lippen lag der Anflug eines Lächelns, die Wangenknochen waren hoch, und die lachenden slawischen Augen sprachen von einer glücklichen Zeit. Um den langen, schlanken alabasterweißen Hals war eine Perlenkette geschlungen, und an einer silbernen Kette hing ein großer, filigraner Silberanhänger in Form eines Schwans, der bis zum sinnlichen Busenansatz reichte. Die langen schmalen, mit Ringen geschmückten Finger hielten einen japanischen Fächer mit einer orangefarbenen Quaste, dessen bemaltes Papier über ebenfalls orangefarbenes Holz gespannt war. Diese Frau sah hinreißend aus. Sie konnte jeden verführen, denn sie schien unbesiegbar. Sie war eine Frau, die den Tod verachtete und dazu bestimmt war, unsterblich zu sein. Emma stellte überrascht fest, wie viel Damien von seiner Mutter hatte – nicht die Farbe von Haut und Haaren, die hatte er von seinem Vater geerbt, sondern die fein geschnittenen Züge.

Wer hatte das Bild von seinem angestammten Platz im Salon entfernt: Damien oder sein Vater? Aus Zorn oder aus Trauer?

Natascha Granville war in großer Eile gewesen. Es sah alles nach einer Flucht aus. Ihre Suite war noch genauso wie in jener schicksalhaften Nacht und erinnerte an eine rituelle Grabkammer, die dem Wohlbefinden der Seele nach dem Tode dienen sollte. Jedes kostbare Objekt, das sie hier zusammengetragen hatte, besaß seine eigene überaus lebendige Präsenz, die so spürbar war wie die der unglücklichen Frau. In den Räumen herrschte eine Atmosphäre verzweifelter Erwartung, als hoffte alles immer noch auf die Rückkehr der früheren Bewohnerin.

Emma spürte, wie sie die Furcht von neuem beschlich. Sie bekam am ganzen Körper eine Gänsehaut. Um sich aus ihren Phantasievorstellungen zu befreien, schüttelte sie energisch den Kopf, richtete sich auf und holte tief Luft. Sie trat an den Schreibtisch und zog eine Schublade auf. Sie war angefüllt mit Briefen in russischer Sprache. Offizielle oder persönliche Briefe? Emma konnte es nicht sagen. Enttäuscht schloss sie die Schublade und versuchte es mit einer anderen. In dieser Schublade lagen unordentliche, locker mit Bändern verschnürte Papiere. Sie öffnete einen Packen. Er enthielt linierte Blätter, die mit russischen Buchstaben in kindlicher Schrift bedeckt waren. Damiens Schrift? Emma konnte sie nicht entziffern und legte den Packen ebenfalls enttäuscht wieder zurück.

»Der Chinar hat frisches Laub …«

Plötzlich entdeckte sie ein Blatt, das englisch beschrieben war. Ihr Blick richtete sich schnell auf das Datum: »14. September 1870.« War es ein Brief? Ein Aufsatz?

»Der Chinar hat frisches Laub. Die Schneeschmelze füllt die Bäche, und die Kröten quaken. Morgen wird es regnen. Die Frühlingswinde kommen mit der Kirschblüte, aber ich mag sie nicht. Der Wind ist scharf und beißend. Sascha bellt die ganze Nacht. Wenn die Eulen schreien, fürchte ich mich, und ich liege wach, um zu lauschen. Ich glaube, ich höre ihre Stimme auf der Treppe. Kommt sie nach oben? Nein, es ist nur ein Vogelruf oder Blendwerk der Nacht. Sie wird das neue Laub und die Kirschblüten nicht sehen, und sie wird auch nicht hier sein, wenn ich zurückkomme. Gut! Die Augen, in denen das

Böse liegt, werden das Schöne nicht erblicken. Und sie werden auch nicht ...«

Der Text endete so abrupt, wie er begann, und war nicht mit einem Namen gezeichnet. Andere Briefe in Englisch gab es nicht, sondern nur ein altes Schulnotizbuch mit unzusammenhängenden Aufzeichnungen in einer seltsamen Mischung aus Englisch und Russisch. Emma fiel ein Satz ins Auge.

»Welche Farbe hat das Wasser, welchen Geschmack das Feuer, wie fühlt sich der Wind in der Hand an? Niemand weiß es außer ihr, denn sie ist jetzt dort, wo alles bekannt ist und wo es keine Geheimnisse gibt.«

Emma ahnte mehr, als sie verstand, und obwohl sie wusste, dass sie unberechtigt in eine persönliche Einöde der Qual vordrang, las sie weiter. Die Frau, von der Damien in der dritten Person sprach, war seine Mutter. Auf einem anderen Blatt stand: »Heute ist die erste gelbe Rose an dem Strauch aufgeblüht, den sie gepflanzt hatte. Ich habe seine Dornen entfernt und ihn mit den Wurzeln ausgerissen. Ich habe ihn hinter den Ställen verbrannt und seine Asche in die Erde gestampft. Ich hasse ihn, er ekelt mich an.«

Emma verstand intuitiv diesen Hinweis. Die alten Ägypter sahen in der gelben Rose ein Symbol für Treuebruch und Verrat. An ihr inneres Ohr drangen die Echos der Einsamkeit, die Ausbrüche von Leid und Verwirrung und Zorn und schließlich und unvermeidlich von Hass. Viele Jahre alte, weitschweifige Anmerkungen, die unerklärlicherweise überdauert hatten, Andenken an den Schmerz, an die weiche verwundbare Stelle eines verlassenen Kindes.

Er war zu jung gewesen, um zu verstehen, zu alt, um zu weinen ...

Emma versuchte, sich diese Nacht vor zwanzig Jahren vorzustellen, als ein Klopfen an die Tür für den Jungen das Ende seiner Welt bedeutet hatte. Er war in ein Zuhause zurückgekommen, dem der Mittelpunkt fehlte, zu Erinnerungen an einen Verlust, der zu ungeheuerlich war, um verarbeitet zu werden. Aus welchen Gründen war er im Stich gelassen worden? Waren diese Gründe ausgesprochen, erklärt und verstanden worden? Konnte das jemals geschehen?

Bei diesen Gedanken begannen Emmas Augen zu brennen. Sie empfand einen Groll gegen die Frau, die zwei Leben und ein Heim zerstört hatte. Doch ihr wurde schnell bewusst, wie ungerecht ihr vorschnelles Urteil war, und sie rief sich zur Ordnung. Andere Fragen mussten ebenfalls gestellt werden. Wie konnte sie nach all den Jahren die Verzweiflung von Damiens Mutter richtig einschätzen? Wie sollte dazu überhaupt jemand in der Lage sein? Es war verständlich, dass Damien seine Mutter des Verrats beschuldigte. Wie sollte das anders sein, wo er doch erst zwölf Jahre alt gewesen war und nichts gewusst hatte vom Lauf der Welt?

In Edward Granvilles Suite schlug eine Uhr zweimal. Emma hatte sich auf andere Dinge konzentriert und sie vorher nicht schlagen gehört. Jetzt klang es in ihren Ohren wie zwei Donnerschläge. Es war spät, und ihr fielen vor Müdigkeit die Augen zu. Sie gähnte, legte alles ordentlich an seinen Platz zurück und sah sich um, damit sie sicher sein konnte, keine verräterischen Spuren ihres Besuchs hinterlassen zu haben. Alles in allem war sie zufrieden und nahm denselben Weg zurück, auf dem sie gekommen war. Als sie die Schrauben am Schließband der äußeren Tür festgezogen hatte, war es beinahe halb drei.

Emma wusste, wenn sich andere Erkenntnisse über Damiens Kindheit finden ließen, dann nicht in den Räumen seiner Mutter. Offenbar war er aus Verbitterung darüber, dass sie ihn im Stich gelassen hatte, seit Jahren nicht in ihrer Suite gewesen. Emma war inzwischen so neugierig auf die Familiengeschichte, die sich vor ihr entfaltete, und auf Damiens früheres Leben, dass sie fest entschlossen war, vor Suraj Singhs oder Damiens Rückkehr weiterzusuchen. Sie würde, sie *musste* in der folgenden Nacht wiederkommen.

Aber das sollte nicht sein. Als sie am Morgen erwachte und in ihr Wohnzimmer ging, stand am Kamin ein Paar hohe, schmutzige schwarze Lederstiefel, die darauf warteten, dass Hakumat sich ihrer annahm.

Irgendwann im Laufe der Nacht war Damien zurückgekommen.

Dreizehntes Kapitel

»Gut geschlafen?« Damien kam gerade aus dem Bad in ihr Wohnzimmer und trocknete sich mit schnellen Bewegungen die Haare. Emma blieb in der Tür stehen, und er sah sie durch die Falten des Handtuchs an. Sie nickte stumm. »Du siehst aber nicht danach aus. Was hast du gemacht? Hast du im Schlaf gegen die Dämonen der Hölle gekämpft?«

Da sich Emma weder gewaschen noch frisiert hatte, zog sie sich schnell in ihr Schlafzimmer zurück, um klar denken zu können. Als sie kurze Zeit später nach einer raschen Morgentoilette in einem zitronengelben gesteppten Morgenmantel einigermaßen gefasst zurückkam, saß er in einem Sessel am Kamin und sortierte einen Stapel Post. Seine Haare waren immer noch feucht und standen ihm wie Stacheln vom Kopf ab. Das Handtuch hatte er um die Schultern geschlungen.

»Wann bist du aus Gulmarg zurückgekommen?« Emma setzte sich ihm gegenüber und fragte sich unruhig, ob er vielleicht – Gott behüte – während ihres nächtlichen Ausflugs angekommen sei. Bei dem Gedanken an die Umstände seines stürmischen Abschieds machte sie die plötzliche Rückkehr misstrauisch. Andererseits waren die Entdeckungen, die sie heimlich gemacht hatte, sehr präsent, und deshalb mischte sich in das Misstrauen eine merkwürdige, verhaltene Freude.

»Ganz früh heute Morgen«, erwiderte Damien, und ihre Spannung löste sich. Er warf ihr einen Umschlag zu. »Ein Brief für dich. Er ist von deiner Mutter. Ich hoffe, es geht ihr gut und sie macht sich keine allzu großen Sorgen, weil ein großer böser Wolf ihre Tochter in die Wildnis verschleppt hat.« Der untypische Humor war so überraschend wie seine Rückkehr. Emma hatte ihn noch nie so unbeschwert erlebt.

»Danke.« Sie würde den Brief später lesen und legte ihn beiseite. Sie sah, dass er nicht von ihrer Mutter, sondern von Jenny stammte.

Hakum trug das – offenbar bereits bestellte – Frühstück auf, und Emma wurde bewusst, dass sie zum ersten Mal zusammen eine normale, alltägliche Mahlzeit einnahmen. Der plötzliche Übergang zu zwangloser Häuslichkeit war ungewohnt und machte sie leicht verlegen. Sie war dankbar, dass die hausfraulichen Pflichten eine momentane Ablenkung boten, und widmete sich ihnen voll Hingabe.

»Willst du den Brief nicht lesen?« Er blickte von seiner Post auf und warf einen Blick auf den Umschlag neben ihr.

»Ich dachte, ich warte damit bis nach dem Frühstück«, erwiderte Emma.

Er häufte mit sichtlichem Genuss fein gehackte Nieren, Wiesenchampignons und Rührei auf seinen Teller. »Du hast tatsächlich die Geduld, so lange zu warten, bis du erfährst, was deine Mutter zu berichten weiß?«

»Nun ja ...«, Emma warf einen unsicheren Blick auf den Brief und gab dann nach. »Eigentlich nicht«, sagte sie und lachte entschuldigend, während sie nach dem Umschlag griff. »Wenn es dir wirklich nichts ausmacht ...« Der Brief enthielt weitere Einzelheiten über die Hochzeit, Neuigkeiten über gemeinsame Freunde und zusätzlich ein wenig aufregenden Klatsch aus Delhi. Jenny schrieb in ihrer charakteristischen Art, und Emma musste lächeln. Ein- oder zweimal kicherte sie sogar. Als sie den Brief zur Hälfte gelesen hatte, machte sie eine Pause und griff nach ihrer Tasse. Dabei sah sie, dass Damien sie beobachtete. »Er ist von Jenny ... Jenny Purcell«, erklärte sie schnell. »Vielleicht erinnerst du dich an sie. Kurz nachdem ich aus Delhi abgereist bin, hat sie geheiratet.«

»Ja, ich erinnere mich an sie.«

»Sie müssen sich inzwischen in Kalkutta eingelebt haben. John Bryson, ihr Mann, hat eine neue Stelle in der Verkaufsabteilung einer schottischen Jutefabrik. Jenny schreibt sehr amüsante Briefe.«

»Offensichtlich, denn sie bringt dich dazu zu lächeln.« Er fügte hinzu: »Ich meine nur, du lächelst so selten, dass es eine erfreuliche Abwechslung ist, wenn du dich so spontan amüsierst. Ich mag es nicht, wenn du wie ein sterbender Schwan herumläufst.«

»Oh?« Seine Unbekümmertheit wirkte ansteckend, und sie beschloss, sich seiner Stimmung anzupassen. »Ich dachte, du würdest sagen ›wie eine gereizte Gans‹. Normalerweise wirfst du mir vor, ich sei gereizt.«

»Das auch.« Er lachte und strich sich mit den Fingern die Haare zurück.

Wenn er sie noch nie hatte herzlich lachen sehen, dann konnte sie das Kompliment zurückgeben. Er schien an diesem Morgen ungewöhnlich guter Laune zu sein. Sie tat, als sei sie in den Brief vertieft, und musterte verstohlen sein Gesicht, während er ein Stück Toast kaute und seine eigene Post durchging. Trotz der heiteren Stimmung hatte er tiefe Falten auf der Stirn, und auch um die Winkel von Augen und Mund entdeckte sie schwache Linien. Müdigkeit nach der Reise? Sorgen? Waren die Falten schon immer da gewesen? Emma hatte sie nie bemerkt, aber schließlich hatte sie bisher nur sehr wenig an ihm überhaupt sehen wollen.

Die ungelenke kindliche Schrift, die qualerfüllten Worte und die schmerzliche Unzulänglichkeit des Ausdrucks – all das stand ihr plötzlich wieder klar vor Augen, und ihr Herz verkrampfte sich plötzlich vor … vor Mitgefühl? Mitgefühl! Sie hätte am allerwenigsten damit gerechnet, dass Damien Granville in ihr oder überhaupt in jemandem Mitgefühl wecken könnte. Sie staunte über sich selbst.

Glücklicherweise schien es, als sollte über die hässliche Szene in jener Nacht nicht gesprochen werden. Er erwähnte sie weder direkt noch indirekt und schien auch nicht geneigt zu sein, das zu tun. Emma las erleichtert ihren Brief zu Ende, und da sie Appetit hatte, füllte sie sich eine Schale mit Weizenporridge, Mandarinenhonig und Ziegenmilch. Damien hatte Weintrauben pflücken lassen. Sie schmeckten gleichzeitig herb und süß und – das bestätigte sie ihm auf seine Frage – überaus köstlich. Er war an diesem Morgen so nett und charmant, dass Emma sich nicht gerade wohlwollend fragte, ob sich dahinter vielleicht ein Grund verberge, obwohl sie sich nicht vorstellen konnte, welcher.

»Ich muss heute nach Srinagar gehen und mit Jabbar Ali wegen einer Lieferung Schultertücher sprechen«, sagte er, als das Frühstück beendet war. »Möchtest du mitkommen?«

Ihr Herz setzte einen Schlag aus. Wusste er, dass sie am Vortag allein dort gewesen war? Wahrscheinlich nicht, zumindest noch nicht. »Das würde ich sehr gerne«, erwiderte sie. »Danke.«

»Wir können über Nacht auf dem Hausboot bleiben und morgen zurückkommen, wenn dir das recht ist.«

Sie versicherte ihm, dass es ihr recht sei.

Bei der Erwähnung von Jabbar Ali erinnerte sie sich wieder. Sie holte die Jacke aus ihrem Schlafzimmer und gab sie ihm, von einer plötzlichen Schüchternheit erfasst. »Ich … ich habe sie gekauft, als wir auf dem Weg hierher durch Srinagar gekommen sind. Ich hoffe, sie passt dir und ist nach deinem Geschmack.«

»Für mich?« Er hätte nicht erstaunter sein können. »Meine Güte, es muss Jahre her sein, dass jemand ein Geschenk für mich gekauft hat!« Er öffnete schnell das Päckchen, nahm die Jacke heraus, hielt sie hoch und betrachtete sie von allen Seiten.

»Genau das, was ich brauche!« Seine Freude war so groß, dass Emma schuldbewusst an die Beiläufigkeit denken musste, mit der sie die Jacke erstanden hatte »Ich wollte mir schon lange eine solche Jacke kaufen, aber irgendwie habe ich es nie geschafft. Woher wusstest du, dass ich eine neue brauche?«

»Suraj Singh hat mir gesagt, du hättest bei deiner alten ein Loch in die Tasche gebrannt.«

Er zog die Jacke sofort an und erklärte, sie passe hervorragend. »Ich sehe, dass es doch Vorteile mit sich bringt, eine Frau zu haben.« Er glättete die Taschen und schnippte eine winzige Fluse vom Kragen, »und sei es auch nur, weil man sich nicht mehr um das lästige Einkaufen kümmern muss.«

»Ich hatte noch keine Gelegenheit, mich bei dir für das Shatush zu bedanken«, sagte sie, entschlossen, auch das hinter sich zu bringen. »Und auch für die Stute. Ich … du darfst nicht das Gefühl haben, dass ich erwarte, mit teuren Geschenken verwöhnt zu werden.« Sie wusste, dass sie in ihrer Verlegenheit steif und unfreundlich wirkte.

»Du weißt, was man über einen geschenkten Gaul sagt«, erwiderte er. Ihre Dankbarkeit zu akzeptieren war ihm so unangenehm wie ihr, sie in Worte zu fassen. »Außerdem brauchst du hier auf dem Gut ein eigenes Pferd.«

»Nur auf dem Gut?« Die angedeutete Möglichkeit, das Thema zu wechseln, erleichterte sie. »Sonst nicht?«

»Nun ja, solange du in Begleitung bist. In Kaschmir missbilligt man es, wenn eine Frau allein durch die Gegend reitet.«

»Ich dachte, dir liegt nichts an der Billigung anderer Leute!«

»Tut es auch nicht. Aber ich möchte auch nicht die Gefühle anderer verletzen. Wir sind Fremde in Kaschmir. Wir müssen uns wie sie verhalten, wir müssen Kashmiryat respektieren. Weißt du, was das bedeutet?«

»Das Wesen der Kultur Kaschmirs?«

»Das und noch mehr. Es enthält all die Nuancen ihres Denkens und ihren Verhaltenskodex, Dinge, die sich nicht in Worte fassen lassen. Wie auch immer, wohin willst du allein gehen?«

»Nirgendwohin. Es ist nur, ich bin es nicht gewöhnt, dass sich Diener um mich drängen.«

»Es wird kein Gedränge geben. Wenn du das willst, dann erhält der Diener, der dich begleitet, den Befehl, diskret Abstand zu wahren.« Er öffnete einen Brief, überflog ihn und begann, Anmerkungen an den Rand zu schreiben. Sie sah, das Thema war für ihn abgeschlossen.

»Um eine andere Meinung als er vertreten zu können, muss man ihm zuerst zustimmen …«

Sie ersparte sich weitere Einwände.

Damien hatte keine Lust, sich den Fahrkünsten des unerfahrenen Kutschers auszuliefern, und übernahm selbst die Zügel, als sie sich auf den Weg nach Srinagar machten. Emma setzte sich neben ihn auf den Kutschbock. Sharifa und das Gepäck hatten ihren Platz im Wagen gefunden. Hakumat, der Kutscher und zwei andere Diener ritten hinterher und führten Damiens temperamentvollen Hengst Toofan am Zügel.

»Wozu brauchst du Toofan in Srinagar?«, fragte sie. »In den Gassen drängen sich so viele Leute, dass sie vor seinen Hufen nicht sicher sind.«

»Möglicherweise muss ich zur Weinkellerei nach Gupkar reiten. Mit Toofan bin ich schneller dort und wieder zurück als mit jedem anderen Pferd.«

Wo war Suraj Singh? Immer noch in Gulmarg? Emma fragte nicht.

Damien fuhr vorsichtig, und sie empfand es als wohltuend, mit wie viel Geschick er die Kutsche über die tiefen Furchen steuerte. Es war noch nicht neun Uhr. Die Täler schimmerten im zarten Dunstschleier, der über der Landschaft lag. Am Vortag war Emma zu sehr von ihrer Mission in Anspruch genommen gewesen, um viel wahrzunehmen. An diesem Morgen fühlte sie sich überraschend unbeschwert und ließ sich nichts entgehen. Die Mandelgärten standen noch in voller Blüte. Zartes Rosa zeigte die süßen Mandeln, kräftiges Rosa die Bittermandeln an. Die Bäume boten einen unvergesslich bezaubernden und duftigen Anblick.

Damien erklärte, dass die Berge ihr Aussehen im Laufe des Tages dramatisch verändern würden. Die fernen Schluchten und Senken, die jetzt indigoblau gefleckt waren, würden sich aufhellen und blasse Blau-, Grün- und Lavendeltöne annehmen. Später, wenn die Schatten an den Hängen nach unten glitten, würden sie ocker und hellgelb leuchten. »Wusstest du, dass man Kaschmir mit drei Propheten in Verbindung bringt?«

»Drei? Soweit ich weiß nur mit zweien«, erwiderte Emma. »In der Moschee von Hazratbal bewahrt man angeblich ein Haar des Propheten Mohammed auf, und der Legende nach hat Christus das Tal einmal besucht. Wer ist der dritte Prophet?«

»Moses.« Er freute sich über ihre Überraschung. »Dreißig Meilen von hier liegt der Ort Bandipur, der früher Beth-Poer hieß. Viele Juden glauben, dass Moses dort gestorben ist und in einem Grab im Dschungel seine letzte Ruhe gefunden hat. Ein schwarzer Felsen steht an dieser Stelle, und das Grab wird noch heute von einem alten Gläubigen gepflegt. Irgendwann werde ich einmal mit dir dorthin gehen.« Er sah sich um und nickte. »Ich könnte wirklich nur hier leben. Kaschmir hat mich für den Rest der Welt verdorben.«

Sie hatte das natürlich schon öfter von ihm gehört. Aber erst jetzt begann sie, seine Gefühle besser zu verstehen. »Man hat mir gesagt, das Tal von Gulmarg sei um diese Zeit des Jahres besonders bezaubernd«, sagte sie, »mit seinen fünfhundert verschiedenen Pflanzenarten und der schönen Aussicht auf den Nanga Parbat und den Haramuk. Wäre es möglich, dass ich auch einmal hinaufgehe?«

»Wenn die Reparaturarbeiten abgeschlossen sind.«

»Ist Suraj Singh deshalb in Gulmarg? Beaufsichtigt er die Arbeiten?«

»Ja.« Er zog die Zügel an und hielt an einem Abhang.

»Warum halten wir an?« Sie war grundlos beunruhigt. Hatte sie etwas Falsches gesagt?

»Willst du kein zweites Frühstück?«, fragte er.

»Zweites Frühstück?« Emma blickte sich um. »Wo …?«

Er lächelte und wies mit der Hand auf einen Obstgarten, der sich neben dem Weg den Hang hinabzog. Die Bäume hingen voller Früchte.

»Hier.«

»Wem gehören die Bäume?«

»Das ist nicht wichtig. In Kaschmir darf man in jedem Obstgarten essen, vorausgesetzt, man missbraucht dieses Privileg nicht. Komm.«

Sie aßen mit großem Genuss saftige Maulbeeren, Pflaumen, Kirschen und süße Erdbeeren von einer Größe, wie Emma sie noch nie gesehen hatte. Die Früchte der Granatapfelbäume waren noch grün und würden erst im Spätsommer reifen. Emma lauschte Damiens begeisterten Erklärungen zu allen möglichen Themen. Der Umfang seines Wissens erstaunte sie ebenso wie seine Überschwänglichkeit. Es gab so vieles an ihm, was ihr ein Rätsel war. Es schien aussichtslos, ihn jemals richtig zu kennen. Dann staunte sie darüber, dass sie diesen Wunsch überhaupt hatte, und es wunderte sie noch mehr, dass sie das schwere Leid seiner Kindheit so schmerzlich berührte. Sollte sie ihn nach seiner Mutter fragen? Beinahe hätte sie es getan, schluckte die Frage aber hinunter. Das gute Einvernehmen zwischen ihnen stellte sich erst langsam ein und war noch nicht belastbar.

Sie hielten auf demselben Feld am Stadtrand von Srinagar an wie Emma am Tag zuvor und gingen zu Fuß zum See, wo eine Shikara wartete. »Hakumat und Sharifa werden dich zur Nishat begleiten«, sagte Damien. »Ich werde außer Jabbar noch ein oder zwei andere Leute besuchen. Ich muss dich bis zum Abendessen dir selbst überlassen.«

Wer waren die ein oder zwei anderen? In Emma stieg flüchtig heftige Eifersucht auf, die sie aber sofort niederkämpfte. Folgsam stieg sie in die Shikara.

Es war offensichtlich, dass man sie auf dem Hausboot erwartete, denn an Deck stand der unvermeidliche Samowar mit Qahwa. Überall schmückten duftende Blumensträuße die Räume. Die Vorhänge und die Bettwäsche wirkten frisch gestärkt und gebügelt. Der Esstisch war für zwei gedeckt. Im See spiegelte sich schimmernd weiß und saphirblau der Mittagshimmel mit seinen Wolkentupfen. Emma empfand eine wunderbare Zufriedenheit und ging wieder an Deck, um das Panorama besser betrachten zu können. Hakumat eilte sofort herbei und goss ihr den höchst willkommenen Begrüßungstee ein.

Auf dem See herrschte geschäftiges Treiben. Die unterschiedlichsten Boote glitten über das Wasser – die einen schnell, die anderen gemächlich und anmutig. Wieder andere lagen vor Anker und schaukelten wie die Polster von Lotus, Seerosen und Wasserlinsen auf den Wellen. Obst- und Gemüsehändler in Shikaras boten ihre Waren an den Hausbooten an. Ihre Decks waren mit den Erzeugnissen der Felder beladen.

Der Dalsee war gesprenkelt mit Inseln, auf denen hohe Chinarbäume, Tannen und Kiefern in den Himmel ragten. Manche Inseln waren flach und völlig mit Melonen und Gurken bewachsen. Andere waren noch nicht bepflanzt. Das waren, wie Emma wusste, die »schwimmenden Felder« von Kaschmir, fruchtbare Flächen aus dicht gepackten Wasserpflanzen und Schilf. Auf einer solchen Insel stand das Taubenhaus des Maharadschas, das Kotar Khana, wo sich abends Tausende Vögel einfanden. Ein schüchterner kleiner Junge, der nicht älter als zehn Jahre war, lenkte seine Shikara längsseits neben die Nishat, blickte unter unglaublich langen schwarzen Wimpern zu Emma auf und lächelte. Sie lächelte ebenfalls. Ermutigt stand er auf und reichte ihr eine rosa Lotusknospe. Sie beugte sich über die Reling und nahm sie entgegen. Er lachte laut und paddelte beglückt über seine Kühnheit davon, ohne auf Bezahlung zu warten.

Entlang der breiten Promenade am Nordufer reihten sich die Banken, das Postamt und die europäischen Geschäfte und Büros. Als Vorsichtsmaßnahme gegen das alljährliche Hochwasser nach der Schneeschmelze befanden sich die Erdgeschosse der hohen schmalen Holzhäuser über dem Wasserspiegel. Die Fenster hatten Holzgitter, die Schindeldächer waren mit Gras und bunten Blumenbeeten bedeckt. Am Horizont beherrschten zwei Hügel das Bild. Sie befanden sich in einigem Abstand voneinander. Den einen krönte das Staatsgefängnis und die Festung Hari Parbat, den anderen ein alter Tempel, der den Namen Takht-e-Suleiman, Salomons Thron, trug. Am gegenüberliegenden Ufer der Nishat ankerten eine Reihe Hausboote mit flachen Dächern, die auf die Ankunft der Sommergäste warteten.

Emma überließ sich genussvoll den unterschiedlichen Szenerien und ihren Gedanken, die sie auslösten. Sie lag angenehm schläfrig auf der Chaiselongue und knabberte frisch geröstete Wasserkastanien, denn sie war noch zu satt, um an ein richtiges Mittagessen zu denken. Der Nachmittag ging langsam in den Abend über, und ihr kam eine Idee. Sie bat Hakumat, den Koch davon in Kenntnis zu setzen, dass sie ihm bei der Zubereitung eines Abendessens mit traditionellen kaschmirischen Gerichten helfen wolle.

Sie war sehr zufrieden mit ihrem Einfall und ging nach unten, um sich in Vorbereitung auf die Küchenarbeit ein Hauskleid anzuziehen. Im

Ankleidezimmer stellte sie fest, dass ihre Kleiderkiste neben der von Damien stand, und sie erstarrte. Sie würden das große Schlafzimmer teilen?

Diesen Aspekt der Reise hatte sie nicht vorausgesehen, und sie fröstelte. Ein wildes Durcheinander der Gefühle überwältigte sie: Angst, Erschrecken, Erwartung?

Die Verwirrung war zu groß, um eine ehrliche Antwort auf diese Frage zu finden.

*

Iwana …?

Michail Borokow konnte es einfach nicht glauben. Wer um alles auf der Welt würde Iwana Iwanowa gegen den Jasminapass eintauschen wollen?

Je länger er über diese außergewöhnliche Sache nachdachte, desto ungläubiger wurde er. In den vergangenen drei Tagen hatte er kaum an etwas anderes denken können. Als er abends an der geöffneten Balkontür seines bescheidenen Hauses saß, Wodka trank und die in Dreiecke geschnittenen Toastscheiben mit Belugakaviar und die in kleine Stücke geschnittenen gekochten Eier aß, die Iwana so gut zubereitete, suchte er immer noch nach einer Antwort. Er fand auch diesmal keine.

Es tauchten ständig Männer auf, die behaupteten, den Jasminapass entdeckt zu haben. Anfangs hatte er diese Männer selbst befragt, aber die Lügen, die ausweichenden Antworten und die unverschämten Geldforderungen widerten ihn so sehr an, dass er diese Aufgabe seinem Stellvertreter, Hauptmann Wassili, übertragen hatte. Doch über die Behauptungen der beiden Darden konnte er nicht einfach hinweggehen.

Über die Sache mit Iwana ebenfalls nicht. Auch die Einzelheiten über sie, die diese Darden hinterlassen hatten, konnte er nicht als nebensächlich abtun. Weder die Zeichnung ihres Anhängers noch der Zusammenhang mit der Armenierin ließen sich als Zufall erklären. Hätte der Baron, dieser unglaubliche Schwachkopf, der Iwanas traurige Geschichte kannte, nicht einen der Halunken zurückgeschickt und den

– 428 –

anderen so schnell laufen lassen, hätte er, Borokow, die Wahrheit schnell aus ihnen herausgeprügelt. Bereits der Gedanke war unglaublich, dass jemand die arme Iwana gegen den Jasminapass eintauschen wollte!

Aber offensichtlich hatte man das vor. *Weshalb?*

»Kann ich das Tablett abräumen, Herr Oberst, oder soll ich noch damit warten?«

Borokow fuhr zusammen. Er hatte sie nicht kommen hören, aber das war immer so. Sie ging wie auf Katzenpfoten, als hätte sie weiche Ballen an den Fußsohlen. Als sie noch ein Kind gewesen war, hatte ihn ihr lautloses Kommen und Gehen nervös gemacht, und er hatte darauf bestanden, dass sie im Haus Schuhe mit Absätzen trug. Doch im Laufe der Jahre hatte er ihre Katzenfüße ebenso schätzen gelernt wie ihre anderen Vorzüge. Sie respektierte seine Privatsphäre, kannte seine unausgesprochenen Bedürfnisse, war eine gute Haushälterin, und vor allen Dingen – das war ihre größte Tugend – sie war von Natur aus diskret.

Er wusste, andere Dienstboten logen, stahlen, betrogen beim Einkauf der Lebensmittel, plauderten stundenlang und verbreiteten die Privatangelegenheiten ihrer Herrschaft in der ganzen Umgebung. Über solche Dinge konnte er sich bei Iwana nicht beklagen. Sie redete nur, wenn es nötig war, und auch dann sehr wenig. Er konnte sich nicht erinnern, sich in den fünfzehn Jahren, die sie nun schon bei ihm war, mit ihr ein einziges Mal über triviale häusliche Angelegenheiten unterhalten zu haben. Trotzdem wusste sie instinktiv, was er von ihr erwartete. Er brauchte nur an etwas zu denken, und schon wurde sein Wunsch erfüllt. Er hatte ihr nicht nur sein Geld anvertraut, sondern auch sein Leben. Wenn es an dieser absurden Angelegenheit etwas gab, das Borokow wirklich schockierte, dann war es die Tatsache, dass jemand Iwana für eine Sklavin hielt.

Er überlegte eine ganze Weile, ob er sie in Zusammenhang mit dem merkwürdigen Angebot befragen sollte, entschied sich aber dagegen. Sie wusste mit Sicherheit nichts davon, und er wollte sie nicht unnötig beunruhigen.

Wie üblich trug sie ein unter dem Kinn verknotetes graues Kopftuch, als sie sich jetzt daranmachte, den Aschenbecher zu leeren, die Kissen aufzuschütteln und die Brotkrumen vom Tisch zu fegen. Borokow beobachtete sie aufmerksam, als sähe er sie zum ersten Mal. Von gelegentlichen kurzen Zwischenspielen abgesehen, hatten Frauen in seinem sorgfältig geplanten, wohl durchdachten Leben keinen Platz. Für ihn besaßen sie als Persönlichkeiten keine Identität. Er hielt sie kollektiv für eine namenlose, gesichtslose Spezies, die er hin und wieder dafür bezahlte, dass sie Dienste erfüllten, die für seine Gesundheit und sein Wohlbefinden notwendig waren.

Deshalb war es ihm in all den Jahren nie in den Sinn gekommen, dass Iwana ein Geschlecht haben könnte. Er hatte in ihr überhaupt noch nie eine Frau gesehen, vielleicht deshalb, weil sie nichts von der Schläue, der Koketterie und der Habgier an sich hatte, die er Frauen zuschrieb. Für ihn war sie nicht mehr als ein Paar geschickter Hände und kräftiger Füße, die nur vorhanden waren, um ihm häusliche Bequemlichkeiten zu verschaffen, indem sie dafür sorgten, dass Wasser für sein Bad vorhanden war, oder die den Luftkühler und den Küchenherd in Gang hielten. Er konnte sich nicht erinnern, jemals ihr Gesicht bewusst wahrgenommen zu haben. Hätte man ihn aufgefordert, ihr Aussehen mit geschlossenen Augen zu beschreiben, wäre ihm das sehr schwer gefallen.

Als sie vor sechzehn Jahren in Chiwa auftauchte, war sie eines von vielen tausend Waisenkindern in der Sklaverei gewesen, nicht älter als vier oder fünf Jahre, und er hatte sie ohne jede Überlegung in seinen Dienst übernommen. Sie war eines Morgens einfach mit dem Ehepaar, das seinen Haushalt führte, in der russischen Garnison von Petro-Alexandrowsk erschienen. Die beiden hatten inständig darum gebeten, dass er dem Kind erlaube zu bleiben. Sie sagten, das Mädchen sei eine Armenierin und habe zuvor im Zenana des Khans gearbeitet. Als Chiwa an die Russen gefallen und der Khan mit seinem Haushalt geflohen war, hatte man sie zurückgelassen. Sie hatte keine Angehörigen, keine Mittel, um zu überleben, ja nicht einmal einen Namen. Sie nannten die Kleine einfach Khatoon, das Mädchen.

Borokow wurde bewusst, dass Iwana zurückgekommen war und etwas gesagt hatte, auf das sie eine Antwort erwartete. Sie ahnte, dass er sie nicht gehört hatte, und wiederholte ihre Worte. »Das Essen ist aufgetragen, Herr Oberst. Aber wenn Sie noch nicht so weit sind ...«

»Ich bin so weit.«

Er leerte sein Glas und stand auf. Er war wieder einmal beeindruckt von dem weichen Timbre ihrer Stimme und der schmeichelhaften Ehrerbietung, mit der sie ihn ansprach. Er ging in das Esszimmer und setzte sich an den Tisch. Unter Iwanas Aufsicht servierten die beiden bucharischen Diener das hervorragend zubereitete Essen, doch er aß geistesabwesend, denn er konnte Iwana nicht aus seinen Gedanken verbannen.

Er hatte kein Interesse an dem Mädchen gehabt und dem Paar nur unter der Bedingung, dass es das Küchenhaus nicht verließ und er es nicht sah und nicht hörte, erlaubt, das Kind bei sich zu behalten. Für die nächsten neun Jahre hatte er die Kleine vergessen. Als er nach St. Petersburg zurückversetzt wurde, wollte das Paar aus Chiwa ihn nicht begleiten. Doch die beiden konnten die Verantwortung für ein heranwachsendes Mädchen nicht auf sich nehmen. Sie waren zu arm, um für eine unverheiratete junge Frau sorgen zu können. Deshalb baten sie ihn, Khatoon mitzunehmen. Sie versicherten ihm, sie sei ehrlich, fleißig, zuverlässig und eine gute Köchin. Da ihm hauptsächlich seine eigene Bequemlichkeit am Herzen lag, stimmte er zu. Er hatte diese Entscheidung nie bereut.

Nach wenigen Monaten in St. Petersburg konnte Khatoon russisch kochen, hatte sich russisches Benehmen, russische Kleidung sowie die russische Sprache angeeignet und führte bald seinen Haushalt. Ursprünglich hatte er ihr eine Stelle in der Küche des Jachtklubs besorgen wollen. Aber wieder ließ er mehr aus Nachlässigkeit als aus Absicht den Dingen ihren Lauf, und sie blieb bei ihm. Um die mühsamen Einwanderungsprozeduren zu umgehen, meldete er sie als Russin unter dem Namen Iwana Iwanowa an. Sie hatte den phantasielosen Namen kommentarlos und ohne Klage akzeptiert, so wie sie alles hinnahm, was das Leben ihr brachte. Als er wieder nach Zentralasien versetzt wurde, diesmal nach Taschkent, war Iwana bereits ein unverzichtbarer Bestandteil seiner häuslichen Belange geworden. Da er ohne sie völlig hilflos war, begleitete sie ihn sogar auf seinen gelegentlichen Reisen.

Einer der Diener brachte eine Platte mit Schaschlik. Doch Borokow hatte selbst auf sein Lieblingsgericht keinen Appetit und lehnte mit einer Handbewegung ab. Iwana, so hatte er erst vor kurzem festgestellt, bot keinen unerfreulichen Anblick. Sie war groß, hatte einen straffen, geschmeidigen Körper und ein ovales Gesicht mit glatter Haut und einem unveränderlich gelassenen Ausdruck. Er hatte sie nur selten lächeln sehen. Sie sprach so, wie sie ging – ruhig und ohne Eile. Während sie jetzt mit sicheren Händen sein Weinglas nachfüllte, die leere Borschtschtasse abräumte, seine Serviette ordentlich zusammenrollte und in den silbernen Serviettenring schob, tat sie das mit den gleichen sparsamen Bewegungen, mit denen sie, wie ihm jetzt bewusst wurde, alle ihr übertragenen Aufgaben erledigte. Ganz plötzlich begriff er, dass Iwana Gedanken haben musste, Gefühle, Hoffnungen, Bedürfnisse, Neigungen und Abneigungen, an die er noch nie gedacht und nach denen er sich nicht einmal erkundigt hatte. Er empfand seltsamerweise Schuldgefühle. »Bist du glücklich in meinem Haushalt, Iwana Iwanowa?«, fragte er aus einem Impuls heraus.

»Entschuldigung, Herr Oberst?«

Sie hätte nicht erschrockener sein können, wenn er ihr einen unanständigen Antrag gemacht hätte. Borokow wurde rot. »Ich habe nur gefragt, ob du in meinem Dienst glücklich bist«, sagte er barsch, während er wie gebannt den großen, fein gearbeiteten Silberanhänger an ihrem Hals betrachtete.

»O ja, Herr Oberst.« Die wenigen Augenblicke genügten, damit sie ihren üblichen Gleichmut wieder gefunden hatte. »Ich habe alles, was ich brauche.«

»Aber es muss noch etwas anderes geben, was du dir wünschst«, sagte er. »Kleider oder Parfüm oder was immer Frauen haben möchten.«

»Ich ...« Sie biss sich auf die Lippe, und er sah, dass sie verlegen war. »Ich habe genug Kleider, und ich benutze kein Parfüm.«

Das Gespräch irritierte ihn plötzlich. Er war gereizt darüber, dass sie über Nacht ein Individuum geworden war. Sie hatte sich von einem Nichts in eine Frau aus Fleisch und Blut verwandelt, in eine Frau, die jemand haben wollte. Und er war empört darüber, dass er Zeit damit verschwenden musste, über sie nachzudenken. Ein fremdes Element hatte sich in die sorgsam gegliederte Struktur seines Alltags eingeschlichen. Und das machte ihn wütend, weil er das nicht verstand. Plötzlich kam ihm eine Erleuchtung. »Würde es dir gefallen, eine Ferienreise zu machen, Iwana?«, fragte er.

»Ferien?« Sie sah ihn verständnislos an. »Aber wir sind gerade erst aus St. Petersburg zurückgekommen, Herr Oberst!«

»Das waren wohl kaum Ferien, Iwana. Ich meine einmal einen Monat ohne Arbeit, einen Monat Erholung.«

»Ich weiß nicht, wohin ich gehen sollte, Herr Oberst.«

»Ich kenne einen kleinen Ort am Kaspischen Meer, wo du dich wohl fühlen wirst und wo man gut für dich sorgt. Die Seeluft wird dir gut tun.«

Iwana zögerte, denn sie war noch verwirrt, stimmte aber wie immer folgsam zu. Sie senkte den Kopf und sagte: »Also gut, Herr Oberst. Ich gehe, so wie Sie es befehlen.«

Es war eines der längsten und ganz sicher das persönlichste Gespräch, das er je mit ihr geführt hatte, aber er war mit seinem Geistesblitz zufrieden. Iwana verschwand am besten völlig aus Taschkent, bis er dieser unglaublichen Angelegenheit auf den Grund gegangen war. Er stand auf. »Ich werde alles vorbereiten, damit du abreisen kannst, sobald General Smirnow eingetroffen ist.«

Er war sehr zufrieden mit seiner Entscheidung, verbannte alle Gedanken an Iwana und die Darden aus seinem Kopf und konzentrierte sich auf andere, wichtigere Dinge. Das waren vor allem die äußerst persönlichen Wünsche und Ziele, die er in den geheimen Winkeln seines Bewusstseins versteckte. Er dachte auch an Alexej Smirnow und dann mit großem Vergnügen an den Jasminapass.

Seine Hand bewegte sich nach oben, wie sie es im Laufe eines Tages immer wieder tat, und die Finger schlossen sich um das Goldklümpchen, das er an einer Kette um den Hals trug. Safdar Ali hatte ihm dieses Gold an seinem letzten Tag in Hunza auf die Handfläche gelegt. Er musste noch viele Meere überqueren, viele Hindernisse überwinden und vielen erschreckenden Gefahren trotzen. Aber wenn er etwas im Leben gelernt hatte, dann dies: Wer nicht wagt, der nicht gewinnt. Nachdem er so weit gekommen war, gab es kein Zurück mehr.

In einem plötzlichen Anfall von Energie beendete er seine Innenschau und ging mit energischen Schritten in sein Arbeitszimmer, um einen Brief zu schreiben. »Geehrter Dr. Theodore Anderson«, begann er, »ich habe seit Ihrer Antwort auf meinen ersten Brief nichts von Ihnen gehört. Ich danke Ihnen für die Information, aber sie reicht nicht aus! Hätte ich das Fernglas in Hunza nicht selbst in der Hand gehalten, es mit eigenen Augen gesehen, wäre ich nicht so hartnäckig. Deshalb muss ich wiederholen, bevor ich von Ihnen nicht vollständig über die Angelegenheit informiert bin, sehe ich keine Möglichkeit, Mittel für Ihre Expedition zur Verfügung zu stellen.«

*

»Zuerst das Ghee.« Der Koch löffelte die geklärte Butter für das Korma mit getrockneten Aprikosen in die Pfanne. »Und davon viel. Dann die Zwiebeln, der Knoblauch, der Ingwer, die Gewürze, der Safran und zuletzt der Joghurt …«

Emma lauschte ehrfurchtsvoll der Litanei der Küchenweisheiten und nahm sie ohne alle Schwierigkeiten sofort in sich auf. Farbe und Duft des Safrans ließen sich am besten freisetzen, wenn man ihn mit warmer Milch tränkte. Wollte man Zwiebeln und Knoblauch vermeiden, war Asafoetida ein annehmbarer Ersatz. Vor der Zubereitung des Aprikosenkorma durfte man die getrockneten Früchte nicht entkernen, und das Lammfleisch musste angebraten werden, damit es saftig blieb. Oft wurde ein Gushtav ruiniert, so warnte sie der Koch, weil das Hackfleisch nicht fein genug war. Als Beilagen für das kaschmiri-

sche Mahl empfahl der Koch gewürzte und ausgebackene Bauhinia-
blüten, einen Pilaf mit den schwarzen Guchchipilzen aus der Gegend
und Panjeeri, einen süßen, mit Safran gewürzten Sirup mit Lotuskernen und Datteln, der heiß serviert wurde.

Als sie zum Pilaf kamen – der immer als Letztes zubereitet werden
musste –, wurde der Unterricht rücksichtslos unterbrochen. Vom
Ufer drang der Klang einer weiblichen englischen Stimme herüber,
die sich erkundigte, ob Huzoor und Begum Sahiba zu Hause seien.
Emma schloss stöhnend die Augen. Sie hatte keine Lust, an diesem
Tag, am seltensten der seltenen Tage, wo Harmonie zwischen ihr und
Damien herrschte, Besucher zu empfangen, und am allerwenigsten
Chloe Hathaway! Sie wollte gerade von einem Diener ausrichten
lassen, sie habe Kopfschmerzen, als die Dame in einer Wolke ihres
unverkennbaren Parfüms persönlich in der Tür des Küchenbootes
auftauchte. »Ach, hier finde ich Sie, meine Liebe«, sagte Chloe mit
strahlendem Lächeln und Augen, denen nichts entging. »Ich habe gehört, dass Sie beide für einen Tag hier sind. Ich wäre todunglücklich
gewesen, wenn ich Sie verpasst hätte.« Ohne zu fragen, hob sie den
Deckel einer Pfanne auf dem Herd und schnupperte. »Alu bukhara-
Korma, ach ja, Mukhsiars Spezialität. Ich muss sagen, es duftet hinreißend. Und natürlich Gushtav.« Sie schnupperte an den anderen
Töpfen und Pfannen und nickte. »Keine Auberginen, wie ich sehe.
Gut. Wissen Sie, Damien kann sie nicht ausstehen. Aber verwöhnen
Sie das Leckermaul mit viel Pudding!«

Sie wusste das natürlich alles!

»Wie nett von Ihnen, uns zu besuchen.« Emma verbarg ihren Ärger
hinter einem Lächeln. »Damien ist leider nicht da. Ich weiß nicht genau, wann er zurückkommen wird.«

Emma wusste, im Vergleich zu der makellosen Chloe Hathaway sah
sie hoffnungslos ungepflegt aus. Ihre Frisur hatte sich gelöst, die Nase
glänzte, ihr weiches Hauskleid hatte Fettspritzer, und sie roch nach
Knoblauch. Emma machte das Beste aus der Situation und redete
munter über das Essen, wusch sich die Hände, trocknete sie ab und
begleitete Chloe dann hinaus. Im Stillen beschloss sie, sich auf keinen

Fall so weit bringen zu lassen, dass sie Chloe zum Abendessen einlud. »Entschuldigen Sie mich einen Augenblick, damit ich mich frisch machen kann?«, fragte sie unbefangen. »Ich sehe bestimmt nicht gesellschaftsfähig aus.«

Als sie wieder an Deck kam, nachdem sie sich schnell gewaschen und ein frisches Leinenkleid angezogen hatte, saß Chloe Hathaway bereits in einem Sessel und betrachtete das Geschehen auf dem See. In der Hand hielt sie einen winzigen lila und cremefarbenen japanischen Fächer, der genau die Farben ihres überaus eleganten Sommerkleides hatte. Emma nahm wieder auf der Chaiselongue Platz. Chloe schloss die Augen, hob die kleine, vollkommen geformte römische Nase und atmete tief ein. »Göttlich!«, hauchte sie, »einfach göttlich. Die Luft hier ist von einer wundervollen Frische, die bei angespannten Nerven Wunder wirkt … und natürlich auch bei Schlaflosigkeit.«

Die beleidigende Anspielung war nicht zu überhören – das sollte sie auch nicht sein. »Ein mit Safran gefülltes Kissen ebenfalls«, entgegnete Emma und hielt entschlossen an ihrem Lächeln fest.

Auf Chloes Stirn erschien eine kleine Falte. »Ein mit Safran gefülltes Kissen?«

»Ja, gegen Schlaflosigkeit«, erklärte Emma freundlich. »Das ist hier in Kaschmir ein altbekanntes Mittel. Ich glaube, die römischen Kaiser benutzten es ebenfalls, besonders nach einem üppigen Mahl. Versuchen Sie es beim nächsten Mal, wenn Sie nicht schlafen können, Mrs Hathaway.«

»Wirklich!« Chloe wusste nicht, ob sie auf den Arm genommen wurde oder nicht, und schien leicht verwirrt. Sie wandte sich ab, legte den Kopf zurück und schloss wieder die Augen. Sie atmete, aber jetzt ohne jeden Enthusiasmus, rhythmisch ein und aus. Emma studierte ihren gelassenen Ausdruck, die glänzenden Wimpern auf der porzellanfeinen Haut, den verführerischen Körper, die mühelose Anmut der Hand, die den Fächer hielt, und vor allem die absolute Selbstsicherheit, die von Chloe ausging. Trotz ihrer Verärgerung empfand sie plötzlich Neid. Mit welch unverdrossener Hingabe und strenger Einhaltung magischer Rezepte musste diese Schönheit von dieser eleganten Dame bewahrt werden – und wie weit war sie mit ihren eigenen unmethodischen und unzureichenden Bemühungen von diesem Ziel entfernt. »Möchten Sie eine Tasse Tee?«

Zu Emmas großer Erleichterung schüttelte Chloe den Kopf. »Nein danke. Adele Stewart erwartet mich in einer Stunde in der Residenz. Sie hat die langweiligen Bicknells eingeladen und braucht moralische Unterstützung, damit sie nicht schon wieder eine Spende geben muss. Wenn man bedenkt, dass sie gerade erst zwei neue Kommoden von ihr bekommen haben, hat sie völlig Recht. Würden Sie das nicht auch sagen?« Sie machte eine Pause, um Luft zu holen. »Sie sind nicht zufällig auch um eine Spende gebeten worden, Emma – ich darf Sie doch Emma nennen, oder?«

»Ja, natürlich. Nein, ich bin nicht gefragt worden.«

»Das habe ich mir gedacht. Damien und Walter verstehen sich nicht sehr gut. Offen gesagt, sie können sich nicht ausstehen. Wie auch immer, ich kann nur ein paar Minuten bleiben, sonst komme ich zu spät, und das wird mir Adele nie verzeihen, besonders, wenn sie schon mit ihren Nerven am Ende ist. Wie lange wird es voraussichtlich noch dauern, bis Damien zurück ist?«

»Es tut mir Leid, ich habe keine Ahnung«, sagte Emma. Sie hoffte inbrünstig, er werde so spät wie möglich kommen. Gedankenlos fügte sie hinzu: »Er hat mir gesagt, dass er vielleicht nicht rechtzeitig zum Abendessen da sein kann.«

»Oh? Und somit wird er Ihre lobenswerten Anstrengungen in der Küche zunichte machen?! Tz … tz.« Sie lachte.

»Er sagte vielleicht«, verbesserte Emma sie. Sie kam sich dumm vor und bedauerte, dass sie sich keine bessere Entschuldigung ausgedacht hatte. »Ich weiß, er hat mehrere geschäftliche Termine.«

»Ah!« Die Silbe vibrierte bedeutungsvoll. »Ich frage mich, was der liebe Damien ohne seine geschäftlichen Termine als Ausreden benutzen würde?«

In diesem Augenblick legte nicht weit von ihnen entfernt ein mit bunten Girlanden behängtes Boot mit einer lärmenden Hochzeitsgesellschaft an. Dadurch wurde die Bemerkung so weit übertönt, dass

Emma vorgeben konnte, sie nicht gehört zu haben. Die geschmückten Fahrgäste gingen an Land. Emma äußerte sich über die schönen Festtagskleider und lenkte die Unterhaltung damit erfolgreich in andere Bahnen. Sie plauderte entschlossen weiter und betete im Stillen, Chloe möge gehen, bevor Damien zurückkam.

Ihre Gebete wurden nicht erhört. Nur allzu bald drang Damiens unverkennbar resonante Stimme vom Ufer herüber; gleich darauf erschien er auf der Treppe und kam mit großen Schritten an Deck. Als er Chloe sah, blieb er wie angewurzelt stehen. Er war sichtlich verblüfft.

Seine Besucherin allerdings nicht. »Aha, der Mann, der nie zu fassen ist!« Chloe lächelte und sprühte vor Charme, ohne dabei ihre Gelassenheit zu verlieren. »Das ist auch ganz gut so, deine Frau hätte dir sonst nämlich nie verziehen. Schließlich hat sie für das Willkommensmahl schwer gearbeitet.« Sie stand auf, trat zu ihm und hielt ihm die erhobene Wange hin. Damien schien über diese Intimität so sichtlich peinlich berührt, dass Emma eine boshafte Freude empfand, obwohl sie selbst die Fassung noch nicht ganz wiedergewonnen hatte. Wie würde er vor den Augen seiner Frau auf diese Provokation seiner Geliebten reagieren?

Er ignorierte die Wange einfach. Er wandte sich ab und übergab Hakumat seinen Rock und einige Päckchen. »Was für eine Überraschung.«

»Ich hoffe, eine angenehme«, sagte Chloe unbeeindruckt von der Abfuhr, die er ihr erteilt hatte, tätschelte ihm mit dem Fächer spielerisch die Wange und verwandelte selbst seine Distanziertheit subtil in einen Triumph.

»Das weiß ich noch nicht. Wir werden sehen.«

»Du hast dein Versprechen nicht gehalten, mich zu besuchen, du unartiger Junge!« Wenn es möglich war, zu schmollen und trotzdem gelassen zu wirken, dann gelang Chloe dieses Meisterstück an frivoler Akrobatik auf bewundernswerte Weise. Ihre rosa Blütenlippen bebten kaum wahrnehmbar. »Ich warne dich, ich werde eine angemessene Wiedergutmachung fordern.«

Damien kam herüber zu Emma und lehnte sich lässig neben sie an die Reling. »Ich bin in den vergangenen Wochen kaum in Srinagar gewesen, wie du sicher bereits weißt.«

Sie öffnete den Fächer vor dem Gesicht und zog eine ihrer kunstvoll geschwungenen Augenbrauen hoch. »Seit mehr als zwei Monaten nicht mehr, nicht wahr, Emma, Liebes?«

Emma wusste nicht, was sie anderes tun sollte, und nickte.

»Nun, mein lieber Damien, wir Frauen finden es unverzeihlich, dass ein frisch verheirateter Mann so lange nicht zu Hause ist, nicht wahr, Emma, Liebes?«

Die Verlegenheit, die Damien mit gespielter Selbstsicherheit verbergen wollte, bereitete Emma immer noch ein sadistisches Vergnügen, und sie stimmte stillschweigend zu. Gleichzeitig erfasste sie jedoch auch ein leichtes Unbehagen. Wohin führte das neckische Geplänkel? Sie sollte es bald herausfinden.

»Deine verlassene Frau musste sogar gestern bei ihrem ersten Besuch in Srinagar auf deine Gesellschaft verzichten. Du solltest dich schämen, sie zu zwingen, die Fahrt allein zu unternehmen!«

Emma wollte etwas sagen, aber die Worte blieben ihr im Hals stecken.

»Wenn der liebe Geoffrey nicht gewesen wäre«, fuhr Chloe übermütig und unaufhaltsam fort, »hätte die arme verlassene Emma den romantischen Shalimar Park ganz allein und ohne einen geeigneten Begleiter erforschen müssen.«

Das war also der Grund für den Besuch! Emma wusste nicht, wohin sie blicken sollte, und schloss einfach die Augen. Doch Damien reagierte nicht. Er verfolgte scheinbar aufmerksam den heftigen Streit zweier Männer, deren Boote sich beinahe gegenseitig gerammt hatten, und hielt den Blick auf das Wasser gerichtet. Hatte er gehört, was Chloe gesagt hatte? Und, großer Gott, würde diese Schlange auch ihren Besuch bei Nazneen erwähnen? Das Schweigen konnte nicht länger als ein paar Sekunden gedauert haben, aber Emma kam es unerträglich lange, beinahe wie eine Ewigkeit vor. Aber es sollte noch schlimmer kommen.

Chloe bekam große Augen, als sie abwechselnd auf Emmas frostiges Gesicht und Damiens starr aufgerichteten Rücken blickte. »Ach du liebe Zeit, habe ich etwas gesagt, was ich besser nicht gesagt hätte?« Sie bewegte heftig den Fächer und wirkte todunglücklich. »Ich trete wohl immer ins Fettnäpfchen, nicht wahr, mein lieber Damien?«, jammerte sie. »Ich hatte wirklich keine Ahnung, dass du nicht wusstest, dass Emma gestern in Srinagar gewesen ist.«

»O doch.« Er drehte sich um und sah Chloe offen an. »Emma hat es mir gesagt. Und ich bin froh, dass Charlton zufällig zur gleichen Zeit im Park gewesen ist und sie herumführen konnte. Es war freundlich und nett von ihm, ihr Gesellschaft zu leisten.«

Emma schluckte heftig, und Chloe suchte nach Worten. Aber sie hatte sich sofort wieder unter Kontrolle. »Dann bin ich ja froh, dass ich nichts gesagt habe, was ich nicht hätte sagen sollen. Ich hatte bestimmt keine Unannehmlichkeiten machen wollen.« Die Augen blickten bezaubernd unschuldig, nur ein flüchtiges Blitzen in den Tiefen hinter dem Lächeln ließ erkennen, wie wütend sie war.

»Da bin ich sicher«, sagte Damien. »Es sähe dir so überhaupt nicht ähnlich. Wie ist es mit etwas zu trinken für unseren Gast, Emma? In Anbetracht der Energie, die sie aufgebracht hat, um diesen Besuch zu machen, ist ein Glas Sherry das Mindeste, was wir tun können, damit sie wieder zu Kräften kommt.«

Chloe warf ihm einen giftigen Blick zu und stand auf. Ihr Lächeln war etwas dünn. »Ich würde gerne bleiben, liebster Damien, aber ich kann nicht. Sonst wäre Adele sehr, sehr böse auf mich. Vielleicht ein andermal. Wie lange werdet ihr in Srinagar bleiben?«

Damien sah Emma an, damit sie antwortete.

»Vielleicht ein … ein oder zwei Tage?«

»Gut. In dem Fall müsst ihr morgen zum Abendessen zu mir kommen. Ich werde meinem Koch sagen, er soll Gushtav machen, genauso, wie Damien es mag. Und ich werde auch Geoffrey einladen. Ich bin sicher, er würde euch beide gern wieder sehen, und«, sie lächelte schalkhaft, »du kannst dich persönlich bei ihm dafür bedanken, dass er zu deiner Frau so nett gewesen ist.«

Damien zog fragend eine Augenbraue hoch und blickte wieder auf Emma.

»Nun ja, ich … ich hatte gedacht, wir könnten vielleicht …« Sie war den Tränen nahe und brach völlig verwirrt ab.

»Den Takht-e-Suleiman besuchen?«, fragte Damien schnell mit einem Blick auf das prächtige Panorama mit dem Hügel am anderen Seeufer. »Hattest du das gedacht?«

»Ja«, erwiderte Emma dankbar. »Ich habe … ich habe so viel davon gehört, und jetzt, wo Damien hier ist, dachte ich, wir könnten vielleicht …«

»Eine wundervolle Idee«, unterbrach Chloe sie munter und nahm ihren gerüschten Sonnenschirm vom Sessel. »Nutzen Sie es aus, Liebes, wenn Sie Ihren quecksilbrigen Ehemann einmal zu fassen kriegen.«

Sie rauschte in Damiens Begleitung die Treppe hinunter, und Emma sank fassungslos in einen Sessel. Sie fühlte sich so gedemütigt, dass sie zitterte. Es erstaunte sie, dass ihr Damien spontan zu Hilfe gekommen war. Doch sie konnte nicht hoffen, dass die Angelegenheit damit erledigt war.

Doch Damien zeigte sich weder während des üppigen Abendessens noch danach weiter an ihrem heimlichen Ausflug nach Srinagar interessiert. Beim Essen, das er genussvoll und mit großem Lob verzehrte, war er guter Stimmung und unterhielt sich ungezwungen mit ihr. Emma versuchte, seine Absichten zu durchschauen, und stocherte nur lustlos in ihrem Essen. Ihr Beitrag zur Unterhaltung war minimal.

Sie hätte sich auch keine Gedanken über die Schlafsituation machen müssen. Sobald die Kaffeetassen an Deck abgeräumt waren, wünschte Damien ihr freundlich eine gute Nacht, verschwand mit einem Buch unter dem Arm auf der Treppe nach unten und überließ sie ihren Gedanken. Sehr viel später, als die blinkenden Lichter auf dem See erloschen, der Mond über den Berggipfeln hing und Srinagar schlief, schlich sich Emma nach unten in das große Schlafzimmer. Auf einem Tisch brannte eine Lampe. Die Decken waren zurückgeschlagen, die Vorhänge zugezogen, ihr Nachthemd lag ordentlich bereit, und vor dem Bett standen ihre Hausschuhe. Doch das große Himmelbett war leer. Damien hatte sich dafür entschieden, im angrenzenden Gästezimmer zu schlafen. Die Verbindungstür war geschlossen.

»Ich werde so lange nicht mehr zu dir kommen, bis du mich darum bittest.«

Emma wusste, er würde sein Wort halten. Aber, so schwor sie sich erbittert, sie ebenfalls.

Trotz Chloe Hathaways Loblied auf die heilsame Wirkung des Sees bei Schlaflosigkeit schlief Emma schlecht. Am nächsten Morgen stand sie erschöpft und mit geschwollenen Augen auf. Die Tauben gurrten fröhlich, und die Drosseln sangen, doch das heiterte sie nicht auf. Damiens entschlossenes Schweigen in Hinblick auf ihren Ausflug erregte sie. Trotzdem ging sie mutig auf das Vordeck und lächelte trübe. Er saß an der Reling und las stirnrunzelnd einen Brief. Auf dem Tisch vor ihm stand eine Tasse Tee.

»Ich hoffe, es sind keine schlechten Nachrichten?«, fragte sie und versuchte, normal zu klingen.

»Nein.« Er faltete den Brief und steckte ihn zurück in den Umschlag. »Seine Hoheit bittet uns zu sich. Er schreibt, er ist erst vor kurzem mit einer Erkältung von seinem Winterpalast in Jammu zurückgekehrt. Aber inzwischen geht es ihm sehr viel besser.«

»Oh.«

»Er schreibt, er ist sehr daran interessiert, dich kennen zu lernen. Wenn es möglich gewesen wäre, hätte ich dich schon früher in den Palast gebracht. Wie auch immer, wir sind am Sonntag zum Tee eingeladen.« Seine Stirn glättete sich, als er sich ihr zuwandte. »Findest du die Matratze bequem? Ich hatte bei Jabbar Ali eine neue für das Himmelbett anfertigen lassen.«

»Sehr bequem, danke.« Sie reckte stolz das Kinn. »Ich habe tief und fest geschlafen.«

Sie saßen schweigend nebeneinander und beobachteten die Boote. In der Morgenluft hing schwer der feuchte Duft des Sees. Die Sonne enthüllte die Schichtungen des klaren Wassers, und Weiden mit zitronengelben Kätzchen belebten die grünen Ufer. Emma studierte aus dem Augenwinkel besorgt Damiens Gesichtsausdruck. Sie fand keine Anzeichen von Verärgerung. Im Gegenteil, er wirkte locker und entspannt, wenn er hin und wieder genussvoll einen Schluck Tee trank. Sie machte tapfer den Versuch, sich zu unterhalten, und stellte eine Frage.

»Wasserwege? Ja, sie sind die Lebensadern des Transportwesens, und es gibt hier in Kaschmir Hunderte davon. Sie sichern den Lebensunterhalt von beinahe vierzigtausend Bootsführern.«

Sie machte eine Bemerkung über die Vielfalt der Boote und wies auf eines, das gerade langsam vorbeifuhr.

»Das ist ein Lastboot, und darauf werden hauptsächlich Getreide und Holz befördert.«

»Sinkt es nicht bei diesem Gewicht? Es sieht ganz danach aus.«

»Es wird nicht sinken. In Kaschmir werden meistens Flachboote mit hoch gezogenem Bug und Heck benutzt. Sie können Lasten von einem Gewicht bis zu tausend Mann transportieren. Siehst du, die kleineren dort drüben haben einen sehr viel niedrigeren Bug. Die schweren offenen Boote sind für den Transport von Steinen bestimmt, und das merkwürdige Gefährt dort …«

Sie hörte ihm nur mit halbem Ohr zu. Ihre Befürchtungen wuchsen in gleichem Maß wie seine Ungezwungenheit. Schließlich ertrug sie die Spannung nicht länger und sagte: »Wegen vorgestern, Damien …«

Er trank seine Tasse leer und hielt sie Hakumat hin, der sie von neuem füllte. »Was ist damit?«

»Es stimmt, was Chloe gesagt hat. Ich bin in Srinagar gewesen.«

»Ich weiß. Der Kutscher hat es mir gesagt.«

Natürlich. Wie dumm von ihr, nicht daran gedacht zu haben. »Ich habe mich allein gelangweilt«, sagte sie und gab ihm in dem Versuch, sich zu verteidigen, Erklärungen, die er nicht verlangt hatte. »Du warst seit Wochen weg, und ich hatte keine Ahnung, wann du zurückkommen würdest. Ich hatte große Lust, mir Srinagar und den Park anzusehen. Und ich wollte Rehmats Vater überreden, dass er ihr erlaubt, Lesen und Schreiben zu lernen. Mr Charlton war rein zufällig zur gleichen Zeit im Park. Und, nun ja … das war eigentlich alles.«

»Warum hast du es mir nicht gesagt?«

»Ich wollte dir eine Freude machen, indem ich so tat, als sei die Fahrt mit dir zusammen mein erster Besuch in Srinagar …« Sie brach ab, denn sie sah etwas in seinem Gesicht, was sie als Skepsis interpretierte. Sie wurde wütend. »Ach, wenn du nicht willst, dann glaub es eben nicht! Es macht dir nichts aus, wenn deine früheren oder derzeitigen Mätressen die Unverfrorenheit haben, hier aufzutauchen und vor meinen Augen mit dir zu flirten. Aber wenn ich ganz zufällig und in aller Öffentlichkeit einen Mann treffe, den du nicht magst, dann bist du sofort bereit, das Schlimmste von mir zu denken. Glaub, was du willst! Mir ist es völlig egal.« Sie wollte an ihm vorbeistürmen, aber er griff nach ihrem Arm und hielt sie fest.

»Zufällig glaube ich dir.« Er ließ sie nicht los. »Ich glaube dir, dass die Begegnung mit Charlton nicht so geplant war wie sein Besuch, als du ihn zum Tee eingeladen hattest. Ich will den Mann nicht mehr in meinem Haus haben, Emma …«

»Ach so, jetzt ist es nicht mehr unser Haus …«

Er errötete. Die Narbe an seinem Kinn wurde weiß, als ihm vor Zorn das Blut in den Kopf stieg. Sein Griff um ihren Arm wurde fester. »Ich weiß, dass du mich nicht magst, Emma«, sagte er ruhig. »Aber ich werde es nicht zulassen, dass man mich zum Narren hält. Bitte denk daran, wenn du Geoffrey Charlton das nächste Mal triffst. Chloe Hathaway mag Unruhe stiften, aber …«

»Ach, tut sie das, ja?« Sie riss sich los. »Ich dachte, du hättest gesagt, sie sei harmlos!«

»Ich habe gesagt, sie …«

»Mach dir nicht die Mühe, es zu wiederholen, Damien.« Tränen der Enttäuschung stiegen ihr in die Augen, doch sie hielt sie zurück. »Wenn dich jemand zum Narren gehalten hat, dann hast du das einer Macht zu verdanken, die sehr viel größer ist als ich!«

Sie lief an ihm vorbei in das Zimmer und schlug die Tür hinter sich zu. Als sie schließlich einige Stunden später wieder hervorkam, war Damien gegangen. Er hatte hinterlassen, dass er zum Abendessen nicht zurück sein würde. Und er hielt Wort. Als er spätabends kam, schlief Emma bereits oder tat zumindest so. Am folgenden Morgen fuhren sie, wieder einmal durch abgrundtiefes Schweigen voneinander getrennt, nach Shalimar zurück. Die Reise, in die sie so große Hoffnungen gesetzt hatte, war zu einer Katastrophe geworden.

»Ich weiß, dass du mich nicht magst …«

Sie hätte weinen mögen.

*

»Forellen? In Indien? Machen Sie keine Witze, Hartley! Sie wollen mich auf den Arm nehmen.«

»Zwanzig Pfund schwer, mein Ehrenwort.«

»Zwanzig Pfund? Du meine Güte. Zu Hause habe ich nie eine gesehen, die schwerer war als zwei Pfund!«

»Ganz im Ernst, fragen Sie Wilfred Hethrington, wenn Sie mir nicht glauben. Wilfred! Wilfred?« Der Oberst drehte sich um und sah, dass ihm zwei Offiziere vom Stab des Oberbefehlshabers folgten. »Sie waren doch zum Fischen am Lidder, nicht wahr?«, fragte Oberst Hartley.

»Schon oft.«

»Eastbridge will nicht glauben, dass die Forellen im Lidder bis zu zwanzig Pfund schwer werden können.«

»Alles, was ich gefangen habe, war etwas leichter«, erwiderte Hethrington. »Aber es stimmt, ich habe gehört, dass man dort Forellen von diesem Gewicht fangen kann, wenn man Glück hat.«

»Sehen Sie, mein Lieber? Wenn Sie noch weitere Beweise brauchen, oben im Klubhaus hängt hinter der Bar eine Photographie …«

Wilfred Hethrington ging weiter.

Es war der Nachmittag des zweiten Gymkhana in diesem Jahr. Annandale, der größte Platz in Simla, beliebt für Veranstaltungen unter freiem Himmel, war voller Menschen. Das Sportfest wurde vom Gymkhana-Club veranstaltet, und es herrschte allgemeine Fröhlichkeit. Es gab ein Karussell, Schaukeln, Verkaufs- und Schießstände, und alle machten glänzende Geschäfte. Beim ersten Jagdrennen des

Nachmittags hatten ein paar Pferde unter dem höhnischen Johlen der Zuschauer darauf bestanden, den Hindernissen auszuweichen, doch das Zeltaufschlagen unter der Leitung des Vizekönigs war ein großer Erfolg gewesen. Die Leute wirkten glücklich und sorgenfrei – das heißt, alle außer Wilfred Hethrington.

Er suchte sich im Gedränge einen Weg, lächelte, verbeugte sich, nickte, tauschte ein paar Worte und stellte ohne jedes Gefühl der Freude fest, dass die Stadt sich immer mehr mit Menschen füllte. Unter dem Arm hielt er eine Wollente mit einem schlaffen Hals, die er beim Eierlaufen gewonnen hatte – zur großen Freude seiner Frau, die den Verkaufsstand beaufsichtigte, für den die Leute alle möglichen Dinge abgeliefert hatten, die sie loswerden wollten. Hethrington hasste die Lustbarkeiten auf dem großen Platz, nach denen ganz Simla in der Saison geradezu süchtig zu sein schien. An diesem Nachmittag wünschte er sich sehnlichst, es wäre November, denn dann standen viele Häuser leer, die Zivilisten waren alle abgereist, die Temperatur fiel auf unter null Grad, und die verschneiten Straßen waren erfreulich menschenleer. Kurz gesagt, Simla war zum zivilisierten Leben zurückgekehrt.

Er stellte sicher, dass seine Frau ihn nicht mit ihren scharfen Augen von der anderen Seite des Festplatzes beobachten konnte, hielt ein etwa sechsjähriges Mädchen an, die Tochter eines Sergeanten, der in der Residenz des Vizekönigs Dienst tat, und drückte dem überraschten Kind die Ente in die Hand. »Möchtest du ein Spielzeug, Kleines?«

Das Mädchen betrachtete die Ente voll Verachtung und gab sie ihm zurück. »Nein, die hat nur ein Auge, und der Hals ist gebrochen.«

Hethrington wusste nicht, was er tun sollte. Er starrte auf ein paar Schlangenpflanzen. Man sagte, diese Pflanzen kündigten den Regen an, denn die Kolben begannen, vor dem Einsetzen des Monsuns zu wachsen, und färbten sich rot, wenn er endete. Er benutzte sie als Deckung und warf die Ente in den Graben dahinter. Als er sich umdrehte, blickte er in das verdutzte Gesicht des Generalquartiermeisters.

Hethrington lächelte verlegen und stammelte eine Erklärung, doch das Interesse des Generalquartiermeisters galt nicht ihm. Er blickte unverwandt auf jemanden in der Nähe des Standes mit Kokosnüssen, der sich mit Belle Jethroe unterhielt. Hethringtons Blick folgte dem seinen zu der Gestalt des weltgewandten, stutzerhaften russischen Generalkonsuls.

»Unser Mann im Konsulat meldet das Eintreffen und den Versand vieler Botschaften und Nachrichten«, erklärte Hethrington. »Er sagt, er wirkt sehr besorgt ... der Generalkonsul, meine ich.«

»Das wäre ich auch, wenn Alexej Smirnow ganz in meine Nähe versetzt worden wäre! Wann wird er in Taschkent erwartet? Wissen wir das schon?«

»Ich glaube, er kann jeden Tag eintreffen.«

Sir John hob die Hand und senkte sie in einer beredten Geste. »Er kommt uns für meinen Geschmack zu nahe, Wilfred. Ich ...« Er brach ab. »Sie sind nicht zufällig für ›Kartoffel im Eimer‹ eingeplant, oder?«

»Großer Gott, nein!«

Hethrington sah besorgt, dass sich ihnen ein kleiner französischer Schmuckhändler näherte, ein alljährlicher Besucher, dessen Spezialität Emailledöschen waren. Hethrington hatte einmal den Fehler begangen, eines der verwünschten Döschen als Geburtstagsgeschenk für seine Frau in Erwägung zu ziehen. Er hatte es dann doch nicht gekauft, aber seit dieser Zeit konnte er den verwünschten Kerl nicht mehr abschütteln. »Gehen wir dort hinüber, Sir«, sagte er hastig, »wo wir ungestört reden können.«

Sie verschwanden hinter dem Stand mit Zuckerwatte zwischen den Bäumen und folgten einem Pfad durch das erfreulich dichte Wäldchen, in dem die Erde mit Kiefernzapfen übersät war.

»Unser Usbeke berichtet, dass in Taschkent noch etwas anderes vor sich geht«, sagte Hethrington. »Etwas recht Merkwürdiges.«

»Etwas Merkwürdiges?«

»Etwas sehr Merkwürdiges.«

Von irgendwoher kam ein Fußball geflogen, gefolgt von einem zerzausten und schwitzenden jungen Mann, der sich tausendmal entschuldigte. Sir John kickte den Ball mit einem knappen Nicken zurück. »Versuchen wir, einen Platz zu finden, wo wir ein klein wenig ungestörter sind, ja?«

Sie wechselten noch einmal die Richtung und gingen tief in den Platanenwald hinter dem Hain.

»Also?«, fragte Sir John, als sie einigermaßen sicher vor unerwünschten Störungen waren.

»Einer belauschten Unterhaltung von Kosaken war zu entnehmen, dass vor kurzem zwei Männer dem Baron einen Besuch abgestattet haben.« Er bückte sich und räumte einen trockenen Ast beiseite, der ihnen den Weg versperrte. »Es hat den Anschein, als versuchten sie, eine Armenierin ausfindig zu machen.«

Sir John blieb stehen. »Oh!«

»Er schreibt, sie hätten behauptet, Darden zu sein.«

»Darden? Was sollen denn Darden mit dieser Frau zu tun haben?«

»Vermutlich haben sie gelogen. Bei diesem Spiel ist die Wahrheit eher die Ausnahme als die Regel.«

»Aber wer zum Teufel sind diese Männer?«

»Sie können von überall gekommen sein, Sir.«

»Überall? Woher? Erzählen Sie mir nicht, dass die ganze Welt plötzlich Jagd auf eine verwünschte armenische Sklavin in Turkestan veranstaltet!«

Hethrington blickte durch das Gewirr der Zweige unglücklich auf die von Adern durchzogenen Felsen und das Muster der Büsche, die in der Nachmittagssonne glänzten. Es raschelte im Unterholz. Ein großer brauner Hase hob schnuppernd die Nase und verschwand in seinem Bau zwischen den Wurzeln eines Banjanbaumes.

»Sehr viel beunruhigender, Sir, ist, was sie im Austausch gegen die Frau angeboten haben.«

»Sagen Sie es mir nicht. Lassen Sie mich raten.« Sir John legte die Hand an die Stirn. »Karten vom Jasminapass?«

»Ja. Die beiden versichern, sie aus Butterfields Tasche gestohlen zu haben.«

»Großer Gott!« Der Generalquartiermeister blieb wie angewurzelt stehen.

»So ist es! Einer der Männer hat angeblich behauptet, er sei ein Kameltreiber der Karawane gewesen.«

»Also? Was zum Teufel halten Sie davon?«

»Nichts, Sir. Wie gesagt, haben sie wahrscheinlich gelogen.«

Sir John musterte Hethringtons bekümmertes Gesicht, und ihm dämmerte etwas. Er kniff die Augen zusammen. »Ah, das unbekannte Pferd, auf das Sie so außergewöhnlich große Hoffnungen setzen, hat also doch die Zügel abgeschüttelt«, sagte er leise.

»Das können wir noch nicht mit Sicherheit sagen, Sir.«

»Können wir nicht …?« Auf Sir Johns gespitzten Lippen lag eine Frage. Doch bevor er sie stellen konnte, rannte eine Gruppe kichernder Mädchen auf der Suche nach einem Versteck durch das Gestrüpp. Bis sie hinter einigen Büschen verschwunden waren, hatte sich ein Bürodiener einen Weg durch das Unterholz gebahnt. Er überbrachte eine Nachricht des Klubsekretärs für den Generalquartiermeister.

Das Drei-Uhr-Rennen würde gleich beginnen, und im Klubhaus wurden die letzten Wetten angenommen. Sir John nahm die Information mit einem schnellen Blick auf seine Taschenuhr entgegen, schnalzte gereizt mit der Zunge, und sein Gesicht nahm einen Ausdruck von wissender Glückseligkeit an. Mit einer Handbewegung und einer gemurmelten Entschuldigung eilte er davon, um die todsichere Wette zu platzieren, die man ihm als Geheimtipp anvertraut hatte. Alles andere war für den Augenblick vergessen. »Wir beschäftigen uns am Montagmorgen als Erstes damit!«, rief er noch über die Schulter zurück. »Punkt neun in meinem Büro. Kommen Sie nicht zu spät!«

Im allerletzten Moment war die Situation gerettet!

Hethrington blickte mit unverhohlener Erleichterung auf den Rücken, der sich schnell entfernte. Sir John hatte natürlich Recht. Das Pferd hatte die Zügel abgeschüttelt, und sie konnten absolut nichts dagegen tun.

Vierzehntes Kapitel

Emma war noch nie einem Maharadscha vorgestellt worden und wusste deshalb nicht, was sie erwartete. Sie fragte Damien um Rat, doch sie fand es wenig hilfreich, als er nur unbestimmt sagte: »Benimm dich so, wie du es normalerweise auch tun würdest.« Auf die Frage nach der passenden Kleidung erwiderte er leichthin: »Irgendetwas.« Emma entschied sich daraufhin für ein hübsches Kleid aus blassblauem Samt mit weitem Rock und einem an der Taille eng anliegenden Oberteil mit plissierten Ärmeln, das weder zu auffällig noch zu schlicht war.

Seit ihrer Rückkehr aus Srinagar war Damien wieder bester Laune, und Emma freute sich darüber. Der alberne Streit auf dem Hausboot schien vergessen. Weder Charlton noch Chloe Hathaway wurden erwähnt.

Damien kümmerte sich um andere Dinge und verbrachte viele Stunden im Büro der Gutsverwaltung, um angefallene schriftliche Arbeiten zu erledigen, oder er beaufsichtigte auf den Feldern die Ernte und das Obstpflücken. Dabei begleitete ihn Emma oft. Seine Kenntnisse des Landes waren so eindrucksvoll wie das Motto, nach dem er den Besitz verwaltete: Yus karih gonglu sui karih krao – wer pflügt, wird auch ernten. Nicht alle in diesem Land, in dem es von despotischen Pächtern wimmelte, hielten sich an dieses Prinzip. Die meisten Bauern verdienten kaum genug, um leben zu können. Sie waren dazu verurteilt, ihr Leben lang Leibeigene zu bleiben, gefangen in der verbrecherischen Verschwörung von Zwischenhändlern und korrupten Regierungsbeamten. Damiens Einstellung fand deshalb bei Emma uneingeschränkt Zustimmung, ja, sie bewunderte ihn sogar. Sein Umgang mit den Leuten verriet echte Zuneigung und großen Respekt. Sie erlebte, wie sein Leben von strenger Disziplin geprägt wurde, die er sich selbst auferlegte. Und sie musste sich eingestehen, dass er auf dem Gut für alle ein Vorbild war. Wenn sie abends allein zusammensaßen, blieb Damien freundlich, ihre Unterhaltung angenehm und höflich. Die Atmosphäre zwischen ihnen verbesserte sich spürbar und wurde weniger kühl.

Keiner von beiden brachte das Thema der getrennten Schlafzimmer zur Sprache.

Da sich der Palast in Srinagar befand, beschlossen sie, die Nacht vor und nach dem Besuch auf dem Hausboot zu verbringen. Als sich Emma für das Ereignis ankleidete, überlegte sie sich noch einmal die Sache mit ihrem Hochzeitsschmuck. Sie hatte sich geschworen, ihn nie mehr zu tragen. Doch Delhi war inzwischen eine Ewigkeit entfernt, und der Entschluss kam ihr kindisch vor. Sie hatte den Schmuck aus einem unbestimmten Impuls heraus eingepackt und mit nach Srinagar genommen. Da sie wusste, dass es Damien freuen würde, legte sie schließlich das Halsband aus Perlen und Saphiren und die dazu passenden Ohrringe an. Als sie sich im Spiegel betrachtete, musste sie sich errötend eingestehen, dass sie offenbar ihren Mann auf frauliche Weise für sich gewinnen wollte. Aber damit hatte sie noch Schwierigkeiten. Begab sie sich damit auf die Stufe einer Chloe Hathaway oder Nazneen? Sie fragte sich auch, ob der Schmuck einmal Natascha Granville gehört hatte. Vielleicht würde sie Damien danach fragen können. Als zusätzliche Geste der Versöhnung legte sie das Shatushtuch um ihre Schultern.

Sie trat gerade einen Schritt zurück, um sich ein letztes Mal im Spiegel zu betrachten, als es an die Verbindungstür klopfte und Damien eintrat.

In einem dunkelblauen Anzug, der passenden Halsbinde und den Lackschuhen war er der Inbegriff klassischer Eleganz und hätte selbst vor den Augen der Bankshalls Gnade gefunden.

»Ist es so … in Ordnung?«, fragte sie schüchtern.

Er musterte sie von Kopf bis Fuß, betrachtete sichtlich beeindruckt ihre Frisur und nickte zustimmend über die Goldsandaletten. »In Ordnung. Seiner Hoheit wird es gefallen.«

Und dir? Gefällt es dir auch?

Sie verschluckte die Frage. Auf der Holztreppe zum Ufer reichte ihr Damien die Hand, und sie zitterte.

»Ist dir kalt?«

Sie schüttelte den Kopf, zog das Tuch enger um die Schultern und lehnte sich in die Plüschkissen der Sänfte. Sie hatte sich damit abgefunden, dass die Sänfte zu den Formalitäten des Besuchs gehörte, und protestierte nicht gegen die absurde Art der Fortbewegung.

Die Hofbeamten, die sie in der Großen Halle des Palastes empfingen, schienen Damien gut zu kennen. Er stellte sie Emma nacheinander mit ein paar erklärenden Worten vor – ein bedeutender muslimischer Dichter, ein Verwandter des im Exil lebenden afghanischen Königs, ein Protokollchef aus Jammu, ein Dogra, ein uniformierter Offizier aus Hyderabad, den ihm der Nizam ausgeliehen hatte und der jetzt Militärminister Seiner Hoheit war. Danach wurden sie sofort durch Korridore und Vorzimmer über Treppen nach oben geleitet, wo der Privatsekretär des Maharadschas, ein kaschmirischer Pandit, sie bereits erwartete. Er trug eine weiße Hose und ein hoch geknöpftes Jackett mit Stehkragen und führte sie in das Allerheiligste.

»Ah, Damien, wie schön, dass Sie gekommen sind!« Der Maharadscha entließ seine Höflinge mit einer Geste und umfasste Damiens Hand mit beiden Händen. »Ich freue mich, Sie wieder zu sehen, und natürlich darüber, die Bekanntschaft Ihrer Frau zu machen.«

Damien verbeugte sich. »Ich freue mich, dass Eure Hoheit nach der kürzlichen Unpässlichkeit wieder bei guter Gesundheit sind.«

Er stellte Emma dem Maharadscha vor. Sie machte einen Knicks und faltete dann zum Gruß die Hände. Der Maharadscha beobachtete sie dabei mit dunklen verträumten Augen, die irgendwie müde wirkten.

»Ich bin entzückt, die Bekanntschaft der jungen Dame zu machen, der es gelungen ist, Damien zu einem ruhigeren Leben zu zwingen«, sagte er. »Ich hatte mir schon Sorgen gemacht, mein junger Freund könnte ein eingefleischter Junggeselle werden.« Er lächelte, als Emma errötete, nahm seinen Platz auf dem Diwan wieder ein und kreuzte unzeremoniell die Beine. »Bitte setzen Sie sich, wir wollen uns unterhalten.«

Emma hatte sich gewisse Vorstellungen von dem Herrscher und seinem Hof gemacht, doch die Schlichtheit des Maharadschas und seiner Umgebung beeindruckten sie auf angenehme Weise. Der Raum war bequem eingerichtet, doch wenig wies auf den Luxus hin, den man bei dem Herrscher eines Staates erwartet hätte, der größer als England war. Ebenso unauffällig war er auch gekleidet. Er trug eine weite weiße Hose und ein weißes Hemd mit goldenen Knöpfen. Auf dem Teppich vor ihm stand ein Paar offener Ledersandalen.

Er hatte Kaschur gesprochen. Emma beherrschte die Sprache noch nicht fließend, und ihre Antwort klang holprig. Er ging sofort zu Urdu über. »Da der Vizekönig angeordnet hat, dass im Staat mehr Urdu gesprochen werden soll, kann ich mir zunutze machen, dass Ihre Frau es fließend spricht, und mein Urdu üben.«

Es überraschte Emma, dass der Maharadscha so viel über sie wusste, und das sagte sie auch.

»Ich mag zwar in den Augen der Briten nicht mehr von Bedeutung sein, aber ich versichere Ihnen, noch ist Leben in dem alten Burschen, und jede außergewöhnliche Dame findet mein besonderes Interesse.« Er lachte, und seine müden Augen leuchteten auf. »Ich muss Ihnen gestehen, Mrs Granville, die Nachricht von Ihrer Hochzeit hat in Kaschmir viele Herzen gebrochen. Sogar in meinem Palast genügte ein Besuch von Damien, damit der ganze Zenana in der Hoffnung, einen Blick auf ihn zu erhaschen, an die Fenster eilte.«

Damien errötete leicht und protestierte verlegen. Doch Emma genoss sein Unbehagen und lächelte spöttisch.

Der Maharadscha machte ihr ein Kompliment über ihre hervorragende Aussprache und fügte hinzu: »Aber ich weiß, Sie sind schließlich die Tochter von Graham Wyncliffe. Heute Morgen hat mich jemand daran erinnert, dass ich das Privileg hatte, vor einigen Jahren in Jammu seine Bekanntschaft zu machen. Leider ist mein Gedächtnis nicht mehr so gut wie in früheren Jahren. Es tat mir Leid zu lesen, dass er unter so traurigen Umständen den Tod gefunden hat.«

Emma bedankte sich mit einem Nicken für sein Mitgefühl.

»Er war zuletzt 1887 hier, in dem Jahr, als die Briten alle Heuchelei aufgaben und meinem Staat einen Residenten aufzwangen, während ich noch um meinen Vater trauerte. Dieses Jahr wird nicht vergessen werden.« In seinem Ton lag mehr als eine Spur Bitterkeit. »Sir Oliver St. John war der erste Resident, und er hat Dr. Wyncliffe in den Palast gebracht.«

Die zunehmende Einflussnahme der britischen Oberherrschaft auf seinen Staat und die damit verbundene Einschränkung seiner Macht-befugnisse war ein heikles Thema. Emma hatte keine Ahnung von Politik, und da sie nicht wusste, wie sie reagieren sollte, schwieg sie. Ihr fiel auf, dass überall im Raum Zeitungen lagen – *The Times of India* aus Bombay, *The Civil and Military Gazette* aus Lahore, *The Statesman* aus Kalkutta und eine ganze Reihe Zeitungen aus England, darunter auch *The Sentinel*.

Der Maharadscha beendete die verlegene Pause selbst. »Und Sie, Mrs Granville, interessieren Sie sich wie Ihr Vater auch für Archäologie und die Geschichte des Buddhismus?«

Emma bejahte es.

»Dann haben wir vieles in Kaschmir, was Sie interessieren wird. Wie Sie zweifellos wissen, war mein Land einmal eine Bastion des Buddhismus. Ich hoffe, Ihr Mann hat Ihnen bereits einige unserer be-rühmteren Stätten gezeigt.«

»Nun ja …«

»Noch nicht, Hoheit.« Damien griff zur Selbstverteidigung. »Ich war abwesend und muss gestehen, dass ich Emma schändlich vernachläs-sigt habe.«

»Nachdem Sie zurück sind, müssen Sie sofort Wiedergutmachung leisten.« Er wandte sich wieder an Emma. »Abgesehen von histori-schen Plätzen haben wir viele religiöse Stätten, die von Hindus und Moslems in Ehren gehalten werden und die Sie vielleicht interessie-ren.«

Sie unterhielten sich eine Weile darüber und sprachen über das Altertum und seine Relikte im Allgemeinen, bis die breiten Türen des Raums geöffnet wurden und eine Reihe livrierter Diener mit Erfrischungen erschienen. Einer reichte runde Gläser mit Khus-Khus-Sherbet, während andere köstliche Kleinigkeiten für den Gaumen servierten. Danach stellten sie die silbernen Tabletts auf einen Tisch am Fenster und zogen sich zurück.

»Ich bedaure, dass sich die Maharani auf einer Pilgerreise nach Amarnath befindet«, sagte der Maharadscha. »Sie hätte sich gefreut, Sie zu sehen, und vor allem darüber, sich mit Ihnen ohne Dolmetscher unterhalten zu können.«

Emma bedauerte das ebenfalls höflich. Insgeheim war sie jedoch froh darüber, denn sie wollte dem Gespräch der beiden Männer zuhören.

Der Maharadscha nahm Notiz von ihrem Shatush, pries es überschwänglich und wandte sich dann an Damien. »Ich habe gehört, die Geschenke für die Königin und Kaiserin sind in diesem Jahr wieder auf dem hohen Niveau, das wir von Ihnen gewöhnt sind. Ihre Majestät wird sie schätzen.« Er verzog den schmalen Mund zu einem dünnen Lächeln. »Ein echtes Zeichen der Wertschätzung, die Sie und ich Britannien entgegenbringen, Damien, wie?« Der Sarkasmus war kaum zu überhören.

Damien lächelte. »In der Tat.«

»Und wie steht es mit der Weberei?«

»So gut, wie man es in Anbetracht der Launen der europäischen Mode erwarten kann. Ironischerweise weist die Zählung darauf hin, dass es im nächsten Jahr mehr Weber im Tal geben wird, obwohl die Nachfrage nach Kaschmirtüchern in Europa sinkt.«

»Und was sagen die Gebrüder Ali zur Nachfrage in Zentralasien? Sie reisen oft genug dorthin, um dort die Absatzmöglichkeiten einschätzen zu können.«

»Die Absatzmöglichkeiten sind gut, könnten aber mit Sicherheit besser sein. Die russischen Zölle machen es Ausländern schwer, konkurrenzfähig zu bleiben.«

»Trotzdem, Damien, es war ein glücklicher Tag für unsere Weber, als Ihr Vater beschloss, sich in Kaschmir niederzulassen.« Er seufzte leise, und als sich seine Gesichtsmuskeln entspannten, vertieften sich die Falten in seinen Wangen. »Ihr Vater hat sehr viel getan, um das Ansehen unseres Staates in Europa zu heben, so wie Sie es heute noch tun. Es verschafft einem Gewerbe, für das wir berühmt sind, großen Auftrieb, da Sie immer noch so viele und so hervorragende Handwerker unseres Landes beschäftigen.«

»Kaschmir hat meinem Vater Zuflucht gewährt, als er sie brauchte«, erwiderte Damien. »Kaschmir hat uns sehr viel mehr gegeben, als wir jemals hoffen können zurückzuzahlen.«

Pratap Singh griff nach einer kandierten Mandel, steckte sie behutsam zwischen die Zähne und knabberte geistesabwesend daran. »Damals sah es in unserem Kaschmir noch ganz anders aus, Damien. Das muss Ihnen Ihr Vater sicher erzählt haben. Damals herrschte der Herrscher. Heute tanzt er nur nach der fremden Pfeife eines Rates und eines Residenten. Er hat wenig zu sagen in der Administration seines eigenen Staates.«

Die Bitterkeit war jetzt unverhüllt, und die Melancholie durchdrang alles. Trotz ihrer Unwissenheit in Hinblick auf Staatsangelegenheiten wusste Emma, dass Intrigen und Machtspiele die Geißel aller Herrscherhöfe waren. Doch Pratap Singhs Hilflosigkeit wirkte traurig. Er kam ihr wie ein Mann vor, der sich angesichts von Umständen, die sein Leben der eigenen Kontrolle entzogen hatten, geschlagen gab.

»Sie wollen Kaschmir eine neue Verfassung aufzwingen«, fuhr er niedergeschlagen fort. »Sie stiften Unruhe in meiner Familie. Ich fürchte, zwischen mir und meiner Absetzung liegt nur noch ein falscher Schritt, mehr nicht. Ich mache mir um die Zukunft von Kaschmir große Sorgen.« Er warf einen Blick auf die Zeitung, die aufgeschlagen neben ihm lag. »So wie ich mir Sorgen mache wegen all der Unruhen in den Bergen.«

»Es ist schwierig, in englischen Zeitungen zwischen Wahrheit und Lüge zu unterscheiden, Eure Hoheit«, sagte Damien. »Und in den Bergstaaten hat es immer Unruhen gegeben.«

»Das ist wahr. Aber Walter Stewart hat mich gestern aufgesucht, und er war sehr wütend wegen des Besuchs dieses Russen in Hunza. Er ist der Ansicht, die Russen arbeiten daran, die Spannungen entlang der Grenzen zu verschärfen. Ich hoffe, er hat Unrecht. Es wäre schrecklich, wenn die Briten eine Entschuldigung fänden, um noch mehr Truppen nach Kaschmir zu entsenden.«

»Wenn sie keine Entschuldigung finden, wird sich Durand eine ausdenken«, erwiderte Damien. »Kaschmir und seine Grenzreiche sind von entscheidender Bedeutung für Britannien, und falls …«, er legte die Stirn in Falten, »nein, nicht falls, sondern wenn es nach Durand geht, wird eines nach dem anderen dieser Königreiche verschwinden.«

»Ich fürchte sehr, dass Sie Recht behalten werden.« Der Maharadscha seufzte noch einmal traurig. »Wenn man bedenkt, welchen Lärm die Briten machen, wenn es um ihre dubiosen territorialen Rechte geht, dann sind ihnen die Rechte anderer bemerkenswert gleichgültig. Ich weiß, Chitral steht ein Erbfolgekrieg bevor, wenn der derzeitige Herrscher stirbt. Und Safdar Ali ist höchst unzuverlässig. Der Vizekönig ist bei seinem Besuch im letzten Jahr trotz seiner geschliffenen Manieren und seines blumigen Geredes direkten Antworten ausgewichen und er stärkt den Residenten mit sehr beunruhigenden Machtbefugnissen.« Er wies mit dem Finger auf die Schlagzeile einer Zeitung: »Glauben Sie, die Russen beabsichtigen wirklich eine Konfrontation wegen dieser Angelegenheit in Hunza?«

»Nein.«

»Trotzdem, Damien, wird Kaschmir mit all den neuen Pässen, die entdeckt werden, zunehmend verwundbar. Ich fürchte, eines Tages wird es keine Geheimnisse mehr geben, nicht einmal der Jasminapass wird unentdeckt bleiben. Alles in der uns von Gott geschenkten Festung wird dem Zugriff der Fremden preisgegeben und entsprechend ausgenutzt werden.« Er beugte sich vor und legte Damien die Hand auf den Arm. »Mir ist es gleichgültig, was sie in ihren Ländern sich gegenseitig antun, aber ich möchte nicht in einen Krieg der Großmächte verwickelt werden.«

»Russland will mit seinem Säbelgerassel nur provozieren, Eure Hoheit«, sagte Damien mit einer wegwerfenden Handbewegung. »Die Russen wissen, wenn in St. Petersburg ein Schuss losgeht, hören die Briten eine Explosion im Himalaja. Ich bin der Überzeugung, es wird keinen Krieg geben.«

»Aber was ist mit dieser neuen Bahnlinie? Ich habe gehört, sie hat das Kräftegleichgewicht in Zentralasien erheblich verschoben. Man sagt, die Russen haben die Strecke bis Taschkent ausgebaut, ein neuer Generalgouverneur steht ins Haus, und sie stationieren noch weitere Truppen für die erwartete Konfrontation. Sie sind bei Ihrer Rückkehr von St. Petersburg mit dieser Bahn gefahren, Damien. Welchen Eindruck hatten Sie von ihr als einem Kriegsinstrument?«

Charlton hatte also nicht gelogen. Damien war in St. Petersburg gewesen. Emma hörte weiter aufmerksam zu.

»Als kommerzielles Instrument ist sie beachtlich, aber als Kriegsinstrument?« Damien wirkte skeptisch. »Die Transkaspische Bahn fährt nur auf einem Gleis. Sie ist dürftig ausgestattet und bricht immer wieder zusammen. Es stehen nur sechstausend Güterwagen zur Verfügung, und deshalb ist der Transport großer Truppenkontingente oder Munition nicht möglich.«

»Walter Stewart scheint vom Gegenteil überzeugt.«

»Und bemüht sich natürlich sehr darum, Eure Hoheit zu überzeugen! Wie kann er sonst die britische Stellung in Kaschmir stärken?« In Damiens Augen blitzte plötzlich Ärger auf. »Russland hat weder die Fähigkeit noch die Neigung, Krieg zu führen, und es besitzt auch nicht die notwendigen Verbindungswege. Für die Briten ist es eine Frage ihrer verlogenen Politik, das Schlimmste von Russland anzunehmen.«

»Trotzdem bin ich beunruhigt, Damien. Ich möchte nicht, dass ausländische Armeen unter welchem Vorwand auch immer unseren Staat zertrampeln.« Pratap Singh lehnte sich an ein Polster und musterte Damien schweigend. »Aber ich kann Ihr persönliches Dilemma verstehen«, sagte er sanft. »Es ist nicht angenehm, zwischen zwei Loyalitäten gefangen zu sein.«

»Es gibt kein persönliches Dilemma, Eure Hoheit«, erwiderte Damien, ohne zu überlegen. »Meine Loyalität gilt nur Kaschmir.«

Emma hörte zum ersten Mal, dass Damien politische Ansichten mit solcher Offenheit äußerte. Die Unterhaltung, die sie in Delhi beim Burra Khana der Prices während des Abendessens unfreiwillig mitgehört hatte, war kurz gewesen, doch seine Sympathien für Russland waren auch diesmal nur allzu deutlich geworden. Emma war tief in Gedanken versunken, und ihr wurde erst zu spät bewusst, dass ihr der Maharadscha eine Frage gestellt hatte, die unbeantwortet geblieben war. »Verzeihung?«, sagte sie errötend. »Es tut mir Leid, aber ich war einen Augenblick lang mit meinen Gedanken woanders.«

Der Maharadscha lachte. »Das kann ich Ihnen nicht verübeln, meine Liebe. Politik ist heutzutage ein schmutziges und skrupelloses Geschäft. Es überrascht mich nicht, dass sich jemand mit akademischen Neigungen nicht dafür interessiert.«

»Es ist nicht mangelndes Interesse«, erwiderte Emma, die versuchte, den Fauxpas wieder gutzumachen. »Es ist das fehlende Wissen. Ich fürchte, ich bin nicht gut genug über die neuesten Ereignisse informiert, um mich wirklich dazu äußern zu können.« Sie sah, dass ihr Damien missbilligend ein Blick zuwarf, verstummte und biss sich auf die Lippe.

Pratap Singh machte eine heitere Bemerkung und wandte sich wieder Damien zu. »Ich glaube, ich sollte Ihnen etwas sagen, Damien. Ich habe nicht nur Angst um Kaschmir, sondern auch um Sie. Stewart mag Sie nicht.«

Damien zuckte mit den Schultern. »Er hat das Recht auf seine eigene Meinung.«

»Sie und ich, wir haben viele Feinde, Damien«, sagte Pratap Singh besorgt. »Sie warten nur auf eine Gelegenheit, um zuzuschlagen. Ich möchte nicht, dass einer von uns beiden sie ihnen gibt. Sie fälschen Briefe, um zu beweisen, dass ich insgeheim mit Russland paktiere. Man hat mich schon einmal des Verrats beschuldigt, und mir liegt nichts daran, dass ich erneut gedemütigt werde.« Er machte eine Pause und sagte dann mit Betonung: »Oder Sie.«

Plötzlich erschien es Emma, als habe sich der Ton des Gesprächs verändert. Es hatte sich vom Allgemeinen auf das Besondere verlagert. Damien stand auf und trat an ein Fenster. Er erwiderte nichts.

»Seien Sie vorsichtig, mein Freund«, sagte der Maharadscha warnend. »Sie haben viel zu verlieren. Draußen in der Wildnis gibt es Wölfe, die entschlossen sind, uns nicht zu schonen.«

»Wölfe?« Damien lachte. »Das sind keine Wölfe, Eure Hoheit, sondern nur Hawabeen.«

»Aber die Hawabeen sind Räuber, Damien. Heutzutage diktieren sie die Politik und beherrschen die Welt. Sie werden nicht zulassen, dass wir in Frieden genießen, was rechtmäßig uns gehört.«

»Wenn es so ist, Eure Hoheit«, Damien hob die Hände und zuckte mit den Schultern. »Dann frage ich Sie, wie kann man die Zungen zum Schweigen bringen und die Krallen beschneiden?«

»Resignation, Damien? Sie überraschen mich.«

»Pragmatismus, Eure Hoheit.« Er kam zurück und setzte sich wieder. »Ich versuche nur, mich mit dem Unvermeidlichen in einer ungerechten Welt abzufinden.«

»Ich frage mich allen Ernstes: Tun Sie das?«

Ihre Blicke, in denen unverhüllte Beunruhigung lag, trafen sich. Nach einem Augenblick klatschte der Maharadscha kommentarlos in die Hände, und die Tür wurde geöffnet. Zwei Diener trugen eine schwere, reich geschnitzte Truhe aus Nussbaumholz herein. »Eine kleine Aufmerksamkeit für Sie und Damien«, sagte er lächelnd zu Emma. »Mit meinen aufrichtigen Glückwünschen zu Ihrer Hochzeit. Ich hoffe, Sie werden mit vielen Söhnen gesegnet sein und vielleicht«, seine müden Augen zwinkerten ihr flüchtig zu, »mit ein oder zwei Töchtern, die ihrer Mutter ähneln.«

Emma bedankte sich, bewunderte das schöne Geschenk, und dann war es Zeit zu gehen. Der Maharadscha begleitete sie zur Tür. Dort blieb er stehen, legte Damien die Hand auf den Arm und sah ihn eindringlich an. »Wenn Sie meine Hilfe brauchen sollten, dann wissen Sie, dass ich alles tun werde, was in meiner Macht steht.«

»Vielen Dank, Eure Hoheit. Daran habe ich nie gezweifelt.«

Als Emma nach ihrer Rückkehr auf das Hausboot über den Besuch nachdachte, fand sie, es sei ein verwirrender Nachmittag gewesen. Sie hatte die politischen Schlussfolgerungen und die unausgesprochenen Nuancen nicht völlig verstanden. Offensichtlich klafften in ihrer politischen Bildung große Lücken, und plötzlich schämte sie sich deshalb. Sie hatte seit Wochen keine Zeitung mehr gelesen und wusste sehr wenig über Spannungen und Verwicklungen an den Grenzen. In einem Gebirgsstaat, der sich in einer politisch so brisanten Situation befand, war so viel Gleichgültigkeit unverzeihlich. Sie beschloss, das in Zukunft zu ändern.

»Ich habe morgen Vormittag noch einmal eine Verabredung mit dem italienischen Leiter der Kellerei in Gupkar«, sagte Damien, als sie nach dem Abendessen bei einem Glas Portwein auf der Veranda saßen. »Ich werde mehr oder weniger den ganzen Tag unterwegs sein und weiß nicht genau, wann ich nach Shalimar zurückkomme. Du könntest früher zurückfahren, wenn du möchtest, oder wenn du das vorziehst, dir hier einiges ansehen.«

Emma erklärte, sie wolle sich lieber Srinagar ansehen und vielleicht den Takht-e-Suleiman besuchen. Er nickte geistesabwesend. Ihr fiel auf, dass ihn etwas beschäftigte und dass er nicht geneigt war, sich zu unterhalten. Trotzdem nahm sie all ihren Mut zusammen und beschloss, ein oder zwei Fragen zu riskieren. »Wer oder was sind diese Hawabeen, von denen du im Palast gesprochen hast?«

»Hawabeen sind Leute, die von Gerüchten leben.«

»Ich verstehe, wörtlich sind also die gemeint, die ihr Fähnchen mit dem Wind drehen. Und wer sind die Räuber?«

»Leute, die unbefugt eindringen, wo zu sein sie kein Recht haben.«

»Die Briten? Aber warum sollten sie es auf dich abgesehen haben?«

Er machte eine wegwerfende Geste. »Als Außenseiter mit einem Besitz wie Shalimar hat man immer Feinde.«

»Wen zum Beispiel?«

Er zögerte. »Nun ja, Stewart, den Residenten, zum Beispiel.«

»Kann es sein«, fragte sie kühn, »dass deine ständige und oft … taktlose Verteidigung der Russen damit etwas zu tun hat?«

»Das ist sehr gut möglich. Aber ich habe ein Recht auf meine eigene Meinung.«

»Du warst im letzten Jahr in St. Petersburg?«

»Ja.«

»Bist du schon früher dort gewesen?«

»Ja.«

»Geschäftlich?«

Er antwortete nicht sofort. Er wollte etwas sagen, überlegte es sich dann aber anders. »Ja, geschäftlich.«

Nachdem Emma das Thema zur Sprache gebracht hatte, ließ sie sich nicht beirren. »Beruhen deine Sympathien für Russland«, fuhr sie in einem neuen Anflug von Kühnheit fort, »nur auf politischen Ansichten oder auf emotionalen Gründen?«

»Du meinst, weil meine Mutter Russin war und für ihr Land gearbeitet hat? Wie kann man das eine vom anderen unterscheiden? Vielleicht beruhen sie auf beidem.«

Die Selbstverständlichkeit, mit der er dieses Geständnis machte, verschlug Emma beinahe die Sprache. Doch bevor sich die günstige Gelegenheit verflüchtigen konnte, fragte sie nach. »Wusstest du von ihrem früheren Leben?«

»Davon habe ich erst nach dem Tod meines Vaters erfahren«, antwortete er bereitwillig. Damien stellte offenbar weder ihr Wissen noch die Quelle in Frage, der sie das Wissen verdankte. »Er hat mir einen Brief hinterlassen, in dem er alles erklärte.«

»Warum ist sie davongelaufen?«

»Warum?« Er hob belustigt eine Augenbraue. »Aus dem ältesten Grund der Welt. Sie ist mit einem anderen Mann davongelaufen, einem rumänischen Cellisten, den sie in Peschawar kennen gelernt hatte.«

»Wie ist sie gestorben? Und wo?« Emma war überrascht, dass ihre Fragen endlich beantwortet wurden, und deshalb platzte sie einfach mit dem heraus, was sie am meisten beschäftigte.

»Der Weg über die Berge war sehr beschwerlich. Sie hatte nicht die Kraft, bis zum Ende durchzuhalten. Sie war immer sehr zart.« Sein

Blick richtete sich auf Emma, doch er sah nicht sie, sondern durch sie hindurch, als sähe er irgendwo am Horizont Bilder der fernen Vergangenheit. »Ein Rauschgoldengel am Weihnachtsbaum … zumindest hat mein Vater sie immer so gesehen.«

»Und du?« Sie dachte an die gequälten Aufzeichnungen, und ihr drängten sich ein Dutzend weiterer Fragen auf. Sie fragte sich, ob der Ehefrau und Mutter, die sich heimlich davongemacht hatte, jemals vergeben worden war. »Siehst du sie auch so, wenn du an sie denkst … als einen Rauschgoldengel am Weihnachtsbaum?«

»Wenn ich an sie denke?« Die Frage überraschte ihn. Die Bilder der Vergangenheit verflüchtigten sich, und seine Stimme wurde ausdruckslos. »Nein. Ich denke überhaupt nicht an sie.«

Also war ihr immer noch nicht verziehen worden. Emma wusste inzwischen, auf welchem Amboss seine extremen Ansichten geschmiedet worden waren, und deshalb überraschte sie die Antwort nicht. Trotzdem klammerte sie sich an die plötzliche zarte Verbindung zwischen ihnen. Sie wollte unbedingt sein Vertrauen gewinnen, ihn wenn möglich besser kennen lernen. Bevor sie jedoch noch eine Frage stellen konnte, beendete er das Thema. »Das ist nicht mehr wichtig. Kindheitserinnerungen sind wie Kreise im Wasser. Sie lassen sich leicht hervorrufen und verschwinden schnell wieder.«

Sie erkannte, dass er in gewisser Weise Recht hatte. Natascha Granville war nicht mehr wichtig – zumindest für sie. Wichtig für sie war die Tatsache, dass sie Damien zum ersten Mal sehr persönliche Fragen gestellt und dass er ihr zum ersten Mal Antworten darauf gegeben hatte. Damit mochte sich die Tür vielleicht nur einen kleinen Spalt geöffnet haben, aber es war immerhin ein Zugang zu seinem Leben. »Kindheitserinnerungen sind ein Teil von uns, Damien«, sagte sie sanft, um ihn zum Weitersprechen zu verleiten. »Sie machen uns zu dem, was wir sind. Sie formen unsere Gedanken, unsere Eigenheiten.«

Er runzelte die Stirn und dachte nach. Dann schüttelte er unwillig den Kopf. »Irgendwann müssen wir erwachsen werden und die Verantwortung für alles, was wir tun, selbst übernehmen. Ich finde, wir können nicht ewig unsere Eltern, die Gesellschaft, die Umstände und weiß Gott was als Entschuldigungen für das eigene Versagen, die eigene Dummheit anführen!«

Seine Worte klangen anklagend und so heftig, dass Emma unwillkürlich rot wurde. Der Vorwurf war unmissverständlich an sie gerichtet. Das machte sie wütend. Wie konnte er es wagen, ihr Vorwürfe zu machen? Was konnte sie dafür, dass sie nichts über seine Familie, seine Vergangenheit wusste? Sie biss sich auf die Lippen, denn sie wollte nicht schon wieder streiten. Er schien ihren Zorn nicht wahrzunehmen, sondern war mit seinen Gedanken bereits wieder woanders. Er stand auf, murmelte etwas über wichtige Dinge, die noch zu erledigen seien, und wünschte ihr eine gute Nacht.

Wieder eine Nacht allein in dem großen Himmelbett …

*

»Samarkand ist der Glanzpunkt des ganzen Erdballs«, hatte einst ein persischer Dichter geschrieben. Aber die goldene alte Zeit war längst Vergangenheit. Was aus der Ferne in der Tat wie ein Märchen aus Tausendundeiner Nacht aussah, verwandelte sich beim Näherkommen in den üblichen Schmutz, das Geschrei und das unerträgliche, geschäftige Gedränge sowohl auf den Basaren als auch in den Straßen. In der Stadtmitte befand sich der Rigistan, einer der schönsten Plätze der Welt. Man sagte, er sei prächtiger als der Markusplatz in Venedig. Samarkand lag sechshundert Meter über dem Meeresspiegel und hatte ein ausgezeichnetes Klima. Im Sommer stieg das Quecksilber nie über 30 Grad Celsius, und im Winter sank es nicht unter null Grad.

Seit kurzem hatte Samarkand jedoch auch eine Berühmtheit modernerer Art erlangt. Es war die Endstation der Transkaspischen Eisenbahn. Für diesen Aspekt der Stadt interessierte sich Michail Borokow mehr als für jeden anderen, während er ungeduldig auf dem Bahnsteig hin und her ging und auf die Ankunft des Zugs wartete.

Das Bahnhofsgebäude und die angrenzenden Verwaltungsräume waren noch nicht fertig gestellt. Die Bataillone der örtlichen Arbeiter waren langsam, sie arbeiteten schlampig, und die Haufen übrig gebliebener Baumaterialien wirkten hässlich. Doch Borokow war der Ansicht, er habe alles getan, was er unter den herrschenden Umständen tun konnte, indem er die Arbeiten für den Tag hatte unterbrechen lassen und der Bahnhof für den Empfang des neuen Generalgouverneurs geputzt und gefegt worden war. Die Kosaken und die reitende Batterie der Artillerie, die zu beiden Seiten des Gleises aufgereiht standen, wirkten schneidig. Die Formation der Ehrengarde wartete darauf, abgeschritten zu werden. Die Gesichter der Männer waren so starr und glänzend wie das Leder ihrer geputzten Stiefel. Am Ende des Bahnsteigs hatte die Militärkapelle Aufstellung genommen. Sie würde anfangen zu spielen, sobald die Lokomotive pfiff. Es blieb nur zu hoffen, dass keine unvorhergesehenen Störungen eintraten.

Der Baron trug Paradeuniform und seine Orden und wirkte erhitzt und besorgt, während er neben dem Lokalgouverneur und anderen Würdenträgern auf dem Bahnsteig wartete. Er blickte alle fünf Minuten auf seine Uhr, schnalzte ungeduldig mit der Zunge und blickte sehnsüchtig auf den riesigen Schuppen, in dem seine Menagerie untergebracht war. Die Baronin war bereits nach St. Petersburg abgereist. Sobald er seinem Nachfolger die Verantwortung übergeben hatte, würden er, seine verbliebene persönliche Dienerschaft und seine kostbare zoologische Fracht denselben Zug besteigen und ebenfalls zurückfahren. Und das war, wie sein Gesichtsausdruck verriet, kein Tag zu früh! Er dachte flüchtig und voller Wehmut an die Goldadler, die er nun nie mehr bekommen würde. Traurig gestand er sich ein, dass Borokow Recht gehabt hatte. Der jüngere Darde war nicht zurückgekommen, auch nicht, um die Frau abzuholen, und von dem älteren Mann hatten sie nicht einmal eine Spur ausfindig machen können. Dem Baron war bewusst, dass er die Sache nicht sehr geschickt angegangen war. In dem verständlichen Unbehagen darüber hatte er Borokow gebeten, seinem Nachfolger gegenüber nichts davon zu erwähnen.

Ein durchdringendes Pfeifen kündigte die Ankunft des Zugs an, und auf dem Bahnhof wurde es lebendig. Die Soldaten warfen einen letzten Blick auf ihre Waffen und nahmen Haltung an. Der Baron steckte die Uhr in die Tasche und richtete seinen Hut, und die Bahnangestellten rannten herbei und stellten sich am Rand des Bahnsteigs auf. Die Lokomotive kam schnaufend in Sicht. Auf ein Zeichen von Borokow begann die Kapelle, die russische Nationalhymne zu spielen, und die Artillerie begrüßte den neuen Generalgouverneur mit einem ohrenbetäubenden Salut.

Trotz des unfertigen Bahnhofsgebäudes und der mühsamen Vorbereitungen verlief der feierliche Empfang bemerkenswert glatt. So glatt, dass Alexej Smirnow angesichts der wartenden Menge immer wieder lächelte und winkte und dem Baron ein Kompliment über die hervorragende Organisation machte. Der Baron gab es edelmütig an Oberst Borokow weiter.

»Sie halten sich gut, wie ich sehe, Oberst.« Smirnow lächelte. »Offensichtlich bekommen Ihnen das Essen und das Klima in Asien sehr gut.« Die Bemerkung zielte auf Borokows wachsenden Leibesumfang. Da Borokow in diesem Punkt empfindlich war, erwiderte er das Lächeln nicht. Er war dankbar, dass Alexej wenigstens Russisch und nicht Französisch sprach, denn in dieser Sprache fühlte er sich nicht zu Hause. Die russische Elite zeigte in ihrer blinden Bewunderung für alles, was auch nur entfernt gallisch war, einen übertriebenen Hang zu französischen Manieren, zum französischen Stil und zur französischen Sprache, und Smirnow stellte dabei keine Ausnahme dar.

Auf der Fahrt über die Schotterstraße zum Regierungsgebäude, wo zu Ehren des Generalgouverneurs ein Ball gegeben wurde und wo er die Nacht verbringen sollte, bevor er am Morgen nach Taschkent weiterreiste, bewunderte Smirnow das ihm vertraute Samarkand. »Als ich das letzte Mal in Asien war, sah alles noch ganz anders aus. Und mit Sicherheit gab es keine modernen Straßen.«

»Wir befinden uns im Augenblick auf der einzigen befestigten Straße östlich des Kaspischen Meeres«, erklärte der Baron stolz.

»Ich freue mich, dass unsere Bahnlinie eine so bedeutende Veränderung der allgemeinen Verkehrsverbindungen herbeigeführt hat. Als ich hier war, musste ein Telegramm von Samarkand nach Buchara über Taschkent, Orenburg, Samara, Moskau und Baku geleitet werden. Es gab keine Garantie dafür, dass es jemals seinen Bestimmungsort erreichen würde. Und was die Post anging, je weniger man darüber sagt, desto besser.«

Borokow hatte noch mehrere Pflichten im Zusammenhang mit dem Bankett zu erfüllen. Das Regierungsgebäude, das sich in sicherer Entfernung von den ärmlichen Vierteln der Einheimischen befand, war mit hohen Kosten für die Unterbringung von General Smirnow und seinem Stab hergerichtet worden. Borokow überprüfte alle Vorbereitungen mit gewohnter Gründlichkeit und wollte dann zum Militärklub aufbrechen, wo er selbst untergebracht war. Smirnow hielt ihn jedoch mit erhobenem Finger zurück. »Ich wäre Ihnen dankbar, Oberst, wenn Sie die Freundlichkeit hätten, sich meines persönlichen Gepäcks selbst anzunehmen. Meine Frau hat für meinen Gebrauch in Taschkent kostbare chinesische Möbel und Porzellan eingepackt. Sie würde mir nie verzeihen, wenn auch nur ein Stück beschädigt ankäme.«

Borokow schlug das Herz bis zum Hals. Smirnow hatte die Waffen als Teil seines persönlichen Gepäcks mitgebracht! »Gewiss, Exzellenz.« Irgendwie gelang es ihm zu lächeln. »Ich werde die Kisten selbst transportieren und auspacken.«

»Wenn Sie einen Augenblick warten, werde ich Ihnen die ziemlich komplizierte Aufstellung erklären, die meine Frau von den einzelnen Gegenständen gemacht hat.« Damit gab er allen anderen ein Zeichen, dass sie entlassen waren.

»Ich nehme an, du weißt, was die Kisten enthalten, Michail?«, fragte Smirnow, sobald sie allein waren.

»Ja.«

»Die entsprechenden Kisten, insgesamt zehn, sind alle mit ›zerbrechlich‹ markiert.«

»Die veralteten Waffen, die wir ausgesucht haben?«

»Einige davon.«

»Und der Rest?«

»Kleinkalibergewehre.« Mit leuchtenden Augen wartete er auf Borokows Reaktion. Er wurde nicht enttäuscht. Borokow staunte. »Hattest du keine Probleme, sie zu bekommen?«

»Natürlich hatte ich Probleme. Nur weil ich es geschafft habe, sie davon zu überzeugen, dass die Gewehre und die Munition im Himalaja erprobt werden müssten, wo sie später auch eingesetzt werden sollen, haben sie sich schließlich bereit gefunden, eine bestimmte Anzahl freizugeben.«

»Und die Kanone? Darauf hat Safdar Ali mit allem Nachdruck bestanden.«

»Ach, Unsinn! Wenn er die neuen Gewehre sieht, wird er die Kanone vergessen. Ich kenne Leute von Safdar Alis Schlag, Michail. Es sind ungehobelte, abstoßende Barbaren. Ich werde ohne Probleme mit ihm fertig.«

Ich werde mit ihm fertig …? Diese provozierende Formulierung entging Borokow nicht.

»Wann ist unsere Lieferung vorgesehen?«, fragte er und verlieh damit subtil seinem Standpunkt Nachdruck.

»Bald, bald.«

Smirnow trat vor den Spiegel, nahm den Gürtel ab, zog den Bauch ein, sodass er ganz flach wurde, und strich zufrieden darüber. Der unausgesprochene Spott bewirkte, dass Borokows Lippen schmal wurden. Smirnow war eine auffällige Erscheinung, groß, muskulös und in hervorragender körperlicher Verfassung. Er hatte dichte Haare, einen ordentlich getrimmten Bart und über dem Mund mit den vollen Lippen einen Schnurrbart. Es hieß, er wirke auf das schwache Geschlecht unwiderstehlich. In St. Petersburg und Moskau gab es genug Frauen, um das zu bezeugen. Er war zwei Jahre älter als Borokow und wirkte mindestens fünf Jahre jünger.

»Ich muss wissen, wie viel Zeit mir bleibt, um die Waffen zu zerlegen«, sagte Borokow gereizt, denn er ärgerte sich über die ausweichende Antwort.

»Darüber werden wir später in Taschkent sprechen. Wo willst du die Kisten lagern?«

»Ich habe in Taschkent ein Nebengebäude, das ist absolut sicher.«

»Und deine Haushälterin? Wie heißt sie noch?«

»Iwana Iwanowa.«

»Kann man ihr vertrauen?«

»Völlig.«

»Ich hoffe, die Kisten werden sicher in Taschkent ankommen.«

»Natürlich. Du kannst dich ganz auf mich verlassen.«

»Wann reitest du zurück?«

»Bei Tagesanbruch. Ich werde sofort nach dem Essen mit dem Beladen anfangen.«

»Gut. Du bist doch vorsichtig, Michail, nicht wahr? Wir wollen nicht, dass jetzt etwas schief geht, nachdem so viele Leute geschmiert werden mussten und so viele Gefälligkeiten notwendig waren, um die verdammten Gewehre hierher zu bringen.«

»Nein. Es wird nichts schief gehen.« Die herablassende Art reizte Borokow noch mehr. »Um Himmels willen, Alexej, ich bin doch kein Idiot!«

»Das hoffe ich, Michail, das hoffe ich sehr.« Er runzelte die Stirn. »Übrigens«, sein Ton wurde kühl, »ungeachtet unserer Beziehung zu Hause schlage ich vor, dass du hier in Zentralasien meine offizielle Anrede benutzt. Vertrautheit wird leicht falsch gedeutet.«

Borokow war wütend, doch sein Gesichtsausdruck verriet es nicht. »Natürlich, Exzellenz. Entschuldigung. Es wird nicht wieder vorkommen.«

»Gut! Du kannst gehen.«

Borokow kochte vor Zorn, als er im Galopp zum Klub zurückritt. Alexej wollte ihm gegenüber also seinen Rang hervorkehren! Er kam an der russischen Kirche mit ihrer blauen Kuppel vorbei, am öffentlichen Park mit seinem künstlichen See und zügelte das Pferd an der Bibi-Khanum-Moschee. Er brauchte Zeit, um nachzudenken, und wollte seine Gedanken ordnen. Deshalb saß er ab. Er nahm seine Umgebung kaum wahr, als er durch den Vorhof der Moschee zum Mausoleum aus dem fünfzehnten Jahrhundert ging, dem Grabmal von Tamerlan und seinen Nachkommen.

Es war später Nachmittag. Der Wächter saß auf einem Stein vor dem

Grabmal und wartete auf Besucher. Zu Borokows Erleichterung war das Mausoleum menschenleer. Es hieß, der Leichnam in der Krypta sei mit Moschus und Rosenwasser einbalsamiert, in Leinen gehüllt und liege in einem Ebenholzsarg. Im oberen Raum befanden sich Kenotaphe, die den Gräbern im Gewölbe darunter nachgebildet waren. Tamerlans Kenotaph, der größte, bestand aus einem schönen moosgrünen Stein, von dem man behauptete, es sei Jade. Borokow, der innerlich immer noch vor Zorn bebte, setzte sich darauf und brütete stumm vor sich hin.

Jetzt waren sie wieder beisammen, und Borokow dachte verstimmt daran, wie wenig er Alexej Smirnow schon immer leiden konnte. Alexej war im Gegensatz zu seinen freundlichen, großzügigen Eltern, denen Borokow so viel verdankte, egoistisch, eingebildet, tyrannisch und von einem geradezu krankhaften Ehrgeiz erfüllt. Selbst als sie noch Kinder gewesen waren, hatte er Alexejs glattes, anmaßendes Verhalten gehasst, seine Großspurigkeit, seinen übertriebenen Dünkel, sein zwanghaftes Bedürfnis nach Beifall – und vor allem seinen Reichtum!

Als Militärrevisor am kaiserlichen Hof war Alexej ein großer Fisch. Doch der Teich war groß, und es schwammen noch größere Fische darin. Deshalb hatte er sich entschieden, nach Taschkent zu gehen, wo er wie ein König herrschen und sich über alles hinwegsetzen konnte.

Borokow wusste, Alexej hielt ihn für *nekulturny*, für unkultiviert. Das schmerzte, weil er wusste, dass es stimmte. Insgeheim beneidete er ihn. Alexej war all das, was er nicht war – reich, weltgewandt, einflussreich und gesellschaftlich selbstbewusst. Alexej lebte sicher und sorgenfrei in seiner privilegierten Welt, plauderte zwanglos, bewies Schneid und konnte beim Trinken mit den Kiew-Dragonern und den Roten Husaren mithalten. Alexej hatte für Borokows Aufnahme in den exklusiven Jachtklub gebürgt, und Borokow hatte ihm das seltene Privileg zu verdanken, im Winterpalast an der kaiserlichen Tafel sitzen zu dürfen. Er hatte das Gefühl der prickelnden Erregung nie vergessen, auf Armeslänge von einem Monarchen entfernt zu sein, der das Schicksal von Millionen, einschließlich seines eigenen, bestimmte.

Es ärgerte Borokow, dass er diesem Mann so sehr verpflichtet war. Aber in St. Petersburg war nichts billig. Ein anständiges Essen mit Wein in den besten Restaurants kostete mit Trinkgeldern beinahe so viel wie die Pelzmütze, die er trug. Häufige Einladungen von Smirnows Freunden schonten zwar sein mageres Budget, aber Borokow musste sich beschämt eingestehen, wie sehr er die prächtigen Häuser und Landgüter bewunderte, die in Smirnows Kreisen selbstverständlich waren. In Moskau hatte ihn einmal ein Großfürst eingeladen, mit ihm und seiner Familie auf der Newa Schlittschuh zu laufen. Das Eis war zu hart für die Kufen der Schlittschuhe gewesen, aber er war glücklich gewesen, wenigstens für einen Tag in die Moskauer Gesellschaft aufgenommen worden zu sein.

Je großzügiger sich Smirnow ihm gegenüber verhielt, desto mehr wuchs Borokows Hass auf ihn, denn er wusste, die Großzügigkeit paarte sich mit Arroganz. Und im Augenblick verübelte er ihm am meisten, dass er bei dem Unternehmen Jasminapass auf seine Gunst angewiesen war. Er, Borokow, hatte die Idee für die Geheimgespräche in Hunza gehabt, doch ohne Alexejs Einfluss im Palast und seine Macht im Militär wäre der Plan von Anfang an zum Scheitern verurteilt gewesen. Und ganz sicher hätte niemand die Lieferung der neuen Waffen genehmigt. Leider konnte er zurzeit auf Smirnows Protektion nicht verzichten. Sie war so lebenswichtig wie die erniedrigende Notwendigkeit, demütig und bescheiden zu sein.

Er war einmal arm gewesen. Er würde nie wieder arm sein! Das hatte er sich geschworen. Und wenn seine ganze Welt dabei in die Brüche ging, er würde alles auf eine Karte setzen und bald nur noch ein freies, sorgloses Leben führen. Doch dazu musste auch er reich werden, sehr reich!

Die Ankunft des Wächters riss Borokow aus seinen Gedanken. »Es ist Zeit für Namaz«, sagte der Wächter. Er müsse abschließen und in die Moschee gehen. Wollte der Oberst noch lange bleiben?

»Nein«, erwiderte Borokow, er werde gleich gehen. Er drückte dem Mann eine Münze in die Hand und eilte hinaus zu der Stelle, wo sein Pferd angebunden war.

Nur wer das Pech hatte, die Strecke zwischen Samarkand und Taschkent auf dem mörderischsten von Menschen erfundenen Transportmittel, dem Tarantas, zurücklegen zu müssen, kannte die Qualen, die das mit sich brachte. Der Wagen wurde von drei Pferden gezogen, aber keine Feder schützte den Fahrgast vor den tiefen Löchern und Furchen der Straße. Deshalb polsterte Borokow später an diesem Abend die von ihm gewählten Fahrzeuge für den Transport der kostbaren Fracht dick mit Matratzen aus. Die Kisten waren als persönliches Eigentum des Generalgouverneurs gekennzeichnet. Sie trugen die Aufschrift »zerbrechlich«, und deshalb wurde die übertriebene Vorsichtsmaßnahme nicht in Frage gestellt.

Für Zivilisten, die für den Wechsel der Pferde an den Stationen Genehmigungen brauchten, dauerte die Fahrt von Samarkand nach Taschkent zwischen dreißig und sechsunddreißig Stunden. Offiziere der russischen Armee waren von dieser Regel befreit. Und da ihre Pferde ohne jede Verzögerung gewechselt wurden, legten sie die hundertneunzig Meilen einschließlich der Aufenthalte an den Stationen in vierundzwanzig Stunden zurück. Borokow brach am nächsten Morgen, eskortiert von einem Trupp Kosaken, lange vor Sonnenaufgang auf und erreichte Taschkent in weniger als zweiundzwanzig Stunden.

Am Horizont kündigte sich schwach ein neuer Morgen an, als er erschöpft in den Hof seines Hauses ritt. Er lagerte die kostbaren Kisten unter den wachsamen Augen der Kosaken im Nebengebäude, nahm ein Bad und zog sich um. Er glaubte, seine Aufregung werde ihn nicht schlafen lassen, doch als er sich zu einem kurzen Nickerchen hinlegte, fiel er in einen tiefen Schlaf, als sein Kopf das Kissen nur berührte, aus dem er erst Stunden später wieder erwachte.

Die Ruhe hatte ihn erfrischt, und er war sofort hellwach. Er rief seinen Diener und fragte nach Iwana. Alle Vorbereitungen für ihren Aufenthalt am Kaspischen Meer waren getroffen. Sie sollte am nächsten Morgen abreisen.

»Iwana Iwanowa, Herr Oberst?« Der Diener wirkte überrascht. »Herr Oberst haben doch gestern nach ihr geschickt, und deshalb ist sie natürlich nicht hier.«

»Nach ihr geschickt?« Borokow starrte ihn an. »Ich war gestern in Samarkand, du Dummkopf! Wie zum Teufel soll ich da nach ihr geschickt haben?«

Der verwirrte Diener wiederholte nur, was er schon einmal gesagt hatte, fügte jedoch hinzu: »Der Mann aus dem Regierungsgebäude hat gesagt, sie muss dringend verreisen, sie soll schnell eine Tasche packen und mit ihm gehen.«

»Der Mann?« Borokows Nackenhaare sträubten sich. Schweißtropfen traten auf seine Stirn. »Welcher Mann?«

»Der Gärtner Seiner Exzellenz, Herr Oberst, der Kasache, der uns letzte Woche die Rosensträucher gebracht hat.«

Borokow sprang auf, stieß den Diener beiseite und rannte über den Hof zu den Dienstbotenquartieren. Das Bettzeug auf Iwanas Eisenbett war sorgfältig zusammengerollt. Im Schrank hingen noch ein paar Kleider, und auf dem Frisiertisch standen ordentlich aufgereiht ein paar Toilettenartikel. Von Iwana selbst war keine Spur zu sehen!

Michail Borokow wurde so schwach, dass er sich an die Wand lehnte, sich verwünschte und sein Schicksal beklagte. Er hätte es besser wissen müssen! Er hätte die Sache mit den verdammten Darden nicht auf die leichte Schulter nehmen dürfen ...

*

»Ihre Nachricht hat mich verblüfft, Mrs. Granville«, sagte Geoffrey Charlton, als sie den Hügel hinaufstiegen. »Woher kommt Ihr plötzlicher Drang, sich zu bilden?«

Emma lachte und zog ihre Burqua aus. »Wir haben gestern den Maharadscha besucht. Ich habe so viel von der Unterhaltung nicht verstanden, dass ich mir ziemlich verloren vorkam. Ich schämte mich meiner Unwissenheit. Also habe ich mir gesagt, besser spät als nie, und deshalb brauche ich Ihre Hilfe.« Sie bemerkte seinen belustigten Blick auf ihre Burqua und sagte sachlich: »Das ist die beste Möglichkeit, unerwünschten Blicken zu entgehen.«

Also wollte sie nicht erkannt werden!

Ob Charlton ihre List durchschaute oder nicht, er stimmte ihr sofort zu. »Sollen wir einen Platz suchen, wo wir uns setzen können?«

Emma war dankbar für Charltons sofortiges Eingehen auf ihre Bitte, ihr ein paar neuere englische Zeitungen zu leihen. Er hatte ihr zusammen mit einem dicken Packen Zeitungen eine Antwort auf ihre Nachricht überbringen lassen.

»Ich beabsichtige, heute Morgen etwa eine Stunde auf dem Takht-e-Suleiman zu verbringen«, hatte er geschrieben. »Ich würde mich freuen, wenn Sie frei wären und mir Gesellschaft leisten würden.«

Warum auch nicht? Sie hatte an diesem Morgen ohnedies dorthin gehen wollen, und Damien hatte ihrem Plan zugestimmt. Die kleine Täuschung, die es ihr ermöglichte, Charltons Einladung anzunehmen, erschien ihr gerechtfertigt. Die Gründe dafür waren jedoch nicht nur harmlos, sie verfolgte damit noch eine klare Absicht …

Damien hatte Hakumat mit sich genommen, und deshalb befahl sie einem anderen Diener, sie zu begleiten.

»Ich war nicht sicher, dass meine Nachricht Sie überhaupt erreichen würde«, sagte Emma, während sie über einen Teppich von Wiesenblumen zwischen den dichten Akazien, Kastanien und Mandelbäumen gingen, die um die Tempelanlage wuchsen. »Ich habe sie einem kleinen vorwitzigen Jungen gegeben, der in seiner Shikara Gemüse auf dem See verkauft und mir die schönsten Lotusblüten bringt, ohne jemals Geld dafür zu verlangen. Er ist ein reizender kleiner Bengel, und er hat die schönsten schwarzen Augen, die man sich vorstellen kann.«

»Er hat sie abgegeben! Er hat mir sogar einen Anna abgeknöpft, bevor er damit herausrückte.« Charlton lachte und sagte dann wieder ernst: »Ich habe die neuesten Ausgaben von den Zeitungen dazugelegt, von denen ich wusste, dass sie Sie am meisten interessieren würden.«

»Vielen Dank. Ich hoffe, Sie haben es mit dem Zurückgeben nicht eilig?«

Er versicherte ihr, das habe überhaupt keine Eile.

Den Hügel Takht-e-Suleiman krönten die Ruinen eines alten Tempels, von dem es hieß, darin hätten einmal mehr als dreihundert goldene und silberne Statuen gestanden. Trotz unterschiedlicher Überlieferungen hatten Historiker inzwischen festgestellt, dass der ursprüngliche Tempel im dritten vorchristlichen Jahrhundert von Jaluka erbaut worden war, dem Sohn des buddhistischen Königs Ashoka, der Srinagar gegründet hatte. Von der ursprünglichen Anlage waren nur der Sockel einer Säule und eine niedrige Befestigungsmauer übrig geblieben. Vor tausend Jahren hatte der Hinduheilige Adi Shankaracharaya den Hügel besucht, und seitdem trug er auch dessen Namen.

Sie fanden einen bequemen Platz auf der niedrigen Mauer, wo Rhododendronbüsche sie vor Blicken verbargen. Emma hatte den Diener mit dem Auftrag auf den Basar geschickt, er möge dort Tee trinken und etwas essen und in einer Stunde zurückkommen.

Charlton fragte: »Worüber möchten Sie sich im Besonderen informieren, Mrs Granville?«

»Oh, über alles.« Emma blickte auf Srinagar und den See am Fuß des Hügels hinunter. »Eigentlich über die neuesten politischen Ereignisse mehr als über alles andere.«

»Wirklich? Ich dachte, Politik langweilt Sie.«

»Das stimmt.« Emma sah ihn unschlüssig an. »Aber alle anderen scheint Politik nicht zu langweilen. Es ist mir peinlich, die Ausnahme zu sein.«

Er zog eine zusammengefaltete Zeitung aus der Tasche. »Das ist die neueste Ausgabe des *Sentinel*. Leider ist sie erst eingetroffen, als Ihr Bote schon gegangen war. Sie enthält ein oder zwei Artikel, die Sie vielleicht lesen möchten.«

»Ihre Artikel?«

Er nickte bescheiden. Emma nahm die Zeitung, und als sie die Schlagzeilen überflog, fragte er plötzlich: »Mrs. Granville, sagt Ihnen der Name Butterfield etwas?«

»Butterfield?« Sie begann den Kopf zu schütteln, hielt aber wieder inne. »Ich glaube, ich habe den Namen irgendwo schon einmal gehört. Aber ich kann mich nicht erinnern, in welchem Zusammenhang. Wieso?«

»Aus keinem besonderen Grund. Jeremy Butterfield war ein britischer Geheimagent, der unter dem Decknamen Hyperion gearbeitet hat. Er war in letzter Zeit häufig in den Nachrichten.«

»War?«

»Er wurde im Karakorum bei einem Überfall von Hunzaräubern ermordet.«

»Wie schrecklich! Wann?«

»Im vergangenen Herbst. Aus verschiedenen Gründen bemüht sich die Regierung darum, alle Informationen über den Vorfall zu unterdrücken. Ich habe die Zeitung mitgebracht, um Ihnen einiges von der Geschichte zu vermitteln.«

»Die Sie aufgedeckt haben?«

»Teilweise. Es bleibt noch viel zu berichten.«

»Warum wurde er ermordet?«

»Vermutlich wegen der Aufzeichnungen, die er bei sich trug.«

»Geheime Aufzeichnungen?«

»O ja! In seiner letzten Meldung nach Simla behauptete er, den Jasminapass entdeckt zu haben und die entsprechenden Karten zu besitzen.«

»Den Jasminapass?« Sie überlegte. »Ist das der Pass, den nur die Hunzakut kennen?«

»Ja. Jeder mit genügend Zeit und der Neigung zu einem solchen Ausflug hat versucht, ihn zu finden. Vor allem die Russen. Es überrascht mich nicht, dass Butterfield es schließlich geschafft hat. Erstaunlich ist nur, dass es den Pandits nicht gelungen ist.«

»Aber es muss im Himalaja doch eine ganze Menge noch nicht entdeckter Pässe geben.«

»Möglicherweise. Allerdings ist der Jasminapass nicht nur der meistgesuchte, sondern auch der strategisch wichtigste Pass. Die abergläubischen Vorstellungen, die sich mit ihm verbinden, schrecken die Einheimischen ab. Angeblich gibt es dort menschenfressende Riesen, Feen, Dämonen und Hexen, die Menschen verzaubern und mit Flüchen belegen. Natürlich ist das alles Unsinn. Die Legenden werden jedoch am Leben gehalten, um alle Neugierigen fern zu halten. Bislang scheint das gewirkt zu haben.«

»In alter Zeit wussten buddhistische Mönche von dem Pass«, sagte Emma. »Es gibt in einem der alten Texte meines Vaters aus dem dritten Jahrhundert einen Hinweis darauf.« Sie legte zum Schutz vor der Sonne die Hand über die Augen. »Haben Sie gerade Pandits gesagt? Sie meinen doch sicher nicht die Mönche?«

»Nein, keine Mönche. Ich spreche von den indischen Agenten, die vom Vermessungsamt in Dehra Dun ausgebildet werden. Aus irgendeinem Grund nennt man sie Pandits. Sie können sich frei unter den Einheimischen bewegen und sind eine nicht zu unterschätzende Nachrichtenquelle. Nain Singh zum Beispiel ist als Erster nach Tibet vorgedrungen und hat für sein kartographisches Werk eine Goldmedaille erhalten.«

»Ach ja, ich erinnere mich, in einer Zeitschrift der Royal Geographical Society von ihm gelesen zu haben. Wenn ich mich recht erinnere, hat er die Lagepläne der Goldfelder in Tibet erstellt, von denen der Goldstaub für die tibetischen Statuen und Tankhas stammt.«

»Ja, von den Feldern in Thok Jalang. Er war als Händler unterwegs und hatte seine Messinstrumente geschickt in seiner Holzkiste mit doppeltem Boden versteckt, damit er unerforschtes Gebiet vermessen und kartografieren konnte. Damals wurden die Angaben über gemessene Entfernungen mit Hilfe einer Gebetskette festgehalten.«

»Gebetskette?«, wiederholte Emma. »Sie machen sich über mich lustig, Mr. Charlton! Wie kann man mit Hilfe einer Gebetskette irgendwelche Angaben festhalten?«

In einiger Entfernung von ihnen saß ein blinder Bettler und spielte auf seinem Santir eine klagende Melodie. Charlton stand auf, warf ihm ein paar Münzen in den Schoß und setzte sich wieder auf die Mauer.

»Agenten benutzen spezielle Gebetsketten mit hundert Perlen anstatt einhundertacht, wie die traditionelle hinduistische Rudraksha sie hat.

Die runde Zahl macht Berechnungen leicht, und niemand merkt den Unterschied. Die Agenten sind darin ausgebildet, Entfernungen mit Hilfe gleichmäßiger Schritte zu messen. Nain Singhs Schritt maß zum Beispiel genau dreiunddreißig Inches, sodass zweitausend Schritte eine Meile ergaben. Nach jedem Schritt wird eine Perle vorwärts geschoben. An der Gebetsschnur ist eine zweite Schnur mit kleineren Perlen befestigt. Nach hundert Schritten wird eine dieser kleinen Perlen weitergeschoben, und dann wiederholt der Betreffende den ganzen Vorgang. Die Gebetsketten des Vermessungsamtes für Indien tragen wie alle Instrumente und Hilfsmittel des Geheimdienstes spezielle Markierungen, die ein Laie nur schwer erkennen kann.«

Während seiner langen Erklärung schien Charlton sie mit einer seltsamen Eindringlichkeit zu beobachten. In Emmas Gedächtnis regte sich etwas, doch sie konnte es nicht präzisieren. Er fuhr fort, ihr ebenso ausführliche Erklärungen über andere ungewöhnliche Instrumente zu geben, die Geheimagenten bei sich trugen. Emma interessierte sich nicht sonderlich dafür, hörte ihm aber höflich zu. Ihr fiel auf, dass er den Blick beim Sprechen nicht von ihrem Gesicht nahm. Sie hatte den merkwürdigen Eindruck, dass er sie abschätzte, dass er versuchte, sich ein Urteil über sie zu bilden, und sie fühlte sich irgendwie unbehaglich. »Meine Güte, wie einfallsreich!«, rief sie munter, um ihre Verlegenheit zu verbergen, als er geendet hatte. »So viel Melodramatik außerhalb des Bereichs der Fiktion? Wer hätte das gedacht!«

»Nicht viele Menschen, Mrs. Granville«, erwiderte Charlton. »Aber das gibt es, glauben Sie mir, das gibt es.«

Emma stellte mit Bedauern fest, dass die Stunde, die sie für die Verabredung angesetzt hatte, sich ihrem Ende näherte. Sie beschloss, die Zeit bis zur Rückkehr des Dieners zu nutzen, um sich einen Überblick zu verschaffen. Hinter dem alten Tempel befand sich ein kleines Wasserbecken, dessen Dach von vier Kalksteinsäulen getragen wurde.

Während sie die teilweise verwitterte persische Inschrift einer Säule untersuchten, sagte Geoffrey Charlton plötzlich: »Wegen neulich, Mrs. Granville …«

Es war das erste Mal, dass sie sich seit ihrer zufälligen Begegnung im

Shalimar Bagh sahen. Das Treffen hatte Emma sehr beschäftigt, doch sie wollte es nicht als Erste ansprechen, aber sie hatte gehofft, dass Charlton die Sprache darauf bringen würde. Deshalb wartete sie, dass er fortfuhr. »Wenn ich zu weit gegangen bin und ich Sie in irgendeiner Weise verletzt habe, dann bitte ich aufrichtig um Entschuldigung. Ich habe das ungute Gefühl, ich hätte mich zurückhalten und Diskretion wahren sollen.«

»Sie sind nicht zu weit gegangen, Mr. Charlton«, sagte Emma beruhigend. »Ich hätte früher oder später von meinem Mann alles über Natascha Granville erfahren. Und da ich Sie in die Situation gebracht habe, ist Ihnen überhaupt kein Vorwurf zu machen.« Halb im Spaß fügte sie hinzu: »Falls es noch weitere dunkle Geheimnisse gibt, die Sie kennen, kann ich Sie dann überreden, sie mir zu enthüllen?«

Er dachte über die Frage mit dem gleichen Ernst nach wie über ihre anderen. »Was noch zu sagen bleibt, Mrs Granville, müssen Sie von Ihrem Mann erfahren, nicht von mir.«

»Dann ist also noch etwas zu sagen, nicht wahr? Lassen Sie mich raten. Könnte es sein, dass Sie zu diesen subversiven Elementen, die in Indien leben und Unzufriedenheit schüren, meinen Mann zählen?«

Er war keineswegs amüsiert. »Wieso sagen Sie das?«

»Nun ja, da die Mutter meines Mannes Russin und eine Spionin war«, erklärte sie fröhlich und leicht spöttisch, »und Damien große Sympathien für seine russischen Verwandten hegt, könnte ich mir vorstellen, dass er im Hinblick auf einen möglichen Umsturz ein Hauptverdächtiger ist.«

Geoffrey Charlton lächelte immer noch nicht und wich der Frage aus. »Sagen Sie, Mrs. Granville, wussten Sie, als Sie Ihren Mann geheiratet haben, dass er Halbrusse ist?«

»Selbstverständlich!«

»Und dass er mit Überzeugung diese prorussischen Ansichten vertritt?«

»Gütiger Gott, das weiß jeder, der ihn kennt! Damien hat aus seiner Bewunderung für Russland nie einen Hehl gemacht!« Etwas in seinem Gesichtsausdruck konnte Emma nicht deuten. Ihr Lächeln erstarb. »Es gibt viele Briten, deren Mütter keine Russinnen sind, Mr. Charlton, und die Russland dennoch nicht für unseren Erzfeind halten. Schließlich befinden wir uns nicht im Krieg mit Russland.«

»O doch!« Er sprach leise, beinahe flüsternd. »Wir sind im Krieg. Es gibt viele Arten von Krieg, Mrs. Granville. Russland führt den heimtückischsten Krieg von allen, den versteckten Krieg! Russland hat keinen Grund, Agenten nach Indien zu schicken. Es nimmt einfach Kontakt mit den geeigneten Leuten auf, in situ, im Land selbst.«

Die Unterstellung war nicht zu verkennen, und Emma sah ihn ungläubig an. »Meine Güte, Sie meinen es ernst. Sie wollen sagen, Mr. Charlton, dass mein Mann zu denen gehört, zu denen man Kontakt aufgenommen hat?«

Er gab nicht sofort eine Antwort, sondern blickte ins Leere. Plötzlich hellte sich seine Miene auf, und er sagte etwas lockerer: »Nein, natürlich nicht. Ich habe nur ganz allgemein gesprochen.«

»Es freut mich, das zu hören«, sagte Emma und lachte unsicher. »Ich hatte allmählich schon gedacht, was Mrs. Hathaway Ihnen vorwirft, sei berechtigt, denn Sie scheinen tatsächlich hinter jedem Chinarbaum einen russischen Spion zu sehen.«

Er lachte ebenfalls und gab sich mit einer galanten Verbeugung geschlagen. »Für den Augenblick haben Sie das letzte Wort, Mrs. Granville. Wenn Sie die Zeitungen durchgelesen haben, können wir diese sehr anregende Unterhaltung vielleicht fortführen.«

Später, auf dem Rückweg zum See, fielen Emma bruchstückhaft einige Dinge ein, die sie vergessen hatte. Butterfield zum Beispiel. Sie erinnerte sich, den Namen bei der Burra Khana der Prices in Delhi gehört zu haben, als sie unfreiwillig Zeugin eines Gesprächs auf der Veranda geworden war. Und sie erinnerte sich wieder, dass Suraj Singh gesagt hatte, er habe die Korridore von Shalimar mit seinen Schritten abgemessen. Das war wirklich alles sehr merkwürdig!

Charltons Andeutung in Hinblick auf Damien rief eine gewisse Besorgnis in ihr wach. Natürlich glaubte sie keinen Moment daran, dass Damien ein Spion war. Das war zu absurd. Aber sie konnte nicht leugnen, dass ihr bei dem Gedanken an die Unterstellung irgendwie unbehaglich zumute wurde.

*

Holbrook Conolly war mit seinem Latein am Ende.

Mehr als die Hälfte seiner Zeit in Kaschgar war um, und er wusste immer noch nichts über die Armenierin. In Anbetracht seiner kritischen Lage kamen offene Nachforschungen nicht in Frage. Versteckte Erkundigungen auf dem Basar hatten nichts Sinnvolles erbracht. Er war nur zu der Schlussfolgerung gekommen, dass sich die Frau mit Sicherheit nicht in Kaschgar befand, zumindest noch nicht. Natürlich war es möglich, dass man sie irgendwo anders als in der Hauptstadt festhielt. Aber als geborener Optimist wollte er das nicht in Betracht ziehen, zumindest so lange nicht, bis alles andere ausgeschlossen werden musste. Trotzdem war er keineswegs untätig geblieben. Er war in Shahidulla gewesen und hatte in einer Meldung den Kommissar in Leh von der seltsamen Bedingung des Taotai unterrichtet. In der Annahme, der Taotai werde die Frau früher oder später nach Kaschgar bringen, hatte er genaue Pläne für eine eventuelle Flucht ausgearbeitet. Er war vorbereitet. Es fehlte nur noch die Hauptsache – die geheimnisvolle, unbekannte Frau, von der alles abhing.

Deshalb war es eine Ironie des Schicksals, dass ausgerechnet Pjotr Schischkin, der russische Konsul – natürlich völlig ahnungslos – Conolly half, aus der Sackgasse herauszufinden.

Conolly war nicht dumm genug zu glauben, dass der höfliche Russe ihn tatsächlich für das hielt, was er zu sein vorgab. Obwohl ihn Schischkin immer mit »Dr. Conolly« ansprach und sich ihm gegenüber sehr korrekt verhielt, lauerte hinter seinem gewandten Charme das Misstrauen. Schischkin war schlau und gerissen. Er setzte alles daran, einen ständigen Vertreter Britanniens von Kaschgar fern zu halten. Bisher hatte er damit Erfolg gehabt. Natürlich war es unmöglich, dass Schischkin nicht von dem Auftauchen der Darden in Taschkent gehört haben sollte. Conolly fragte sich, ob er auch erfahren hatte, dass der Taotai ebenfalls hinter dieser Frau her war? Er wusste es nicht.

Der russische Konsul mochte zwar insgeheim Conolly mit größtem Misstrauen beobachten, aber er war stets ein großzügiger und freundlicher Gastgeber. Conolly sprach ganz gut Russisch, und deshalb hatte Schischkin sichtliches Vergnügen daran, politische Sticheleien anzubringen, wenn sie einmal im Monat miteinander Schach spielten. Conolly ließ das alles über sich ergehen, um dem Konsul den Spaß nicht zu verderben, beging dabei aber nie den Fehler, unvorsichtig zu werden.

Auch an diesem Abend ließ Schischkin sofort das Schachbrett bringen, sobald das vorzügliche Mahl im Konsulat beendet war. »Nun, Dr. Conolly«, sagte er, während er den Cognac eingoss, »wann dürfen wir damit rechnen, dass britische Truppen über den Jasminapass nach Taschkent vorstoßen?«

»Es kann jeden Tag so weit sein«, erwiderte Conolly im gleichen spöttischen Ton. »Ich hoffe, Ihre Kosaken sind in guter Verfassung für den kommenden Krieg, den wir selbstverständlich gewinnen werden.«

»Aber zuerst müssen Sie die Karten wieder finden, die Ihre Leute so achtlos verlegt haben, nicht wahr?« Er brach in dröhnendes Gelächter aus, und Conolly gelang es, ungezwungen zu grinsen.

Sie spielten weiter. Schischkin war sehr zufrieden, weil er zwei Spiele hintereinander gewonnen hatte, und stand auf, um die Gläser nachzufüllen. Er bat Conolly um einen Gefallen. Einer der vielen Vettern seines Kochs, die im Dienstbotenquartier lebten und seine Großzügigkeit ausnutzten, war bei einem Streit unter Alkoholeinfluss im Chai Khana verletzt worden.

»Ich vermute, die Verletzung stammt von einem Messer. Ich hätte den Halunken am Ohr gepackt und rausgeworfen, wenn die Wunde nicht so tief wäre. Und sie ist entzündet und hat schon angefangen zu eitern. Ich möchte nicht, dass der Dummkopf auf der Straße stirbt und so einen diplomatischen Zwischenfall heraufbeschwört. Denn wie Sie vielleicht wissen oder auch nicht, entdeckt der Taotai dunkle Verschwörungen, wo es keine gibt.« Er lachte wieder, und auch Conolly lächelte zustimmend, aber zurückhaltend genug, um sich nicht mit Wissen zu kompromittieren, das ihm, dem Arzt, nicht zustand.

»Dr. Conolly, wären Sie vielleicht so freundlich, sich den Mann einmal anzusehen?«

Wie Conolly wenige Minuten später in der Unterkunft des Mannes feststellte, stammte die Verletzung tatsächlich von einem Messer, und sie sah übel aus. Der Mann, ein Kasache, roch immer noch nach Maulbeerwein und stöhnte vor Schmerzen. In den Schenken kam es immer wieder zu Streitigkeiten, doch die Männer vertrugen einiges, und Conolly war nicht übermäßig besorgt. Er begann, die Wunde zu säubern, während er dem Mann gleichzeitig Vorwürfe machte.

»Es war nicht meine Schuld«, stöhnte der Kasache. »Padsha hat mich gezwungen, mehr zu trinken, als ich hätte trinken sollen, und dann hat er mich zum Kampf herausgefordert.«

»Wer ist Padshah?«

»Ein Vetter väterlicherseits, ein guter Freund, wenn er nicht gerade trinkt. Aber wenn er besoffen ist, kann ihn niemand mehr bändigen. Er schlägt alles zusammen und wirft mit Geld nur so um sich.«

»Er ist also ein wohlhabender Mann?«, fragte Conolly, der den Verletzten mit dem Gespräch davon ablenken wollte, das brennende Jod zu beachten, mit dem er die Wunde desinfizierte.

»Wohlhabend? Ha!« Der Mann schnaubte verächtlich. »Er war bettelarm, bevor er nach Tasch …« Er brach ab, und sein Mund blieb offen stehen.

»Ach, er war in Taschkent?«

Der Mann blickte sich unbehaglich um und nickte widerwillig. Conolly nahm die blutige Gaze mit der Pinzette von der Wunde und ersetzte sie durch einen frischen Bausch. »Was hat er in Taschkent gemacht?«

»Er hat für den Dicken gearbeitet.« Der Mann warf einen unruhigen Blick zur Tür. Sie war geschlossen. »Im Palastgarten.«

»Kein Wunder, dass er gut bezahlt worden ist. Ich habe gehört, es ist ein ziemlich großer Park.«

»Es war nicht nur das, aber mehr kann ich nicht sagen.« Die Muskeln in seinem Kiefer spannten sich. »Wissen Sie, das ist ein … ein Geheimnis.«

»Hm?« Conollys Herz schlug eine Spur schneller. Er entrollte einen sauberen Verband, bandagierte den Arm und stellte ihn, so gut es ging, ruhig. Dann lehnte er sich zurück und betrachtete den Mann nachdenklich. »War es dieser Padshah, der dich mit dem Messer verletzt hat?«

»Ja.«

»Hat er den Streit angefangen?«

»Ja, das kann jeder bezeugen.«

»Und er hat dich grundlos angegriffen?«

»Völlig grundlos. Er hat mich angesprungen wie ein Tiger, als wollte er ...«

»Wenn du beweisen kannst, dass er der Angreifer war«, sagte Conolly, »dann muss Padshah Schadenersatz leisten, vor allem dann, wenn er so viel Geld hat.«

An diese Seite der schmerzlichen Angelegenheit hatte der Kasache noch nicht gedacht. Seine Augen wurden zuerst groß, dann glänzten sie, und schließlich fragte er mit einem durchtriebenen Blick: »Ich habe ein Recht auf Schadenersatz?«

»Jawohl«, bestätigte Conolly ernst. »So steht es im Gesetz. Wenn du willst, werde ich persönlich dafür sorgen, dass er die Entschädigung bezahlt, die dir gesetzlich zusteht. Wo ist dieser Padshah zu finden?«

»Im Chini Bagh.« Der Mann hätte nicht schneller oder eifriger antworten können. »Der Taotai hat ihn zum Obergärtner gemacht und seinen Lohn ordentlich erhöht.«

Conollys Erregung wuchs. Ein Gärtner, der bis vor kurzem beim Baron in Taschkent gearbeitet hatte, war vom Taotai mit einer sehr guten Stelle im Gästehaus belohnt worden? Fauler konnte die Sache nicht riechen. Doch sein Gesicht blieb ausdruckslos. Er wusste, Leute, die nicht lesen und schreiben konnten, beeindruckte nichts mehr, als wenn ihre Worte schwarz auf weiß festgehalten wurden. Deshalb zog er umständlich Bleistift und Notizbuch hervor. »Ich verspreche nichts, aber wenn ich mein Bestes für dich tun soll, dann muss ich alles wissen, was dieser Mann in Taschkent gemacht hat.«

Der Kasache wirkte besorgt. »Padshah hat gesagt, niemand darf erfahren, was in Taschkent geschehen ist.«

»Außer mir wird es niemand erfahren«, versicherte Conolly. »Und ich verspreche dir, ich werde keiner Menschenseele etwas davon sagen.«

Conolly war es gewöhnt, schüchternen Patienten Informationen zu entlocken, und nur fünf Minuten später kannte er die ganze Geschichte.

Er kam mit ausdruckslosem Gesicht in das Zimmer zurück, wo ihn der russische Konsul erwartete, aber er schwebte auf Wolken. Die Frau war aus Taschkent entführt worden! Seit dem Vortag befand sie sich in Kaschgar – welch ein unverschämtes Glück! Doch bevor er noch länger innerlich jubilieren konnte, traf ihn der nächste Schlag.

Als sie sich mit frisch gefüllten Cognacgläsern und einer Platte köstlicher Häppchen zu einem dritten Spiel setzten, fragte Schischkin: »Übrigens, Dr. Conolly, haben Sie es gehört?«

»Was gehört?«

»Der Taotai hat eine neue Konkubine.«

Conolly erstarrte. »Oh!«

»Ja, sogar ein Rundauge. Er hat sie heimlich im Chini Bagh untergebracht, denn der alte Lüstling will sie von seiner Hauptfrau fern halten.« Schischkins Augen glänzten. »Denken Sie nur an das politische Kapital, das wir beide aus diesem kleinen Juwel schlagen könnten.« Er zwinkerte anzüglich und lachte leise.

Conolly fröstelte. Es passte überhaupt nicht ins Bild, dass sich Schischkin ihm plötzlich anvertraute. Diese Wendung der Dinge kam unerwartet und war sehr beunruhigend. Der Russe sah im Augenblick die Sache nur deshalb von der heiteren Seite, weil er sich all ihrer Implikationen noch nicht bewusst war. Aber wie lange würde das so bleiben? Seine Informanten in Kaschgar hatten alle sehr gute Ohren …

Conolly stand plötzlich weit früher vor dem eigentlichen Problem, als er vorausgesehen hatte. Beklommen musste er sich eingestehen, dass ihm keine andere Wahl blieb, als sofort zu handeln – am besten schon am nächsten Tag, bevor Schischkin noch mehr herausfand. Das wie-

derum bedeutete, er musste seine Vorsicht aufgeben und unvorhergesehene Risiken eingehen.

In seiner Aufregung platzierte er seine Dame direkt in eine Zange der
gegnerischen Springer und verlor auch das dritte Spiel mit einem klaren Schachmatt.

Conolly hoffte inbrünstig, dass diese Niederlage in keiner Hinsicht
symbolisch war.

*

Es dämmerte, als Emma nach Shalimar zurückkam. Suraj Singh war
noch nicht zurück. Damien war in Gupkar aufgehalten worden und
würde Gott weiß wann kommen. Das war gut so, denn sie hatte noch
etwas zu erledigen.

Später am Abend stand sie in Edward Granvilles Räumen und ging
ohne Zögern zum Schreibtisch. Die wenigen Ausschnitte aus Damiens Leben, die sie gewissermaßen durch einen Spalt gesehen hatte,
der sich unerwartet geöffnet hatte, überwältigten sie. Doch es waren
noch zu wenige Einblicke in die Kindheit ihres rätselhaften Ehemannes, den sie nicht verstand. Ihr spärliches Wissen reichte nicht aus.
Er mochte seiner Mutter nie verziehen, die Erinnerung an sie hier im
Haus ausgelöscht haben, er mochte ihre Räume und ihre persönlichen Dinge dem Zerfall überlassen, aber wie Emma am Abend zuvor gesehen hatte, war der Schmerz nicht vergessen, sondern nur in
einen Winkel verdrängt und weggeschlossen. Sie zweifelte jetzt nicht
mehr daran, dass Damien etwas Liebenswertes, Menschliches und
Weiches besaß, das die harte Fassade Lügen strafte, die er der Welt
zeigte.

Emma legte die staubigen Aktenmappen in der obersten Schublade
nach flüchtigem Durchblättern beiseite. Sie enthielten nur Ge-
schäftsunterlagen. In den anderen Schubladen fanden sich keine alten Photographien, keine liebevoll zusammengestellten Familien-
alben. Doch in der untersten Schublade hatte sie mehr Glück. Dort
lagen, achtlos hineingeworfen, Päckchen vergilbter Umschläge mit
englischen Briefmarken. Sie waren alle in einer großen, auffälligen

Handschrift, die keinem Erwachsenen gehörte, an Edward Granville adressiert.

Damiens Briefe aus dem Internat!

Bei diesem Fund quälte Emma nicht nur die Neugier, sondern auch ihr Gewissen. Es waren persönliche Briefe. Konnte sie es moralisch rechtfertigen, das alles einfach zu lesen? Die Briefe waren über zwanzig Jahre alt, und ihre Motive waren keineswegs verwerflich. Wenn sie mehr über Damien, den Jungen, erfuhr, würde sie besser in der Lage sein, ihn als Mann zu verstehen. Sie schob schließlich ihre Bedenken beiseite und zog den ersten Brief aus dem Umschlag. Er trug das Datum des 7. Oktobers 1870 – also ein früher Brief –, und er war zwei Seiten lang.

Er wirkte zunächst steif, respektvoll und förmlich, doch er vibrierte von unterdrückten Gefühlen. Einen Brief an den Vater zu schreiben war eine wöchentliche, von der Schule auferlegte Pflicht, und Damien machte gleich am Anfang auf unverkennbare Weise klar, dass er das Internat hasste. Deshalb verriet nichts an diesem Brief Begeisterung. Er war eher knapp: Der Gründungstag war langweilig gewesen, und der lange Vortrag des Ehrengastes darüber, wie man ein Vorbild sein kann, noch langweiliger. Er hatte sich nach einem Picknick im kalten Nieselregen auf einem Boot erkältet. Das Wetter war deprimierend und grau. Es folgte eine Reihe missmutiger Beschwerden. Der Hausaufseher hatte ihn zu hart, zu oft und – nach Damiens Meinung – völlig ungerecht bestraft. Das lange Sitzen während des Unterrichts machte ihm Schwierigkeiten. Bei der Prüfung in Chemie hatte er nicht gut abgeschnitten, denn er verstand den Stoff nicht. Er hatte einen kleinen verletzten Igel im Garten gefunden, den der Tod von seinen Leiden erlöst hatte, und er trauerte um das Tier. Wenn es etwas gab, was er mehr hasste als die Schule, dann einen Jungen aus der sechsten Klasse, der Ruggles hieß. Er zog ihn an den Ohren, klaute seine Bleistifte und zwang Damien, ihm die Schuhe zu putzen. Durfte er, bitte, Latein und Chemie aufgeben und stattdessen Malerei wählen?

Damien hatte sich mit einem andern neuen Jungen im Schlafsaal angefreundet. Er hatte den Spitznamen Hammie. Eine Abkürzung von Hamlet. Der neue Freund war ein begeistertes Mitglied der Theatergruppe. Seine Eltern lebten in Rangun, wo sein Vater, ein Arzt, das Militärhospital leitete. Die Jungen nannten Hammie einen Weichling und ihn selbst einen Angsthasen. Würde sein Vater ihm bitte eine richtige Landkarte schicken, damit er beweisen konnte, dass Kaschmir größer war als Schottland?

Hammie und er waren in ihrem gemeinsamen Elend Blutsbrüder geworden und teilten sich das Essen. Es folgten eindringliche Bitten um mehr Nachrichten von zu Hause und ausführliche Anweisungen, die verschiedene Haustiere betrafen, die er zurückgelassen hatte – besonders seinen Mischlingshund Sascha und was im Falle einer Krankheit zu tun sei. Durfte er bitte im nächsten Jahr wenigstens für die Ferien nach Hause kommen?

Die frühen Briefe hatten alle den gleichen Ton. Später änderte sich das. Das Heimweh unter der Oberfläche und die ständigen Bitten um mehr Nachrichten waren immer noch da, doch die immer wiederkehrenden Klagen klangen weniger verzweifelt. Bei einem Ausflug war er in Kew Gardens gewesen, und die ganze Anlage hatte ihm sehr gut gefallen. Allerdings war er der Meinung, die Orchideen auf Shalimar seien schöner. Er hatte im Zeichnen den ersten Preis gewonnen, und Hammie war in der *Komödie der Irrungen* hervorragend gewesen. Sie hatten einzeln gegen Ruggles gekämpft und hatten ihm eine blutige Nase, zwei blaue Augen und einen abgebrochenen Zahn verpasst. Sie waren dafür mit dem Stock bestraft worden, aber das war die Sache wert gewesen. Ruggles nannte ihn nicht mehr Angsthase, zog ihn nicht mehr an den Ohren und hatte endlich zugegeben, dass Kaschmir größer war als Schottland. Ein Junge namens Percy, dessen Familie in Cardiff lebte, hatte sechs Brüder und zwei Schwestern. Damien hatte sie alle kennen gelernt. Er beneidete Percy sehr, denn seine Familie war wirklich nett.

Ohne große Begeisterung wurden englische Verwandte in Yorkshire erwähnt – eine alte Großmutter, eine unverheiratete Tante und ein Onkel, der in England als sein Vormund agierte. Die Verwandten waren alle streng und freudlos, sie kritisierten ihn ständig, lächelten nie und flüsterten hinter geschlossenen Türen. Es war nicht schwer zu erraten, dass es sich um Edward Granvilles Familie väterlicherseits handeln musste, die ihm den Skandal einer Heirat mit einer Ausländerin nicht verzieh.

Emma stellte fest, dass sich durch eine Fahrt nach Frankreich – natürlich mit Hammie – und den Besuch von Edward Granvilles Familie mütterlicherseits der Ton der darauf folgenden Briefe sehr veränderte. Einer der französischen Vettern hatte einen Besitz in Saint Quen, in der Nähe von Paris. Er war ein erfolgreicher Geschäftsmann und stellte schwarze bestickte Schultertücher her, für die er Wolle aus Tibet importierte. Wenn Damien die vielen Stunden beschrieb, die er in der Fabrik zugebracht hatte, um den Webvorgang zu beobachten, wirkte er am lebendigsten. Es war seine Lieblingsbeschäftigung gewesen, so schrieb er, weil es ihn an zu Hause erinnerte. In keinem der Briefe wurde die Mutter erwähnt.

Es war inzwischen sehr spät geworden. Die Fahrt auf der holprigen Straße hatte Emma so müde gemacht, dass sie kaum die Augen offen halten konnte. Zwei Päckchen waren noch ungelesen. Sie musste warten, bis sich wieder eine Gelegenheit bieten würde. Emma war zufrieden mit den Ergebnissen der nächtlichen Mühe. Sie reckte sich, gähnte und lächelte. Seit ihrer Ankunft auf Shalimar war sie nie so sehr mit sich im Einklang gewesen.

Fünfzehntes Kapitel

»Britischer Agent brutal im Karakorum ermordet?«
So lautete die erste Schlagzeile, die Emma ins Auge fiel, als sie es sich bequem machte, um die Zeitungen zu lesen, die Geoffrey Charlton ihr geschickt hatte. Der Leitartikel im *Sentinel* nannte Charlton als Autor. In den Artikeln späterer Ausgaben wurde behauptet, die geheimen Papiere in Butterfields Besitz seien keineswegs vernichtet, sondern gestohlen worden. Hinter der Angelegenheit stecke sehr viel mehr, als offizielle Verlautbarungen glauben machen sollten, und die Regierung gehe ein schmutziges Komplott des Schweigens ein. Eine Flut empörter Proteste und wilder Gerüchte, so schrieb Charlton, habe das Indienministerium gezwungen, einige Einzelheiten zu veröffentlichen, doch viele Fragen seien unbeantwortet geblieben. Offenbar hatte der Außenminister, Sir Mortimer Durand, den Zwischenfall in einer Depesche an Hunza scharf verurteilt, doch Safdar Ali hatte sich noch nicht dazu geäußert.
Emmas Neugier wuchs. Sie las weiter.
In verschiedenen anderen Berichten waren Namen erwähnt, die ihr kaum bekannt vorkamen, Ereignisse, von denen sie nichts gehört hatte, und politische Zusammenhänge, die sie nur schwer nachvollziehen konnte. Der geheimnisumwitterte Jasminapass und die Legenden, die ihn umgaben, die räuberischen Hunzakut, die Karawanen überfielen, und Michail Borokows politischer Flirt mit dem launischen Mir nahmen breiten Raum ein. Die barbarische Hinrichtung des Jungen wurde in allen grässlichen Einzelheiten geschildert, die aus zweiter, dritter und vierter Hand stammten. Oberst Algernon

Durand und das britische Militär in Gilgit spielten in den Beiträgen eine ebenso große Rolle wie Kaschmir, dem bei den Grenzproblemen eine zentrale Bedeutung zukam. Die Loyalität des Maharadschas Pratap Singh gegenüber der Krone wurde angezweifelt und sein angeblicher Briefwechsel mit dem Zaren verurteilt.

Es gab komplexe politische Analysen, Leitartikel in gereizten Tönen, eine Vielzahl empörter Leserbriefe und vorsichtige, wortreiche und daher unverständliche Verlautbarungen von Whitehall. Gewisse Kreise – so hieß es – gaben zu erkennen, Butterfields Loyalität stehe in Frage, und die verloren gegangenen Karten befänden sich bereits in St. Petersburg. Andere priesen ihn als einen Patrioten und Märtyrer. Manche Berichte klangen glaubwürdig, andere stützten sich sehr auf Meinungen, Vermutungen und Mutmaßungen. Sehr häufig wurden so genannte zuverlässige Quellen zitiert, Beamte, die anonym bleiben wollten, und »ein dem Geheimdienst nahe stehender Experte«. An erster Stelle stand bei dem Spiel, Vermutungen als Wahrheit zu deklarieren, natürlich der große Unbekannte aller Journalisten: »ein Sprecher«.

Kritik wurde an beiden Seiten gleichermaßen geäußert. Die Russen wurden wegen ihres Doppelspiels und ihrer Infamie ganz allgemein gegeißelt, Westminster und die indische Regierung dagegen für alles Erdenkliche, angefangen bei »meisterhafter Untätigkeit« bis hin zu »Vertuschung, Täuschung und Unfähigkeit«. Eine tabellarische Aufstellung der russischen Pläne für den Einmarsch in Indien enthüllte Projekte, die in den letzten hundert Jahren ausgearbeitet und verworfen worden waren. Schwarzseher und zeitgenössische Kassandras kündigten an, mit der Ernennung eines kriegslüsternen Generalgouverneurs in Taschkent sei eine neue Invasion nicht nur unvermeidlich, sondern stehe dicht bevor. Ein Gegenschlag sei ratsam, bevor die Russen nach dem Jasminapass greifen und über die Hänge des Himalaja Britisch-Indien erobern würden. Die Opposition forderte mit Nachdruck Rücktritte. Es wurde zu Neuwahlen aufgerufen.

Emma lehnte sich erschöpft und erschüttert zurück. Das alles geschah sozusagen direkt vor ihrer Tür, und sie saß nichts ahnend und wohl behütet in ihrem Elfenbeinturm.

Sie hatte natürlich Charltons frühere Artikelfolge über Zentralasien mit großem Genuss gelesen, die politischen Kommentare dabei aber übersprungen. Als sie jetzt aufmerksam jedes Wort las, beeindruckten sie seine zündende Sprache, sein bissiger sarkastischer Witz und die Leidenschaft und Vehemenz, mit der er sein Schreckgespenst Russland verfolgte, sowie seine Hartnäckigkeit beim Aufspüren von Informationen. Einem Konkurrenzblatt entnahm sie, dass Charlton für sein hervorragendes Erinnerungsvermögen bekannt war und alles, was er einmal gelesen hatte, im Kopf behalten konnte. Einmal war er sogar festgenommen worden, weil er den genauen Text eines Geheimdokuments veröffentlicht hatte, das er sich nach einmaligem Lesen Wort für Wort eingeprägt hatte.

Die unerwartete Erweiterung ihres politischen Horizonts faszinierte Emma. Gleichzeitig war sie verwirrt. Charltons Enthüllungen enthielten Hinweise und Andeutungen, die sie immer noch nicht verstand. Sie hatte viel gelernt, aber bei weitem nicht genug. Sie musste wieder mit Charlton sprechen. Die Frage war, wie sie das anstellen sollte, ohne Damiens Zorn zu erregen?

Es ergab sich, dass die Lösung unerwartet und von einer höchst unwahrscheinlichen Seite kam.

Am nächsten Morgen wurde Emma eine Besucherin aus Srinagar gemeldet – Mrs. Mary Bicknell. Sie hatte mit ihrem Mann Malcolm, einem Arzt, die Missionsschule und das Krankenhaus gegründet. Trotz Chloe Hathaways abfälliger Bemerkungen waren die Bicknells in Kaschmir sehr geachtete Persönlichkeiten, denn in ihrem kleinen Krankenhaus leisteten sie bei den regelmäßigen Hochwassern, bei Bränden und bei Ausbrüchen von Cholera den Betroffenen große Dienste.

Emma hatte sich vorgenommen, dem Krankenhaus einen Besuch abzustatten und das Ehepaar bei seinem guten Werk zu unterstützen, doch bisher war sie einfach noch nicht dazu gekommen.

Mrs. Bicknell war klein, dem Aussehen nach unscheinbar und mit den unordentlichen grauen Haaren, die von vielen Haarnadeln gehalten wurden, dennoch eine ungewöhnliche Erscheinung. Sie trug Gummistiefel, einen Strohhut mit einer breiten Krempe und ein zerknittertes Musselinkleid, das offensichtlich nie mit Stärke in Berührung gekommen war. An ihrem Arm hingen ein Jutesack und ein Korb mit allerlei Gartengeräten. Ohne die Förmlichkeiten zu beachten, stellte sie sich hastig vor. »Sie müssen verzeihen, meine liebe Mrs Granville«, sagte sie atemlos, »dass ich Sie ohne vorherige Ankündigung aus heiterem Himmel überfalle. Aber wissen Sie, ich bin wegen meines Perganum gekommen – natürlich mit Ihrer Erlaubnis. Mr Lincoln, Ihr Verwalter, hat mir letzten Sonntag nach der Kirche gesagt, dass im Süden am Bach wieder frisches nachgewachsen ist, und deshalb bin ich sofort gekommen, um es ruckzuck zu ernten, bevor es seine Wirkung verliert. Das ist bei Perganum im Sommer leider nicht zu vermeiden. Ich weiß genau, wo es steht, ich bin nämlich schon öfter dort gewesen.«

»Perganum?« Emma sah sie verständnislos an.

»Ach, wie dumm von mir. Natürlich haben Sie keine Ahnung, nicht wahr? Perganum Harmala – die Kaschmiri nennen es Isband. Wissen Sie, meine Liebe, ich stelle Kräutermedizin für unser Krankenhaus her. Mr. Granville war sehr freundlich und hat mir erlaubt, mich von Zeit zu Zeit frei auf dem ganzen Gut zu bewegen, denn Sie haben hier praktisch eine Apotheke. Ihr Aconitum heterophyllium ist mit Sicherheit das Beste, das ich je im Tal gefunden habe.«

»Ich verstehe.« Emma lächelte. »Sie sind eine Botanikerin, Mrs. Bicknell, nicht wahr?«

»O ja, obwohl viele meiner Rezepte«, sie zwinkerte verschmitzt, »auf Altweibergeschichten basieren, wie manche Leute es nennen. Wie auch immer, ich finde traditionelle Heilmittel sehr wirkungsvoll, und Probieren geht über Studieren, nicht wahr? Also, meine Liebe, habe ich Ihre Erlaubnis anzufangen?«

»Natürlich. Wenn Sie mir ein paar Minuten Zeit lassen, werde ich mir andere Schuhe anziehen und Sie mit Freuden begleiten. Ich weiß sehr wenig über Heilpflanzen und würde gerne mehr erfahren.«

Die beiden Frauen machten sich begeistert auf den Weg und verbrachten einen angenehmen und für Emma lehrreichen Morgen, während sie durch die Birkenwäldchen streiften, Wacholdersträucher umrundeten und durch hohes Gras stapften. Sie krochen hinter Felsen, spähten in Spalten und rupften und schnitten und gruben am Bachufer Wurzeln aus.

Hinter dem etwas seltsamen Aussehen von Mary Bicknell verbarg sich eine Frau mit einem reichen botanischen Wissen. Sie hatte die Heilmittel der besagten Altweibergeschichten alle selbst geprüft, ausprobiert und dabei wirkungsvolle Kuren für viele weit verbreitete Krankheiten entdeckt. Cuscuta, das im Tal Kakilipol genannt wurde, war ein wirksames Laxativ, Mola serpens oder die Salzpflanze – so genannt, weil sie früher mit Salz aufgewogen worden war – wirkte schleimlösend, Salbei oder Janiadam war ein ausgezeichnetes Diuretikum.

»Und sehen Sie das?« Mrs. Bicknell teilte das Gebüsch und griff triumphierend zu. »Berberis lycium, ein adstringierendes Mittel. Es ist von unschätzbarem Wert bei Cholera, die auf den Basaren immer kurz vor dem Ausbruch steht, jawohl, Sie können es mir glauben, kurz vor dem Ausbruch!«

Als sie mittags zum Haus zurückgingen, war Mrs. Bicknells Sack gefüllt.

»Darf ich Sie zum Mittagessen einladen?«, fragte Emma.

Mary Bicknell beachtete in ihrem Überschwang nicht die Erdklumpen, die sie auf dem Teppich hinterließ, und nahm die Einladung ohne Zögern an.

Im Gegensatz zu dem düsteren Bild, das Chloe Hathaway gezeichnet hatte, war Mrs. Bicknell ein unterhaltsamer Gast und amüsierte Emma mit ihren erstaunlichen Geschichten. Ihr Mann, so erfuhr Emma, war nicht nur ein fähiger Arzt, sondern auch ein ehemaliger Meister im Faustkampf. Er hatte das Fahrrad in das Tal gebracht und als praktisches Transportmittel bekannt gemacht. »Das Krankenhaus ist mit seinen zwölf Betten wirklich sehr klein. Aber wir haben das Gefühl, es erfüllt eine dringliche Aufgabe in der Stadt. Offen gestanden«, sie errötete heftig und wurde ganz schüchtern, »Mr. Charlton war so freundlich und hat gesagt, er wird in seiner Zeitung über unsere bescheidenen Bemühungen berichten. Natürlich fühlen wir uns sehr geehrt. Er hat eine Einladung zum Tee am nächsten Dienstag angenommen. Dann will er sich bei uns umsehen und Photos machen. Möchten Sie vielleicht auch dabei sein?«

Emma versicherte ihr, das werde sie mit Freuden tun.

*

Seit Iwanas Verschwinden waren drei Wochen vergangen.

Der unauffindbare Gärtner, so hatten diskrete Nachforschungen von Hauptman Wassili ergeben, war ein Kasache, ein gewisser Padshah Khan. Er hatte vor drei Wochen den Dienst aufgekündigt und war in sein Dorf zurückgekehrt, angeblich, um bei seiner sterbenden Mutter zu sein. Behutsame Fragen nach einer möglichen Begleiterin – natürlich ohne Iwana zu erwähnen – hatten nur schallendes Gelächter und zotige Bemerkungen ausgelöst. Niemand wusste etwas von einer Frau. Da der Baron ihn persönlich eingestellt hatte, konnte auch niemand genau darüber Auskunft geben, wo sein Dorf lag.

Glücklicherweise ließ sich Iwanas Abwesenheit leicht erklären. Sie war für einen langen Ferienaufenthalt ans Kaspische Meer gefahren.

Im Zusammenhang mit Iwanas Verschwinden gewann der Besuch der beiden Darden natürlich eine größere Bedeutung. Wie erwartet war der jüngere Mann nicht zurückgekommen, und der andere blieb unauffindbar. Vermutlich hatte er die Stadt längst verlassen. Für Borokow bestand kein Zweifel daran, dass die beiden mit dem Gärtner unter einer Decke steckten und nur gekommen waren, um Iwanas Entführung zu planen. Aber zu welchem Zweck? Das konnte er sich wirklich nicht vorstellen.

Wenn schon das Komplott zur Entführung Iwanas für Borokow keinen Sinn ergab, so sah er erst recht keinen Zusammenhang zwischen Iwana und dem Jasminapass. Bestand überhaupt eine Verbindung, oder war dieser Gedanke reiner Unsinn? Das Problem war, er wusste es nicht, und dieses Nichtwissen beunruhigte Borokow. Wenn es den Darden dank ungewöhnlicher Umstände tatsächlich gelungen war, Butterfields »verlorene« Karten an sich zu bringen, und er wäre in der

Stadt gewesen, dann hätte *er* von dem vorgeschlagenen Tauschgeschäft profitiert. Borokow verfluchte wieder einmal den Baron und gleichermaßen sein Pech.

Alles in allem war Borokow wütend und frustriert, als er sich auf den Weg zum Gouverneurspalast machte, wohin Alexej Smirnow ihn zum ersten Mal bestellt hatte. Es war ein kalter, grauer und trostloser Abend. Er zog die raue Pelzmütze tiefer über die Ohren und ärgerte sich darüber, dass sich Smirnow Zobel leisten konnte und er sich mit einer Waschbärenmütze zufrieden geben musste, die er nach langem Feilschen für jämmerliche zweihundert Rubel erstanden hatte. Abgesehen von allem anderen war er ohne Iwana völlig verloren. In seinem Haushalt herrschte das Chaos. In den Zimmern war seit Tagen nicht ordentlich Staub gewischt worden, auf den Tisch kamen ungenießbare Speisen, und diebische Finger ließen alles in Reichweite verschwinden, sobald er nur den Rücken kehrte.

Scheinbar lief plötzlich alles in seinem Leben schief, alles!

»Hast du die Kisten geöffnet?«

Es war Smirnows erste Frage, als sie in dem Arbeitszimmer Platz genommen hatten, in dem Borokow noch vor kurzem mit dem Baron gesessen hatte. Jetzt waren in dem Raum viele Photographien verteilt, die an Smirnows persönliche Höhepunkte erinnerten. Sie zeigten ihn im militärischen Glanz in Gesellschaft der Großfürsten, der Romanows und anderen Vertretern alter Familien, die am Hof von St. Petersburg den Ton angaben. Es gab sogar eine signierte Photographie des Zaren. Darauf war Borokow sehr neidisch, und er versuchte, nicht hinzusehen. »Ja, Exzellenz.«

»Die Waffen sind untersucht und aufgelistet?«

»Ja, Exzellenz.«

Smirnow zog die Augenbraue hoch. »Und?«

»Ich bin natürlich zufrieden. Aber es wird nicht leicht sein, sie abzuliefern. Die Briten beobachten jede unserer Bewegungen.«

»Findest du?« Smirnow lächelte. »Aber Einfallsreichtum war noch nie deine Stärke, nicht wahr, Michail?«

Borokow kochte innerlich. »Man braucht kaum Einfallsreichtum, um zu wissen, wie die Angliski auf eine Waffenlieferung reagieren. Sie werden es als einen feindseligen Akt bezeichnen.«

»Ängstlich wie immer, mein Lieber! Glaubst du nicht, das hängt von der Taktik ab, die man bei der Lieferung anwendet?«

»Welche wundervolle Taktik wird es ermöglichen, dass wir alle diese Waffen nach Hunza bringen, ohne dass es jemand sieht?«

»Ich habe nicht vor, sie nach Hunza zu bringen.«

»Es ist genauso riskant, die Kisten im Shimsul zu übergeben.«

Smirnow seufzte. »Michail, Michail … reicht dein Scharfsinn nicht weiter? Denk doch einmal nach, Mann! Denk nach!«

Borokow sah ihn kühl an. »Die Listen sind noch nicht vollständig, Exzellenz«, sagte er. »Ich habe keine Zeit für Ratespiele.«

Smirnow wählte eine der eigens für ihn bestellten Zigarren aus dem silbernen Kistchen aus, entzündete an der Stiefelsohle ein Streichholz und steckte sie an. Er bot Borokow nicht an, sich ebenfalls zu bedienen. Er wirkte belustigt und schien es mit einer Erklärung nicht eilig zu haben. Er legte die Füße auf den Schreibtisch. »Als Skobeleff Militärgouverneur von Ferghana war, arbeitete er einen Invasionsplan aus und übergab ihn dem damaligen Generalgouverneur Kaufman. Wusstest du das?«

»Natürlich«, erwiderte Borokow ungeduldig. »Das ist allgemein bekannt.«

»Der Plan sah einen Angriff mit zwanzigtausend Mann in drei Kolonnen vor. Sie sollten von drei verschiedenen Ausgangsbasen zum Pamir marschieren, von Petro-Alexandrowsk, Samarkand und Margilan. Es war geplant, dass die dritte Kolonne aus Ferghana das Alaigebirge überqueren und über die Pässe des Pamir nach Chitral und in das Kaschmirtal vorstoßen würde.«

»Skobeleffs Plan hat nicht funktioniert«, erklärte Borokow knapp. »Das Unternehmen wurde abgebrochen.«

»Ja, aber die Aktion hat etwas sehr Wichtiges bewiesen. Die großen Höhen im Pamir behindern nicht notwendigerweise das Vorankommen schwerer Artillerie. Es wird nützlich sein, sich daran zu erinnern, wenn die Zeit gekommen ist.«

»Und so soll die Lieferung an Hunza erfolgen? Über das Pamirgebirge?«

»Die Waffen gehen nicht nach Hunza«, sagte Smirnow, der sein Katz-und-Maus-Spiel immer noch nicht aufgab. »Hunza wird dorthin kommen, wo die Waffen sind.«

Borokow kniff die Augen zusammen. »Nach Taschkent …«

»Sei kein Narr, Michail!« Plötzlich war Smirnow gereizt. »Selbstverständlich nicht nach Taschkent! Überleg doch, wofür sind die Hunza berühmt?«

Borokow kam sich wie ein kleines Kind im Kindergarten vor und hatte Mühe, sich zu beherrschen. »Für Mord, Raub und Sklaverei, wofür sonst?«

»Genau! Deshalb werden wir ihnen bei diesem noblen Unterfangen einmal ausnahmsweise behilflich sein. Wir bringen eine Karawane auf den Weg, und Safdar Ali wird sie überfallen und berauben. So einfach ist das.«

Borokow bekam große Augen. »Auf welcher Route?«

Smirnow nahm die Füße vom Schreibtisch, schlug eine Faltkarte auf und breitete sie auf der Tischplatte aus. »Hier.« Er wies auf eine Reihe roter Punkte. »Khojent, Margilan, Osch, dann auf der neuen Straße nach Gulcha. Von dort sind es drei Tagesmärsche zum Taldikpass, der nur wenig höher als dreitausendsechshundert Meter ist und den man mühelos passieren kann. Dahinter fließt der Kyzylsu. Dort gabelt sich der Weg, wie du weißt, und führt im Osten nach Irkhestam und Kaschgar und im Süden nach Murghab und zu dem Posten Pamirski.«

»Das bedeutet auf dem letzten Abschnitt das Überqueren der Mustaghgletscher?«

»Hast du jetzt schon Angst?« Smirnow sah ihn mit kaum verhohlener Verachtung an. »Nicht unbedingt. Aber wir werden es Safdar Ali überlassen, die Route zu bestimmen.«

Borokow bekam einen trockenen Mund und schwieg. Der Plan war so tollkühn und so einfallsreich, wie Smirnow in seiner lässigen Art es liebte. Aber würde er funktionieren?

»Wieso nicht«, erklärte Smirnow, als Borokow Zweifel anmeldete.

»Wenn er bei Alikhanow funktioniert hat, warum sollte es dann bei mir anders sein?«

Acht Jahre zuvor hatte Alikhanow, ein wagemutiger kaukasischer Moslem, mit seinen als Händler verkleideten Männern eine Karawane nach Merw geführt. Nach eingehenden Erkundungen und geschickten Manipulationen hatte er die Oase für Russland eingenommen, ohne dabei einen Tropfen Blut zu vergießen.

»Sollen für die Karawane echte Händler angeheuert werden?«

»Ein paar. Die Übrigen werden als europäische Händler verkleidete Kosaken sein. Man wird allgemein wissen, dass die Karawane wertvolle Güter von Buchara nach Leh transportiert – silberne Schwertknäufe, bestickte Schabracken, Ledergürtel, Dolchscheiden, grünen Schnupftabak, Kupfer- und Messinggefäße und natürlich Goldbarren. Das alles ist wertvoll genug, um jeden Räuber in Versuchung zu führen.«

»Wo soll der Überfall stattfinden?«

»Auch das wird Safdar Ali entscheiden. Seine Männer werden mit den Kisten abziehen, unsere Kosaken werden sie verfolgen, und sie werden sich an einem vorher festgelegten Punkt treffen.«

»Exzellenz vertrauen Safdar Ali die Kisten an?«

Smirnow durchbohrte Borokow mit seinen stahlharten Augen. »Ist dir beim Auspacken der Kisten etwas Ungewöhnliches aufgefallen?«

»Ja. In den Kisten befindet sich keine Munition.«

»Richtig. Die Kosaken halten die Kisten mit den Patronen und dem rauchfreien Pulver zurück. Sie werden erst geliefert, nachdem wir den Jasminapass besetzt haben.«

»Und Sie vertrauen darauf, dass Ihnen das gelingt?« Borokow war beeindruckt, wollte sich das aber unter keinen Umständen anmerken lassen. »Ich meine, den Pass trotz der Gletscher zu besetzen?«

Smirnow verzog den Mund zu einem Lächeln. »Es gibt zwei Wege auf jeden Pass hinauf, Michail«, sagte er leise, »und zwei Wege hinunter. Wenn sich der Zugang im Süden am Rand der Gletscher befindet, ist der andere im Norden und ebenso versteckt.«

»Vergessen Sie nicht, die chinesische Grenze verläuft durch den Kun Lun ...«

»Wir werden den Fünzig-Meilen-Streifen zwischen Afghanistan und Sinkiang nutzen. Solange die Grenzen nicht festgelegt sind, ist das noch Niemandsland.«

»Und Sie glauben, die ganze Operation kann vor den Briten und den Chinesen geheim gehalten werden?«

»Warum sollten wir sie geheim halten wollen? Karawanen sind auf den Handelsstraßen etwas Alltägliches. Warum soll diese eine Ausnahme sein?«

»Was wird mit den Händlern geschehen, den wirklichen Händlern meine ich?«

Smirnow zuckte die Schultern. »Ein oder zwei dürfen überleben, damit sie bei der unvermeidlichen Untersuchung aussagen können. Der Rest wird beseitigt.«

Borokow konnte dazu nur schweigen. Alexej hatte an alles gedacht – es war ein brillanter Plan! Er wünschte, er hätte die Idee dazu selbst gehabt. Hinter seinem gleichmütigen Äußeren arbeiteten seine Gedanken fieberhaft. »Safdar Ali wird die Waffen prüfen wollen ...«

»Es wird keine Prüfung geben.«

»Er wird die Gewehre nicht annehmen, ohne sie ausprobiert zu haben.« Smirnow zog langsam an seiner Zigarre. »Du hast wenig Ahnung von den Bergen, Michail. Jeder Gebirgsbewohner weiß, dass in großer Höhe ein Gewehrschuss genügt, um eine Lawine auszulösen. Und Töne pflanzen sich sehr schnell und sehr weit fort. Safdar Ali muss uns vertrauen, das ist alles.«

Borokow machte ein mürrisches Gesicht. Smirnow wusste, dass er Berge nicht mochte, dass er Höhenangst hatte und dass ihm das Atmen in der dünnen Luft schwer fiel. Er hatte sich nur zu der Reise nach Hunza gezwungen, weil am Ende eine reiche Belohnung lockte. Er äußerte noch einen letzten Zweifel. »Woher wissen wir, dass der Pass, zu dem er uns führen wird, tatsächlich der Jasminapass ist?«

»Mein lieber Michail, die russischen Karten des Pamir werden jedes Jahr auf den neuesten Stand gebracht, und jeder entdeckte Pass wird eingezeichnet. Solange er uns einen unbekannten Pass zeigt, von dem die Briten nichts wissen, ist alles andere egal.«

»Nein, ein unbekannter Pass, das reicht nicht. Es muss der Jasmina-pass sein!«

Smirnow zog die Augenbrauen hoch. »Es muss der Jasminapass sein? Wieso?«

Borokow nahm sich zusammen. »Der Jasminapass ist Teil der Volks-überlieferungen im Himalaja«, erwiderte er und zwang sich zu lä-cheln. »Die Briten suchen ihn seit Jahren. Die Entdeckung wird dem Entdecker mehr Ruhm, mehr Ehre und größere Anerkennung brin-gen, als alles andere es vermag.« Er machte eine bedeutsame Pause. »Vielleicht eine Medaille der Russischen Geographischen Gesell-schaft und einen Platz in der Geschichte.«

Er wusste, dieses Argument würde bei Smirnow wirken. Und so war es auch. »Vielleicht hast du Recht, Michail. Wie auch immer, wir wer-den sehen, wenn es so weit ist.«

»Wann wird das sein?«

»Im September. Am sechsundzwanzigsten, um genau zu sein.« Boro-kow sah ihn fragend an, und Smirnow lächelte leicht verlegen. »Der sechsundzwanzigste ist mein Geburtstag. Der Tag hat sich immer als günstig für neue Unternehmungen erwiesen.«

Borokow staunte immer wieder über die abergläubischen Vorstellun-gen vieler russischer Aristokraten. Während seiner Kontakte mit der Gesellschaft von St. Petersburg und Moskau war er von dem absur-den Hokuspokus entsetzt gewesen, der in Smirnows elitärem inneren Kreis praktiziert wurde. »Und während das alles geschieht, werden die Briten stumm dasitzen und zusehen?«

»O nein, auf keinen Fall stumm!«, sagte Smirnow verächtlich. »Die hohen Herren in Nadelstreifen, die in Whitehall die Macht haben, werden empört die Regenschirme schwingen und wie Schakale heu-len. Die Redakteure werden Leitartikel schreiben, die britischen Par-lamentarier werden sich in Westminster heiser schreien, und es wird großes diplomatisches Gewitter geben, aber mehr auch nicht.«

»Safdar Ali ist mit dem Plan einverstanden?«

»Das wird er sein. Sein Abgesandter trifft noch in dieser Woche ein.«

»Und Seine Kaiserliche Majestät? Billigt der Zar den Plan?«, fragte

Borokow im vollen Bewusstsein, dass er damit einen empfindlichen Nerv traf.

»Die Billigung Seiner Kaiserlichen Majestät ist nicht erforderlich«, entgegnete Smirnow kühl. »Du bist lange genug in Zentralasien, um das zu wissen.«

Das wusste Borokow in der Tat.

»Das russische Reich ist nicht damit so groß geworden, dass Memoranden in dreifacher Ausfertigung für den Palast verfasst wurden! Es ist letztlich dank der Initiative von Persönlichkeiten entstanden, die ihre Chancen ergriffen, wann und wo immer sich kühne Möglichkeiten boten. Sie hatten keine Zeit für Bürokratie. Ich auch nicht. Das ungeschriebene Gesetz lautet: Erfolg – und nur darauf kommt es an.«

»Und werden wir Erfolg haben?« Die anmaßende Selbstüberschätzung ärgerte Borokow, doch er beherrschte sich. »Sie glauben wirklich, wenn wir den Jasminapass besetzt haben, dürfen wir ihn ohne Vergeltungsmaßnahmen der Briten behalten?«

Smirnow trat an den Kamin und wärmte sich mit dem Rücken zu Borokow die Hände. »Hast du das Buch von MacGregor gelesen?«

»Ja.«

»Was hältst du davon?«

»Was jeder russische Patriot davon hält. Es ist in hohem Maße beleidigend! Es ist eine Beleidigung unserer Nation.«

»Es ist so beleidigend, dass es eine angemessene Antwort verdient. Nachdem sich Britannien einen großen Teil von Indien, Burma und den Rest des Subkontinents einverleibt hat, besitzt es jetzt die Unverfrorenheit, uns in Zentralasien Moral zu predigen. MacGregor wirft uns Gewinnsucht vor. Ich finde, es ist Zeit zu beweisen, dass er Recht hat.«

Er schwieg, und Borokow wartete. Smirnow hatte seine Rolle bei dem Plan nicht erwähnt. Borokows Stolz erlaubte es ihm nicht, offen danach zu fragen, und deshalb wechselte er das Thema. »Die Straße von Osch ist noch lange nicht fertig. Wir haben Gulcha noch nicht erreicht.«

»Da bist du gefragt, Michail. Du wirst morgen nach Osch reiten. Der

Kommandeur ist bereits von deinem Kommen unterrichtet. Du wirst weitere Männer anheuern, sie dazu bringen, dass sie hart arbeiten, und dafür sorgen, dass die Straße fertig ist, wenn wir sie brauchen. Der Kommandeur darf natürlich nichts von unserem Plan erfahren. Ich werde mir eine Möglichkeit ausdenken, ihn zu gegebener Zeit irgendwohin zu schicken.« Er blickte auf die Uhr und nickte. »Das wäre im Augenblick alles.«

Borokow hatte eine plötzliche Ahnung. Während er wie in Trance langsam nach Hause ging, verdichtete sich die Ahnung mit jedem Schritt zu einer mehr und mehr erschreckenden Wahrscheinlichkeit. Als er sein Haus erreichte, war daraus eine Gewissheit geworden.

Smirnow hatte nicht vor, ihn in das Projekt mit einzubeziehen!

Die Überzeugung stellte sich blitzartig und mit ungeheurer Wucht ein. Er hatte es in Alexejs Augen gesehen, diesen bösen, wilden Augen, die er schon beinahe sein ganzes Leben lang sehr gut kannte. Die Verantwortung für den Straßenbau wurde ihm als ein Trinkgeld angeboten, als eine demütigende Brotkrume vom Tisch des Helden. Er wollte verdammt sein, wenn er sie annehmen würde! Der Plan stammte ursprünglich von ihm. Wie konnte Alexej es wagen, ihn jetzt einfach auszuschließen? In Michail Borokow brodelte der Zorn über diesen Verrat. Es war ein schrecklicher, rasender Zorn, der seinen Mund mit Galle füllte und in seinem Magen wie ein Feuerball brannte.

Der Jasminapass gehörte ihm. Bevor er zuließ, dass Alexej ihm den Pass wegnahm, würde er dafür sorgen, dass dieser Verräter gehängt und geviertelt wurde und zum Teufel ging.

Persönlich hätte Borokow keinen Rubel für das russische Reich gegeben. Seinetwegen konnte es verrotten. Ihn interessierte nur das eine – seine Finger umschlossen das Goldklümpchen an seinem Hals. Safdar Ali mochte ein ungehobelter Barbar sein, dem man nicht trauen konnte, sobald man ihn aus den Augen verlor. Aber mit dem Gold hatte er ihm eine Botschaft geschickt. Von dieser Botschaft wusste Smirnow nichts und würde auch nie etwas davon erfahren. Denn um dieses Goldklümpchen, das sicher und warm an seiner Brust lag, kreisten seine geheimsten Träume.

Er war einmal arm gewesen. Gott helfe ihm, er würde nie wieder arm sein!

Zu Hause erwartete ihn Theodore Andersons Kurier, Ismail Khan, mit einem Brief. Der Mann war den Grenzposten bekannt und brachte Borokow regelmäßig alle möglichen Informationen, die Anderson auf seinen Reisen sammelte. Es war zu früh für eine Antwort auf Borokows letzten Brief an Anderson, also mussten sich die beiden Nachrichten gekreuzt haben. Borokow nahm den Umschlag ohne große Begeisterung entgegen, denn er rechnete nur mit den üblichen weinerlichen Bitten um mehr Geld für Andersons endlos lange Expeditionen. Er überflog das Schreiben. Zu seiner Verblüffung ging es diesmal nicht um Geld. Die Neuigkeit, die der Brief enthielt, war so unerwartet, dass Borokow weiche Knie bekam und sich setzen musste, um das Gleichgewicht nicht zu verlieren.

Er brauchte Alexej Smirnow nicht mehr. Er brauchte weder die Darden noch Iwana Iwanowa. Er brauchte niemanden mehr. Er brauchte nur noch Vertrauen, er musste sein Schicksal selbst in die Hand nehmen und von jetzt an nach den Geboten seines Willens handeln.

Alexej Smirnow glaubte fest daran, dass es Unheil brachte, wenn man jemandem am Anfang eines neuen Unternehmens Glück wünschte. Borokows Züge waren vor Bosheit verzerrt, als er das Gesicht zum Himmel wandte und die Fäuste über den Kopf hob.

»Viel Glück, Alexej!«, zischte er in den Wind. »Viel Glück, du listiger Fuchs! Du wirst es erleben, was es heißt, einen Freund zu betrügen!«

Er lachte befreit.

Hätte Michail Borokow gewusst, dass seine Glückssträhne gerade erst begann, hätte er vielleicht noch lauter gelacht.

*

Walter Stewarts Antwort aus Srinagar auf Hethringtons Telegramm war so beruhigend, dass es den Oberst zutiefst beunruhigte. Der Resident berichtete, Geoffrey Charlton verhalte sich seit seiner Ankunft in Kaschmir sehr ruhig, ja, er lebe sogar sehr zurückgezogen. Er habe Stewart gesagt, er arbeite an einem neuen Buch, das im Frühjahr erscheinen solle. Deshalb würde er die meiste Zeit damit verbringen, zu lesen, nachzudenken und zu schreiben. Er erforsche das Tal und kümmere sich um seine eigenen Angelegenheiten.

»Wer das glaubt!« Oberst Hethrington starrte auf den heftigen Monsunschauer, der gegen die Scheiben hämmerte und auf die Berghänge niederprasselte. »Er plant etwas. Ich fühle es in den Knochen. Das ist der einzige Grund dafür, dass er sich nach seinen Erkundungsreisen in Yarkand und Leh so ruhig verhält.«

»Und nicht zu vergessen, Kanpur«, fügte Nigel Worth hinzu.

»O ja, Kanpur dürfen wir nicht außer Acht lassen. Ich frage mich, wie dicht er davor stand, mit Erfolg im Amt für Bodenforschung herumzuschnüffeln.«

»Also, Sir, im Laden von Jacob habe ich gestern zufällig mitgehört, wie Mrs. Price zu Oberst Hartley sagte, dass Charlton in Kanpur bei den Stibberts zum Essen eingeladen war. Die Prices sind aus Delhi für die Saison hierher gekommen und Mrs. Stibbert ebenfalls. Sie ist die Schwester von Mrs. Price und die Frau von Major Stibbert, der im Vermessungsamt Dienst tut. Wir kennen Charltons Methoden, und deshalb wäre es klug, das Schlimmste anzunehmen. Wenn Sie wollen, Sir, könnte ich mich ja diskret umhören. Mrs. Stibbert und Mrs. Price gehen gewöhnlich für den Nachmittagstee zu Peletti.«

»O ja, tun Sie das auf jeden Fall!«, rief Hethrington bissig. »Manchmal frage ich mich, warum wir Geld für ein Telegramm bezahlen, wenn die menschliche Zunge das sehr viel schneller erledigt und uns das keinen Penny kostet.«

In diesem Augenblick betrat Burra Babu das Zimmer mit einer Nachricht, die ein Dakläufer vor einer Stunde überbracht hatte und die inzwischen dechiffriert worden war. Damit war das Gespräch über Charlton beendet. Conollys Meldung, die er vor einigen Wochen in Shahidulla abgeschickt hatte, war lang, ausführlich und enthielt einen genauen Bericht über sein zweites beunruhigendes Gespräch mit dem Taotai.

»Verdammt, das hat uns gerade noch gefehlt!«, schimpfte Hethrington. »Jetzt mischen auch noch die Chinesen mit! Der Generalquartiermeister wird dazu mit Sicherheit einiges zu sagen haben, das verspreche ich Ihnen!« Er sprang auf und lief zur Tür.

Fünf Minuten später hatte Sir John tatsächlich eine ganze Menge zu sagen, als er sich in einem furchtbaren Wutanfall Luft machte. Schließlich beruhigte er sich weit genug, um zu fragen: »Capricorn sagt, er vermutet, die Frau sei bereits in Kaschgar?«

»Oder dass sie bald dort sein wird.«

»Wie zum Teufel haben die Chinesen sie in so kurzer Zeit gefunden?«

»Vermutlich weil die Wände in Zentralasien noch bessere Ohren haben als unsere«, erklärte Hethrington. »Da die Russen nur niesen müssen, damit der Taotai einen Schnupfen bekommt, hat der Mann offenbar ein ganzes Heer von Spitzeln, die Überstunden machen.«

»Und woher stammt seine großartige Idee, dass wir über den Jasminapass marschieren und den Gao besetzen wollen? Von Schischkin?«

»Ohne jeden Zweifel. Schischkin liest englische Zeitungen, und deshalb muss er von der Sache mit Butterfield wissen. Er brauchte nur den Samen zu pflanzen und abzuwarten, bis dank der üblichen Nervosität der Chinesen daraus ein ganzer Wald geworden ist.«

»Weiß er auch, dass die Chinesen an der Frau interessiert sind?«

»Capricorn glaubt nicht, Sir«, sagte Nigel Worth. »Zumindest nicht zu dem Zeitpunkt, an dem der Brief abgeschickt wurde.«

Der Generalquartiermeister wirkte sehr ungehalten. »Hofft Capricorn allen Ernstes, die Frau dem Taotai vor der Nase wegschnappen zu können? Ist er völlig verrückt geworden? Wenn man bedenkt, welche Macht die Chinesen sich von den Karten versprechen, glaubt er da, sie werden ihm die Frau wie einen reifen Apfel anbieten, und er kann sie einfach pflücken?« Er nahm einen Bleistift und klopfte damit erregt auf die Schreibtischplatte. »Younghusband und MacCartney stehen für einen neuen Vorstoß in Kaschgar bereit. Da ist in diesem Augenblick ein diplomatischer Zwischenfall das Letzte, was wir brauchen können.«

Nigel Worth hüstelte.

»Ja, Hauptmann?«

»Wenn es Capricorn gelingt, die Frau zu entführen, Sir, und wir wissen, er ist sehr einfallsreich, werden die Chinesen vielleicht nicht gerade geneigt sein, das an die große Glocke zu hängen, denn schließlich ist sie eine Russin. Pjotr Schischkin würde peinliche Fragen stellen, zum Beispiel wieso sich die Frau überhaupt in chinesischem Gewahrsam befand. Ich bezweifle, dass der Taotai an einer solchen Konfrontation interessiert wäre.«

Die Bemerkung gab dem Gespräch einen Anflug von Erfolg. Der Generalquartiermeister seufzte und stand beunruhigt auf, um sich die Beine zu vertreten. Nach einer Pause des Nachdenkens sagte er: »Also gut, nehmen wir an, Capricorn hat wie durch ein Wunder Erfolg mit diesem verrückten Plan. Welche Route wird er am wahrscheinlichsten nehmen?«

»Durch die Takla Makan nach Yarkand und dann durch den Karakorum, Sir«, sagte Hethrington. »Oder er entschließt sich für die Route der Dakläufer über den Pamir. In beiden Fällen wird er sich einer Karawane anschließen müssen. Ich bezweifle, dass er die eine oder die andere Strecke allein riskieren würde. Wenn er den chinesischen Patrouillen ausweichen kann und ein Kirgisendorf erreicht, werden ihm die Kirgisen helfen. Sie vertreten keine chinesischen Interessen, und Capricorn hat gute Freunde unter ihnen. So oder so wird vermutlich Leh sein Ziel sein.«

»Wenn er es bis dahin schafft!« Sir John ließ sich auf den Stuhl fallen und schloss die Augen. »Wir können es uns nicht leisten, noch einen Agenten zu verlieren, Wilfred. Man würde uns kreuzigen!«

»Ich weiß, Sir«, erwiderte Hethrington unglücklich. »Capricorn wird Hilfe brauchen.«

»Gewiss! Wir werden Armeepatrouillen an strategischen Punkten in der Nähe der Pässe stationieren müssen. Und Sie wissen, was das bedeutet, nicht wahr?« Sir John sprach den Gedanken aus, der wie ein Damoklesschwert über ihren Köpfen schwebte. »Der Oberbefehlshaber muss über das Janusprojekt informiert werden.«

Einen Augenblick lang herrschte entmutigtes Schweigen. Dann schüttelte Hethrington entschieden den Kopf. »Nein, keine Armeepatrouillen! Zurzeit hält sich ein Trupp Geologen in den Kunlunbergen auf. Wir könnten ihre Hilfe in Anspruch nehmen. Da sie nichts über die Hintergründe wissen, stellen sie keine Gefahr für unsere Sicherheit dar.«

»Wir können Ihr Projekt doch nicht ewig unter der Decke halten, Wilfred«, sagte der Generalquartiermeister mahnend. »Wir werden verteufelt viel dafür zahlen müssen. Wenn wir Pech haben und die Karten fallen den Russen in die Hände …« Seine Lippen wurden schmal, und er ließ den Rest unausgesprochen.

»Es geht nur noch um ein paar Wochen, Sir«, sagte Hethrington bittend. »Capricorn ist kein verantwortungsloser Agent. Was er plant, ist riskant, aber wenn es jemand schaffen kann, dann er. Wir müssen ihm diese Chance geben. Im schlimmsten Fall wird er einfach …« Er verstummte.

»Einfach was?«

»Nun ja, einfach die Frau zurücklassen.«

Das war eine unvorstellbare Aussicht, und Sir John sah ihn streng an. »Sie wissen doch, Wilfred, was das für den Nachrichtendienst bedeuten würde?«

Es war eine rhetorische Frage. Ohne die Frau war die Dienststelle verloren. Ihr Ruf wäre beschmutzt, das Amt für Bodenforschung in Dun hätte Anlass zu jubeln und Whitehall einen guten Grund, die Mittel auf das Allernötigste zu kürzen – wenn es überhaupt noch einen Geheimdienst geben würde.

Hethrington seufzte und murmelte leise etwas vor sich hin.

»Küche?« Sir John hatte nur das eine Wort verstanden. »Was für eine Küche?«

»Nur so ein Gedanke, Sir«, erwiderte Hethrington. »Es war nicht wichtig.«

»Also gut, Wilfred.« Sir John richtete sich auf und traf unvermittelt eine Entscheidung. »Ich gebe Ihnen Ihren Monat – aber keinen Tag länger. Wenn wir nach dreißig Tagen die Papiere nicht in Händen haben, ist alles vorbei. Dann muss das Projekt dem Oberbefehlshaber, dem Außenminister und dem Vizekönig vorgelegt werden, und wir müssen die Konsequenzen tragen.« Er stand auf. »Nehmen Sie den schnellsten Läufer und schicken Sie den Leuten im Vermessungsamt eine Nachricht. Vorsichtshalber lassen Sie auch MacCartney und Younghusband Kopien zukommen.«

Wieder in seinem Büro, wurde der Oberst geschäftig. »Ziehen Sie Ihre Schlittschuhe an, Hauptmann, wir werden uns nach Kaschmir in Bewegung setzen, und zwar schnell! Ich will morgen in aller Frühe aufbrechen.«

»Sir! Ich werde sofort mit den Vorbereitungen beginnen.«

»Ach, und – Hauptmann?«

Nigel Worth war bereits auf halbem Weg zur Tür und blieb wie angewurzelt stehen. »Ja, Sir?«

»Wenn Sie sich das nächste Mal so ein phantasievolles Projekt einfallen lassen, tun Sie mir den Gefallen und behalten Sie es für sich, ja?«

Nachdem der Hauptmann das Zimmer verlassen hatte, starrte Hethrington in die niedrig hängenden Wolken, die immer noch die Berge von Simla mit wahren Fluten überschütteten. Vor dem Fenster war nicht ein einziger Affe zu sehen. Er überlegte unbestimmt, wohin sie bei Regen wohl verschwanden.

Einen Monat. Mehr hatte er nicht!

Eine schnelle Versetzung zur Feldküche in Meerut schien plötzlich doch keine so schlechte Idee zu sein.

*

»Ich möchte dir etwas auf dem Besitz zeigen«, sagte Damien. »Es ist eine Überraschung.« Er war am Abend zuvor aus Gupkar gekommen, und seine Rückkehr hatte Emma mit echter Freude erfüllt. Beim Abendessen tauschten sie friedlich Neuigkeiten aus. Der Verwalter der Weinkellerei sei sehr hilfreich gewesen, erzählte Damien. Sie machten aus Reben, die aus Turfan in China eingeführt worden waren, einen hervorragenden Barsac und einen ebenso guten Medoc. Die Trauben aus Turfan wurden wegen ihrer Form auch Stutenzitzen genannt, und sie hatten in der Tang-Dynastie den ersten Wein geliefert. Trotz hoher Grenzzölle, meinte er, sorge in Indien die große Nachfrage nach Tischwein für angemessene Gewinne.

Emma erzählte von Mrs. Bicknells Besuch und dass sie viel von ihr über einheimische Heilpflanzen gelernt habe. Dann gab sie ihm, nicht, weil er danach gefragt hätte, sondern um ihr Gewissen zu erleichtern, einen gekürzten Bericht über ihren Besuch auf dem Takht-e-Suleiman.

Nach dem Frühstück machten sie sich auf den Weg zum südöstlichsten Zipfel des Anwesens. Dort befand sich ein kleines ummauertes Stück Land. Suraj Singh hatte Emma zu verstehen gegeben, es handle sich nur um ein Silo, in dem die teureren Reissorten gelagert würden. Sie hatte ihm geglaubt. Als Damien nun das Tor aufschloss, sah sie, dass sich hinter der Mauer keineswegs ein Lagerhaus verbarg, sondern die halb im Buschwerk verborgenen Ruinen eines kleinen Gebäudes.

Sie stieß einen kleinen Überraschungsschrei aus und lief darauf zu, doch Damien hielt sie mit einer Handbewegung zurück. »Im Gebüsch wimmelt es von Schlangen und Skorpionen. Ich bezweifle, dass sie sich über die Störung freuen würden.«

Emma trat zurück und spähte durch das Gewirr der Zweige. »Was ist das? Ein Tempel?«

»Ja. Ich hatte Suraj Singh gesagt, du darfst ihn erst sehen, wenn ich ihn dir zeige.«

»Weißt du, wie alt er ist?«

»Vermutlich ist er im achten Jahrhundert erbaut worden, während der Herrschaft von Lalitaditya, in der gleichen Zeit wie der Tempelkomplex in Martand.«

Emma hob ein behauenes Stück Stein auf und betrachtete es. »Kalkstein?« Er nickte. »Mein Vater bezeichnete diesen Baustil als arischen Stil oder Araiostil, wie die Griechen sagten. Darunter scheint noch mehr zu liegen.« Sie scharrte aufgeregt mit einem Zweig die Erde beiseite. »Hast du je daran gedacht, die Ruinen ausgraben zu lassen?«

»Ich habe mir überlegt, ob du das vielleicht tun würdest.«

»Ich?« Sie war begeistert. »O Damien!«

»Also, würdest du?«

»Du weißt, dass ich es tun würde! Wann?«

»Wann immer du willst.«

»Im nächsten Sommer? Sobald ich mit dem Buch fertig bin. Zuerst müssen wir den Rat des Amts für Altertumsforschung in Kalkutta einholen. Dann müssen wir eine Grabungsmannschaft zusammenstellen. Aber ich finde, davor sollten wir ...« Sie entwickelte begeistert Pläne. Damien nickte hin und wieder und hörte ihr mit schmeichelhafter Aufmerksamkeit zu.

Es war ein schöner Tag. Sie saßen im warmen Gras, das nach dem Regen der letzten Woche frisch duftete. An einem schattigen Abhang unter ausladenden Walnussbäumen aßen sie das mitgebrachte Mittagessen: Lammkoteletts und dicke Chappatis, die auf einem heißen, mit Öl bestrichenen Stein gebacken wurden. Wie immer beendeten sie die Mahlzeit mit Obst. Emma saß satt und wundervoll zufrieden auf einem kleinen Felsen und genoss den durch nichts gestörten Blick auf die grünen Hänge. Damien lag auf einen Ellbogen gestützt im Gras. Gedämpfte Geräusche erfüllten die Luft. Das Summen der Bienen, die von Blüte zu Blüte flogen, das sanfte Rauschen des leichten Windes, das leise Rascheln der Blätter über ihnen. Schläfrig schloss Emma die Augen.

Damien legte den Kopf ins Gras, streckte sich aus und blickte in den Himmel. »Weshalb bist du zu Nazneen gegangen?«

Emma war mit einem Schlag wieder hellwach. »Hast du das von ihr gehört?«

»Nein. Nazneen ist nicht mehr in Srinagar.« Ohne die Augen zu öffnen, veränderte er seine Lage. »Im Tal geschieht wenig, ohne dass ich auf dem einen oder dem anderen Weg davon erfahre. Also, warum?«

»Ist das wichtig?«

»Für mich ja. Ich bin neugierig.«

»Da du gesagt hattest, ich hätte sehr viel von Nazneen zu lernen, könnte man sagen, aus rein pädagogischen Gründen.«

»Und hast du etwas gelernt?«

»Wenn du es unbedingt wissen willst, ja.«

»Was?«

Emma kaute auf einem dünnen Zweig und schüttelte den Kopf. »Geheimnisse zwischen einer Ehefrau und einer Geliebten sollten Geheimnisse bleiben, obwohl ich bezweifle, dass Chloe Hathaway dem zustimmen würde.«

Er wurde rot, stand auf und klopfte sich die Grashalme von der Hose. Das Thema war beendet. »Hast du jemals Forellen geangelt?«

Sie lächelte, weil sie sich über den Treffer freute. »Ab und zu, aber ich wusste nicht, dass Forellen in Kaschmir heimisch sind.«

»Das sind sie nicht. Die jungen Fische kamen aus England. Genauer gesagt, waren sie ein Geschenk der Königin und wurden versuchsweise im Lidder ausgesetzt. Ich habe vor ein paar Jahren einige von dort in unsere Gewässer bringen lassen. Sie scheinen inzwischen eine beachtliche Größe erreicht zu haben.«

Hakumat wurde zum Haus zurückgeschickt, um die Angelausrüstung zu holen, während sie auf dem Pfad zwischen den dichten Bäumen zum Bachlauf hinuntergingen. Dort war es kühl, die Vögel zwitscherten, und hin und wieder blitzte etwas Buntes. Damien kniete am Ufer nieder und prüfte die Lage. »Ich sehe ein oder zwei große Burschen. Komm, vielleicht hast du Glück!«

»Ich?« Emma blickte unsicher auf ihr Kleid. »Ich bin zum Forellenangeln wohl kaum richtig angezogen.«

»Warum? Du brauchst nur ein paar Gummistiefel.«

»Ich gehe mit diesem Kleid nicht ins Wasser«, erklärte Emma entschlossen. »Wenn es nass wird und bis zu den Knien einläuft, dann sehe ich unmöglich aus!«

Das Problem wurde gelöst. Emma saß auf einem flachen Felsen, der in den Bach ragte. Unter Damiens kritischem Blick warf sie die Leine aus und verfehlte dabei nur knapp die Büsche. Er lachte, räumte aber ein, für das erste Mal sei es ganz gut.

»Wenn ein Fisch anbeißt, weiß ich nicht, was ich tun soll«, sagte Emma. »Geh nicht zu weit weg.«

Er legte sich wieder ins Gras, faltete die Hände unter dem Kopf und schloss die Augen. Das Glück wollte es, dass fünf Minuten später eine Forelle biss. Emma versuchte ungeschickt, die Leine aufzuspulen, und stieß einen lauten Schrei aus.

Damien zog seine hohen Stiefel an und watete in den Bach. Er griff mit beiden Händen in das aufspritzende Wasser und brachte den Fisch zum Vorschein, der am Haken zappelte. »Es ist eine Forelle, und zwar eine hübsche.« Er trug sie zum Ufer, tötete sie mit dem Stahlsporn und entfernte geschickt den Haken aus ihrem Maul.

Emma fragte schaudernd: »Ist sie tot?«

»Völlig.« Er hielt sie ihr zur Begutachtung hin. »Ich würde sagen, sie wiegt zwei Pfund. Kein Weltrekord, aber mit Sicherheit ausreichend für das Abendessen.«

Sie gingen zurück zu den Ruinen, stocherten mit langen Stöcken im Gebüsch und machten Pläne für die »Grabung«. Es gab keinen Zweifel, dass ein großer Teil des Tempels in der Erde verborgen lag, und Emma war hingerissen von der Vorstellung, seine uralten Geheimnisse hervorzuholen. Während sie sich ein Bild von der Lage machten, erzählte ihr Damien mehr über die Geschichte der Region und des Tals. Dabei überraschte er sie wieder einmal mit dem Ausmaß der Kenntnisse über seine Umgebung.

Später hatten sie unverständlicherweise schon wieder schrecklichen Hunger. Sie hielten die ausgenommene Forelle, die sie auf einen dünnen Ast gespießt hatten, über ein Feuer. Als die Haut knusprig knisterte und das Fleisch gerade eben gar war, aßen sie es aus der Hand. Emma leckte sich die letzten Reste von den Fingern und stellte fest, dass selbst die leicht verkohlten Stücke köstlich schmeckten. Sie stand auf, ging zum Bach und wusch sich die Hände im eiskalten Wasser. Der Abend war unendlich friedlich. Es dämmerte, und der kalte Nachtwind kam auf. Sie zitterte, schlang die Arme um sich und wünschte, sie hätte daran gedacht, ihr Schultertuch mitzunehmen. Sie blickte fröstelnd auf den rauschenden kleinen Wasserfall, und deshalb hörte sie Damiens Schritte nicht. Etwas Warmes wurde um ihre Schultern gelegt, und sie zuckte zusammen. Es war Damiens Jacke.

Sie blickte zu ihm auf und lächelte. Langsam und ohne zu sprechen, gingen sie den Hügel hinauf zu ihren Pferden. In der Nähe heulte ein Schakal, und andere erwiderten seinen Ruf. »Gibt es hier viele große Tiere?«, fragte sie.

»Nein, nicht mehr als überall sonst. Tiere haben vor uns weit mehr Angst als wir vor ihnen.«

»Ich weiß, dass Offiziere aus Delhi auf ihrem Weg nach Gulmarg hierher ins Tal gekommen sind, um zu jagen. Lohnt sich die Jagd?«

»Für die wirklich großen Katzen muss man höher hinaufgehen und für einen Steinbock oder die Markhor, die Schraubenhornziege, sogar noch höher. In der Umgebung von Gulmarg ist es sehr einsam, und dort begegnet man Leoparden, hin und wieder auch einem Tiger, aber nur im Sommer. Im Winter ziehen sie in die Täler hinunter.«

Sie wurden von Hakumat unterbrochen, der mit einem Briefumschlag kam, den er Damien übergab. Er öffnete ihn, las den Brief, und sein Verhalten veränderte sich schlagartig. Ohne sich zu bewegen, starrte er blicklos auf die dunkler werdende Bergkette. Emma sah, dass sich seine Schultermuskeln unter dem Hemd spannten.

»Schlechte Nachrichten?«, fragte sie.

Er sah sie verständnislos an. »Wie bitte?«

Sie wiederholte die Frage. Er schüttelte mit einem Anflug von Ungeduld den Kopf, als wollte er in seinem Gedankengang nicht gestört werden. Emma musterte stumm sein Profil, die widerspenstigen dichten Haare, die der Wind zerzauste, die gerunzelte Stirn und die Hand, die sich um den Brief zur Faust geballt hatte. Plötzlich sehnte sie sich schmerzlich danach, die Falten auf seiner Stirn zu glätten, die geballte Faust zwischen ihre Hände zu nehmen und tröstlich zu drücken. Der Drang war so stark, dass sie beinahe die Hand ausgestreckt hätte. Aber sie fürchtete die Zurückweisung und unterdrückte den Wunsch. Er schien sich ihrer Anwesenheit nicht mehr bewusst zu sein und war in einer Welt versunken, die sie nicht einschloss. Unglücklich wollte sie sich abwenden. »Wohin gehst du?« Bevor sie sich bewegen konnte, hatte er ihr Handgelenk umklammert.

Sie hielt still. Der kurze körperliche Kontakt war eine Nebensächlichkeit, aber sie bekam wieder einmal eine trockene Kehle. Sie entzog ihm ihre Hand nicht. »Ich habe das Gefühl, du möchtest lieber allein sein ...«

»Nein, ich möchte nicht lieber allein sein.« Ihre Blicke trafen sich einen flüchtigen Moment lang. Er schien dicht davor, das zu sagen, was sie endlich in seine Welt einlassen würde. Doch dann ließ er ihre Hand los und ging den Hügel hinunter. Der plötzliche Wechsel in seinem Verhalten verwirrte Emma.

Sie lief hinter ihm her und sagte das Erste, was ihr in den Sinn kam: »Mrs. Bicknell hat mich für nächsten Dienstag zum Tee eingeladen, damit ich mir ihre Schule und ihr Hospital ansehen kann.«

»Gut.«

Schuldgefühle wegen ihrer wahren Motive für die Annahme der Einladung überkamen sie, und sie fragte: »Möchtest du ... nicht mitkommen?«

»Nein. Ich muss morgen weg.«

Sie blieb stehen. »Schon wieder? Wohin?«

»Nach Gupkar. Es tut mir Leid, aber sie sind nicht in der Lage, all die Zahlen zu liefern, die ich brauche, bevor ich in das Projekt investieren kann.«

»Dann lass mich mit nach Srinagar kommen«, bat sie, betroffen vom Ausmaß ihrer Enttäuschung. »Ich kann mir wieder etwas ansehen und auf dem Boot warten, bis du zurückkommst.«

Damien schüttelte den Kopf. »Das nächste Mal. Diesmal nicht.«

Sie wusste, dass er ihr etwas verheimlichte, dass er ihr nicht die Wahrheit gesagt hatte. Die Tränen traten ihr in die Augen, und sie schwieg.

*

Chini Bagh, das staatliche chinesische Gästehaus, war ein großes, festungsähnliches zweistöckiges Gebäude und befand sich in einiger Entfernung von der Innenstadt. Es stand inmitten gepflegter Hecken, Rasenflächen und Blumenrabatten, die jetzt das Reich des streitsüchtigen und geselligen Padshah Khan waren. Conolly hatte im Schutz der Dunkelheit sowohl den Palast des Taotai als auch das Gästehaus genau beobachtet. Die Zeit wurde knapp, und er begann auf der Stelle, seinen Plan in die Tat umzusetzen.

Conolly wusste aus Erfahrung, dass Chin Wang, der Chefkoch des Taotai und sein wichtigster Informant, abends als Letzter die Küche verließ. Er kauerte im Schutz der Büsche hinter einer hohen Mauer und wartete darauf, dass Chin Wang aus dem rückwärtigen Tor nahe den Küchenhäusern auftauchen würde. Das geschah lange nach Mitternacht. Er trug seine Laterne in der einen Hand und in der anderen einen mit Lebensmitteln aus den Vorratskammern seines Herrn gefüllten Sack. Conolly verschloss ihm den Mund mit der Hand und zog ihn ins Gebüsch.

»W ...?«

»Kein Ton, mein Freund«, sagte Conolly warnend und nahm die Hand langsam zurück. »Ich brauche Hilfe.«

»Nein!« Chin Wang schüttelte den Kopf. »Ich kann es nicht riskieren, in Schwierigkeiten zu geraten und meine Stelle zu verlieren.«

Conolly blieb ganz ruhig, denn so begannen alle ihre Geschäfte. Wortlos holte er einen Stoffbeutel hervor und schwang ihn am Ohr des Kochs hin und her, sodass die Münzen leise klimperten. Chin Wang schluckte hörbar und sah sich um. »Nicht hier, nicht hier ...« Er eilte mit Conolly einen holprigen Pfad entlang und verschwand mit ihm in einem leeren Kohlenschuppen. »Was ist es diesmal?«

»Ich habe gehört, im Chini Bagh ist ein neuer Gast eingetroffen.«

»Ich weiß nichts über Chini Bagh«, murmelte der Koch, ohne den Blick von dem Beutel zu nehmen. »Es kommen und gehen ständig Gäste.«

»Und sie essen auch«, sagte Conolly. »Da es im Chini Bagh kein Küchenpersonal gibt, wird zweimal täglich Essen aus deiner Küche dorthin gebracht.«

Chin Wang zuckte die Schultern. »Und?«

Conolly ließ die Münzen lauter klimpern. »Da drin ist genug, damit du gehen kannst, wohin du willst, selbst in deine Heimat, nach Kanton.«

»Nein, nein …« Der Koch blickte sehnsüchtig auf den Beutel, seufzte und ging zur Tür des Schuppens. »Diesmal ist es wirklich zu gefährlich. Ich will damit nichts zu tun haben.«

»Also gut«, sagte Conolly unwillig. »Du lässt mir keine andere Wahl. Ich muss mit deiner Frau sprechen.«

»Mit meiner Frau?« Der Koch lachte. »Was weiß die alte Schachtel davon, was im Chini Bagh vorgeht?«

»Nichts. Genau genommen weiß sie sogar darüber noch weniger als über dein angenehmes kleines Abkommen mit der munteren Kleinen, die so große Brüste hat und in der Wäscherei des Taotai arbeitet.«

Selbst im Laternenschein war zu erkennen, dass der Koch blass wurde. Vor dem Taotai hatte er Angst, aber vor seiner Frau hatte er panische Angst. Sie war eine dicke, grimmige und eifersüchtige Megäre, die ihn einmal mit der Mistgabel über den Basar gejagt und gedroht hatte, damit in den wichtigsten Teil seiner Anatomie zu stechen.

»Ich meine es ernst«, sagte Conolly. »Wenn du meine Fragen nicht beantwortest, werde ich nicht nur deine Frau von deinem Verhältnis in Kenntnis setzen, sondern ihr auch mein schärfstes Chirurgenmesser geben, damit sie dann erfolgreich das tun kann, was sie für notwendig hält.«

Wie durch ein Wunder vergrößerte sich schlagartig Chin Wangs Wissen über Chini Bagh. »Ja«, sagte er mürrisch, »es ist ein neuer Gast in Chini Bagh, und es ist zweimal täglich Essen für sie dorthin gebracht worden.«

Für sie! Conolly hielt die Luft an. »Wer ist sie?«

Das, so sagte Chin Wang, wisse er nicht, denn seine Aufgabe sei es nicht, ihr das Essen zu bringen, sondern nur zu kochen und die Speisen anzurichten. Aber er wusste, dass es eine Frau war, denn die Zofe von einer Frau eines Mandarins – die Tante des Mädchens, mit dem er, hm, nun ja, das Verhältnis hatte – war vor kurzem für besondere Aufgaben in den Chini Bagh versetzt worden.

Conolly war hochbeglückt. Sein Optimismus war also doch nicht fehl am Platz gewesen. Wenn es sich bei der Frau im Chini Bagh tatsächlich um diese Armenierin handelte – und wer sonst konnte es sein –, dann war zumindest die Hälfte seiner Probleme gelöst. Er staunte darüber, dass es Padshah gelungen war, sie aus Taschkent mit seinen strengen Sicherheitsmaßnahmen herauszuschmuggeln. Aber schließlich waren die Spitzel des Taotai ebenso gerissen wie die der Russen, und die magische Kraft von dreißig Silberlingen war selbst an der russischen Grenze nicht zu unterschätzen. »Wie heißt der Mann, der das Essen zum Chini Bagh bringt?«

»Dschingis. Er ist der Leibdiener des Taotai.«

»Hast du es nie selbst hingebracht?«

»Nur einmal.«

»Ich weiß, wie viele Wachposten vor dem Chini Bagh stehen. Wie viele gibt es drinnen?«

»Vier oder fünf.«

»Wo?«

»Überall.« Der Koch warf einen verstohlenen Blick auf den Stoffbeutel und fuhr sich mit der Zunge über die Lippen. »Die Zofe bewacht die Dame im Haus.«

»Hat der Taotai die Dame aufgesucht?«

»Ja, am ersten Tag.«

»Hast du gehört, worüber gesprochen wurde?«

»Nein. Es heißt, sie ist seine neue Konkubine, noch dazu ein Rundauge.« Er spuckte angewidert auf die Erde. »Ich glaube, sie soll übermorgen weggebracht werden, denn für danach ist kein Essen mehr bestellt.«

Übermorgen!

»Weggebracht! Wohin?«

Der Koch zuckte die Schultern. »Wer weiß?«

Conolly griff in seine Tasche und holte einen ungefähren Plan des Gästehauses hervor, den er zuvor angefertigt hatte. »In welches Zimmer wird das Essen gebracht?« Der Koch seufzte, hob die Laterne hoch und wies auf einen Raum.

»Gut. Morgen Abend bringst du das Essen zum Chini Bagh ...«

»Nein!« Chin Wang war entsetzt. »Das wird Dschingis niemals zulassen.«

»Wenn Dschingis krank ist, wird er es zulassen müssen.«

»Aber er ist nicht krank.«

»Er wird es sein.« Conolly drückte ihm ein kleines Tütchen in die Hand. »Das tust du morgen Mittag in sein Essen. Keine Sorge, er wird nicht sterben. Allerdings wird er sich das wünschen, bis seine Eingeweide endlich aufhören zu rebellieren. Wenn er erst auf die Felder gerannt ist, wird er es mit dem Zurückkommen nicht eilig haben.«

»Das mach ich nicht!«, jammerte der Koch. »Dschingis ist ein Mongole, ein Rohling. Deshalb heißt er auch Dschingis. Er hat Hände wie Bärentatzen, und wenn er wütend ist ...«

Conolly brachte ihn mit dem klirrenden Beutel zum Schweigen. »Morgen ist der Tag der Widderkämpfe. Nachdem der Taotai dem Gewinner das schwarze Schaf überreicht hat, findet im Palast ein Bankett statt. Aber das brauche ich dir wohl nicht zu sagen. Das heißt, alle werden beschäftigt sein, und es herrscht ein allgemeines Durcheinander. Niemand wird wegen deiner Aufgabe am Abend Fragen stellen oder überhaupt Notiz davon nehmen.«

»Aber ich muss doch die Gerichte für das Bankett vorbereiten ...«

»Du hast sieben Köche. Lass sie das machen.«

»Nein! Ich will nicht! Ich will mich auf keinen Fall da hineinziehen lassen ...«

»Du wirst nicht hineingezogen. Wenn man dich später fragt, sagst du einfach die Wahrheit. Auf dem Weg zum Chini Bagh haben dich zwei Männer von hinten überfallen. Du hast die Banditen nicht gesehen, aber sie haben gesprochen wie Russen.«

»Banditen!« Der Koch war entsetzt. »Ich soll verletzt werden?«

»Nein, natürlich nicht. Du wirst nur so tun, als seist du verletzt.« Er hob den Beutel hoch, und die Münzen klimperten laut.

»Still, still, du meine Güte, still!« Der Koch griff nach dem Beutel, um das Geräusch zum Verstummen zu bringen, aber auch, weil er dem Geld nicht länger widerstehen konnte.

»Noch nicht!« Conolly brachte den Beutel geschickt außer Reichweite des Kochs. »Weitere Anweisungen bekommst du später.«

»Ach du liebe Zeit! Es kommt noch mehr?«

»Ein paar letzte Einzelheiten. Du bringst das Essen morgen Abend um sieben zum Aprikosengarten hinter dem Chini Bagh. Ich werde dich dort treffen.«

Chin Wang öffnete den Mund, um zu protestieren, doch Conolly drückte ihm den Beutel in die Hand, und der Protest erstarb. »Das ist erst die Anzahlung. Wenn die Aufgabe erledigt ist, gibt es mehr.«

Der Koch drückte den Beutel an seine Brust und begann zu jammern. »Wenn der Taotai das jemals herausfindet ...«

»Das wird er nicht, wenn du genau das tust, was ich dir sage.«

»... bringt er mich um!«

»Ich dich auch, das heißt, wenn noch etwas übrig ist von dir, nachdem deine Frau dich mit dem Messer traktiert hat.«

Der Plan war keineswegs perfekt, doch Conolly hatte keinen besseren. Die Risiken waren erschreckend. Es gab viele Schwachstellen, nicht zuletzt diesen jämmerlichen Feigling, der leider die wichtigste Rolle bei der Entführung spielte. Natürlich war es möglich, dass Chin Wang log und dass man die Frau schon weggebracht hatte. Schlimmer noch, der Koch konnte in letzter Minute kalte Füße bekommen und überhaupt nicht auftauchen. Doch bei der Kürze der Zeit blieb Conolly keine andere Wahl, als die Chancen zu ergreifen, wo er sie fand, und zu beten.

In einer Gegend mit mangelnder medizinischer Versorgung sind die Patienten auch einem nicht richtig ausgebildeten Arzt dankbar, wenn er sie behandelt und geheilt hat. Conolly erhielt ständig bescheidene Geschenke und regelmäßig Angebote, anstelle einer Bezahlung alle möglichen Dienste anzunehmen.

Das junge Belutschipaar mit der kleinen Tochter, deren Lungenentzündung Conolly mehr mit Hilfe von Vernunft und Glück als mit hervorragenden medizinischen Fähigkeiten geheilt hatte, empfing ihn überrascht und herzlich. Der junge Mann war zu arm, um ihn zu bezahlen, und war ihm deshalb zutiefst zu Dank verpflichtet. Er war ein Dakläufer und hatte Conolly unter Tränen seine Dienste angeboten, wann immer er sie brauchen sollte. »Khapalung am Sugetpass?«, fragte er, als Conolly seine Bitte vorgetragen hatte.

»Ja.« Conolly übergab ihm einen verschlossenen Briefumschlag. »Erkundige dich nach einem Kirgisen mit dem Namen Mirza Bag und gib ihm diesen Brief. Er muss so schnell wie möglich überbracht werden.« Der junge Mann nahm den Auftrag bereitwillig an.

Jetzt, wo der Abschied von Kaschgar so unmittelbar bevorstand, konnte Conolly sein Bedauern darüber nicht leugnen. Die einfachen Menschen hatten ihm große Zuneigung und viel Vertrauen entgegengebracht und ihn ohne Misstrauen aufgenommen. Was würden sie sagen, wenn sie feststellen würden, dass er sie im Stich gelassen hatte? Leider blieb keine Zeit für Erklärungen.

Zufrieden mit dem Erfolg des Abends ging Conolly nach Hause, um die anderen Vorbereitungen zu treffen. Wenn alles nach Plan verlief, würde er mit etwas Glück Pjotr Schischkin ein Schnippchen schlagen.

*

Nachdem Emma allein war, beschäftigte sie sich wieder mit den Aufzeichnungen ihres Vaters, doch trotz aller Bemühungen ließ ihre Konzentration zu wünschen übrig. Ihre Gedanken waren bei Damien.

Sie machte aus der Not eine Tugend und beschloss, sich die beiden letzten Packen Briefe aus der Schulzeit anzusehen, die noch ungelesen in der Schublade lagen. Es würde ihr letzter Ausflug in Edward Granvilles Räume sein. Wenn sie dabei die Familienphotos nicht fand, die sie suchte, musste sie annehmen, dass sie woanders aufbewahrt wurden oder vernichtet worden waren. Nachdem ihre Beziehung jetzt so viel freundschaftlicher war, konnte sie Damien nach seiner Rückkehr sogar danach fragen.

Ganz allmählich entwickelte sich in groben Konturen ein Bild, das ihr half, ihn jetzt schon etwas besser zu verstehen. Trotz des Fehlens von körperlicher Intimität und Glück in ihrer Ehe entstand immerhin eine spürbare Nähe zwischen ihnen. Sie konnte ihre neuen Gefühle nicht beim Namen nennen, doch sie riefen in ihr eine so wunderbare Zufriedenheit hervor, dass sich Emma beinahe davor fürchtete, darüber nachzudenken, damit sie nicht verschwinden würde.

Die Briefe in den beiden Päckchen stammten aus den letzten Jahren der Schulzeit, und sie waren durchdacht und klar artikuliert. Ereignisse in der Schule und Ausflüge wurden zugunsten begeisterter Berichte von Ferien in Frankreich nur ungeduldig gestreift. Damien verbrachte jetzt viel Zeit in der Weberei seines Onkels, und die Briefe berichteten von neu erworbenen Kenntnissen über die »Köperwirktechnik«, die »Espolineweberei« und die »Ternauxtücher«. Zu einem Zeitpunkt waren kirgisische Ziegen nach Frankreich importiert worden, schrieb Damien, aber nur die Hälfte von tausend hatte die Reise überstanden, und das bekümmerte ihn. Der Höhepunkt eines Ferienaufenthalts war ein Besuch der großen Ausstellung in Paris. Dort gezeigte Tücher aus Kaschmir wurden sehr bewundert, und das erfüllte ihn mit Stolz.

Dann wieder unternahm er mit seinen Vettern ausgelassene Streifzüge durch die Weinberge und Wälder und Fahrten auf dem See. Wenn Damien von solchen Abenteuern schrieb, schien er am glücklichsten. Auf dem Landsitz gab es Pferde, und er und Hammie verbrachten ganze Tage im Sattel. Sein Französisch, so schrieb er voller Stolz, war beinahe perfekt, und er erzielte in der Abschlussprüfung eine gute Note. Er bat seinen Vater, ein früher gegebenes Versprechen zu halten und mit ihm nach London zu reisen. Im folgenden Jahr, wenn er und Hammie endlich nach Hause zurückkehrten – er nach Kaschmir und Hammie nach Rangun –, würde Hammie einen Monat bei ihnen auf Shalimar verbringen. Er konnte es kaum abwarten! Die Nachricht von der Erkrankung seiner geliebten Zaiboon machte ihm große Sorgen. Er bat seinen Vater inständig, sich gut um sie zu kümmern und darauf zu achten, dass sie viel Obst, Sahne und Walnüsse aß.

Das tief verletzte und verbitterte Kind war erwachsen geworden. Die scharfen Ecken und schneidenden Kanten des Verlusts hatten sich gerundet. So seltsam es ihr auch erschien, dadurch, dass sie seine Kindheit indirekt sozusagen geteilt hatte, glaubte Emma zu spüren, dass auch sie irgendwie reifer geworden war. Sie entdeckte tief in ihrem Innern eine neue Weichheit. Es war eine angenehme Mischung von bisher unbekannten Gefühlen.

Liebe …?

Sie war noch nie verliebt gewesen, hatte noch nie eine intime Beziehung mit einem Mann gehabt, und deshalb konnte sie ihre Gefühle nicht identifizieren. Sie waren noch undeutlich und zart wie ein Samenkorn, das Wurzeln zieht, und kämpften darum, Gestalt anzunehmen. Vielleicht hatte Damien doch Recht, vielleicht wuchs die Liebe in der Ehe wie eine winzige Knospe, die von der beharrlichen Sonne zum Blühen gebracht wurde. Das zarte und süße Weh war wohltuend und erhebend und brachte ein eigenartiges Glücksgefühl mit sich, das ganz anders war als alles, was sie bisher erlebt hatte.

Und Damiens Gefühle für sie? Sie war zu ungeübt, um seine wahren Empfindungen zu erraten. Sie suchte verzweifelt nach Sicherheit und tröstete sich damit, dass er vor seiner Reise nach Delhi schon von ihr gewusst hatte. Er hatte mit Nazneen über sie gesprochen, er hatte um sie geworben und sie gezwungen, ihn zu heiraten. Rückblickend amüsierte sie sich darüber, welche absurden Dinge er unternommen hatte, um ihr Jawort zu bekommen. Aber auch da hatte er Recht gehabt. Wäre sie überhaupt bereit gewesen, ihn zu heiraten, wenn er ihr ohne alle Umschweife einen Antrag gemacht hätte? Beim Gedanken an ihre Unnachgiebigkeit in jenen leicht zu vergessenden Tagen musste sie lachen. Wie kindlich ihr Verhalten jetzt schien und wie unnötig. Sie wünschte von ganzem Herzen, er wäre zu Hause.

Emma legte die Päckchen wieder zurück an ihren ursprünglichen Platz in der Schublade und wollte gehen. Doch der Gedanke an das Album ließ sie immer noch nicht los. Sie blieb unentschlossen stehen und betrachtete die Schubladen auf der anderen Seite des Schreibtischs. Sie war so weit gekommen, wäre es da nicht schade, ihren Plan aufzugeben, wo nur noch ein paar Schubladen zu öffnen blieben? Seufzend griff sie nach dem Schraubenzieher.

Die Kataloge der Sämereien, die alten Rechnungen und verschiedene Ausstellungskataloge in der oberen und der mittleren Schublade interessierten sie nicht. Die unterste Schublade war bis zum Rand mit dicken Aktenordnern gefüllt, die Emma lustlos betrachtete. Trotzdem griff sie mit beiden Händen unter den Stapel und zog ihn nach vorne, um die Reihenfolge der Mappen nicht zu verändern. Dabei fiel ihr auf, dass in dem Spalt zwischen den Mappen und dem hinteren Ende der Schublade etwas Weißes, Weiches steckte, ein zusammengerolltes Stück Mull. Vorsichtig nahm sie den Stoff heraus und stellte fest, dass etwas, was immer darin eingepackt war, raschelte. Zerrissenes Papier?

Plötzlich erinnerte sie sich, dass sie dieses seltsame Stück Stoff in einer früheren Nacht in den Händen von Suraj Singh gesehen hatte. Neugierig entrollte sie den Stoff und nahm den Inhalt heraus – ein zusammengerolltes leeres Blatt, in dem sich ein Durcheinander von Papierstreifen befand, die sich wie Luftschlangen ineinander verschlungen hatten. Auf dem weißen Blatt Papier stand nichts außer einem Namen. Diesen Namen kannte sie: Jeremy Butterfield.

Schnell strich sie einen der Papierstreifen glatt und betrachtete ihn im Lampenschein. Er war eng beschrieben. Einen Moment, nur einen Moment lang starrte sie verwirrt auf die Buchstaben und Worte. Dann erstarrte sie. Es war die Handschrift ihres Vaters!

Emma glaubte instinktiv, sich getäuscht zu haben. Sie zog die Lampe näher und betrachtete die dicht gedrängten Buchstaben genauer. Nein, sie hatte sich nicht getäuscht. Es war tatsächlich die Handschrift ihres Vaters, die sie so gut kannte wie ihre eigene. Aber das war unmöglich!

Emma lehnte sich auf dem Stuhl zurück. Sie konnte den Blick nicht von dem Durcheinander der Papierstreifen auf dem Schreibtisch lösen. Sie gab sich keine Mühe zu entziffern, was darauf geschrieben stand. Es wäre ihr auch nicht gelungen. Die Buchstaben verschwammen ihr vor den Augen.

Sie musste das Schließband wieder angeschraubt und zuerst den Schreibtisch und dann die Badezimmertür verschlossen haben, doch sie konnte sich nicht daran erinnern. Überrascht stellte sie plötzlich fest, dass sie sich in ihrem Arbeitszimmer im ersten Stock befand. Das Blatt Papier mit den Streifen hielt sie immer noch in der Hand. Sie stand eine Weile am offenen Fenster und blickte hinaus in die Nacht. Sie nahm die Dunkelheit in sich auf, die glatt und kühl ihre Wangen umgab. Die Nacht erwiderte stumm ihren Blick. Die kantigen zerklüfteten Berghänge boten keine Erklärung, die ihr geholfen hätte, mit ihrem Verstand eine wachsende Gewissheit zu erfassen, die zu ungeheuerlich und deshalb nicht zu glauben war.

Sie schlang die Arme um ihren Körper, um das Zittern zu unterdrücken. Sie zwang sich zu einer empfindungslosen Ruhe, zündete eine Lampe an und legte das Papier auf den Schreibtisch. Sie zog ein paar Streifen heraus, bügelte sie glatt und untersuchte sie näher. Ein Wort sprang ihr sofort entgegen.

»Jasmina ...«

Etwas Kaltes, Bedrohliches legte sich über sie wie ein Tuch. Was als leichte Verwirrung begonnen hatte, bekam erschreckende Ausmaße. Eine Woge der Übelkeit schlug über ihr zusammen. Sie hatte das schreckliche Gefühl von einer bevorstehenden Katastrophe. Welche Verbindung bestand zwischen ihrem Vater und dem Jasminapass? Sie hatte diese Papiere nie zuvor gesehen. Woher konnte Damien von ihnen gewusst haben? Und wie waren sie überhaupt in den Schreibtisch gekommen?

Warum?

Sechzehntes Kapitel

Conolly begann zu packen und beschränkte sich dabei auf das Nötigste: Revolver, Geldgürtel, Schreibutensilien, Fernglas, Krummdolch, Kompass, ein paar Kleidungsstücke, ein Mantel, Wasserflaschen und etwas Essen. Sein Gehilfe nahm die Ankündigung, Conolly beabsichtige, in den Dörfern im Norden Patienten zu besuchen, wie er es manchmal tat, ohne Verwunderung auf. Die mit Medikamenten gefüllte Arzttasche, die gewölbten Satteltaschen und der kleine, mit allem Möglichen voll gestopfte Koffer blieben unkommentiert.

»Ich werde ein paar Tage unterwegs sein«, sagte er zu seinem Gehilfen. »Hanif Khans kleiner Sohn braucht das Mittel gegen seine Anfälle, und du wirst dich auch um andere kümmern müssen. Wenn ich beschließe, Patienten in der weiteren Umgebung des Sees zu besuchen, werde ich vielleicht noch später zurückkommen.«

Er hinterließ die üblichen Anweisungen und ritt am nächsten Tag im Morgengrauen in Richtung Norden. Dabei achtete er darauf, entlang der Straße so viel Aufmerksamkeit wie möglich zu erregen, besonders an der Grenzstation, wo man ihn kannte. Hatten die Wachposten gehört, fragte er, dass ein paar russische Halunken dabei entdeckt worden waren, wie sie nahe Irkhestam über die Grenze hatten schleichen wollen? Die Männer gestanden besorgt, dass sie nichts davon gehört hatten, versprachen aber, sofort Nachforschungen anzustellen.

Er besuchte den ganzen Tag über seine vielen Patienten im ersten Dorf im Norden. Dann kündigte er an, er beabsichtige weiterzureiten, da ihn noch andere Kranke erwarteten. Bald nach Einbruch der Dunkelheit kehrte er jedoch auf einem längeren und weniger frequentierten Weg nach Kaschgar zurück. Er erreichte das Nordtor im Morgengrauen und ritt geradewegs zum Friedhof, wo er sich schon zuvor ein Versteck ausgesucht hatte. Dort blieb er bis zum nächsten Abend.

Der erste Teil des Plans war erfolgreich abgeschlossen, und Conolly bereitete sich auf den zweiten vor. Nach all seinen Befürchtungen im Hinblick auf Chin Wangs Absichten stellte er abends zu seiner ungeheuren Erleichterung fest, dass die Habgier schließlich doch gesiegt hatte. Der Koch erschien wie verabredet um sieben Uhr im Aprikosengarten. Chin Wang berichtete, das Fest im Palast sei in vollem Gange. Niemand hatte Verdacht geschöpft. Dschingis war, wie vorausgesagt, bald nach dem Mittagessen verschwunden und noch nicht wieder aufgetaucht.

»Das restliche Geld?« Der Koch streckte die Hand aus.

»Nicht jetzt. Es gibt noch mehr zu tun. Zieh dich aus.«

»Was?«

Es musste rasch ein neuer Handel abgeschlossen werden, bevor sich der aufgebrachte Koch bereitfand, sich von seinen Kleidern zu trennen. »Du wartest hier, bis ich zurück bin«, sagte Conolly und warf dem zitternden Chin Wang seinen Mantel zu.

»Das Geld …«

»Wenn ich zurückkomme.«

In chinesischen Kleidern, mit einer chinesischen Mütze auf dem Kopf und vermummtem Gesicht legte sich Conolly die Tragstange über die Schultern, an der links und rechts die Essenskörbe hingen. Mit einem stummen Gebet machte er sich kühn auf den Weg zum Haupttor.

»Macht auf, macht auf!«, rief er barsch. »Ich bringe das Abendessen für die Dame.«

Einer der Wächter sah ihn misstrauisch an. »Wer bist du?«

»Li, der neue Gehilfe von Chin.«

»Und wo ist Dschingis?«

»Krank, oder zumindest tut er so. Als hätte ich heute Abend nicht genug zu tun, bei fünfzig Gästen und fünfundsiebzig Hühnchen, die …«

»Schon gut, schon gut, komm rein.«

Das Tor wurde geöffnet, und Conolly ging immer noch schimpfend hinein.

Die Räume, die der Gast nach Chin Wangs Aussage bewohnte, waren von den ordentlich geschnittenen Hecken eines hübschen Rosengartens umgeben. Padshah Khan, der zu seinem abendlichen Ausflug auf dem Basar aufgebrochen war, um dort zu trinken, arbeitete offensichtlich schwer, um seinen Lohn zu verdienen. Conolly passierte zwei weitere Posten. Sie würdigten ihn keines Blickes und winkten ihn durch. Auf der Veranda saß eine Chinesin im mittleren Alter, die ihn feindselig ansah. Sie stützte die Ellbogen auf die Balustrade und musterte ihn misstrauisch. Conolly vergrub das Gesicht noch tiefer in dem Halstuch.

»Wer bist du?«, fragte sie herrisch.

»Li, der neue Gehilfe.«

»Wo ist Dschingis?«

Conolly wiederholte seine Klagen und nahm missmutig die Körbe ab. Fluchend erklärte er, dass er keine Zeit für unnötiges Gerede habe. Sie nahm das Essen, machte eine bissige Bemerkung über seine schlechte Laune und befahl ihm zu warten, bis sie das leere Geschirr zurückbringen würde. Conollys Herz schlug wie eine Kesselpauke. Er hockte sich in eine Ecke der Veranda und benutzte die folgenden vierzig Minuten, um sich auf den nächsten Schritt, den bislang wichtigsten, vorzubereiten. Als die Frau zurückkam, war er bereit. In arrogantem Schweigen stellte sie das Geschirr vor ihm auf den Boden, drehte sich um und wollte ins Haus zurückgehen.

So weit, so gut. Jetzt kam der schwierige Augenblick. »Warte ...«

»Was gibt es?« Sie blieb auf halbem Weg zur Tür stehen.

»Stammt die Serviette von hier oder aus dem Palast?«

Er hielt ein Stück Stoff hoch. Als sie den Kopf senkte, um besser sehen zu können, fasste er sie mit einer Hand am Hinterkopf, hielt ihn fest und drückte ihr gleichzeitig das Tuch auf Mund und Nase. Sie kämpfte wie eine Tigerin, aber nicht lange. Das Chloroform begann zu wirken, ihre Knie gaben nach, und sie wurde schlaff. Conolly warf die Serviette beiseite und schleppte sie in eine von der Balustrade verborgene Ecke. Dort fesselte er sie an Händen und Füßen und steckte ihr einen Knebel in den Mund. Dann hob er die Serviette auf und eilte ins Haus.

Conolly wusste, die nächsten Momente waren der größte Schwachpunkt in seinem Plan. Er hatte keine Vorstellung, wie die gefangene Frau auf sein plötzliches Erscheinen reagieren würde. Sie mochte Erklärungen verlangen und kostbare Zeit verschwenden. Sie mochte schreien und sich wehren. In diesem Fall würde er wieder das Chloroform anwenden müssen. Andererseits mochte sie unter Opium stehen. In beiden Fällen musste er sie durch den Garten tragen, über die Mauer hieven und zum Aprikosengarten schleppen.

Der Raum wirkte auf den ersten Blick leer. Dann sah er im Licht der einzigen brennenden Lampe eine Gestalt vor dem vergitterten Fenster an der Wand gegenüber der Tür. Auf einem Tisch standen Teller und Schüsseln mit Essensresten. Mehr konnte er von dem Zimmer nicht erkennen. Die Frau drehte sich um.

»Ich habe keine Zeit für Erklärungen«, sagte er hastig auf Russisch und, wie er hoffte, in einem beruhigenden Ton. »Aber wenn Sie von hier fliehen wollen, dann müssen Sie schnell mit mir kommen.«

Die Frau sah ihn mit großen angstvollen Augen an und rührte sich nicht von der Stelle.

»Hören Sie zu«, sagte er und zwang sich, ruhig zu klingen, »die Männer, die Sie hierher gebracht haben, sind böse! Ich bin gekommen, um Sie in Sicherheit zu bringen.«

Sie reagierte immer noch nicht, doch sie blickte verwirrt auf seine wenig einnehmende Erscheinung. Ihre ängstlichen Augen sahen ihn zweifelnd von Kopf bis Fuß an.

»Keine Sorge, ich bin kein Chinese.« Conolly zog schnell die Vermummung von seinem Gesicht. »Ich bin ein … ein Freund des Oberst. Er hat mich geschickt, um Sie zurück nach Taschkent zu bringen. Wir müssen uns beeilen.«

Schließlich öffnete sie den Mund und fragte ebenfalls auf Russisch: »Wo bin ich hier?«

»In Kaschgar. Die Chinesen haben Sie aus Taschkent hierher gebracht.«

»Der Gärtner sagte, der Oberst hätte nach mir geschickt.«

»Das war gelogen. Diese Männer sind Feinde des Oberst, Feinde Russlands, Feinde ... des armenischen Volkes ...« Er kam sich wie ein Esel vor, aber er spürte auch, wie seine Panik wuchs. »Man hat Sie getäuscht. Sie müssen mit mir gehen!«

»Wo ist Oberst Borokow?«

So hieß er also! Padshah Khan kannte ihn offensichtlich nur als den Oberst. »In Taschkent.«

»Weiß er, dass man mich hierher gebracht hat?«

»O ja. Er hat mich geschickt, um Sie zu befreien und zurückzubringen.«

»Nach Taschkent?«

»Ja, ja, natürlich nach Taschkent. Aber wir haben keine Zeit zu verlieren. Wir müssen sofort weg von hier, sonst kommen die Wachen, und dann wird der Oberst sehr, wirklich *sehr* böse sein. Vertrauen Sie mir, bitte!«

Das schien zu wirken. Ohne ein weiteres Wort verschwand sie im Nebenzimmer und kam nach wenigen Augenblicken mit einer kleinen Kiste zurück.

Conolly fiel ein Stein vom Herzen. »Wir müssen sehr leise sein. Sie müssen genau das tun, was ich sage ...«

»Die chinesische Zofe?«

»Um die habe ich mich gekümmert.«

Auf der Veranda packte er die bewusstlose Frau an den Beinen und begann, sie ins Haus zu ziehen. Sie hatte ein beachtliches Gewicht. Sein neuer Schützling fasste die Zofe unaufgefordert unter den Armen und half ihm. Sie wirkte jetzt sehr gefasst und erfreulich ruhig. Nur ihre Augen glänzten ungewöhnlich hell, und sie atmete stoßweise. Sie legten die Zofe auf das Bett, banden sie am Gestell fest und löschten die Lampe. Dann eilten sie wieder hinaus auf die Veranda. Conolly verriegelte die Tür von außen.

Wenn die Tür geschlossen und das Licht gelöscht war, würden die

Wachen auf ihrem Rundgang annehmen, dass beide Frauen nach dem Essen zu Bett gegangen waren und schliefen.

Conolly stellte die Gefäße wieder in die Körbe und legte sich die Tragstange über die Schulter, als plötzlich ein Posten um die Ecke kam. Conolly drückte die Frau gerade noch rechtzeitig hinter die Balustrade und vermummte sein Gesicht.

»Sie sind fertig mit dem Essen!?« Der Posten stand am Fuß der Treppe und wollte auf die Veranda kommen.

»Ja, und wie du siehst, haben sie sich schlafen gelegt.« Bevor der Mann einen Schritt tun konnte, kam Conolly mit der Tragstange nach unten. »Ich will gerade das Geschirr zurückbringen.«

Der Posten runzelte die Stirn. »Dschingis überlässt uns immer die Reste«, sagte er missmutig.

Conolly zögerte und warf einen besorgten Blick über die Schulter. »Also gut, solange der alte Drachen dich nicht sieht. Aber geht alle in die Wachstube und esst dort.«

Der Wachposten griff gierig nach den Körben. »Warte am Tor auf das Geschirr.«

»Das Geschirr?« Conolly war für den Bruchteil einer Sekunde ratlos. Dieses Problem hatte er nicht vorausgesehen. »Mach dir deshalb keine Sorgen«, sagte er und dachte blitzschnell nach. »Ich hole es morgen früh ab. Im Palast gibt es genug davon.«

Conolly brauchte weitere fünf Minuten, um durch das Haupttor hinauszugehen und zum Obstgarten hinter dem Haus zu rennen, wo Chin Wang zitternd in Mantel und Unterwäsche wartete. Sie zogen sich ins Gebüsch zurück, um die Kleider zu wechseln.

»Ist das alles?«, fragte der Koch.

»Ja.«

»Das restliche Geld ...«

Conolly gab ihm einen zweiten, schwereren Beutel.

Der Koch grinste. »Kann ich jetzt gehen?«

»Ja.«

»Wissen die Männer, dass sie nicht so fest zuschlagen sollen?«

»Ja.«

»Wo ist das leere Geschirr? Wenn ich es nicht zurückbringe, wird man glauben, ich hätte es gestohlen.«

»Keine Sorge, es ist bei den Wachen. Ich habe ihnen gesagt, es wird morgen früh abgeholt.«

Der Koch sah Conolly ängstlich an. »Und ich werde auch bestimmt nicht damit in Verbindung gebracht?«

»Nicht, solange du bei deiner Geschichte bleibst. Vergiss nicht, auf dem Weg zum Chini Bagh bist du von zwei Männern überfallen worden. Du hast keine Ahnung, wer dieser Li sein könnte, der das Essen in den Chini Bagh gebracht hat, aber er steht offensichtlich mit den Banditen im Bund. Außer dass sie Russisch gesprochen haben, weißt du nichts. Du bist im Graben wieder zu dir gekommen, und das Essen war verschwunden. Denk daran, beeil dich nicht, zum Palast zurückzukommen. Lass dir viel, sehr viel Zeit.«

Der Koch wollte glücklich mit seinem sauer verdienten Lohn davoneilen. Als er sich umdrehte, griff Conolly nach einem bereitliegenden Ast und schlug ihm damit auf den Hinterkopf. Chin Wang sank mit einem lauten Stöhnen ins Gebüsch. Conolly hielt die Luft an, drückte dem Koch das mit Chloroform getränkte Tuch auf das Gesicht und wartete einige Augenblicke. Doch es kam niemand, um nachzusehen, und er atmete erleichtert auf.

Zwischen den Büschen, die den Obstgarten einrahmten, zog er einen Handkarren mit einer glatten Ladefläche hervor und zwei Bündel. Den Karren hatte er vor ein paar Tagen von einem seiner Patienten erworben, der damit die erfolgreiche Behandlung schmerzhafter Geschwüre bezahlt hatte. Angeblich hatte Conolly plötzlich seine Liebe zum Gärtnern entdeckt und wollte mit dem Karren Pflanzen transportieren. Bei den Bündeln handelte es sich um alte Kleider, die er auf dem Markt für eine nicht existierende arme Familie aus seinem Patientenkreis gekauft hatte. Conolly hatte die Räder des Karrens frisch geölt und ihn in der Nacht vor seinem Aufbruch nach Norden im Schutz des Regens und bis zur Unkenntlichkeit verkleidet hier versteckt und dabei gebetet, dass niemand ihn entdecken möge. So war es auch geschehen.

Er zog einen langen Überrock mit einem Gürtel und eine weite Hose an, band sich rasch einen Turban um und packte seine Sachen zu den anderen Kleidern. Er rannte durch den Obstgarten, kletterte über das hintere Tor und ging zurück zur Veranda. Es beruhigte ihn, dass die Wachen alle beim Essen in der Wachstube waren. Die Frau wartete geduldig genau dort, wo er sie zurückgelassen hatte.

»Braves Mädchen«, murmelt er erfreut.

Der Rückweg stellte kein Problem dar. Fünf Minuten später waren sie beide über das Tor geklettert und befanden sich im sicheren Obstgarten. Sie erreichten die Stelle, wo der Koch lag. Die Frau blieb stehen und starrte entsetzt auf den Bewusstlosen.

»Er ist nicht tot«, sagte Conolly beruhigend. »Es ist zu kompliziert, das jetzt alles zu erklären. Aber er ist gut dafür bezahlt worden.«

Kurze Zeit später hatten sie Chin Wang behutsam in den Graben gelegt, der den Obstgarten von dem holprigen Weg trennte. Vorsichtshalber platzierte Conolly eine mottenzerfressene russische Waschbärpelzmütze neben ihm, die ebenfalls vom Markt stammte.

Dann sah sich Conolly aufmerksam um. Im Norden, über dem Bach, befanden sich eine Reihe von Lößhängen, an denen sich Lehmhütten drängten. Dahinter lagen Felder, Obstgärten und die Wüste Takla Makan. Im Südwesten glänzten die fernen schneebedeckten Gipfel des Pamir, und im Westen konnte man an klaren Tagen die Tian-Shan-Berge sehen. In der Dunkelheit klingelten irgendwo, vermutlich in der Karawanserei auf dem Basar, Kamelglöckchen, aber sonst war alles still.

Er wandte sich der Frau zu. »Ist Ihnen warm genug?«

»Ja.«

»Wenn nicht, gibt es hier genug Wollsachen. Legen Sie sich auf den Karren.«

Sie kletterte ohne Widerrede auf den Karren, zog die Beine an, damit sie nicht über die Ladefläche hinausragten, und blieb still liegen, als Conolly die Kleider über sie breitete. Es war spät, ein feiner Nieselregen fiel, und die Nachtluft war feucht. Es war kein Mensch zu sehen. Conolly hatte das Gefühl, es müsse mindestens schon Mitternacht sein, doch als er auf die Uhr blickte, sah er erstaunt und erfreut, dass es noch nicht einmal neun Uhr war.

Mit Glück würden sie bei Tagesanbruch auf ihrem Weg nach Yarkand bereits den Rand der Takla-Makan-Wüste erreicht haben.

Conolly zwang sich, langsam zu gehen, als er den Karren auf dem Weg vom Chini Bagh in Richtung Yarwakh Durwaza, dem Nordtor der Stadt, schob. Es waren nur wenige Leute unterwegs. Ein Mann winkte bei dem vertrauten Anblick des Wäschers, der seinen Karren am späten Abend vom Fluss nach Hause schob.

Der Friedhof, in dem Conolly sich tagsüber versteckt hatte, erstreckte sich vor dem Stadttor zu beiden Seiten der Straße zumindest eineinhalb Meilen weit nach Norden. Conolly suchte sich im schwachen Licht der Sterne vorsichtig seinen Weg zwischen den vielen tausend Grabsteinen, kam an der Moschee mit der grünen Kuppel vorbei, bis er schließlich sein Versteck erreichte.

Es war eines der mehreren hundert Mausoleen, die den Reicheren gehörten. Den Eingang überspannte ein weiter Bogen, und zwischen den einzelnen Kenotaphen war viel freier Raum. Conolly schob den Karren ins Innere, hielt den Atem an und lauschte. Aus dem Dunkel drang ein leises, leicht vorwurfsvolles Wiehern, und er atmete erleichtert auf. Die abergläubischen Vorstellungen der Einheimischen sorgten dafür, dass sich nach Einbruch der Dunkelheit niemand in die riesige Totenstadt wagte, wenn nicht Trauerrituale es erforderten. Glücklicherweise waren die an diesem Tag Verstorbenen so rücksichtsvoll gewesen, es frühzeitig genug zu tun. Sein Pferd, das er am Abend hier angebunden zurückgelassen hatte, war jedenfalls unentdeckt geblieben. Er warf die Kleider vom Karren.

»Ist alles in Ordnung?«, fragte er aufrichtig besorgt.

Die Frau hob den Kopf und nickte.

»Haben Sie ein Paar ordentliche Stiefel?«

»In meiner Kiste.«

»Gut. Ziehen Sie die Stiefel an. Und das auch.« Er reichte ihr eine dicke wollene Strickjacke und eine Hose aus einem derben Stoff. »Das werden Sie in der Wüste brauchen.« Er öffnete seine Arzttasche, nahm eine Wundschere heraus und sah sie entschuldigend an. »Es ist ein zu großes Risiko, wenn Sie als Frau reisen …«

Sie nahm ihm die Schere aus der Hand, löste den dicken Zopf, der um ihren Kopf lag, und schnitt nach kurzem Zögern die Haare dicht über dem Kopf ab. Conolly beobachtete sie stumm und bewunderte ihre praktische Art, das stillschweigende Erfassen der Situation und den Mangel an weiblicher Eitelkeit. Bisher hatte er noch keine Zeit gehabt, sie eingehender zu betrachten, obwohl er aus ihrer Stimme geschlossen hatte, dass sie noch nicht alt sein konnte. Als er jetzt im Schein der Laterne ihr Gesicht betrachtete, staunte er über ihre Jugend. Eigentlich war sie noch ein Mädchen, wahrscheinlich nicht einmal zwanzig Jahre alt!

Nachdem sie ihre Haare kurz genug geschnitten hatte, wickelte sie den Zopf in ein Kopftuch und gab ihn Conolly. »Wir sollten die Haare lieber eingraben. Es wäre nicht gut, wenn man sie hier finden würde.«

Er nickte zustimmend, stopfte das Tuch in die Satteltasche und führte sein Pferd am Zügel aus dem Grabmal. Als er einige Minuten später zurückkam, trug sie Hose und Jacke, hatte sich ein Tuch wie einen Turban um den Kopf gewunden und sich in einen Jungen verwandelt.

Conolly lachte. »Das wirkt wirklich sehr überzeugend!« Er schob den Karren in eine Ecke zwischen einen Kenotaph und die Mauer. Es würde Tage, vielleicht Wochen dauern, bis man ihn entdeckte.

»Übrigens, wie heißen Sie?«

»Iwana Iwanowa.«

Er runzelte die Stirn. »Ein russischer Name?«

»Der Oberst hat ihn mir gegeben.«

Conolly lagen viele andere Fragen auf der Zunge, aber dafür war jetzt keine Zeit.

Der kürzeste Weg von Kaschgar nach Yarkand war zweihundert Meilen lang und führte durch den westlichen Rand der Takla-Makan-Wüste. Es war natürlich zu gefährlich, sich in die Altstadt zu wagen, wo sich die Karawanserei befand. Deshalb hatte Conolly mit dem Führer der Karawane vereinbart, dass er sich mit einem Begleiter ein paar Meilen vor der Stadt seiner Karawane anschließen würde. Der Mann stammte aus Yarkand und brachte Conolly gelegentlich Informationen aus Taschkent. Er hatte gegen Conollys Vorschlag natürlich nichts einzuwenden gehabt. Conolly wusste sehr wohl, dass man gründliche Nachforschungen über das Verschwinden der Frau und später auch über seines anstellen würde. Der Taotai war kein Dummkopf. Aber angesichts seiner krankhaften Angst vor einer russischen Infiltration würde Chin Wangs traurige Geschichte ihn zwingen, mit den Untersuchungen an der Grenze zu beginnen. Später würde man auch in den Dörfern im Norden Erkundigungen einziehen und fragen, ob Conolly dort gesehen worden sei. Es würden jedoch mehrere Tage vergehen, bevor man die Täuschung erkannte. Und zu dieser Zeit würden sie sich bereits weit jenseits der chinesischen Grenze befinden. Zumindest betete Conolly inbrünstig, dass es so sein möge.

Auf turki bedeutet Takla Makan: »Wer hineingeht, kommt nicht mehr heraus«, und das mit gutem Grund. Die Wüste war als ein großer Friedhof bekannt, als ein abschreckendes Gemeinschaftsgrab für Tausende von Leichen, die gut erhalten im Sand ruhten. Leute mit einer blühenden Phantasie schworen, dass die Nachtwinde den Lebenden immer noch schauerliche Geschichten von längst vergessenen Männern und Fürsten ins Ohr flüsterten, die in der Wüste ein tragisches Ende gefunden hatten. Conolly war nicht abergläubisch, aber er atmete erst erleichtert auf, als die alte Ruine aus Ziegelsteinen vor ihnen auftauchte, wo sie zur Karawane stoßen sollten.

Die beiden Flüchtlinge setzten sich zu einem kargen Mahl auf die Steine und tranken durstig von ihrem Wasser, als Iwana plötzlich sagte: »Sie haben meinetwegen eine Menge großer Schwierigkeiten auf sich genommen.«

Conolly wusste nicht, was er darauf erwidern sollte, und lächelte nur.

»Warum?«

»Weil Ihr, hm, Oberst es mir befohlen hat.«

Sie dachte stumm darüber nach. »Wer sind Sie?«

»Sagen wir einfach, ich bin ein Freund.«

Sie nickte und stellte keine weiteren Fragen mehr. Sie erkundigte sich nicht einmal nach seinem Namen. Sie akzeptierte alles und vertraute ihm so rückhaltlos wie ein unschuldiges Kind, das liebevoll die Hand seiner Eltern ergreift, und Conolly empfand deshalb ein unterschwelliges Unbehagen. Was würde sie von ihm denken, wenn sie die Wahrheit herausfand, wenn sie erfuhr, dass er sie belogen hatte? Schließlich wollte er sie nicht nach Taschkent, sondern nach Leh bringen!

Er fragte sich wie schon so oft, wer diese seltsame Frau – dieses seltsame Mädchen – war, die nicht einmal ihren richtigen Namen kannte. Weshalb war sie für jedermann von so großer Bedeutung? Und wie zum Teufel konnte jemand, der so unschuldig und unberührt war wie sie, in ein so brutales Geschäft, in eine internationale Intrige verwickelt sein?

*

An Schlaf war nicht zu denken.

Schließlich wich die Betäubung. Emma stand vom Schreibtisch auf, wusch sich das Gesicht und die leeren, traumwandlerischen Augen mit kaltem Wasser und setzte sich wieder. Irgendwie musste sie den Schock verwinden und einen klaren Kopf bekommen. Die Fähigkeit zu denken war das Einzige, was ihr geblieben war. Die konnte sie nicht aufs Spiel setzen. Sie zwang sich, logisch zu denken, und begann, das Gewirr der Papierstreifen auf ihrem Schreibtisch sorgfältig zu glätten.

Sie kannte das Papier. Es stammte von einem der linierten Notizblöcke, die ihr Vater benutzt hatte. Die Blätter waren entlang der Linien zerschnitten, und die Streifen hatten mehr oder weniger die gleiche Länge. Insgesamt waren es fünfunddreißig auf beiden Seiten eng beschriebene Streifen. Emma legte sie beiseite und ging daran, sie wie ein Puzzle zusammenzusetzen.

Sie war mit dem unleserlichen Gekritzel ihres Vaters vertraut, doch die Schrift auf den Streifen ließ sich besonders schwer entziffern. Die

Buchstaben waren klein, die Schrift unregelmäßig, und die Sätze gingen wirr ineinander über, als seien sie bei schwachem Licht oder von unsicherer Hand geschrieben. Manche waren am Zeilenende nicht abgeschlossen, und Emmas Aufgabe wurde zusätzlich dadurch erschwert, dass die Blätter erst, nachdem sie beschrieben worden waren, zerschnitten wurden.

Trotzdem arbeitete sie mit einer nie gekannten Ausdauer, und allmählich zeichnete sich in dem Durcheinander eine Struktur ab. Der gesamte Text war nicht sehr lang, alles in allem nur sieben ganze Blätter. Sie legte die Streifen in die richtige Reihenfolge und nummerierte sie zur Sicherheit in Rot.

Dann machte sie eine Pause und legte den Kopf an die Rückenlehne des Stuhls. Es war nicht leicht, die sachliche Haltung einzunehmen, um die sie sich bemühte. Sie wusste, früher oder später würde sich ihr Herz empören, doch das konnte sie nicht zulassen, noch nicht! Sie stand auf, trank durstig von dem Wasser in der Karaffe und wusch ihr Gesicht noch einmal, um alle Gedanken zu verscheuchen, die nichts mit der Aufgabe zu tun hatten.

Dann setzte sie sich und las, was ihr Vater geschrieben hatte.

»17. Juni 1889: Nach einem zweitägigen Marsch endlich die Nordflanke des Biafo. Eine schreckliche, knochenbrecherische Kletterei. Hier ist der Gletscher etwa zwei Meilen breit, furchteinflößend, ihn zu überqueren. Unvorstellbare Öde. Ein wilder, urzeitlicher Ort, ein *toter* Ort, doch erfüllt von Geräuschen und Bewegung: stürzende Felsbrocken, donnernde Lawinen, uranfängliche Umwälzungen im Innern des Berges, erschreckende Erdverschiebungen, die alte Klüfte schließen und neue entstehen lassen. Gletscheroberfläche tief gefurcht, Wellen eines überfrorenen Meeres. Tief unter der Oberfläche blassgrüne Eisteiche. Gähnende Abgründe, deren Tiefen im Dunkel verschwinden, ihre Wände gespickt mit langen grünen Eiszapfen so spitz wie Degen. Hinter wehenden Nebelschwaden verdunkeln die Klippen und Felswände den Tag. Der Berg lebt, eine Welt bricht auseinander. Bitter, bitter kalt.

Wieder braut sich ein Schneesturm zusammen. Sicht schlecht. Bingham und die anderen folgen. Die Kälte höhlt mich aus, lässt das Blut und den Atem und jede Zelle des Körpers gefrieren. Ich habe Glück. Ein Loch im Felsen, eine Höhle über einem Felsvorsprung bietet Schutz. Dort sitze ich jetzt zusammengekauert und schreibe. Das Licht verblasst und schwindet schnell. Der Schneesturm tobt. Er wird wohl die ganze Nacht andauern. Genug Essen für vier Tage. Kein Feuer.«

»18. Juni: Schneesturm lässt nach. Kein Zeichen von den anderen. Sicht immer noch schlecht. Sehne mich nach Tee! Darf mich nicht beklagen.«

»19. Juni: Immer noch kein Hinweis auf Bingham. Haben sie sich verirrt oder ich mich? Eiseskälte, aber eine blasse, milchige Sonne. Ich habe Besuch. Ein Junge. Er ist aus Hunza und spricht Burischaski. Er ist versessen auf mein Fernglas, und ich muss aufpassen. Ich will es nicht verlieren. Er sagt, das ist ein böser *Ort*. Wiederholt das immer wieder, kann es aber nicht erklären. Er ist Mohammedaner, könnte er das alte Kloster der Ungläubigen, der Buddhisten meinen? Ich unterziehe ihn einem regelrechten Kreuzverhör, aber er weiß nichts von einem Kloster. Was ist das für ein ›böser Ort‹? Schließlich hole ich es aus ihm heraus. Der Jasminapass, sagt er. Selbstverständlich glaube ich ihm nicht!

Ich kann keinen Pass erkennen, aber er beharrt darauf. Er sagt, er wird ihn mir zeigen, wenn ich ihm mein Fernglas gebe. Ich lehne ab. Ich weiß, er will mich überlisten. Trotzdem blicke ich mit dem Fernglas nach oben, dorthin, wo er mit dem Finger zeigt. In der Felswand ist eine Spalte, beinahe ein Riss, mit bloßem Auge kaum zu erkennen. Was ist das? Es sieht merkwürdig aus.«

»20. Juni: Strahlender Sonnenschein, blauer Himmel. Das schlechte Wetter ist vorüber. Der Schnee blendet. Dieser Tag ist weniger trostlos und weniger bedrohlich. Bin zutiefst beeindruckt von der Erhabenheit des Ehrfurcht einflößenden Bergreichs. Der Junge ist verschwunden. Mein Fernglas auch! Ich bin wütend, kann aber nichts tun. Ich bin sicher, heute wird mich Bingham finden. Ich darf nicht umherwandern. Während ich warte, denke ich über die Worte des

Jungen nach. Ich kann meine Neugier nicht bezähmen. Ich klettere einen glatten Hang im Norden hinauf, ich schätze dreihundert bis dreihundertfünfzig Meter hoch. Ein schmaler Zickzackpfad. Steinig. Große Felsbrocken. Ein schmaler Felsvorsprung. Ich bin jetzt mehr als dreitausend Meter über dem Meeresspiegel. Mein Thermometer zeigt Minus fünfundvierzig Grad.

Vor mir befindet sich die schmale Spalte, wie von Menschenhand in den Fels geschnitten. Die Öffnung eng, nicht weiter als drei Meter. Senkrechte Felswände neigen sich darüber nach innen, bis sie sich beinahe berühren. Unebener schlüpfriger Grund, scharfe Felskanten, tiefe Löcher, dicke Eis- und Schneekrusten. Ich bewege mich sehr vorsichtig, komme langsam vorwärts. Der Schacht macht eine Biegung nach rechts. Echos. Sehr wenig Licht. Oben eine dünne blaue Linie. Gespenstisch, böse, furchteinflößend. Ich fühle mich nicht wohl. Das Wetter verschlechtert sich wieder, es ist dunkel. Ich kann nicht weiter und kehre um. Beinahe Mittag.

Ich erschrecke. Helles, überirdisches Licht erfüllt die Felsrinne. Ich habe Angst, aber es ist die Sonne auf ihrem höchsten Stand, direkt über mir. Schleier von Sonnenlicht fallen auf den Boden. Erreichen die Nordwand. Sie glänzt. Nässe? Das Licht schwindet. Die Düsterkeit kommt zurück. Es ist zwanzig Minuten nach zwölf Uhr. Darf nur wenig essen. Getrocknetes Fleisch. Die letzten altbackenen Chappatis. Gott, erbarme dich!

Ich kehre zum Felsvorsprung zurück. Muss die Außenwand hochklettern. Nicht heute. Keine Kraft mehr. Schwieriger Neigungswinkel. Ich bin erschöpft. Morgen, wenn ich noch lebe. Führt der Schacht zum Jasminapass? Weiß nicht. Leider keine Instrumente. Meine Kräfte und mein Leben schwinden. Ich frage mich, ob es nicht so vorherbestimmt ist. In dieser unmenschlichen Welt steckt eine teuflische Absicht, und ich sitze in der Falle. Brauche einen höheren Geist als den eigenen, der mich leitet. Ich fürchte, er wird es nicht tun. Ich bin zu weit vorgedrungen. Das hätte ich nicht tun dürfen. Die Götter werden mir das nicht verzeihen.«

»22. Juni: Beinahe erfroren. Im Kopf dreht sich alles. Kein Essen mehr. Kann nicht laufen. Muss die Gletscherzunge erreichen. Kann ich es schaffen? Das Schicksal liegt im Schoß der Götter. Der Himmel sei meiner Seele gnädig. Gott segne meine Familie. Sagt ihnen, ich kann nicht …«

Die Schrift wurde unleserlich und brach ab. Es war das Ende des Tagebuchs, das Ende des eigentlichen Testaments ihres Vaters.

Das Ende seines Lebens.

Erfasst von Trauer und einer qualvollen Empfindung des Verlusts erstickte Emma noch einmal ihre Gefühle. Den Luxus von Tränen konnte sie sich nicht leisten, noch nicht. Es mussten Fragen gestellt, Antworten gefunden und Rätsel gelöst werden. Auf der Suche nach Lösungen öffnete sie die Tür zu all ihren Kümmernissen und erlaubte ihrem Bewusstsein, sich rückwärts zu wenden.

Die Ankunft der Mannschaft ihres Vaters hatte eine wochenlange alptraumartige Unsicherheit beendet. Zwei Monate später suchte der Vizegouverneur sie mit der schrecklichen Nachricht auf, die ihre letzten Hoffnungen zerstörte. Männer der Bergstämme hatten die Leiche von Graham Wyncliffe auf dem Biafo in einer Felsspalte entdeckt. Die Männer hatten ihn begraben und den Kommissar in Leh davon in Kenntnis gesetzt, der die Nachricht nach Delhi telegrafierte. Emma war damals zu niedergeschlagen gewesen, um Fragen zu stellen, und außer der Tatsache, dass ihr Vater tot war, hatte sie nichts interessiert.

Die Zeitungen veröffentlichten rühmende Nachrufe, der Vizekönig hielt bei einem bewegenden, vom Amt für Altertumsforschung veranstalteten Gedächtnisgottesdienst eine Gedenkrede. Besucherströme fielen in Khyber Kothi ein, und ihre eigene Verstörung und Trauer hatten damals alles andere verdrängt.

Das mysteriöse Bündel kam später, viele Wochen später. Zwei buddhistische Mönche übergaben dem Wachmann am Tor von Khyber Kothi ein grob geschnürtes großes Paket, das an Graham Wyncliffe adressiert war. Sie eilten davon, bevor Emma sie befragen oder sich bei ihnen bedanken konnte. Alle späteren Versuche, sie ausfindig zu machen, blieben erfolglos. Emma untersuchte oberflächlich den Inhalt der Reisetasche, die sich in dem Paket befand, doch ihr kam nichts davon bekannt vor. Die Reisetasche hatte mit Sicherheit nicht ihrem Vater gehört. Doch da sie nicht in der Stimmung war, weitere Nachforschungen anzustellen, legte sie die Tasche in den großen Überseekoffer in ihrem Arbeitszimmer und dachte nicht mehr daran.

Nun hatte sie eine Erklärung für das fehlende Fernglas. Doch die Reisetasche blieb ein Rätsel, allerdings nicht mehr lange.

Emma nahm sie aus dem Metallkoffer, in dem sie so lange vergessen gelegen hatte, kippte den Inhalt auf ihren Schreibtisch und untersuchte ihn von neuem, diesmal genauer. Sie kam zu dem gleichen Schluss – weder die Kleidungsstücke, die Schuhe, die Toilettenartikel noch eine buddhistische Gebetsmühle hatten ihrem Vater gehört. In einen Stoffbeutel gestopft waren Papiere – Rechnungen, Bestandslisten, Bestellungen für alle möglichen Waren sowie eine Liste mit Namen und Adressen in Aksu, Buchara und Samarkand, die ihr wenig sagten. Auf der Rückseite einer Rechnung für Teppiche aus Khotan entdeckte sie den Namen und die Anschrift ihres Vaters, allerdings nicht von ihm selbst geschrieben. Die Rechnung war auf jemanden namens Rasul Achmed ausgestellt.

Aus den Zeitungsartikeln wusste sie, dass Rasul Achmed der Deckname des toten britischen Agenten Jeremy Butterfield gewesen war. Aber wenn die Reisetasche Butterfield gehört hatte, wieso war sie dann an die Adresse ihres Vaters in Delhi geschickt worden? Noch verwirrender war das beharrliche Leugnen der Regierung, dass der Jasminapass entdeckt worden war – das Tagebuch ihres Vaters bewies es deutlich. Und wieso wurde die Entdeckung einerseits geleugnet und andererseits behauptet, sie sei Butterfield zu verdanken, ohne dass ihr Vater überhaupt erwähnt wurde?

Emma schwirrte der Kopf. Das alles ergab keinen Sinn. Die Vorstellung, ihr Vater hätte etwas mit Butterfield und dessen Agententätigkeit zu tun gehabt, verwarf sie als absurd.

Das erste Licht enthüllte blaugraue, tief hängende Wolken. Ein kalter Regen fiel, und der Chor der Morgendämmerung stimmte zaghaft seine ersten Laute an. Emma trat durch die offene Balkontür hinaus in die kühle feuchte Luft und blickte in den fahlen Dunst. Sie hatte sich die ganze Nacht lang gezwungen, ihre Gedanken auf die Papiere zu richten, und sich jede Beschäftigung mit Damien verboten. Sie konnte und wollte die nahe liegende Tatsache nicht wahrhaben und füllte deshalb selbst jetzt ihren Kopf mit alltäglichen Dingen, um alles andere abzuwehren – eine lose Quaste des Vorhangs musste angenäht werden, Lincoln wollte ihr die Unterlagen über die Reisernte vorlegen, der Sohn von Qadir Mian hatte sie um ein Führungszeugnis gebeten, denn er wollte sich bei Dr. Bicknell zum Krankenpfleger ausbilden lassen.

Damien hatte sie belogen!

Ihr Widerstand brach in sich zusammen. Die Fragen, die sich auf ihrer kleinen Insel der inneren Sicherheit stauten, durchbrachen den Damm und überfluteten sie. Jawohl, Damien hatte sie belogen. Er hatte sie von Anfang an belogen. Wenn sie keine Ahnung von der Entdeckung ihres Vaters gehabt hatte, wie kam es, dass er davon wusste? Damien hatte ihren Vater niemals getroffen oder wenn, hatte er das ihr gegenüber nie erwähnt. Ebenso wenig wie die Aufzeichnungen! Wann waren sie in seinen Besitz gelangt? Wie und wo und weshalb?

Das Problem nahm auf einmal erschreckende Dimensionen von einer ganz anderen Bedeutung an. Sie suchte mit krampfhaft geschlossenen Augen nach Antworten, während sich in ihrem Kopf dunkle, schreckliche Verdächtigungen im Kreis drehten wie tückische Strudel, die sie in tödliche Tiefen ziehen wollten. Sie kämpfte gegen die Verzweiflung, und die Qual überflutete ihren ganzen Körper. Der Jasminapass war ihr gleichgültig, die politischen Machenschaften, die sich darum rankten, waren ihr gleichgültig. Nur Damien war ihr inzwischen nicht mehr gleichgültig, und er hatte sie betrogen.

Sie begann zu sterben. Und mit jedem Stich, den ihr die Erinnerung versetzte, starb sie ein wenig mehr.

Sie war benutzt worden. Damien hatte sie benutzt. Emma legte den Kopf auf die Schreibtischplatte und weinte.

*

Was Gilgit für Britannien war, war Osch für Russland. Gulcha, der letzte russische Außenposten vor dem Transalaigebirge, lag siebenundzwanzig Meilen von Osch entfernt und würde bald durch eine Straße damit verbunden sein. Von dort waren es für ein Heer drei Tagesmärsche bis zum Fluss Kysylsu, aber Michail Borokow schätzte, dass ein einzelner Reiter es schneller schaffen würde. Er kündigte an, er werde den Tag allein verbringen, denn er wollte das Gelände erforschen, um abschätzen zu können, wie viel Sprengstoff man für die Straße brauchen werde. Höflich lehnte er das Angebot des Kommandanten ab, der ihm eine Eskorte mitgeben wollte.

Er erreichte den höchsten Punkt auf dem Taldikpaß, von wo er einen großartigen Blick auf den Kaufmanberg hatte. Der Pass befand sich in einer Höhe von dreitausendsechshundertfünfzig Metern. Im Süden lag die Ebene des Kysylsu, wo sich der Weg zwischen dem russischen Fort in Irkhestam und Kaschgar gabelte, und im Osten sah man Murghab und den Posten Pamirski. Und dahinter, irgendwo im Innern der erschreckenden Endlosigkeit des Himalaja, befand sich sein eigentliches Ziel: Gilgit.

Borokow drehte sich um und warf einen letzten Blick zurück. In der Ferne lagen verborgen im Dunst Taschkent und die grünen Berge um das Ferghanatal, wo er viele schöne Tage verbracht hatte und oft durch die Baumwollfelder gestreift war. Seine Augen füllten sich mit Tränen. Er würde nie mehr St. Petersburg sehen, nie mehr einen Fuß auf russische Erde setzen. Doch dann wischte er sich wütend die Tränen ab und schob die Erinnerungen beiseite. Er musste jetzt weiter. Nachdem er so weit gekommen war, konnte und wollte er nicht mehr zurück. Der Jasminapass gehörte ihm. Smirnow hatte kein Recht darauf.

Er ritt hinunter zum Fluss.

Am Ufer des Kysylsu grasten Pferde auf grünen Weiden. Kirgisische Hirten lagerten schläfrig im Gras und warfen nur hin und wieder einen flüchtigen Blick auf ihre Schafe. Borokow wusste, dass die kalte frische Luft der Berge Appetit machte, und erstand für zwanzig Rubel ein Schaf. Er wartete, während es enthäutet und ausgenommen wurde. Dann legte er es quer über den Sattel und ritt weiter. Das Schaf würde ihm reichen, bis er in dem kirgisischen Dorf, das er bei einem früheren Erkundungsritt auf seiner Karte eingezeichnet hatte, Verpflegung und ein Pferd kaufen konnte. Außerdem gab es in der Steppe genug Wildenten, Rebhühner und Hasen für den Kochtopf. Er würde unterwegs nicht hungern müssen.

Er ritt zu einer Stelle am Fluss, die er bereits ausgesucht hatte, weil sie von Klippen verborgen wurde. Dort zog er die Uniform aus, legte sie über einen abgestorbenen Ast, hängte seinem Hengst einen gut gefüllten Futtersack um und band ihn an einem Busch fest. Es tat ihm Leid, sich von dem Pferd trennen zu müssen. Es war ihm ein treuer Freund und Gefährte gewesen. Doch wenn er es behielt, würde er unnötigen Verdacht erregen. Dieses Risiko wollte er nicht eingehen.

Er holte tief Luft und machte sich daran, das zu vollenden, was er begonnen hatte. Er zog ein dickes warmes Hemd an, eine weite Hose und eine gesteppte Jacke und wand sich einen Schal um den Kopf. Er war nicht eitel und dachte nur selten an sein Aussehen. Doch wenn ihm etwas missfiel, dann sein Gesicht. Es war ein unverkennbar slawisches, flaches Gesicht mit hohen Wangenknochen und einer breiten Nase. Daran ließ sich leider Gottes nur schwer etwas ändern. Er bewunderte Geheimagenten, die eine zweite Identität annehmen konnten, die fremde Sprachen beherrschten und sich als einheimische Kaufleute ausgaben, ohne aufzufallen, zum Beispiel Männer wie Jeremy Butterfield! Seine eigenen Sprachkenntnisse beschränkten sich auf ein paar Brocken der Dialekte dieser Gegend. Aber er konnte an seinem russischen Akzent ebenso wenig etwas ändern wie an seinem Gesicht.

Nachdem er umgezogen war, blickte er nicht gerade begeistert auf die endlose Einöde aus Schnee und Felsen und hässlichen Gletschern, die ihn umgab. Er war in einer fremden, ihm feindlichen Welt und sah sich eingeschlossen zwischen hohen, drohenden Bergen, die er hasste und fürchtete. Wie würde er jemals lebend aus ihren Klauen entrinnen? Er nahm seinen schweren Packen auf den Rücken, warf einen letzten tränenfeuchten Blick auf sein Pferd und marschierte los, so schnell es der steinige und trostlose Zickzackpfad erlaubte.

Borokow rechnete damit, dass man wegen seines Ausbleibens am nächsten Morgen Alarm schlagen würde. In ein oder zwei Tagen würde man sein Pferd finden und seine Kleider und Habe, die verstreut am Flussufer lagen. Die Suche nach seiner Leiche in der starken Strömung des Kysylsu würde man bald als hoffnungslos aufgeben. Man würde sofort eine Nachricht nach Taschkent schicken. Smirnow würde vorgeben, tief betroffen zu sein, und in aller Form trauern, aber insgeheim würde er sich darüber freuen, den Ruhm nicht mit einem geringeren Sterblichen teilen zu müssen. Smirnow würde ein paar Plattitüden von sich geben und vielleicht sogar der Öffentlichkeit zuliebe ein oder zwei Krokodilstränen vergießen. Dann würde er Borokows Habe zusammenpacken und an seine alte Tante, dieses dumme Huhn, in Charkow schicken. Sie war seine einzige lebende Verwandte und würde die Sachen für ein paar Rubel verkaufen. Damit war dann alles zu Ende.

Borokow sonnte sich in dieser Vorstellung, und seine Laune besserte sich merklich. Er empfand eine seltsame Leichtigkeit, eine neue Art Schwerelosigkeit. Er besaß nichts, und er hatte aufgehört zu existieren. Er war für immer frei. Der Kreis seines Lebens hatte sich geschlossen. Was konnte es Schöneres geben?

Er wusste nicht genau, wann er zum ersten Mal das Gefühl hatte, auf seiner Wanderung nicht allein zu sein. Er sah niemanden, aber seine guten Ohren fingen kaum wahrnehmbare Hinweise auf die Anwesenheit eines anderen Menschen auf – das Poltern rollender Steine, das erschrockene Krächzen eines auffliegenden Raben, eine plötzliche, unerklärliche Stille. Borokow ging weiter, ohne anzuhalten, aber bei Anbruch der Dunkelheit war er überzeugt, dass ihm jemand folgte oder dass zumindest jemand hinter ihm herging. In den Bergen wimmelte es von Dieben und Räubern. Er hatte nicht vor, sich seine Ersparnisse stehlen zu lassen, die er Rubel für Rubel über die Jahre angesammelt hatte. Er klopfte auf seinen Geldgürtel, um sich zu vergewissern, dass er immer noch sicher um seinen Leib geschnallt war.

Borokow erreichte die Höhle, die er auf seinem früheren Erkundungsgang entdeckt hatte, und entzündete eine Laterne, um sicher zu sein, dass in ihren Tiefen kein Raubtier lauerte. Es war eine geräumige, verhältnismäßig warme Höhle mit einer zweiten Öffnung am Ende, die nach oben hinausführte. Er sammelte gut gelaunt im Gestrüpp Holz, zündete ein Feuer an und begann, das Schaf an einem provisorischen Spieß zu braten. Sein Höhenmesser zeigte dreitausendeinhundertachtzig Meter. Das Blut klopfte ihm nachdrücklich in den Schläfen, und er war erschöpft. Trotzdem zwang er sich zur Wachsamkeit. Er legte seinen Revolver griffbereit neben sich und wandte den Blick nicht vom Höhleneingang. Als Teile des Schafs gar waren, schnitt er ein Stück Fleisch ab und verzehrte es langsam.

Nach dem Essen rollte er seinen Schlafsack aus, warf etwas Erde vom Höhlenboden auf das Feuer, löschte die Laterne und kletterte so leise wie möglich durch die Öffnung am hinteren Ende der Höhle ins Freie. Er wusste bereits, dass sich direkt über dem vorderen Zugang ein Felsvorsprung befand. Er suchte sich einen sicheren Platz und wartete.

Eine Stunde verging, bevor er das gedämpfte Geräusch eines Steins hörte, der den Hang hinunterrollte. Jemand kam den Pfad zur Höhle herauf! Ein Tier? Er umfasste den Revolver fester. Schließlich hörte er in der gespenstischen Stille die ersten leisen Schritte. Der noch nicht ganz volle Mond leuchtete hell genug, um wenigstens Umrisse erkennen zu können. Unter ihm löste sich ein Schatten aus dem Dunkel. Metall blitzte auf. Der Dolch eines Räubers? Er konnte jedoch noch nicht erkennen, ob der Mann allein war.

Der Schatten bewegte sich wieder, und Borokow hörte das leise Geräusch von Stoff. Er blickte angestrengt nach unten und wartete. Der Eindringling war jetzt deutlich erkennbar und offensichtlich allein. Er kroch auf den Höhleneingang zu. Borokow sprang, als der Fremde direkt unter ihm angelangt war, und landete auf dem Rücken des kriechenden Mannes, der unter dem Gewicht zusammenbrach und regungslos liegen blieb. Borokow vergewisserte sich, dass er tatsächlich bewusstlos war und sich nicht verstellte. Dann nahm er ihm den Dolch ab, schleppte ihn in die Höhle und fesselte ihm mit einem

Strick Hände und Beine. Danach legte er Holz auf das Feuer, hängte den Wasserkessel darüber, setzte sich davor und wartete. Als der Mann, der noch recht jung war, schließlich begann, sich zu regen und zu stöhnen, trank Borokow einen Becher lauwarmen, aber höchst willkommenen Tee. Er stand auf und spritzte dem Fremden kaltes Wasser ins Gesicht. Der Mann zuckte zusammen und kam zu sich.

»Wer bist du, und warum folgst du mir?«, fragte Borokow streng auf Turki. Der Mann stöhnte, gab aber keine Antwort, und Borokow wiederholte die Frage.

»Ich bin Ihnen nicht gefolgt«, erwiderte der Fremde mürrisch, ebenfalls auf Turki. »Ich lebe hier in den Bergen. Ich war auf dem Weg nach Hause zu meiner Familie.«

»Lügner!« Borokow griff nach seinem Revolver. »Wieso bist du dann hierher zur Höhle gekommen?«

»Ich war neugierig. Ich wollte nichts Böses.«

»Bist du ein Kirgise?«

»Ja. Meine Schafe weiden hier in der Umgebung.«

Borokow hatte den Mann zwar außer Gefecht gesetzt, doch er wusste nicht, was er mit ihm anfangen sollte. Er war unbewaffnet, gefesselt und schien harmlos zu sein. Außerdem war er Kirgise, stammte aus der Gegend und konnte ihm beim Kauf eines Pferdes behilflich sein. Für etwas Geld würde er sich vielleicht sogar bereit finden, als sein Führer zu arbeiten.

»Ich binde dir die Hände los«, sagte er mit der gleichen Strenge, um seine Autorität zu beweisen. »Aber eine falsche Bewegung, und du bist ein toter Mann. Verstanden?«

Der Hirte nickte.

»Kennst du die Berge gut?«

»So wie mein Gesicht.«

»Gut.« Borokow stand auf. Er schwankte leicht. In der Höhenluft wurde ihm schnell schwindlig, und schon nach einer kleinen Anstrengung fiel ihm das Atmen schwer. Er lehnte sich an die Wand der Höhle, schloss die Augen und atmete tief durch. Plötzlich ärgerte es ihn, einen Zeugen für seine Schwäche zu haben, und er richtete sich mit einem Ruck auf. Während er dem Kirgisen die Fesseln abnahm, achtete er vorsichtig auf unerwartete Bewegungen. Aber der Mann stolperte nur in einen Winkel, wischte sich mit einem Zipfel seiner nicht allzu sauberen Jacke das Gesicht ab, setzte sich und massierte seine Gelenke an Armen und Beinen, um die Blutzirkulation wieder in Gang zu bringen.

Borokow füllte noch einen Blechbecher mit dem blassgelben Tee und bot ihn dem Mann an. Er trank ebenfalls. Selbst lauwarm und salzig wirkte der Tee belebend. Borokow atmete immer noch schwer und spürte, wie ihm die Augen zufielen. Er war entschlossen, sie nicht zu schließen. Doch infolge des Sauerstoffmangels fühlte sich sein Kopf so merkwürdig an, und er keuchte. Er musste eingeschlafen sein, denn als er die Augen wieder öffnete, atmete er wieder normal und fühlte sich sehr viel besser.

Von dem Kirgisen war nichts zu sehen.

Borokow sprang mit einem unterdrückten Fluch auf, griff nach der Laterne und kroch leise zum Höhleneingang. Dort hockte der unverschämte Kerl hinter einem Felsbrocken und inspizierte den Inhalt von Borokows Ledersack. Borokow sprang und verpasste ihm einen Faustschlag.

»Verdammt …!« Der Fluch entschlüpfte dem Mann auf Englisch. Borokow richtete sich auf, nahm die Laterne und hielt sie dicht an das Gesicht des verwirrten Mannes. »Ach du liebe Zeit!«, flüsterte er staunend. »Du bist ein Angliski?«

Der Mann war von dem Schlag so benommen, dass er nicht antworten konnte.

Borokow packte ihn am Kragen, zerrte ihn zurück in die Höhle und stieß ihn grob gegen die Felswand. Was für ein verdammtes Glück! »Jetzt sag mir die Wahrheit!«, brüllte er. »Wer zum Teufel bist du?«

Er sprach immer noch Turki. Borokow beherrschte fließend Deutsch und einigermaßen Französisch, doch mit Englisch hatte er große Schwierigkeiten. Er erschrak noch mehr, als der Mann verlegen auf Russisch erwiderte: »Ein Soldat.«

Zu diesem Schluss war Borokow bereits gekommen, denn nur wenige

Zivilisten wagten sich ohne Genehmigung in die Berge, und ganz sicher nicht allein. »Warum bist du mir gefolgt?«

»Ich habe nur meine Befehle ausgeführt.«

»Wessen Befehle?«

»Die meines vorgesetzten Offiziers.«

»Zu welchem Zweck?«

»Sie haben mit dem Bau der neuen Straße von Osch nach Gulcha zu tun. Ich sollte Sie im Auge behalten.«

Das klang vernünftig. Die Engländer mit ihrer Angst vor einer russischen Invasion hielten den Bau einer Straße im Gebirge für eine Kriegsvorbereitung. In diesem Fall hatten sie sogar Recht. Der Soldat beantwortete die Fragen so bereitwillig, dass Borokow ein beunruhigender Gedanke kam. »Du hast keine Angst, mir, einem russischen Offizier, deine geheimen Aktivitäten zu gestehen?«, fragte er streng.

Der Engländer grinste. »Nein, ich habe gesehen, was Sie am Kysylsu getan haben. Ihre Leute sollen denken, dass Sie tot sind. Habe ich Recht?«

Borokows schlimmste Befürchtungen hatten sich bewahrheitet. Er umklammerte den Revolver. »Ich habe große Lust, dich jetzt umzubringen, du neugieriges Angliskischwein!«

»Das wäre keine gute Idee«, erwiderte der Soldat. »Sie befinden sich nicht mehr auf russischem Territorium. Hier bestimmen wir. Wenn Sie sich in Begleitung eines englischen Soldaten befinden, kann das ein Schutz für Sie sein.«

Borokow dachte schweigend nach und sah ein, dass der Mann Recht hatte. Es würde schwierig sein, das mörderische Gebirge allein zu überqueren, ohne entdeckt zu werden, besonders für einen unerfahrenen Kletterer wie ihn. Mit einem englischen Begleiter würde es ihm sicher besser gelingen. Ihm kam eine Idee, und seine Stimmung besserte sich. Sein Herz klopfte, als er sagte: »Hör zu, solange du dich anständig benimmst, hast du von mir nichts zu befürchten. Ich will dir nichts Böses. Warum sollte ich auch? Schließlich sind wir nur Rivalen, keine Feinde. Die Männer in St. Petersburg und in London, die den Federhalter in der Hand halten und die Politik diktieren, sind nicht die armen Soldaten, die in diesen teuflischen Bergen kämpfen müssen. Warum sollten wir uns wie zwei Hunde benehmen, die sich um denselben Knochen streiten?«

Der Engländer sah ihn fragend an. Er wusste nicht, worauf Borokow hinauswollte. »Und?«

»Weißt du, wie man nach Gilgit kommt?«

»Nach Gilgit?« Der Mann wirkte überrascht. »Wieso sollte ein russischer Offizier nach Gilgit wollen?«

Borokow lachte leise. »Aus einem ganz einfachen Grund. Ich habe nichts mehr mit der russischen Armee zu tun. Für Russland bin ich tot.«

Der junge Soldat dachte nach, blieb aber weiterhin auf der Hut. Er wusste, große Höhen führten bei Menschen, die nicht an die Berge gewöhnt waren, oft zu einer gewissen geistigen Verwirrtheit, und der Russe sah tatsächlich krank aus. Konnte es sein, dass er den Verstand verloren hatte? »Haben Sie in Gilgit Geschäfte zu erledigen?«

»Ja, persönliche Geschäfte. Ich will als Zivilist dorthin.«

Der Engländer hatte noch nie einen russischen Offizier getroffen und wusste nicht recht, wie er sich in dieser Lage verhalten sollte. In seiner Ausbildung hatte man ihm solide Schwarzweißbilder vermittelt. Er hatte keine Ahnung, wie er mit der Grauzone umgehen sollte. Das Ganze konnte natürlich ein Trick sein. Man hatte ihm eingeschärft, keinem Russen zu trauen. Andererseits mochte der Mann gewalttätig werden, wenn er ihn vor den Kopf stieß. Er war bereits Zeuge des theatralisch vorgetäuschten Selbstmords gewesen. Welch weiterer Beweis für die bedenkliche geistige Verwirrung des Russen brauchte er noch? Er beschloss deshalb, auf ihn einzugehen. »Also gut«, sagte er. »Aber wenn das nur eine List ist, um nach Indien zu kommen und Schwierigkeiten zu machen ...«

»Es ist keine List.« Borokow lächelte gewinnend und streckte die Hand aus. »Michail Borokow, ehemaliger Oberst der kaiserlichen russischen Garde – oder weißt du das bereits?«

Der Soldat zuckte zusammen. Nein, er hatte nicht gewusst, wie der russische Offizier hieß, den er seit mehreren Tagen beobachtete. Natürlich hatte er von Michail Borokow gehört. Er gehörte zum Stab von General Smirnow und hatte vor kurzem in Hunza Unruhe gestiftet. Diese Wendung der Dinge bestürzte den englischen Soldaten, und er wusste nun überhaupt nicht mehr, was er tun sollte. Doch nach kurzem Zögern streckte er ebenfalls die Hand aus. »Leutnant David Wyncliffe von den Königlichen Dragonern.«

Wyncliffe?

Borokow war einen Moment sprachlos. »Wyncliffe? Der Sohn von Graham Wyncliffe?«

David sah ihn erstaunt an und nickte.

Borokows Aufregung wuchs. Großer Gott – nahm sein Glück überhaupt kein Ende mehr? »Dein Vater hat den Jasminapass entdeckt!«

»Mein Vater?« Jetzt war David sprachlos. »Wie um alles in der Welt kommen Sie darauf?«

Borokow war im Augenblick so glücklich, dass er lachte. »Durch Zufall, mein Freund … das ist alles reiner Zufall! Ich hatte schon geglaubt, mein guter Stern hätte mich verlassen, aber dem ist offenbar nicht so. Das Fernglas … Ich habe es in Hunza nach der Hinrichtung mit eigenen Augen gesehen!«

»Fernglas?« David war jetzt sicher, dass die Höhe den Verstand des Russen verwirrt hatte, und wurde nervös. »Welches Fernglas?«

Borokow schaffte es, seine Freude zu zügeln. »Das Fernglas deines Vaters. Seine Initialen waren in das Glas eingraviert, das der Junge ihm in der Nähe des Jasminapasses gestohlen hatte. Ich spreche von dem Jungen, der hingerichtet wurde. Safdar Ali hat es mir gezeigt. Ich habe die Initialen gesehen, deshalb weiß ich, dass nicht Jeremy Butterfield den Pass entdeckt hat, sondern dein Vater.«

David verschlug es die Sprache. Er war wie vom Donner gerührt. Er wusste nicht, ob er etwas von dem glauben sollte, was der Russe gesagt hatte. Schließlich sagte er: »Aber Sie kannten meinen Vater nicht. Woher wissen Sie, dass es seine Initialen waren?«

»Ich wusste es nicht. Ich habe einen Kontaktmann in Indien, der es mit bestätigt hat.«

»Wer?«

Borokow schüttelte den Kopf. »Selbst dieses verrückte Spiel, das wir spielen, mein Freund, hat gewisse Regeln, an die man sich halten muss. Ich kann meine Informationsquelle nicht preisgeben.«

Er bedauerte jetzt sehr, Theodore Anderson verwünscht und ihm die Mittel für seine Expedition vorenthalten zu haben. Ohne Anderson hätte er nie etwas von Graham Wyncliffe oder dessen Tochter erfahren. Er hatte Anderson sofort nach seiner Rückkehr aus Hunza geschrieben und ihn nach dem Fernglas gefragt. Anderson hatte den toten Archäologen und die Route seiner Expedition gekannt und die Initialen als die von Graham Wyncliffe identifiziert. Der arme alte Trottel hatte sein Bestes versucht, auch die Papiere in die Hand zu bekommen. Man konnte ihm kaum vorwerfen, dass die Tochter plötzlich geheiratet hatte und nach Srinagar gezogen war.

Er musterte David eingehend. Der junge Mann wirkte immer noch ganz verwirrt. Offensichtlich wusste er nichts von der Entdeckung, die sein Vater gemacht hatte. Borokow fand, damit habe er nichts zu tun, und ließ die Sache auf sich beruhen. Seine Gedanken bewegten sich inzwischen in eine ganz andere Richtung. Ihm war eine großartige Erleuchtung gekommen, die ihn wie ein Blitz getroffen hatte. Die Idee war so grandios, dass er heftige Magenschmerzen bekam. Er schnaufte und hielt sich den Bauch.

David erwachte aus seiner Betäubung. »Oberst Borokow«, fragte er besorgt, »sind Sie krank?«

Borokow schüttelte den Kopf. Er setzte sich vorsichtig, legte den Kopf auf die angezogenen Knie und atmete tief. Als der krampfhafte Schmerz nachgelassen hatte, richtete er sich auf. »Nein, ich bin nicht krank. Genauer gesagt, ich habe mich noch nie im Leben besser gefühlt. Wenn ich es mir recht überlege, ist es nicht nötig, dass du mich nach Gilgit bringst.«

»Nein?«

Borokow lächelte. Plötzlich machte er sich keine Gedanken mehr um die Rollen, die Butterfield oder Graham Wyncliffe in dieser seltsamen Angelegenheit gespielt hatten. Weder sie noch die Aufzeichnungen waren jetzt wichtig. Wichtig war, dass ihm dieser Angliski wie ein Geschenk des Himmels in den Schoß gefallen war, wie ein dicker saftiger Pfirsich, den er nur zu essen brauchte. »Du wirst mich stattdessen zum Jasminapass führen.«

David stockte der Atem. Jetzt gab es keinen Zweifel mehr daran, dass der Mann übergeschnappt war. »Wie um alles in der Welt kann ich das?«, rief er. »Ich habe nicht die geringste Ahnung, wo der verdammte Pass ist. Außerdem, warum sollte ich das tun?«

Borokow schien ihn nicht zu hören. Er kam zu David herüber und stand sehr entschlossen vor ihm. »Im Nachruf der *LondonTimes* stand, dass die Leiche deines Vaters am Biafo gefunden wurde. Nach Aussage des Geologen Bingham hatte sich Graham Wyncliffe zwei Tagesmärsche hinter Ashkole von der Truppe getrennt. Wenn wir angesichts der Schwierigkeiten des Gletschers einen halben Tagesmarsch zugeben, könnten wir die Lage des Jasminapasses in einem entsprechenden Umkreis bestimmen.«

»Schwierigkeiten? Entsprechender Umkreis?« David begann zu lachen. »Oberst Borokow, ich sehe, Sie sind kein Bergsteiger und haben nicht die geringste Ahnung von Gletschern. Sonst würden Sie schon bei der Erwähnung des Biafo anfangen zu zittern. Niemand, der noch nicht dort war, kann sich von seiner Größe oder der Tiefe und der Zahl der Spalten eine Vorstellung machen. Großer Gott, Oberst!« Er lachte wieder. »Diese Gletscher befinden sich im tiefsten Innern des größten, menschenfeindlichsten Gebirgssystems unseres Planeten! Selbst wenn ich wüsste, wie man dorthin kommt, und ich weiß es wirklich nicht, wäre schon der Versuch reiner Selbstmord.«

»Trotzdem werden wir dorthin gehen«, erklärte Borokow ruhig. »Wenn du nur halb so gut bist wie dein Vater, wirst du als Führer meine Bedürfnisse vollkommen erfüllen, besonders da ich nicht damit rechnen kann, jemals einen anderen zu finden. Wir werden morgen früh das nächste Kirgisenlager aufsuchen und dort Träger, Packtiere, Verpflegung und unsere Lagerausrüstung zusammenstellen. Den Jasminapass werden wir natürlich nicht erwähnen.« Seine Augen glänzten. »Denk nach, diese Situation entbehrt nicht einer gewissen Ironie. Ich würde sogar sagen, sie hat etwas Poetisches!«

Wenn überhaupt, dann erschien sie David beängstigend, denn er erkannte, dass der Russe es absolut ernst meinte. In seinem Wahn – und was konnte es anders sein – hatte dieser Mann jeden Bezug zur Wirklichkeit verloren. Er redete zwar ruhig, aber seine Augen glänzten in einem beinahe manischen Fieber.

»Ich mag zwar der Sohn von Graham Wyncliffe und ein guter Bergsteiger sein«, sagte David in dem verzweifelten Bemühen, diesen Verrückten zur Vernunft zu bringen, »aber ich bin auch ein Soldat der Streitkräfte Ihrer britannischen Majestät. Es wäre Verrat, mich mit einem russischen Offizier zusammenzutun und in militärisches Sperrgebiet vorzudringen.«

»Aber ganz im Gegenteil, es wäre Patriotismus, der dir einen Orden einbringen kann.« Borokow lächelte über Davids Verwirrung. »Wir werden natürlich alle bewohnten Plätze meiden und uns auf ungebahnten Pfaden bewegen. Wir werden beide bleiben, was wir sind, nämlich kirgisische Nomaden. Natürlich wirst du das Reden übernehmen, wenn wir etwas einkaufen.«

David war inzwischen höchst beunruhigt und widersprach. »Und wie erkläre ich meinen Vorgesetzten diese ungeheuerliche Befehlsverweigerung?« Er schob trotzig den Unterkiefer vor. »Es tut mir Leid, aber ich kann mir nicht leisten, mein Leben, Ihr Leben und meine Laufbahn aufs Spiel zu setzen, indem ich mich auf diesen … diesen widersinnigen Plan einlasse.«

»Du kannst es dir nicht leisten, es nicht zu tun, Leutnant Wyncliffe«, erwiderte Borokow sanft. »Wie ich gesagt habe, mein Interesse am Jasminapass ist persönlicher Natur. Ich sollte dich auch darauf hinweisen, dass ich damit nicht um einen Gefallen bitte, sondern dass es Teil eines ehrlichen Handels ist.«

»Ehrlicher Handel? Und die Gegenleistung?«

»Alexej Smirnows Pläne. Er will den Jasminapass besetzen und im Namen Russlands Anspruch darauf erheben.«

*

Es war die Zeit, die in Kaschmir als Ador bekannt ist, wenn es im Tal dreizehn Tage lang durchgehend regnet. In der Luft lag der durchdringende Duft der feuchten Erde und der süßen Warzenmelonen. Die leuchtend roten Blüten der Granatäpfel, der Sommerfrüchte, die zuletzt reiften, hatten sich geöffnet und waren abgefallen. Bald würde man die Früchte pflücken können.

In den langen, quälenden Tagen, die auf die Entdeckung der Aufzeichnungen ihres Vaters folgten, hatte sich für Emma vieles geklärt. Alles, was unklar blieb, war nicht wichtig. Von Anfang an war etwas schrecklich falsch gewesen, sie hatte es nur nicht gesehen. Von Eitelkeit geblendet, hatte sie in ihrer Dummheit das Unerklärliche zu ihrer Zufriedenheit erklärt. Damien hatte ihr einmal vorgeworfen, sie habe eine zu geringe Meinung von sich. Nun erkannte sie, dass sie sich überschätzt hatte, als sie ihm romantische Motive unterstellte, um ihrem eigenen Ego zu schmeicheln.

Geoffrey Charlton hatte Recht. Sie brauchte unbedingt einen Freund. Aber konnte sie mit all dem Wissen, das sie jetzt besaß, Charlton noch jemals gegenübertreten?

Damien hatte vor der Hochzeit von der Entdeckung ihres Vaters gewusst, sogar schon bevor er nach Delhi gekommen war. Der sorgsam ausgelegte Köder, das unvermeidliche Zuschnappen der Falle, all das war geplant gewesen und perfekt zu einem genau berechneten Ganzen zusammengefügt worden. Mit der Durchführung seines Plans hatte er ihr alles genommen, ihr Selbstvertrauen, ihre Selbstachtung, die ganze Grundlage, auf die sie so zaghaft und unsicher ihre Zukunft gegründet hatte. Damien hatte sie benutzt – von Anfang an nur benutzt.

Die Gefühllosigkeit dieses Komplotts war niederschmetternd, und Emma konnte es einfach nicht fassen. Gedanken, die ihr durch den Kopf schwirrten, flatterten wie Schmetterlinge im Netz. Der Strom der Gefühle verdichtete und vertiefte sich mit jedem Tag, und der Schmerz peinigte sie, als habe sie eine tiefe Wunde. Dann kam die endgültige Selbstzerstörung – das erbarmungslose Erwachen der Erinnerungen, die sie am meisten fürchtete.

Sie begann alles wiederzubeleben, was die Vernunft verlangte zu vergessen. Und jede Erinnerung war wie eine scharfe Kerbe in den Kern ihres Wesens. Bruchstückhafte Bilder wirbelten ihr durch den Kopf, wie Reflexionen in den Splittern eines zerbrochenen Spiegels. Sie erinnerte sich an ihr Zusammensein, an die wachsende Nähe zwischen ihnen, das Gefühl der Verbundenheit im gemeinsamen Schweigen und in gewechselten Blicken, die keimenden Hoffnungen, die zu machen sie sich ermutigt hatte. Die Hochzeitsnacht.

Unter dem Ansturm der Erinnerungen zerbrach ihr Leben schonungslos.

Sie richtete ihre Stütze, ihr natürliches Gefühl für Ausgewogenheit, wieder auf und kämpfte darum, ihr inneres Gleichgewicht zu finden. Jeden Tag distanzierte sie sich mehr und mehr von sich selbst, ordnete wuchernde Gefühle, beobachtete ihre Entfremdung aus einer wachsenden Entfernung. Bis zu Damiens Rückkehr hatte sie die Schieflage ihrer Welt beseitigt. Die Isolierung war wieder da wie hartes Wintereis über einem gefrorenen Teich.

Er kam spätabends. Hinter ihrer abgeschlossenen Tür hörte Emma, wie er in seinen Räumen umherging. Eine Stunde später hörte sie das Geräusch, auf das sie wartete, das Knarren des Fußbodens auf dem Treppenabsatz. Er ging hinunter in die Suite seines Vaters. Sie ließ ihm einen Vorsprung von einer halben Stunde, bevor sie ihm folgte.

Die Papiere hatte sie vorsätzlich nicht in den Schreibtisch zurückgelegt. Es war Zeit, ihn zur Rede zu stellen.

Emma ging kühn durch den nicht abgeschlossenen Vorraum. Die Tür zu Edward Granvilles Räumen stand offen. Gestärkt durch eine tiefe innere Ruhe betrat sie das Wohnzimmer und lehnte sich im Halbdunkel an die Wand, um ihn zu beobachten. Damien stand am Schreibtisch. Beide Türen standen offen, und alle Schubladen waren herausgezogen. Auf der Schreibtischplatte stand eine hell brennende Lampe. Er beugte sich über die unterste Schublade und suchte aufgeregt darin herum. Sie hörte ihn murmeln, er fluchte, als er die Schublade herausnahm und ihren Inhalt auf den Schreibtisch kippte.

Erst als er alles durchsucht hatte und wütend und verwirrt auf das Durcheinander vor sich blickte, sagte sie: »Suchst du danach?«

Er fuhr herum und erstarrte. Sie hörte in der gespenstischen Stille, wie er den angehaltenen Atem ausstieß. Sie ging langsam zum Schreibtisch und legte einen Gegenstand auf die Platte: eine buddhistische Gebetsmühle. Sie war aus Messing und kunstvoll graviert. Emma nahm den Deckel ab und leerte den Inhalt aus. Es überraschte sie, dass ihre Beine nicht nachgaben, dass ihre Stimme so ruhig klang und ihre kalten Finger nicht einmal zitterten.

Er starrte auf das Gewirr der Papierstreifen, ohne danach zu greifen.

»Ich habe die Papiere gefunden, Damien, die Jasminapapiere.«

Er blinzelte und war für den Augenblick völlig verwirrt.

»Die Papiere gehörten meinem Vater, ich habe ein Anrecht darauf.« Sie zog den Stuhl zurück und setzte sich. »Zuerst sagten mir die eng gerollten Streifen nichts, aber dann konnte ich das Puzzle wieder zusammensetzen.«

Er erwiderte nichts, sondern sah sie nur aufmerksam an.

»Du bist ein sehr zielstrebiger Mensch, Damien. Du bist nur in der Absicht nach Delhi gekommen, dir die Papiere meines Vaters anzueignen. Deine Bemühungen verdienen Anerkennung.« Sie lehnte sich zurück, ohne den Blick von seinem Gesicht zu wenden. »Die Papiere waren in dieser Gebetsmühle versteckt, in Jeremy Butterfields Gebetsmühle. Sie lag in der Reisetasche, die bei uns abgegeben worden war – von ...« Sie brach ab und lächelte ihn an. »Aber das weißt du bereits, nicht wahr?«

Sie wartete darauf, dass er sprechen würde, aber er blieb stumm und beobachtete sie angespannt. Sie wusste, das hartnäckige Schweigen sollte sie verunsichern. Aber sie weigerte sich, das zuzulassen, und fuhr tapfer fort.

»Du hast die Gebetsmühle ohne Schwierigkeiten gefunden, denn du wusstest, wonach du suchen musstest. Du hast die Papiere herausgenommen und die Gebetsmühle an ihrem Platz zurückgelassen. War es nicht so?«

»Sag du es mir«, erwiderte er plötzlich. »Schließlich scheinst du alle Antworten zu kennen.«

Es war weder ein Leugnen noch Zustimmung. Er drehte sich um, lehnte sich an den Schreibtisch, schlug die Beine übereinander und beobachtete sie.

»Nicht alle, Damien, noch nicht. Aber die meisten. Um auf deine Tricks in Delhi zurückzukommen ... Da dir als einzige Möglichkeit Erpressung offen stand, hast du diese kleine Scharade in der Spielhölle veranstaltet. Du hattest dir ausgerechnet, dass du nur so an mich und durch mich an die Papiere herankommen würdest.« Sie lachte, doch das Lachen schmeckte schal. »Und du hattest Recht, Damien. So war es.«

Er öffnete den Mund, doch sie hinderte ihn mit einer knappen Geste daran, etwas zu sagen. »Damien, bitte keine weiteren Lügen. Beleidige meine Intelligenz nicht noch mehr, als du es bereits getan hast.« Sie schloss krampfhaft die Hände, um zu verhindern, dass sie zitterten. »Du warst dir absolut sicher, irgendwann das zu bekommen, was du wolltest. Und warum auch nicht? Schließlich lag ein unwiderstehlicher Köder in der Falle.«

Emma musste schlucken. Aber nach einer kurzen Pause sprach sie unbeirrt weiter. »Du hast Highsmith gut dafür bezahlt, dass er das Spiel in deinem Interesse beeinflusste, und du hast meinen Bruder betrunken gemacht, damit er Khyber Kothi mit Sicherheit verlieren würde. Du kanntest unsere schwierige finanzielle Lage, jeder kannte sie. Du wusstest auch, dass ich deinen Antrag nicht annehmen würde, wenn ich nicht dazu gezwungen war. Du warst dir deines Erfolgs sogar so sicher, dass du bereits vor deiner Abreise aus Srinagar angeordnet hattest, Sharifa und Rehmat sollten nach Delhi kommen. Deshalb waren sie so schnell zur Stelle. Auch das Arbeitszimmer war im Voraus geplant, damit du sicher sein konntest, dass meine Unterlagen und Papiere sich bequemerweise alle an einem Platz befinden würden.« Sie holte Luft und versuchte, die Spannung in ihrer Kehle zu lockern. »Du hast vor deiner Abreise mit Nazneen über mich gesprochen. Wie war das möglich, da wir uns noch nie gesehen hatten?«

»Wie?« Ein Muskel in seiner Wange zuckte. »Ich hatte wie alle anderen auch von der stachligen Emma Wyncliffe gehört. Aber im Gegensatz zu allen anderen konnte ich es kaum erwarten, gestochen zu werden.«

Emma war zu wütend, um auf die deplatzierte Frivolität einzugehen. »Ich weiß auch, wann du die Papiere aus der Gebetsmühle genommen hast.«

»Ja?« Er zog fragend die Augenbraue hoch.

»Als wir das erste Mal in Srinagar waren. Anstatt zur Weinkellerei in Gupkar bist du nach Shalimar zurückgeritten, um in meiner Abwesenheit mein Arbeitszimmer zu durchsuchen. Du hast die erste Gelegenheit genutzt. Lincoln hat bestätigt, dass du an diesem Morgen hier gewesen bist, angeblich, um eine vergessene Akte zu holen. Deshalb brauchtest du auch Toofan, das schnellste Pferd in deinem Stall.« Ihr Lächeln war wie Stahl, so hart wie ihre unerbittlichen Augen. »Kein Wunder, dass du am nächsten Tag so guter Dinge warst. Du hattest allen Grund dazu!«

Er griff nach seiner Pfeife, die im Gürtel steckte, und zündete sie an. »Ich muss zugeben, klug überlegt und sehr plausibel. Aber natürlich ist das noch nicht alles, nicht wahr?«

»Nein, das ist noch nicht alles.« Irgendwo in den Bergen rollte der Donner. Sie wartete, bis das Echo verhallt war. »Ich habe keine Idee, wie das Tagebuch meines Vaters in die Gebetsmühle von Jeremy Butterfield gekommen ist, aber da war es. Ich glaube, Geheimagenten lernen, ihre Aufzeichnungen in Gebetsmühlen zu verstecken.«

»Wirklich? Hast du das von Charlton gelernt?«

Emma war entschlossen, sich nicht ablenken zu lassen, und ging auf die Frage nicht ein. »Niemand wusste, wo die Papiere verborgen waren. Woher wusstest du es?«

»Du meinst, bei deiner außergewöhnlichen Fähigkeit, Schlussfolgerungen zu ziehen, bist du darauf noch nicht gekommen?«

»Vielleicht sind die Fähigkeiten nicht außergewöhnlich genug!« Sie rieb sich mit dem Rücken ihrer zitternden Hand die Augen. Seine unerschütterliche Gelassenheit verunsicherte sie. Tränen brannten ihr in den Augen, und sie schien die Fassung zu verlieren. »Aber das ist nicht wichtig. Wichtig ist, dass du wusstest, wo sie waren, und dass du sie gestohlen hast – für wen, frage ich dich. Für die Russen?«

»Wenn du das glauben willst.« Er wandte sich ab und begann, die Akten zu ordnen.

»Was möchtest du denn, dass ich glauben soll?«, rief sie verzweifelt. »Dass alles, was ich gesagt habe, nicht wahr ist?«

»Wie zum Teufel kann ich bestimmen, was du glauben sollst? Das ist ganz allein deine Sache.«

Seine Gefühlskälte machte sie wütend. »Beantworte mir nur eine Frage ehrlich, Damien. Kannst du mir in die Augen blicken und schwören, dass nichts von dem, was ich gesagt habe, wahr ist?«

Er unterbrach seine Beschäftigung mit den Akten, drehte sich um und tat genau das, worum sie ihn gebeten hatte. Er blickte ihr in die Augen und erwiderte, ohne mit der Wimper zu zucken: »Nein.«

Diese eine Silbe war genug für den Gnadenstoß. Sie empfand einen quälenden Schmerz, und ihre Kehle war wie ausgedörrt. Doch dann nahm sie sich zusammen, und die Schwäche verging. Sie wusste, jetzt musste sie alles sagen. »Um an diese Papiere zu kommen, hast du deine Seele verkauft und meine dazu. Wenn sie wichtig genug für dich waren, um mein Leben zu zerstören«, sagte sie leise, »dann habe ich zumindest das Recht zu erfahren, weshalb.«

Sie wartete und hoffte verzweifelt, er werde es abstreiten, sie wartete auf ein Zeichen des Unwillens, der Empörung, sogar des Verletztseins, aber es gab keines, nur Gleichgültigkeit. »Den Grund hast du schon selbst dargelegt. Offen gestanden, ich könnte es nicht besser machen, selbst wenn ich es wollte.« Er begann, die Schubladen wieder zuzuschieben.

Sie sah ihn an, und plötzlich hasste sie ihn. »Was du gestohlen und mir vorenthalten hast, war das Vermächtnis meines sterbenden Vaters«, sagte sie heftig. »Es war das Zeugnis der letzten Tage seines Lebens. Hätte ich es nicht zufällig gefunden, hätte ich vielleicht nie etwas davon erfahren, es vielleicht nie gesehen!«

»Ja.« Er fuhr herum, und zum ersten Mal wirkte sein Gesicht nicht ausdruckslos. »Du wirst mir glauben müssen, wenn ich sage, dass ich das zutiefst bedaure. Aber ich kann dir versichern, du hättest die Papiere in nächster Zeit bekommen.«

»Nachdem die Russen sie gesehen und du ihnen Kopien davon geliefert hättest?«

»Wenn es so weit gekommen wäre, ja. Da du offensichtlich nichts von ihrer Existenz wusstest, habe ich angenommen, dass du sie nicht vermissen würdest.«

Der Zorn, der in ihrem Magen brannte, breitete sich aus, und ihre Augen funkelten. »Um zu verhindern, dass ich auch nur in die Nähe der Papiere kommen würde, hast du sogar Suraj Singh angewiesen, mich über den Zustand des Fußbodens in diesem Zimmer zu belügen!«

»Ja, er hat auf meine Anweisung hin gelogen. Aber ich sehe, dass ich sowohl deinen Wissensdurst als auch dein Geschick im Umgang mit einem Schraubenzieher unterschätzt habe.«

»Alles, wonach ich gesucht habe, war …« Sie verstummte. Wie geschickt er versuchte, die Schuld von sich abzuwälzen und den Spieß umzukehren. »Ich habe ein Recht auf die letzten Worte meines Vaters! Dass du sie mir vorenthalten hast, war eine unverzeihliche Grausamkeit. Wie konntest du es über dich bringen, mir diesen Schmerz zuzufügen?«

»Ich konnte es, weil ich es musste«, erwiderte er ausdruckslos. »Mehr kann ich zu meiner Verteidigung nicht sagen. Glaub es oder lass es bleiben. Trotzdem muss ich mich bei dir entschuldigen, sogar vielmals entschuldigen. Ich …«

»Ist das alles, worauf ich ein Recht habe? Eine Entschuldigung? Wenn ich daran denke, wie herzlos du deine Schuldner behandelst, dann sehe ich, dass du es dir sehr leicht machst, wenn es um deine eigenen Schulden geht.«

»Es steht sehr viel auf dem Spiel …«

»Ja, für dich. Aber ich frage dich: Für meinen Vater etwa nicht? Wieso soll man glauben, dass seine Aufzeichnungen verloren gegangen sind? Wieso soll nicht bekannt werden, dass er den Jasminapass entdeckt hat? Wenn Geoffrey Charlton darüber schreiben würde, wäre der Ruhm Graham Wyncliffe sicher, so aber …«

Sie sah nicht, wie er sich bewegte, doch plötzlich hatte er sie am Arm gepackt. Die Worte blieben ihr in der Kehle stecken. »Hast du das vor?«, fragte er leise und drohend. »Hast du vor, die Papiere Charlton zu zeigen?«

Sie war vor Angst erstarrt, verbarg es aber hinter einem unbekümmerten Lachen. »Warum erschreckt dich das? Weil Charlton weiß, dass du ein russischer Agent bist? Weil du als Verräter verhaftet wirst, wenn er die Wahrheit veröffentlicht?«

Er ließ ihren Arm mit einem Ruck los und trat ans Fenster. Draußen fiel immer noch ein kalter Regen, der auf der Glasscheibe glänzende Muster hinterließ. Er starrte eine Weile darauf, ohne sie zu sehen. »Ich reite morgen zurück nach Gulmarg«, sagte er unvermittelt. »Wenn ich wieder hier bin, wirst du alle deine Erklärungen bekommen.«

Erklärungen? Genügten Erklärungen, um eine zerstörte Ehe, ein zerstörtes Leben zu reparieren? Sie warf ihm einen letzten hoffnungslosen, verzweifelten Blick zu. Wie konnte sie jemals geglaubt haben, dass sie ihn liebe? Und sie hatte ihn allen Ernstes dazu bringen wollen, dass er sie ebenfalls liebte? Er hatte ihr alles genommen, was ihr teuer war, und hatte sie in ihren eigenen Augen herabgesetzt. Auf einmal gab sie sich geschlagen. Sie konnte nicht mehr gegen die quälenden, nicht greifbaren Mächte ankämpfen, die ihr Leben beherrschten. »Wenn du zurückkommst«, sagte sie, »werde ich nicht mehr hier sein.«

Sie schob die Papierstreifen in die Gebetsmühle, nahm sie an sich, drehte sich um und verließ das Zimmer. Er versuchte nicht, sie aufzuhalten.

Siebzehntes Kapitel

David kauerte im unzulänglichen Schutz eines Felsüberhangs unter einer Gletscherzunge und enthäutete ein Kaninchen. Er blickte nicht gerade erfreut auf die öde, vereiste Landschaft, die ihn umgab. In viertausendsechshundert Metern Höhe herrschte eine schreckliche Kälte.

Die Zelte ihres behelfsmäßigen Lagers waren tief unter weichem frischem Schnee vergraben. Bei fünfundvierzig Grad minus, heftigen Schneestürmen und peitschenden Winden konnte man sich nicht warm halten. David schlief in mehreren Schichten wollener Unterwäsche, Schaffellmänteln, Pelzstiefeln, mit einer Pelzmütze und einem Muff. Borokow hatte diese Dinge überteuert in einem Kirgisenlager erstanden. Um Männer, Maultiere und Verpflegung zu bekommen, hatten sie lange gefeilscht, erschreckend hohe Schmiergelder bezahlt und gelogen. Der Jasminapass wurde nicht erwähnt.

Nachdem sie Sinkiang erreicht hatten und sich unter der Jurisdiktion des Amban von Yarkand befanden, waren sie zu einem friedlichen Tal im Sarykólgebirge vorgestoßen, das der Yarkandfluss durchschnitt. In den grünen Tälern, auf blühenden Wiesen und schattigen Auen befanden sich friedliche, ordentliche Lehmhäuser, geschützt von ebenso ordentlichen Holzzäunen. Die Rinder waren gesund, die Bäume in den Obstgärten hingen voller Früchte, und die Hügel dufteten süß nach Lavendel. Große Felder mit Gerste, Weizen oder Roggen und Schafherden, die im goldenen Sonnenschein weideten, vervollständigten das Bild einer ländlichen Idylle. David war früher schon einmal in dieser Gegend gewesen. Er hatte mit den Einheimischen Brücken gebaut. Deshalb wurden sie sehr freundlich aufgenommen und großzügig bewirtet. Es gab regelmäßig chinesische Patrouillen. Die Bewohner hassten die Chinesen, und deshalb bestand keine Gefahr, dass sie ihre Gäste verrieten.

Doch das lag schon wieder einige Tage zurück. Das idyllische Landleben hatte sein Ende gefunden, sie befanden sich erneut in der Welt von Eis und Schnee und zogen bei ständig wechselndem Wetter müde über unsicheres, wildes und abschreckendes Gelände. Das Gebiet war nie vermessen worden. Es gab keine Karten, der Verlauf der Pfade schien eher vom Zufall bestimmt, und sie konnten immer noch von einer chinesischen Patrouille überrascht werden. Selbst die ausgetretenen Wege waren gefährlich, aber die ungebahnten Pfade, die sich an den Steilwänden emporwanden und die sie auf Borokows Befehl nehmen mussten, waren mehr oder weniger Todesfallen. Der plötzliche Temperaturwechsel beim Anstieg und Abstieg war körperlich kaum zu verkraften. Wenn sie um zwei Uhr nachmittags auf einem Gipfel in subarktischer Kälte zitterten, schwitzten sie drei Stunden später bei fünfunddreißig Grad und riskierten in der dünnen Luft von der glühenden Sonne schwere Hautverbrennungen davonzutragen. Es war bei den ständigen Witterungsumschwüngen unmöglich, sich passend zu kleiden. Entweder man schwitzte und drohte in der Hitze zu ersticken, oder man zitterte und glaubte zu erfrieren.

Borokow war als Erster den extremen Temperaturschwankungen zum Opfer gefallen. Er lag mit Fieber und stechenden Kopfschmerzen halb bewusstlos in seinem Zelt und musste sich immer wieder übergeben. Mehrere Träger waren ebenfalls erkrankt. Die Vorräte an Brennmaterial waren so geschrumpft, dass sie gezwungen waren, halb rohes Fleisch zu essen, das abscheulich schmeckte. Die Kälte lähmte ihre Lebensgeister.

Aus Borokows Zelt drang ein heiserer Schrei. David beeilte sich, dem Ruf zu folgen, und stand mühsam auf. Während er sich durch den tiefen Schnee langsam vorwärts arbeitete, wischte er sich den gefrorenen Schnee aus dem Gesicht. Borokow lag fiebrig und zusammengekrümmt unter einem Berg Kleider in einer Ecke und wurde von

Krämpfen geschüttelt. Sein Atem ging rasselnd und schwer. Seine Lippen waren blau. Er verlangte mit schwacher Stimme Wasser. Als David ihm den eiskalten Becher an die Lippen hielt, sah er, dass die Schweißperlen auf Borokows Gesicht gefroren und seine geröteten, starr blickenden Augen glasig waren.

»Wie viele Meilen sind es noch?« Borokow stellte diese Frage wohl hundertmal am Tag, und Davids mürrische Antwort war immer die Gleiche.

»Viele.«

»Wir schaffen es. Wir müssen nur durchhalten. Ich werde jetzt schlafen, dann können wir morgen früh weiter.«

»Ich kenne diese Berge, Oberst Borokow, Sie nicht.« David unternahm noch einmal einen Versuch, ihn zu überreden. »Viele der Träger haben uns im Stich gelassen. Es sind nur noch drei Maultiere übrig, und wir haben beinahe kein Brennmaterial und keine Vorräte mehr. Wir können nicht weiter in Richtung Hunza.«

Borokow richtete sich in einem plötzlichen Kraftausbruch ruckartig auf, packte David am Kragen und krächzte: »Wir können weiter, wir müssen!« Dann fiel er keuchend zurück.

David erkannte, dass Borokows Zustand hoffnungslos war. Er würde es kaum hinauf zum nächsten Pass schaffen und erst recht nicht bis zu den höchsten und tückischsten Gletschern der Welt. Aber er sah auch, dass der Mann geistig verwirrt und jenseits vernünftigen Denkens war. David schmeckte wieder die Angst in seiner Kehle, doch er stimmte Borokow zu und verstummte dann. Eine Tablette aus ihren medizinischen Vorräten brachte Borokow etwas Erleichterung, und er fiel in einen unruhigen Schlummer. Er murmelte immer wieder zusammenhanglos und schlug wild um sich wie in einem Alptraum. Für den Fall, dass er über Smirnow reden würde, legte David das Ohr an seinen Mund, doch er verstand nur ein Wort, das Borokow häufig wiederholte: »*Soloto* ...« Es war das russische Wort für Gold.

David beobachtete den Kranken in hilflosem Schweigen. Er wusste nicht, was er tun sollte. Es war undenkbar, den Russen in dieser Eishölle seinem Schicksal zu überlassen. Abgesehen davon, dass David nicht wagte, ihn aus den Augen zu lassen, tat man so etwas einfach nicht. Bei den Informationen, die Borokow zu besitzen vorgab, konnte es sich um die Hirngespinste eines Verrückten handeln, sie konnten aber auch der Wahrheit entsprechen. Irgendwie musste David ihn dazu bringen, alles zu sagen, was er wusste, bevor seine Zeit abgelaufen war. Aber im Augenblick saßen sie in der Falle.

David kroch aus dem Zelt und setzte sich niedergeschlagen zu den wenigen zurückgebliebenen Trägern, die vergeblich versuchten, ein erlöschendes Feuer am Leben zu erhalten. Es musste eine dringende Nachricht an den nächsten britischen Vorposten geschickt werden. Aber wer würde sie überbringen?

David wusste, bis hierher war es schlimm gewesen. Doch was vor ihnen lag, war noch sehr viel schlimmer. Es waren noch weit mehr halb zugefrorene Flüsse zu überqueren, wo man sich rutschend und schlitternd über spiegelglatte Steine vorwärts kämpfen musste und ein falscher Schritt den Tod bedeuten konnte. Vor jeder Überquerung musste man den Packtieren die Lasten abnehmen und die Sachen zum anderen Ufer tragen. Auf den Pfaden zu den hohen Pässen hatte man ganz selten einen sicheren Stand. Sie hielten sich an den Tieren fest, um nicht abzustürzen. Reiten war unmöglich. Außerdem befanden sie sich inzwischen bereits in gefährlicher Nähe zu den Jagdrevieren der Hunzakut. Selbst in dieser gottverlassenen Wildnis verbreiteten sich Nachrichten schnell. Sie konnten überfallen und getötet werden, ehe sie den nächsten Berghang erreichten und erst recht den Biafo.

Borokows Traum vom Jasminapass war zum Scheitern verurteilt.

Trotzdem stellte David fest, dass er ein seltsames Mitgefühl für diesen gequälten Mann empfand, den ein unlöschbares Feuer verzehrte. Den Mut und die unbezwingliche innere Stärke des Russen musste man bewundern. Welche Dämonen ihn auch jagten, sie gaben ihm die eiserne Entschlossenheit, weiterzumachen und den Schwächen seines Körpers zu spotten.

Borokow rief wieder nach ihm, und David sah, dass der Russe diesmal wach war. Unglaublicherweise schien es ihm besser zu gehen. Seine Augen waren klar, und seine Stimme klang kräftig. Er setzte sich mühsam auf und verlangte etwas zu essen. David goss ihm einen Becher eiskalten Ziegeltee ein. Borokow verzog das Gesicht, trank aber durstig und aß ein paar Löffel, bevor er den Becher beiseite schob. Als er sich zurücklegte und die Augen schloss, atmete er gleichmäßig.

»Du hast Recht«, sagte er, ohne die Augen zu öffnen. »Ich bin zu krank. Ich kann nicht mehr. Wir können nicht weiter gehen.«

David stieß erleichtert die Luft aus, die sofort zu einer Wolke gefror. Er war über das plötzliche Nachgeben so verdutzt, dass er nichts sagen konnte.

»Wir kehren morgen um. Aber ich will heute Nacht lange und gut schlafen, um Kräfte für den Rückweg zu sammeln.«

David wurde ganz schwach vor Erleichterung über die Rettung in elfter Stunde und wischte dem Kranken die Stirn. »Sie haben die richtige Entscheidung getroffen, Oberst Borokow. Ich sorge dafür, dass Sie heute Nacht ungestört schlafen werden.«

Borokow öffnete die Augen. Sie blickten träumerisch in die Ferne. »Die Götter haben gesprochen«, sagte er traurig. »Das Gold ist also doch nicht mir bestimmt.«

»Gold? Wo?«

»Auf dem Jasmina.«

David hätte beinahe gelacht. Er fragte sich, ob Borokow wieder verwirrt sei. Doch dem Mann traten die Tränen in die Augen.

»Auf dem Jasmina gibt es kein Gold«, sagte David leise.

Borokow schien ihn nicht zu hören. Er griff mit der Hand unter die vielen Schichten seiner Kleidung, zog sein Goldklümpchen hervor und hielt es schweigend hoch.

»Das stammt vom Jasmina?«, fragte David.

»Ja.« Das Weiß von Borokows Augen glänzte in der einbrechenden Dunkelheit. »Jetzt wird das alles Smirnow gehören.«

Smirnow! David wurde hellwach. »Smirnow ist hinter dem … dem angeblichen Gold her?«

Borokow gab keine Antwort. Er legte sich wieder zurück und schloss die Augen. Draußen schrie ein Maultier, und die Männer stritten laut um das kärgliche Essen. Doch er hörte es nicht. Borokow verzog die

Lippen zu einem schwachen Lächeln und war in Gedanken in einer anderen Welt.

Er hatte vor Jahren durch Theodore Anderson von Nain Singh und den Goldfeldern Tibets gehört, als sie sich in Baku kennen lernten. Es war ein fröhlicher Abend, und Anderson war sehr betrunken gewesen. Vor vielen hundert Jahren, so sagte Anderson, habe Herodot über das Gold des Himalaja geschrieben und über die riesigen Nagetiere berichtet, die es aus den Bergen herausbrachten. Nain Singh, ein Agent der indischen Landvermesser, hatte das Vorhandensein großer, bis zu zwei Pfund schwerer Brocken in den tibetischen Goldfeldern bestätigt. Die Goldfelder seien so ergiebig, meldete er, dass dort selbst im Winter sechstausend Bergleute beschäftigt würden. Sie erhielten dreißig Rupien für jede geförderte Unze Goldstaub. Aber sie vergruben das Gold wieder in der Erde, weil sie glaubten, es enthalte Leben, das wiederum den Goldstaub hervorbringe.

Die Goldgräber, so hatte Anderson gesagt, hätten berichtet, dass es im Himalaja nur noch eine vergleichbar reiche Goldader gebe, und das sei die am Jasminapass.

Borokow war skeptisch gewesen, aber Andersons Informationen hatten ihn auch fasziniert. Bei seinem nächsten Aufenthalt in St. Petersburg war er in die Bibliothek gegangen und hatte die russische Übersetzung des Berichts von Nain Singh gelesen, der in der Zeitschrift der Königlich Geographischen Gesellschaft in London veröffentlicht worden war. Selbst jetzt erinnerte er sich klar und deutlich an die Einzelheiten des Berichts. Im Laufe der Jahre hatte ihn der Traum von der Goldader am Jasminapass mit großen Hoffnungen erfüllt und seinem Leben Sinn und Richtung gegeben.

Jedes Mal, wenn seine Entschlossenheit, dieses Gold zu finden, schwand, erinnerte er sich an die Armut in Charkow, an seine erniedrigende Kindheit bei Pflegeeltern, wo er Schweineställe und Hühnerläufe ausmisten musste und sich von Käserinden und halb rohen Fleischabfällen ernährte, um seinen Hunger zu stillen. Die Erinnerung an diese Zeit erfüllte ihn immer noch mit Abscheu. Er hatte seinen Stolz unterdrückt und war vor Alexej gekrochen, denn ohne

Smirnows Hilfe war sein Traum nichts wert, und das Gold auf dem Jasminapass hätte sich ebenso gut auf dem Mond befinden können.

Seine letzten Zweifel waren an jenem Tag in Hunza geschwunden, als Safdar Ali ihm das Klümpchen aus gelbem Metall in die Hand gedrückt hatte. Man erzählte, dass die Hunzakut in dem Fluss der Hunzaschlucht Gold wuschen. Vermutlich stammte ihr Gold jedoch von der Ader am Jasminapass. Deshalb hielten sie ihn so streng geheim und wachten eifersüchtig darüber, dass kein Fremder etwas davon erfuhr. Die Hinrichtung des Jungen war eine Demonstration für ihn gewesen und sollte ihn abschrecken. Das Gegenteil war der Fall gewesen. Seitdem zweifelte Borokow nicht mehr daran, dass er allein um das wahre Geheimnis wusste.

Nein, er wollte nie mehr arm sein!

»Hör zu!« Er setzte sich mit einiger Mühe auf. Seine Lippen waren vor Kälte blau. Er zog David näher zu sich heran und legte den Mund an sein Ohr. Seine Wangen verschwanden unter der dünnen starren Eisschicht. »Alexej Smirnow …«

»Ja?«

»Man muss ihn aufhalten!«

»W … wie?« Das Blut hämmerte David in den Ohren.

»Schreib!«, keuchte Borokow. »Schreib alles auf …« Da David ihn immer noch mit offenem Mund ansah, fuchtelte er wütend mit den Armen. »Schnell, schnell … schreib, verdammt noch mal, schreib …«

Mit vor Kälte steifen Fingern suchte David in seinem weiten Mantel nach Notizbuch und Bleistift. Borokow zwang sich zur Ruhe, um seine verbliebenen Kräfte zu schonen, und begann zu reden. Er sprach schnell und leise und ohne erkennbare Gefühle. Mehrmals fiel David der Bleistift aus den eiskalten Fingern, doch er biss die Zähne zusammen und schrieb weiter. Als Borokow endlich schwieg, sank er völlig erschöpft in sich zusammen.

»Wir werden morgen in aller Frühe aufbrechen«, erklärte David von neuer Kraft erfüllt. »Je früher wir Gilgit erreichen, desto besser.«

Borokow erwiderte nichts. Er schlief bereits.

Die Temperatur war weiter gesunken, und die Kälte nahm David den Atem, als er hinaus ins Freie trat. In seiner euphorischen Benommenheit bemerkte er es kaum. Er vergrub das Gesicht tief in seinem Lammfellmantel und kauerte sich vor der schwachen Glut zusammen, um die sich die Männer und Tiere drängten. Zu ihrer Verblüffung warf er übermütig einen Arm voll getrockneter Kamelfladen in das ersterbende Feuer. Er stellte einen Topf Schnee auf, und als der geschmolzen war, warf er das Kaninchen in das Wasser. Es würde Stunden dauern, bis das Wasser kochte und das Fleisch genießbar war. Aber das war unwichtig. Mit Gottes Hilfe würde der Alptraum bald vorüber sein.

David dachte wieder an seinen Vater. In den vergangenen Wochen hatte er oft über Borokows Worte nachgegrübelt. Anfangs war er unsicher gewesen, aber am Ende hatte er Borokows Aussage als falsch abgetan. Wenn es wahr gewesen wäre, dass sein Vater den Jasminapass entdeckt hatte, hätte Emma davon gewusst und es ihm gesagt. So einfach war das.

Nach dem Essen kroch er in sein kleines vereistes Zelt. Er hatte noch den abscheulichen Geschmack des halb rohen Kaninchenfleischs im Mund, und sein Magen rebellierte. Die Kälte machte ihn steif, er fror und fühlte sich unwohl, aber er war trotzdem in weit besserer Stimmung. Sobald sie Gilgit erreicht hatten, würde er Borokow dem Nachrichtendienst übergeben und mit der ganzen unerfreulichen Angelegenheit nichts mehr zu tun haben. Seine Erleichterung nach der wochenlangen zermürbenden Spannung war so groß, dass er sofort einschlief. Er schlug die Augen erst wieder auf, als das Tageslicht gedämpft durch die Zeltleinwand drang und ihn weckte. Er rieb sich mit einer Hand voll Schnee den Schlaf aus den Augen, vertrieb mit einer zweiten Hand voll den schlechten Geschmack aus seinem Mund und kroch hinaus, um sich um seinen Gefährten zu kümmern.

Das Zelt war verschwunden, der russische Oberst ebenfalls. Die Träger berichteten, er sei vor Tagesanbruch mit einem Maultier, einem Rucksack, einem Wanderstab, seiner Kiste mit Instrumenten und den

Resten des halbgaren Kaninchens gegangen. Er habe ihnen ihren Lohn ausbezahlt und sich bei ihnen für ihre Mühen bedankt. Er habe erklärt, er werde nicht zurückkommen.

Michail Borokow hatte sich allein auf die Suche nach seinem Gold gemacht.

*

Emma stand inmitten von Kisten und Überseekoffern in ihrem Arbeitszimmer und packte. Ihre Hände bewegten sich wie von selbst, ohne recht zu wissen, was sie taten. Sie warf einen Blick auf das Durcheinander, und da sie sich nicht entscheiden konnte, was sie als Nächstes tun sollte, klappte sie den Deckel einer Kiste zu und setzte sich darauf. Die Verzweiflung tat körperlich weh, und sie schlang die Arme um die Knie. Warum hatte Damien ihr das angetan? Das war eine dumme Frage, denn sie wusste, warum.

Einen Augenblick später kam Sharifa mit einer Visitenkarte, und Emma wurde es schwarz vor Augen – Geoffrey Charlton! Jetzt, morgens um diese Zeit? Obwohl sie sich Damien gegenüber so aufgespielt hatte, hatte sie jetzt Angst bei der Vorstellung, Geoffrey Charlton noch einmal gegenüberzutreten. Sie hatte Mrs. Bicknell bereits geschrieben und ihr Bedauern darüber ausgedrückt, dass sie nicht zum Tee kommen könne. In ihrer Panik wollte sie die Visitenkarte zurückschicken, sich unter einem Vorwand entschuldigen und ihn abweisen. Doch dann entdeckte sie auf der Rückseite der Visitenkarte in seiner Handschrift den Satz: »Ich muss Sie unbedingt unter vier Augen sprechen.«

Welche dringenden Nachrichten überbrachte er, die ein Gespräch unter vier Augen notwendig machten? Hatte er noch etwas über Damiens zweifelhaftes Leben ausgegraben?

Es kostete sie eine ungeheure Anstrengung, doch sie nahm sich zusammen. Sie erinnerte sich daran, dass es sie nicht länger kümmerte, ob Damiens Sünden ihn einholten. Wenn es so war, dann hatte er es nicht anders verdient! Sie wusch sich das Gesicht, bürstete die Haare und zog ein frisches Kleid an. Sie legte etwas Rouge auf die wachsbleichen Wangen, tupfte Parfüm hinter die Ohren, schloss die Tür des Arbeitszimmers hinter dem Durcheinander und ließ in ihrem Wohnzimmer Holz auf das Feuer legen. Als Charlton einige Minuten später durch die Tür trat, empfing sie ihn scheinbar völlig gelassen. »Mr. Charlton, wie nett von Ihnen, mich zu besuchen.« Sie tat ihr Bestes, um herzlich zu lächeln. »Bitte nehmen Sie Platz, und sagen Sie mir, was Sie so früh am Morgen hierher führt und ein Gespräch unter vier Augen verlangt.«

»Es sieht aus, als sei es mir zur Gewohnheit geworden, mich Ihnen aufzudrängen«, sagte er entschuldigend. »Bitte vergeben Sie mir. Wäre die Angelegenheit nicht so unglaublich wichtig, um mein Eindringen zu rechtfertigen, hätte ich Sie nicht gestört.« Er strich sich über die Haare und lächelte. »Was ich zu sagen habe, ist wichtig und natürlich vertraulich.«

»Oh?« Emma zwang sich dazu, auch weiterhin zu lächeln. »Wenn es so ist, sollten wir vielleicht eine Tasse Kaffee trinken, während wir darüber sprechen.« Sie klingelte nach Sharifa und schickte sie in die Küche. Wenn sie Kaffee eingoss und ihre Pflichten als Hausherrin erfüllte, würde das auf praktische Weise helfen, ihre Hände beschäftigt zu halten.

Charlton verschwendete keine Zeit mit Geplauder. »Wie ich Ihnen schon einmal gesagt habe, Mrs. Granville, war ich im letzten Herbst zur gleichen Zeit wie Ihr Mann in St. Petersburg.«

»Das haben Sie mir erzählt, Mr. Charlton.«

»Wir haben uns zufällig im Jachtklub getroffen. Ich war Gast unseres Militärattachés. Ihr Mann aß mit einigen hochrangigen Offizieren der russischen Armee zu Abend. Sie waren ins Gespräch vertieft – auf Russisch natürlich. Ich erfuhr, dass es nicht der erste Besuch Ihres Mannes in Russland war. Er war schon früher in St. Petersburg gewesen. Bei meinen früheren Aufenthalten in Kaschmir hatte ich natürlich von Damien Granville gehört, aber nun interessierte er mich sehr. Wie kommt es, fragte ich mich, dass sich ein Engländer in Gesellschaft von Russen so zu Hause fühlt? Genauer gesagt, aus welchem Grund?«

Emma zwang sich, pflichtbewusst zu erwidern: »Mein Mann ist in beiden Ländern zu Hause.« Dabei fragte sie sich, wieso sie es immer noch für notwendig hielt, sich für Damien Entschuldigungen auszudenken. »Und er hat russische Geschäftsverbindungen.«

»Vielleicht nicht nur Geschäftsverbindungen, Mrs. Granville.« Der Ton war zwanglos, ja sogar etwas nachdenklich, doch seine Augen waren es nicht. »Später erfuhr ich von einem freundlichen Kellner, dass an jenem Tisch an diesem Abend über einen gewissen Oberst Michail Borokow gesprochen worden war. Offenbar interessierte sich Ihr Mann brennend dafür, die Bekanntschaft dieses Oberst zu machen. Erinnern Sie sich vielleicht aus einigen meiner Artikel im *Sentinel* an diesen Namen?«

Emma lächelte mit großer Anstrengung noch liebenswürdiger. »Ach du liebe Zeit, jetzt werden Sie mir gleich wieder erzählen, dass mein Mann ein russischer Spion ist?«

Er stand auf, stützte sich mit den Ellbogen auf den Kaminsims und überging die Frage. »Als ich in diesem Jahr nach Delhi kam«, fuhr er fort, »stellte ich fest, dass sich Ihr Mann ebenfalls in der Stadt aufhielt, und ich machte mir die Mühe, mehr über ihn herauszufinden. Damals hörte ich durch meine Quellen beim Militär von Edward Granville und seiner außergewöhnlichen Frau Natascha Vanonkowa und davon, wie er all das hier erworben hatte«, Charlton wies aus dem Fenster, »dieses prächtige Anwesen in Kaschmir.« Er sah sie herausfordernd an: »Was die Gründe für den Aufenthalt Ihres Mannes in Delhi angeht …« Er machte eine Pause, und Emma stockte der Atem.

»Aber ich fürchte, ich zäume das Pferd vom Schwanz her auf«, erklärte er mit einem reumütigen Lächeln. »Ich bitte Sie, einen Augenblick Geduld mit mir zu haben. Nachdem Sie inzwischen vermutlich mit den Hintergründen vertraut sind, über die in den Zeitungen berichtet wurde, muss ich etwas abschweifen. Ich möchte über Jeremy Butterfield sprechen, den ermordeten Agenten, den ich neulich Ihnen gegenüber erwähnt habe.«

Der Kaffee kam, und Emma war froh, dass sie ihn bestellt hatte. Beim Eingießen zitterte ihre Hand. Charlton schien es jedoch nicht zu bemerken. »Wissen Sie, Mrs. Granville«, fuhr Charlton fort, nachdem der Kaffee eingegossen war und die Petit fours auf den Tellern lagen, »mich hat die ausweichende Erklärung des Nachrichtendienstes zum Verlust der Papiere von Butterfield nie zufrieden gestellt, wie Sie meinen Artikeln wohl entnommen haben.«

»Zucker?«, fragte Emma. »Zwei Stück, wenn ich mich recht erinnere.«

»Ja, danke.« Er neigte leicht den Kopf. »Obwohl viele Gerüchte kursierten, als ich in Simla war, stellte ich fest, dass im Nachrichtendienst ein merkwürdiges Komplott des Schweigens herrschte. Die Lippen blieben fest geschlossen, die Jalousien waren heruntergelassen worden, und man wollte mich mit allerlei Ausflüchten abspeisen. Der zuständige Offizier behauptete, die Papiere seien bei dem Überfall vernichtet worden, und deshalb sei Butterfields Behauptung, den Jasminapass entdeckt zu haben, zweifelhaft. Man beharrte auch darauf, dass absolut nichts Wahres an dem Gerücht sei, dass die Karten, die er möglicherweise gehabt hatte, in die Hände der Russen gelangt seien, und so fort.« Charlton lachte verächtlich und setzte sich wieder. »Sind Sie jemals während der Saison in Simla gewesen, Mrs. Granville?«

»Nein.«

»Es ist eine unwirkliche … man könnte fast sagen Alice-im-Wunderland-Welt, bevölkert von seltsamen Grinskatzen, verrückten Hutmachern und Goggelmoggeln. Es gilt gewissermaßen als Statussymbol, alle möglichen und unmöglichen Geheimnisse zu erfahren und sie dann mit möglichst vielen anderen zu teilen – zu meinem Glück.« Er sah sie beschwörend an. »Mrs. Granville, sagt Ihnen der Name Lal Bahadur etwas?«

Emma schüttelte den Kopf.

»Lal Bahadur hieß der Gurkha, der Jeremy Butterfield bei dieser Mission begleitete. Dieser Mann hat dem Nachrichtendienst seinen letzten Bericht überbracht. Eigenartigerweise stellte ich fest, dass Bahadur seit dieser Zeit wie die Grinskatze verschwunden ist. Warum? Das konnte mir natürlich niemand sagen. Wohin? Das wollte mir niemand sagen. Durch Freunde machte ich ihn schließlich in Kanpur ausfindig. Er war vorsichtig, aber als schlichter und ehrlicher Mann kein sehr guter Lügner. Was ich ihm schließlich entlocken konnte, war, gelinde gesagt, erschütternd.« Er leerte seine Tasse und stellte sie zurück auf den Tisch. »Das Thema, auf das ich jetzt gezwungenermaßen zu sprechen komme, wird zweifellos Ihr Leid wieder aufleben lassen, aber ich hoffe, Sie werden mir auch das vergeben, denn es lässt sich nicht umgehen.«

Emma saß bewegungslos da und achtete darauf, dass ihr Gesicht ausdruckslos blieb.

»Wissen Sie, Mrs. Granville, nicht irgendein unbekannter Einheimischer hat Ihren Vater auf dem Biafogletscher gefunden und begraben, sondern Jeremy Butterfield.«

Emma wusste, dass sie blass geworden war, aber mit bemerkenswerter Selbstbeherrschung zeigte sie keine weitere Reaktion. Jetzt sah sie die Verbindung, und ihr drängten sich hundert angstvolle Fragen auf. Doch ein instinktives Gefühl sagte ihr, dass sie diese Fragen nicht stellen durfte, solange sie nicht alles gehört hatte.

»Der Name Ihres Vaters wurde aus demselben Grund unterdrückt, wie man Butterfields Entdeckung und die geheimnisvollen Papiere leugnete. Denn das Eingeständnis, dass der Jasminapass gefunden war, hätte auch das Eingeständnis bedeutet, dass die Papiere verschwunden waren. Das war jedoch undenkbar. Es hätte einen nationalen Aufschrei hervorgerufen, und man hätte die Regierung gekreuzigt. Deshalb entschied sich Simla dafür zu schweigen.«

Emma spürte, dass der Alptraum noch größer werden würde. Doch sie ließ nicht zu, dass diese Aussicht ihre Wahrnehmungen trübte. Sie unterdrückte gewaltsam ihre Angst und füllte als gute Gastgeberin Charltons Tasse. Er rührte den Kaffee um und nahm spöttisch lächelnd einen Schluck. »Lal Bahadur bestätigte, dass Butterfield zusammen mit der Leiche Ihres Vaters auch sein Notizbuch gefunden hat. Der Gurkha kennt seinen Inhalt nicht, sagt aber, nachdem Butterfield es gelesen habe, sei er mit seinen Instrumenten verschwunden. Nach seiner Rückkehr schickte er Bahadur mit seiner Truhe und einer dringenden Nachricht nach Simla. Bahadur hat keine Ahnung von all dem, was danach geschah.« Er beugte sich vor und durchbohrte sie mit seinen Blicken. »Ihr Vater hat den Jasminapass entdeckt, Mrs. Granville, und Butterfield hat seine Entdeckung später bestätigt. Bedauerlicherweise hatten Safdar Alis Mordgesellen von Butterfields Erfolg erfahren. In den Bergen dort bleibt das Eindringen eines Fremden nicht unbemerkt. Sie haben ihn verfolgt und schließlich getötet. Zweifellos wurden bei dem Überfall manche seiner Papiere vernichtet, aber nicht alle.«

In dem eintretenden Schweigen stand Emma auf und nahm in aller Ruhe die Untersetzer vom Tisch, die sie angefangen hatte zu häkeln. Die Kaffeekanne war leer, und sie brauchte unbedingt etwas, um zu verbergen, dass sie am ganzen Körper zitterte. Die Lücken im Mosaik ihrer Informationen füllten sich so schnell, dass sie Charltons Bericht nicht mehr folgen konnte.

»Simla behauptet, Butterfield habe die Papiere in seiner Teppichtasche aufbewahrt«, sagte Charlton. »Und die Banditen hätten alle seine Aufzeichnungen und Unterlagen ohne Schwierigkeiten gefunden.« Er hakte die Daumen in die Armlöcher seiner Weste und lehnte sich zurück. »Ich weiß, wie sich Agenten verhalten, und deshalb weiß ich, dass das Unsinn ist. Was ich später in Yarkand und in Leh herausgefunden habe, bestätigt das.«

Er stand wieder auf, ging zum Kamin und stocherte mit dem Schürhaken in der Glut, obwohl das Feuer gut brannte. »Die Händler aus Yarkand, mit denen Butterfield gereist war, weigerten sich zu sprechen, weil sie immer noch misstrauisch und nervös waren. Nachdem ich einige Tage verschwendet hatte, geriet ich an einen Maultiertreiber. Bei ihm hatte ich mehr Glück. Der Mann redete bereitwillig, als ihm etwas von dem Öl angeboten wurde, das die menschliche Zunge am besten löst.« Charlton rieb Daumen und Zeigefinger aneinander. »Als Hindu, so sagte er, habe er keine Bedenken gehabt, die Habe des andersgläubigen Rasul Achmed zusammenzupacken – eine hinduistische Gebetskette und eine buddhistische Gebetsmühle, die zu berühren die muslimischen Händler sich weigerten. Die Gebetskette, so gestand er fröhlich, habe er für seine Mutter behalten. Was mit der Gebetsmühle geschehen sei, wusste er nicht.«

Charlton legte den Kopf zurück und blickte zur Decke. »Ich möchte behaupten, dass Sie sehr viel über Gebetsmühlen wissen, Mrs. Granville.«

Emma ließ vorsätzlich die Masche von der Häkelnadel fallen und nahm sich viel Zeit, sie wieder aufzunehmen. »Ja, Mr. Charlton. Gebetsmühlen waren ein Spezialgebiet meines Vaters.«

»Aha! Dann werden Sie sich daran erinnern, was ich Ihnen neulich auf dem Takht-e-Suleiman gesagt habe, dass sie nämlich wie Gebetsketten in der geheimdienstlichen Arbeit besondere Verwendung finden.«

»Wirklich? Leider kann ich mich nicht daran erinnern.«

»Nein, Mrs. Granville? Das macht nichts. Darauf kommen wir später zu sprechen. Alle Ausrüstungsgegenstände, die in Dehra Dun für Spionagezwecke hergestellt werden, sind mit besonderen Markierungen versehen. Da die Mutter des Maultiertreibers es empört abgelehnt hatte, eine Gebetskette mit nur hundert Perlen zu benutzen, war der Mann froh, ein paar Paise extra zu verdienen, und er hat sie mir verkauft.« Charlton schob die Hand in die Tasche, zog die Gebetskette hervor und hielt sie Emma hin. »Wie Sie sehen, befindet sich die Markierung hier, an der Quaste.«

»Ich habe keinen Grund, Ihnen nicht zu glauben«, sagte Emma, ohne die Kette näher zu betrachten. »Ich weiß, wie gründlich Sie immer recherchieren. Aber sagen Sie, was hat das alles mit mir zu tun?«

»Leider sehr viel. Aber zuerst das Wichtigste.« Er ließ die Gebetskette wieder in die Tasche gleiten und stützte das Kinn auf die gefalteten Hände. »In Leh löste das richtige Gleitmittel die Zunge des Mullah ebenfalls, obwohl er sich erst vor kurzem in Mekka der spirituellen Reinigung unterzogen hatte. Er gab zu, dass sich unter Rasul Achmeds Habe eine Gebetsmühle befunden habe. Er wollte die Sachen unbedingt los sein, bevor er sich auf die Pilgerreise machte. Deshalb übergab er sie zusammen mit Butterfields Reisetasche nicht einer wohltätigen Einrichtung, wie unser Nachrichtendienst behauptet, sondern zwei buddhistischen Mönchen auf dem Weg nach Gaya, die in Delhi Station machen wollten. Der Mullah spricht etwas Englisch, und er hatte unter Rasul Achmeds Papieren eine Rechnung mit einem Namen und einer Adresse gefunden, die vermutlich von Butterfield selbst geschrieben worden war.« Er nahm das Kinn von den Händen und wischte eine Krume von seinem Jackett. »Es war, Mrs. Granville, der Name Graham Wyncliffe und Ihre Adresse.« Er brach ab. »Muss ich noch mehr sagen?«

»Warum nicht, Mr. Charlton?« Die Selbstsicherheit, die aus ihrer Stimme klang, überraschte Emma. »Ich bin sehr neugierig, den Rest zu erfahren.«

»Sie kennen den Rest bereits, Mrs. Granville.«

»Ach? Und wie kommen Sie darauf, Mr. Charlton?«

»Trotz des konsequenten und sehr glaubhaft unschuldigen An-scheins, den Sie vermitteln, ist Ihnen nichts von dem, was ich gesagt habe, unbekannt. Als Journalist habe ich gelernt, dass das, was die Leute *nicht* sagen, sehr viel mehr verrät, als das, was sie sagen. Sie, Mrs. Granville, waren bemerkenswert schweigsam.« Er lachte tro-cken. »Und erstaunlich wenig überrascht.«

Emma legte das Häkelzeug beiseite und nahm sich einen Moment Zeit, Geoffrey Charlton sachlich zu mustern. Er lächelte immer noch freundlich, ja sogar gewinnend, doch sein Charme war getrübt, und die Bescheidenheit war, wie sie erkannte, nur Tünche. Darunter brannte leidenschaftlicher, skrupelloser Ehrgeiz. Sie fragte sich, weshalb sie das nicht schon früher gemerkt hatte.

»Und nun kommen wir zurück zu den Gründen für Damien Gran-villes Aufenthalt in Delhi.« Die tiefblauen Augen waren so eisig wie seine Stimme. »Zu meiner Verblüffung förderten meine Unter-suchungen eine geradezu unglaubliche Folge von Zufällen zutage. Für sich genommen bedeuteten sie wenig, zusammen lenkten sie mei-ne Gedanken in eine völlig neue Richtung. Sehen wir uns diese Zufäl-le einmal an.« Er spreizte die Finger einer Hand. »Erstens: Damien Granville, nach eigenem Eingeständnis russophil, Sohn einer russi-schen Spionin, mietet sich in Delhi ein und trifft am Spieltisch einer in

Delhi bekannten Spielhölle auf David Wyncliffe. Zweitens: David Wyncliffe ist zufällig der Sohn von Graham Wyncliffe, der zufällig gerade einen Pass im Himalaja entdeckt hat, den sich Russland unbedingt einverleiben will. Drittens: Die Gebetsmühle, in der Butterfield die Papiere versteckt hat, wird der Tochter von Graham Wyncliffe in Delhi übergeben. Viertens: David Wyncliffe verliert sein Haus beim Kartenspiel, und, man beachte, die Spielschuld wird großzügig erlassen. Und fünftens: Damien Granville heiratet Graham Wyncliffes Tochter.«

Er ließ die Hand sinken und zeigte beim Lächeln seine gleichmäßigen weißen Zähne. Emma konnte nicht verstehen, dass sie dieses verschlagene herzlose Lächeln jemals jungenhaft gefunden hatte.

»Quod erat demonstrandum, würden Sie mir nicht zustimmen, Mrs. Granville?«

Mit ungeheurem Mut ging sie noch einmal in die Offensive. »Verlangen Sie von mir, Mr. Charlton, ich soll glauben«, fragte sie mit einem Anflug von Belustigung, »dass Sie all diese angeblichen Tatsachen und Zufälle kennen, während unser Nachrichtendienst nichts davon weiß?«

Flüchtig, sehr flüchtig runzelte er die Stirn. Dann tat er die Frage mit einer Grimasse ab. »Ach, der Nachrichtendienst! Das ist ein Haufen vertrottelter Bürokraten, die nach starren Regeln und Vorschriften leben. Sie sind langsam, einfallslos und unendlich vorsichtig, besonders, wenn sie sich im Netz ihrer eigenen Lügen verstrickt haben und keine weiteren unangenehmen öffentlichen Enthüllungen brauchen können.« Sein Ton war äußerst verächtlich. »Ich dagegen reise mit leichtem Gepäck, ich reise allein, und ich habe es eilig.«

»Nun ja, vielleicht etwas zu eilig, Mr. Charlton«, erwiderte Emma. Seine Arroganz machte sie allmählich wütend. »Nehmen wir an, Ihre märchenhafte Geschichte hat auch nur im Geringsten etwas mit der Wirklichkeit zu tun. Wie bitte hat mein Mann herausgefunden, dass sich die angeblich existierenden Papiere in dieser geheimnisvollen Gebetsmühle befanden?«

Er wandte den Blick nicht von ihrem Gesicht. »Wahrscheinlich so, wie ich es herausgefunden habe.«

»Wahrscheinlich?« Sie lachte. »Sie meinen, es gibt tatsächlich noch etwas, das Sie noch nicht durchschaut haben?«

»Ich erwähne das als eine Möglichkeit.«

»Und die andere?«

»Er hat durch Sie von den Papieren erfahren.«

Vor Überraschung verschlug es Emma die Sprache.

Er sprang auf und ging mit großen Schritten im Wohnzimmer hin und her. »Verzeihen Sie, Mrs. Granville, aber mir fällt keine taktvollere Möglichkeit ein, das zu sagen. In Delhi waren Sie als eine junge, intelligente Frau bekannt, die sich klar und deutlich ausdrückt, aber kaum Aussichten auf eine Heirat hatte. Sie besaßen wenig Geld, haben eine kranke Mutter und einen schlecht geratenen Bruder und haben so mit beiden Händen nach dem gegriffen, was Granville Ihnen anbot – das Ende Ihres Daseins als alte Jungfer, finanzielle Sicherheit und als Zugabe die Erlassung der Schulden Ihres Bruders, natürlich im Austausch gegen die Papiere.«

Emma war so schockiert, dass sie nicht einmal wütend werden konnte. »Und nach Ihrer einfallsreichen Interpretation dieser angeblichen Zufälle haben Sie mich durch die freundliche Vermittlung von Mrs. Hathaway aufgesucht?«

»Ehre, wem Ehre gebührt, Mrs. Granville. Ich habe auch sehr viel von Ihren Freunden, den Prices, erfahren, die ich zufällig in Simla traf und die sehr entgegenkommend waren.«

»Und das alles sagen Sie, nachdem Sie mich gebeten haben, Sie als einen *Freund* zu betrachten?«

»Ihr Mann ist ein Verräter, Mrs. Granville«, erwiderte er hart. »Er hat vor, die Papiere einem potenziellen Feind zu verkaufen!«

»Und Ihre Motive, Mr. Charlton? Sind Ihre Motive rein patriotisch?«

»Ich habe Ihnen einmal gesagt, ich bin Journalist und Realist. Weder behaupte ich, Patriot zu sein, noch gebe ich es vor. Ihr Vater dagegen war Brite, und seine Loyalität galt Britannien.«

»Mein Vater war ein Wissenschaftler, ein Weltbürger. Er hatte nichts übrig für Engstirnigkeit und Beschränktheit!«

»Trotzdem, was er entdeckt hat, gehört Britannien, Mrs. Granville, und die britische Öffentlichkeit verdient es, davon zu erfahren.«

»Ach, Sie wollen die Papiere also nur im Dienst der Nation veröffentlichen?«

»Nein. Auch ich bin nicht selbstlos. Für die Sensation, die Jasminapapiere als Erster zu veröffentlichen, würde jeder Journalist alles tun.«

»Wenn Sie davon überzeugt sind, dass Sie die Wahrheit herausgefunden haben, weshalb haben Sie dann die ganze grandiose Geschichte bisher noch nicht veröffentlicht?«

»Aus zwei Gründen. Ohne Einzelheiten über den Jasminapass würde man mich auslachen. Und zweitens«, sein Lächeln verriet endlich etwas von dem Triumph, den zu verbergen er nun nicht mehr nötig fand, »habe ich erst gestern Abend endgültig und zweifelsfrei die Bestätigung erhalten, dass Ihr Mann mit den Russen Verhandlungen über die Jasminapapiere aufgenommen hat. Das erklärt die Dringlichkeit der Angelegenheit.«

Trotz allem, was Emma bereits wusste, schockierte es sie, die Fakten so ungeschminkt zu hören. Charltons Ton hatte den schrecklichen Klang der Wahrheit. Schließlich war er ein zu gewitzter Journalist, um nicht den Beweis für eine so schwere Beschuldigung zu besitzen. Doch ihr Stolz verbot ihr, dem Widerling etwas von ihrem inneren Aufruhr zu zeigen, und deshalb zwang sie sich zu lächeln.

»Ach? Und wie und von wem, wenn ich fragen darf, haben Sie diese angebliche Bestätigung erhalten?«

»Die Wege sind zu schwierig und zu vielfältig, um sie alle aufzuzählen, Mrs. Granville. Und natürlich kann ich meine Quelle nicht nennen. Sagen wir einfach, wenn man weiß, wie man die richtigen Hebel drückt und endloses Gerede über sich ergehen lässt, kann man die meisten Menschen so weit bringen, dass sie früher oder später unabsichtlich Enthüllungen machen.« Er schwieg einen Moment und sagte dann ganz leise: »Ich will diese Papiere haben, Mrs. Granville.«

»Wirklich?« Ihre unerschütterliche Gelassenheit überraschte sie selbst.

»Natürlich für eine Gegenleistung.«

»Noch mehr Schmiergelder?«

»Nein. Ich verpflichte mich, weder die Rolle Ihres Mannes in dieser Sache zu enthüllen noch die Ihre. Die Quelle meiner Informationen wird selbst vor meinem Arbeitgeber geheim gehalten werden.«

»Und wenn ich mich weigere?«

»Dann werden Sie beide bloß gestellt werden, und Ihr Mann wird Shalimar verlieren.«

»Shalimar? Wie das?«

»Der Besitz dieser Papiere stellt einen Diebstahl dar, Mrs. Granville. Der Verkauf von Geheimdokumenten an eine potenziell feindliche Macht ist Hochverrat. Beides sind für Walter Stewart Gründe genug, das Gut zu konfiszieren und ein Strafverfahren einzuleiten. Man wird Ihren Mann festnehmen, und er wird zweifellos ebenso verurteilt werden wie seine Mitverschwörer. Nachdem sie Kaschmir in Verruf gebracht haben, wird man sie ausweisen. Stewart hat genug Macht, um dafür zu sorgen.«

Emmas Mund wurde noch trockener. Sie sagte nichts. Er beantwortete ihre unausgesprochene Frage dennoch. »Die Mitverschworenen Ihres Mannes sind natürlich Suraj Singh, die Gebrüder Ali, Hyder und Jabbar, die über Monate hinweg seine willigen Mittelsmänner in Zentralasien waren, und«, er hustete hinter vorgehaltener Hand, »Sie!«

Emma sah ihn ungläubig an. Geoffrey Charlton hatte mit Hilfe von Chloe Hathaway und ihren klatschsüchtigen Freunden aus Delhi ihr und Damiens Leben bloß gelegt, während er ihre Gastfreundschaft genossen, sie um *ihr* Vertrauen gebeten und sie mit dem Angebot seiner Freundschaft geködert hatte? Sie war zutiefst empört.

Sie erhob sich, richtete sich hoch auf und sah ihn voll Verachtung an. »Ich habe Sie einmal für einen Freund gehalten, Mr. Charlton. Es tut mir sehr Leid, feststellen zu müssen, dass Sie das nicht sind. Aber ich habe die Papiere nicht. Selbst wenn ich sie hätte, wären Sie der Letzte, dem ich diese Dokumente geben würde. Verlassen Sie bitte mein Haus, und machen Sie sich nicht die Mühe, noch einmal hierher zu kommen. Wenn Sie es doch tun, werde ich Sie hinauswerfen lassen.«

Er war außer sich vor Wut. »Sehr gut, Mrs. Granville. Walter Stewart wird morgen früh den Durchsuchungsbefehl unterschreiben. Das Haus, auf das Sie so stolz sind, wird Zimmer für Zimmer auf den Kopf gestellt werden. Man wird die Papiere finden und beschlagnahmen. Bis dahin stehen Sie in Ihren Räumen unter Arrest. Zwei Wachen der Residenz werden vor Ihrer Tür postiert, um sicherzustellen, dass Sie bleiben, wo Sie sind. Andere haben Anweisung, jede Person zu durchsuchen, die das Anwesen verlassen will.«

Der ganze Hass, den er so sorgfältig unterdrückt hatte, brach plötzlich aus ihm hervor. »Warum wollen Sie sich unbedingt selbst zerstören? Warum geben Sie sich solche Mühe, einen Mann zu schützen, den Sie nicht lieben? Einen Mann, der Ihr Leben für politischen Profit verschachert und der Sie am Spieltisch gewonnen hat?«

Ihr Arm schnellte vor, und ihre geballte Faust traf ihn mit aller Kraft im Gesicht. Der Treffer kam für ihn völlig unerwartet. Er hielt eine Hand vor den Mund und fluchte. Sie war blitzschnell am Tisch und nahm ihre Pistole aus der Schublade.

»Gehen Sie, Mr. Charlton«, sagte sie leise, »oder ich verspreche, ich schieße Ihnen ins rechte Knie. Ich kann gut schießen, es ist unwahrscheinlich, dass ich nicht treffe.«

Er wich zurück.

»Das ist nicht das Ende, Mrs. Granville, sondern erst der Anfang.« Sein Gesicht war vor Schmerz verzerrt. »Ich komme morgen mit dem Durchsuchungsbefehl zurück. Wir werden die Papiere finden, und Shalimar wird Ihnen nicht mehr gehören.«

Emma entsicherte die Pistole mit einem hörbaren Klicken. Sie stellte sehr zufrieden fest, dass sich das Taschentuch, das er auf seinen Mund presste, rot verfärbte.

Charlton zögerte noch einen Moment, dann zuckte er mit den Schultern, ging hinaus und warf mit einem lauten Knall die Tür hinter sich ins Schloss.

*

Conolly beschloss, Yarkand zu meiden, um George MacCartney, dem britischen Konsul in Yarkand, noch mehr Schwierigkeiten mit den Chinesen zu ersparen. Der Taotai war zwar angesichts seiner eigenen Rolle in dieser heiklen Angelegenheit wohl kaum in der Lage, eine diplomatische Affäre daraus zu machen, doch er mochte aus reinem Starrsinn MacCartney und Younghusband den Zutritt zum Kaschgar verweigern, und Conolly wollte nicht zur Verschlechterung der diplomatischen Beziehungen beitragen.

Sie hielten vor der Karawanserei in Yarkand gerade lange genug an, um auf dem Basar Verpflegung und andere notwendige Dinge für die Reise zu kaufen. Er und Iwana aßen heißhungrig in einer chinesischen Garküche, wo alles, selbst die Nudeln, auf Bestellung frisch zubereitet wurde, und ruhten sich ein oder zwei Stunden aus. Danach ritten sie, ohne noch mehr Zeit zu verlieren, zur südlichen Seidenstraße eine angenehme, von Pappeln gesäumte Allee entlang, die einige Meilen südlich von Yarkand verlief.

Sie hatten wenig Gepäck und kamen deshalb schnell vorwärts. An manchen Tagen legten sie mehr als dreißig Meilen zurück und ergänzten ihre mageren Vorräte bei vorüberziehenden Karawanen. Wegen ihres Vorsprungs waren sie bisher nicht entdeckt worden, doch Conolly blieb vorsichtig. Er war überzeugt, dass man sie verfolgte. Deshalb entschied Conolly erst, als sie den Sanjupass überquert hatten, den Ersten von fünf hohen Pässen, die vor Leh lagen, welchen Weg sie nehmen würden.

Die neu entdeckte Route nach Leh durch das Karakashtal über die Aksai-Chin-Ebene und in das Tal des Changchenmoflusses war wenig bekannt und deshalb auch kaum begangen. Andererseits würde die tote und trostlose Aksai Chin sie zwingen, mehrere hundert Meilen weit in einer flachen kahlen Wildnis auf Höhen von dreitausend Metern und mehr zu bleiben. Das würde ihre Reise nicht nur um Tage verlängern, sondern auch an ihren Kräften zehren. Conolly war nicht sicher, ob er das überleben würde, von Iwana ganz zu schweigen. Deshalb beschloss er schließlich, die traditionelle Route durch das Karakorumgebirge zu nehmen.

Doch das schwierigste Hindernis lag noch vor ihnen: Der Suget, der zweite Pass und gleichzeitig die Grenze des chinesischen Territoriums. Er wurde von einem stark bemannten Fort bewacht. Wenn die chinesische Grenze erst hinter ihnen lag, konnten sie es sich leisten, langsamer zu reisen und sich einer Karawane anzuschließen, aber vorher nicht.

Das Fort stand auf einem Plateau hoch über dem Karakashtal und wurde auf drei Seiten von steil aufragenden Bergen umschlossen. Man konnte sich ihm unmöglich nähern, ohne gesehen zu werden. Conolly wusste von früher, dass sich auf dem Zugangsweg zwischen zwei großen Steinen eine Tafel mit der unmissverständlichen Warnung befand: »Jeder, der die chinesische Grenze überquert, ohne sich im Fort zu melden, wird verhaftet.« Selbst wenn die Nachricht von der Entführung und ihrer Flucht Suget noch nicht erreicht hatte, wäre es unklug gewesen, das Risiko einzugehen. Um das Fort zu vermeiden, mussten sie jedoch einen langen, beschwerlichen und gefährlichen Umweg machen, aber er sah keine andere Möglichkeit. »Haben Sie Angst vor Wasser?«, fragte er Iwana vorsichtig.

»Nein.«

»Können Sie schwimmen?«

»Ja.«

»Das ist gut.«

Er wartete, bis es dunkel war, dann ritten sie in weitem Bogen um Shahidullah herum nach Westen zum Yarkand. An seinem verlassenen Ufer packte er die Dinge aus, die er erstanden hatte, und machte sich an die Arbeit. Er pumpte mit einem Blasebalg Luft in die großen Büffelhäute und vertäute die Öffnungen mit Schnur. Dann band er Iwana auf einer fest, sich selbst auf der Zweiten, ihre Habe auf einer Dritten und verknotete sie alle miteinander.

Er holte tief Luft. »Beten Sie, Iwana. Wir brauchen göttliche Hilfe, um das, was uns jetzt bevorsteht, zu überleben.«

»Ich weiß, Sie versuchen Ihr Bestes. Ich habe keine Angst.« Sie sah ihm in die Augen. »Noch einmal vielen Dank für alles, was Sie für mich getan haben.«

Conolly zuckte zusammen. Er wollte etwas sagen, erkannte aber, dass es dafür nicht der richtige Ort und der richtige Zeitpunkt war. Er hob nur die Hand. Auf dieses Zeichen hin sprangen sie beide ins eiskalte Wasser. Am Ende einer langen Leine, die an seinem Hals befestigt war, folgte ihnen furchtlos das Pferd. Die Strömung ergriff sie und wirbelte sie schnell und gleichmäßig vorwärts. Conolly wusste, dass sich vor ihnen Stromschnellen befanden, und schickte ebenfalls ein Stoßgebet zum Himmel. Wenn sie bis zu diesen Hindernissen nicht erfroren waren, bestand eine gewisse Wahrscheinlichkeit, dass sie an den Felsen zerschmettert würden, zwischen denen das Wasser mit unglaublicher Geschwindigkeit dahinschoss.

Es war die reine Folter. Sie waren hilflos der reißenden Strömung ausgeliefert und wurden unbarmherzig herumgewirbelt. Mehrmals entgingen sie dem Tod nur um Haaresbreite. Sie hatten keine Kontrolle mehr über ihr Leben und trieben in der schrecklichen Zeitlosigkeit der Nacht dahin. Jeder Funke Lebenswille richtete sich nur darauf, den Kopf über Wasser zu halten. Irgendwann riss die Leine, und sie verloren das Pferd. Doch es blieb keine Zeit, ihm nachzutrauern, denn sie hüpften und wirbelten und kreisten eine Furcht erregende Ewigkeit lang dahin.

Schließlich erreichten sie das Ende der Stromschnellen. Das Wasser beruhigte sich und wurde zu einem gleichmäßig dahinfließenden Fluss. Sie paddelten auf ihren behelfsmäßigen Flößen so schnell weiter, wie es ihre nachlassenden Kräfte zuließen. Stunden, vielleicht auch Minuten später, sie wussten es nicht, stießen sie gegen etwas, das gleichzeitig hart und weich war – das andere Ufer!

Conolly griff mit schmerzenden Muskeln und dem letzten Atem in seinen Lungen nach den langen Wurzeln eines Baumes. Mit der anderen Hand zerrte er an den Knoten der Seile, mit denen er festgebunden war, bis sie sich lösten und er sich auf das Ufer hinaufziehen konnte. Als er auch Iwana und das Gepäck befreit hatte, bluteten seine eingerissenen Nägel, und sein ganzer Körper rebellierte. Er rang keuchend nach Atem, hustete und versuchte spuckend, sich von dem Wasser in seinen Lungen zu befreien. Am Ufer brach er zitternd zusammen, röchelte noch einmal und verlor das Bewusstsein. Sein letzter Gedanke galt Iwana, doch er hatte nicht mehr die Kraft, den Kopf zu wenden oder nach ihr zu rufen. Die Büffelhäute, die ihnen das Leben gerettet hatten, trieben in der undurchdringlichen Dunkelheit davon und setzten ihre Reise ins Unbekannte fort.

Als er wieder zu sich kam, sah er das erste fahle Licht der Morgensonne am östlichen Horizont. Er richtete sich mühsam auf und blickte sich um. Iwana lag regungslos und mit geschlossenen Augen dicht am Wasser. Er konnte nicht erkennen, ob sie atmete. War sie tot? Er kam irgendwie auf die Füße, ging schwankend zu ihr und betastete mit eiskalten Fingern ihr Gesicht. »Iwana …?«

Ihre Lider zuckten leicht, doch sie öffnete nicht die Augen. Er hob sie auf und trug sie unter einen weiter oben stehenden Baum. Unter der Anstrengung brach er beinahe zusammen. Er blickte sich nach Zeichen menschlicher Anwesenheit in der kalten, unbelebten Einöde um, entdeckte aber keine. Er hatte keine Ahnung, wo sie sich befanden, und es war ihm auch gleichgültig. Doch ironischerweise war er irgendwie sehr glücklich. Sie waren am Leben und befanden sich nicht länger auf chinesischem Hoheitsgebiet!

Der Himmel über ihnen färbte sich zögernd blassblau. Bald würde die Sonne aufgehen und die lebensspendende Wärme mit sich bringen. Es versprach, ein Tag zu werden, der ihre Lebensgeister wieder erwecken würde. Conolly wäre am liebsten gehüpft und gesprungen, um seinem Glücksgefühl Ausdruck zu verleihen, aber seine Augenlider waren wie sein ganzer Körper so schwer wie Stein. Er schloss die Augen und fiel wie Iwana in einen todesähnlichen Schlaf.

Stunden später, der Tag war bereits halb vorüber, erwachte er wieder, raffte sich unter großen Mühen auf und stützte sich auf seinen schmerzenden Ellbogen. In einiger Entfernung saß Iwana in der Sonne und trocknete sich. Sie hatte die Augen geschlossen, und ihr Kopf lag auf einem Stein. Er rief ihren Namen, und sie blickte zu ihm herüber. »Ist alles in Ordnung?«

Sie lächelte schwach und nickte.

Als ihre Sachen trocken waren, zogen sie sich um und aßen heißhungrig Streifen von sonnengetrocknetem Yakfleisch. Es war vom Wasser aufgeweicht, doch es schmeckte ihnen trotzdem.

Conolly hatte auf ihrer Flucht vier Dinge beinahe ebenso aufmerksam bewacht wie Iwana – sein Fernglas, eine Karte, seinen Revolver und seinen Kompass. Diese Dinge waren alle in ein Gummituch eingewickelt gewesen. Wie durch ein Wunder hatten sie die lange Zeit im Wasser ohne größeren Schaden überstanden. Der Verlust des Pferdes war ein harter Schlag, doch daran ließ sich nichts ändern.

Jetzt betrachtete er die Umgebung mit dem Fernglas. Er zog seinen Kompass zu Rate, und mit Hilfe des Sonnenstandes berechnete er ungefähr, wo sie sich befanden und in welcher Richtung ihr nächstes Ziel lag. Er hoffte nur, dass seine Nachricht sicher überbracht worden war. Nach diesen Vorbereitungen nahmen sie ihre Habseligkeiten auf den Rücken und marschierten müde in Richtung Südosten.

Nach eineinhalb Tagen stellte er zu seiner großen Erleichterung fest, dass sein Patient in Kaschgar ihn nicht enttäuscht hatte. Die Nachricht war in der Tat eingetroffen, und in dem Kirgisenlager einige Meilen westlich der Stadt Khapalung erwartete ihn sein Freund Mirza Beg mit der gewohnten Gastfreundlichkeit.

*

Die Tatsache, dass zwei schnurrbärtige Riesen in Uniform vor der Tür zu Emmas Räumen Posten bezogen, löste unter dem Personal große Aufregung aus. »Was geht hier vor, Begum Sahiba?«, flüsterte Sharifa und warf einen verstohlenen Blick durch die offene Tür, vor der sich ein Teil der Dienerschaft ängstlich und mit blassen Gesichtern drängte. »Sie haben gesagt, es sind noch mehr unterwegs, um das Haus zu umstellen. Wer sind diese Männer, Begum Sahiba?«

Emma lächelte beruhigend und schloss die Tür. »Die Posten kommen aus der Residenz und sind auf Huzoors Bitte hier. Es war die Rede davon, dass Banditen durch die Gegend ziehen, und Huzoor möchte, dass wir und Shalimar in seiner Abwesenheit sicher sind. Bitte sag allen andern, dass sie sich keine Sorgen machen müssen.«

Emma hoffte inbrünstig, man werde ihr glauben. Hysterie war das Letzte, was sie im Augenblick brauchen konnte. Die würde am nächsten Tag ohnehin ausbrechen, wenn die Hausdurchsuchung begann.

»Wie viele Wachposten sind da?«

»Im Flur sind zwei. Die anderen sieht man vom Haus aus nicht.«

»Ich nehme an, sie verstecken sich auf dem Gelände, um mögliche Eindringlinge nicht frühzeitig zu warnen.«

Hinter ihrem ruhigen Äußeren rasten Emmas Gedanken. Was sollte sie tun? Was konnte sie tun?

Suraj Singh hielt sich in Gulmarg auf, und Lincoln, der Verwalter, war mit einer großen Sendung für Lahore bestimmter Obstkonserven unterwegs nach Srinagar. Sonst gab es niemanden, den sie hätte ins Vertrauen ziehen können. Wenn Charlton den Durchsuchungsbefehl erwirkt hatte, war es nur eine Frage der Zeit, bis er die Papiere finden würde, ganz gleich, wie gut sie versteckt waren. In dieser verzweifelten Situation war alles andere vergessen, selbst das Packen.

Irgendwie musste Damien benachrichtigt werden. Trotz ihrer Meinungsverschiedenheiten, trotz Emmas Entschlossenheit, sich dieser betrügerischen Ehe zu entziehen, die aus Habgier geplant und als Folge von Täuschungen zustande gekommen war, konnte sie nicht gehen, ohne Damien zumindest zu warnen. Bis jetzt hatte sie ein reines Gewissen, und sie würde es nicht beflecken, indem sie zuließ, dass Damien durch ihre Schuld sein verwünschtes Shalimar verlor. Um den Schein der Normalität aufrechtzuerhalten, bestellte sie wie gewohnt das Mittagessen und zwang sich, es zu verzehren. Im Laufe des Nachmittags entwickelte sich aus einer vagen Idee allmählich ein Plan. Am Abend wusste sie genau, was sie zu tun hatte.

Die Wachposten standen vor ihrer Tür und ließen nicht erkennen, dass sie beabsichtigten, diesen Platz aufzugeben. Sie würden zweifellos auf ihren Posten bleiben, bis Charlton am Morgen mit Verstärkung eintraf. Emma befahl Sharifa, den Männern etwas zu essen zu bringen, und stellte für sich ein frühes und etwas eigenartiges Abendessen zusammen – Parathas, gebutterte Brötchen, frisches sowie getrocknetes Obst und etwas Käse. Nachdem Sharifa es gebracht hatte, entließ Emma sie und Rehmat. »Ich habe letzte Nacht nicht gut geschlafen«, sagte sie, »und möchte nicht gestört werden. Ich werde morgen früh klingeln, wenn ich dich brauche.«

Sie schloss die Tür von innen ab und machte sich an die Arbeit.

Ihr Wohnzimmer befand sich über dem Garten seitlich des Hauses. Für Ungestörtheit sorgte eine Hecke aus hohen Bäumen, die einen Teil des Gartens abtrennte. Der Weg für das Personal verlief auf der anderen Seite. Emma nahm die Leintücher vom Bett und verknotete sie mit ein paar anderen aus dem Wäscheschrank zu einem brauchbaren Seil. An ein Ende band sie ein schweres Buch. Mit dem anderen befestigte sie die improvisierte Strickleiter am schmiedeeisernen Balkongeländer und betete, dass es fest genug verankert war.

Danach packte sie das Abendessen zuerst in dickes Papier und dann in Ölpapier, goss das Petroleum aus einer Lampe in eine silberne Reiseflasche – es war das einzige unzerbrechliche Gefäß, das sie fand – und steckte sie in einen Kissenbezug. Die beiden Päckchen band sie an lange Stücke Borte, die sie vom Betthimmel abgeschnitten hatte. Sie zog eine lange Unterhose und dicke Reithosen an, zwei warme Wollwesten, darüber eine Steppjacke mit Kapuze und steckte zwei Paar pelzgefütterte Handschuhe in die Jackentaschen. Die Füße schützte sie mit schweren pelzgefütterten Stiefeln. Schließlich entnahm sie der Gebetsmühle die Papiere und legte die Mühle zurück in den Schrank. Als es acht Uhr schlug, waren alle ihre Vorbereitungen getroffen.

Emma wusste, die Diener trafen sich normalerweise nach dem Abendessen in ihrem eigenen Hof und unterhielten sich am offenen Feuer. Als sie das Gefühl hatte, der Zeitpunkt sei gekommen, löschte sie ihre Lampen und ließ die Borte mit dem ersten Päckchen vorsichtig vom Balkon hinab. Das schwerere, die silberne Flasche, schlug mit einem dumpfen Geräusch auf der Erde auf. Sie wartete einen Moment, doch außer dem Rascheln und Quieken der Ratten, die sich schnell in Sicherheit brachten, war nichts zu hören. Sie wiederholte die Prozedur mit dem anderen Päckchen. Dann zog sie ein Paar Lederhandschuhe an, kletterte im

Vertrauen auf die Haltbarkeit ihrer improvisierten Strickleiter auf das Balkongeländer, schloss die Augen, schickte ein Stoßgebet zum Himmel und ließ sich nach unten gleiten.

Sie landete mit einem heftigen Aufprall im Gebüsch, noch bevor sie Zeit gehabt hatte, sich zu fürchten. Es dauerte etwas, bis sie wieder normal atmen konnte und ihr Herz ruhiger schlug. Dann blickte sie sich um. Der Halbmond, der gerade über den Bäumen aufging, war im Augenblick noch von Nachteil, später würde er eine Hilfe sein. Sie sah niemanden, hörte keine schweren Schritte, die verraten hätten, dass die Posten ihre Runden machten. Trotzdem hatte sie das unheimliche Gefühl, dass überall im Dunkeln Augen sie beobachteten, und sie zitterte. Emma kroch aus dem Gebüsch und schlich sich langsam im Schatten der Bäume zu der großen Scheune am anderen Ende des Obstgartens. Die Scheune diente zur Aufbewahrung zerbrochener Werkzeuge und Maschinen und allerlei Kram. Emma erreichte sie ohne Zwischenfall. Sie drückte sich an die Holzwand, goss über die unteren Bretter das Petroleum aus ihrer Flasche und zündete es mit einem Streichholz an. Das trockene Holz stand sofort in Flammen. Emma brachte sich in den Büschen in Sicherheit und wartete darauf, dass das Feuer Aufmerksamkeit erregen würde.

Als sie die ersten Rufe und Schreie hörte, hatte sich die Scheune bereits in ein flammendes Inferno verwandelt. Das Krachen stürzender Balken erfüllte die Luft, und es herrschte ein schreckliches Durcheinander. Lärmend rannten Menschen, deren dunkle Silhouetten sich vor dem Flammenschein abhoben, mit großen und kleinen Eimern und Gießkannen hin und her. Jemand rief Sharifa zu, sie solle Begum Sahiba informieren, doch sie lehnte das sofort ab. Begum Sahiba, so erklärte sie entschieden, dürfe unter keinen Umständen gestört werden.

Emma lächelte und machte sich auf den Weg. Im Schutz der Bäume lief sie zu den Ställen, die sich in der entgegengesetzten Richtung befanden. Die Stallburschen waren alle zu dem Brand geeilt. Deshalb war das Gebäude menschenleer und bald hatte sie Zooni gesattelt. Suraj Singh hatte ihr bei einer ihrer vielen Besichtigungstouren auf dem Anwesen einen Saumpfad durch die Safranfelder gezeigt, auf dem man unter Umgehung des Tors zu dem großen Weg gelangte. In der allgemeinen Verwirrung und der Dunkelheit fiel niemandem das Pferd auf, das sich allein durch das Meer der Safranblüten seinen Weg bahnte. Eine halbe Stunde später befand sich Emma in Sicherheit und auf dem Weg nach Gulmarg.

Die Nacht lag still wie dunkles Wasser über dem Tal. Der Halbmond, auf den Emma große Hoffnungen gesetzt hatte, enttäuschte sie und verschwand bald hinter einer Wolke. Es war überraschend kalt. Der scharfe Wind fuhr wie mit Messern durch ihre Jacke, die Kälte ging bis auf die Haut, und die eisige Luft stach mit Nadeln in ihre Augen. Sie wusste, es würde später regnen. Der Weg war holprig und wurde noch unwegsamer, als sie in Narabal abbog. Hinter ihr heulte ein Rudel Schakale, die ihr anfangs glücklicherweise in sicherer Entfernung folgten, aber allmählich näher zu kommen schienen. Damien hatte gesagt, dass die großen Raubkatzen nach Einbruch der Dunkelheit die Hänge um Gulmarg durchstreiften. Emma spürte die Angst in ihrem trockenen Mund. Es war eine alles durchdringende unbestimmte Angst, wie sie sie noch nie empfunden hatte.

Warum tue ich das, fragte sie sich bitter. Warum erleide ich all die Qualen einem Mann zuliebe, der nichts getan hat, um das zu verdienen?

Ihre Vernunft wusste darauf keine Antwort.

*

Das Lager der Kirgisen befand sich am Ufer eines blassblauen Sees, auf dem sich Wildenten, Wasservögel und langbeinige Kraniche tummelten. Mirza Beg stand neben dem Eingang seines prächtigen Akoi, dem kirgisischen Rundzelt, und begrüßte Conolly mit einem herzlichen Lächeln.

Sie umarmten sich. »Us-salaam-alaikum«, sagte Mirza. »Mein Haus ist dein Haus. Benutze es, wie es dir gefällt.«

»Walaikum salaam.« Conolly lachte. Vor Erleichterung schienen die

Beine ihm plötzlich den Dienst zu versagen. »Ich stehe für immer in deiner Schuld.«

»Nein, nein«, widersprach Mirza Beg. »Das Gegenteil ist der Fall.«

Bei Conollys letztem Besuch hatte Mirza Begs dritte Frau in langen schweren Wehen gelegen, und er hatte ihr im Zusammenwirken mit der Hebamme nach besten Kräften mit medizinischem und praktischem Rat beigestanden. Schließlich hatte sie einen gesunden Sohn geboren – Mirzas erster nach drei Töchtern. Seitdem schrieb Mirza das zweifache Geschenk, das Überleben seiner Frau und die Geburt eines Erben, ausschließlich Conolly zu. »Es ist alles für deine Weiterreise zusammengestellt, alles, worum du mich in deinem Brief gebeten hast. Auch die Pferde stehen bereit«, sagte Mirza. »Aber du musst eine Weile hier bleiben, darauf bestehe ich.«

»Gut, vielleicht ein oder zwei Tage. Danach, mein Freund, müssen wir weiter, denn wir werden in Leh erwartet.«

Sie blieben vier Tage und setzten den Überredungskünsten ihres Gastgebers kaum Widerstand entgegen. Es war nicht leicht, dem Luxus warmer Betten, geräumiger Zelte, großzügiger Gastfreundschaft und der sicheren Geborgenheit zu widerstehen, und Conolly unternahm nicht einmal den Versuch. Nach den Strapazen auf dem langen Weg von Kaschgar hierher war das Lager so etwas wie das Paradies des Omar Chajjam, denn die Zweige, an denen saftiges Fleisch hing, das frisch gebackene Brot und die unzähligen Gläser Khumis, das traditionelle Getränk der Kirgisen aus vergorener Stutenmilch, machten die Wildnis in der Tat zu einer Oase des Wohlbefindens.

Einer der vielen Brüder von Mirza Beg, ein Musiker, sorgte mit den Ngara, den Trommeln, die in alter Zeit Proklamationen des Herrschers angekündigt hatten, für abendliche Unterhaltung, bei der getanzt und gesungen wurde. Das Lager befand sich inmitten friedlicher Weiden, denn die Kirgisen liebten ihre Pferde und behaupteten, dass ihre Vorfahren vor Jahrhunderten Sattel und Steigbügel erfunden hätten. Sie lebten davon, dass sie Adler fingen und zur Jagd abrichteten. Füchse und Dachse lockten sie in Fallen und verarbeiteten deren Pelze zu Mützen. An den Hängen der Hügel war die Jagd besonders ergiebig, denn dort gab es Kajangherden, Chakorschwärme und Felsentauben. In größerer Höhe wuchsen zwischen Eis und Geröll erstaunlich bunte Blumen – violetter Fingerhut, blaue Gänseblümchen, unglaublich gelbe Schlüsselblumen und andere Blumen, bei denen Iwana schwor, es handle sich um Veilchen. Vor ihnen lagen noch zwei Pässe, einer davon der Karakorum, doch Conolly hoffte, dass sie, ausgeruht und mit frischen Kräften, im Schutz einer Karawane auch diese Hindernisse überwinden würden.

Iwana hatte ihre Verkleidung abgelegt und war in den Zelten des Zenana untergebracht. Sie weckte allgemein stumme Neugier, aber möglicherweise hatte ihr rücksichtsvoller Gastgeber entsprechende Anweisungen gegeben, denn niemand stellte irgendwelche Fragen. Iwana war noch nie in einer solchen Umgebung gewesen. Anfänglich schien sie verlegen und unsicher, dann aber war sie von der Herzlichkeit und Gastfreundschaft der Kirgisen mehr und mehr bezaubert.

Es war der Abend vor ihrem Aufbruch. Sie saßen am See und genossen zum letzten Mal den prächtigen flammenden Sonnenuntergang und das klare, leuchtend rosarote Wasser, in dem er sich spiegelte. In der Nähe weidete eine Herde Yaboopferde. Der Wind trug ihnen die Rufe der zurückkehrenden Vögel zu und das Bimmeln der Kamelglöckchen. Auf dem See spreizten schlanke, langbeinige Kraniche, Störche und Enten träge die Flügel und bereiteten sich auf die Nacht vor. Iwana streichelte eine recht seltsam aussehende Ente, die offenbar in ihrem Schoß eingeschlafen war.

Wie die meisten Tiere der Wildnis zeigten sich diese Enten durch die Anwesenheit von Menschen nicht beunruhigt. Eine Gruppe war nahe dem Ufer an ihnen vorbeigeflogen und hatte ihnen neugierige Blicke zugeworfen. Conolly wollte feststellen, wie zahm sie waren. Er war in das seichte Wasser gewatet und hatte versucht, eine Ente zu fangen, doch die ganze Familie war im Handumdrehen untergetaucht. Er verfolgte sie und bekam tatsächlich eine zu fassen. Zu Iwanas großer Freude hatte er sie ihr gegeben.

Während sie nun die Ente streichelte, die friedlich in ihrem Schoß saß, stellte sie plötzlich die Frage, die Conolly schon lange gefürchtet hatte. »Wie weit ist es noch bis Osch?«

»Osch?« Er wandte den Blick ab, denn er konnte ihr nicht in die unschuldigen arglosen Augen blicken. »Nicht mehr weit.«

»Sind wir bald dort?«

Er nickte.

»Der Kommandant ist ein Freund meines Oberst, und wenn er erfährt, dass Sie auch ein Freund von ihm sind, wird er uns sicher nach Taschkent bringen lassen.«

Conolly wurde rot vor Schuldgefühlen. Mit einer gemurmelten Entschuldigung stand er auf und ging am Seeufer entlang. In den vergangenen Wochen hatte er auf die eine oder andere Art viel über Iwana erfahren. Auf der gefährlichen, spannungsgeladenen Flucht hatten sie einfach und ohne Förmlichkeiten gelebt. Sie hatten in Höhlen an rauchenden Feuern gesessen, kärgliche Mahlzeiten geteilt und beinahe Seite an Seite geschlafen, denn Zurückgezogenheit war in der Wildnis ein Luxus. Iwana war die ganze Zeit bemerkenswert gelassen geblieben. Sie hatte sich in alles gefügt und nie geklagt. Sie sprach gewohnheitsmäßig nicht viel und hörte aufmerksam zu. Sie zweifelte seine Entscheidungen nie an und gab sich damit zufrieden, dahin zu gehen, wohin sie gehen mussten, und das zu tun, was sie tun sollte. Conolly hatte begriffen, dass diese Frau ihr ganzes Leben lang andere bedient, Befehlen gehorcht und kaum an sich selbst gedacht hatte. Aus einem unbestimmten Grund schmerzte ihn das. Ihr unschuldiges Wesen beschäftigte ihn. Er fühlte sich in ihrer Nähe nicht nur wohl, sondern so erstaunlich zufrieden, ja fast glücklich.

Er hatte sie eingehend über ihr Leben befragt, und sie hatte bereitwillig und offen geantwortet. Borokow hatte sie offenbar gut behandelt, denn sie sprach freundlich über ihn. Doch sie war mit den Kompliziertheiten der Welt nie in Berührung gekommen und wusste wenig darüber, wie die Menschen außerhalb der engen Grenzen ihrer Erfahrungen dachten und lebten. Er hatte noch nie eine Frau getroffen, die so arglos und sich so wenig ihrer selbst bewusst war. Er hatte gehört, dass sie manchmal abends still weinte, wenn sie glaubte, er schlafe. Doch er hatte tagsüber nie eine Spur ihrer Tränen gesehen. Und wenn sie von Ängsten gequält wurde, dann sagte sie nie etwas davon. Sie nannte ihn ›Herr Conolly‹.

Im Lager, wo ihr Tagesablauf verhältnismäßig geregelt war, entdeckte er Gewohnheiten an ihr, die rührend, aber auch peinlich waren. Trotz seiner Proteste ließ sie es sich zum Beispiel nicht nehmen, seine Kleider zusammenzulegen, sein Bett zu machen, das Waschbecken zu säubern und zu seinem großen Entsetzen jeden Abend seine derben schmutzigen Stiefel zu putzen. Beim Essen bestand sie darauf, ihn zu bedienen.

Sie hatte ihm gesagt, dass sie mit dem Oberst in St. Petersburg gewesen war und dass der Glanz und die Schönheit der Stadt, die elegant gekleideten Damen mit ihren schönen Frisuren und die gut aussehenden Männer in Uniform sie tief beeindruckt hatten. Iwana hatte für diese Leute gekocht, hatte sie bedient, sie von Ferne beobachtet und bewundert, aber sie hatte nie mit ihnen gesprochen. Es stehe ihr nicht zu, so sagte sie zu ihm, sich mit so vornehmen Leuten wie mit ihresgleichen zu unterhalten.

Manchmal, wenn auch nicht oft, trieb ihn ihre Unwissenheit zur Verzweiflung, aber er hatte nur ein einziges Mal die Geduld verloren. »Haben Sie denn überhaupt keine Ahnung von der Welt?«, fragte er gereizt, als sie ihm ihre Unwissenheit in Hinblick auf etwas Triviales, Alltägliches gestand. »Haben Sie denn nie ein Buch oder Zeitungen gelesen?«

»Nein.« Sie senkte den Blick und starrte auf ihre Hände. »Ich kann nicht lesen.«

Das schockierte ihn so sehr, dass er verstummte. Er empfand tiefes Mitleid mit ihr und hatte sie danach nie mehr angefahren. Sie war so unberührt und verletzlich wie ein Kind. Und wie ein Kind vertraute sie ihm völlig.

Wie sollte er ihr sagen, dass er gelogen hatte? Wann sollte er ihr gestehen, dass sie nicht nach Taschkent unterwegs waren, sondern in die entgegengesetzte Richtung, nach Leh?

»Wer zum Teufel sind Sie, Iwana Iwanowa?«, entfuhr es ihm, als er zu ihr zurückkam, denn er war wütend, aber nicht auf sie, sondern auf sich selbst.

Die Frage erschreckte sie, und wie immer, wenn sie unsicher war, griff sie sich mit der Hand an den Hals und umklammerte ihren Silberanhänger. »Sie wissen, wer ich bin«, flüsterte sie ängstlich. »Ich bin Iwana Iwanowa.« Es war hoffnungslos. Sie verstand ihn einfach nicht.

Plötzlich wurde ihm klar, dass er das Täuschungsmanöver nicht länger ertragen konnte. Er wusste, dass sie ein Pfand in einem großen Spiel war, doch er kannte die Spieler ebenso wenig wie sie. Bei ihrer ungewöhnlichen Bescheidenheit wäre sie zu Tode erschrocken gewesen, wenn sie gewusst hätte, wie groß das Interesse der Briten und der Chinesen an ihrer Person war. »Es gibt etwas, das Sie, wie ich glaube, wissen sollten«, sagte er. In seinem Dilemma fand er, dass er ganz direkt und unverblümt sein musste. Eine andere Möglichkeit sah er nicht, denn sonst hätte er ihr nicht mehr unter die Augen treten können. »Wir gehen nicht nach Taschkent.«

Sie sah ihn verständnislos an.

»Haben Sie jemals etwas vom Jasminapass gehört?«

»Nein.«

Langsam und ruhig erzählte er ihr alles, was er wusste. Es war nicht viel, aber mit Sicherheit mehr, als sie wusste. Sie hörte wie immer sehr aufmerksam zu und unterbrach ihn kein einziges Mal. Als er fertig war, äußerte sie sich nicht sofort. Schließlich fragte sie: »Wenn Sie mich nicht nach Taschkent bringen, wohin bringen Sie mich dann?«

Conolly zögerte. Er war sich noch nicht völlig im Klaren darüber, welches Ziel leichter zu erreichen sein würde. Er hatte die Anweisungen zu dieser Aufgabe von Hethrington erhalten, aber seine verschlüsselte Nachricht aus Shadidullah hatte er an Maurice Crankshaw geschickt. »Hm, nach Leh oder nach Simla, möglicherweise sowohl als auch.«

Sie hatte von beiden Städten noch nie etwas gehört. »Wieso?«

Er lächelte traurig. »Sie müssen mir glauben, wenn ich Ihnen sage, dass ich nicht die geringste Ahnung habe.«

Sie entschuldigte sich, stand auf, setzte die Ente vorsichtig ins Wasser und entfernte sich. Sie ging lange allein am Seeufer entlang und warf einer Schar Vögel, die ihr piepsend folgte, Brotkrumen zu. Als sie zurückkam, sah er, dass sie geweint hatte.

Das machte ihn sehr traurig und er versuchte sie zu trösten. »Keine Sorge, Iwana, wenn wir in Leh sind, werden wir dem Geheimnis auf den Grund gehen. Bitte, Iwana, glauben Sie mir.«

»Ich glaube Ihnen«, sagte sie unter Tränen und entschuldigte sich dafür, dass sie so unglücklich war. Sie bat ihn, das nicht als Undankbarkeit zu verstehen. »Ich weiß, Sie sind mein Freund, und wenn ich mich schlecht benehme, dann liegt es daran, dass ich noch nie zuvor einen Freund gehabt habe.«

Er kam sich wie ein armseliger Wurm vor.

In diesem Augenblick tauchte Mirza Beg auf. »Schnell!«, rief er sehr aufgeregt. »Ihr müsst euch verstecken! Reiter nähern sich dem Lager. Es könnte eine chinesische Patrouille sein.«

Conolly erstarrte das Blut in den Adern. »Aber wir befinden uns nicht mehr auf chinesischem Territorium.«

»Glaubst du, das interessiert die Chinesen?«

»Wie viele sind es?«

»Ich kann es nicht genau erkennen. Aber bei dem Staub, den sie aufwirbeln, würde ich sagen, es sind mindestens zehn Pferde. Beeil dich, beeil dich, mein Freund! Ich werde euch einen Platz zeigen, wo ihr sicher seid.« Er deutete auf den See, und Conolly nickte. Mirza Beg war an chinesische Eindringlinge gewöhnt, und offenbar hatte er sich auf diesen Notfall vorbereitet.

Conolly zögerte. »Wenn sie Verdacht schöpfen, dann seid ihr alle in Gefahr, weil ihr Flüchtlinge bei euch aufgenommen habt.«

»Mach dir um uns keine Sorgen, mein Freund. Es ist für alles vorgesorgt. Von eurer Anwesenheit bleibt keine Spur. Und falls doch«, er lächelte spöttisch, »die Chinesen lieben Khumis so sehr wie wir, und davon haben wir genug. Jetzt beeilt euch.«

Conolly teilte seine Zuversicht keineswegs, doch seine Einwände stießen auf taube Ohren, und es war keine Zeit zu verlieren.

Am Wasser gab Mirza Beg ihm ein langes, aus mehreren ausgehöhlten

Schilfstängeln zusammengesetztes Rohr. Er nahm die Schaffelljacken und Schuhe an sich, die sie auszogen, und Conollys Revolver. Sie banden ihre weiten Kleidungsstücke eng am Körper fest, damit sie nicht an die Wasseroberfläche getrieben würden, und wateten zu einem Schilfdickicht. Das Wasser war seicht, aber kalt. Conolly stockte im ersten Moment der Atem. Als sie bis zum Hals untergetaucht waren, reichte er Iwana das zweite lange Schilfrohr. Sie nahm es in den Mund, sah ihn an, und er nickte. Das Donnern der Hufe war inzwischen gefährlich nahe gekommen. Ohne ein weiteres Wort tauchten sie im dichten Schilf unter. Ihre Füße berührten eben gerade den Seeboden.

Der Taotai war offenbar hartnäckiger, als Conolly erwartet hatte!

Die Unterwasserwelt wirkte im Dämmerlicht gespenstisch. Durch das Gewirr der Stängel und Blätter sah Conolly über sich bruchstückhaft den blassen, sich wellenartig bewegenden Himmel. Doch abgesehen von dem lauten Klopfen seines Herzens und dem rauen Geräusch des Atems im Rohr war alles still. Eine Ewigkeit verging. Er war in einer blassgrünen Welt sich windender, pfeilschneller Wesen und vorüberflitzender Schatten begraben. Außerdem fühlte er sich krank vor Verzweiflung. War alles umsonst gewesen? Mussten sein Leben und ihr Leben so enden?

Ohne jede Vorankündigung spürte er plötzlich etwas über seinem Kopf. Er blickte nach oben und sah eine Hand. Jemand suchte tastend im Wasser und zog ihm plötzlich das Rohr aus dem Mund. Conolly bekam keine Luft mehr. Er glaubte, im nächsten Moment zu sterben, und schoss mit wild rudernden Armen nach oben. Er schob das Schilf beiseite, griff auf der Suche nach dem Angreifer blindlings über sich und tauchte auf. Sein letzter Gedanke war, wenn er schon sterben musste, dann konnte er sich wenigstens zur Wehr setzen und einen oder zwei Feinde mit in den Tod nehmen.

Doch ehe er etwas zu fassen bekam, das sich auch nur entfernt wie ein Körper anfühlte, wurden seine Handgelenke mit einem stählernen Griff fest gehalten, sodass er sie nicht mehr bewegen konnte.

»Nur die Ruhe, Junge! Was zum Teufel machst du denn?«

Es war die Stimme eines Engländers!

Würgend und spuckend schüttelte sich Conolly das Wasser aus den Augen und Ohren und sah verschwommen ein Gewirr rötlich blonder Haare in einem geröteten Gesicht und zwei blaue Augen. Seine Handgelenke wurden losgelassen. Eine große dicke Hand ergriff seine Rechte.

»Dr. Conolly, nehme ich an?«

Achtzehntes Kapitel

Sir John Covendale haderte mit dem Schicksal und verfluchte stumm den Geheimdienst, ganz besonders Oberst Hethrington und Hauptmann Worth. Er saß fröstelnd in dem spartanischen Zimmer im Gästehaus des Militärstützpunktes in Gilgit und trank einen Cognac. Er konnte nicht schlafen. Mitternacht war vorüber und draußen heulte der Wind. Das Zimmer lag im Dunkeln, er hatte keine Lampe entzündet. Der Generalquartiermeister lag mit ausgestreckten Beinen, aber noch angekleidet auf dem schmalen harten Bett, wärmte das Glas zwischen den Händen und trank hin und wieder genussvoll, aber geistesabwesend einen Schluck. Irgendwann stand er auf, ging langsam zum Fenster und lauschte auf den prasselnden Regen. Der Nieselregen, der einsetzte, als er zu Fuß die wenigen Schritte von der Kommandantur zu seiner Unterkunft gegangen war, hatte sich zu einem lang anhaltenden Platzregen entwickelt. Sir John war froh, ihm entgangen zu sein.

Er hatte den Abend mit Oberst Algernon Durand und seinen Stabsoffizieren verbracht. Sie hatten bei einem Arbeitsessen, bestehend aus mit kaltem Fleisch belegten Broten und Bier, noch einmal über die Verteidigungsmaßnahmen im Falle einer russischen Invasion gesprochen. Sir John war ungerne nach Gilgit gereist, denn er hatte nicht viel übrig für das »Kriegsgeheul« der Offiziere an der Front, wie er es nannte. Aber inzwischen standen alle Zeichen auf Sturm, und auch der Generalquartiermeister musste mit jedem Tag, der verging, ohne dass Oberst Hethrington vom Erfolg des Janusprojekts berichten konnte, damit rechnen, dass die Nachrichtenabteilung ins Kreuzfeuer der Kritik geriet. Deshalb hatte er sich schweren Herzens entschlossen, selbst in die Höhle des Löwen zu gehen, um beim Eintreffen der Nachricht dort zu sein, wo das Versagen seiner Abteilung als Munition für den vorbereiteten Krieg genutzt werden würde.

Sir John kehrte nachdenklich zu seinem Lager zurück, setzte sich, löste seinen Kragen und warf die Schuhe von sich. Von den teuflisch harten Dienststühlen im Büro hatte er am ganzen Körper Schmerzen. Er rieb sich stöhnend den Rücken und dachte wehmütig an die Saison in Simla. Leicht gereizt legte er den Kopf zurück, blickte im Dunkeln angestrengt zur Decke und dachte noch einmal über den Abend nach.

»Wohin, haben Sie gesagt, ist Hethrington gegangen, Sir John?«, hatte Oberst Durand gefragt, als er gerade aufbrechen wollte.

Er hatte dieses Thema bis dahin bewusst vermieden, doch er konnte eine direkte Frage schlecht unbeantwortet lassen. »Nach Leh, Oberst.«

»Ich verstehe.« Durand war offenbar mit der knappen Antwort nicht zufrieden. Er ging neben ihm über den Exerzierplatz. »Ich weiß, die Wege Ihrer Abteilung sind rätselhaft, Sir, so wie die Wege des Herrn, aber was hinter dem Rücken des Militärs vorgeht und uns Offizieren unter allen erdenklichen Anstrengungen verheimlicht wird, macht mir große Sorgen. Ich wäre gerne sicher, dass es für die Geheimhaltung einen guten Grund gibt, einen verdammt guten Grund!«

Sir John spürte selbst durch den dichten feinen Nebel hindurch, dass der Oberst ihn scharf ansah. Er war froh, dass die Dunkelheit seine Überraschung verbarg, und hustete. »Nun ja, Oberst ...«

»Ich habe nicht die Absicht, Sie in die Enge zu treiben, Sir John«, unterbrach ihn Durand ungeduldig. »Sagen Sie mir einfach im Vertrauen, hat das alles etwas mit diesem Butterfield zu tun?«

Sir John zögerte bemerkenswert kurz. Alles in allem war es seine Absicht gewesen, den Bruder des Außenministers wenigstens teilweise von diesem Janusprojekt in Kenntnis zu setzen. »Ja, Sir.«

»Und riskieren wir, dass man uns noch mehr faule Eier ins Gesicht wirft?«

»Nur, wenn es fehlschlägt, Sir.«

»Ist das wahrscheinlich?«

»Nein, Sir. Zumindest …«, Sir John holte tief Luft und schwieg.

Oberst Durand lachte, aber es klang alles andere als fröhlich. »Der Hindernislauf zwischen der Tasse und dem Rand, wie?«

»Nun ja … ja, Sir. Wie bei allen Operationen besteht ein gewisses Risiko, aber es ist ein akzeptables Risiko.«

»Können Sie mir darauf Ihr Wort geben?«

»Nein, Sir. Ich kann Ihnen mein Wort nur darauf geben, dass alles unternommen wird, was möglich ist, um die Papiere zurückzubekommen.«

»Aha, sie sind also doch nicht in den Schluchten des Karakorum in alle vier Winde zerstreut worden!«

»Nein, Sir.«

»Das habe ich auch nie geglaubt«, brummte Durand. »Trotz aller Bemühungen, mich davon zu überzeugen. Also, wann werde ich aller Wahrscheinlichkeit nach das Vergnügen haben, in Ihr Vertrauen gezogen zu werden?«

Der Sarkasmus trieb Sir John die Röte ins Gesicht. »Noch vor meiner Abreise, Oberst.«

Während er nun die Unterhaltung im Geist noch einmal durchging, rutschte Sir John unbehaglich auf dem Bett hin und her.

Am Ende der Woche!

Mehr Zeit blieb Hethrington nicht mehr, um an die verwünschten Papiere heranzukommen. Er hoffte sehr, dass das genügen würde, denn wenn nicht …

Er führte den Gedanken nicht zu Ende. Es war ein langer Tag gewesen, der Cognac schmeckte gut und rann angenehm durch die Kehle. Er gähnte und schloss die Augen. Beinahe sofort – oder zumindest kam es ihm so vor – riss ihn lautes Stimmengewirr, das beunruhigend nahe klang, roh aus seinem Halbschlaf. Genauer gesagt, schien der Lärm direkt draußen vor der Tür zu sein. Verwundert stand er auf, und da er keine Schuhe anhatte, lief er in Strümpfen zum Eingang.

»Koi hai?«

Er rief barsch nach den Dienern und schob energisch den Riegel der

Haustür zurück. Die Tür flog auf, Regen und Wind schlugen ihm entgegen. Doch bevor er sie wieder zudrücken konnte, tauchten aus dem Dunkel mehrere Gestalten auf. Zwei Sepoys hielten einen Mann an den Armen fest, der laut auf sie einredete. Als Sir John in der Tür erschien, kam es zu einem Handgemenge. Die drei Männer fielen ineinander verknäult durch die Tür und landeten direkt vor seinen Füßen.

Sir John wich fluchend zurück. »Was zum Teufel …«

Aus allen Richtungen eilten aufgeschreckt die Diener herbei. Doch das Knäuel am Boden löste sich schnell auf. Die zwei aufgebrachten Sepoys sprangen auf und salutierten. Der dritte Mann, der zunächst wie ein Sack voll schmutziger Wäsche aussah, lag zusammengekrümmt am Boden.

»Yeh sab kya tamasha hai?«, donnerte Sir John. »Kon hai yeh?«

»Wir wissen nicht, wer er ist, Sahib«, sagte einer der Sepoys nach Luft ringend. »Wir haben ihn dabei erwischt, als er versuchte, über das Tor zu klettern. Er hat sich geweigert …«

»C-Columbine, Sir.« Der Sepoy wurde von einem heiseren Krächzen unterbrochen. Der Eindringling richtete sich mit einem Ruck auf und stand schwankend vor dem Generalquartiermeister. »Columbine meldet sich vom Einsatz zurück, Sir …«

»Columbine?« Sir John spähte misstrauisch in das Gewirr von Bart und Kopfhaaren. »Großer Gott, Wyncliffe …« Sprachlos starrte er auf die schmutzverkrusteten Kleider, die verfilzten Haare, die blutunterlaufenen Augen und die ungeschickt verbundenen Hände und Füße. »Was machen Sie denn hier? Ich dachte, Sie wären irgendwo in der Nähe von Osch …«

Wyncliffe hielt sich an einem der Diener fest, denn er konnte sich kaum noch auf den Beinen halten. »S-Smirnow«, flüsterte er, »im September, am sechsundzwan …« Weiter kam er nicht. Er verdrehte die Augen, seine Knie gaben nach, und er sank zu Boden.

Sir John erholte sich schnell von seinem Schrecken, scheuchte mit einer Handbewegung die beiden Sepoys beiseite, winkte einen Diener zu sich und kniete sich neben dem Bewusstlosen auf den Boden.

Er spürte am schlaffen Handgelenk einen schwachen Puls, hob nacheinander beide Lider hoch und betastete mit den Fingerspitzen Arme und Beine. »Es scheint nichts gebrochen zu sein, aber er hat schwere Erfrierungen … an Händen und Füßen. Wir legen ihn sofort in ein Bett. Und lassen Sie den Major vom medizinischen Dienst rufen!«

Die Sepoys salutierten und liefen hinaus in den Regen, um den Befehl auszuführen.

Die Diener flößten dem bewusstlosen jungen Mann ein halbes Glas Wasser ein, dann trugen sie ihn in ein Zimmer im Erdgeschoss und legten Wärmflaschen unter die Steppdecke.

»Wohin um Himmels willen haben Sie den jungen Mann geschickt, dass er in diesem schrecklichen Zustand hier ankommt?«

Selbst wenn Sir John zu dem Schluss gekommen wäre, es sei mit seiner Berufsehre vereinbar, auf die Frage des Majors zu antworten, so hätte er es nicht tun können. Der Anblick des verletzten Wyncliffe hatte auch ihn erschüttert und die Erwähnung Smirnows hatte ihm den Rest gegeben. Wyncliffe war relativ neu im Dienst und noch feucht hinter den Ohren. Der Auftrag, den Crankshaw ihm ursprünglich zugeteilt hatte, war ziemlich einfach: Er sollte den Bau der neuen russischen Straße überwachen. Aber wieso meldete er sich plötzlich in Gilgit zurück und nicht in Leh? Crankshaw würde sehr verärgert darüber sein. Doch das war im Augenblick Sir Johns geringste Sorge. Wyncliffe war offensichtlich auf etwas gestoßen, dem seiner Meinung nach militärisch größte Wichtigkeit zukam. Und dieses Etwas hatte mit Alexej Smirnow zu tun.

Natürlich war es unmöglich, Wyncliffe in seinem augenblicklichen Zustand zu befragen. Das musste warten. Doch seine über viele Dienstjahre hinweg geschärfte Intuition sagte Sir John, dass, was immer auch Wyncliffe mitbrachte, Schwierigkeiten für seine Abteilung bringen würde. Und das Letzte, was er zurzeit brauchen konnte, war noch mehr schwer Verdauliches auf dem Teller.

Wie es sich ergab, sollte der Generalquartiermeister die Antworten auf seine nicht gestellten Fragen früher als erwartet bekommen.

»Sie haben Recht, Sir. Es sind keine Knochen gebrochen«, erklärte
der Major vom medizinischen Dienst, nachdem er den Patienten untersucht, behandelt, mit dem Schwamm gewaschen und verbunden
hatte. »Aber er hat schwere Erfrierungen und ist in hohem Maße un-
terernährt, genau genommen beinahe verhungert. Ich würde sagen, er
hat großes Glück, dass er überhaupt noch lebt. Natürlich ist er für ein
paar Wochen außer Gefecht gesetzt, aber im Großen und Ganzen
fehlt ihm nichts, was gutes Essen, viel und langes Ruhen und aufmerksame Pflege nicht wieder in Ordnung bringen können. Ich werde ihn
morgen früh ins Lazarett verlegen lassen.«

Sir John runzelte die Stirn. »Ist das unbedingt nötig, Major? Ich würde ihn sehr viel lieber hier behalten, wenn dem medizinisch nichts
entgegensteht.«

Der Arzt kratzte sich am Kinn und nickte. »Ich verstehe, Sir. Nein,
aus medizinischer Sicht steht dem nichts im Wege. Ich lasse meinen
Sanitäter hier, der ihn pflegen wird.« Er streckte die Hand aus, in der
er etwas hielt. Es war in mehrere Lagen Stoff gepackt, der bereits völlig zerschlissen war und schrecklich stank. »Das hatte sich der Leutnant auf die Brust gebunden, Sir. Wir mussten es entfernen, um ihn
waschen zu können. Gute Nacht, Sir. Ich werde morgen früh als Erstes hier vorbeikommen.«

Sir John ging mit dem Päckchen eilig in sein Zimmer und ließ alle
Lampen anzünden. Vorsichtig wickelte er die Stoffstreifen ab, befahl
dem Diener, sie hinauszutragen und zu verbrennen, und untersuchte,
was zum Vorschein kam – ein durchweichtes Notizbuch. Ungeachtet
des Geruchs und seiner Müdigkeit machte er es sich auf dem harten
Bett so bequem wie möglich und schlug das Notizbuch auf.

Er las die ganze Nacht hindurch, oder was von ihr noch übrig war,
mehrmals langsam und sehr konzentriert Wyncliffes Aufzeichnungen. Als er Michail Borokows erstaunliche Enthüllungen richtig in
sich aufgenommen hatte, graute in den Bergen bereits der Morgen,
und ein neuer Tag begann.

Sir Johns Lider waren so schwer wie Blei. Er hatte einen steifen Rücken, und sein ganzer Körper schien gefoltert worden zu sein. Doch

er hatte sich noch nie so wach gefühlt. Jetzt erschreckte ihn allein schon der Gedanke an Schlaf.

*

Die unzähligen Sterne am Himmel waren beruhigend, doch auf der Erde herrschte tiefe Dunkelheit, und es war erschreckend still. Im Norden grollte drohend ein Heer von Wolken, die sich als hellere Schatten vor dem Dunkel abzeichneten. Der kalte Wind pfiff Emma um die Ohren und drang mühelos durch ihre Jacke und die Handschuhe. Die Luft roch jetzt stark nach Regen. Es war schwer zu glauben, dass ein Tal, das im Sonnenschein so warm und lebendig war, nachts so bedrohlich wirken konnte. Sie kannte die Straße nicht. Sie war von Bäumen gesäumt, verlief gerade und stieg nur leicht an. Doch im schwachen Licht der Sterne waren die Löcher und Furchen nur schwer zu erkennen. Deshalb kam sie nur langsam vorwärts, obwohl Zoonie trittsicher war. Weit voraus ragten aus dem undurchdringlichen Dunkel die schneebedeckten Gipfel der Berge auf, zwischen denen sich das Tal von Gulmarg befand.

Gulmarg lag in einer Höhe von mehr als zweieinhalbtausend Metern, über tausend Meter höher als Srinagar. Emma wusste, der Weg verlief auf einer langen Strecke ziemlich eben. Doch auf den letzten Meilen, hinter Tanmarg, stieg er steil an und war besonders bei Regen gefährlich. Der verschlungene Pfad wand sich zwischen dichten Blaufichtenwäldern in die Höhe. Die Klippen und Abgründe waren in der Dunkelheit doppelt bedrohlich. An die Raubtiere, von denen Damien gesprochen hatte, versuchte Emma inzwischen nicht mehr zu denken.

Das Gewittergrollen kam näher und die Sterne verschwanden hinter einem wogenden Wolkenschleier. Emmas kleine Laterne war unzureichend, sie sah kaum die Hand vor dem Gesicht. Obwohl Zoonies Hufe in einem beständigen Rhythmus klapperten, wusste Emma nicht, wie lange es dauern würde, bis sie Tanmarg erreichte. Sie sank im Sattel zusammen, vertraute ihr Schicksal der klugen Stute an und schloss die Augen gegen den böigen Wind.

Sie sah die Ansammlung von Hütten, aus denen Tanmarg bestand, erst, als sie darauf stieß.

Der Morgen graute und das Dorf begann gerade aufzuwachen. Dahinter ragten vor dem heller werdenden Himmel die Berge auf. Ihre Gipfel schwammen wie Eisberge auf einem Nebelmeer. Vor einer Türöffnung flackerte ein Licht, darüber spannte sich eine Art Markise aus Sackleinen. Ein Chai khana! Obwohl sie kostbare Zeit verlieren würde, wenn sie anhielt, konnte sie ohne eine Rast, einen Becher heißen Tee und etwas zu essen einfach nicht weiterreiten. Sie klopfte an die Tür, die beinahe sofort geöffnet wurde. »Ich hätte gern Tee für mich und Futter und Wasser für mein Pferd. Außerdem muss es abgerieben werden.«

Die Frau mit zerzausten Haaren sah sie einen Moment verschlafen an und öffnete dann die Tür.

Der Raum war klein und immer noch etwas warm von dem Feuer, das am Abend zuvor in der offenen Feuerstelle gebrannt hatte. Die Frau machte sich gähnend daran, die Glut wieder anzufachen. Ein ebenfalls zerzauster Junge, vermutlich ihr Sohn, ging hinaus und führte Zoonie hinter das Haus. Emma sank auf eine Holzbank und schloss die Augen. Ihr Körper war gefühllos vor Kälte und der Kopf leer. Als der Tee gebracht wurde, tauchten die übrigen Familienmitglieder auf. Emma war für sie sichtlich eine besondere Attraktion, und sie betrachteten den Gast mit unverhüllter Neugier.

Emma packte das Essen aus, das sie in der Satteltasche mitgebracht hatte, und aß hungrig. Allmählich belebten sich in der Wärme des Feuers ihre Glieder, und in dem verspannten Körper begann das Blut wieder zu zirkulieren. Der frische, kochend heiße Tee schmeckte wunderbar. Er wärmte ihren Magen und belebte die Sinne. Sie konnte die Augen nicht länger offen halten. Deshalb legte sie den Kopf auf die Tischplatte und schloss sie.

Sie wusste nicht, ob oder wie lange sie geschlafen hatte, aber es konnten nicht mehr als ein paar Minuten vergangen sein, denn der leere Becher, den sie in der Hand hielt, war noch lauwarm. Sie fühlte sich erfrischt und wurde langsam wieder munter. Dabei bemerkte sie, dass jemand aus dem Dunkel auftauchte und sich ihr gegenüber an den Tisch setzte.

Geoffrey Charlton?

Sie war überzeugt, dass sie träume, und blickte verschlafen auf die Gestalt, während sie ungläubig den Namen flüsterte.

Aber dann sagte er: »Zu Ihren Diensten.« Er nickte höflich. »Wie es aussieht, treffen wir uns an den unmöglichsten Orten, nicht wahr?«

Emma riss die Augen auf und starrte ihn entsetzt an. »Großer Gott! Was machen Sie denn hier?« Sie rang nach Luft und versuchte, ihre aufflammende Angst zu unterdrücken.

»Das Gleiche wie Sie, Mrs. Granville. Ich genieße nach dem anstrengenden Nachtritt einen Becher Tee.«

»Wieso wussten Sie …«

»Dass ich Sie hier treffen würde?« Er lächelte. »Nun, wo sonst würde eine pflichtbewusste Ehefrau in Ihrer Lage sein, wenn nicht auf dem Weg zu ihrem nichtsahnenden Mann, um ihn zu warnen?«

»Sie sind mir gefolgt?«

»Im Gegenteil, Sie sind mir gefolgt.« Ihre Verwirrung amüsierte ihn. »Da ich weiß, wie intelligent Sie sind, habe ich mir ausgerechnet, dass es nur eine Frage von Stunden sein würde, bis Sie sich eine Möglichkeit ausgedacht hätten, nach Gulmarg zu kommen. Und welcher Platz wäre besser geeignet gewesen, als diese kleine Oase, um auf Sie zu warten?« Er hob spöttisch den Becher. »Sie sind eine tapfere, ungewöhnlich einfallsreiche Frau, Mrs. Granville, meine Hochachtung.«

»Die Sache mit dem Durchsuchungsbefehl war eine Lüge!«

»Eine kleine List, das gebe ich zu. Aber sie hat ihren Zweck erfüllt.«

Emma wurde schlecht, wenn sie daran dachte, wie mühelos und genau er sie durchschaut hatte. Sie saß ihm stumm und wehrlos gegenüber.

Es war alles umsonst gewesen!

Charltons triumphierender Blick richtete sich auf die Satteltasche, die zwischen ihnen auf dem Tisch lag. »Ich habe lange und geduldig auf diesen Augenblick gewartet, Mrs. Granville«, sagte er leise und beinahe bedauernd. »Ich würde Sie jetzt gerne darum erleichtern, wenn Sie nichts dagegen haben.«

Er griff nach der Tasche. Es wäre ihr unmöglich gewesen, ihn daran zu hindern, selbst wenn sie es versucht hätte. Ihre Hände, die immer noch den Becher umfassten, waren gefühllos.

Charlton warf den Inhalt der Tasche auf den Tisch, schob das Essen ungeduldig beiseite und griff nach dem Umschlag, den sie ganz unten versteckt hatte. Emma verbarg ihre Verzweiflung und sah in hilflosem Schweigen zu, als er die Papierstreifen, die sie so zuvorkommend nummeriert hatte, nebeneinander legte, mit den Handflächen glattstrich und zu lesen begann. Seine glänzenden Augen wanderten schnell und gierig von einer Seite zur anderen, und Emma konnte seine Erregung beinahe selbst in ihrem Mund schmecken. Sie spürte das Zittern seines Körpers und hörte das heftige Klopfen seines Herzens, als sei es ihr eigenes. Der Finger, der die Wellenlinien der Worte nachfuhr, bewegte sich stockend. Mit einer gewissen Befriedigung stellte sie fest, dass in seinem Mund eine Lücke war, wo sich der eine Eckzahn hätte befinden sollen. »Sie haben kein Recht auf diese Papiere«, sagte Emma in schwachem Protest.

»Ihr Mann auch nicht.«

»Aber ich – und die Königliche Geographische Gesellschaft.«

Er lachte. »Machen wir uns doch nichts vor, Mrs. Granville. Die nackte Wahrheit ist, dass außer der Regierung niemand ein Recht auf die Berichte einer Himalajaexpedition hat, ganz gleich, wer sie finanziert.«

Er las weiter. Emma sah, dass er nicht vorwärts kam und dass die unleserliche Schrift ihn zunehmend irritierte. Er hielt inne und fluchte leise. Nach der kurzen Rast, dem Essen und dem Tee war sie wieder bei Kräften, und trotz ihrer scheinbaren Gelassenheit überschlugen sich die Gedanken in ihrem Kopf. »Offensichtlich sind Sie mit der Handschrift meines Vaters nicht vertraut. Woher wollen Sie dann wissen, dass die Papiere echt sind?«

»Halten Sie mich nicht für einen Dummkopf, Mrs. Granville! Wären

Sie nicht echt, hätte ich weder Sie noch die Papiere hier gefunden.«
Er kramte in der Satteltasche, als suche er noch etwas, und wandte
sich dann wieder den Papierstreifen zu. Er kniff die Augen zusam-
men. »Sie mögen echt sein, aber ich muss sie nicht lesen, um zu wis-
sen, dass sie nicht vollständig sind. Wo sind die übrigen Papiere?«
»Die Übrigen?«
»Skizzen, Karten, Standort, Höhe, Maße. Einzelheiten über den Jas-
minapass, Mrs. Granville, Einzelheiten!«
»Mein Vater hatte keine Instrumente bei sich. Wie …?«
»Aber Butterfield! Butterfield war ein ausgebildeter Kartograph und
Landvermesser. Es ist unvorstellbar, dass er die Angaben Ihres Vaters
nicht nachgeprüft und seine eigenen Ergebnisse festgehalten hat!«
Seine Stimme wurde vor Erregung immer lauter, und der Mann der
Frau, die sie eingelassen hatte, blickte von seinem Platz hinter dem
Herd mit gerunzelter Stirn zu ihnen herüber. Von da ab sprach Charl-
ton leiser, aber sein wütender Gesichtsausdruck veränderte sich
nicht. »Wo sind Butterfields Papiere, Mrs. Granville?«
Emma fiel nichts ein, was sie ihm hätte antworten können. Sie hatte die
Papiere von Butterfield nie gesehen, ja, nicht einmal daran gedacht, da-
nach zu suchen. Der Schock beim Anblick der Handschrift ihres Vaters
hatte jeden anderen Gedanken aus ihrem Kopf verdrängt. Jetzt begriff
sie, dass Charlton Recht hatte. Natürlich musste Jeremy Butterfield
Aufzeichnungen hinterlassen haben! Wo waren sie – immer noch im
Schreibtisch? Bei Damien in Gulmarg? »Das sind alle Papiere, die ich
habe«, sagte sie. »Von anderen weiß ich nichts.«
Charlton kämpfte schwer atmend gegen seinen Zorn an. Dann packte
er die Papiere mit einer Hand und sprang auf. »Unterschätzen Sie
nicht meine Möglichkeiten, Mrs. Granville«, sagte er rau. »Und vergessen Sie nicht, dass ich Ihnen Ihr geliebtes Shalimar immer noch
nehmen kann, wenn man Butterfields Papiere dort findet.« Er legte
die Papiere in die Satteltasche zurück. »Oder im Besitz Ihres Mannes.«
»Wohin gehen Sie?« Emma erhob sich vor Schreck halb von der
Bank.

Er warf ihr einen so drohenden Blick zu, dass sie auf ihren Platz zurücksank. »Was glauben Sie wohl, Mrs. Granville?«

Bevor sie Luft holen konnte, war er mit der Satteltasche verschwunden.

*

»Das Notizbuch, Sir. Sie haben das Notizbuch?«

Sir John hielt es hoch und nickte dem ängstlichen Gesicht im Bett beruhigend zu. »Ja, Columbine, ich habe das Notizbuch. Der Arzt hat es gefunden, als Sie gewaschen wurden. Als ehrenhafter Mann hat er es nicht gelesen.«

David Wyncliffe stöhnte und sank in die Kissen zurück. »Gott sei Dank! Ich fürchtete, ich könnte es irgendwo verloren haben. Und Sie, Sir, haben *Sie* es gelesen?«

»Ja.« Der Generalquartiermeister stand auf. »Wir werden darüber reden, wenn Sie sich einigermaßen erholt haben.«

»Ich habe mich einigermaßen erholt, Sir.« David hielt ihn mit einer Geste davon ab zu gehen. »Wenn Sie nichts dagegen haben, Sir, würde ich mir das alles gerne von der Seele schaffen, solange es mir noch frisch im Gedächtnis ist.«

»Nun, Sie haben es sich im wahrsten Sinne des Wortes bereits von der Seele geschafft.« Sir John lachte. »Sie hätten das Notizbuch nirgends so sicher aufbewahren können wie auf Ihrer Brust.«

»Ich muss mich entschuldigen, Sir, dass ich Sie hier einfach so überfallen habe. Aber von den Sepoys habe ich erfahren, dass Sie sich zurzeit hier befinden, und ich wusste nicht, an wen ich mich sonst hätte wenden sollen.«

»Sie haben genau das Richtige getan, Columbine.«

»Die Sache mit Borokow, Sir. Da gibt es noch mehr, viel mehr. Ich konnte nicht alles aufschreiben, weil mir die Finger beinahe abgefroren waren.«

Sir John musterte das ernste und offene Gesicht. Wyncliffe war gewaschen und ausgeruht, er trug frische Sachen und wirkte den Umständen entsprechend munter. Der Generalquartiermeister hatte damit gerechnet, dass er den jungen Mann mindestens eine Woche lang nicht befragen konnte, und deshalb war er hocherfreut, dass Wyncliffe schon nach drei Tagen anbot, sich den Fragen zu stellen. Eine Zusammenfassung von Borokows Aussagen war bereits an den Vizekönig, den Außenminister und den Oberbefehlshaber gegangen. Die Reaktionen waren voraussehbar gewesen: Der Vizekönig blieb vorsichtig, der Außenminister unverbindlich, solange er nicht alle Einzelheiten kannte, und der Oberbefehlshaber tobte wie ein verwundeter Stier in der Arena. Oberst Durand tagte pausenlos mit seinem Stab und die Fernschreiben nach London nahmen kein Ende.

Wyncliffe war rein zufällig auf Dynamit gestoßen, reines Dynamit! Je früher man deshalb eine vorläufige und inoffizielle Befragung durchführen konnte, desto besser.

»Also gut, da Zeit bei dieser Angelegenheit eine ganz wesentliche Rolle spielt, könnten wir gleich anfangen.« Sir John setzte sich wieder an das Bett. »Ihre Aufzeichnungen sind in Anbetracht der Umstände bemerkenswert klar, aber natürlich möchte ich alles wissen, jede kleine Einzelheit, an die Sie sich erinnern.«

Mit Rücksicht auf Wyncliffes verbundene Hände rief er einen Diener und ließ Schreibmaterial bringen sowie eine große Karaffe frischen Limonensaft. Er gab Anweisung, dass sie höchstens gestört werden dürften, wenn das Haus in Flammen stehe. Als alles vorbereitet war, schickte Sir John den Sanitäter aus dem Zimmer, schloss die Tür hinter ihm ab, setzte sich mit einem Stapel Papier und mehreren frisch gespitzten Bleistiften an einen Tisch neben dem Bett und erklärte, er sei bereit. »Keine Eile, junger Mann. Nehmen Sie sich so viel Zeit, wie Sie wollen, und fangen Sie ganz am Anfang an, am Tag, als Sie Borokow auf seinem Weg zum Flussufer gefolgt sind.«

In einem relativ kurzen Zeitraum war so viel Unerwartetes geschehen, dass sich David bei seiner Schilderung tatsächlich Zeit nahm. Es war ein ausführlicher, überzeugender Bericht über gut erinnerte Ereignisse, und er brauchte kaum Ermunterung. Wenn Sir John mit dem Schreiben nicht nachkam, befeuchtete David seine Kehle jedes Mal mit großen Mengen süßen Limonensafts und wartete. Sir John schrieb alles genau auf und unterbrach David nur hin und wieder, um eine Frage zu stellen. Als sie fertig waren, war es beinahe Zeit für das Mittagessen.

Sir John legte den Bleistift beiseite, zog an den Fingern, bis die Knöchel knackten, und ging im Zimmer hin und her, um die Blutzirkulation in seinen Beinen anzuregen. »Und Sie sind sicher, dass Borokow die Wahrheit gesagt hat?«

»Ja, Sir. Er hatte keinen Grund zu lügen.«

»Weshalb will er, dass Smirnow ihn für tot hält?«

»Ich habe ihn so verstanden, dass da etwas vorgefallen ist. Borokow hat sich dazu nicht geäußert, aber ich hatte den Eindruck, es gab einen Grund für ihn, sich verraten zu fühlen.«

»Der sechsundzwanzigste September … das ist also das Datum?«

»Ja, Sir. Smirnows Geburtstag. Er hält diesen Tag für besonders glückverheißend.«

Sir John drehte sich um und blickte auf den Kalender, der auf dem Schreibtisch hinter ihm stand. Bis zum sechsundzwanzigsten September waren es noch dreiunddreißig Tage! »Wohin ist Borokow gegangen, nachdem er Sie verlassen hat, was glauben Sie?«

»Beinahe mit Sicherheit in Richtung der Gletscher, Sir.«

»Ohne Führer, Karten, ja sogar ohne Ausrüstung?«

»Ja, Sir. Er war von diesem Pass wie besessen, Sir. Er hat kaum von etwas anderem gesprochen und kaum an etwas anderes gedacht. Er hatte panische Angst, Smirnow könnte zuerst dort sein und ihm sein Gold wegnehmen. Wir haben zwei Tage lang alles unternommen, was in unseren Kräften stand, um ihn zu finden, Sir. Aber es war aussichtslos. Das Wetter war scheußlich, und er befand sich bereits in einem schlimmen Zustand.« Er seufzte tief. »Wahrscheinlich ist er inzwischen tot.«

»Und an dem Jasminapass interessierte ihn nur das Gold?«

»Ja, Sir. Der arme Mann war nicht mehr in der Lage, jemandem etwas vorzuspielen.«

»Er wird natürlich enttäuscht sein, wenn er den Pass jemals erreichen sollte. Es gibt im Himalaja kein Gold. Hier und da werden in Flüssen und Bächen kleinere Mengen Goldstaub gewaschen, zum Beispiel in der Hunzaschlucht. Aber mit Sicherheit ist das nicht genug, um einen Mann reich zu machen. Tibetisches Gold ist natürlich eine andere Sache.«

»Er wusste alles über tibetisches Gold, Sir. Aber er ließ sich durch nichts von seiner Überzeugung abbringen, dass es auch am Jasminapass Gold gibt. Er trug das Goldklümpchen wie eine Art magischen Talisman am Hals, der ihm Glück bringen würde. Er war entschlossen, irgendwie reich zu werden, Sir. Er sagte, er hätte einmal sogar einen Trupp russischer Offiziere zusammengestellt, um nach altem chinesischem Gold zu graben, das angeblich in der Takla Makan in der Erde liegt. Sie haben nichts gefunden und ein Offizier ist dabei ums Leben gekommen.«

»Sie sagen, er wollte ursprünglich hierher nach Gilgit gebracht werden?«

»Ja, Sir.«

»Warum?«

»Er hat keinen Grund dafür genannt. Er sagte, das sei eine persönliche Angelegenheit.«

Sir John räusperte sich laut, um anzudeuten, wie wenig ihm das gefiel. »Nun ja, nehmen wir an, es wäre Ihnen gelungen, ihn zum Pass zu führen, und es hätte dort Gold gegeben – was dann?«

»Dann wollte er hierher gebracht werden, Sir. Er wollte die Informationen über Smirnow persönlich überbringen.«

»Bestimmt nicht umsonst.«

»O nein, Sir. Er wollte dafür sicheres Geleit nach Bombay, einen Reisepass mit einem neuen Namen, eine Schiffspassage nach Argentinien und das Versprechen, dass die ganze Angelegenheit vor seinen Landsleuten geheim gehalten würde.«

»Ich verstehe.«

»Er hatte immer davon geträumt, ein Landgut zu haben, Pferde und Schafe zu züchten. Aber mehr als alles andere wollte er sein eigener Herr sein, sodass er nie mehr auf das Wohlwollen anderer angewiesen sein würde. Er hoffte, das Gold würde ihm Selbständigkeit und Würde verschaffen.« David war eigenartig berührt und spürte, dass seine Unterlippe zitterte. »Ich muss sagen, Sir, er hatte etwas Pathetisches an sich. Er wurde nicht von nackter Habgier angetrieben, Sir, sondern von Erschöpfung. Er war es einfach leid, arm zu sein.« Er lächelte traurig. »Ich glaube, ich weiß, wie er sich gefühlt haben muss.«

Sir John nahm seine Papiere und wandte sich zum Gehen. »Morgen werden wir Ihren ausführlichen Bericht fertig stellen. Kopien davon werden an die oberen Ränge geschickt. Sie sind natürlich bereits in groben Zügen informiert worden.« Er warf einen zweifelnden Blick auf Davids fest umwickelte Füße. »Wenn Sie den Faktor Zeit berücksichtigen«, sagte er, »wann glauben Sie, können Sie sich einer offiziellen Untersuchung stellen?«

»So bald der Arzt mir erlaubt aufzustehen, Sir.«

»Sie werden eine Weile an Krücken gehen müssen, das ist Ihnen doch klar, oder nicht?«

»Ja, Sir. Der Arzt hat so etwas gesagt.« David schluckte. »Ich weiß, Sir, dass ich Fehler gemacht habe. Aber mir fehlte die Erfahrung, mit einer Situation fertig zu werden, die über meine Ausbildung und meine Handlungsfähigkeit hinausging.«

»Ein Mann kann nicht mehr als sein Bestes tun, mein Sohn«, sagte Sir John freundlich. »In Anbetracht der Umstände haben Sie pragmatisch und mit außerordentlichem Mut gehandelt. Mit oder ohne Erfahrung kann sich ein Mann in der Wildnis auf nichts anderes verlassen als auf seine Vernunft. Sie haben die Ihre gut gebraucht. Ich zweifle nicht daran, dass Seine Exzellenz mir beipflichten wird. Wir können mit Sicherheit alle stolz auf Sie sein.«

Davids Unterlippe begann wieder zu zittern. Er versuchte zu sagen: »Vielen Dank, Sir«, brachte es aber nicht fertig.

»Es wird nicht schwer sein, Ihnen nach der Untersuchung einen Monat Urlaub zu verschaffen. Vielleicht würden Sie gerne in Kaschmir Ferien machen und auf die Jagd gehen, bei …?« Er brach ab, denn ihm fiel plötzlich wieder ein, mit wem Wyncliffes Schwester verheiratet war. Großer Gott, das war absolut unmöglich!

»Wenn es Ihnen nichts ausmacht, Sir«, sagte David und senkte den

Blick, »würde ich den Urlaub lieber bei meiner Mutter in Delhi verbringen.«

Sir John war erleichtert. »Natürlich ... wie Sie wollen.«

David zögerte. »Sir, habe ich die Erlaubnis, eine ... eine Frage zu stellen?«

»Nun?«

»Ist es wahr, dass mein Vater den Jasminapass entdeckt hat?«

Was immer der Generalquartiermeister auch erwartet hatte, diese Frage wohl kaum. »Wer hat Ihnen das gesagt?«, fragte er scharf.

»Oberst Borokow, Sir.«

»Wie zum Teufel konnte er das wissen?« Sir John war entsetzt.

David erzählte ihm von dem Fernglas und von Borokows anonymer Kontaktperson in Indien. »Stimmt es, Sir? War es mein Vater?«

Sir John dachte einen Moment nach. »Ja, mein Sohn«, sagte er schließlich. »Es war Ihr Vater. Aber ich kann nicht darüber sprechen, das müssen Sie verstehen. Und Sie dürfen es auch nicht. Diese Sache ist streng vertraulich.«

»Jawohl, Sir. Ich verstehe.« Er zog unruhig am Bettzeug. »Weiß meine ... meine Schwester davon?«

Noch eine heikle Frage! Offenbar beunruhigte ihn der Gedanke, seine Schwester könnte es gewusst haben und er nicht. Wie immer die Wahrheit auch aussah, angesichts seiner hervorragenden Leistung verdiente er es, aus der schrecklichen Ungewissheit erlöst zu werden.

»Nein, mein Sohn. Ihre Schwester weiß es nicht.«

Davids Miene hellte sich auf. »Danke, Sir.« Er lächelte. »Ich war sicher, sie hätte es mir sonst gesagt.«

»Die Information, dass Ihr Vaters etwas mit dem Jasminapass zu tun hatte, ist immer noch geheim, Columbine«, erklärte Sir John entschieden. »Ich hoffe, Sie werden das nicht vergessen.«

»O nein, Sir, ganz bestimmt nicht, Sir.«

Sir John sah, dass ihn immer noch etwas beunruhigte. »Ich versichere Ihnen, wenn die Regierung so weit ist, wird man Ihrem Vater die ihm zustehende Ehre erweisen.«

»Das ist es nicht, Sir …« David wandte den Blick ab. »Ich will nur sagen, aus persönlichen Gründen, über die ich nicht sprechen möchte, Sir, bin ich froh, dass meine Schwester es nicht weiß.«

Sir John kniff die Augen zusammen. Deshalb machte sich der Junge also Sorgen – über den nicht gerade guten Ruf seines Schwagers. Dazu hatte er allerdings auch allen Grund!

In seinem Zimmer versank Sir John wieder in eine düstere Stimmung. Er ließ sich kaltes Bier und etwas zu essen bringen und gab noch einmal Anweisung, ihn nicht zu stören. Es war ein schwerer Schlag, dass ein Russe etwas wusste, was sie ihren eigenen Landsleuten und er seinen Vorgesetzten unter so großen Mühen verheimlichten. Borokow hatte diese Information nicht an Smirnow weitergegeben – sonst hätten sie, bei Gott, etwas davon erfahren. Das verstärkte die Glaubwürdigkeit des Überläufers. Vielleicht hatte David Wyncliffe mit seiner Vermutung Recht. Vielleicht spielte Borokow tatsächlich sein eigenes Spiel.

Da Worth und Hethrington unterwegs waren, konnte Wyncliffes erstaunliche Aussage niemandem sonst im Dienst anvertraut werden. Sir John schickte eine Nachricht nach Simla, er werde noch eine Weile in Gilgit bleiben, und setzte sich mit einem tiefen Seufzer an den Schreibtisch, um den Bericht selbst zu schreiben.

Als er diese mühsame Aufgabe erledigt hatte, war er jedoch erstaunlich gut gelaunt. Ihm war plötzlich ein Gedanke gekommen. Danach schmerzten nicht nur die Fingergelenke weniger, sondern auch das Gewicht, das auf ihm lastete, wurde leichter. Ganz gleich, welche Explosionen Wyncliffes Bericht in Whitehall möglicherweise auslösen würde, für den Nachrichtendienst konnte er nur erfreuliche Folgen haben. Viele Skeptiker, vor allem hier in Gilgit, zweifelten immer noch offen an dem Nutzen der Abteilung und taten ihre Arbeit als überflüssig und übertriebenen Luxus ab. Was Wyncliffe jedoch herausgefunden hatte, und sei es auch nur dank eines glücklichen Zufalls, würde das alles ändern. Der Nachrichtendienst würde nicht nur an Ansehen gewinnen, sondern, und das war sehr viel mehr wert, er würde endlich auch ein anständiges Budget bekommen.

Die lästige Fliege in der Suppe blieb Hethringtons riskantes Projekt, dessen Ausgang immer noch in der Schwebe hing. Was Oberst Durand so zutreffend mit dem Hindernislauf zwischen Tasse und Rand bezeichnet hatte, lag noch vor ihnen.

Sir John war selbst ein guter Läufer, und er hatte nie den Fehler begangen, die Bedeutung der Zielgeraden zu unterschätzen. Seine Rückkehr nach Simla würde diesmal mehr einem Hindernislauf gleichen.

*

Maurice Crankshaw war in keiner guten Stimmung.

Columbine, so hatte er gerade erfahren, hatte sich in Gilgit, nicht bei ihm in Leh gemeldet, und das missfiel ihm außerordentlich. Durand und seine Offiziere waren ein arroganter Haufen, der die Arbeit des Geheimdienstes keineswegs würdigte. Wyncliffe war seiner Dienststelle zugeordnet und wurde von ihr bezahlt. Also durfte er doch verdammt nochmal ohne ausdrückliche Anweisung nicht einfach nach Gilgit laufen. Das war reiner Hohn. Die Nachricht, die der Generalquartiermeister ihm geschickt hatte, war rätselhaft, nicht informativ und geradezu beleidigend. Der Affront verdiente es, mit gleicher Münze heimgezahlt zu werden, und, bei Gott, das würde er tun. Bevor sein Zorn verfliegen konnte, griff er nach dem Federhalter und setzte sich, um eine unmissverständliche Antwort zu verfassen. Er würde verlangen, dass der herumstreunende Agent unverzüglich zurückgeschickt wurde, sonst würde in seinen Unterlagen der Eintrag stehen, er habe sich unerlaubt vom Dienst entfernt.

Während Crankshaw am Schreibtisch saß und die Wirkung der Formulierungen »über meinen Kopf hinweg« und »hinter meinem Rücken« gegeneinander abwog, ging die Tür auf, und Holbrook Conolly kam herein.

Maurice Crankshaw hob, verärgert über die Störung, die er sich ausdrücklich verbeten hatte, den Kopf, öffnete den Mund zu einem scharfen Verweis, schluckte und schloss ihn sofort wieder. Er musterte Conolly mit zusammengekniffenen Augen langsam von Kopf bis

Fuß, ohne eine Miene zu verziehen. So, wie er reagierte, hätte Conolly gerade aus dem Nebenzimmer kommen können, um ihn wegen einer ganz alltäglichen Angelegenheit zu befragen. Crankshaw richtete seine Aufmerksamkeit wieder auf den Entwurf seines Schreibens, entschied sich für »hinter meinem Rücken«, als den Ausdruck mit der größeren Schärfe, und legte den Federhalter beiseite. »Die Geologen haben Sie also endlich gefunden, wie?«

Conolly war den rauen Ton des Kommissars gewohnt und wollte sich keinesfalls an Nonchalance übertreffen lassen. Er erwiderte ungerührt: »Ja, Sir, aber das heißt nicht, dass wir uns verirrt hätten.«

»Wo?«

»Im Lager von Mirza Beg.«

Der Kommissar nickte zufrieden. »Ich habe Hethrington gesagt, Sie würden sich mit größter Wahrscheinlichkeit dort versteckt halten. Es war auch Zeit, dass Sie endlich auftauchen. In Anbetracht der generellen Verrücktheit Ihrer Possen dachte ich schon, Sie hätten ins Gras gebissen.« Er spähte über den Rand seiner Brille. »Ich hoffe, Sie kommen nicht ohne Gepäck.«

Conolly erwiderte kühl: »Miss Iwanowa wartet im Vorzimmer, Sir. Sie hat nicht die geringste Ahnung.« Er hustete und fügte dann mit einer gewissen Betonung hinzu: »Ich weiß übrigens auch nicht, weshalb sie hierher gebracht werden sollte. Sie ist deshalb verständlicherweise nervös.«

»Tja, Hethrington und Worth sind letzte Woche wieder nach Srinagar zurückgekehrt. Hätten Sie weniger Zeit damit verschwendet, Khumis zu trinken, und wären Sie schneller gewesen, hätten Sie die beiden vielleicht nicht verpasst. Und ich kann Ihnen versichern, Ihr Gepäck wäre für die beiden Herren ein erfreulicher Anblick gewesen.«

Er bedeutete Conolly mit einer Geste, sich auf einen Stuhl zu setzen. Conolly öffnete den Mund zu einer Erwiderung, doch es war zu spät. Crankshaw hatte wieder nach seinem Federhalter gegriffen, strich gerade »unerlaubt vom Dienst entfernt« durch, ersetzte es durch ein schlichtes »abwesend« und konzentrierte sich völlig auf seinen Briefentwurf. Conolly blieb nichts anderes übrig, als zu warten.

Sie waren am frühen Morgen in der Karawanserei von Leh angekommen und hatten sich unverzüglich auf den Weg zum Büro des Kommissars gemacht. Iwana war immer unruhiger geworden, je weiter sie sich Leh genähert hatten. Nachdem sie die Wahrheit kannte oder zumindest einen Teil, war sie verwirrt und unsicher und stellte Fragen, die Conolly nicht beantworten konnte. Sie war immer wieder dicht davor, in Tränen auszubrechen und ihn zu bitten, sie zurückzubringen. Conolly hatte keinerlei Informationen, die sie getröstet hätten, und wusste nicht, wie er mit der Situation umgehen sollte.

»Wie wird man mich aufnehmen?«, fragte sie unglücklich, als sie die letzten Meilen zur Stadtmitte ritten. »In Taschkent sagt man, die Engländer sind überheblich und mögen uns nicht.«

»Finden Sie mich überheblich?«

»Nein, natürlich nicht, aber Sie sind anders. Sie sind mein Freund.«

Conolly seufzte. »Das ist der alte Cranks auch oder er wird es sein, wenn er Sie erst einmal kennt. Ich gebe zu, er bellt viel und laut, aber bisher hat er noch niemanden gebissen. Zumindest weiß ich nichts davon.«

Sie fasste sich an den Kopf, wo ihre Haare inzwischen struppig und ungleichmäßig wie ein ungemähter Rasen wuchsen. »Was wird Mr. Cranks von mir halten? Und was wird Mrs. Cranks sagen, wenn sie meine Haare und die schmutzigen Kleider sieht?«

»Mrs. Cranks?« Conolly lachte laut. »Glauben Sie denn, eine Frau, die etwas auf sich hält, würde das alte Stachelschwein heiraten? Er ist natürlich ein überzeugter Junggeselle. Sobald er eine Frau sieht, sträuben sich ihm die wenigen Haare, und ich möchte behaupten, umgekehrt ist es genauso. Er hat eine tibetische Haushälterin, und der wird es völlig egal sein, wie Sie aussehen. Und übrigens«, fügte er schnell hinzu, »er heißt Mr. Crankshaw«.

Das war natürlich alles nicht gerade sehr beruhigend, und als sie das Büro erreichten, war Iwana vor Angst wie gelähmt und wagte nicht hineinzugehen.

Crankshaw war mit dem Text seines Fernschreibens fertig, legte ein

Löschpapier darüber und klappte die Mappe zu. »Die junge Dame befindet sich doch in gutem Zustand, nicht wahr?«

»In einem so guten Zustand, wie man es erwarten kann, Sir.«

»Und sie hat sich gut benommen?«

»Sie hat sich einwandfrei benommen, Sir.«

»Ach ja? Kein Ohnmachtsanfälle, keine Wutausbrüche, keine Hysterie und nichts von all dem, was Frauen außerhalb ihrer kuscheligen Boudoirs sonst noch bekommen?«

»Nein, Sir«, erwiderte Conolly beinahe eisig. »Miss Iwanowa hat sich die ganze Zeit über beispielhaft verhalten. Ihre Charakterstärke war bewundernswert und ihre Haltung immer tadellos. Keine andere junge Dame, die ich kenne, hätte so klaglos das durchgemacht, was sie hat ertragen müssen. Sie hat natürlich Sorgen, aber das ist unter den Umständen nicht anders zu erwarten.«

»Ich verstehe.« Crankshaw lehnte sich zurück, und seine hochgezogenen Augenbrauen sträubten sich beredt. »Wenn es so ist, darf ich dann ebenfalls das Vergnügen haben, die Bekanntschaft dieser vorbildlichen jungen Dame zu machen, die Sie so tief beeindruckt?«

Conolly räusperte sich, errötete und verließ schnell das Büro. Einen Augenblick später kam er zurück, gefolgt von der ängstlichen Iwana.

»Miss Iwana Iwanowa, Sir, die bestellte junge armenische Dame.«

»Hm.« Crankshaw putzte seine Brille, setzte sie wieder auf und musterte Iwana lange und eingehend. »Sie haben uns ganz schön an der Nase herumgeführt, junge Dame«, sagte er streng. »Ich hoffe, Ihnen ist klar, welche Mühe die britische Regierung auf sich genommen hat, um Sie aus den Händen der Russen zu befreien.«

Iwana verstand kein Wort. Doch der Tonfall ängstigte sie ebenso wie der Gesichtsausdruck und sie stellte sich noch etwas dichter neben Conolly.

»Ich glaube, befreien ist nicht ganz das richtige Wort, Sir«, sagte Conolly trocken. »Vermutlich wäre entführen eher angebracht.«

Crankshaw wischte diese Nebensächlichkeit mit einem Zungenschnalzen beiseite. »Setzen Sie sich, setzen Sie sich«, sagte er gereizt. Iwana verstand die Geste, die er dabei machte, und sank schnell auf einen Stuhl. Er wandte sich ihr wieder zu. »Sie haben also keinen Schaden genommen, oder?«

»Sie spricht kein Englisch, Sir«, sagte Conolly, setzte sich ebenfalls und verschränkte entschlossen die Arme vor der Brust. »Und sie hat keine Ahnung, warum sie das alles durchmachen musste. Das gilt auch für mich, und deshalb wäre vielleicht eine Erklärung ...«

»Später, Conolly, später. Zuerst das Wichtigste. Da Sie sich in Kaschgar an das bequeme Leben gewöhnt hatten, nehme ich an, Sie sind wie üblich ausgehungert.«

Conolly schwieg. Sein Magen knurrte wie verrückt, und er begriff sofort, wie vernünftig die Andeutung war. »Jetzt, wo Sie es erwähnen, Sir, ich würde zu einem Frühstück nicht Nein sagen. Ich bin sicher, Miss Iwanowa auch nicht.«

»Tee, Eier und Speck, Toast, Orangenmarmelade und ein Rest Wachtelpastete – genügt das?«

Conolly schluckte hörbar. »O ja, Sir, da sage ich ganz bestimmt nicht Nein, Sir. Vielen Dank. Und ein paar Stunden allein zu sein und in einem richtigen Bett zu schlafen wäre auch sehr schön.«

Crankshaws Mund quietschte beinahe vor Anstrengung, als er sich zu einem Lächeln entschloss. »Alles kein Problem, bis auf die Reihenfolge.« Er schnupperte und legte einen Finger an die Nase. »Erstens, sagen Sie meiner Haushälterin, Sie soll Ihnen beiden frische Sachen zum Anziehen besorgen. Sie stinken von hier bis Simla. Zweitens, sagen Sie dem Diener, er soll diese schrecklichen Klamotten im Freien verbrennen. Dann setzen Sie sich mindestens eine Stunde lang in heißes Wasser und schrubben sich ordentlich.« Er funkelte die beiden an. »Natürlich getrennt.«

Conolly grinste und seufzte tief und glücklich.

Crankshaw zog an der Klingelschnur, übergab dem herbeieilenden Diener eine Nachricht und schickte die beiden Ankömmlinge mit ihm zu seiner tibetischen Haushälterin. Als er wieder allein war, lehnte er sich zurück und las den Entwurf seines Fernschreibens noch einmal durch. Ihm kam ein Gedanke und er lächelte listig. Das Projekt Janus war vom Geheimdienst geboren worden. Man hatte ihn gegen seinen erklärten Willen mit einbezogen, weil für Simla ohne ihn nicht die geringste Chance auf Erfolg bestand. Nun ja, Columbine hatte sich dafür entschieden, sich in Gilgit zu melden, dafür war Capricorn aber nach Leh gekommen. Und wenn er es richtig anging, dann konnte Capricorns Anwesenheit von beträchtlichem finanziellem Nutzen für seine Dienststelle sein. Diese Konsequenz war nicht zu verachten angesichts des geringen Etats, mit dem er das Ganze hier betreiben sollte.

Das Wichtigste von allem, seine Ehre war wiederhergestellt. Er zerknüllte das Blatt, warf es in den Papierkorb und ging in einer sehr viel versöhnlicheren Stimmung daran, ein zweites Schreiben aufzusetzen.

Beim Abendessen stellte Conolly – gebadet, ausgeruht und wohl duftend – fest, dass Iwana nicht mehr ganz so niedergeschlagen war. Vielleicht lag es an der mütterlichen Zuwendung der Haushälterin, dass ihr Gesicht etwas weniger angestrengt wirkte, die Augen etwas weniger ängstlich blickten und dass sie sogar ein- oder zweimal lächelte. Die Haushälterin hatte Iwana ein traditionelles tibetisches Kleid in leuchtenden Farben gegeben und für ihn ein paar alte Hemden und Hosen hervorgekramt. Es war besprochen, dass Iwana bei Verwandten der Haushälterin untergebracht werden würde, einer Familie, die hauptsächlich aus Frauen bestand, und damit war der Schicklichkeit und der Bequemlichkeit Genüge getan.

Maurice Crankshaw bereitete die Anwesenheit einer jungen Frau in seinem Haus sichtlich Unbehagen. Er machte beim Abendessen in seiner knurrigen Art ein paar Bemerkungen und beachtete sie danach zu ihrer großen Erleichterung nicht mehr. »Blähungen, wie?« Crankshaw hörte sich Conollys Bericht über seine Abenteuer in Kaschgar an und lachte leise. »Was der alte Trottel jetzt wohl ohne Ihre Zaubertränke macht?«

»Was auch immer, Sir, ich würde dabei nicht gern hinter ihm stehen«, erwiderte Conolly, und beide lachten schallend.

»Wann kann ich Ihren schriftlichen Bericht haben?«, fragte Crankshaw.

»Hm … übermorgen, Sir?«

»Warum nicht morgen?«

Conolly biss sich auf die Lippe. »Morgen, Sir, ich dachte, morgen begleite ich Miss Iwana auf den Berg, um das Kloster zu besichtigen. Sie hat noch nie ein buddhistisches Kloster gesehen.«

Crankshaw hob den Zeigefinger. »Das bequeme Leben hat Sie verdorben! Das ist Ihr Problem, Capricorn«, knurrte er. »Oh, schon gut, schon gut, aber wenn ich den Bericht übermorgen früh nicht als Erstes auf dem Schreibtisch habe, reiße ich Ihnen den Kopf ab.«

»Danke, Sir.«

»Miss Iwana kommt wieder zu Kräften? Sie fühlt sich dort wohl, wo sie ist?«

»Ja, Sir. Aber es wird einige Zeit dauern, bis sie sich umgestellt hat.« Er nutzte die Gunst des Augenblicks und fügte schnell hinzu: »Die Erklärungen, Sir …«

»Nach dem Bericht«, sagte Crankshaw entschieden. »Jetzt zu den Kosten.«

»Ich habe eine Liste bei mir, Sir.«

»Da bin ich sicher. Ich habe nachgedacht, Capricorn. Da sich der Nachrichtendienst Ihre Eskapade ausgedacht hat, finde ich es nur gerecht, dass Sie Hethrington bitten, Ihnen die Kosten zu erstatten. Übrigens, wie viel haben Sie denn ausgegeben?« Conolly sagte es ihm. »Allmächtiger, was haben Sie denn gegessen, goldene Mäuse und Silbernudeln?« Er seufzte tief und bekümmert, bevor er missmutig hinzufügte. »Nun ja, ich nehme an, alles in allem hat es sich gelohnt.«

»Da ich die Fakten immer noch nicht kenne, Sir«, sagte Conolly kühl, »kann ich das natürlich nicht beurteilen.«

Sie standen auf, wünschten sich eine Gute Nacht, und Conolly dankte Crankshaw für die Gastfreundschaft.

»Oh, übrigens, Capricorn«, sagte Crankshaw, als sie gerade auseinander gehen wollten. Conolly blieb stehen. »Ich war immer der Meinung, wenn jemand dieses Kunststück erledigen kann, ohne alles zu verpatzen, dann Sie. Ich dachte, das würde Sie vielleicht interessieren.«

Aus Maurice Crankshaws Mund war das in der Tat ein großes Lob. Holbrook Conolly war überwältigt.

*

Der Morgen unter dem bleiernen Himmel war grau. Nebel umhüllte das Tal von Gulmarg. Die Luft war kalt, feucht und unfreundlich. Ein paar Leute bewegten sich durch den Nebel, doch Emma konnte wenig sehen, außer einigen gespenstischen Bäumen und den schemenhaften Umrissen vereinzelter Holzdächer, die an den Hängen klebten. Welches war Damiens Haus? Sie wusste es nicht.

Auf dem letzten Abschnitt des Ritts hatte sie keine Zeit, an etwas anderes als an ihr Überleben zu denken. Der Anstieg war erschreckend steil und der nicht markierte Weg schlüpfrig vor Nässe. Nur dank Zoonies wunderbarer Ausdauer und Sicherheit und der Gnade einer unsichtbaren schützenden Hand war es Emma gelungen, sich im Sattel zu halten. In ihrer erneuten Verwirrung empfand sie es als Anstrengung, an Geoffrey Charlton auch nur zu denken. Er hatte durchblicken lassen, dass er sich auf dem Weg nach Gulmarg befand, um Damien zu stellen. War er ihr gefolgt? Vorausgeritten? Sie war zu erschöpft, um denken zu können.

Undeutlich wurde ihr bewusst, dass Zoonie plötzlich stehen blieb. Emma versuchte mit unendlicher Mühe, sich zu konzentrieren. Sie sah, dass sie sich offenbar vor einem Tor befanden. Plötzlich wurde ihr klar, dass die Stute in Gulmarg geboren und aufgewachsen war. Offensichtlich hatte sie ihre erste Heimat nicht vergessen. Emma glitt aus dem Sattel, stieß das Tor auf und ging hindurch. Die Stute hinter ihr wieherte leise, fiel in Trab und bog nach rechts ab. Emma folgte ihr blindlings und erreichte ein Stallgebäude. In den Boxen standen mehrere Pferde. Als Erstes sah sie einen großen glänzenden Rappen mit wilden Augen und geblähten Nüstern: Toofan!

Emma wartete nicht auf die Stallburschen, die aufgeregt auf sie zukamen, sondern machte kehrt und lief in einem Ausbruch von Energie durch den Schlamm zu dem Haus, das sich undeutlich im Nebel abzeichnete. Drinnen brannte Licht, doch die Vorhänge waren zugezogen. Sie ging zur Eingangstür, nahm ihre ganze Kraft zusammen und hämmerte mit geballten Fäusten dagegen. Die Tür wurde geöffnet, und vor ihr stand eine verschwommene Gestalt – Suraj Singh. Ohne auf seine erstaunten Ausrufe zu achten, lief sie an ihm vorbei und durch die erste Türöffnung, die sie sah. Sie führte ins Wohnzimmer. Im Kamin knisterte ein Feuer, und es war wundervoll warm. Damien saß in einem Ohrensessel und las. Er hob den Kopf, als sie ins Zimmer stürmte.

»Emma!« Verblüfft richtete er sich im Sessel auf. »Was um alles in der Welt machst du hier?«

»Geoffrey Charlton, er ... er ...« Keuchend und stolpernd kam sie näher, erreichte einen Tisch, stützte sich mit den Händen darauf und senkte den Kopf. »Charlton ...«, flüsterte sie und rang krampfhaft nach Luft, »kommt hierher ... die übrigen Papiere. Durchsuchungsbefehl ... Shalimar konfiszieren. Keine Zeit zu ... .«

Sie bekam keine Luft mehr und verstummte. Damien trat gerade neben sie, als die Beine unter ihr nachgaben. Vor ihren Augen wurde alles schwarz und sie sank wie eine Gliederpuppe in seine Arme.

*

Über Emmas innerem Horizont wölbte sich ein verregneter fremder Himmel. Sie war wach und doch nicht wach, dann wieder schien sie dicht davor, das Bewusstsein zu erlangen, sank in den alptraumartigen Schlaf zurück und durchwanderte die Landschaften ihrer Fieberträume, nur um sich immer wieder herauszukämpfen. Ganz allmählich versanken die verschwommenen Schattenwelten und sie öffnete mühsam die Augen. Ein Sonnenstrahl blendete sie. Sie schloss die Augen sofort wieder und stöhnte leise. Sie versuchte, sich aufzusetzen.

»Bleib ruhig liegen.« Damien stand im Halbdunkel und beobachtete sie. Müde legte Emma sich wieder zurück und zwang sich, die Augen zu öffnen. Er ging zum Fenster und zog den Vorhang zu. Das grelle

Morgenlicht wich einer friedlichen Dunkelheit, in der beruhigend ein orangefarbenes Feuer flackerte. »Fühlst du dich etwas besser?«

Sie murmelte undeutliche Worte und fuhr mit der Zunge über die trockenen Lippen, während sie sich umsah. Sie lag unter einer weichen Steppdecke in einem Himmelbett in einem warmen holzgetäfelten Zimmer. Dicke Balken stützten das steile Dach. Auf dem Boden lagen gemusterte Wollteppiche, und an den Fenstern hingen geblümte Chintzvorhänge. Sie hob die Decke hoch und betrachtete verwundert das viel zu große Nachthemd, das sie trug.

»Du warst völlig durchnässt und konntest deine Sachen nicht anbehalten. Es tut mir Leid, etwas Besseres als das Nachthemd habe ich nicht.« Er trat neben das Bett. »Bist du allein den ganzen Weg von Shalimar hierher geritten?«

Die Erinnerung kam zurück wie ein kalter Windstoß. Charlton!

Sie stützte sich auf die Ellbogen. »Geoffrey Charlton hat in Tanmarg auf mich gewartet«, stieß sie flüsternd und mit weit aufgerissenen Augen hervor. »Er hat mir die Papiere meines Vaters abgenommen.«

»Du warst wirklich allein?«

»Er hatte das Haus umstellen lassen, Damien. Er sagt, Walter Stewart ...«

»Du hättest nicht allein kommen dürfen.« Damien wirkte sehr erregt und hörte ihr kaum zu. »Du hättest überfallen und getötet werden können. So ein Ritt ist doch viel zu gefährlich!«

Sie ballte die Fäuste und blickte hinauf zu den Dachbalken. »Ich musste dich warnen. Charlton hat gesagt, er ...«

»Zuerst etwas heiße Suppe. Das wird dir gut tun.« Er nahm eine Suppentasse vom Tisch und reichte sie ihr.

»Verstehst du nicht?«, rief sie und schob die Tasse beiseite. »Charlton wusste, dass ich die Papiere meines Vaters bei mir hatte. Er hat sie mir abgenommen. Ich konnte es nicht verhindern.«

Damien stellte die Tasse auf den Tisch, setzte sich ans Fußende des Bettes und verschränkte die Arme vor der Brust. »Wolltest du das wirklich?«

Im ersten Moment begriff sie nicht, was er meinte, dann erinnerte sie sich an ihre schreckliche Auseinandersetzung und schloss schaudernd die Augen.

»Also gut, macht nichts. Sag mir, was geschehen ist. Charlton ist auf Shalimar gewesen?«

»Ja.« Emma nahm sich zusammen und erzählte, ohne ihn dabei anzusehen, alles, was sich zugetragen hatte. »Er war wütend, weil ich die übrigen Papiere nicht hatte. Er nahm an, du hättest sie. Er wollte hierher kommen, um sie sich zu holen. War er hier?«

»Ja.«

»Du hast die Papiere?«

»Ich hatte sie. Ich habe sie ihm gegeben.«

Einen Moment, nur einen Moment lang war sie verblüfft. Dann erinnerte sie sich an die brutale Wirklichkeit und daran, wie es zwischen ihnen stand. Der erstaunte Ausdruck verschwand von ihrem Gesicht. Dieser Mann war ihr in den vergangenen Monaten immer ein Rätsel geblieben. Es war unwahrscheinlich, dass sie ihn jetzt verstehen würde, am Ende ihrer ... Beziehung? Sie fand nicht das richtige Wort. Plötzlich kam ihr der verrückte Ritt allein durch die Wildnis mitten in der Nacht lächerlich vor. Sie hatte nichts erreicht, sondern sich nur lächerlich gemacht. Die Barriere zwischen ihnen war zu hoch geworden, sie war ihr über den Kopf gewachsen. Sie hätte nicht versuchen sollen, sie zu überwinden. Und sie sollte sich auch nicht erlauben zu vergessen, dass Shalimar sie nichts mehr anging und Damien ebenfalls nicht mehr.

Er sah sie verwundert an. »Und du hast das alles auf dich genommen, nur um mich zu warnen?«

»Ja. Aber ich sehe jetzt, ich hätte mir die Mühe nicht zu machen brauchen.«

»Nein, nein, so habe ich das nicht gemeint«, verbesserte er sich. »Ich bin überwältigt, dass du einen so ... mutigen Versuch gemacht hast ...« Er brach verwirrt ab. »Ich weiß kaum, was ich sagen soll.«

»Es ist nicht nötig, dass du etwas sagst«, erwiderte Emma steif. »Ich wollte nicht gehen und dabei die Schuld auf mich laden, dass du deinen Besitz verlierst. Also waren meine Motive ganz selbstsüchtig.«

»Trotzdem bin ich dir zu Dank verpflichtet.«

Sie drehte ihm den Rücken zu. »Ich wünschte, ich hätte diese Papiere nie gesehen«, sagte sie, von einer plötzlichen Bitterkeit erfasst. »Es wäre besser gewesen, arglos und unwissend zu bleiben, als …« Sie vergrub das Gesicht im tröstlichen Kissen, ohne den Gedanken zu beenden.

Er äußerte sich nicht zu ihrer Feststellung. Stattdessen fragte er: »Fühlst du dich kräftig genug, um eine Weile nach unten zu kommen?«

»Nein.«

»Ich möchte, dass du ein paar Leute kennen lernst.«

»Ich will niemanden kennen lernen.«

»Du hast meinetwegen eine so außerordentliche Anstrengung unternommen, dass ich dankbar wäre, wenn du dich bereit finden könntest, mir diesen letzten Gefallen zu tun.«

Sie drehte sich um. »Wer sind diese Leute, die ich kennen lernen soll?«

»Du wirst schon sehen.«

»Ich habe nichts anzuziehen. Ich kann mich wohl kaum in deinem Nachthemd vor anderen Leuten zeigen!«

»Ich glaube, wir können deine Kleidung um eine Wollweste, einen Morgenmantel und ein oder zwei Schals erweitern.«

Er sagte das unbekümmert, beinahe beiläufig, doch sie hörte den dringenden Appell unter der Leichtigkeit. Es kümmerte sie nicht mehr, und sie war zu müde, um zu streiten. Sie machte eine Geste, die er als ihr Einverständnis deutete.

»Danke. Jetzt trink das.«

Sie nahm ihm die Tasse aus der Hand und trank. Es war eine kräftige, heiße und vermutlich köstliche Suppe, aber Emma schmeckte nichts.

Neunzehntes Kapitel

Emma wartete in einem gesteppten Morgenmantel, viel zu großen Wollstrümpfen und einem Schal ohne jedes Interesse auf Damiens Gäste. Sie kam sich wie eine ägyptische Mumie vor und sah bestimmt auch so aus. Doch Damien hatte darauf bestanden, und sie war zu schwach gewesen, um zu protestieren. Hakumat hatte Holz nachgelegt, und das Feuer loderte im Kamin. Hakumat eilte geschäftig hin und her. Suraj Singh stand wie üblich dabei und beobachtete alles wie ein wachsamer Zenturio.

»Ist es so bequem?« Damien legte ihr eine Decke über die Knie.

»Ja, danke.«

»Gut.« Sein Lächeln endete dicht unter den Augen. »Eine letzte Bitte. Hör zuerst zu, und stell erst dann deine Fragen.«

»Wenn du es so möchtest.«

Auf ein Zeichen von Damien ging Suraj Singh hinaus und führte gleich darauf zwei Männer ins Zimmer, die Armeeuniformen trugen. Die Offiziere schüttelten Damien knapp und förmlich die Hand. Nur ihre kalten, wachsamen Augen verrieten die innere Spannung. Bei der Begrüßung wurde kein Wort gewechselt.

»Oberst Wilfred Hethrington und Hauptmann Nigel Worth vom militärischen Nachrichtendienst«, sagte Damien, der die Vorstellung übernahm. »Meine Frau.«

Wenn Emma überrascht war, dann zeigte sie es nicht – sie wäre auch zu erschöpft dazu gewesen. Die beiden Männer beugten sich sichtlich verlegen nacheinander über ihre Hand. In Anbetracht dessen, was Charlton Emma gesagt hatte, war ihre Verlegenheit natürlich verständlich. Sie erinnerte Hauptmann Worth nicht daran, dass sie sich in Delhi bei den Prices kennen gelernt hatten, und er erwähnte es ebenfalls nicht.

»Meine Frau hat beschlossen, ein paar Tage mit mir hier zu verbringen«, sagte Damien. »Leider ist sie auf dem Weg hierher nass geworden und hat Fieber.«

Die Offiziere gaben ein paar höfliche Floskeln von sich und nahmen an dem Tisch in der Ecke des Zimmers Platz. Hakumat erschien mit einem Samowar und reichte Tassen mit Qahwa, während mit versteinerten Mienen steif ein paar Worte gewechselt wurden. Nachdem sich die Tür hinter Hakumat geschlossen hatte, ging Damien zum Schreibtisch, zog eine Schublade auf und nahm einen braunen Umschlag heraus. Er legte ihn vor dem Oberst auf den Tisch. Es gab keine Einleitung, keine persönlichen Worte, keine gesellschaftlichen Verbindlichkeiten. Die Feindseligkeit zwischen ihnen war offensichtlich.

Die beiden Offiziere blickten mit blassen Gesichtern, krampfhaft gefalteten Händen und ohne mit der Wimper zu zucken auf den Umschlag. Keiner machte eine Bewegung, um ihn an sich zu nehmen. Der Oberst räusperte sich. »Ich denke, das ist alles, Granville?«

»Nein, das ist nur Mr. Wyncliffes Tagebuch.« Oberst Hethrington warf einen unsicheren Blick in Emmas Richtung und wandte ihn schnell wieder ab.

»Und der Rest?«

»Wenn Ihr Teil der Abmachung erfüllt ist.«

»Unser Teil ist erfüllt. Der Beweis dafür trifft in Kürze ein.«

Damien bewegte sich nicht. Sein Gesichtsausdruck veränderte sich. Einen kurzen Moment lang wirkte er wie betäubt, als sei er in Trance. Dann entschuldigte er sich, ging aus dem Zimmer und hinterließ ein verlegenes Schweigen. Suraj Singh folgte ihm unauffällig.

Ihr Teil der Abmachung …

Emma starrte fassungslos in die Flammen. Er hatte gewagt, eine Abmachung zu treffen, und dazu die Papiere ihres Vaters benutzt? Sie wurde kurz, aber nur ganz kurz wütend. Es war so vieles verloren, machte es da noch etwas aus? Sie entschied sich dafür, dass es nichts mehr ausmachte.

Der Oberst holte tief Luft und griff nach dem Umschlag. Er schnitt ihn auf, holte die Papiere heraus und legte sie vor sich auf den Tisch. Er nahm das erste Blatt in die Hand und seine wachen Augen glitten beim Lesen von einer Seite zur anderen. Er reichte das Blatt seinem Adjutanten und griff nach dem nächsten. Bis auf das Rascheln von Papier, dem Ticken der Wanduhr und dem gelegentlichen Knacken der Holzscheite herrschte im Zimmer völlige Stille. Ein Scheit fiel zischend und Funken sprühend vom Rost. Emma stand auf und legte das Holz mit der Zange wieder zurück ins Feuer. Keiner der Männer hob den Blick.

Nachdem sie beide die Papiere studiert hatten, faltete Hauptmann Worth sie zusammen und schob sie zurück in den Umschlag. Er sah Emma von der Seite an, doch sie hatte bereits den Kopf abgewandt.

Damien kam zurück. Er hatte sich gefasst und wirkte wieder gelassen. Nur auf seinen Wangen zeigten sich rote Flecken und seine Augen glänzten ungewöhnlich hell.

»Das ist eine Abschrift, Granville«, sagte Oberst Hethrington. »Wo sind die Streifen?«

Damien stand am Fenster, stützte die Ellbogen auf das Fensterbrett und schien sich nur für zwei Fohlen zu interessieren, die ein Stallbursche auf der Koppel herumführte. Er schien die Frage erst nicht gehört zu haben, doch dann antwortete er: »Ich glaube, Sie sollten wissen, Oberst, dass Geoffrey Charlton hier gewesen ist.«

Der Oberst holte geräuschvoll Luft. »Darf ich fragen, wieso?«

»Aus demselben Grund wie Sie.«

»Und …?«

»Ich habe ihm die Originale gegeben.«

Es entstand ein ungläubiges, entsetztes Schweigen. Die beiden Offiziere bekamen glasige Augen und erstarrten zu Statuen. Emma war leicht verwundert, dass Damien nicht erwähnte, welche Rolle sie so unüberlegt in Charltons schmutzigem Spiel gespielt hatte, doch sie schwieg. Oberst Hethrington suchte in seiner Tasche nach einem Taschentuch und betupfte sich die Stirn. Er sagte nichts, vielleicht weil er nichts sagen konnte. Nigel Worth fand als Erster die Sprache wieder. »Bist du völlig verrückt geworden, Damien?«, fragte er leise. Man hörte das Entsetzen in seiner Stimme.

»Nicht verrückt, Nigel. Praktisch.«

»Aber wieso, um Himmels willen, wieso?«

»Aus einem sehr guten Grund. Charlton hatte einen Revolver, und ich hatte nicht gerade das brennende Verlangen, für den Ruhm eures verwünschten Empire zu töten oder getötet zu werden.«

Der Oberst wirkte wieder gefasst, aber seine Hände zitterten immer noch. Er versteckte sie unter dem Tisch. »Was immer Sie vom Empire halten, Granville«, sagte er mit kaltem Zorn. »Diese Papiere sind zufällig geheim, und sie sind Eigentum der Regierung. Bereits ihr Besitz ist strafbar, ist ein Vergehen.«

»In meinem Besitz, Oberst, befinden sich unbeglaubigte Kopien. Das Regierungseigentum befindet sich bei Charlton.«

»Und Sie haben es ihm gegeben, verdammt nochmal!«

»Wenn man daran denkt, welche Büchse der Pandora Sie in Ihrer Abteilung öffnen müssten, um das zu beweisen, Oberst, glaube ich nicht, dass Sie sich den Luxus leisten können, entrüstet zu sein. Und«, fügte er liebenswürdig hinzu, »mit größter Wahrscheinlichkeit ahnt Ihr Oberbefehlshaber überhaupt nichts von dieser Büchse der Pandora.«

Oberst Hethrington warf ihm einen vernichtenden Blick zu, doch gleichzeitig ließ er die Schultern hängen. Innerhalb einer Sekunde wirkte er älter, weniger siegessicher, und seine Wangen hingen schlaff herab. »Meine ursprüngliche instinktive Reaktion war richtig, Hauptmann«, sagte er müde. »Ich wusste, Ihrem Mann ist nicht zu trauen.«

»Es gibt noch einen Grund«, sagte Damien leise.

Nigel Worth hörte ihn nicht. Die Anspielung seines Vorgesetzten kränkte ihn und er sprang vom Stuhl auf. In seinem Gesichtsausdruck mischten sich Empörung und Qual. »Du hast mir dein Wort gegeben, Damien! Du hast es versprochen, verdammt nochmal, du hast versprochen ...«

»Setzen Sie sich, Hauptmann!«, befahl Hethrington und wischte sich wieder die Stirn. »Ich nehme an, nachdem Ihr Janus sein anderes Gesicht gezeigt hat, können wir uns auch anhören, was er noch zu sagen hat. Es ist ebenso in seinem Interesse wie in unserem, dass es überzeugend klingt, sehr überzeugend … Der andere Grund, Granville!«

Nigel Worth setzte sich stöhnend.

»Sie werden sich vielleicht erinnern, dass Charlton nach dem russisch-türkischen Krieg und während des Kongresses in Berlin aushilfsweise im Außenministerium in London beschäftigt war und gleichzeitig weiterhin für den *Sentinel* gearbeitet hat.«

»Und?«

»Charlton hörte damals zufällig, dass das Außenministerium Einzelheiten des anglo-russischen Vertrags an die Presse durchsickern lassen wollte. Und da er Zugang zu dem Dokument hatte, veröffentlichte er am nächsten Tag seinen Inhalt im *Sentinel*. Er wurde wegen Diebstahls geheimer Regierungsdokumente festgenommen, später jedoch wieder freigelassen, weil die Unterlagen weder bei ihm noch in seiner Wohnung gefunden wurden. Dank seines erstaunlichen Erinnerungsvermögens hatte er die wichtigen Punkte des Vertrags beinahe wörtlich zitiert, nachdem er das Dokument nur ein einziges Mal gelesen hatte.«

Oberst Hethrington begriff, worauf Damien hinauswollte, und die Falten auf seiner Stirn vertieften sich. Er beugte sich vor. »Sind Butterfields Aufzeichnungen verschlüsselt?«

»Nein. Wahrscheinlich hatte er keine Zeit, sie zu verschlüsseln.«

»Und ist die Handschrift auf den Streifen lesbar?«

»Kaum. Charlton wird viel Zeit brauchen, sie zu entziffern, bevor er sich die Aufzeichnungen einprägen kann.«

Der Oberst richtete sich auf und Nigel Worth blickte nicht mehr so finster. »Wann ist Charlton gegangen?«, fragte Hethrington geschäftig.

»Vor drei Stunden. Er kann Srinagar bei Einbruch der Dunkelheit erreichen. Ich könnte mir denken, dass er in Anbetracht des anstrengenden Ritts nach Gulmarg und zurück zuerst schlafen muss. Da er nicht ahnt, dass außer Suraj Singh, meiner Frau und mir jemand etwas von seinem Besuch weiß, wird er mit Sicherheit keine Durchsuchung erwarten.«

Oberst Hethrington griff nach Papier und Bleistift. »Schicken Sie beide Sepoys mit dieser Nachricht für Stewart nach Srinagar«, sagte er zu Worth. »Wenn der Durchsuchungsbefehl ausgestellt ist …«

»Nein, nicht Walter Stewart!«, fiel ihm Damien ins Wort. »Seine Hoheit wird den Durchsuchungsbefehl ausstellen lassen.«

»Seine Hoheit?« Der Oberst staunte. »Großer Gott, ich bin nicht autorisiert, mich über den Kopf des Residenten hinweg an den Maharadscha zu wenden!«

»Sie nicht, aber ich.«

»Die Dienstvorschriften erlauben nicht …«

»Zum Teufel mit Ihren Dienstvorschriften, Oberst!«, sagte Damien knapp. »Sie wissen verdammt gut, dass Stewart und Charlton zusammenarbeiten und ihre schweren Geschütze gegen mich aufgefahren haben. Ich erlaube es einfach nicht, dass Stewart in die Sache einbezogen wird.«

Hethrington presste verärgert die Lippen zusammen. »Ihr Shalimar ist Ihnen sicher, Granville. Darauf habe ich Ihnen mein Wort gegeben!«

»Ich traue dem Wort des Geheimdienstes so wenig, wie der Geheimdienst meinem traut«, erwiderte Damien wegwerfend. »Zu Ihrer Information: Suraj Singh ist bereits mit einem Brief unterwegs nach Srinagar, um Seine Hoheit von den Vorfällen in Kenntnis zu setzen. Ich bin überzeugt, er wird Stewart mit Freuden auf seinen Platz und Charlton des Landes verweisen. Morgen haben Sie Ihre Originale!«

Oberst Hethrington sagte verärgert: »Verdammt nochmal, Sie hatten kein Recht, sich an Seine Hoheit zu wenden, Granville, ohne dazu autorisiert zu sein!«

»Sie irren sich, Oberst. Ich hatte durchaus das Recht. Der Jasminapass befindet sich in Kaschmir, in einem unabhängigen Staat, den die Briten noch nicht ganz geschluckt haben. Entweder Sie machen es auf meine Art, oder Charlton veröffentlicht die Papiere und hat meinen Segen dazu. Für mich ist es Jacke wie Hose, glauben Sie mir.«

»Verdammt, Granville …«, Hethringtons Zorn flammte wieder auf. »Sie wagen es und versuchen, mir die Bedingungen zu diktieren? Sie haben für mich gearbeitet, und da haben Sie …«

»Ich habe nicht für Sie gearbeitet, Oberst«, verbesserte Damien ihn kalt. »Und das werde ich auch nie tun. Wir haben eine Vereinbarung getroffen und die Gründe dafür waren bei allen Beteiligten eigennützig. Unsere Abmachung ist zu Ende. Wir schulden einander nichts.«

Abmachung!

Ja, das war auch ihre Ehe, dachte Emma, eine Abmachung aus eigennützigen Gründen, und sie war ebenfalls zu Ende.

»Und was ist mit unserer Freundschaft?«, fragte Nigel Worth erregt. »Zählt die überhaupt nicht? Wir hatten ungeschriebene Regeln, Damien, und du hast sie gebrochen. Du und Hyder, ihr geht einfach illegal nach Taschkent …«

»Weil du mir nicht die Genehmigung erteilt hast, legal zu gehen!«

»… du erzählst diesem Esel, dem Baron, eine Lügengeschichte und bietest ihm tatsächlich die Karten an. Dann lässt du Hyder im Versteck zurück, und jetzt fühlst du dich berufen …« Er brach wütend ab. »Du hast den Geheimdienst verraten, Damien. Ich … ich habe dir vertraut, verdammt nochmal!«

»Sei kein Dummkopf, Nigel. Du wirst deine Papiere morgen bekommen, weil ich dich nicht verraten habe.« Er ging zum Schreibtisch und nahm einen zweiten Umschlag heraus. Er legte ihn aber nicht auf den Tisch, sondern hielt ihn den beiden nur hin. »Eine Abschrift von Butterfields Aufzeichnungen. Alles, was er in die Gebetsmühle hineinstopfen konnte: Beschreibungen, Höhenangaben, Längengrad, Breitengrad, eine Kartenskizze und Maße – in anderen Worten, geographische Informationen zum Jasminapass. Darf ich?« Bevor einer der beiden etwas erwidern konnte, hatte er den Umschlag geöffnet und zog schwungvoll die Papiere heraus.

Die Offiziere sagten kein Wort. In der spannungsgeladenen Stille wagte nur ein Pferd draußen auf der Koppel zu wiehern. Obwohl Emma der strategische Wert des Passes kaum interessierte, war sie von der Bedeutung dieses Augenblicks gebannt.

»Um sich zu vergewissern«, begann Damien, der den Text nicht vorlas, sondern nur referierte, »ging Butterfield bis zum Ende der Felsspalte, die Dr. Wyncliffe erforscht hatte, und tat das, wozu Dr. Wyncliffe zu schwach gewesen war. Er erkletterte die Außenwand und blickte von dort hinein. Butterfield gibt die Höhe mit siebenhunderteinundachtzig Metern an, das liegt etwas über Dr. Wyncliffes Schätzung. Dann ging er am Rand der Spalte entlang bis zu ihrem nördlichen Ende, eine Strecke von eineinviertel Meilen. Er sah, dass auf der anderen Seite nackte Eisfelder mehrere hundert Meter beinahe senkrecht abfielen.« Damien hob flüchtig den Blick. »Der entscheidende Punkt der Entdeckung ist das, was er am Ende der Felsspalte vorfand. Butterfields eigene Worte beschreiben es am besten.«

Er überflog die Seite und begann zu lesen: »»Die Topographie hier ist unbeständig, eine großartige und gleichzeitig hässliche urzeitliche Welt, gefangen in einem ewigen Kreislauf von Entstehung und Zerstörung. Gigantische Lawinen ändern über Nacht immer wieder die Richtung riesiger Eismassen. Sie bilden unterirdische Seen, reißen Schlünde in den Eingeweiden der Erde auf, errichten in Tälern Dämme und senden donnernde Ströme in tiefe Schluchten. Alles ist ununterbrochen im Umbruch. Der Lärm ist ohrenbetäubend und schrecklich und die Erde bewegt sich ohne Vorwarnung.

Die Felsspalte selbst, der Jasminapass, ist ein unheimlicher Ort, eisig kalt, dunkel, feindselig, und besteht aus Eis und Felsbrocken. Die Hunzakut haben Recht: Er ist der Inbegriff des Bösen. Man spürt es im Innern. Die Sonne erreicht die Felsspalte nur mittags, und auch dann nur für den Bruchteil einer Stunde. Überraschend ist die Tatsache, dass der Pass nicht schwer zu finden ist, sondern nur schwer, nein unmöglich zu sehen ist, es sei denn, man sucht danach – so sehr gehen die Spalte und der Fels ineinander über.

Frühere Forscher glaubten, dass es eine halbe Meile hohe Tunnel unter dem Himalaja gäbe. Vielleicht war der Jasminapass vor den Veränderungen durch die Gletscher ein solcher Tunnel. Als ich das andere Ende der Gasse erreichte, denn mehr ist es kaum, bot sich mir ein Anblick, mit dem ich, mit dem niemand gerechnet hatte. Ich stand

vor einer Mauer aus Felsbrocken und dem Eis von Jahrhunderten –
einer unüberwindlichen Barriere, die man nicht durchdringen, entfernen oder umgehen kann.‹«

Er brach ab. »Die Karte, Zahlen und geologischen Angaben können
Sie sich selbst ansehen.« Er schob die Papiere wieder in den Umschlag und warf ihn auf den Tisch.

»Das also, meine Herren«, schloss er leise, »ist die Lösung des Rätsels.
Das Geheimnis, um dessen Bewahrung die bedrängten Hunzakut so
lange, so erbittert und so vergeblich gekämpft haben, ist die Tatsache,
dass es keinen Jasminapass gibt. Wenn er jemals existierte, dann haben
die Gletscher und die topographischen Umwälzungen dafür gesorgt,
dass das nicht mehr der Fall ist. Die Natur hat ihn in ihrer großen
Weisheit blockiert und dem Zugriff menschlichen Wirkens entzogen.
Das kann im letzten Jahr geschehen sein, vor hundert Jahren oder vor
tausend. Niemand weiß es, und niemand wird es jemals wissen.« Er
verstummte.

Die Enthüllung war so niederschmetternd, die Wirklichkeit so unerwartet, dass es eine Weile dauerte, bis sie alle es in seiner ganzen Bedeutung begriffen. Die beiden Offiziere saßen regungslos da und
versuchten verwirrt, damit zurechtzukommen. Nur die Wanduhr
wusste nicht, dass die künftige Geschichte Zentralasiens eine andere
Wendung nehmen würde, und tickte munter weiter.

»Also, ich will verdammt sein …!« Oberst Hethrington schüttelte als
Erster seine Lähmung ab. Er lehnte sich langsam zurück und lachte.

Damien ging wieder zum Fenster. »Hunza hatte nicht die Mittel, sich
gegen irgendeinen seiner Nachbarn, die das kleine Königreich bedrängten, zur Wehr zu setzen «, sagte er mit unterdrücktem Zorn. »Es
hatte nur zwei Trümpfe – den Jasminapass und die unersättliche imperiale Gier. Es machte sich beide zunutze, so lange es konnte, und
Sie müssen zugeben, mit sehr großem Erfolg!«

Oberst Hethrington beugte sich vor, stützte die Ellbogen auf den
Tisch und legte das Kinn auf die Hände. »So sehr es mich auch
schmerzt, das zu sagen, Granville«, sagte er seufzend. »Ich stimme Ihnen zu. Ich versichere Ihnen, wenn jemand diesem schrecklichen Pass

eine Träne nachweint, dann bin ich es bestimmt nicht. Die Seifenblase ist endlich geplatzt, und vielleicht können wir das Ganze jetzt bald vergessen und wieder an unsere Arbeit gehen.« Er löste die ineinander verschlungenen Finger, schob seinen Stuhl zurück und stand auf. Hauptmann Worth folgte seinem Beispiel.

»Gut.« Damien hielt sie mit einer Handbewegung zurück. »Da wir uns zumindest in diesem Punkt einig sind, Oberst, gibt es noch etwas, von dem ich glaube, dass Sie es wissen sollten.«

Der Oberst war geübt darin, jede Nuance aufzufangen, und erstarrte. »Wieso habe ich das Gefühl«, murmelte er, »dass ich gleich etwas zu hören bekomme, das ich lieber nicht hören würde?«

»Weil«, erwiderte Damien freundlich, »es genauso ist.«

Nigel Worth fluchte leise, als sie sich wieder setzten. Damien ging langsam zum Tisch und stützte sich mit den Händen darauf.

»Der Himalaja gehört weder Britannien noch Russland, obwohl beide sich so benehmen, als wäre das der Fall.« Sein Gesichtsausdruck und seine Stimme waren stählern. »Die Wahrheit über den Jasminapass ist kein Monopol der Engländer. Sie gehört der ganzen Welt. Deshalb sind im Augenblick Einzelheiten der Entdeckung unterwegs nach St. Petersburg und werden anonym der *Novoje Vremya* und der *Morgenpost* zugestellt. Die Zeitungen haben von den russischen Gesetzen nichts zu befürchten, und ich könnte mir denken, dass sie die Sensation des Jahrhunderts mit Freuden veröffentlichen.«

Hätte die Uhr nicht kurz darauf die halbe Stunde geschlagen und die Menschen im Raum aus ihrer Erstarrung gerissen, hätte das ungläubige Schweigen ewig andauern können. Emmas Betäubung wich, und sie richtete sich mühsam auf. Sie blickte mit fiebrig geröteten Augen unverwandt auf Nigel Worth und brach zum ersten Mal ihr Schweigen.

»Ich weiß, wer Sie sind«, sagte sie. »Sie sind Hammie, Damiens Schulfreund aus Burma, nicht wahr?«

*

Maurice Crankshaw hatte sehr präzise Vorstellungen davon, wie ein Bericht abgefasst oder vielmehr, wie er nicht abgefasst werden sollte. Er durfte keine Übertreibungen enthalten, kein adverbiales und adjektivisches Durcheinander und keine vulgären, umgangssprachlichen Ausdrücke. Tatsachen waren klar und knapp darzustellen. Der sachliche Text musste sich unter Einhaltung grammatikalischer Regeln auf das Wesentliche beschränken. Es war verboten, der Fantasie die Zügel schießen zu lassen.

Dadurch wurde der Bericht trotz der Aufregung, die er hervorrief, zu einem bürokratischen Papier, und Conolly hätte ebenso gut lateinische Verben konjugieren können. Sein schwacher Protest beeindruckte Crankshaw nicht. »Was erwarten Sie denn, Capricorn, wie soll sich ein amtlicher Bericht lesen? Etwa wie ein Sonett von Shakespeare?«

»Nein, Sir, aber so, wie er jetzt klingt, wird ihn niemand lesen, ohne nach dem ersten Absatz einzuschlafen.«

»Es wird ihn ohnehin niemand lesen«, erklärte Crankshaw, »außer Ihnen, mir und einer Hand voll Leute in Simla, im Nachrichtendienst, wie man die Abteilung lächerlicherweise nennt. Berichte sind keine Abenteuergeschichten für Schuljungen, Capricorn. Es sind Archivunterlagen, die erstellt werden, um späteren Generationen ein Gefühl für Geschichte zu vermitteln. Sie sollen als inspirierende Beispiele imperialer Initiative und Entschlusskraft zum Wohl derer erinnern, die nach uns kommen. Wir wollen doch nicht, dass uns die Nachwelt als Trottel im Gedächtnis behält, nicht wahr?«

Conolly konnte nicht für Crankshaw sprechen, doch ihm war es völlig gleichgültig, wie oder ob die Nachwelt ihn im Gedächtnis behalten würde. Seine Verärgerung wuchs noch, weil die Fragen, die Iwana betrafen, bis jetzt unbeantwortet geblieben waren. Jedes Mal, wenn er versuchte, Crankshaw festzunageln, bekam er die gleichen gereizten Ausreden zu hören. »Alles zu seiner Zeit, Capricorn, alles zu seiner Zeit. Miss Iwana läuft so wenig davon wie Sie. Zuerst kommt der Bericht und dann das Nebensächliche.«

Abgesehen davon, dass es ihn wurmte zu hören, dass Iwana als »nebensächlich« bezeichnet wurde, hatte er den Bericht wie befohlen am Tag zuvor frühmorgens abgeliefert, und der Kommissar hatte ihn immer noch nicht zu sich bestellt. Der Bericht war geprüft, und nachdem Crankshaw nur zwei Adjektive, eine etwas überspannte Formulierung – man konnte darüber streiten, ob sie das war – und einen gespaltenen Infinitiv gestrichen hatte, war er verschlüsselt und schließlich nach Simla telegrafiert worden. Damit war die Sache erledigt.

Was jetzt? Conolly wünschte, er hätte es gewusst.

In David Wyncliffes Abwesenheit, der einen ärztlich verordneten Urlaub in Delhi verbrachte, war Conolly in seinem Bungalow untergebracht. Nachdem er wochenlang unter Hochspannung gestanden hatte, rief das plötzliche Fehlen einer sinnvollen Beschäftigung das Gefühl einer seltsamen Niedergeschlagenheit hervor. Während er jetzt am frühen Nachmittag auf der Veranda saß und über seine und Iwanas ungewisse Zukunft nachdachte, fühlte er sich unruhig und ungewöhnlich verunsichert.

Wenn er Iwana während der fünf Tage in Leh gesehen hatte, war sie stets in der Obhut von Crankshaws Haushälterin, diesem Drachen gewesen – selbst bei dem Ausflug zum Kloster. Sie war zwar gut untergebracht und wurde gut versorgt, doch er fand, sie wirkte verloren, und das ging ihm nahe. Er sehnte sich danach, mit ihr zu sprechen, sie in Hinblick auf die nächsten Tage zu beruhigen – wo immer sie dann sein mochten –, aber die Gelegenheit hatte sich nicht ergeben. Auf die eine oder andere Weise musste er aus dem Kommissar die Wahrheit herausbekommen. Er beschloss, am Abend eine Erklärung zu fordern, jawohl, zu fordern.

Er beobachtete gerade düster einen Zug buddhistischer Schulkinder in safranfarbenen Gewändern und mit eingeölten Gesichtern und Köpfen, als er spürte, dass jemand hinter ihm stand. Er drehte sich um und sah Iwana am Geländer. Er sprang vor Freude auf. »Ich habe gerade an Sie g-g-gedacht«, stammelte er überrascht. »Hm, ja ... wie geht es Ihnen?«

Sie erwiderte ernst: »Danke, sehr gut. Und Ihnen?«

»Ich nehme an, so gut, wie man es erwarten kann.«

»Gefällt es Ihnen hier nicht?«

»Nein. Ich bin das Nichtstun nicht gewöhnt. Ich weiß noch nicht einmal, was für einen Auftrag ich als Nächstes bekommen werde.«

»Sie werden Leh verlassen?«

»Na ja, ... ja, ich nehme es an.«

»Wohin gehen Sie?«

Er zuckte die Schultern. »Persien, Afghanistan, die Türkei, wer weiß? Irgendwohin, natürlich auf keinen Fall nach Kaschgar. Die Söhne des Himmels können sehr teuflisch sein, wenn es um flüchtige Agenten geht, die außerdem noch Entführer sind.«

Sie lächelte nicht. »Ist es Ihnen gleichgültig, wohin man Sie schickt?«

Er dachte darüber nach. Bisher war es ihm immer gleichgültig gewesen, doch jetzt deprimierte ihn der Gedanke an die routinemäßigen Vorbereitungen für eine neue Reise, an eine neue Identität, an ein neues Spiel mit neuen Regeln.

»Ja.« Er seufzte. »Ein Auftrag unterscheidet sich nicht sehr vom anderen.«

»Wie der Auftrag, mich aus Kaschgar hierher zu bringen«, sagte sie kläglich.

»Nun ja, ich meine nein, natürlich nicht!« Er zwang sich zu lächeln. »Ich meine, Agenten sind wie rollende Steine. Wenn das Moos anfängt, auf uns zu wachsen, dann können wir einpacken.«

Sie senkte den Kopf, und zwei Tränen liefen ihr über die Wangen. »Ich werde Sie niemals wiedersehen.«

Er war tief gerührt und wieder ganz bezaubert von ihrer Aufrichtigkeit und Offenheit. Er trat näher und legte aus einem plötzlichen Impuls heraus die Hand auf ihre Hand. Er wollte sie in die Arme nehmen und sie bis an das Ende seines Lebens küssen, doch er wagte es nicht, denn nebenan war das Büro, und Crankshaws Diener sah zu. »Haben Sie keine Angst, Iwana«, sagte er eindringlich und deutete damit ihre Traurigkeit bewusst falsch. »Ich werde erst gehen, wenn ich mich vergewissert habe, dass Sie in, hm ... in guten Händen sind.«

Das klang selbst in seinen Ohren lahm und schrecklich abgedroschen. In wessen guten Händen? Wo? Er wandte sich unglücklich ab. In den vergangenen Wochen hatte Iwanas Leben so oft in seiner Hand gelegen, und jetzt ging sie ihn plötzlich nichts mehr an. Die Vorstellung einer so endgültigen Auflösung der Verbindung erschien ihm unerträglich. Er drehte sich um, weil er ihr das sagen wollte, doch Iwana war gegangen. Er hatte sich noch nie im Leben so erbärmlich gefühlt.

Maurice Crankshaw war trotz seiner Bissigkeit und seiner scharfen Zunge in Leh sehr beliebt und hatte ein ausgefülltes gesellschaftliches Leben. Es verging kaum eine Woche ohne eine Einladung, als Ehrengast an diesem oder jenem Ereignis teilzunehmen. Deshalb stellte Conolly am Abend zu seinem großen Verdruss fest, dass der Kommissar nicht nur zu einer Hochzeitsfeier gehen wollte, sondern auch erwartete, Conolly werde ihn begleiten. Erst als er hörte, dass Iwana ebenfalls eingeladen war, besserte sich seine Laune.

Nun ja, sagte sich Conolly finster, ob es Crankshaw gefiel oder nicht, er würde das Thema ungeachtet der möglichen Folgen auf dem Fest zur Sprache bringen.

Es war eine tibetische Hochzeit. Der Bräutigam, ein zehnjähriger Waisenjunge, heiratete der Tradition gemäß eine ältere Frau aus seiner Familie. Die Braut würde zunächst die Pflichten eines Kindermädchens übernehmen, und wenn der Bräutigam älter geworden war, die seiner Ehefrau. Später konnte er sich dann noch eine jüngere Frau nehmen, falls er das wollte. Die komplizierten Rituale und Bräuche wurden unter der Aufsicht des Oberlama durchgeführt. Wie die übrigen Gäste hatte Crankshaw auch in Conollys und Iwanas Namen ein Geschenk bestehend aus Kichererbsenmehl, Ghee, Trockenfrüchten, einem Stück safrangelben Stoff und einer Silberrupie mitgebracht. Es war ein farbenfrohes, lärmendes Fest und würde vermutlich die ganze Nacht dauern.

Iwana hatte so etwas noch nie gesehen und war fasziniert. Crankshaw gab Conolly Erklärungen, die dieser für sie ins Russische übersetzte. Nach den religiösen Zeremonien wandten sich die Gäste dem eigentlichen Anlass zu. Der Korey – der Liebesbecher – wurde mit dem alkoholischen Getränk der Gegend, dem Chhan, gefüllt und herumgereicht. Die Etikette verlangte, dass jeder Gast den Becher bis auf den letzten Tropfen leerte. Deshalb herrschte bald eine höchst ausgelassene Stimmung, und Crankshaw wurde unverkennbar fröhlich.

Conolly setzte zweimal an, um das Thema Iwana zur Sprache zu bringen, doch beide Male tauchte der Becher vor ihm auf, und er musste trinken. Am Ende der dritten Runde fühlte er sich leicht benommen, und nach der vierten konnte er nur mit Schwierigkeiten klar sehen. Als Crankshaw begann, ein tibetisches Liebeslied zu singen, erkannte er, dass der Angelegenheit drohte, im Alkoholrausch unterzugehen, und das bedeutete für ihn: jetzt oder nie!

Er wollte Iwanas Namen nicht aussprechen, damit sie nicht aufmerksam werden würde, und deshalb begann er, bevor ihn der Mut wieder verließ: »Wegen der armenischen Dame, Sir …«

Als Ehrengäste saßen sie zwar etwas abseits von den anderen, doch der Lärm war unbeschreiblich. Crankshaw hörte auf zu singen und legte die Hand hinter das Ohr. »Wie?«

Conolly wiederholte seine Frage, und Crankshaw nickte. »Das trifft sich gut, Capricorn, ich wollte mit Ihnen ohnehin über Ihren nächsten Einsatz sprechen.«

»Oh!« Conolly sank das Herz. »Afghanistan, Sir?«

»Nein, Capricorn, nicht Afghanistan. Der Pamir. Sie werden sich Younghusband anschließen und ihm dabei helfen, die Demarkationslinie zu bestimmen. Sie kennen die Gegend, und da Sie sowohl Chinesisch als auch Russisch sprechen, könnten Sie dabei von Nutzen sein. Was Kaschgar angeht …«

»Ich kann nicht zurück nach Kaschgar, Sir!«

»Ich sage nicht, dass Sie das tun sollen, Capricorn. Bitte lassen Sie mich freundlicherweise ausreden. Ich wollte sagen, da Sie sich ein Bild von dem kommerziellen Potential von Singkiang gemacht haben, wäre vielleicht ein Dialog mit Younghusband und MacCartney nützlich, bevor die beiden nach Kaschgar aufbrechen. Das heißt, wenn man Ihnen nach Ihrer kleinen Kapriole, die übrigens keiner der beiden Herren besonders lustig findet, die Einreise überhaupt gestattet.«

Das war natürlich eine höchst unfaire Bemerkung, aber Conolly interessierte sich für Wichtigeres und ließ sie durchgehen. »Um auf das zurückzukommen, was ich sagen wollte …«

Ein donnernder Trommelwirbel kündigte den Wettstreit im Stegreifdichten an. Zwei ältere Männer, Verwandte des Brautpaares, begannen unter dem schallenden Gelächter und den aufmunternden Zurufen des Publikums zu singen, so dass jede Unterhaltung unmöglich war. Die Frauen der Familie hatten unterdessen die scheue Braut überredet, sich neben ihren jungen Ehemann zu setzen, den die Feier so gelangweilt hatte, dass er eingeschlafen war. Die Braut, eine reife Frau, die dreimal so alt war wie der schlafende Bräutigam, nahm unter vielen ›Ohs!‹ und ›Ahs!‹ den ihr zugedachten Platz ein, und der Bräutigam wurde unsanft geweckt.

Crankshaw leerte den fünften Becher Chhan. »Also, Capricorn, bevor Sie in den Pamir gehen, haben Sie noch einen anderen, einen kurzen Auftrag zu erledigen. Sie werden nach Srinagar gehen.«

»Nach Srinagar?« Conolly hatte große Mühe, Crankshaws Gesicht klar zu sehen. »Zu welchem Zweck, Sir?«

»Zu welchem Zweck geht man denn nach Srinagar?«, fragte Crankshaw gereizt. »Um frische Luft zu atmen, um Bergwanderungen zu machen, um eins zu sein mit der Natur, um Qahwa zu trinken – versuchen Sie ihn diesmal übrigens mit viel Gin – und um Lotuskerne und Walnüsse zu knabbern. Und wenn einen das hedonistische Leben schließlich zu Tode langweilt, meditiert man einsam auf einem Hausboot und lässt sich dabei von jungen Mädchen Luft zufächeln. Offen gestanden, Capricorn, Sie tun mir unendlich Leid, aber ich will Sie mindestens einen Monat lang nicht mehr hier sehen. Da wir übrigens von Srinagar reden, Capricorn, ich erinnere mich, als ich neunundsiebzig …«

»Was ist mit Iwana, Sir?« Conolly schnitt ihm verzweifelt das Wort ab und erstickte damit die Erinnerung im Keim. »Was geschieht mir ihr, und wohin wird sie gehen?«

»Ich habe Ihnen doch gerade gesagt, Sie sind wegen der jungen Dame nach Srinagar beordert worden. Hören Sie mir denn niemals zu?«

Das Brautpaar näherte sich ihnen, um sie zu begrüßen. Crankshaw kam leicht schwankend auf die Beine und machte der matronenhaften Braut Komplimente über ihre Schönheit, beglückwünschte den gähnenden Bräutigam zu seinem unerhörten Glück und den Gastgeber zu dem ausgezeichneten Chhan – das brachte ihnen sofort die nächste Runde ein. Dann sank er zurück auf seinen Platz.

»Simla hat mich autorisiert«, sagte er, sobald er ausgetrunken hatte, »Sie in Hinblick auf Miss Iwana jetzt aufzuklären. Sie werden die junge Dame nach Srinagar begleiten und ihrem Bruder, einem gewissen Damien Granville, übergeben.«

*

Emmas Fieber hielt die ganze Woche über an. Ein Militärarzt aus Srinagar verschrieb ihr Stärkungsmittel, um sie körperlich zu kräftigen, doch er konnte wenig tun, um ihren Geist aufzurichten. Trotz Damiens Aufmerksamkeiten – oder vielleicht gerade deswegen – blieb sie mutlos und verzweifelt. Sharifa und Rehmat wurden gerufen und brachten neben Kleidern andere notwendige Dinge mit. Der äußerst fürsorgliche Suraj Singh war immer in der Nähe.

Obwohl Emma sich große Mühe gegeben hatte, gleichgültig zu bleiben, hatte sie das Maß, in dem sie von Damiens Leben ausgeschlossen geblieben war, erschüttert und zutiefst verletzt. Sie wünschte, es wäre nicht so gewesen und sie hätte sich so erfolgreich von ihm distanzieren können wie er von ihr. Aber das schien ihr nicht zu gelingen. Dass sie ihn fälschlich als russischen Agenten beschimpft hatte, änderte für sie wenig, denn es war ihr gleichgültig, für welche Seite so brutal das Netz gesponnen worden war, in dem sie sich gefangen hatte. Dass alles erklärt worden war und sich geklärt hatte, bedeutete ihr wenig. Für das wirklich Wichtige konnte sie keine Erklärungen akzeptieren. Sie blieb hartnäckig und stellte keine Fragen. Damien gab ebenso hartnäckig von sich aus keine Antworten.

Trotzdem suchte sie insgeheim in den wunden Tiefen ihres Verstandes nach Entschuldigungen und nach Deutungen, die sie vielleicht übersehen hatte. Doch sie fand keine. Wie konnte sie ihm jemals verzeihen?

Sobald sie sich einigermaßen erholt hatte, bat sie Damien, alles für ihre Rückreise nach Delhi vorzubereiten. Er nahm das entgegen, ohne Fragen zu stellen, so wie er alle ihre Bitten entgegennahm. Als er das Zimmer verlassen hatte, weinte sie.

Am zweiten Tag saß sie im Garten und blätterte lustlos in einer Zeitschrift, als Hauptmann Worth sie aufsuchte. Das schlechte Wetter war vorbei. Es war ein sonniger warmer Morgen. In dem terrassenförmig angelegten Garten, der sich den Hang hinabzog, mischte sich der Duft von frisch gemähtem Gras mit der reinen Bergluft. Die Natur war überwältigend schön. »Ich reite morgen zurück nach Simla«, sagte Hauptmann Worth, nachdem er in dem Korbsessel ihr gegenüber Platz genommen hatte. Er trug keine Uniform, sondern eine Flanellhose und einen Blazer. »Ich konnte nicht gehen, ohne mich von Ihnen zu verabschieden.«

Emma ließ sich von der scheinbaren Ungezwungenheit nicht täuschen. Nigel Worth wusste, dass sich Damien den ganzen Tag über in Khillanmarg aufhielt, und suchte sie sehr bewusst in seiner Abwesenheit auf. »Ich sehe, Damien hat Ihnen von unserer Schulzeit in England erzählt.«

»Ja.« Emma widersprach ihm nicht.

»Er muss auch erwähnt haben, dass wir immer noch gute Freunde sind.«

»Ich habe Sie erkannt, denn in Damiens Arbeitszimmer hängt ein altes Klassenfoto.« Sie lächelte. »Ich stelle jedoch fest, dass er Sie nicht mehr Hammie nennt.«

Der Hauptmann grinste. »Aus gutem Grund. Er weiß, wenn er es täte, würde ich ihm die Zähne einschlagen.«

Sie lachte mit ihm und bot ihm eine Erfrischung an. Vielleicht ein Glas Fruchtsaft? Er nahm dankend an, erkundigte sich nach ihrem Gesundheitszustand und wünschte ihr schnelle Genesung. Sie dankte ihm und fragte, ob Oberst Hethrington bereits nach Simla abgereist sei. Nigel Worth bestätigte es. Sie lenkte das Gespräch dann auf sein Interesse am Theater. Er gestand, das sei immer noch lebendig, und nach ein paar aufmunternden Fragen erzählte er ausführlich von der letzten Produktion im Gaiety.

Der Gesprächsstoff ging aus, und es entstand ein verlegenes Schweigen. Nigel Worth räusperte sich und kam zur Sache. »Ich bin hier geblieben, weil ich mit Ihnen reden wollte, Mrs. Granville.«

Das hatte sie sich natürlich gedacht. »Ach?«

»Oberst Hethrington hat mir aufgetragen, mich vielmals für das Leid zu entschuldigen, das Sie und Ihre Familie erdulden mussten. Hätte er nicht in großer Eile mit den Papieren nach Simla zurückkehren müssen, hätte er sich persönlich entschuldigt. Er wird Ihnen in Kürze schreiben.«

Er wartete auf eine Reaktion von ihr, die nicht kam.

»Verstehen Sie, Mrs. Granville«, fuhr er fort, »wir konnten die Entdeckung Ihres Vaters unmöglich publik machen, bevor wir die …«

Sie unterbrach ihn. »Ja, ich weiß. Mr. Charlton hat mir das freundlicherweise alles erklärt.«

Er hörte die Schärfe in ihrem Ton und fuhr zusammen. Das erfüllte Emma mit einer gewissen Befriedigung. Schließlich waren Hauptmann Worth und seine Dienststelle für vieles verantwortlich!

Er sagte schnell: »Oberst Hethrington hat mich ermächtigt, Ihnen jede Erklärung zu geben, die Sie wünschen, Mrs. Granville. Bitte tun Sie sich keinen Zwang an, und stellen Sie Fragen.«

Hakumat brachte eine Karaffe mit frischem Orangensaft. Sie wartete, bis er zwei Gläser gefüllt hatte und gegangen war, bevor sie die Frage stellte, die sie am meisten beschäftigte.

»Wird meinem Vater jemals eine offizielle Anerkennung für die Entdeckung zuteil werden, die ihn das Leben gekostet hat?«

»Ja. Aber erst, nachdem der Ministerrat eine entsprechend formulierte Erklärung genehmigt hat.«

Sie griff nach der Zeitschrift und starrte darauf. »War es eine echte Drohung, die Mr. Charlton in Hinblick auf Shalimar gemacht hat?«

»O ja. Die detaillierten Beweise, die Charlton gegen Damien gesammelt hat, sind sehr schwer wiegend und absolut vernichtend. Hätte Charlton sie veröffentlicht und ihn des Landesverrats beschuldigt, hätte Stewart sich über den Maharadscha und über Simla hinweggesetzt und den Besitz im Handumdrehen für sich selbst beschlagnahmt, so wie er es schon immer tun wollte.«

»Und jetzt?«

»Dem Residenten wurde befohlen, die Finger von der Sache zu lassen.«

»Wird er ins Gefängnis kommen?«

»Charlton? Bedauerlicherweise nicht. Um einen unwiderlegbaren Fall daraus zu machen, müssten wir ...«

»... die Büchse der Pandora öffnen?«

»Nun ja, hm ... ja.« Nigel Worth lächelte schwach. »Das wird der Generalquartiermeister nicht zulassen. Man wird Charlton streng verwarnen, er wird Kaschmir verlassen müssen und nicht mehr zurückkommen dürfen. Der Nachrichtendienst muss seine Geheimnisse wahren, und Damien muss geschützt werden.« Er trank einen Schluck Orangensaft.

Das überraschte sie. »Trotz allem?«

Nigel Worth seufzte. »Damien ist ein unabhängiger Mensch, Mrs. Granville. Das wissen Sie vielleicht besser als jeder andere. Mir war von Anfang an klar, dass wir ihn nicht an die Kandare nehmen konnten. Ich hoffte nur, er würde nicht völlig außer Kontrolle geraten.«

»Sie finden, das ist er nicht?«

»Nun ja«, er zuckte philosophisch mit den Schultern, »es hätte schlimmer kommen können.«

»Obwohl die Karten unterwegs nach Russland sind? Ich bezweifle, dass Oberst Hethrington Ihnen zustimmen würde.«

»Vielleicht nicht. Damien hat sich unerhört benommen, auch wenn die Karten niemandem etwas nützen. Andererseits ...«, er verzog das Gesicht. »Andererseits hätten die Russen früher oder später die Wahrheit herausgefunden. Wie Abraham Lincoln sagte, man kann nicht alle Leute die ganze Zeit täuschen.«

Emma war in Gedanken bereits woanders und blickte durch einen Nebel ferner undeutlicher Erinnerungen zurück. Es schien alles schon so lange her zu sein. »Sagen Sie, Hauptmann Worth ...«

»Nigel, bitte.«

»Nigel, warum haben Sie sich wegen der Papiere nicht direkt an mich gewandt?«

»Das haben wir getan.« Er sah sie eindringlich an. »Wir haben Damien bevollmächtigt, Ihnen durch den Nawab ein Angebot unterbreiten zu lassen, natürlich ohne den wahren Grund zu enthüllen. Sie haben unser Angebot abgelehnt.«

»Oh.« Emma rutschte unbehaglich im Sessel hin und her. »Warum haben Sie mich dann nicht ins Vertrauen gezogen? Hätte ich von der strategischen Bedeutung der Papiere gewusst, hätte ich sie Ihnen bereitwillig überlassen.«

Er blickte unverwandt in sein Glas. »Die Papiere waren sehr begehrt, Mrs. Granville. Wir fürchteten, wenn ...«, er verstummte.

»Wenn ich ihren Wert erkannt hätte, wäre der Preis gestiegen?«

Er errötete. »Offen gestanden, ja. Ihre Familie befand sich – verzeihen Sie mir, dass ich das sage – in einer nicht gerade angenehmen finanziellen Lage, und unserer Abteilung stehen nur sehr beschränkte Mittel zur Verfügung.«

»Ich hätte die Papiere meines Vaters nicht für allen Tee in China verkauft!«, erklärte sie erregt.

»Ja, aber woher sollten wir das wissen, Mrs. Granville?«

Er sagte das in einem sachlichen Ton, doch Emma sah, dass er schrecklich verlegen war. Das geschah ihm ganz recht! Gleichzeitig konnte sie nicht anders, als ihn zu bedauern, weil ihm eine so undankbare Aufgabe zugefallen war. Nigel Worth hatte trotz allem etwas Entwaffnendes und Liebenswertes an sich.

»Wenn Sie mir nur vertraut hätten«, sagte sie seufzend, »hätte das so viele Schwierigkeiten erspart.« Beinahe hätte sie gesagt »so viel Kummer«.

»Darüber diskutierten wir gerade in Delhi, als ich erfuhr, dass Sie die Papiere Dr. Theodore Anderson überlassen wollten. Dieses Risiko konnten wir nicht eingehen. Wissen Sie«, er rutschte mit seinem Sessel etwas näher, »man vermutet, dass Dr. Anderson russische Mittel für seine Expeditionen erhält und im Gegenzug Informationen liefert.«

»Ach du meine Güte, Sie meinen, Dr. Anderson ist ein Spion?«

»Du liebe Zeit, nein! Im Grunde ist er nur ein harmloser alter Mann. Soweit wir wissen, sind die Informationen belanglos, die er liefert. Andererseits kannte er Michail Borokow schon seit vielen Jahren. In Anbetracht von Borokows Flirt mit Hunza und Andersons finanziellen Nöten wäre der Verkauf der Papiere möglicherweise verlockend gewesen.«

»Wie hat er von der Entdeckung meines Vaters erfahren?«

»Das wissen wir leider nicht. Vielleicht von Borokow, der in Hunza zufällig etwas herausgefunden hatte.«

Deshalb hatte Dr. Anderson also ihre Bitte um Hilfe zuerst abgelehnt und seine Meinung dann so plötzlich geändert!

»Ich hätte Dr. Anderson wohl kaum Papiere überlassen können, von deren Existenz ich selbst nichts ahnte!«

»Das konnten wir nicht wissen, Mrs. Granville«, erwiderte er sanft.

»Wieso haben Sie mich dann nicht verhaftet?«, fragte Emma, teils verzweifelt und teils im Spaß. »Schließlich haben Sie das mit Geoffrey Charlton getan!«

»Auch daran haben wir gedacht«, erwiderte er sachlich. »Aber damit hätten wir nur Aufsehen erregt und uns selbst geschadet.«

Sie schwieg.

»Als sich Damien an mich wandte und um Hilfe bat, Mrs. Granville«, fuhr er ernst fort, »war er verzweifelt. Wir übrigens auch. Es war absolut zwingend, dass wir die Papiere in aller Stille, ohne jeden Lärm in die Hände bekamen.«

So war also das Janusprojekt geboren worden, das seinen Namen einer Eingebung seines Schulfreundes verdankt haben musste. Nigel Worth kannte seinen Freund Damien offensichtlich besser als sie.

»Wie auch immer«, fuhr er hastig fort, »ich habe Damien mit Oberst Hethrington bekannt gemacht. Die Begegnung war kein Erfolg. Der Oberst lehnte das Projekt entschieden ab.«

»Und wie es aussieht auch Damien.«

»Nun ja, die Abneigung beruht auf Gegenseitigkeit. Damien hasst das imperiale Beamtentum in jeder Form. Und der Oberst wusste von Natascha Granville und Damiens zweifelhaftem Ruf und weigerte sich, ihm zu vertrauen. Aber zu dieser Zeit klammerten wir uns alle an jeden Strohhalm. Iwanas Spur, der Hyder Ali folgte, verwischte sich noch mehr. Es sah aus als …«

»Iwana?«

»Ja, Damiens Schwester.«

Emma richtete sich langsam auf. Damien hatte eine Schwester?

Nigel sah, wie alle Farbe aus ihrem Gesicht wich, und bewegte sich nicht. »Sie wussten nichts von Iwana?«

Emma gab sich Mühe zu verbergen, wie schwer sie dieser Schock getroffen hatte, aber es gelang ihr nicht. Sie schüttelte den Kopf.

Ihr Eingeständnis traf ihn unvorbereitet, und er wusste sichtlich nicht, wie er darauf reagieren sollte. Ihre Augen mussten ihre Verbitterung verraten haben, denn neben der Verwirrung zeigte sich in seinen Augen Mitgefühl. »Bis vor fünf Jahren wusste Damien es auch nicht.« Er bemühte sich tapfer, den Schaden wieder gutzumachen, den sein Freund angerichtet hatte, und fragte zögernd: »Möchten Sie, dass ich Ihnen von Damiens Schwester erzähle?«

Emma konnte nicht sprechen, sonst wäre sie in Tränen ausgebrochen. Was für einen Sinn hatte das jetzt noch? Er sah ihr Elend, das sie verzweifelt zu verbergen suchte, und stellte keine weiteren Fragen mehr, sondern begann zu erzählen. Emma war zu zermürbt, um ihn daran zu hindern.

»Bevor Natascha Granvilles alte Zofe Zaiboon starb, sagte sie Damien, dass seine Mutter, nun ja, schwanger gewesen sei, als der rumänische Cellist kam, um sie abzuholen. Edward Granville erfuhr nie etwas davon. Seine Frau hatte es ihm nicht gesagt. Die Karawane, mit der Natascha und ihr Begleiter reisten, wurde auf dem Dorkotpaß von Räubern überfallen. Er kam dabei ums Leben, und sie wurde in die Sklaverei verkauft. Als der Mann, der sie gekauft hatte, von ihrem Zustand erfuhr, verkaufte er sie weiter. Vielleicht lag es daran, dass sie sehr schön war, jedenfalls endete sie schließlich im Zenana des Khans von Chiwa. Dort brachte sie das Kind zur Welt, ein Mädchen, und starb einen Tag später.«

Es war eine schreckliche Geschichte, weit schlimmer, als Emma erwartet hatte. Sie war entsetzt. »Wie um alles in der Welt hat man das herausgefunden?«

»Damien, Hyder und Jabbar, die Gebrüder Ali, haben die traurige Geschichte mit unermüdlicher Ausdauer im Laufe der Jahre Stück für Stück zusammengetragen. Die Mutter der beiden ist eine Belutschi und hat eine große Familie, die verstreut über ganz Zentralasien lebt. Sie waren alle sehr hilfsbereit.«

»Damien ist durch Zentralasien gereist, um Nachforschungen anzustellen?«

»Ja. Aber da er nicht wusste, wo er anfangen sollte, begann er seine Suche in St. Petersburg. Die Behörden dort waren höflich, aber sehr misstrauisch gegenüber dem halb englischen Sohn von Natascha Vanankowa, die für sie eine Verräterin gewesen war. Man sagte ihm, es gäbe keine Unterlagen über ihre Rückkehr nach Russland. Die Nachforschungen, die er dann in Zentralasien anstellte, ergaben noch weniger. Nach der Annektierung von Chiwa durch die Russen waren alle Sklaven freigelassen worden. Kaum jemand interessierte sich für eine Sklavin, die schon zwanzig Jahre tot war. Und was Damien an Informationen liefern konnte, war, gelinde gesagt, spärlich. Seine Mutter konnte vor der Geburt des Kindes gestorben sein, das Kind war vielleicht nie oder tot geboren worden.«

Emma hatte momentan allen Groll vergessen und war tief gerührt. »Aber das Mädchen wurde geboren, hat überlebt und ist endlich gefunden worden?«

»Ja, wie durch ein Wunder. Einer der Onkel von Hyder Ali entdeckte in Samarkand eine alte Hebamme, von der man wusste, dass sie einmal in Chiwa gelebt hatte. Die Frau erinnerte sich, dass ungefähr zwanzig Jahre zuvor tatsächlich eine armenische Sklavin im Zenana nach der Geburt einer Tochter gestorben war. Sie wusste allerdings nicht, was aus dem Kind geworden war.«

»Armenisch? Aber war Natascha Granville keine Russin?«

»O doch. Aber da sie fürchtete, von ihren Landsleuten verhaftet zu werden, hatte sie sich als Armenierin ausgegeben. Natürlich fand Damien das erst sehr viel später heraus. Das Kind überlebte, so berichtete später ein Mann, der damals in der Kaserne von Petro-Armendarisk beschäftigt war, weil ein Paar aus Chiwa, das bei einem russischen Offizier im Dienst stand, es aufnahm. Den Namen des Offiziers kannte der Mann nicht, denn der war schon vor langer Zeit versetzt worden. Doch seine Frau erinnerte sich an etwas Eigenartiges.« Er beugte sich vor. »Ich weiß, Damien hat es abgehängt. Aber haben Sie jemals das Porträt seiner Mutter gesehen, das früher im Salon hing?«

»Ja.«

»Ist Ihnen vielleicht der Anhänger aufgefallen, den sie trägt?«

»Ein silberner Schwan in Filigranarbeit?«

»Richtig! Die Frau des Mannes sagte, das armenische Kind im Haus des Offiziers habe eine Art Schmuckstück um den Hals getragen, einen silbernen Vogelanhänger. Das war ihr nur deshalb im Gedächtnis geblieben, weil sie das als ungewöhnlich empfunden hatte. Es wirkte unpassend an dem Kind, und die Frau wunderte sich, dass ihm der Anhänger nicht gestohlen worden war. Sie erinnerte sich auch, dass man das Kind einfach Khatoon, das Mädchen, genannt hatte.

Damien schloss die entfernte Möglichkeit nicht aus, dass seine Mutter den Anhänger getragen hatte, als sie ihren Mann verließ, und fertigte eine Zeichnung des Anhängers an, die Hyder in der Gegend in Umlauf brachte, allerdings ohne Erfolg. Niemand wusste etwas von dem Kind oder was mit ihm geschehen war. Erst als Damien sich im letzten Herbst wieder in St. Petersburg aufhielt, stieß er von neuem auf die Spur.«

»Als Geoffrey Charlton ihn kennen lernte?«

»Ach ja, das auch.« Nigel lachte trocken. »Trotz *dieses* recht unglücklichen Umstandes hatte Damien erstaunliches Glück. Einer der russischen Offiziere, die er traf, erwähnte, dass ein bestimmter Oberst der kaiserlichen Garde bei seiner Versetzung nach St. Petersburg eine junge Haushälterin mitgebracht habe. Ein anderer Offizier habe beim Bakkarat ihre Kochkünste gelobt. Soweit der Offizier sich erinnern konnte, handelte es sich dabei um eine Russin und keine Armenierin. Ihren Namen kannte er nicht. Der Oberst sei inzwischen nach Taschkent versetzt worden, sagte er und riet Damien, sich dort mit ihm in Verbindung zu setzen.«

»Und bei dem russischen Oberst handelte es sich um Michail Borokow?«

Nigel fragte verblüfft: »In der Tat, ja. Wie um alles in der Welt können Sie das wissen?«

»Ich weiß es durch etwas, das Mr. Charlton gesagt hat.«

»Ach! Charlton nahm von diesem Abend im Jachtklub den zweitwichtigsten Bestandteil seines Dossiers von Tatsachenbeweisen mit nach Hause. Den wichtigsten entlockte er einem Botenjungen im Geschäft der Gebrüder Ali, der ihm von Damiens tollkühnem Besuch in Taschkent erzählte. Als guter Mathematiker zählte Charlton sehr schnell eins und eins zusammen und kam zu dem Schluss, der genau zu seiner vorgefassten Meinung passte.«

»Und Iwana wurde in Taschkent gefunden?«

»Ganz so war es nicht.« Nigel Worth seufzte und legte die Stirn in Falten. »Wissen Sie, um die Sache noch komplizierter zu machen, war Jabbar Ali inzwischen auf eine zweite mögliche Spur gestoßen, die nach Sinkiang führte. Dort gab es einen reichen chinesischen Seidenexporteur, der angeblich heimlich eine armenische Konkubine gekauft hatte. Die Spur endete zwar in einer Sackgasse, doch da man das damals nicht wissen konnte, musste sie ebenfalls verfolgt werden. Und so«, er atmete tief ein und spreizte die Finger, »kam der Nachrichtendienst ins Spiel. Wir haben es übernommen, durch unseren Agenten in Kaschgar dieser Sache in Sinkiang nachzugehen.«

»Als Gegenleistung für die heimliche Beschaffung der Papiere!«

Er wurde rot. »Nun ja, gewissermaßen ja. Bedauerlicherweise hatten wir in Taschkent keinen ebenso zuverlässigen Mann«, fuhr er überstürzt fort. »Als Damien deshalb am Tag Ihrer Hochzeit in Delhi die

Nachricht von Hyder Ali bekam ...«, er sah sie aufmerksam an, »aber davon wissen Sie auch nichts, Mrs. Granville, oder?«

»Nein.«

Der Tag nach der Hochzeit ...

Ja, sie erinnerte sich an diesen Tag. Wie konnte es anders sein?

»Einer von Hyders Vettern in Taschkent«, sagte Nigel, der sich sehr bemühte, sein Unbehagen zu verbergen, »hatte gemeldet, Borokow beschäftige eine junge russische Haushälterin. Aber er lehnte es ab, weitere Nachforschungen anzustellen. Borokow war ein hoher Offizier im Stab des Barons. Hätte man den Vetter dabei ertappt, dass er Fragen über Borokow stellte, wäre er möglicherweise festgenommen worden. Dies war zweifellos der bisher hoffnungsvollste Hinweis, und Damien beschloss aus einem verrückten Impuls heraus, ihm selbst nachzugehen. Um gerecht zu sein, er bat um Erlaubnis, offiziell Kontakt zu Borokow aufnehmen zu dürfen, aber in Anbetracht von Borokows Ausflug nach Hunza bekam Oberst Hethrington einen Anfall und verbot es ihm entschieden.« Er zuckte die Schulter. »Damien ging gegen meinen Rat trotzdem – illegal und in Verkleidung.«

»Wussten Sie, was er vorhatte?«

Nigel Worth lächelte wehmütig. »Nein, aber ich kenne Damien, und ich wusste, was er wahrscheinlich tun würde, falls es sich als notwendig erweisen sollte. Ich war wütend, und ich gestehe, ich geriet damals wirklich in Panik.«

»Hätte er die Papiere gegen seine Schwester eingetauscht?«

»Oh, ganz bestimmt! Es war reines Glück, dass sowohl Borokow als auch seine Haushälterin in St. Petersburg waren und er sich an diesen Schwachkopf von Baron wenden musste. Glücklicherweise kannte er die Leidenschaft des Barons für seltene Tiere und hatte vorausschauend für einen übertrieben hohen Preis einen jungen Kaschmirschraubenhornbock erstanden und mitgenommen. Dieser Markhor hat ihn von einer langen Gefangenschaft befreit, die sich möglicherweise als ungemein schmerzlich herausgestellt hätte.« Er lachte. »Oberst Hethrington war natürlich außer sich. Er hatte Damiens Motiven ohnehin nie getraut.«

»Und Sie vertrauten ihm immer noch?«

»Ja.« Nigel hob das Kinn. »Damien hat Politiker zeitlebens verachtet. Er kümmert sich keinen Deut um das Tauziehen in Zentralasien. Er wollte nur seine Schwester, die, wie Hyder Ali schließlich herausfand, tatsächlich Borokows Haushälterin war. Da sich Hyder illegal in Taschkent aufhielt, musste er vorsichtig, heimlich und sehr langsam vorgehen. Als er die Bestätigung hatte, war es zu spät. Borokow und Iwana waren verschwunden. Sie machte angeblich Ferien am Kaspischen Meer, und er tat Dienst in Osch. Bald darauf erfuhr Damien von Borokows Tod.«

»Aber die Spur führte offensichtlich weiter!«, rief Emma, die von der Geschichte inzwischen fasziniert war. »Was geschah dann?«

Nigel lächelte und schüttelte den Kopf. »Ich fürchte, den Rest der Geschichte kann ich Ihnen nicht erzählen, Mrs. Granville. Das ist die Sache von Holbrook Conolly, der bis vor kurzem unser Mann in Kaschgar war. Es ist ganz allein sein Verdienst, Iwana zurückgebracht zu haben. Ich bin sicher, bei seinem unnachahmlichen Stil, und da er persönlich an der Entführung beteiligt war, wird er Ihnen das Ende der Geschichte sehr viel besser erzählen, als ich es könnte.«

Emma legte sich auf der Chaiselongue zurück. Sie blickte in den freundlichen blauen Himmel mit seinen Wattewolken, und in ihren Augen glänzten ungeweinte Tränen. Die tragische Geschichte ging ihr sehr nahe. Trotz ihres persönlichen Leids war es ihr unmöglich, kein Mitgefühl für das unschuldige junge Mädchen zu empfinden, das durch den Zufall ihrer Geburt vom Schicksal so schwer geschlagen worden war. Gleichzeitig verstärkte Iwanas Geschichte Emmas quälendes Gefühl, isoliert zu sein. Eine namenlose Einsamkeit erfasste sie. Mit welch unerschütterlicher Entschlossenheit hatte Damien sie von allem ausgeschlossen, was ihm im Leben noch etwas bedeutete!

Es war unwahrscheinlich, dass Nigel Worth ihre innere Qual oder sogar die Ursache dafür nicht gespürt hatte, aber er sagte: »Damien ist in dem Glauben aufgewachsen, er sei ein Einzelkind, Mrs. Granville.« Es war ein ehrenwerter Versuch, seinen Freund noch einmal standhaft zu verteidigen. »Und das bedauerte er zutiefst. Die Suche nach seiner Schwester wurde in seinem extrem einsamen Leben ein verzweifeltes Bedürfnis, eine Obsession, wenn Sie so wollen.«

Aber sein Leben war nicht einsam genug, um es mit ihr zu teilen!

Nigel stand dicht davor, etwas zu sagen, zögerte jedoch. Er schien hin und her gerissen zwischen der Loyalität zu seinem Freund und dem Verlangen, mehr zu erklären. Doch er brachte nicht den Mut auf, sich auf ein so überaus persönliches Gebiet vorzuwagen. Emma sah sein Dilemma und unterdrückte ihr Gefühl, verraten worden zu sein. Sie lächelte, um ihn zu beruhigen. »Wo ist Iwana jetzt?«, fragte sie.

»Zusammen mit Conolly auf dem Weg von Leh nach Gulmarg. Es wird sehr tröstlich für die junge Frau sein, Sie bei ihrer Ankunft hier zu finden, Mrs. Granville. Wer könnte sie besser in einem Heim und in einer Familie willkommen heißen als eine herzliche und liebevolle Schwägerin?«

Eine schreckliche Traurigkeit erfüllte Emma. Wenn sie hier eintrifft, werde ich nicht mehr hier sein.

*

Über Emmas Gedanken lag eine eisige Ruhe. Es war für sie eine beschlossene Sache, dass sie Damien verlassen würde. Sie hatte sich hermetisch in ihrem Unglück verschlossen. Ihr Stolz ließ nicht zu, dass sie es mit jemandem teilte, am wenigsten mit Damien, den sie mied, wo immer sie konnte. Er seinerseits unternahm keine Anstrengung, sie zu sehen. Zwischen ihnen lag ein Abgrund, eine Einöde von Blicken, die sich zufällig trafen, und steifen Unterhaltungen. Sie mussten ein ganzes nicht gelebtes Leben begraben und betrauern, und wenn sie miteinander sprachen, dann nur über Nebensächlichkeiten.

»Suraj Singh wird dich zu deiner Mutter begleiten«, sagte Damien, als sie sich auf den Ritt nach Shalimar vorbereitete.

»Ja.«

»Es wird unterwegs kalt sein. Nimm genug warme Sachen mit.«

»Ja.«

»Hast du genug Kisten für deine Bücher?«

»Ja, danke. Es sind dieselben, die ich schon einmal benutzt habe.«

»Gut. Wenn du mehr brauchst …«

»Werde ich es dir sagen.«

»Tu das.«

Diese erzwungene Förmlichkeit war unerträglich, aber was sollte sie tun?

Am Abend vor ihrer Abreise aus Gulmarg machte Emma einen letzten Spaziergang auf dem Rundweg durch die Kiefernwälder. Auf den Hängen blühten Glockenblumen, Margeriten, Vergissmeinnicht und Butterblumen. Das Dorf trug früher den Namen der Wiesengottheit Gaurimarg, doch im sechzehnten Jahrhundert hatte ein König es in Gulmarg, Blumenwiese, umbenannt.

Zwei Engländerinnen in Reitkleidung, die ihre Pferde an den Zügeln führten, kamen ihr entgegen. Sie nickten und lächelten, und Emma erwiderte ihr Lächeln. Gulmarg entwickelte sich schnell zu einem Erholungsort für Europäer, besonders für solche, die Sport liebten.

Als sie von ihrem Spaziergang zurückkam, saß Damien am Schreibtisch im Wohnzimmer. Er war, wie er Emma gesagt hatte, im Gulmarg-Klub mit einem Oberstleutnant Neville Chamberlain verabredet gewesen, der die Anlage zweier Golfplätze überwachte. Offenbar war das Treffen früher zu Ende gegangen. Emma hatte nicht damit gerechnet, ihn schon zu Hause anzutreffen, und blieb unentschlossen in der Türöffnung stehen.

Er hörte ihre Schritte und hob flüchtig den Kopf. »Der Klubsekretär schickt seine Empfehlungen«, sagte er. »Er möchte wissen, ob du bereit bist, bei der Pferdeschau am Samstag die Preise für das Dressurreiten zu überreichen.«

Emma zog zuerst Mantel und Handschuhe aus, um ihre Gelassenheit wiederzufinden. »Das ist sehr freundlich von ihm. Aber am Samstag werde ich nicht mehr hier sein.«

»Du könntest deine Abreise um eine Woche hinausschieben.«

»Nein, ich glaube nicht, dass das möglich ist.«

Er rutschte unruhig auf dem Stuhl hin und her, dann drehte er sich um und sah sie an. »Willst du das wirklich, Emma? Willst du zurück nach Delhi?« Es war das erste Mal, dass er ihr diese Frage direkt stellte.

»Ja.«

»Dann gebe ich dir besser die Erklärungen, die ich dir versprochen hatte.«

Noch mehr Erklärungen? Sie schüttelte den Kopf. »Es hat genug Erklärungen gegeben. Mehr brauche ich nicht zu hören.«

»Nicht einmal Erklärungen, die meine Schwester betreffen?«

»Nigel Worth war so freundlich, mir die ganze Geschichte zu erzählen. Deshalb kann ich dir auch diese Mühe ersparen.«

Es tat ihr Leid, sobald sie es gesagt hatte. Es klang hart und gefühllos, kindlich und trotzig. Sie zog die Überschuhe aus, setzte sich auf das Sofa und hielt die Hände ans Feuer.

»Warum hast du mir nicht früher etwas von ihr gesagt?«, fragte sie müde.

»Hätte es dich interessiert?«

»Selbstverständlich hätte es mich interessiert!«

»Tatsächlich? Du schienst dich sehr wenig für mich und meine Angelegenheiten zu interessieren.«

Es machte sie wütend, dass er sich selbst jetzt noch, wo alles zu spät war, Rechtfertigungen ausdachte, um sein Gewissen zu beruhigen!

»Es war unverzeihlich von dir, mich von einem so wichtigen, einem so … so entscheidenden Bereich deines Lebens auszuschließen!«, stieß sie hervor, denn sie konnte die Verbitterung nicht länger zurückhalten, die sie seit Tagen so entschlossen im Zaum gehalten hatte. »Du hast vorsätzlich alles geheim gehalten, was du getan hast – selbst etwas so Harmloses wie die Reparaturarbeiten an diesem Haus!«

»Ja.« Falls ihn ihr Ausbruch beunruhigte, so zeigte er es nicht. »Die Geheimhaltung war notwendig.«

»Geheimhaltung vor mir, deiner Frau?«

»Nein.« Er griff wieder nach dem Federhalter. »Vor Geoffrey Charlton.«

Sie starrte entsetzt auf seinen steifen Rücken. »Du glaubst, ich hätte dein Vertrauen missbraucht und Geoffrey Charlton etwas verraten?«

Das verletzte sie tiefer, als sie für möglich gehalten hätte. »Wie konntest du so etwas auch nur denken?«

»Wie? Ich glaube, das kannst du besser beantworten als ich. Du hast mir gegenüber seinen Namen oft genug erwähnt!« Er faltete das Blatt Papier zusammen, schob es in einen Umschlag und adressierte ihn.

Sie wandte das Gesicht ab. »Ich war wütend, Damien. Ich fühlte mich betrogen und verlassen. Hätte ich die Wahrheit früher erfahren …«

»An dem Tag, als ich aus Taschkent zurückkam, hatte ich die Absicht, dir alles zu sagen«, unterbrach er sie. »Aber du hast mir sehr nachdrücklich und wortreich vor Augen geführt, wie großartig du Mr. Charlton fandest, und als du dann die Tür vor mir verschlossen hast, begriff ich, dass ich ein Narr gewesen wäre, dir etwas über die wahren Hintergründe zu sagen.«

»Mein Interesse an Geoffrey Charlton war rein akademisch!«

»Aber sein Interesse an dir war es nicht! Charlton ist ein sehr geschickter professioneller Wichtigtuer. Er weiß, wie man den Leuten Geheimnisse entlockt, ganz besonders Frauen, die ihn bewundern und die sich betrogen und verlassen fühlen. Er ist auch sehr geschickt darin, den Leuten Ideen in die Köpfe zu setzen und unbemerkt eine Saat zu säen, deren tückische Keime erst später aufgehen. Er hat gesehen, wie sehr sein Charme dich für ihn eingenommen hatte, wie sehr dich dieses schüchterne, einschmeichelnde jungenhafte Lächeln beeindruckte, das er zu seinem Vorteil einsetzt.« Sein Lachen klang wie ein ärgerliches Schnauben. »Nachdem du ihm einen Eckzahn ausgeschlagen hast, ist das Lächeln vielleicht nicht mehr ganz überzeugend, aber trotzdem noch überzeugend genug.«

Während Emma der erregten Tirade zuhörte, wurde ihr plötzlich etwas klar, was sie bisher für unmöglich gehalten hätte. »Du warst auf Geoffrey Charlton eifersüchtig?« Das verblüffte sie so sehr, dass sie nicht einmal lachen konnte.

»Überhaupt nicht!« Er sprang vom Stuhl auf und ging mit großen Schritten im Zimmer hin und her. »Es hat mich nur überrascht, dass eine Frau von deiner angeblichen Intelligenz diesen Mann nicht als das erkannte, was er ist, nämlich ein ehrgeiziger, skrupelloser, intriganter Opportunist, der dich für seine selbstsüchtigen Zwecke benutzt hat.«

»Und das hast du nicht getan?« Es entfuhr ihr, bevor sie sich darüber im Klaren war.

Er blieb wie angewurzelt stehen. »Das glaubst du noch immer, nicht wahr?«

Es bestürzte sie, dass sie den alten Streit unabsichtlich wieder aufgewärmt hatte. Sie wusste nicht, wie sie die Äußerung zurücknehmen sollte, die ihr entschlüpft war, und erwiderte deshalb trotzig: »Nun ja, schließlich hast du mich erpresst, damit ich dich heirate!«

»Ja.«

»Und du hast diesen gemeinen Highsmith bestochen, meinen Bruder betrunken zu machen, damit er das Spiel verlieren würde.«

»Ja.«

»Außerdem hast du Chloe Hathaway nach Klatsch über mich ausgefragt, den sie aus Delhi hatte ...«

»Ja.«

»... nur als Vorbereitung darauf, dass du die Papiere in die Hand bekommen würdest.«

»Nein!«

Er log immer noch? Sie griff nach ihrem Mantel und den Handschuhen und wollte nach oben gehen.

»Warte, ich möchte dir etwas zeigen.«

Gegen ihren Willen blieb sie stehen.

Er schloss die Seitentür des Schreibtischs auf, nahm ein großes, in braunes Papier eingepacktes Paket heraus und legte es auf den Tisch.

»Mach es auf.«

»Was ist das?«

»Ein Geschenk.«

»Ein Abschiedsgeschenk?«, fragte sie sarkastisch.

»Wenn du so willst.«

»Du musst nicht ...«

»Mach es auf!«

Sie ging zurück zum Tisch, und sei es auch nur, um ein neues Aufflackern des Streits zu vermeiden. Sie betrachtete das Paket gleichgültig und riss das Packpapier ab. Als sie die Pappschachtel öffnete, die darunter zum Vorschein kam, setzte ihr Herz einen Schlag aus. In der Schachtel lag etwas, das sie nur allzu gut kannte – eine silberne Uhr, auf deren Rückseite eine Widmung von den Kollegen ihres Vaters im Amt für Altertumsforschung eingraviert war.

Plötzlich wurde sie unsicher auf den Beinen, und sie setzte sich. »Wo ... woher hast du sie?«, fragte sie schwach.

»Vom Kaminsims im Wohnzimmer von Khyber Kothi.«

»Oh.« Da sie nicht wusste, wohin sie blicken sollte, starrte sie weiterhin benommen auf die Uhr.

»Suraj Singh musste etwas von einigem Wert mitnehmen, um den Einbruch glaubhaft zu machen. Die Schreibmaschine war zu groß. Also hat er die Uhr genommen.«

»Suraj Singh hat bei uns eingebrochen?«

»Zweimal. Der erste Versuch war erfolglos, der zweite nicht. Suraj Singh hat bis zu dem Unfall in den Bergen, bei dem er sich das Bein brach, als Pandit bei den Landvermessern in Dehra Dun gearbeitet. Ein Pandit ist ...« Er brach ab und hob die Augenbrauen. »Muss ich dir das erklären, oder hat Charlton es bereits getan?«

Vor Verlegenheit röteten sich ihre Wangen.

»Aha, das dachte ich mir! Nun ja. Als ehemaliger Pandit kennt Suraj Singh das Handwerkszeug der Spionage in- und auswendig. Die Gebetsmühle, die er suchte, lag in der Teppichtasche in dem kleinen Raum neben deinem Arbeitszimmer. Er erkannte sie sofort an ihrer Markierung, nahm die Papiere heraus, und zwar die deines Vaters und die von Butterfield, und ließ die Gebetsmühle, wo sie war.« Damien ging zum Kamin und setzte sich in den Schaukelstuhl. »Du siehst also, Emma, ich hatte die Jasminapapiere bereits *vor* unserer Hochzeit.«

Selbst wenn Emma etwas eingefallen wäre, was sie hätte sagen können, wäre sie nicht dazu in der Lage gewesen. Neben Damiens ausdruckslosem Gesicht sah sie im Geist ein anderes Gesicht vor sich – das Gesicht ihres Bruders. Gequält schloss sie die Augen.

Gütiger Himmel! Nahm dieses schreckliche Labyrinth denn nie ein Ende?

Damien schaukelte nervös und beobachtete sie stumm. Er war rücksichtsvoll genug, sie in diesem Augenblick nicht zu stören.

»W ... wie sollte ich wissen, wann ... ?« Sie war dicht davor, in Tränen auszubrechen, und schluckte schwer. »Wie auch immer, wenn du so entschlossen warst, mich zu heiraten, warum konntest du mir dann nicht wie ein Gentleman einen Antrag machen, anstatt mir diese lächerliche Scharade vorzuspielen?«

»Wie und wo, nachdem du es mir verweigert hattest, dich zu besuchen?«

»Du ... du hättest hartnäckig bleiben können.«

»Hättest du mich dann erhört?«

»V ... vielleicht. Es hat schon seltsamere Dinge gegeben.«

»So seltsame nicht! Du hast mich verachtet und meine Einstellung abstoßend gefunden, erinnerst du dich? Oder zumindest hast du so getan.« Seine Augen funkelten hart. »Die Wahrheit ist, wenn du sie unbedingt wissen willst, die arrogante Emma Wyncliffe, der Inbegriff intellektueller Überlegenheit, das energische, nicht mehr ganz junge Fräulein, das berühmt war für seine spitze Zunge und für seine Verachtung der Gesellschaft, war zu selbstherrlich geworden. Die Überheblichkeit verlangte danach, dass ihr jemand eine ordentliche Lektion erteilte. Ich beschloss, ihr diesen Gefallen mit Vergnügen zu erweisen.«

»Oh? Und wieso hast du mich dann überhaupt geheiratet?«, rief sie beleidigt. »Schließlich hattest du die Papiere bereits!«

Er kniff die Augen zusammen und sah sie über die Spitzen seiner vor dem Gesicht gefalteten Finger unschlüssig an. »Du glaubst, ein Mann würde dich nur heiraten, wenn er dabei Nebenabsichten verfolgt? Du schätzt dich immer noch so gering ein?«

»Nein, das meine ich nicht. Ich meine ...« Sie brach ab. »Ach, es ist nicht wichtig, was ich meine.«

Er faltete die Hände hinter dem Kopf und blickte an die Decke, wo das Licht und die Schatten der lodernden Flammen tanzten. Er betrachtete das improvisierte Ballett lange und in nachdenklichem Schweigen. Dann seufzte er, und seine Stimme klang sanft, als er sagte: »Meine Mutter war eine sehr schöne Frau, Emma. Sie war schön genug, um wie ein Schmuckstück auf dem Kaminsims zur Schau gestellt zu werden … so wie deine silberne Uhr. Ich bin umgeben von Schönheit, von ihrer Schönheit, aufgewachsen. Überall gab es Bilder von ihr.« Er warf ihr einen flüchtigen Blick zu. »Hast du das im Erdgeschoß gesucht, Informationen und Fotografien?«

»Ja, ich … ich wollte nur wissen, wie deine Mutter gewesen war.«

Er richtete den Blick wieder zur Decke. »Sie war wie eine Droge, die süchtig macht und am Ende tödlich ist. Mein Vater war in sie vernarrt. Er hat ihr gegeben, was er konnte, was immer sie wollte. Sie hat es ihm damit gedankt, dass sie ihn betrog. Als sie ihn verließ, hat sie alles mit sich genommen, seine Selbstachtung, seinen guten Ruf, seine Stellung als Mann«, er lachte bitter, »auch den Schmuck, den er ihr geschenkt hatte. Mein Vater war in seinen eigenen Augen hoffnungslos erniedrigt und hatte keinen Lebenswillen mehr. Er wurde einfach immer weniger und starb.«

Damien versank in der Vergangenheit und durchlebte, nicht mehr verbittert, sondern sehr traurig, von neuem die letzten kalten Echos der Erinnerung, die sich immer noch seiner Kontrolle entzogen.

»Nicht alle schönen Frauen sind untreu«, sagte Emma vorsichtig. »So wenig wie alle unscheinbaren Frauen Vorbilder weiblicher Tugenden sind.«

»Vielleicht nicht.« Er schüttelte die Melancholie ab und fuhr sich ungeduldig mit den Fingern durch die Haare. »Als ich aus England zurückkam, wurde ich so sehr von Bildern kosmetischer Vollkommenheit überschwemmt, dass ich nicht mehr atmen konnte. Schließlich trug ich sie alle zusammen und verbrannte sie, bis auf das Porträt. Irgendwie brachte ich es nicht über mich, das Porträt zu vernichten.« Seine Augen bohrten sich in sie, dunkel, eindringlich und seltsam ängstlich. »Verstehst du, was ich sagen will?«

Verstand sie es? Sie war dicht davor, doch sie konnte sich nicht gestatten, alles in sich aufzunehmen – noch nicht. Sie schwieg hartnäckig.

»Nach dem Tod meines Vaters schwor ich mir, niemals eine Frau um ihrer Schönheit willen oder aus Liebe zu heiraten. Leider«, er lächelte trocken, »stellte sich heraus, dass es nicht so leicht ist, den Schwur zu halten, so wie ich mir das vorgestellt hatte.« Er zuckte mit den Schultern.

In Emmas Magengrube flatterte ein Schmetterling und hinterließ einen Hauch von Wärme. Sie ließ jedoch nicht zu, dass sich die Wärme ausbreitete.

»Wenn du wirklich nach Delhi zurückwillst«, sagte er unvermittelt, »kann ich dich nicht davon abhalten. Ich würde es auch nicht wollen.«

»Ist es nicht das, was du ebenfalls willst?«

Er ging zum Fenster und drehte ihr den Rücken zu. »Wenn du schon fragst ...«, er kämpfte einen Augenblick darum, das Wort hervorzubringen, als müsse er es mit einer Pinzette aus seiner Kehle herausziehen. »Nein.«

Die Andeutung von Wärme verstärkte sich, dehnte sich aus und begann, das Eis zu tauen. »Du möchtest, dass ich bleibe?«

Er starrte finster durch das Fenster auf einen bedauernswerten Stallburschen. »Ja, verdammt noch mal!«

In ihr regte sich etwas wie eine Meeresbrise, die sanft über den Sand streicht und kleine Wellen des Glücks hinterlässt. Aber sie war noch nicht mit ihm fertig. »Wieso?«

»Wieso? Ich dachte, das sei offensichtlich. Iwana wird dich brauchen.«

»Das ist mir klar. Ist das dein einziger Grund?«

»Du kennst meine anderen Gründe. Ich habe sie dir alle in Delhi genannt.«

»Weil ich die einzige Frau bin, die in der Lage ist, genetisch vollkommene Kinder zu bekommen? Weil ich die mutigste, die intelligenteste Frau bin, die du jemals getroffen hast? Und ich darf die Hauptsache nicht vergessen – die einzige Frau, die dich nicht völlig zu Tode langweilt?« Sie lachte. »Es muss bessere Gründe für eine Ehe geben, Damien, selbst für eine Ehe, die nicht zweckdienlich ist.«

»Und du bist immer noch überzeugt, dass es diese Gründe nicht gibt?«

»Ich bin nicht völlig davon überzeugt, dass es sie gibt.« Sie war es leid zu sagen, was sie nicht meinte, und nicht zu sagen, was sie meinte, und fragte deshalb kühn: »Und du, Damien, wirst du mich auch brauchen?«

Er wandte den Blick nicht völlig ab, konzentrierte sich aber auf einen Punkt hinter ihr. »Natürlich. Das kann als gesagt vorausgesetzt werden.«

»Nein, erst dann, wenn es gesagt worden ist.«

Seine Gereiztheit wuchs. »Obwohl du mir in deiner ungeheuren Verdrehtheit kein einziges Wort glaubst?«

»Wenn ich das Gefühl habe, dass alles, was du sagst, wahr ist, glaube ich dir natürlich.«

»Nun gut. Würdest du mir glauben, wenn ich sage, dass ich schon entschlossen war, dich zu heiraten, bevor wir uns kennen lernten?«

»Ohne mich gesehen zu haben? Nein, das glaube ich nicht.«

»Und wenn ich dir sage, dass ich dich gesehen habe, und zwar nicht nur einmal, sondern sogar mehrmals?«

Ihre Augen wurden groß. »Wo?«

»Im Haus des Nawab, wenn du seine Tochter mit großer Geduld und ungeheurer Fürsorglichkeit unterrichtet hast. Ich fand das sehr … schön.«

Ihr Herz hüpfte ein wenig. Sie beruhigte es wieder. »Also wirklich! Du hast mich geheiratet, weil du meine Unterrichtsmethode schön fandest?«

»Unter anderem.«

»Und weshalb noch?«

Er hob die Hände. »Musst du jeden verdammten Grund einzeln hören?«

»Ja, jeden verdammten Grund!«

Trotz all ihrer eigenen Fehler und Fehlurteile, von denen es genug gab, hielt sie es für notwendig, ihm die seinen nicht so leicht zu verzeihen. Er sollte für die vielen Worte bezahlen, die er ihr vorenthalten hatte, für jeden Augenblick des Kummers, den sie gelitten hatte, und für jede Lüge, die er ihr in den langen Monaten der Täuschungen und Falschheiten erzählt hatte.

»Würdest du mir glauben«, fuhr er wütend fort, »wenn ich dir sage, dass ich, als wir uns das erste Mal trafen, oder vielmehr, als wir in diesem elenden Dorf am Jamuna zusammenstießen, dass ich trotz deines abscheulichen beigen Kleids und deines schrecklichen Knotens wusste, ich würde mich nie mehr mit einer anderen Frau zufrieden geben? Kannst du mir glauben, dass ich dich unbedingt bekommen musste?«

Sie blinzelte überrascht. War er betrunken?

Er kam mit großen Schritten zum Tisch zurück, stemmte die Arme in die Hüften und sah sie mit Flammenblicken an. »Und würdest du mir glauben, wenn ich sage, dass mich diese funkelnden blaugrünen Augen, die Bissigkeit und der Feuereifer, mit dem du deine Geschütze aufgefahren hattest, im Handumdrehen besiegt hatten und ich für jede andere unglückselige Frau auf der Welt verloren war? Bei Gott, du infames Geschöpf!«, schrie er und schlug so heftig auf den Tisch, dass der Karton hüpfte und Emma zusammenfuhr. »Dafür schuldest du mir eine angemessene Entschädigung!«

Er stapfte davon und ging wieder ruhelos hin und her.

Emma lehnte sich benommen im Sessel zurück und begann insgeheim, sich über den Wutausbruch zu freuen. Sie bewunderte seinen leidenschaftlichen Stolz, der zu diesem Ausbruch geführt hatte, und vor allem, dass *sie* ihn gezwungen hatte, seinem Zorn endlich einmal Luft zu machen. Ihre Augen drohten zu strahlen, weil sie innerlich lächelte, und sie senkte schnell den Blick.

»Soll ich dir auch sagen, was ich als angemessene Entschädigung dafür betrachten würde, durch dich zur Monogamie gezwungen zu sein?«

»Nein«, sagte sie schnell. »Ich glaube nicht, dass es …«

»O doch, ich glaube es!« Er kam mit großen schnellen Schritten zurück und setzte sich ihr gegenüber. »In der ersten Nacht in Delhi hast du mich noch einmal überrascht. Ich habe erlebt, dass irgendwo in

diesem eiskalten Gebäude aus Dünkel und Sittsamkeit eine Leidenschaft eingesperrt war, die nur darum flehte, befreit zu werden.«
Emma war schockiert. »Du fandest mich leidenschaftlich?«
»Ja!« Er lachte trocken. »Das war ein Zug an dir, der mich mit manchem ausgesöhnt hat. Du bist Eis mit Feuer gemischt – ein Wunder auf dieser trostlosen Welt.« Er sah sie an, und seine Augen blitzten. »Aber leider befindet sich bis jetzt alles in einem unausgeglichenen Verhältnis. Das Eis braucht weiß Gott meine Hilfe nicht. Dem Feuer dagegen hätte etwas Zuwendung gut getan, und ich war mehr als willens, ihm diese Zuwendung zuteil werden zu lassen. Vorausgesetzt natürlich, ich würde darum gebeten, wie ich schon vorher klargestellt hatte.« Er streckte die Hand nach seiner Pfeife auf dem Schreibtisch aus, zündete sie an und paffte. »Nun, du wolltest Gründe hören. Reichen sie für den Augenblick?«
Großer Gott, und ob!
»Ich … denke schon, für den Augenblick.«
Sie stand auf und ging fröstelnd zum Sofa am Feuer zurück. Ihr Kopf war voller Worte, doch es gelang ihr nicht, an eines zu denken, das sie hätte aussprechen können. Damien sog heftig an seiner Pfeife, hing mit gerunzelter Stirn seinen Gedanken nach und blieb noch eine Weile sitzen. Dann legte er die Pfeife beiseite, stand auf, kam herüber und setze sich neben sie auf das Sofa. Seine Stimmung hatte gewechselt. Er war wieder ernst. »Mir ist klar, es gibt vieles, das mir verziehen werden muss, Emma, vor allen Dingen das …« Bekümmert legte er die Hand auf ihre Wange, auf der einmal der Abdruck seiner wütenden Finger zurückgeblieben war. »Ich nehme an, du hast in gewisser Weise Recht, meine unbeherrschte Reaktion war das Zerrbild einer Ehe. Und deshalb bin ich nie dem Irrtum verfallen, mir vorzumachen, dass du mich liebst.«
Emma sah ihn ungläubig an. War es möglich, dass ein so kluger Mann gleichzeitig ein blinder Narr sein konnte?
»Nein«, sagte sie verärgert, »natürlich nicht.«
»Man sagt, die Liebe wächst mit der Zeit.« Sie öffnete den Mund zu einer sarkastischen Antwort, doch er kam ihr zuvor. »Ich habe viel-

leicht nicht die Geduld, so lange zu warten, bis ich die Gicht bekomme«, sagte er schnell. »Aber glaubst du, dass du eines Tages, irgendwann, lernen könntest, mich doch noch zu lieben?«

Die Schüchternheit, die aufrichtige Bescheidenheit, mit der er das sagte, und die darunter liegende Ängstlichkeit waren neu. Emmas Augen wurden feucht. Plötzlich sehnte sie sich heftig danach, alle Worte beiseite zu schieben, ihn zu berühren und von ihm berührt zu werden – aber etwas musste noch geklärt werden!

»Genug, um die Sinne zu bewegen?«

»Genug, um die Sinne zu verwirren!«

»Und das Herz?«

Er seufzte. »Mein Gott, du machst es mir wirklich schwer, Emma. Nun ja, ich wage zu behaupten, dass es auch nicht schaden könnte, wenn das Herz ähnlich bewegt würde.« Endlich, endlich ergriff er ihre Hand, hielt sie fest und suchte tief in ihren Augen nach einer Antwort. »Könntest du das, Emma?«

Die Zeit verging in Pulsschlägen. Emmas Kehle verschloss sich wieder einmal den tausend Worten, die darum kämpften, sich zu befreien, und weigerte sich, ihnen die Stimme zu leihen. Ihr Blick füllte sich mit seinem Gesicht, bis kein Platz mehr für etwas anderes blieb. Ihre Augen umarmten ihn und schenkten ihm alles, was er brauchte und wonach er sich so sehnte. In der Luft lag der Geschmack von Wein, der Duft von Sommerrosen, und an ihre Ohren drang überirdische Musik.

Ein Lächeln stieg in ihr auf, berührte ihren Mund und ließ ihr Gesicht von innen heraus leuchten. Sie hob die Hand, die ihre Hand umfasste, und legte sie an ihre glühend heiße Wange.

»Eines Tages ... vielleicht«, murmelte sie verträumt, »... irgendwann ... ja.«

Epilog

Nach Genehmigung durch das ratlose russische Außenministerium veröffentlichten die *Novoje Vremya* und die *Morgenpost* am 20. September 1890 auf den Titelseiten die Aufsehen erregenden Informationen über den Jasminapass.

Keine der beiden Zeitungen enthüllte die ungewöhnlichen Umstände, unter denen sie die Nachricht erhalten hatten. Beide sprachen von »geheimen zuverlässigen Quellen in Indien« und forderten Whitehall demonstrativ auf, die behauptete Entdeckung als Fälschung zu entlarven. Sie wurde Dr. Graham Wyncliffe und Jeremy Butterfield gemeinsam zugeschrieben.

Whitehall reagierte nicht.

Die offiziellen Reaktionen in mehreren Hauptstädten waren vorhersehbar gewesen. In St. Petersburg war man zwar ebenso verwirrt wie überall sonst, doch öffentlich verurteilte man die Nachricht als ein weiteres Beispiel für die Winkelzüge der Briten.

Der Taotai gab sich unergründlich. Er zeigte jedoch kein Interesse an den Übersetzungen in Mandarin, die ihm Pjotr Schischkin zufrieden vorlegte, stürzte sich aber neugierig darauf, sobald der russische Konsul gegangen war. Dann kochte er vor Wut, während er eine Pfeife Opium rauchte, sann über eine weitere Vergeltungsmaßnahme gegen die lästigen Russen nach, und als er sich wieder beruhigt hatte, gab er sich von neuem desinteressiert.

Alexej Smirnow fiel nach der Lektüre der chiffrierten Nachricht des Außenministeriums aus allen Wolken. Er tobte und wütete drei Tage lang und verfluchte Borokow, weil er tot war und für das Fiasko der elften Stunde nicht verantwortlich gemacht werden konnte. Bevor er die wartende Karawane auflöste und die Kampagne absagte, ließ er seinen allmächtigen Zorn an den zitternden Abgesandten von Safdar Ali aus und befahl, sie unter Bewachung zur Grenze zu bringen und im wahrsten Sinne des Wortes aus dem russischen Reich hinauszuwerfen.

Safdar Ali wartete in seiner Festung in Shimsul geduldig auf die Ankunft von Smirnows Karawane und erfuhr von all dem nichts, während er Pläne schmiedete, wie und wann er die Russen am besten abschlachten würde, sobald er die Waffen an sich genommen hatte. Erst als er viele Wochen später mit leeren Händen und mit einem mörderischen Zorn nach Hunza zurückkehrte, erfuhr er von seinen Abgesandten, die inzwischen aus Taschkent eingetroffen waren, die traurige Wahrheit. Die Abgesandten wurden sofort geköpft.

*

Im Gorton House, dem Regierungssitz in Simla, herrschte stummes Entsetzen. Beamte mit blassen Gesichtern huschten durch die Korridore, und Boten mit gut gefüllten Aktentaschen eilten in die Büros der Ministerialbürokratie. Weiter unten an der Mall, im Nachrichtendienst des Generalquartiermeisters, war die Stimmung trotz der vielen und langen chiffrierten Telegramme aus London bemerkenswert gelassen. Abgesehen von einem Gefühl der Erleichterung und einer gewissen gedämpften Erregung ging alles seinen gewohnten Gang.

Und in London geriet Whitehall in aller Stille außer sich. Je nach persönlicher Stimmungslage lösten die Neuigkeiten gewissermaßen Überschwemmungen, Erdbeben und Vulkanausbrüche aus.

Als sich der Staub im Zentrum der britischen Macht schließlich legte, die Fluten eingedämmt waren und der Anschein von Vernunft wiederhergestellt war und eine sachliche Betrachtung der Ereignisse zuließ, stellte man fest, dass die Lage nicht ganz so schlimm war, wie man im ersten Augenblick angenommen hatte. Die Veröffentlichung der Jasminapapiere war natürlich mehr als peinlich, doch angesichts der Tatsache, dass es keinen Jasminapass gab, war die triumphierend angekündigte »Sensation« kaum von Bedeutung. Man hielt die brisante Aussage von Michail Borokow für die eigentliche Bombe. Wie, so überlegte man an höchster Stelle, sollte die Regierung Ihrer Majestät auf diese unerhörten Enthüllungen reagieren – oder nicht reagieren?

Nachdem viele Meilen chiffrierter Telegramme versandt und empfangen worden waren und in der Downing Street Nummer zehn die Petroleumlampen in vielen Nächten bis in die frühen Morgenstunden gebrannt hatten, kam das Kabinett zu einer Einigung. Die Fakten wurden folgendermaßen interpretiert: Die Enthüllungen stammten von einem desertierten russischen Offizier von zweifelhaftem Ruf. Er hatte sie im Zustand geistiger Verwirrung und unter äußerst bizarren Umständen gemacht. Vor allen Dingen, und das war das Wichtigste, kam dem Jasminapass keine strategische Bedeutung mehr zu, und Alexej Smirnow hatte keinen wirklichen Schaden angerichtet. Politisch opportun schien deshalb der Standpunkt, dass Michail Borokow gelogen habe. Auf diese Weise umging man das schwierige Problem eines weiteren ermüdenden Protests aus St. Petersburg. Man musste diplomatisch nicht reagieren. Borokows Aussage wurde umgehend in den Archiven des Indienamtes vergraben.

Gleichzeitig unterrichtete man Lord Castlewood, den britischen Botschafter in St. Petersburg, Seine Kaiserliche Majestät, den Zaren, höchst inoffiziell – und taktvoll – von der Angelegenheit in Kenntnis zu setzen. Ohne handfeste Beweise für das Komplott oder Smirnows Verwicklung darin, tat der Zar die ganze Geschichte als Produkt der überreizten Phantasie von Simla ab. Außerdem erlaubte sich Seine Majestät dezent den Vorschlag, Britannien werde in Zukunft vielleicht besser beraten sein, auf das asiatische Schattenboxen zu verzichten und sich in alter Tradition an Kricket zu halten.

Einen Monat später wurde Alexej Smirnow unauffällig aus Taschkent abberufen. Eine offizielle Notiz im russischen Hofbericht verkündete, das Innenministerium habe beschlossen, General Smirnow in Anbetracht seiner großen Verdienste in Zentralasien zum Generalgouverneur von Sibirien zu ernennen und nach Irkutsk zu versetzen. In einer nachfolgenden Verlautbarung wurde bedauert, dass General Smirnow aus gesundheitlichen Gründen seine neue Position nicht antreten könne. Er sei von seinen offiziellen Pflichten entbunden worden, um ihm eine wohltuende längere Rekonvaleszenz zu ermöglichen. Alexej Smirnow zog sich auf seinen Besitz außerhalb von Moskau zurück und widmete sich für den Rest seines Lebens der Zucht prämierter Schweine.

1891, im folgenden Jahr, stattete der Zarewitsch Indien einen diplomatisch erfolgreichen Staatsbesuch ab. Die Beziehungen zwischen beiden Staaten ließen eindeutig Anzeichen einer Verbesserung erkennen, wenn man von einem kleinen Zusammenstoß absah, als sechs hitzköpfige russische Offiziere einen vergeblichen Versuch unternahmen, den Pamir zu besetzen. Russland wandte widerstrebend seinen begehrlichen Blick vom indischen Reich ab und richtete ihn stattdessen auf Afghanistan.

Der Taotai, der innerlich immer noch kochte, erteilte eher in dem Bemühen, Pjotr Schischkin die zu groß gewordenen Flügel zu stutzen, als aus seiner neu entdeckten Liebe zu Britannien Hauptmann Francis Younghusband und George MacCartney eine Besuchserlaubnis für Kaschgar. Das Thema des geflüchteten englischen Agenten kam nicht zur Sprache. Die beiden Briten trafen im November 1890 ein und verbrachten die Wintermonate im Chini Bagh. Trotz des heftigen Widerstands von Schischkin wurde MacCartney später als offizieller Vertreter der britischen Regierung im Reich der Mitte akkreditiert, und Chini Bagh wurde zum britischen Konsulat. MacCartney blieb die nächsten sechsundzwanzig Jahre in seinem Amt.

Bei der Erforschung der Gletscherregionen bestätigten die Experten vom Amt für Bodenforschung Graham Wyncliffes und Jeremy Butterfields Angaben. Beide wurden posthum mit der Goldmedaille der Königlichen Geographischen Gesellschaft ausgezeichnet. Bei näherer Untersuchung stellte sich heraus, dass das Glänzen der Wände am

Jasminapass, von dem Wyncliffe gesprochen hatte, auf Spuren von Gold zurückzuführen war, obwohl man den Verlauf und die Größe der Ader nicht bestimmen konnte.

Der Jasminapass blieb viele Monate lang ein umstrittenes Thema der britischen, russischen und indischen Presse. Dann ließ das öffentliche Interesse an dem Pass nach. Er wurde zunächst nur noch sporadisch erwähnt und dann überhaupt nicht mehr. Schließlich geriet der Jasminapass in Vergessenheit und blieb nur noch in den traurigen Liedern und Legenden Dardistans lebendig.

Das Janusprojekt blieb geheim, und nicht einmal das Oberkommando der indischen Armee wurde in allen Einzelheiten darüber unterrichtet.

Von Oberst Michail Borokow hörte man nichts mehr – zumindest für die nächsten zwei Jahre.

*

Beim letzten Ball der Saison in der Residenz des Vizekönigs entfloh Sir John Covendale dem Gedränge und fand sich plötzlich an derselben Stelle des Gartens wie Sir Marmaduke. Der Oberbefehlshaber war noch immer verärgert über den Nachrichtendienst und nach wie vor sehr misstrauisch. Mit ein paar höflichen Bemerkungen griff er das Thema wieder auf, das immer noch in ihm wütete.

»Diese anonymen Briefe an die russischen Zeitungen, John – die Sache ist doch sehr merkwürdig, finden Sie nicht auch?«

»In der Tat, Sir.«

»Und man hat beide neben den Milchflaschen vor der Tür gefunden?«

»So geht das Gerücht, Sir, wie unser Botschafter sagt.«

»Es überrascht mich, dass die Redaktionen sie überhaupt veröffentlicht haben!«

»Nun ja, die Lage im russischen Außenministerium war sehr prekär, wie Seine Lordschaft berichtet. Von unserem Standpunkt aus betrachtet, hatten wir ungeheures Glück, dass die Berichte gerade zu diesem Zeitpunkt kamen. Wäre das nicht so gewesen und Columbine wäre nicht mit Borokows Erklärung zurückgekommen, hätten wir uns möglicherweise in sehr unangenehme Feindseligkeiten hineingezogen gesehen.«

»Glauben Sie?« Sir Johns Äußerung wurde von dem Oberbefehlshaber nicht sehr freundlich aufgenommen. »Ich hoffe, Ihnen ist klar, John, wer immer den Russen die Jasminapapiere hat zukommen lassen, hat mich um einen verdammt guten Krieg gebracht! Ich hätte diesem Smirnow mit Vergnügen den verdammten Beluga aus dem Leib geprügelt.«

»Tut mir Leid, Sir«, murmelte Sir John. »Wir werden uns Mühe geben, es beim nächsten Mal besser zu machen.«

»Nun ja, es ist ja wohl alles längst vorbei, aber unter uns gesagt, John, wie viele Leute außer Mrs. Granville hatten Zugang zu den Papieren?«

»Niemand, Sir. Und da Mrs. Granville nichts von ihrer Existenz wusste, hatte sie keinen Grund, die Gebetsmühle zu untersuchen.«

»So steht es in Ihrem Bericht. Und der Ehemann, dieser Russe?«

»Halbrusse, Sir. Da seine Frau nichts von den Papieren wusste, wusste er auch nichts davon.«

»Sie behaupten immer noch, Ihr Angebot, die junge Granville zu suchen, hatte mit all dem nichts zu tun?«

»Jawohl, Sir. Da wir unseren Mann in Kaschgar hatten, waren für unser Angebot rein humanitäre Gründe ausschlaggebend.«

Ein prächtig gekleideter Diener erschien mit Havannas auf einem Silbertablett. Der Oberbefehlshaber nickte, der Diener beschnitt zwei Zigarren mit einem silbernen Zigarrenschneider und gab ihnen Feuer.

»So oder so, Sir«, sagte der Generalquartiermeister und nutzte die Gelegenheit zu seinen Gunsten. »Dieser ganze Fall zeigt deutlich, dass man in diesem Spiel den Zufall nicht hoch genug einschätzen kann.«

»Zufall? Großer Gott, John, ist das die Grundlage, auf der Ihr Dienst arbeitet?«

»Information ist oft gleich bedeutend mit Zufall, Sir. Man hört etwas mit, findet es zufällig heraus, sieht es, wenn man einen Blick durch ein Fenster oder eine Tür wirft. In diesem Fall war es Columbine. Unser Mann in Osch hat sich zufällig zur richtigen Zeit am richtigen Ort aufgehalten.«

Sir Marmaduke sah ihn lange und durchdringend an. »Sagen Sie mir ehrlich, John, jetzt wo tatsächlich alles vorbei ist, haben Sie wirklich keine Ahnung, wer die Briefe an die russischen Zeitungen geschickt hat?«

Sir John erwiderte den Blick offen. Weder sein Blick noch er selbst verrieten auch nur einen Moment lang Unsicherheit.

Mit oder ohne offizielle Billigung würden die Wege des Nachrichtendienstes auch weiterhin wie die Wege des Herrn sein. Geheimnisvolle Methoden waren die Existenzgrundlage der politischen Spiele mit hohen Einsätzen, und allein der Zweck heiligte die Mittel. Sie hatten Regeln gebrochen, waren unvorstellbare Risiken eingegangen, sie hatten gelogen und die Wahrheit verdreht, aber am Ende hatten sie Erfolg gehabt. Eine große militärische Auseinandersetzung war vermieden, Charltons tückische kleine Bombe war entschärft worden, und sie hatten die Jasminapapiere beschafft, ohne dass davon auch nur das Geringste an die Öffentlichkeit gedrungen wäre. Oberbefehlshaber kamen und gingen mit dem Auf und Ab der Politik. Der Nachrichtendienst würde jedoch so lange bestehen wie das Reich.

»Ich habe nicht die geringste Ahnung, Sir«, sagte er entschieden. »Wie unser Bericht besagt, ist etwas durchgesickert, bevor die Gebetsmühle Mrs. Granville übergeben wurde.«

*

Auch Oberst Hethrington hatte allen Grund, guter Dinge zu sein. Dank der beharrlichen Unterstützung des Generalquartiermeisters lagen Beförderungen in der Luft – auch für ihn. Er würde es möglicherweise sogar zum Brigadier bringen. Damit konnte er auch Mrs. Hethrington ein wenig aufheitern. Seine Frau hatte es in der vergangenen Saison bestimmt nicht leicht mit ihm gehabt. Der berufliche Aufstieg, der auch ihr etwas mehr Glanz in der gesellschaftlichen Rangordnung verlieh, mochte dazu beitragen, den häuslichen Frieden wiederherzustellen. Es kursierten Gerüchte sogar über seine Nominierung für die zum Jahreswechsel erscheinende Liste der Beamten, die sich besondere Verdienste erworben hatten, und die Abteilung durfte mit einer beachtlichen Erhöhung ihres Jahresetats rechnen. Sir Marmadukes harte Rüge nach der Veröffentlichung der Papiere in den beiden großen russischen Tageszeitungen ärgerte ihn immer noch, aber für das, was sie erreicht hatten, war das ein geringer Preis.

Doch am erfreulichsten war die Tatsache, dass die indische Regierung für die Rückkehr nach Kalkutta packte. Simla würde bald wieder ruhig und verlassen sein. Die Saison war beinahe zu Ende.

Wenn eine Wolke das endlose Blau von Oberst Hethringtons strahlendem Himmel trübte, dann war es die plötzliche Entscheidung von Hauptmann Worth. Der Dummkopf hatte dicht vor seiner schwer erarbeiteten Beförderung beschlossen, den Dienst zu quittieren und sein Leben ausgerechnet der Bühne zu widmen.

»Sie wollen lieber ein Schauspieler sein als ein Offizier?« Hethrington war entsetzt.

»Ich bin bereits ein Schauspieler, Sir«, erwiderte Worth mit Würde. »Ich will meinen Beruf nur offen ausüben.«

»Sie werden verhungern«, erklärte Hethrington mit genussvoller Bosheit. »Sie werden in Rattenlöchern leben, Bohnen, Käserinden und altes Brot essen und nicht wissen, woher sie den nächsten trockenen Brotlaib bekommen sollen.«

»Das glaube ich nicht, Sir. Belle ... äh, Mrs. Jethroe hat sich liebenswürdigerweise bereit erklärt, meine Frau zu werden. Jacob Jethroe, ihr verstorbener Ehemann, war ein erfolgreicher Textilfabrikant aus Manchester und hat ihr eine halbe Million Pfund hinterlassen.«

»Eine halbe Mill ...« Hethrington verschlug es die Sprache, aber er gab sich nicht geschlagen. »Sie schämen sich nicht, vom Geld des früheren Ehemannes Ihrer Frau zu leben?«

»Nein, Sir. Für die Kunst darf einem Schauspieler kein Opfer zu groß und kein Zwang zu entwürdigend sein.«

Hethrington stieß einen Fluch aus und schickte sich in das Unvermeidliche. »Nun ja, ich nehme an, dann muss ich tun, was sich gehört, und Ihnen viel Glück wünschen«, sagte er ungnädig.

»O nein, Sir. Wenn wir im Theater jemandem Glück wünschen wollen, dann sagen wir Hals- und Beinbruch.«

»Ach ja? Und was sagen Sie, wenn Sie jemandem wünschen, dass er sich den Hals oder das Bein bricht? Schon gut, schon gut. Wann wollen Sie Ihren Abschied nehmen?«

»In der letzten Novemberwoche, Sir, wenn es Ihnen passt.«

»Nun, es passt mir nicht, aber das ist auch nicht wichtig. Wohin werden Sie von hier aus gehen?«

»Belle und ich werden für die Weihnachtszeit auf Shalimar erwartet, Sir. Wir hoffen, im Frühjahr nach England zu fahren.«

»Ich verstehe. Nun ja, versuchen Sie, keinen völligen Narren aus sich zu machen, wenn Sie das können«, brummte Hethrington. Er wusste, es war ein lahmer letzter Seitenhieb, doch etwas anderes fiel ihm nicht ein.

Als er allein war, dachte er verdrießlich über die Zukunft nach. Nigel Worth würde ihm fehlen. Sie waren ein gutes Gespann gewesen. Jetzt stand er vor der ermüdenden Aufgabe, einen neuen vertrauenswürdigen Adjutanten zu suchen. Das bedeutete endlose Gespräche mit grünschnäbligen Einfaltspinseln, die »Nachricht« und »Nabel« nicht voneinander unterscheiden konnten, und die unerträgliche Strafarbeit, sich einen von ihnen zurechtzubiegen.

Es gab keine Gerechtigkeit mehr auf der Welt, und deshalb beschloss er, den Tag frei zu nehmen und angeln zu gehen.

*

An Weihnachten gab es auf Shalimar in diesem Jahr viel zu feiern. Verschwunden waren die Atmosphäre des Zerfalls, die hohlen Echos der Traurigkeit, der quälende Anblick wartender Räume, in denen niemand wartete. Ein frischer Wind wehte durch die stickigen Flure, die verschlossenen Suiten und vernachlässigten Zimmer. Er trug die

Überreste der Vergangenheit mit sich davon und brachte neues Leben in tote Winkel. Über der Weihnachtszeit lag das Versprechen von Freude, von Lachen, von Musik und tanzenden Füßen, das Versprechen eines Hauses, das von menschlichem Leben erfüllt sein würde.

Iwana und Holbrook Conolly kamen im Frühherbst. Bevor die Pässe für den Winter geschlossen wurden, traf Margaret Wyncliffe mit den Purcells ein, gefolgt von Nigel Worth und Belle Jethroe. John und Jenny wurden aus Kalkutta erwartet, und David, der inzwischen nicht mehr an Krücken ging und zum Hauptmann befördert worden war, würde später zu ihnen stoßen. Es war eine Zeit, um sich zu freuen, Dinge in Ordnung zu bringen, Frieden zu schließen und die Segnungen des Himmels zu genießen. Vor allem war es die Zeit, dem barmherzigen Gott für die Rettung von Damien Granvilles geliebter Schwester aus einer so langen und gefährlichen Odyssee zu danken.

Iwana Granville brauchte Zeit, um mit der verwirrenden Tatsache fertig zu werden, dass sie eine fremde Familie, ein fremdes Zuhause, eine fremde Sprache und eine fremde Heimat gefunden hatte. Sie musste sich an das neue Leben erst gewöhnen, als sie schüchtern die wieder hergerichteten Räume ihrer Mutter bezog. Doch dank der unendlichen Geduld und der Aufmerksamkeit ihres verständnisvollen und liebevollen Bruders und dessen Frau hatte sich bis Weihnachten die Unsicherheit in dem gleichen Maße gelegt, wie die durchtrennten Fäden ihrer Schicksale begannen, sich miteinander zu verknüpfen. Mit ihrer heiteren Gelassenheit, ihrem fehlenden Ichbewusstsein und ihrer reizenden Natürlichkeit brachte Iwana ihnen allen und ganz besonders auch Shalimar eine neue Dimension, eine Bereicherung, die so allgegenwärtig war wie das Paisleymuster auf den wunderschönen Tüchern von Qadir Mian.

Am zweiten Weihnachtsfeiertag verkündete Damien Iwanas Verlobung mit Holbrook Conolly. Die Hochzeit wurde auf seine Bitte um ein Jahr verschoben, damit sich Iwanas neue Wurzeln festigen und die Familienbande erstarken konnten. Zu Iwanas großer Erleichterung erklärte Conolly, er beabsichtige, seine gefährliche Arbeit im Nachrichtendienst mit einer sicheren Stellung bei der Finanzverwaltung in Srinagar zu tauschen.

Die neuen Beziehungen waren geknüpft, so viele neue Kapitel hatten begonnen, und alter Groll wurde vergessen. Emma bestand darauf, dass Natascha Granvilles Porträt wieder seinen angestammten Platz im Salon erhielt und die bösen Geister der Vergangenheit endgültig begraben wurden.

*

Der Oberbefehlshaber für Indien mochte um seinen »verdammt guten« Krieg gebracht worden sein, doch Oberst Algernon Durand im Distrikt Gilgit, ein ebenso unermüdlicher Ordenjäger wie Alexej Smirnow, nicht. Als die Heerstraße fertig war, ließ sich Durand nicht länger aufhalten.

Es war nie beabsichtigt gewesen, Safdar Ali die versprochene finanzielle Hilfe auszuzahlen, und das geschah auch nicht. »Alle diese Wilden sind auf gefährliche Abwege geraten«, hatte Oberst Durand nach seiner Rückkehr von Hunza 1889 seinem Bruder Sir Mortimer Durand geschrieben. Ende 1891 war die Zeit gekommen, die »Wilden« auf den rechten Weg zurückzubringen.

Es wurde beschlossen, die Militärstraße zu verlängern, so dass sie Hunza und Nagar durchquerte. Angeblich wollte man damit der Drohung einer russischen Invasion begegnen, die nach dem Vordringen der Russen in das Pamirgebirge jederzeit im Raum stand. Als die beiden Mirs dagegen protestierten, lieferten sie Durand damit den idealen Vorwand für eine Offensive.

Am 1. Dezember 1891 marschierten unter Durands Kommando Gurkha- und Reichstruppen mit einer Batterie Gebirgsartillerie mit Siebenpfündern und einer Revolverkanone in Nagar ein. Die Festung Nilt leistete ebenso erbitterten Widerstand wie später Safdar Alis Truppen, die sich mit Hinterladern und selbst gefertigter Munition im Palast von Hunza verschanzt hatten. Doch am 22. Dezember war alles vorbei.

Safdar Ali floh mit seiner Familie nach Chinesisch-Turkestan. Sein Palast wurde geplündert und der gesamte Inhalt später in Gilgit versteigert. Einer seiner Halbbrüder, der den Briten freundlicher gesonnen war, wurde zum Mir ausgerufen. Die Chinesen waren so aufgebracht über den Verlust von Hunza, das sie als ihr Territorium betrachteten, dass sie Safdar Ali ins Gefängnis warfen. Später wurde er freigelassen, und man gestattete ihm schließlich, in Gesellschaft von zweiundzwanzig seiner Frauen im Yarkandtal im Exil zu leben. Er kehrte nie mehr nach Hunza zurück.

In Srinagar wurde Pratap Singh schließlich abgesetzt und sein Bruder Amar Singh an seiner Stelle inthronisiert.

Das war für Dardistan der Anfang vom Ende. Unter dem einen oder anderen Vorwand wurden die Dardenfürsten der fünf Bergreiche nacheinander systematisch unterworfen und durch fügsame Marionetten ersetzt. Dardistan und Kafiristan wurden zwischen Britannien und Afghanistan aufgeteilt. Beide Staaten vergrößerten ihre Territorien dadurch beachtlich und erlangten eine stärkere Kontrolle über den Himalaja und seine Pässe. Im Jahr 1896 war die britische Herrschaft über die nordwestlichen Gebiete Indiens gesichert.

Die Vorstellung, die Kampagne habe dem Himalaja die Pax Britannica gebracht, nährte die britische Arroganz. In Wahrheit hatte Durand selbst nach den britischen Maßstäben des kolonialen Doppelspiels einen schmutzigen Krieg geführt, und er wurde von vielen auch so bezeichnet. Trotzdem feierte man den Feldzug wegen seiner zahlreichen Beispiele ungewöhnlicher Tapferkeit, die dazu führten, dass drei britischen Offizieren das Victoriakreuz verliehen wurde. Mehrere tapfere Sepoys mussten sich allerdings mit dem Indischen Verdienstorden zufrieden geben. Das war der höchste Orden, der für einheimische Soldaten in Frage kam.

Etwa ein Jahr nach dem Beginn von Durands Kriegszug zur Unterwerfung der Darden erschien auf der letzten Seite der Zeitung von Lahore, der *Civil & Military Gazette*, eine kleine Notiz.

Unter dem Gletschereis, so wurde gemeldet, hatte eine Gruppe österreichischer Bergsteiger die gefrorene, gut erhaltene Leiche eines etwa fünfzigjährigen Weißen entdeckt. Der Tote trug kirgisische Kleidung, und an einer Kette um seinen Hals hing ein Goldklümpchen. Da kein Bergsteiger als vermisst gemeldet worden war und der Tote keine Ausweispapiere bei sich trug, konnte man seine Identität nicht feststellen. Die Leiche war an einem Punkt entdeckt worden, der sich in keiner allzu großen Entfernung von Hunza befand.

Die wenigen Leute, die neben den Beamten des Nachrichtendienstes in Simla diese Nachricht lasen, konnten wenig damit anfangen.

Doch die größte Ironie stand noch aus. Eine offizielle Vermessung aller Pässe, die nach Hunza führten, ergab, dass ein russisches Vordringen über einen dieser Pässe praktisch unmöglich war. Die Pamir-Grenzkommission kam zwei Jahre später zu dem gleichen Schluss. Diese Feststellung war für die rechtmäßigen, aber inzwischen vertriebenen Herrscher der Region nur ein schwacher Trost.

Der Schleier, der sich über den Jasminapass gelegt hatte, war schließlich gelüftet, und die Prophezeiung des alten Sufimystikers ging in Erfüllung. Hunza hörte auf, als Staat zu existieren.

*

Im Sommer 1891, drei Monate, nachdem Iwana Granville Mrs. Holbrook Conolly geworden und mit ihrem Mann nach Srinagar gezogen war, saß Emma im Obstgarten von Shalimar und las eine Londoner Zeitung.

Die Wärme löste die Konturen des Tals in unzählige Farbschattierungen auf, und der Sonnenschein durchtränkte den Himmel. Die flirrenden Töne und vielen Farben, der sanfte Glanz des sommerlichen Lichts erfüllten das Tal mit der großen Fülle der verschwenderischen Natur, und in der unbewegten Luft hingen schwer die berauschenden Düfte der Blumen. Ein feiner Sprühregen hatte eingesetzt, aber bald wieder aufgehört und ein feuchtes Leuchten hinterlassen.

Emma lächelte beim Lesen. Die Königliche Geographische Gesellschaft hatte vor kurzem ihr Buch veröffentlicht, und es wurde gut besprochen. Darüber freute sie sich sehr. Damien kam mit großen

Schritten von den Ställen herüber und küsste sie auf die Stirn. Er warf einen Brief auf den Tisch und setzte sich auf den Boden.

»Doch nicht ins Gras«, ermahnte sie ihn, »es ist noch feucht!« Sie legte die Zeitung beiseite und füllte eine Tasse mit Tee vom Samowar, der auf dem Tisch stand.

Er stand gehorsam auf, setzte sich auf einen Stuhl und griff nach der Zeitung. »Noch eine gute Besprechung, wie ich sehe.«

Sie nickte, schlitzte den Umschlag auf und las den Brief. »Mama schreibt, David hat die Stelle bekommen!«, rief Emma erfreut. »Brigadier Hethrington hat ihn als Ersatz für Nigel angenommen.«

»Schreibt deine Mutter, wann sie kommen wird?«

»Rechtzeitig, lange vor dem September. Das sollte uns genug Zeit geben ...«

»Nein.« Damien ließ die Zeitung sinken. »Nein, keine Ausgrabungen mehr, bis mein Sohn da ist.«

»Dein Sohn wird uns noch mindestens vier Monate lang nicht mit seiner Anwesenheit beehren!«, widersprach Emma. »Außerdem wird sich dein Sohn als deine Tochter herausstellen.«

»Nicht, wenn er weiß, wie sehr ich hier einen Mann brauche.«

Emma lachte, nahm ihren Stickrahmen und verlagerte ihr Gewicht, so dass sie bequemer saß. Sie hing ihren Gedanken nach und heftete dabei den Blick auf Damiens Gesicht.

Er ließ die Zeitung wieder sinken. »Warum siehst du mich so an? Habe ich einen Pickel auf der Nase?«

Sie lächelte. »Nein, aber mir ist gerade eine Frage eingefallen, die ich dir schon lange stellen wollte. Ich habe es nur immer wieder vergessen.« Er runzelte die Stirn, aber Emma lachte. »Sag mal, woher hast du eigentlich die Narbe auf deiner Wange?«

»Wieso, ist das wichtig?«

»Nein, aber ich habe in Delhi so viele Theorien darüber gehört, dass ich neugierig bin. Das ist alles.«

»Bist du sicher, dass du die Antwort hören willst?«

Emma dachte an die Möglichkeiten, die Jenny aufgezählt hatte, und ihr Lächeln wurde etwas unsicher. Ein Duell um die fragwürdige

Ehre einer Geliebten? Eine geschmacklose Schlägerei mit einem betrogenen Ehemann oder, etwas ehrenhafter, ein Scharmützel mit wilden Afghanen?

»Ja«, sagte sie seufzend und richtete sich würdevoll auf. »Ich will es wissen.«

»Wenn es für dich so wichtig ist. Ich bin im Badezimmer auf der Seife ausgerutscht.«

Rebecca Ryman

Wer Liebe verspricht

Roman

Aus dem Amerikanischen von Manfred Ohl und Hans Sartorius

Band 11186

1848 trifft die 22jährige Amerikanerin Olivia auf Einladung ihrer Tante in Indien ein. Lady Bridget sucht für ihre Nichte einen Ehemann, doch Olivia erstickt an der Steifheit der sogenannten guten Gesellschaft wohlsituierter englischer Kolonialherren und sehnt sich nach der Freiheit ihrer amerikanischen Heimat. Da begegnet sie Jai Raventhorne, dem illegitimen Sohn eines Engländers und einer Inderin aus ärmlichen Verhältnissen.

Er ist ein Fremder, ein Ausgestoßener in dieser vorurteilsvollen und selbstgerechten Welt der britischen Kolonie, er erobert Olivia im Sturm. Dem Gleichklang der Herzen folgen Qualen der Aussichtslosigkeit, denn Jai läßt es nicht zu, daß sie sich seiner Vergangenheit, seinem Wesen nähert. Eines Tages verläßt er sie, und aus ihrer hingebungsvollen Liebe wird unerbittlicher Haß. Ihr Wunsch nach Rache ist von derselben Intensität wie einst ihre Liebe für Jai.

Fischer Taschenbuch Verlag

fi 1044 / 7